a cura di GIULIA LEMMA

DIZIONARIO
INGLESE-ITALIANO
ITALIANO-INGLESE

Progetto grafico: Cinzia Chiari
Impaginazione: Laura Casagrande

www.giunti.it

© 2011, 2015 Giunti Editore S.p.A.
Via Bolognese 165 - 50139 Firenze - Italia
Piazza Virgilio 4 - 20123 Milano - Italia
Prima edizione: giugno 2011

Ristampa						Anno				
5	4	3	2	1	0	2018	2018	2017	2016	2015

Stampato presso Giunti Industrie Grafiche S.p.A. – Stabilimento di Prato

Indice

Premessa

Questo dizionario si offre al lettore come un vero strumento di comunicazione. Il lemmario, accuratamente selezionato, presenta sia per la parte inglese che per la parte italiana quei vocaboli ritenuti essenziali al soddisfacimento delle esigenze comunicative della vita quotidiana: in viaggio o nello studio, un valido supporto all'interazione linguistica e allo scambio comunicativo.

Grande cura è stata prestata alla chiarificazione dei diversi possibili significati di una stessa parola, attraverso una precisa esemplificazione che accompagna, dove necessario, le diverse accezioni di un vocabolo; l'indicazione dell'ambito d'uso e del registro contribuiscono ancor più alla chiarezza e guidano il lettore nella scelta del traducente più adatto al proprio bisogno.

Una serie di tavole tematiche e una trattazione sintetica dei principali elementi della grammatica inglese, completata dalla lista dei più frequenti verbi irregolari, fanno da corredo al corpo dei vocaboli tradotti, rendendo quest'opera uno strumento tascabile ma al tempo stesso di grande ricchezza informativa, di facile e veloce consultazione a casa, in viaggio o nello studio.

Legenda

numeri a esponente segnalano gli omografi

il cambio di categoria grammaticale è indicato dalla doppia barra verticale ‖

last[1] /lɑːst/, AE / læst/ *(agg.)* **1** ultimo **2** precedente, scorso ‖ *(sost.)* **1** fine **2** ultimo ‖ *(avv.)* **1** per ultimo ❖ *to come in l.* entrare per ultimo **2** (per) l'ultima volta.

indicazione della categoria grammaticale

esempi d'uso e fraseologia introdotti dal simbolo ❖

indicazione dei plurali irregolari

leaf /liːf/ *(pl.* **leaves** /liːvs/) *(sost.)* **1** foglia **2** foglio, *(di libro)* pagina.

diverse accezioni di significato indicate da numeri

traduzioni di uguale significato separate dalla virgola

licence, AE **license** /'laɪsəns/ *(sost.)* licenza, autorizzazione, patente.

indicazione delle varianti ortografiche britanniche e americane

verbi inglesi che formano il passato con un raddoppiamento consonantico segnalati dal simbolo ◊

label ◊ /'leɪbəld/ *(v.t.)* etichettare, *(fig.)* classificare.

trascrizione fonetica dei lemmi inglesi secondo l'International Phonetic Alphabet (IPA)

lane /leɪn/ *(sost.)* **1** stradina, sentiero, vicolo **2** *(di strada)* corsia **3** MAR., AER. rotta.

indicazioni di registro linguistico e di àmbiti semantici settoriali

rimandi ad altra voce

lay[1] /leɪ/ *(agg.)* laico.
lay[2] v. lie 1.
lay[3] ♦ *(v.t.)* 1 posare, collocare 2 deporre (uova). ♣ **lay aside** mettere da parte, mettere via.

verbi inglesi irregolari segnalati dal simbolo ♦ (v. lista dei verbi irregolari)

phrasal verbs segnalati dal simbolo ♣

indicazione delle varianti lessicali britanniche e americane

lampo[2] *(s.f.)* FAM. *(cerniera)* BE zip (fastener), AE zipper.

indicazione del genere dei sostantivi italiani

Abbreviazioni

ABBIGL.	abbigliamento	*compar.*	comparativo	GEOGR.	geografia
abbr.	abbreviazione,	*compl.*	complemento	GEOL.	geologia
	abbreviato	*cond.*	condizionale	GEOM.	geometria
accr.	accrescitivo	*cong.*	congiunzione	GRAMM.	grammatica
afferm.	affermativo	*congiunt.*	congiuntivo	*i.*	intransitivo
agg.	aggettivo	*contraz.*	contrazione	*imp.*	imperativo
AE	American English	*costruz.*	costruzione	*imperf.*	imperfetto
AuE	Australian	CUC.	cucina	*impers.*	impersonale
	English	*def.*	definito	IND.	industria
AER.	aeronautica	*deriv.*	derivati	*indef.*	indefinito
AGR.	agricoltura	*det.*	determinativo	*indet.*	indeterminativo
AMM.	amministrazione	*dif.*	difettivo	*indic.*	indicativo
ANAT.	anatomia	*dim.*	diminutivo	*inf.*	infinito
ANT.	antico	*dimostr.*	dimostrativo	INFORM.	informatica
ANTIQ.	antiquato	DIR.	diritto	*inter.*	interiezione
ARCH.	architettura	ECCL.	ecclesiastico	*interr.*	interrogativo
art.	articolo	ECON.	economia	*invar.*	invariabile
ASTROL.	astrologia	EDIL.	edilizia	*irr.*	irregolare
ASTRON.	astronomia	EDIT.	editoria	LAT.	latino
attr.	attributo,	ELETTR.	elettrotecnica,	LETT.	letteratura
	attributivo		elettronica	LETTER.	letterario
aus.	ausiliare	*esclam.*	esclamazione,	LING.	linguistica
AUT.	automobile,		esclamativo	*loc.*	locuzione
	automobilismo	*estens.*	estensione,	*loc.prep.*	locuzione
avv.	avverbio,		estensivo		preposizionale
	avverbiale	*f.*	femminile	*m.*	maschile
BANC.	banca, bancario	FAM.	familiare	MAR.	marina, marittimo
BIBL.	Bibbia, biblico	FARM.	farmaceutica	MAT.	matematica
BIOL.	biologia	FERR.	ferrovie	MECC.	meccanica
BOT.	botanica	*fig.*	figurato	MED.	medicina
BE	British English	FIL.	filosofia	METALL.	metallurgia
card.	cardinale	FIN.	finanza	METEOR.	meteorologia
cfr.	confronta	FIS.	fisica	MIL.	militare
CHIM.	chimica	FON.	fonetica	MIN.	mineralogia
CINEM.	cinematografia	FORM.	formale	MIT.	mitologia
coll.	collettivo	FOT.	fotografia	*mod.*	modale
COMM.	commercio	*gener.*	generalmente	MUS.	musica, musicale

n.	neutro	*pres.*	presente	*spec.*	specialmente
NAUT.	nautico	*pron.*	pronome,	SPREG.	spregiativo
neg.	negativo		pronominale	*ss.*	sostantivi
n. pr.	nome proprio	*prop.*	proposizione	ST.	storia
num.	numerale	*prov.*	proverbiale	*sthg.*	something
ogg.	oggetto,	PSIC.	psicologia	*suff.*	suffisso
	oggettivo	*ql.sa*	qualcosa	*superl.*	superlativo
ONOM.	onomatopeico	*qu.no*	qualcuno	*t.*	transitivo
ord.	ordinale	RAD.	radiofonia	TEATR.	teatro
o.s.	oneself	*raff.*	rafforzativo	TECN.	tecnologia
p.	participio	*recip.*	reciproco	TEL.	telefonia,
PALEON.	paleontologia	*reg.*	regolare		telecomunicazioni
part.	particella	*rel.*	relativo	TEOL.	teologia
pass.	passato	RELIG.	religione	*term.*	termine
pers.	persona,	RET.	retorica	TIP.	tipografia
	personale	*rif.*	riferimento,	TV	televisione
PITT.	pittura		riferito	V.	vedi
pl.	plurale	*rifl.*	riflessivo	*v.*	verbo
POES.	poesia	*s.*	sostantivo	VET.	veterinaria
POET.	poetico	SCHERZ.	scherzoso	*v.i.*	verbo intransitivo
POL.	politica	SCIENT.	scientifico	*vocat.*	vocativo
POP.	popolare	*sing.*	singolare	VOLG.	volgare
poss.	possessivo	SL.	slang	*v.pron.*	verbo
pr.	proprio	*s.o.*	someone		pronominale
pred.	predicato,	*sogg.*	soggetto,	*v.t.*	verbo transitivo
	predicativo		soggettivo	ZOOL.	zoologia
pref.	prefisso	*sost.*	sostantivo		
prep.	preposizione	*sott.*	sottinteso		

Simboli fonetici

La trascrizione fonetica segue le regole e la simbologia dell'International Phonetic Alphabet (IPA) e riporta la pronuncia dell'inglese britannico. In casi di significativa differenza viene indicata anche la pronuncia americana.

VOCALI		CONSONANTI		DITTONGHI	
/ʌ/	hut /hʌt/	/b/	bag /bæg/	/aɪ/	file /faɪl/
/ɑː/	far /fɑː*/	/d/	date /deɪt/	/aʊ/	cow /kaʊ/
/æ/	hat /hæt/	/f/	free /friː/	/eɪ/	page /peɪdʒ/
/e/	get /get/	/g/	give /gɪv/	/əʊ/	boat /bəʊt/
/ɪ/	bit /bɪt/	/h/	how /haʊ/	/ɔɪ/	coin /kɔɪn/
/iː/	see /siː/	/k/	come /kʌm/	/eə/	bear /beə*/
/ɒ/	got /gɒt/	/l/	leg /leg/	/ɪə/	here /hɪə*/
/ɔː/	ball /bɔːl/	/m/	man /mæn/	/ʊə/	tourist /'tʊərɪst/
/ʊ/	put /pʊt/	/n/	night /naɪt/		
/uː/	fruit /fruːt/	/p/	pen /pen/		
/ə/	ago /ə'gəʊ/	/r/	red /red/	**SEMIVOCALI**	
/ɜː/	fur /fɜː*/	/s/	sun /sʌn/		
		/t/	take /teɪk/	/j/	yes /jes/
		/v/	vein /veɪn/	/w/	one /wʌn/
		/z/	zoo /zuː/		
		/ŋ/	sing /sɪŋ/		
		/ʃ/	shop /ʃɒp/		
		/tʃ/	chin /tʃɪn/		
		/ʒ/	leisure /'leʒə*/		
		/dʒ/	gym /dʒɪm/		
		/θ/	think /θɪŋk/		
		/ð/	this /ðɪs/		

SEGNI DIACRITICI

/'/ rappresenta l'accento principale della parola, come in *wardrobe* /'wɔːdrəʊb/ (l'accento secondario non è indicato)

/ː/ segna l'allungamento della vocale, come in *tea* /tiː/

/*/ indica la possibile pronuncia di una *r* finale

I caratteri in *corsivo* – es. /ə/, /ʊ/ – indicano suoni che possono essere pronunciati oppure omessi – per es. people /'piːpəl/

Unità di misura

LUNGHEZZA

inch (in) = 2.54 cm (pollice)
foot (ft) = 30.48 cm (piede)
yard (yd) = 0.914 m (yarda)
fathom (fm) = 1.829 m (braccio)
cable = 182.88 m (gomena)
(statute) mile (ml) = 1609.34 m
(miglio terrestre)
nautical mile (n.ml) = 1852 m (miglio marino)

CAPACITÀ

fluid ounce (fl oz) = 0.284 dl
(oncia fluida)
fluid ounce (US) (fl oz) = 0.296 dl
pint (pt) = 0.568 l (pinta)
liquid pint (US) (pt) = 0.473 l
quart (qt) = 1.14 l (quarto)
gallon (gal) = 4.55 l (gallone)
gallon (US) (gal) = 3.79 l

SUPERFICIE

square inch (sq in) = 6.45 cm^2
(pollice quadrato)
square foot (sq ft) = 929.03 cm^2
(piede quadrato)
square yard (sq yd) = 0.836 m^2
(yarda quadrata)
acre (a) = 4046.86 m^2 (acro)
square mile (sq ml) = 2.59 km^2
(miglio quadrato)

PESO

grain (gr) = 0,065 g (grano)
ounce (oz) = 28.35 g (oncia)
pound (lb) = 0.454 kg (libbra)
stone (st) = 6.35 kg
quarter (qt) = 12.7 kg (quarto)
hundredweight (cwt) = 50.8 kg
(short) cwt (US) = 45.4 kg
ton = 1016 kg (tonnellata)
short ton (US) = 907 kg (tonnellata)

VOLUME

cubic inch (cu in) = 16.39 cm^3
(pollice cubo)
cubic foot (cu ft) = 28.32 dm^3
(piede cubo)
cubic yard (cu yd) = 0.765 m^3
(yarda cuba)

TEMPERATURA

degrees Fahrenheit (°F)
(gradi Fahrenheit) = °C x 1,8 + 32
degrees Celsius/centigrade (°C)
(gradi centigradi) = (°F − 32) / 1,8

Unità monetarie

REGNO UNITO

unità base: pound sterling (£) (sterlina)
1 pound = 100 pence

coins (monete)

one penny	(1p)	(un penny)
two pence	(2p)	(due pence)
five pence	(5p)	(cinque pence)
ten pence	(10p)	(dieci pence)
twenty pence	(20p)	(venti pence)
fifty pence	(50p)	(cinquanta pence)
one pound	(£1)	(una sterlina)
two pounds	(£2)	(due sterline)

banknotes (banconote)   £5, £10, £20, £50

STATI UNITI D'AMERICA

unità base: dollar ($) (dollaro)
1 dollar = 100 cents

coins (monete)

cent	(1c)	(un centesimo di dollaro)
nickel	(5c)	(cinque centesimi di dollaro)
dime	(10c)	(dieci centesimi di dollaro)
quarter	(25c)	(venticinque centesimi di dollaro)
half-dollar	(50c)	(cinquanta centesimi di dollaro)
one dollar	($1)	(un dollaro)

bills (banconote) $1, $2, $5, $10, $20, $50, $100

Numeri

NUMERI CARDINALI		NUMERI ORDINALI	
0	zero, nought, nil		
1	one	1st	first
2	two	2nd	second
3	three	3rd	third
4	four	4th	fourth
5	five	5th	fifth
6	six	6th	sixth
7	seven	7th	seventh
8	eight	8th	eighth
9	nine	9th	ninth
10	ten	10th	tenth
11	eleven	11th	eleventh
12	twelve	12th	twelfth
13	thirteen	13th	thirteenth
14	fourteen	14th	fourteenth
15	fifteen	15th	fifteenth
16	sixteen	16th	sixteenth
17	seventeen	17th	seventeenth
18	eighteen	18th	eighteenth
19	nineteen	19th	nineteenth
20	twenty	20th	twentieth
21	twenty-one	21st	twenty-first
22	twenty-two	22nd	twenty-second
23	twenty-three	23rd	twenty-third
24	twenty-four	24th	twenty-fourth
25	twenty-five	25th	twenty-fifth
26	twenty-six	26th	twenty-sixth
27	twenty-seven	27th	twenty-seventh
28	twenty-eight	28th	twenty-eighth
29	twenty-nine	29th	twenty-ninth
30	thirty	30th	thirtieth
40	forty	40th	fortieth
50	fifty	50th	fiftieth
60	sixty	60th	sixtieth
70	seventy	70th	seventieth
80	eighty	80th	eightieth
90	ninety	90th	ninetieth
100	a/one hundred	100th	a/one hundredth
1,000	a/one thousand	1,000th	a/one thousandth
1,000,000	a/one million	1,000,000th	a/one millionth
1,000,000,000	a/one billion	1,000,000,000th	a/one billionth

Frazioni e percentuali

1/2 a half	0.5 nought point five
1/3 a third	2.6 two point six
1/4 a quarter	3.78 three point seventy-eight
1/5 a fifth	10% ten per cent
1/6 a sixth	100% a hundred per cent

SIMBOLI MATEMATICI

+	plus, add, positive
−	minus, subtract, negative
x	multiplied by, times
:	divided by
=	equals, equal to
≃	approximately equal to
~	similar to
>	greater, more than
<	smaller, less than
≥	equal to or greater than, not less than
≤	equal to or less than, not greater than
%	per cent, percentage
‰	per thousand
∞	infinity
°	degree
√	square root

Il tempo

L'ORA

Che ore sono? / Che ora è?		What time is it? / What's the time?
Sono le sei e quarantacinque	6:45	It's six fourty-five
(Sono le sette meno un quarto)		(It's a quarter to seven)
Sono le nove e ventitré	9:23	It's nine twenty-three
Sono le undici e mezzo	11:30	It's half past eleven
È mezzogiorno	12:00	It's noon
È l'una e un quarto	13:15	It's a quarter past one
Sono le quattro (in punto)	16:00	It's four o'clock
Sono le sei meno dieci	17:50	It's ten to six
Sono le otto e diciotto	20:18	It's eighteen past eight
È mezzanotte	0:00	It's midnight

Negli Stati Uniti l'ora viene quasi sempre indicata usando le "12 ore" (a differenza dell'Europa, che utilizza il sistema delle "24 ore" in molte situazioni: per gli orari dei treni, dei programmi televisivi ecc.).
Per questo è comune trovare le indicazioni **a.m.** o **p.m.** accanto a un orario; sono l'abbreviazione del latino *ante meridiem* e *post meridiem*, rispettivamente "prima di mezzogiorno" e "dopo mezzogiorno", e servono a evitare ambiguità.
4 p.m. - le quattro del pomeriggio
10 a.m. - le dieci del mattino

I GIORNI DELLA SETTIMANA

lunedì	Monday
martedì	Tuesday
mercoledì	Wednesday
giovedì	Thursday
venerdì	Friday
sabato	Saturday
domenica	Sunday

Nota: nel mondo anglosassone il primo giorno della settimana è solitamente considerato la domenica.

I MESI				LE STAGIONI	
gennaio	January	luglio	July		
febbraio	February	agosto	August	primavera	spring
marzo	March	settembre	September	estate	summer
aprile	April	ottobre	October	autunno	autumn
maggio	May	novembre	November		(AE) fall
giugno	June	dicembre	December	inverno	winter

GLI ANNI

23/04/2007 ventitré aprile duemilasette
23/04/2007 (US 04/23/2007) *twenty-third of April, two thousand (and) seven*

19/07/1970 diciannove luglio millenovecentosettanta
19/07/1970 (US 07/19/1970) *nineteenth of July, nineteen seventy*

01/09/1962 primo settembre millenovecentosessantadue
01/09/1962 (US 09/01/1962) *first of September, nineteen sixty-two*

Quando la data riporta il mese per esteso, si scrive usando il numero cardinale, ma si legge come se fosse un ordinale:
22 novembre 1946 ventidue novembre millenovecentoquarantasei
November 22, 1946 *twenty-second of November / November twenty-second, nineteen forty-six*

I DECENNI, I SECOLI

gli anni '50	*the 1950s / the '50s*
gli anni sessanta	*the sixties*
il quindicesimo secolo	*the fifteenth century*
il XV secolo	*the 15th century*
il ventesimo secolo	*the twentieth century*
il XX secolo	*the 20th century*
il ventunesimo secolo	*the twenty-first century*
il XXI secolo	*the 21th century*

Compendio grammaticale

Vengono trattati in forma sintetica i seguenti argomenti grammaticali:

Articoli
Nomi
Pronomi personali
Possessivi
Aggettivi
Avverbi
Verbi

Questo compendio non si sostituisce, ovviamente, a una grammatica della lingua inglese. Tuttavia, nell'ottica di fruibilità che questo dizionario si propone, si è voluto offrire un promemoria delle principali regole della grammatica inglese "da portare sempre in tasca" e al quale ricorrere in maniera semplice e veloce nei momenti di dubbio o incertezza.

ARTICOLO INDETERMINATIVO

	a
un, uno, una	(davanti a consonante, semiconsonante o *h* aspirata)
	an
	(davanti a suono vocalico o *h* muta)

Differenze d'uso rispetto all'italiano
L'articolo indeterminativo è usato in inglese:
• con espressioni distributive
Two Euro a kilo
Twenty kilometres an hour
Three times a month

• con espressioni come
To have a cold
To be in a hurry

ARTICOLO DETERMINATIVO

	the
il, lo, la, i, gli, le	(si pronuncia /ðe/ davanti a consonante, /ðɪ/ o /ðiː/ davanti a suono vocalico)

Differenze d'uso rispetto all'italiano
L'articolo determinativo **non** è usato in inglese:
• in affermazioni generiche
Cherries are good

• davanti ad aggettivi e pronomi possessivi
My bicycle is broken

• con alcune categorie di sostantivi:
- colori   - anni
- sostanze   - mesi
- sport   - giorni della settimana
- lingue   - nomi propri
- pasti   - titoli
- religioni   - festività
- stagioni   - nazioni e continenti

• con parti del corpo o indumenti propri o altrui; in questi casi l'articolo italiano viene tradotto con il possessivo:
I comb my hair
It's cold, take your coat

IL NOME

I sostantivi inglesi possono essere di genere femminile (*the girl*), maschile (*the boy*) o neutro (*the cat*). Gli aggettivi inglesi sono invariabili e per questo non vengono influenzati dal genere del nome; i pronomi personali e gli aggettivi possessivi, invece, devono concordare con esso:
I see a boy. **He** *is riding* **his** *bicycle. There, do you see* **him**?
I see a girl. **She** *is riding* **her** *scooter. There, do you see* **her**?
I see a cat. **It** *is playing with* **its** *toy. There, do you see it*?

Il plurale dei nomi si forma aggiungendo la desinenza -*s* (*cat* – *cats, bottle* – *bottles, toy* – *toys*) o, in casi particolari, le desinenze -*es* o -*ies* (*boss* – *bosses, party* – *parties*). I nomi terminanti in -*f* o -*fe* al plurale terminano in -*ves* (*thief* – *thieves, life* – *lives*); fanno eccezione *roof* (al plurale: *roofs*) e *chief* (al plurale: *chiefs*).

-s	nomi terminanti in consonante o vocale (eccetto casi sottostanti)	chair – chairs, house – houses book – books, car – cars
-es	nomi terminanti in -o, -ch, -x, -sh, -s, -ss kiss – kisses, dish – dishes	potato – potatoes, witch – witches
-ies	nomi terminanti con una consonante seguita da -y	cherry – cherries (al plurale, la y cade)
-ves	nomi terminanti in -f o -fe	knife – knives, calf – calves

Alcuni nomi formano il plurale in maniera irregolare; per esempio:

foot – feet	person – people	man – men	child – children
ox – oxen	mouse – mice	tooth – teeth	woman – women

Ci sono poi nomi il cui plurale coincide con il singolare (sostantivi invariabili); possono dunque essere seguiti da un verbo sia singolare sia plurale:

deer	fish	sheep	barrack
crossroad	data	dice	headquarters
means	oats	series	species

Infine, alcuni sostantivi stranieri seguono le regole della lingua originale (*basis* – *bases*, *crisis* – *crises*, *phenomenon* – *phenomena*, *thesis* – *theses*); tuttavia, in contesti non tecnici o scientifici, si tende a formare il plurale con le normali regole inglesi: *formula* diventa *formulae* in ambito matematico, ma *formulas* in contesti non tecnici.

NUMERABILI E NON NUMERABILI

I nomi inglesi possono essere numerabili (cioè definibili, per quantità, con un numero: *one* cat, *three* books) o non numerabili (per definirne la quantità si devono usare espressioni quali "un po' di", "molto": *some* water, *a lot of* wind).

Alcuni nomi che in italiano sono numerabili, **non** lo sono in inglese: *advice, baggage, business, furniture, hair, information, luggage, news*

Specialmente in questi casi, bisogna ricordare che i sostantivi non numerabili:

• non possono essere preceduti dall'articolo indeterminativo *a*, *an*
I asked him for advice

• non hanno il plurale
You can find the information on our website

• si usano con il verbo al singolare
How is business?

• richiedono l'uso di *much* per dire "molto" e di *little* per dire "poco"
I haven't much luggage / There is little furniture in the house

GENITIVO SASSONE

Il genitivo sassone (*possessive case*) esprime il complemento di possesso; si forma aggiungendo *'s* al nome che indica il possessore, facendo poi seguire la cosa o la persona posseduta:
Luca's cat, (il gatto di Luca) / *Marta's mother*, (la madre di Marta)

Se il possessore è costituito da un nome plurale terminante in *-s*, allora si aggiungerà il solo apostrofo:
My parents' house, (la casa dei miei genitori)

Il genitivo sassone si usa:
• quando il possessore è un essere umano o un animale
Marina's bag / The dog's kennel

• con i nomi di nazioni e di città
London's streets

• quando sottintende "casa", "negozio" o " ufficio"
At Michael's

Il genitivo sassone **non** si usa quando il possessore è un oggetto inanimato:
The end of the book

PRONOMI PERSONALI

I pronomi personali possono avere la funzione di soggetto o di complemento; il complemento può essere diretto (complemento oggetto) o indiretto (il pronome segue una preposizione).

soggetto		complemento	
io	I	me, mi	me
tu	you	te, ti	you
lui	he	lo, gli	him
lei	she	la, le	her
esso	it	lo, gli, la, le	it
noi	we	ci	us
voi	you	vi	you
loro	they	loro	them

Quando il pronome personale è soggetto deve sempre essere espresso:
(vanno a casa)   ***They*** *are going home*
(siamo stanchi)   ***We*** *are tired*

Il pronome personale di prima persona singolare si scrive sempre con la lettera maiuscola:
*Even **I** know it!*

La forma di cortesia (Lei) viene espressa con *you*:
(viene anche Lei?)   *Are **you** coming too?*

PRONOMI RIFLESSIVI

se stesso (indefinito)	oneself
me stesso	myself
te stesso, ti	yourself
sé (lui), si	himself
sé (lei), si	herself
sé (esso), si	itself
noi stessi, ci	you
voi stessi, vi	yourselves
se stessi, si	themselves

I pronomi riflessivi si usano:
• con i verbi riflessivi
I'm really enjoying myself

• in funzione enfatica
Did you do it yourself?

• dopo una preposizione, quando il complemento che ne risulta si riferisce al soggetto
I bought it for myself

• dopo *by*, per tradurre l'espressione "da solo"
He went there by himself

Pronomi reciproci

Per esprimere il concetto di reciprocità si usano i pronomi *each other*, tra due cose o persone, o *one another*, tra più cose o persone (anche se questa distinzione si va lentamente perdendo):

The cat and the dog were looking at each other
The students helped one another to pass the exam

Il pronome impersonale "si"

Il pronome impersonale "si" può essere tradotto con:
• *one* (in frasi dal valore generico)
One reaps what one sows

• *you* (quando chi parla non fa parte del gruppo a cui si rivolge)
You shouldn't park here

• *they* (quando chi parla non fa parte del gruppo a cui si riferisce, né si rivolge a loro ma a terze persone)
They say he had an affair

AGGETTIVI POSSESSIVI

mio, mia, miei, mie	my	nostro, nostra, nostri, nostre	our
tuo, tua, tuoi, tue	your	vostro, vostra, vostri, vostre	your
suo, sua, suoi, sue (di lui)	his	loro	their
suo, sua, suoi, sue (di lei)	her		
suo, sua, suoi, sue (di cosa)	its		

Gli aggettivi possessivi si usano:
• per indicare a chi appartiene una determinata cosa
This is my new watch

• con le relazioni di parentela
She is my aunt
• con le parti del corpo o con i propri (o altrui) indumenti
Wear your new trousers!
My foot hurts

Differenze d'uso rispetto all'italiano

Gli aggettivi possessivi non sono mai preceduti dall'articolo:
my bicycle, my book, my class.

L'aggettivo possessivo alla terza persona singolare concorda in genere e numero con il possessore, non (come avviene in italiano) con la cosa posseduta:
è la sua (*di lui*) ragazza   *she is **his** girlfriend*

Pronomi possessivi

il mio, la mia, i miei, le mie	mine
il tuo, la tua, i tuoi, le tue	yours
il suo, la sua, i suoi, le sue (*di lui*)	his
il suo, la sua, i suoi, le sue (*di lei*)	hers
il suo, la sua, i suoi, le sue (*di cosa*)	its
il nostro, la nostra, i nostri, le nostre	ours
il vostro, la vostra, i vostri, le vostre	yours
il, la, i, le loro	theirs

I pronomi possessivi consentono di evitare la ripetizione di un nome (quello al quale si riferiscono). Essi:
* non sono mai preceduti da un articolo
*Is this your pen? Yes, it's **mine***

* alla terza persona singolare concordano con il possessore
***John** said we could borrow **his** car*

AGGETTIVI QUALIFICATIVI

Gli aggettivi qualificativi in inglese sono invariabili:
A tall building
Two tall men
Three tall girls

L'aggettivo in inglese viene sempre anteposto al nome:
A red apple
A beautiful island

COMPARATIVO E SUPERLATIVO

Comparativo di maggioranza (aggettivi)

Il secondo termine di paragone viene sempre introdotto da *than*; il comparativo si ottiene con:

• la desinenza *-er*, se l'aggettivo è monosillabo; se il monosillabo termina con una consonante (ma non *-y* o *-w*) essa si raddoppia
This car is smaller than the old one   *I am fatter than last year*

• la desinenza *-er*, se l'aggettivo è un bisillabo terminante per *-y*; in questo caso, la *-y* si trasforma in *-i-*
You look happier than before

• anteponendo *more*, se l'aggettivo è un bisillabo che non termina con *-y* o se è un polisillabo
Coffee in Milan is more expensive than in Rome

Alcuni comparativi hanno una forma irregolare:

good – better	*bad – worse*	*little – less*
much / many – more	*far – farther / further*	

Comparativo di uguaglianza (aggettivi)
• Si usa *as ... as* quando due cose sono uguali:
London is as beautiful as Paris

• Se due cose *non* sono uguali, si usa *not as ... as*
Tania is not as clever as her sister

Comparativo di minoranza (aggettivi)
Si forma anteponendo *less* all'aggettivo; il secondo termine di paragone è introdotto da *than*:
I am less tired than yesterday

Con i nomi plurali si usa *fewer ... than*:
There are fewer children than last week at the park

Superlativo
Il superlativo (in inglese non c'è distinzione fra relativo e assoluto) è sempre preceduto dall'articolo *the* e si ottiene con:
• la desinenza *-est*, se l'aggettivo è monosillabo; se il monosillabo termina con una consonante (ma non *-y* o *-w*) essa si raddoppia
This car is the smallest I have ever seen

• la desinenza *-est*, se l'aggettivo è un bisillabo terminante per *-y*; in questo caso, la *-y* si trasforma in *-i-*
He is the happiest man in town!

• anteponendo *most*, se l'aggettivo è un bisillabo che non termina con *-y* o se è un polisillabo
    Made with the most expensive fabrics

Alcuni superlativi hanno una forma irregolare:

aggettivo	comparativo	superlativo
good	better	the best
bad	worse	the worst
much / many	more	the most
little	less	the least
far	further / farther	the furthest / the farthest

AVVERBI

Gli avverbi si formano a partire dagli aggettivi; la forma regolare si ottiene aggiungendo la desinenza -*ly* all'aggettivo:
quick – quickly   *sure – surely*

In alcuni casi, l'aggiunta della desinenza -*ly* comporta altre piccole modificazioni; se l'aggettivo termina con:

• -*y*, questa si trasforma in -*i*-
happy – happily

• -*le*, la finale cade
simple – simply

• -*ll*, una sola -*l*- rimane a fianco della desinenza -*ly*
full – fully

In altri casi, infine, la forma dell'avverbio coincide con quella dell'aggettivo:
early – early   *fast – fast*   *hard – hard*   *late – late*

COMPARATIVO E SUPERLATIVO

avverbio	comparativo	superlativo
slowly	**more** slowly	**the most** slowly
soon	soon**er**	**the** soon**est**

Gli avverbi regolari terminanti in -*ly* formano il comparativo premettendo *more* e il superlativo premettendo *the most*; il secondo termine di paragone viene introdotto da *than*:
I can't go more slowly than this
He walks the most quickly

Gli avverbi che mantengono la stessa forma dell'aggettivo formano il comparativo con l'aggiunta della desinenza *-er*, mentre il superlativo si forma anteponendo *the* e aggiungendo la desinenza *-est:*
Joan works harder than Tom
Of the supporters she shouts the loudest

Comparativi e superlativi irregolari

well	**better**	**best**
badly	**worse**	**worst**
much	**more**	**most**
little	**less**	**least**

IL VERBO

Il verbo essere

Present simple

affermativa	negativa	interrogativa
I am / I'm	I am not / I'm not	Am I?
you are / you're	you are not / you aren't	Are you?
he, she, it is / he's, she's, it's	he, she, it is not / he, she, it isn't	Is he, she, it?
we are / we're	we are not / we aren't	Are we?
you are / you're	you are not / you aren't	Are you?
they are / they're	they are not / they aren't	Are they?

Il verbo essere ha una coniugazione irregolare al passato; si veda la tavola dei verbi irregolari.

Il verbo essere (*be*) si usa:
• come ausiliare nella forma passiva dei verbi transitivi
It is written in English

• per parlare del tempo atmosferico
It's cold   *It's sunny*   *It's cloudy*

• con una serie di espressioni che in italiano utilizzano il verbo avere
to be warm   *to be hungry*   *to be sleepy*
to be right   *to be wrong*   *to be afraid*

• per indicare
- l'ora (*What time is it?*)
- l'età (*I am 32 years old*)
- il prezzo (*How much is this?*)
- la professione (*He is a teacher*)

Il verbo avere

Present simple

affermativa	negativa	interrogativa
I have / I've got	I have not / I haven't got	Have I (got)?
you have / you've got	you have not / you haven't got	Have you (got)?
he, she, it has /	he, she, it has not /	Has he, she, it (got)?
he's got, she's got, it's got	he, she, it hasn't got	
we have / we've got	we have not / we haven't got	Have we (got)?
you have / you've got	you have not / you haven't got	Have you (got)?
they have / they've got	they have not / they haven't got	Have they (got)?

Il verbo avere ha una coniugazione irregolare al passato; si veda la tavola dei verbi irregolari.

Il verbo avere (*have*) si usa:
• come ausiliare di tutti i tempi composti della forma attiva

• con alcune espressioni quali

to have a bath	*to have a coffee*
to have a good time	*to have breakfast*
to have a walk	*to have a nap*

Il verbo do

Il verbo *do* (fare) è l'ausiliare che consente la costruzione della forma interrogativa e della forma negativa dei verbi ordinari al presente e al passato. Anche il verbo *do* ha il passato irregolare; si veda la tabella dei verbi irregolari.

Present simple

affermativa	negativa	interrogativa
I do	I do not / I don't	Do I?
you do	you do not / you don't	Do you?
he, she, it does	he, she, it does not / he, she, it doesn't	Does he, she, it?
we do	we do not / we don't	Do we?
you do	you do not / you don't	Do you?
they do	they do not / they don't	Do they?

IL PRESENT SIMPLE

Si costruisce con la forma base del verbo, che rimane invariata per le persone *I, you, we, you, they*; per formare la 3ª pers. sing. (*he, she, it*) si aggiunge la desinenza -*s*.

I	*jump*
you	*jump*
he, she, it	*jumps*
we	*jump*
you	*jump*
they	*jump*

Alcuni verbi per formare la 3ª pers. sing. richiedono la desinenza *-es*:
• verbi che terminano in *-o*
(*go – goes*, *do – does*)

• verbi che terminano con *-ss, -z, -x, -sh, -ch*
(*cross – crosses*, *buzz – buzzes*, *fix – fixes*, *wash – washes*, *clutch – clutches*)

• verbi che terminano in *consonante* + *y*, con l'ulteriore passaggio della lettera *-y* a *-i-*
(*fly – flies*)

I verbi modali (*will*, *shall*, *ought*, *may*, *can*, *must*) alla 3ª persona non prendono alcuna desinenza (*she must*, *he can* ecc.).

Il verbo al *present simple* si usa per:
• affermazioni generiche
Flowers are colourful

• azioni abituali
On Tuesdays I go to the gym

• esprimere sensazioni, sentimenti
I love ice cream

• affermazioni a carattere scientifico
The river flows towards the sea

• azioni del futuro che avvengono in orari o momenti prefissati
The train leaves at 10.05

IL PRESENT CONTINUOUS

Si forma con *be* seguito dalla forma in *-ing* di un verbo. Corrisponde all'italiano *stare* + *gerundio*, ma il suo uso è molto più frequente che in italiano poiché è obbligatorio per descrivere un'azione in svolgimento.

I	*am jumping*	we	*are jumping*
you	*are jumping*	you	*are jumping*
he, she, it	*is jumping*	they	*are jumping*

La desinenza *-ing* si unisce al verbo con le seguenti modalità:
• se il verbo termina con *-e* muta, questa cade

take – taking   *have – having*

• se il verbo è monosillabo o bisillabo (con l'ultima sillaba accentata) e termina con una vocale (una sola) seguita da una consonante, allora la consonante all'aggiunta di *-ing* raddoppia

run – running   *sip – sipping*
transmit – transmitting   *swim – swimming*

Il verbo al *present continuous* si usa per:
• azioni in corso nel momento in cui si parla
I am watching TV

• azioni o situazioni che stanno durando nel tempo, anche se nel momento in cui si parla potrebbero non essere esattamente in svolgimento
I am reading the book Pride and Prejudice

• azioni future già previste o programmate
We are leaving tomorrow

IL PASSATO

Il past simple
Si forma aggiungendo alla forma base del verbo la desinenza *-ed*:
play – played   *watch – watched*   *look – looked*
• Se il verbo termina in *-e* si aggiunge solo *-d*
live – lived   *save – saved*
• Se il verbo termina con una consonante seguita da *-y*, questa si muta in *-i-*
try – tried   *cry – cried*
• Se il verbo termina con una vocale (una sola) seguita da una consonante, allora la consonante all'aggiunta di *-ed* raddoppia
prefer – preferred   *hug – hugged*   *rob – robbed*

Esiste poi una serie di verbi che hanno una coniugazione irregolare (*ring – rang, get – got, put – put*); per questi, si veda più avanti la lista dei verbi irregolari.

Il *past simple* si usa per indicare azioni concluse nel passato; è quasi sempre affiancato da una espressione di tempo
I saw a film yesterday

Il *present perfect*

Si forma con l'ausiliare avere (*have*) seguito dal participio passato del verbo. Il participio passato si costruisce aggiungendo la desinenza -*ed* alla forma base del verbo, con le stesse modalità descritte per il *past simple*. Anche per il participio passato si veda la lista dei verbi irregolari.

Il *present perfect* si usa per:
• azioni avvenute in un passato generico, vago, senza riferimenti
I have read that book

• azioni che sono cominciate nel passato e non si sono ancora concluse
We have worked hard in the past two weeks

• azioni del passato che hanno un effetto sul presente (per esempio, operano un cambiamento rispetto al passato)
I have bought a new car

• azioni terminate da poco tempo, specialmente in presenza di espressioni quali *recently, lately, just*
I have just come back from office

• azioni ormai concluse nel passato, ma delle quali si indica la durata
I have sang in that choir for five years

• parlare di esperienze fatte (o non fatte), con *ever* nelle domande, *never* nelle risposte, *yet* nelle frasi negative o dopo *it's the first time (that)*
Have you ever been to China?
No, I have never been to China / No, I haven't been to China yet

Il *past continuous*

Anche al passato ci sono forme continuative del verbo. Il *past continuous* si forma con il *simple past* del verbo essere seguito dal verbo in -*ing*:
I was eating You were working
Si usa per:
• descrivere un'azione del passato nel corso del suo svolgimento
I was sleeping in class today

• descrivere azioni che si svolgono contemporaneamente nel passato
I was pulling weeds while my husband was watering the plants

• descrivere un'azione del passato che viene interrotta da un'altra nel suo svolgimento. Attenzione, l'azione che interrompe deve usare il *past simple*
The guests arrived while I was still showering

Il *present perfect continuous*
Si costruisce con il *present perfect* del verbo avere seguito dalla forma -*ing* del verbo:
I have been sleeping... She has been walking...

Si usa per esprimere un'azione cominciata nel passato ma che ancora continua nel presente; la presenza di *since* indica l'inizio del periodo di tempo, *for* indica tutto il periodo. Nelle domande si trova l'espressione *"how long..."*
How long have you been living in France?
I have been living in France since 1998 / I have been living in France for 13 years

IL FUTURO

Il *future simple*
Il *future simple* (futuro semplice) si forma con l'ausiliare *will* (raramente *shall*) seguito dalla forma base del verbo.

Future simple

affermativa	negativa	interrogativa
I will go / I'll go	I will not go / I won't go	Will I go?

Si usa:
• con decisioni prese nel momento in cui si parla
It's cold. I'll close the window

• per fare previsioni
I will finish my project next week

• per indicare avvenimenti che non dipendono dalla nostra volontà
The school will close for two days

• dopo i verbi *hope, think, believe, suppose*
I hope you will come

Going to
Con l'espressione *"going to..."* (che si costruisce con il *present simple* del verbo essere + *going to* + forma base del verbo) è possibile:
• parlare di un'intenzione basata su una precedente decisione
I'm going to dye my hair

• esprimere una previsione sulle conseguenze di una situazione presente
Look at those black clouds. It's going to rain

Il *future perfect*
Equivale al futuro anteriore italiano e si costruisce con il futuro semplice di *have* seguito dal participio passato del verbo:
She will be gone

Si usa per:
• azioni che si completeranno in un determinato momento del futuro
They will have finished the house by the end of the month

• azioni che accadranno nel futuro prima di un'altra azione
She will have learned enough French before she moves to Paris

IL CONDIZIONALE

Il *present conditional*
Si forma con l'ausiliare modale *would* seguito dalla forma base del verbo:
I would go   I would eat

Present conditional

affermativa	negativa	interrogativa
I would go / I'd go	I would not go / I wouldn't go	Would I go?

Il *present conditional* si usa:
• con *like to*, per esprimere il desiderio di fare qualcosa
I would like to go to the cinema

• per chiedere (o offrire) gentilmente
Would you like some more wine?

• nelle frasi ipotetiche che esprimono una improbabilità
If we walked faster, we would chatch them

Il *perfect conditional*
Si costruisce con *would* + *have* + participio passato del verbo:
I would have liked to know

Perfect conditional

affermativa	negativa	interrogativa
I would have gone / I would've gone	I would not have gone / I wouldn't have gone	Would have I gone?

Si usa nelle frasi ipotetiche che esprimono impossibilità (perché riguardanti fatti non più realizzabili)
If I had married him I would have moved with him to California

Verbi inglesi

A partire dalle forme del presente (*present simple*), passato (*past simple*) e participio passato (*past participle*), con l'aggiunta delle opportune desinenze e degli eventuali verbi ausiliari, quando necessario, è possibile costruire qualsiasi forma verbale, di qualunque tempo o modo.

I verbi monosillabici (e i loro composti) che terminano con una (una sola) vocale seguita da una consonante, nel formare il passato e il participio passato raddoppiano la consonante prima della desinenza (es.: beg – beg*ged*). Tali verbi sono segnalati all'interno del dizionario con il simbolo ◊.

Qui di seguito si riportano i principali **verbi irregolari inglesi**, segnalati all'interno del dizionario dal simbolo ♦.

La lista comprende solo pochissimi verbi composti; per tutti i restanti si veda direttamente la forma verbale di base priva del prefisso: *fore*see v. see, *under*go v. go ecc.

Present	Past	Past participle	Present	Past	Past participle
abide	abode *or* abided	abode *or* abided	bring	brought	brought
			build	built	built
arise	arose	arisen	burn	burnt *or* burned	burnt *or* burned
awake	awoke *or* awaked	awoke *or* awaked	burst	burst	burst
be	was, were	been	buy	bought	bought
bear	bore	borne *or* born	can	could	–
beat	beat	beaten	cast	cast	cast
become	became	become	catch	caught	caught
begin	began	begun	choose	chose	chosen
bend	bent	bent	cling	clung	clung
bet	bet	bet	come	came	come
beware	–	–	cost	cost	cost
bid	bid	bidden *or* bid	creep	crept	crept
bind	bound	bound	crow	crowed *or* crew	crowed
bite	bit	bitten *or* bit			
bleed	bled	bled	cut	cut	cut
blow	blew	blown	deal	dealt	dealt
break	broke	broken	dig	dug *or* digged	dug *or* digged
breed	bred	bred	do	did	done

Present	Past	Past participle	Present	Past	Past participle
draw	drew	drawn	lay	laid	laid
dream	dreamed	dreamed	lead	led	led
	or dreamt	*or* dreamt	lean	leant	leant
drink	drank	drunk		*or* leaned	*or* leaned
drive	drove	driven	leap	leapt	leapt
dwell	dwelt	dwelt		*or* leaped	*or* leaped
	or dwelled	*or* dwelled	learn	learnt	learnt
eat	ate	eaten		*or* learned	*or* learned
fall	fell	fallen	leave	left	left
feed	fed	fed	lend	lent	lent
feel	felt	felt	let	let	let
fight	fought	fought	lie	lay	lain
find	found	found	light	lit *or* lighted	lit *or* lighted
flee	fled	fled	lose	lost	lost
fling	flung	flung	make	made	made
fly	flew	flown	may	might	–
forbid	forbade	forbidden	mean	meant	meant
	or forbad	*or* forbid	meet	met	met
forget	forgot	forgotten	mow	mowed	mown
		or forgot	must	(had to	–
forgive	forgave	forgiven		*or* must)	
forsake	forsook	forsaken	ought	–	–
freeze	froze	frozen	panic	panicked	panicked
get	got	got	pay	paid	paid
give	gave	given	picnic	picnicked	picnicked
go	went	gone	prove	proved	proved
grind	ground	ground			*or* proven
grow	grew	grown	put	put	put
hang	hung	hung	quit	quitted *or* quit	quitted *or* quit
	or hanged	*or* hanged	read	read	read
have	had	had	rid	rid *or* ridded	rid *or* ridded
hear	heard	heard	ride	rode	ridden
hide	hid	hidden *or* hid	ring	rang	rung
hit	hit	hit	rise	rose	risen
hold	held	held	run	ran	run
hurt	hurt	hurt	saw	sawed	sawn
keep	kept	kept			*or* sawed
kneel	knelt	knelt	say	said	said
knit	knitted *or* knit	knitted *or* knit	see	saw	seen
know	knew	known	seek	sought	sought

Present	Past	Past participle	Present	Past	Past participle
sell	sold	sold	spoil	spoilt	spoilt
send	sent	sent		or spoiled	or spoiled
set	set	set	spread	spread	spread
sew	sewed	sewn	spring	sprang	sprung
		or sewed	stand	stood	stood
shake	shook	shaken	steal	stole	stolen
shall	should	–	sting	stung	stung
shear	sheared	sheared	stink	stank or stunk	stunk
		or shorn	stride	strode	stridden
shed	shed	shed	strike	struck	struck
shine	shone	shone	string	strung	strung
shoe	shod	shod	strive	strove	striven
shoot	shot	shot	swear	swore	sworn
show	showed	shown	sweep	swept	swept
shrink	shrank	shrunk	swell	swelled	swollen
	or shrunk	or shrunken			or swelled
shut	shut	shut	swim	swam	swum
sing	sang	sung	swing	swung	swung
sin	sank	sunk	take	took	taken
sit	sat	sat	teach	taught	taught
sleep	slept	slept	tear	tore	torn
slide	slid	slid	tell	told	told
sling	slung	slung	think	thought	thought
slink	slunk	slunk	thrive	throve	thriven
slit	slit	slit		or thrived	or thrived
smell	smelt	smelt	throw	threw	thrown
	or smelled	or smelled	thrust	thrust	thrust
sow	sowed	sown	traffic	trafficked	trafficked
		or sowed	tread	trod	trodden
speak	spoke	spoken			or trod
speed	sped	sped	wake	woke	woken
	or speeded	or speeded	wear	wore	worn
spell	spelt	spelt	weave	wove	woven
	or spelled	or spelled			or wove
spend	spent	spent	weep	wept	wept
spill	spilt	spilt	will	would	–
	or spilled	or spilled	win	won	won
spin	spun	spun	wind	wound	wound
spit	spat or spit	spat or spit	wring	wrung	wrung
split	split	split	write	wrote	written

Inglese

Italiano

A

a /eɪ/ (pl. as, a's /eɪz/) MUS. (nota) la.
a, an /eɪ, æn/ (forme forti), /ə, ən, n/ (forme deboli) (art. indet.) 1 (a davanti a parole comincianti per consonante o per suono consonantico; an davanti a parole comincianti per vocale o h muta) un, uno, una 2 un certo, un tale 3 stesso, medesimo ❖ all of an age tutti della stessa età 4 (dopo half, many, what) ❖ half a mile mezzo miglio, what a pretty girl! che bella ragazza! 5 (con significato distributivo) a, al, alla, il, la ❖ four pounds a metre quattro sterline al metro.

aback /ə'bæk/ (avv.) ❖ taken a. preso alla sprovvista.

abandon /ə'bændən/ (v.t.) 1 abbandonare 2 rinunciare. abandon (sost.) abbandono, trasporto. abandoned /ə'bændənd/ (agg.) 1 abbandonato 2 sfrenato.

abash /ə'bæʃ/ (v.t.) confondere, sconcertare.

abate /ə'beɪt/ (v.t.) diminuire, ridurre || (v.i.) calmarsi.

abbreviate /ə'briːvɪeɪt/ (v.t.) abbreviare, ridurre.

abduction /æb'dʌkʃən/ (sost.) rapimento, sequestro.

able /'eɪbəl/ (agg.) 1 capace, abile 2 ❖ to be a. to essere capace (di), essere in grado (di), potere (sostituto di can, could nei tempi di cui questo difetta),

riuscire 3 MIL. atto, idoneo. ability /ə'bɪlətɪ/ (sost.) abilità, capacità.

abnormal /æb'nɔːməl/ (agg.) anormale.

aboard /ə'bɔːd/ (avv.) a bordo || (prep.) a bordo di.

abolish /ə'bɒlɪʃ/ (v.t.) abolire, sopprimere. abolition /əbə'lɪʃən/ (sost.) abolizione, abrogazione.

abort /ə'bɔːt/ (v.t. / v.i.) 1 abortire, far abortire 2 (fig.) annullare, interrompere (anche INFORM.). abortion /ə'bɔːʃən/ (sost.) aborto (anche fig).

about /ə'baʊt/ (avv.) 1 intorno, attorno, qua e là, in giro 2 circa, all'incirca, quasi, press'a poco || (prep.) 1 (luogo) intorno a, attorno a, in giro per, qua e là per 2 (argomento) circa, intorno a, su, riguardo a 3 (quantità approssimativa) circa.

above /ə'bʌv/ (agg.) suddetto, summenzionato || (avv.) sopra, su, di sopra, in alto || (prep.) 1 sopra, su, di sopra 2 superiore, oltre.

abroad /ə'brɔːd/ (avv.) all'estero.

abrogate /'æbrəgeɪt/ (v.t.) abrogare, annullare.

abruptly /ə'brʌptlɪ/ (avv.) improvvisamente.

absent /'æbsənt/ (agg.) assente (anche fig.). absence /'æbsəns/ (sost.) 1 assenza 2 mancanza. absent-minded /æbsənt'maɪndɪd/ (agg.) distratto.

absolute /'æbsəlu:t/ (agg.) 1 assoluto 2 GRAMM. assoluto 3 puro 4 certo. **absolutely** (avv.) 1 /'æbsəlu:tli/ assolutamente, del tutto, completamente 2 /æbsə'lu:tli/ FAM. certamente.

absolve /əb'zɒlv/ (v.t.) assolvere.

absorb /əb'sɔ:b/ (v.t.) assorbire (anche fig.), assimilare.

abstain /əb'steɪn/ (v.i.) astenersi.

abstract /'æbstrækt/ (agg.) astratto ‖ **abstract** (sost.) 1 concetto astratto 2 compendio.

absurd /əb'sɜ:d/ (agg.) assurdo.

abundant /ə'bʌndənt/ (agg.) abbondante.

abuse /ə'bju:z/ (v.t.) 1 abusare di 2 maltrattare 3 ingiuriare, insultare. **abuse** (sost.) 1 abuso 2 ingiurie, insulti.

academy /ə'kædəmi/ (sost.) accademia. **academic** /ækə'demɪk/ (agg.) 1 accademico, universitario 2 teorico ‖ (sost.) docente universitario.

accelerate /ək'seləreɪt/ (v.t.) accelerare.

accent /'æksənt/ (sost.) accento, inflessione. **accent** (v.t.) 1 accentare, mettere l'accento su 2 (fig.) accentuare, mettere in evidenza.

accept /ək'sept/ (v.t.) accettare, riconoscere. **acceptable** /ək'septəbəl/ (agg.) 1 accettabile 2 bene accetto.

access /'ækses/ (sost.) 1 accesso, adito 2 accesso, attacco, crisi.

accessory /ək'sesərɪ/ (agg. e sost.) accessorio.

accident /'æksɪdənt/ (sost.) 1 incidente 2 accidente, caso. **accidental** /æksɪ'dentəl/ (agg.) accidentale, fortuito.

accommodate /ə'kɒmədeɪt/ (v.t.) 1 adattare, conformare 2 ospitare 3 favorire, venire incontro 4 conciliare. **accommodation** /əkɒmə'deɪʃən/ (sost.) 1 accomodamento 2 sistemazione, alloggio 3 facilitazione.

accompany /ə'kʌmpənɪ/ (v.t.) 1 accompagnare, scortare 2 MUS. accompagnare.

accomplish /ə'kʌmplɪʃ/, AE /ə'kɒmplɪʃ/ (v.t.) compiere, realizzare.

accord /ə'kɔ:d/ (sost.) 1 accordo, patto 2 armonia. **according to** /ə'kɔ:dɪŋ tu:/ (prep.) 1 secondo (quanto afferma) 2 a seconda di. **accordingly** /ə'kɔ:dɪŋlɪ/ (avv.) di conseguenza.

account /ə'kaʊnt/ (sost.) 1 conto 2 acconto 3 profitto, tornaconto 4 importanza, considerazione 5 resoconto, relazione. **account** (v.t.) considerare, ritenere. ♣ **account for** 1 rendere conto, spiegare, giustificare 2 (quantità) rappresentare, costituire.

accredit /ə'kredɪt/ (v.t.) 1 accreditare 2 avvalorare.

accumulate /ə'kju:mjʊleɪt/ (v.t. / v.i.) accumulare.

accurate /'ækjərət/ (agg.) preciso, accurato.

accuse /ə'kju:z/ (v.t.) accusare, incolpare.

accustom /ə'kʌstəm/ (v.t.) abituare.

ace /eɪs/ (sost.) 1 asso 2 asso, campione 3 TENNIS servizio vincente.

ache /eɪk/ (sost.) dolore ♣ ear-a. mal d'orecchio. **ache** (v.i.) dolere, far male (anche fig.).

achieve /ə'tʃi:v/ (v.t.) 1 compiere, realizzare 2 ottenere, conseguire. **achievement** /ə'tʃi:vmənt/ (sost.) 1 compimento, realizzazione 2 raggiungimento 3 impresa, conquista.

acid /'æsɪd/ *(agg.)* acido, aspro, acre *(anche fig.)* ‖ *(sost.)* CHIM. acido.

acknowledge /ək'nɒlɪʤ/ *(v.t.)* **1** riconoscere, confessare **2** COMM. accusare ricevuta. **acknowledgement** /ək'nɒlɪʤmənt/ *(sost.)* **1** riconoscimento, ammissione **2** ricevuta, riscontro.

acquaint /ə'kweɪnt/ *(v.t.)* **1** informare, mettere al corrente **2** familiarizzarsi con. **acquaintance** /ə'kweɪntəns/ *(sost.)* **1** conoscenza, sapere **2** conoscente.

acquire /ə'kwaɪə*/ *(v.t.)* acquisire, acquistare.

across /ə'krɒs/ *(avv.)* **1** a croce, incrociato **2** dall'altra parte ‖ *(prep.)* attraverso, dall'altra parte di.

act /ækt/ *(v.t. / v.i.)* **1** agire, comportarsi **2** funzionare **3** recitare (una parte), impersonare (un personaggio), interpretare **4** FAM. fingere. ♣ **act as 1** fare da **2** agire in qualità di. ♣ **act for 1** rappresentare **2** agire per conto di. ♣ **act on / upon** FORM. agire su, aver effetto su. ♣ **act up** FAM. **1** comportarsi male **2** funzionare male. **act** *(sost.)* **1** atto, azione **2** documento ❖ *a. of sale* atto di vendita **3** legge, provvedimento **4** TEATR. atto.

action /'ækʃən/ *(sost.)* **1** azione, operato **2** efficacia, effetto **3** DIR. causa, processo **4** MIL. azione, combattimento.

activate /'æktɪveɪt/ *(v.t.)* **1** attivare, rendere attivo **2** rendere radioattivo.

active /'æktɪv/ *(agg.)* **1** attivo, sveglio, svelto **2** effettivo, fattivo.

activity /æk'tɪvɪti/ *(sost.)* **1** *(l'essere attivo)* attività, operosità **2** funzionamento **3** *(cosa che si fa o si è fatta, passatempo ecc.)* attività.

actor /'æktə*/ *(sost.)* attore. **actress** /'æktrəs/ *(sost.)* attrice.

actual /'æktʃuəl/ *(agg.)* reale, effettivo. **actually** /'æktʃuəli/ *(avv.)* realmente, effettivamente.

acuminate /ə'kjuːmɪneɪt/ *(agg.)* acuminato, aguzzo.

ad /æd/ *(abbr. di* **advertisement***)* *(sost.)* annuncio pubblicitario.

adamant /'ædəmənt/ *(agg.)* risoluto, irremovibile, categorico.

adapt /ə'dæpt/ *(v.t.)* adattare.

adapter, adaptor /ə'dæptə*/ *(sost.)* ELETTR. riduttore, spina multipla.

add /æd/ *(v.t. / v.i.)* aggiungere, addizionare. ♣ **add in** aggiungere. ♣ **add to** aumentare. ♣ **add up / together 1** FAM. sommare **2** combinarsi. ♣ **add up to** ammontare a.

addict /'ædɪkt/ *(sost.)* **1** tossicomane, tossicodipendente **2** FAM. fanatico ❖ *TV a.* teledipendente. **addicted** /ə'dɪktɪd/ *(agg.)* **1** dedito a, dipendente da **2** FAM. fanatico.

addition /ə'dɪʃən/ *(sost.)* **1** MAT. somma **2** aggiunta. **additional** /ə'dɪʃənəl/ *(agg.)* addizionale, aggiuntivo.

address /ə'dres/ *(sost.)* **1** indirizzo, recapito **2** discorso. **address** *(v.t.)* **1** *(spedizione)* indirizzare **2** rivolgersi a.

adept /ə'dept/ *(agg.)* abile, esperto.

adequate /'ædɪkwət/ *(agg.)* adeguato, sufficiente.

adhere /əd'hɪə*/ *(v.i.)* aderire *(anche fig.)*, unirsi. **adhesive** /əd'hiːsɪv/ *(agg.)* adesivo.

adjoin /ə'ʤɔɪn/ *(v.t. / v.i.)* **1** essere attiguo **2** unire.

adjust /ə'ʤʌst/ *(v.t.)* **1** aggiustare, accomodare **2** adattare **3** mecc. regolare, registrare ‖ *(v.i.)* adattarsi. **adjustable** /ə'ʤʌstəbəl/ *(agg.)* regolabile.

administer /əd'mɪnɪstə*/ (v.t. / v.i.) 1 amministrare, governare 2 somministrare, dare. **administration** /ədmɪnɪ'streɪʃən/ (sost.) 1 amministrazione 2 somministrazione.

admire /əd'maɪə*/ (v.t.) ammirare. **admiration** /'ædməreɪʃən/ (sost.) ammirazione.

admit◊ /əd'mɪt/ (v.t. / v.i.) 1 ammettere (a), far entrare 2 riconoscere, confessare. **admission** /əd'mɪʃən/ (sost.) 1 (a una scuola ecc.) ammissione 2 riconoscimento 3 ingresso, entrata.

ado /ə'du:/ (sost.) trambusto, baccano, confusione.

adopt /ə'dɒpt/ (v.t.) adottare. **adoption** /ə'dɒpʃən/ (sost.) adozione.

adore /ə'dɔ:*/ (v.t.) adorare, venerare. **adorable** /ə'dɔ:rəbəl/ (agg.) adorabile, delizioso.

adrift /ə'drɪft/ (avv. e agg.) (anche fig.) alla deriva, sul lastrico.

adult /'ædʌlt/ (agg. e sost.) adulto, DIR. maggiorenne.

adulterer /ə'dʌltərə*/ (sost.) adultero.

advance /əd'vɑːns/ (v.t. / v.i.) 1 progredire, avanzare 2 (ipotesi) avanzare 3 (prezzi ecc.) aumentare 4 (pagamento) anticipare. **advance** (sost.) 1 progresso, avanzamento 2 anticipo, acconto 3 rialzo, aumento 4 avance, proposta galante. **advanced** /əd'vɑːnst/ (agg.) 1 avanzato, progredito 2 attempato 3 superiore. **advantage** /əd'vɑːntɪdʒ/ (sost.) vantaggio, beneficio, profitto.

adventure /əd'ventʃə*/ (sost.) 1 avventura 2 COMM. speculazione.

adverb /'ædvɜːb/ (sost.) GRAMM. avverbio.

advert /əd'vɜː/ (sost.) BE, FAM. abbr. di advertisement.

advertise /'ædvətaɪz/ (v.t.) 1 fare

pubblicità 2 fare un'inserzione. **advertisement** /əd'vɜːtɪsmənt/ (sost.) annuncio pubblicitario, inserzione.

advertising /'ædvətaɪzɪŋ/ (agg.) pubblicitario II (sost.) pubblicità.

advice /əd'vaɪs/ (sost. solo sing.) 1 consiglio, consigli 2 DIR. parere, consulenza 3 avviso, nota.

advise /əd'vaɪz/ (v.t. / v.i.) 1 consigliare, consigliarsi 2 avvertire, avvisare, informare.

advocate /'ædvəkət/ (sost.) 1 avvocato (anche fig.), patrocinatore, difensore 2 sostenitore.

aerial /'eərɪəl/ (agg.) aereo II (sost.) antenna.

aeroplane /'eərəpleɪn/ (sost.) aeroplano.

affair /ə'feə*/ (sost.) 1 affare, faccenda ❖ (love) a. relazione (amorosa) (spec. extraconiugale) 2 fatto, avvenimento.

affect[1] /ə'fekt/ (v.t.) 1 affettare, ostentare 2 fingere, simulare 3 atteggiarsi a, darsi aria di.

affect[2] (v.t.) 1 avere effetto su, commuovere, colpire 2 (di malattia) affliggere, colpire. **affection** /ə'fekʃən/ (sost.) 1 affezione, affetto 2 MED. affezione. **affiliate** /ə'fɪlɪət/ (v.t. / v.i.) affiliare, associarsi.

afflict /ə'flɪkt/ (v.t.) affliggere.

afford /ə'fɔːd/ (v.t.) (con can, could, be able to) potersi permettere (ql.sa, di fare), poter disporre di.

affront /ə'frʌnt/ sost. affronto, oltraggio.

afraid /ə'freɪd/ (agg.) timoroso, pauroso, impaurito ❖ to be a. temere, aver paura (anche per esprimere rincrescimento).

afresh /ə'freʃ/ (avv.) di nuovo, da capo.

after /'ɑːftə*/, AE /'æftə*/ (agg.) posteriore, successivo || (avv.) dopo, poi, in seguito || (cong.) dopo che || (prep.) **1** (tempo) dopo, dopo di **2** (luogo) dopo, dietro **3** ❖ to be a. sthg. essere alla ricerca di ql.sa, mirare a **4** (modo, maniera) alla maniera di, secondo.

aftermath /'ɑːftəmæθ/, AE /'æftəmæθ/ (sost.) **1** conseguenze **2** MED. postumi, strascichi.

afternoon /ɑːftə'nuːn/, AE /æftə'nuːn/ (sost.) pomeriggio.

afterthought /'ɑːftəθɔːt/, AE /'æftəθɔːt/ (sost.) ripensamento, riflessione.

afterward(s) /'ɑːftəwəd(z)/, AE /'æftəwəd(z)/ (avv.) dopo, poi, in seguito.

again /ə'gen/ (avv.) **1** di nuovo, ancora, un'altra volta **2** inoltre, d'altra parte **3** da capo.

against /ə'genst/ (prep.) contro di, contro.

age /eɪʤ/ (sost.) **1** età **2** era, periodo **3** (pl.) FAM. (fig.) secoli, anni e anni. **age** (v.t.) far invecchiare, stagionare || (v.i.) invecchiare. **aged** /eɪʤd/ (agg.) **1** attempato **2** dell'età di **3** stagionato.

agency /'eɪʤənsɪ/ (sost.) **1** agenzia, ente governativo **2** causa, azione, intervento **3** COMM. rappresentanza.

agent /'eɪʤənt/ (sost.) **1** (commerciale, immobiliare, segreto ecc.) agente **2** (sostanza attiva) agente (naturale o chimico).

agglomerate /ə'glɒmərəɪt/ (agg. e sost.) agglomerato.

aggressive /ə'gresɪv/ (agg.) aggressivo.

aghast /ə'gɑːst/ (agg.) **1** atterrito **2** stupefatto.

agile /'æʤaɪl/, AE /'æʤɪl/ (agg.) agile, svelto.

ago /ə'gəʊ/ (avv.) fa, or sono.

agog /ə'gɒg/ (agg.) ansioso, impaziente.

agonize /'ægənaɪz/ (v.i.) **1** agonizzare, soffrire **2** lottare disperatamente **3** (fig.) tormentarsi, preoccuparsi || (v.t.) ANT. torturare.

agree /ə'griː/ (v.t. / v.i.) **1** concordare, accordarsi, essere d'accordo **2** acconsentire **3** corrispondere, pareggiare **4** GRAMM. accordarsi, concordare. ♠ **agree on** accordarsi su ql.sa. ♠ **agree to** acconsentire a ql.sa. ♠ **agree with** essere d'accordo con qu.no. **agreement** /ə'griːmənt/ (sost.) **1** accordo, patto **2** COMM. contratto **3** GRAMM. concordanza, accordo.

agronomy /æ'grɒnəmɪ/ (sost.) agronomia.

ahead /ə'hed/ (avv.) avanti, davanti, dritto.

aid /eɪd/ (sost.) **1** aiuto, soccorso **2** sussidio, sovvenzione **3** aiuto, aiutante.

aim /eɪm/ (v.t. / v.i.) **1** puntare, mirare **2** (fig.) mirare, aspirare. **aim** (sost.) **1** mira **2** (fig.) aspirazione, scopo.

air /eə*/ (sost.) **1** aria **2** brezza **3** atteggiamento **4** MUS. melodia, aria. **air** (v.t.) aerare, arieggiare **2** far conoscere, rendere noto **3** RAD., TV mandare in onda (un programma).

aircraft /'eəkrɑːft/ (sost. pl. invar.) aereo, aerei.

airline /'eəlaɪn/ (sost.) compagnia aerea.

airmail /'eəmeɪl/ (sost.) posta aerea.

airport /'eəpɔːt/ (sost.) aeroporto.

aisle /'aɪəl/ (sost.) **1** ARCH. navata laterale **2** (aereo, treno, teatro, supermarket) corridoio.

alarm /ə'lɑːm/ (sost.) allarme, segnale d'allarme, sveglia, suoneria di sveglia. **alarm clock** /ə'lɑːm klɒk/ (sost.) sveglia. **alarming** /ə'lɑːmɪŋ/ (agg.) allarmante, preoccupante.

alas /ə'læs/ (inter.) LETTER. ahimè!

alcohol /'ælkəhɒl/ (sost.) alcol, alcool. **alcoholic** /ælkə'hɒlɪk/ (agg.) alcolico || (sost.) alcolista, alcolizzato.

ale /'eɪəl/ (sost.) (tipo di) birra ✦ **pale a.** birra chiara, **brown a.** birra scura.

alert /ə'lɜːt/ (agg.) vigile, attento || (sost.) allarme.

alibi /'ælɪbaɪ/ (sost.) 1 DIR. alibi 2 FAM. pretesto.

alien /'eɪlɪən/ (agg.) 1 alieno, estraneo, contrario 2 straniero, forestiero || (sost.) straniero, extraterrestre.

align /ə'laɪn/ (v.t. e v.i.) allineare, allinearsi.

alike /ə'laɪk/ (agg.) simile, somigliante || (avv.) egualmente, allo stesso modo.

alimony /'ælɪmənɪ/, AE /'ælɪməʊnɪ/ (sost.) DIR. alimenti (al coniuge separato).

alive /ə'laɪv/ (agg.) vivo, vivente, in vita.

all /ɔːl/ (agg.) 1 tutto, tutta, tutti, tutte 2 ogni, qualsiasi || (avv.) tutto, interamente ✦ **not at a.** per nulla, niente affatto || (pron.) 1 tutto, tutta, tutti, tutte 2 (seguito da **that** sottinteso) tutto ciò che, tutto quello che ✦ **a. I want is...** tutto ciò che voglio è... || (sost.) il tutto, la totalità.

allergy /'ælɜːdʒɪ/ (sost.) allergia. **allergic** /ə'lɜːdʒɪk/ (agg.) allergico.

alley /'ælɪ/ (sost.) 1 vicolo 2 vialetto da giardino.

allied /ə'laɪd/ (agg.) 1 alleato (anche POL.) 2 connesso, affine 3 imparentato.

allocate /'æləʊkeɪt/ (v.t.) 1 collocare 2 stanziare.

allow /ə'laʊ/ (v.t.) 1 permettere, lasciare 2 assegnare, accordare 3 ammettere, riconoscere 4 COMM. abbonare, concedere (sconto ecc.) ✦ **allow for** tener conto di. **allowance** /ə'laʊəns/ (sost.) 1 autorizzazione 2 (di un fatto ecc.) ammissione 3 tolleranza, indulgenza 4 (di cibo, viveri) assegnazione, razione 5 assegno, indennità, gratifica, AE (bambini) paghetta 6 COMM. abbuono, sconto.

alloy /'ælɔɪ/ (sost.) METALL. lega (di metalli).

all right /ɔːl'raɪt/ (agg. e avv.) 1 bene 2 discreto.

allure /ə'lʊə*/ (v.t.) allettare, lusingare.

ally /'ælaɪ/ (sost.) alleato. **ally** /ə'laɪ/ (v.t. / v.i.) alleare, allearsi.

almighty /ɔːl'maɪtɪ/ (agg.) onnipotente, onnipossente.

almond /'ɑːmənd/ (sost.) BOT. mandorla.

almost /'ɔːlməʊst/ (avv.) quasi.

aloft /ə'lɒft/ (prep.) in alto, sopra || (avv.) 1 in alto 2 NAUT. a riva.

alone /ə'ləʊn/ (agg. e avv.) solo, da solo.

along /ə'lɒŋ/ (avv.) 1 avanti ✦ **come a.** vieni avanti 2 con sé, insieme || (prep.) lungo, per tutta la lunghezza.

aloof /ə'luːf/ (agg. e avv.) distaccato, (persona) distante, a distanza, in disparte.

aloud /ə'laʊd/ (avv.) ad alta voce.

alphabet /'ælfəbet/ (sost.) alfabeto.

alpine /'ælpaɪn/ (agg.) alpino, alpestre.

already /ɔːl'redɪ/ (avv.) già, di già.

alright v. all right.

also /'ɔːlsəʊ/ (avv.) anche, pure, altresì.

altar /'ɔːltə*/ (sost.) altare.

alter /'ɔːltə*/ (v.t.) alterare, modificare || (v.i.) cambiare, mutare, modificarsi.

alternate /'ɔːltəneɪt/ (v.t. / v.i.) alternare, alternarsi.

alternative /ɔːl'tɜːnətɪv/ (agg.) alternativo || (sost.) alternativa.

although /ɔːl'ðəʊ/ (cong.) benché, sebbene, quantunque.

altitude /'æltɪtjuːd/ (sost.) altitudine, altezza, quota.

alto /'æltəʊ/ (pl. altos /'æltəʊs/) (sost.) MUS. contralto.

altogether /ɔːltə'geðə*/ (avv.) 1 completamente, del tutto 2 nell'insieme, in complesso.

always /'ɔːlweɪz/ (avv.) sempre.

a.m. /eɪ'em/ (abbr. di ante meridiem) del mattino ❖ ten a.m. le dieci del mattino.

amateur /'æmətə*/ (agg. e sost.) dilettante, amatore.

amaze /ə'meɪz/ (v.t.) stupire, meravigliare. amazing /ə'meɪzɪŋ/ (agg.) stupefacente, sorprendente.

amber /'æmbə*/ (sost.) 1 ambra 2 (al semaforo) luce gialla || (agg.) (colore) ambra.

ambiguous /æm'bɪgjuəs/ (agg.) ambiguo.

ambition /æm'bɪʃən/ (sost.) ambizione.

ambulance /'æmbjələns/ (sost.) ambulanza.

ambush /'æmbʊʃ/ (sost.) imboscata, agguato.

amend /ə'mend/ (v.t.) emendare, correggere || (v.i.) migliorare, migliorarsi.

amends /ə'mendz/ (sost. pl.) ammenda, riparazione, compenso, indennizzo.

amiss /e'mɪs/ (agg.) sbagliato, inopportuno || (avv.) male.

amnesia /æm'niːzjə/ (sost.) amnesia.

amnesty /'æmnəstɪ/ (sost.) amnistia.

among /ə'mʌŋ/, amongst /ə'mʌŋst/ (prep.) tra, fra (più di due), in mezzo a.

amount /ə'maʊnt/ (sost.) 1 importo, ammontare 2 quantità. amount (v.i.) 1 ammontare 2 equivalere.

amplify /'æmplɪfaɪ/ (v.t.) amplificare, ampliare.

amuse /ə'mjuːz/ (v.t.) divertire, distrarre. amusement /ə'mjuːzmənt/ (sost.) divertimento, distrazione. amusing /ə'mjuːzɪŋ/ (agg.) divertente, spassoso.

anaesthesia /ænɪs'θiːzjə/, AE /ænɪs'θiːʒə/ (sost.) MED. anestesia.

analogy /ə'nælədʒɪ/ (sost.) analogia.

analyse, AE analyze /'ænəlaɪz/ (v.t.) analizzare.

analysis /ə'næləsɪs/ (pl. analyses /ə'næləsɪz/) (sost.) analisi.

anatomy /ə'nætəmɪ/ (sost.) anatomia.

anchor /'æŋkə*/ (v.t. / v.i.) ancorare, gettare l'ancora. anchorage /'æŋkərɪdʒ/ (sost.) 1 ancoraggio 2 (fig.) punto d'appoggio.

ancient /'eɪnʃənt/ (agg. e sost.) antico.

and /ænd/ (forma forte), /ənd, ən/ (forme deboli) (cong.) 1 e, ed 2 (nell'addizione) MAT. e, più ❖ three a. three makes six tre più tre fa sei.

anecdote /'ænɪkdəʊt/ (sost.) aneddoto.

anew /ə'njuː/ (avv.) 1 di nuovo 2 in modo diverso.

anger /'æŋgə*/ (sost.) ira, collera, rabbia. angry /'æŋgrɪ/ (agg.) arrabbiato ❖ to get a. arrabbiarsi.

angle /'æŋgəl/ (sost.) 1 GEOM. angolo 2 (fig.) punto di vista.

anguish /'æŋgwɪʃ/ *(sost.)* **1** angoscia **2** dolore intenso.

animal /'ænɪməl/ *(agg. e sost.)* animale.

ankle /'æŋkəl/ *(sost.)* ANAT. caviglia.

annexe, AE **annex** /ə'neks/ *(sost.)* **1** allegato **2** *(edificio)* annesso.

anniversary /ænɪ'vɜːsərɪ/ *(sost.)* anniversario.

announce /ə'naʊns/ *(v.t.)* annunciare.

annoy /ə'nɔɪ/ *(v.t.)* seccare, infastidire, irritare. **annoyed** /ə'nɔɪd/ *(agg.)* seccato, irritato. **annoying** /ə'nɔɪɪŋ/ *(agg.)* seccante, irritante.

annual /'ænjuəl/ *(agg.)* annuale, annuo ‖ *(sost.)* annuario.

annul ◊ /ə'nʌl/ *(v.t.)* annullare.

anomaly /ə'nɒməlɪ/ *(sost.)* anomalia.

anonym /'ænənɪm/ *(sost.)* anonimo.

anorexia /ænə'reksɪə/ *(sost.)* MED. anoressia.

another /ə'nʌðə/ *(agg. indef.)* un altro, un secondo ‖ *(pron. indef.)* un altro.

answer /'ɑːnsə*/ *(v.t. / v.i.)* **1** rispondere a **2** soddisfare. ♣ **answer back 1** ribattere, replicare **2** difendersi. ♣ **answer for** essere responsabile per. ♣ **answer to 1** reagire a **2** rendere conto a **3** corrispondere a, rispondere a. **answering machine** /'ɑːnsərɪŋməʃiːn/ *(sost.)* segreteria telefonica.

ant /ænt/ *(sost.)* ZOOL. formica.

antemeridian /æntɪ'mərɪdɪən/ *(agg.)* antimeridiano.

antenatal /æntɪ'neɪtəl/ *(agg.)* prenatale.

anthem /'ænθəm/ *(sost.)* MUS. inno.

anthology /æn'θɒlədʒɪ/ *(sost.)* antologia.

antibiotic /æntɪbaɪ'ɒtɪk/ *(agg. e sost.)* MED. antibiotico.

anticipate /æn'tɪsɪpeɪt/ *(v.t. / v.i.)* precedere, prevenire.

antidote /'æntɪ'dəʊt/ *(sost.)* antidoto.

antique /æn'tiːk/ *(agg.)* **1** antico **2** antiquato ‖ *(sost.)* oggetto antico.

anxious /'æŋkʃəs/ *(agg.)* **1** ansioso **2** desideroso.

any /'enɪ/ *(agg. indef.)* **1** *(in frasi interr.)* *(un certo numero di)* qualche, dei, degli, delle **2** *(in frasi neg.)* alcuno, nessuno **3** *(in frasi afferm. o neg.)* qualsiasi, qualunque ‖ *(pron. indef.)* **1** *(in frasi afferm.)* chiunque, qualunque **2** *(in frasi neg.)* nessuno, alcuno **3** *(in frasi interr.)* qualcuno, alcuno, nessuno ‖ *(avv.)* **1** *(in frasi interr.)* un po' **2** *(in frasi neg.)* per nulla, niente affatto.

anybody /'enɪbɒdɪ/ *(pron. indef.)* **1** *(in frasi interr., dubitative o neg.)* qualcuno, alcuno, nessuno **2** *(in frasi afferm.)* chiunque.

anyhow /'enɪhaʊ/ *(avv.)* a ogni modo, in qualche modo ‖ *(cong.)* tuttavia, comunque.

anyone /'enɪwʌn/ v. **anybody**.

anything /'enɪθɪŋ/ *(pron. indef.)* **1** *(in frasi interr.)* qualche cosa **2** *(in frasi neg.)* alcuna cosa, nulla, niente **3** *(in frasi afferm. o neg.)* qualsiasi cosa, qualunque cosa ‖ *(avv.)* affatto.

anytime /'enɪtaɪm/ *(avv.)* in qualunque momento.

anyway /'enɪweɪ/ v. **anyhow**.

anywhere /'enɪweə*/ *(avv.)* **1** *(in frasi interr. o dubitative)* da qualche parte, in qualche luogo **2** *(in frasi neg.)* da nessuna parte, in alcun luogo **3** *(in frasi afferm.)* dovunque.

apart /ə'pɑːt/ *(avv.)* **1** distante, lontano **2** separato **3** a parte, in disparte **4** a, in pezzi. **apart from** /ə'pɑːt frɒm/ *(prep.)* **1** eccetto, tranne **2** oltre a.

apartment /ə'pɑːtmənt/ (sost.) appartamento (spec. AE), stanza, camera ammobiliata.

ape /eɪp/ (sost.) ZOOL. scimmia.

apiece /ə'piːs/ (avv.) ciascuno, per uno, a testa.

aplomb /ə'plɒm/ (sost.) 1 a piombo, perpendicolarità 2 (fig.) controllo, padronanza di sé.

apologetic /əˌpɒlə'dʒetɪk/ (agg.) di scusa, spiacente.

apology /ə'pɒlədʒɪ/ (sost.) 1 FORM. apologia, difesa 2 scusa. apologize /ə'pɒlədʒaɪz/ (v.i.) scusarsi, chiedere scusa.

apostrophe /ə'pɒstrəfɪ/ (sost.) GRAMM. apostrofo.

appal ◇ /ə'pɔːl/ (v.t.) sconvolgere. appalling /ə'pɔːlɪŋ/ (agg.) terribile, terrificante.

apparent /ə'pærənt/ (agg.) 1 chiaro, ovvio 2 apparente. apparently /ə'pærəntlɪ/ (avv.) apparentemente, a quanto pare.

appeal /ə'piːəl/ (v.i.) 1 appellarsi 2 attrarre. appeal (sost.) 1 appello (anche DIR.), ricorso 2 richiamo, attrazione.

appear /ə'pɪə*/ (v.i.) 1 apparire, comparire 2 sembrare 3 esibirsi, apparire, essere pubblicato. appearance /ə'pɪərəns/ (sost.) 1 apparizione, comparsa 2 DIR. comparizione 3 apparenza 4 esibizione.

appendix /ə'pendɪks/ (pl. appendixes /ə'pendɪksɪz/, appendices /ə'pendɪksiːz/) (sost.) appendice (anche ANAT.).

appetite /'æpɪtaɪt/ (sost.) 1 appetito 2 brama, avidità.

applaud /ə'plɔːd/ (v.t.) applaudire. applause /ə'plɔːz/ (sost.) applauso, plauso.

apple /'æpəl/ (sost.) BOT. mela.

appliance /ə'plaɪəns/ (sost.) 1 apparecchio, dispositivo 2 (pl.) attrezzature, forniture 3 applicazione.

application /æplɪ'keɪʃən/ (sost.) 1 applicazione 2 utilizzazione 3 diligenza, cura 4 INFORM. applicazione, programma.

apply /ə'plaɪ/ (v.t.) applicare || (v.i.) applicarsi, essere valido. ♣ apply for far domanda per. ♣ apply to rivolgersi a.

appoint /ə'pɔɪnt/ (v.t.) 1 nominare 2 fissare, decidere.

appointment /ə'pɔɪntmənt/ (sost.) 1 nomina, carica 2 appuntamento 3 decreto, ordine.

appraise /ə'preɪz/ (v.t.) apprezzare, stimare.

appreciate /ə'priːʃieɪt/ (v.t.) apprezzare, valutare, stimare || (v.i.) aumentare di valore.

apprehensive /æprɪ'hensɪv/ (agg.) apprensivo, timoroso.

apprentice /ə'prentɪs/ (sost.) apprendista, principiante. apprenticeship /ə'prentɪʃɪp/ (sost.) apprendistato, tirocinio.

approach /ə'prəʊtʃ/ (v.t.) avvicinare (anche fig.), tentare un approccio || (v.i.) avvicinarsi, approssimarsi. approach (sost.) 1 avvicinamento 2 approccio.

appropriate /ə'prəʊprɪət/ (agg.) 1 appropriato, adatto 2 proprio, particolare.

approval /ə'pruːvəl/ (sost.) approvazione, ratifica.

approve /ə'pruːv/ (v.t.) 1 approvare, ratificare 2 provare, dimostrare || (v.i.) approvare, ritenere giusto ❖ she didn't a. of his behaviour non approvava il suo comportamento.

approximate /ə'prɔːksɪmət/ (agg.) approssimato.

apricot /'eɪprɪkɒt/ (sost.) BOT. albicocca.

April /'eɪprəl/ (sost.) aprile.

apt /æpt/ (agg.) **1** atto, appropriato **2** incline.

aqueduct /'ækwɪdʌkt/ (sost.) acquedotto.

Arabic /'ærəbɪk/ (agg.) arabo, arabico ‖ (sost.) arabo.

arc /ɑːk/ (sost.) GEOM. arco.

arch /ɑːtʃ/ (sost.) ARCH. arco, arcata.

archaeology /ɑːkɪ'ɒlədʒɪ/ (sost.) archeologia.

architect /'ɑːkɪtekt/ (sost.) architetto.

archive /'ɑːkaɪv/ (sost.) archivio.

ardour /'ɑːdə*/ (sost.) ardore (anche fig.), fervore.

area /'eərɪə/ (sost.) **1** superficie **2** zona **3** (fig.) àmbito.

arena /ə'riːnə/ (sost.) **1** arena **2** stadio.

Argentinian /ɑːdʒən'tiːnɪən/ (agg. e sost.) argentino.

argue /'ɑːgjuː/ (v.i.) **1** argomentare, sostenere **2** discutere, litigare ‖ (v.t.) **1** dimostrare **2** persuadere a forza di ragionamenti. ♣ **argue for / against** discutere a favore / contro. **argument** /'ɑːgjumənt/ (sost.) **1** argomentazione, motivo **2** discussione, lite.

arid /'ærɪd/ (agg.) arido (anche fig.).

Aries /'eəriːz/ (sost.) ASTROL. Ariete.

arise ♦ /ə'raɪz/ (v.i.) **1** levarsi, alzarsi **2** (fig.) sorgere.

arisen v. arise.

aristocrat /'ærɪstəkræt/, AE /ə'rɪstəkræt/ (sost.) aristocratico.

arm[1] /ɑːm/ (sost.) **1** braccio (anche fig.) **2** bracciolo **3** manica **4** ramo.

arm[2] (v.t. / v.i.) armare, armarsi (anche fig.).

arms /ɑːmz/ (sost. pl.) **1** armi **2** stemma (araldico).

armchair /'ɑːmtʃeə*/ (sost.) poltrona.

armful /'ɑːmfʊl/ (sost.) bracciata.

armour /'ɑːmə*/ (sost.) **1** armatura, corazza, blindatura **2** MIL. mezzi corazzati **3** stemma araldico.

armpit /'ɑːmpɪt/ (sost.) ANAT. ascella.

army /'ɑːmɪ/ (sost.) esercito (anche fig.), armata.

arose v. arise.

around /ə'raʊnd/ (avv.) **1** intorno, attorno, in giro **2** circa ‖ (prep.) intorno a, attorno a.

arouse /ə'raʊz/ (v.t.) scuotere, destare, suscitare.

arrange /ə'reɪndʒ/ (v.t.) **1** disporre, ordinare, sistemare **2** comporre, appianare **3** disporre, predisporre, organizzare **4** MUS. adattare, arrangiare ‖ (v.i.) prendere accordi, accordarsi. **arrangement** /ə'reɪndʒmənt/ (sost.) **1** disposizione, assetto **2** accordo, intesa **3** (pl.) disposizioni, preparativi **4** MUS. adattamento, arrangiamento.

arrest /ə'rest/ (v.t.) **1** DIR. arrestare, catturare **2** fermare, arrestare. **arrest** (sost.) **1** DIR. arresto, cattura **2** fermata, arresto.

arrive /ə'raɪv/ (v.i.) arrivare, giungere. **arrival** /ə'raɪvəl/ (sost.) arrivo, venuta.

arrogant /'ærəgənt/ (agg.) arrogante.

arrogate /'ærəʊgeɪt/ (v.t.) **1** arrogare **2** attribuire ingiustamente.

arrow /'ærəʊ/ (sost.) freccia, dardo.

arse /ɑːs/ (sost.) BE, VOLG. culo.

arsenal /'ɑːsənəl/ (sost.) arsenale.

art /ɑːt/ (sost.) **1** arte **2** (pl.) (studi universitari) lettere **3** (pl.) arti.

artefact /'ɑːtɪfækt/ (sost.) manufatto.

artichoke /'ɑːtɪʃəʊk/ (sost.) BOT. carciofo.

article /'ɑːtɪkəl/ (sost.) **1** articolo **2** (pl.) regolamento.

articulate /ɑːˈtɪkjuleɪt/ (v.t. / v.i.) articolare, pronunciare chiaramente, articolarsi.

artifice /'ɑːtɪfɪs/ (sost.) **1** artificio, astuzia **2** abilità. **artificial** /ɑːtɪˈfɪʃəl/ (agg.) artificiale, artificioso.

artisan /ɑːtɪˈzæn/, AE /'ɑːtɪzən/ (sost.) artigiano.

artist /'ɑːtɪst/ (sost.) artista (anche fig.). **artistic(al)** /ɑːˈtɪstɪk(əl)/ (agg.) artistico.

artwork /'ɑːtwɜːk/ (sost.) grafica.

as /æz/ (forma forte), /əz/ (forma debole) (avv.) (in una comparazione, esprime uguaglianza) (tanto)... quanto, (così)... come ❖ he's a. good a. you è bravo quanto te || (prep.) **1** (funzione, qualifica) come, da ❖ a. a doctor, I suggest you quit smoking come dottore ti suggerisco di smettere di fumare **2** (con l'aspetto di, nella parte di) da, come ❖ she was dressed a. a princess era vestita da principessa || (cong.) **1** come ❖ do a. I do fai come faccio io, a. I said, the cable is too short come dicevo, il filo è troppo corto, a. if / a. though come se **2** (in una comparazione, esprime grado minore o maggiore) come, quanto ❖ his car is not so new a. mine la sua macchina non è nuova quanto la mia **3** per quanto, sebbene, nonostante ❖ good a. you are, you'll never cook like your mother per quanto tu sia bravo, non cucinerai

mai come tua madre **4** siccome, poiché, giacché ❖ a. it was late, we left siccome era tardi, ce ne andammo **5** mentre, quando ❖ a. I was reading I heard a noise mentre leggevo, udii un rumore, a. of / a. from a partire da, a. long a. finché.

asbestos /æzˈbestɒs/ (sost.) amianto.

ascend /əˈsend/ (v.t. / v.i.) **1** salire (anche fig.) **2** risalire.

ascertain /æsəˈteɪn/ (v.t.) accertare, constatare.

aseptic /əˈseptik/ (agg. e sost.) MED. asettico.

ash /æʃ/ (sost.) **1** cenere **2** (pl.) (resti mortali) ceneri.

ashamed /əˈʃeɪmd/ (agg.) vergognoso ❖ to be a. (of) vergognarsi (di).

ashtray /'æʃtreɪ/ (sost.) posacenere.

aside /əˈsaɪd/ (avv.) a parte, da parte, in disparte.

ask /ɑːsk/ (v.t. / v.i.) **1** chiedere, domandare **2** invitare ❖ to ask s.o. out invitare qu.no a uscire **3** richiedere, esigere. ❖ **ask after** chiedere notizie di (qu.no). ❖ **ask around** informarsi in giro. ❖ **ask for (s.o.)** chiedere di, cercare (qu.no).

askew /əˈskjuː/ (agg. e avv.) storto, obliquo.

aslant /əˈslɑːnt/, AE /əˈslænt/ (avv.) obliquamente || (prep.) di traverso a.

asleep /əˈsliːp/ (agg. e avv.) addormentato.

aspect /'æspekt/ (sost.) aspetto, apparenza.

asphalt /'æsfælt/ (sost.) asfalto.

aspire /əˈspaɪə*/ (v.i.) aspirare, ambire ❖ **aspire to** aspirare a ql.sa.

ass¹ /æs/ (sost.) asino, somaro.

ass² (sost.) AE, VOLG. culo.

assassin /əˈsæsɪn/ (sost.) assassino, sicario.

assault /ə'sɔːlt/ *(v.t.)* assalire, assaltare *(anche fig.)*.

assembly /ə'semblɪ/ *(sost.)* **1** assemblea, adunanza **2** MIL. segnale di adunata **3** MECC. montaggio.

assess /ə'ses/ *(v.t.)* **1** fissare, stabilire **2** tassare. **assessment** /ə'sesmənt/ *(sost.)* **1** valutazione **2** tassazione.

assign /ə'saɪn/ *(v.t.)* **1** assegnare **2** designare **3** stabilire.

assist /ə'sɪst/ *(v.t. / v.i.)* assistere, aiutare ‖ *(v.i.)* presenziare, assistere. **assistant** /ə'sɪstənt/ *(agg. e sost.)* assistente. **assistance** /ə'sɪstəns/ *(sost.)* assistenza, aiuto.

associate /ə'səʊsɪət/ *(v.t. / v.i.)* **1** associare, associarsi **2** frequentare. **associate** /ə'səʊsɪət/ *(agg.)* associato ‖ *(sost.)* socio, collega. **association** /əsəʊsɪ'eɪʃən/ *(sost.)* associazione, compagnia.

assort /ə'sɔːt/ *(v.t.)* assortire, rifornire. **assorted** /ə'sɔːtɪd/ *(agg.)* assortito.

assume /ə'sjuːm/ *(v.t.)* assumere, supporre.

assure /ə'ʃɔː*/ *(v.t.)* assicurare, garantire. **assured** /ə'ʃɔːd/ *(agg.)* **1** sicuro, certo, fiducioso **2** impudente ‖ *(sost.)* assicurato.

astonish /ə'stɒnɪʃ/ *(v.t.)* stupire, sorprendere.

astray /ə'streɪ/ *(agg. e avv.)* fuori strada, sviato.

astrology /ə'strɒlədʒɪ/ *(sost.)* astrologia.

astronaut /'æstrənɔːt/ *(sost.)* astronauta.

asylum /ə'saɪləm/ *(sost.)* **1** asilo, rifugio **2** ospizio.

at /æt/ *(forma forte)*, /ət/ *(forma debole)* *(prep.)* **1** *(stato in luogo)* a, in, da **2** *(moto, direzione)* a, in, verso, contro **3** *(tempo)* a, in, di ✧ *a. eight*

o'clock alle otto **4** *(modo, maniera)* a, di, con ✧ *a. leisure* con comodo **5** *(misura)* a **6** *(occupazione, condizione)* a, in ✧ *a. work* al lavoro **7** INFORM. at, presso, *(in indirizzi di posta elettronica)* chiocciola.

ate v. eat.

atheist /'eɪθɪɪst/ *(sost.)* ateo.

athletics /æθ'letɪks/ *(sost.)* atletica.

atlas /'ætləs/ *(pl. atlases* /'ætləsɪz/*) (sost.)* atlante ✧ *road a.* carta stradale.

atmosphere /'ætməsfɪə*/ *(sost.)* atmosfera.

atom /'ætəm/ *(sost.)* **1** FIS., CHIM. atomo **2** *(fig.)* briciolo.

atomic(al) /ə'tɒmɪk(əl)/ *(agg.)* atomico.

atonic /æ'tɒnɪk/ *(agg.)* LING. atono.

attach /ə'tætʃ/ *(v.t. / v.i.)* **1** attaccare, allegare *(anche* INFORM.*)*, annettere **2** *(fig.)* *(gener. al passivo)* attaccarsi, affezionare **3** attribuire **4** assegnare. **attachment** /ə'tætʃmənt/ *(sost.)* **1** allegato **2** attaccamento, affezione **3** accessorio.

attack /ə'tæk/ *(v.t.)* **1** attaccare, assalire *(anche fig.)* **2** MED. attaccare, contagiare. **attack** *(sost.)* **1** attacco, assalto **2** MED. accesso, attacco.

attain /ə'teɪn/ *(v.t. / v.i.)* raggiungere, ottenere.

attempt /ə'tempt/ *(v.t.)* tentare, provare. **attempt** *(sost.)* **1** tentativo, sforzo **2** attentato.

attend /ə'tend/ *(v.t. / v.i.)* **1** *(scuola, lezioni ecc.)* assistere, frequentare **2** curare **3** badare **4** servire, seguire. **attend to 1** occuparsi di **2** fare attenzione a.

attention /ə'tenʃən/ *(sost.)* **1** attenzione **2** assistenza.

attic /'ætɪk/ *(sost.)* **1** soffitta **2** attico, mansarda.

attitude /'ætɪtjuːd/ (sost.) atteggiamento.

attorney /ə'tɜːnɪ/ (sost.) AE, DIR. avvocato.

attract /ə'trækt/ (v.t.) attirare, attrarre (anche fig.). **attractive** /ə'træktɪv/ (agg.) attraente, affascinante.

attribute /ə'trɪbjuːt/ (v.t.) attribuire, ascrivere. **attribute** /'ætrɪbjuːt/ (sost.) attributo (anche GRAMM.).

aubergine /'əʊbəʒiːn/ (sost.) BE, BOT. melanzana.

auction /'ɔːkʃən/ (sost.) asta, incanto.

audible /'ɔːdəbəl/ (agg.) udibile, intelligibile.

audience /'ɔːdɪəns/ (sost.) 1 udienza 2 pubblico, spettatori.

audit /'ɔːdɪt/ (sost.) COMM. revisione, verifica (di conti).

augment /ɔːg'ment/ (v.t. / v.i.) aumentare, accrescere.

August /'ɔːgəst/ (sost.) agosto.

aunt /ɑːnt/, AE /ænt/ (sost.) zia.

austerity /ɒ'sterɪtɪ/ (sost.) austerità.

Australian /ɒ'streɪljən/ (agg. e sost.) australiano.

Austrian /'ɒstrjən/ (agg. e sost.) austriaco.

authentic /ɔː'θentɪk/ (agg.) autentico.

author /'ɔːθə*/ (sost.) autore. **authoress** /'ɔːθərɪs/ (sost.) autrice.

authority /ɔː'θɒrɪtɪ/ (sost.) 1 autorità 2 personalità.

authorize /'ɔːθəraɪz/ (v.t.) autorizzare.

autograph /'ɔːtəgrɑːf/ (sost.) autografo.

automatic /ɔːtə'mætɪk/ (agg.) automatico. **automatically** /ɔːtə'mætɪklɪ/ (avv.) automaticamente.

autumn /'ɔːtəm/ (sost.) (spec. BE) autunno (anche fig.).

avail /ə'veɪl/ (sost.) utilità, profitto, vantaggio.

available /ə'veɪləbəl/ (agg.) 1 utilizzabile 2 disponibile.

avenue /'ævənjuː/ (sost.) viale.

average /'ævərɪdʒ/ (agg.) medio || (sost.) media.

avert /ə'vɜːt/ (v.t.) 1 distogliere 2 evitare. **averse** /ə'vɜːs/ (agg.) avverso, contrario, riluttante. **aversion** /ə'vɜːʃən/ (sost.) avversione.

aviation /ɑɪvɪ'eɪʃən/ (sost.) aviazione. **aviator** /ɑɪvɪ'eɪtə*/ (sost.) aviatore.

avid /'ævɪd/ (agg.) avido, bramoso.

avoid /ə'vɔɪd/ (v.t.) 1 evitare 2 DIR. invalidare.

awake ♦ /ə'weɪk/ (v.t. / v.i.) svegliare, svegliarsi. **awake** (agg.) sveglio, desto (anche fig.).

award /ə'wɔːd/ (v.t.) 1 assegnare 2 DIR. aggiudicare. **award** (sost.) 1 premio, ricompensa, onorificenza 2 DIR. giudizio, sentenza.

aware /ə'weə*/ (agg.) consapevole, conscio.

away /ə'weɪ/ (agg.) fuori casa || (avv.) 1 via 2 lontano 3 da parte 4 SPORT fuori casa.

awe /ɔː/ (sost.) soggezione. **awesome** /'ɔːsəm/ (agg.) 1 che mette soggezione, imponente, solenne 2 timoroso, riverente 3 FAM. favoloso.

awful /'ɔːfəl/ (agg.) terribile, tremendo, terrificante. **awfully** /'ɔːfəlɪ/ (avv.) 1 terribilmente 2 FAM. molto.

awkward /'ɔːkwəd/ (agg.) 1 goffo, sgraziato 2 imbarazzante, inopportuno, a disagio 3 scomodo.

awoke v. awake.

awoken v. awake.

B

b /biː/ (pl. **bs, b's** /biːz/) (sost.) MUS. (nota) si.

baby /'beɪbɪ/ (sost.) **1** bambino, bambina **2** (di animale) cucciolo, piccolo **3** FAM. tesoro, caro, cara ‖ (agg.) infantile, da bambino.

babysit ♦ /'beɪbɪsɪt/ (v.i.) (for) fare il / la baby-sitter (a), sorvegliare bambini. **babysitter** /'beɪbɪsɪtə*/ (sost.) baby-sitter.

bachelor /'bætʃələ*/ (sost.) **1** scapolo, celibe **2** BE laureato.

back /bæk/ (agg.) **1** posteriore **2** (di rivista) arretrato ‖ (sost.) **1** schiena, spalle **2** parte posteriore, (di edificio) retro, (di sedia) schienale **3** (di corpo, mano) dorso **4** SPORT terzino, difensore ‖ (avv.) **1** indietro, di ritorno **2** fa, or sono. **back** (v.t.) **1** fare da sfondo a **2** rinforzare, rivestire **3** sostenere, finanziare **4** (anche v.i.) (far) indietreggiare. ♣ **back down** rinunciare (a), fare marcia indietro (fig.). ♣ **back out 1** fare retromarcia **2** tirarsi indietro, ritirarsi. ♣ **back up 1** (auto) formare una coda **2** INFORM. effettuare una copia di sicurezza di dati.

backbone /'bækbəʊn/ (sost.) ANAT. spina dorsale (anche fig.).

background /'bækɡraʊnd/ (sost.) **1** sfondo, sottofondo **2** ambiente, origine familiare **3** formazione culturale **4** (fig.) oscurità, ombra.

backpack /'bækpæk/ (sost.) zaino.
backrest /'bækrest/ (sost.) schienale.

back seat /'bæksiːt/ (sost.) AUT. sedile posteriore.

backstage /bæk'steɪdʒ/ (agg. e avv.) TEATR. dietro le quinte ‖ (sost.) retroscena.

backup /'bækʌp/ (sost.) **1** sostegno, appoggio **2** INFORM. copia di sicurezza ‖ (agg.) (attr.) INFORM. di sicurezza. **backup** (v.i.) INFORM. fare una copia di sicurezza.

backward /'bækwəd/ (agg.) **1** all'indietro, indietro **2** timido **3** lento, (di mente) tardo **4** arretrato, sottosviluppato. **backward(s)** /'bækwədz/ (avv.) indietro, all'indietro.

bacterium /bæk'tɪərɪəm/ (pl. **bacteria** /bæk'tɪərɪə/) (sost.) BIOL. batterio.

bad /bæd/ (agg.) (compar. **worse** /wɜːs/, superl. **worst** /wɜːst/) **1** cattivo, brutto ♦ too b.! che peccato! **2** marcio ♦ to go b. andare a male ‖ (sost.) male, rovina. **badly** /'bædlɪ/ (avv.) **1** male, malamente **2** gravemente, seriamente **3** moltissimo.

bade v. bid.

bad-tempered /bæd'tempəd/ (agg.) irascibile.

bag /bæɡ/ (sost.) **1** sacco, sacchetto **2** borsa, borsetta **3** valigia. **bag-**

gy /'bægɪ/ *(agg.)* senza forma, cascante.

bagel /'beɪgəl/ *(sost.)* panino a forma di ciambella.

baggage /'bægɪʤ/ *(sost.) (spec. AE)* bagaglio, bagagli.

bagpipes /'bægpaɪps/ *(sost. pl.)* MUS. cornamusa.

bail /'beɪəl/ *(sost.)* DIR. cauzione.

bait /beɪt/ *(sost.)* esca *(anche fig.)*.

bake /beɪk/ *(v.t. / v.i.)* *(pane, torte)* cuocere al forno *(anche fig.)*.

baker /'beɪkə*/ *(sost.)* fornaio, panettiere. **bakery** /'beɪkərɪ/ *(sost.)* forno, panificio, panetteria.

balance /'bæləns/ *(sost.)* 1 equilibrio 2 bilancia *(spec. a due piatti)* 3 *(di denaro)* resto, rimanenza 4 ECON. bilancio, saldo. **balance** *(v.t.)* 1 tenere in equilibrio, *(fig.)* equilibrare 2 *(fig.)* soppesare 3 AMM. pareggiare, saldare || *(v.i.)* 1 mantenersi in equilibrio 2 AMM. essere in pareggio.

balcony /'bælkənɪ/ *(sost.)* 1 balcone 2 TEATR., CINEM. balconata, galleria.

bald /bɔːld/ *(agg.)* 1 calvo, pelato 2 spoglio, senza vegetazione 3 *(pneumatico)* liscio 4 disadorno, scarno.

baleful /'beɪlfʊl/ *(agg.)* 1 malefico 2 minaccioso.

ball¹ /bɔːl/ *(sost.)* palla, pallone.

ball² *(sost.)* *(festa da ballo.*

ballet /'bæleɪ/ *(sost.)* balletto.

ballot /'bælət/ *(sost.)* 1 scheda (di votazione) 2 voto, votazione, scrutinio.

balmy /'baːmɪ/ *(agg.)* balsamico.

ban ◊ /bæn/ *(v.t.)* vietare, bandire. **ban** *(sost.)* divieto, bando.

banal /bə'naːl/, AE /'beɪnəl/ *(agg.)* banale.

band¹ /bænd/ *(sost.)* banda, striscia, fascia, nastro.

band² *(sost.)* 1 banda, gruppo 2 MUS. banda, complesso, gruppo.

bandage /'bændɪʤ/ *(sost.)* benda, fascia. **bandage** *(v.t.)* bendare, fasciare.

bang¹ /bæŋ/ *(v.i.)* 1 sbattere, urtare rumorosamente 2 esplodere, scoppiare || *(v.t.)* colpire, battere con violenza.

bang² *(sost.)* frangia di capelli.

bangle /'bæŋgəl/ *(sost.)* braccialetto.

banister /'bænɪstə*/ *(sost. spec. pl.)* balaustra.

bank¹ /bæŋk/ *(sost.)* 1 *(di nubi, neve ecc.)* cumulo, *(di pesci, nebbia)* banco, *(di strada, ferrovia)* terrapieno, massicciata 2 riva, sponda, argine 3 banco di sabbia, secca.

bank² *(sost.)* 1 banca ❖ *b. holiday* giorno di vacanza nazionale 2 *(nei giochi)* banco.

bankrupt /'bæŋkrʌpt/ *(agg.)* fallito *(anche fig.)* || *(sost.)* fallito, bancarottiere.

baptism /'bæptɪzəm/ *(sost.)* RELIG. battesimo *(anche fig.)*.

bar /baː*/ *(sost.)* 1 sbarra, spranga, barretta 2 ostacolo *(anche fig.)*, barriera 3 DIR. sbarra 4 bar, *(di albergo, ristorante)* sala bar 5 MUS. battuta, misura. **bar** ◊ *(v.t.)* 1 sprangare, sbarrare 2 ostruire, ostacolare 3 *(fig.)* escludere, proibire.

barbaric /baː'bærɪk/ *(agg.)* barbaro, primitivo, crudele.

barbed /baːbd/ *(agg.)* 1 dentato, uncinato ❖ *b. wire* filo spinato 2 *(fig.)* acuto, pungente.

bare /beə*/ *(agg.)* nudo, spoglio.

barefoot /'beəfʊt/ *(agg. e avv.)*, **barefooted** /'beəfʊtɪd/ *(agg.)* scalzo, a piedi nudi.

bargain /'bɑːgɪn/ *(sost.)* 1 patto, accordo 2 affare, occasione. **bargain** *(v.i.)* contrattare.

bark /bɑːk/ *(v.i.)* latrare, abbaiare.

barn /bɑːn/ *(sost.)* granaio, fienile.

barracks /'bærəks/ *(sost. pl. invar.)* caserma *(sing.)*.

barrel /'bærəl/ *(sost.)* 1 barile, botte 2 *(di arma da fuoco)* canna.

barrier /'bærɪə*/ *(sost.)* barriera, ostacolo *(anche fig.)*.

barrister /'bærɪstə*/ *(sost.)* *(spec. BE)* DIR. avvocato.

bartender /'bɑːtendə*/ *(sost.)* barista.

base /beɪs/ *(sost.)* base *(anche fig.)*. **base** *(v.t.)* basare, fondare *(anche fig.)*. **basement** /'beɪsmənt/ *(sost.)* EDIL. seminterrato.

bash /bæʃ/ *(v.t.)* colpire, urtare.

bashful /'bæʃfəl/ *(agg.)* timido, schivo.

basic /'beɪsɪk/ *(agg.)* fondamentale, di base. **basically** /'beɪsɪkəlɪ/ *(agg.)* fondamentalmente, sostanzialmente.

basin /'beɪsən/ *(sost.)* 1 bacinella, catino 2 lavabo 3 GEOL. bacino.

basis /'beɪsɪs/ *(pl. bases* /'beɪsiːz/*)* *(sost.)* base, fondamento *(anche fig.)*.

basket /'bɑːskɪt/ *(sost.)* 1 cesto 2 SPORT canestro.

bass /'beɪs/ *(sost.)* MUS. (voce di) basso.

bat /bæt/ *(sost.)* 1 ZOOL. pipistrello 2 SPORT mazza (da baseball ecc.), racchetta (da ping pong).

bath /bɑːθ/, AE /bæθ/ *(sost.)* 1 bagno 2 vasca da bagno. **bath** *(v.t.)* fare il bagno a ‖ *(v.i.)* fare il bagno, lavarsi.

bathrobe /'bɑːθrəʊb/ *(sost.)* accappatoio.

bathroom /'bɑːθruːm/ *(sost.)* bagno, stanza da bagno.

bathtub /'bɑːθtʌb/, AE /'bæθtʌb/ *(sost.)* vasca da bagno.

battered /'bætəd/ *(agg.)* malconcio, sgangherato.

battery /'bætərɪ/ *(sost.)* 1 ELETTR. batteria, pila 2 *(di pentole)* batteria 3 *(fig.)* serie, *(di domande)* sfilza, *(di test)* batteria 4 MIL. batteria.

battle /'bætəl/ *(sost.)* battaglia, combattimento *(anche fig.)*.

bawl /bɔːl/ *(v.t. / v.i.)* gridare, strillare, *(di bambino)* piangere.

bay /beɪ/ *(sost.)* GEOGR. baia, insenatura.

be ♦ /biː/ *(v.i.)* 1 *(come copula)* essere, esistere ❖ *she was very kind* è stata molto gentile *(come aus., nella forma passiva)* essere, venire, *(come aus., nelle forme progressive)* stare ❖ *he was appointed manager last year* fu / venne nominato direttore l'anno scorso, *I was joking!* stavo scherzando! 3 *(preceduto da* there*)* esserci ❖ *there is no milk* non c'è latte 4 essere, trovarsi, andare, venire (da) ❖ *he is from Mexico* viene dal Messico, è messicano, *he has never been to Rome* non è mai stato / andato a Roma 5 stare (di salute) ❖ *how are you?* come stai? 6 costare ❖ *how much is it?* quanto costa, FAM. quant'è? 7 *(seguito da inf.)* dovere ❖ *the train was to arrive at...* il treno doveva arrivare alle... 8 fare, essere (di professione) 9 *(usato in modo impers.)* essere, fare ❖ *it was ten years since...* erano dieci anni che... , *it is cloudy* è nuvoloso **10** *(in particolari espressioni)* avere ❖ *he's fifteen (years old)* ha quindici anni, *to be right, wrong, hungry, thirsty, sleepy* aver ragione, torto, fame, sete, sonno. ♣ **be about** essere sul punto di. ♣ **be in 1** essere in casa **2** essere di moda **3** essere in carica **4** SPORT essere alla battuta **5** *(for)* essere candidato per, aspirare a (un impiego ecc.) **6** FAM. starci (a fare ql.sa) ❖ *who wants to...? I'm in.* chi vuole...? Ci sto. ♣ **be up 1** essere terminato, scadere **2** essere in piedi. ♣ **be up to 1** essere immerso in, intento a, combinare **2** toccare, spettare (a) **3** essere all'altezza di.

beach /biːtʃ/ *(sost.)* spiaggia.

bead /biːd/ *(sost.)* **1** *(di collana)* perlina, grano, *(di rosario)* grano **2** *(pl.)* rosario, collana **3** goccia di sudore.

beak /biːk/ *(sost.)* **1** becco **2** FAM. naso aquilino **3** MAR. rostro.

beam /biːm/ *(sost.)* **1** raggio, fascio di luce **2** EDIL. trave.

bear[1] /beə*/ *(sost.)* ZOOL. orso *(anche fig.)*.

bear[2] ♦ *(v.t.)* **1** sopportare, tollerare **2** essere in grado di, essere adatto a **3** FORM. portare *(anche fig.)*, sorreggere, sostenere **4** FORM. partorire, dare alla luce ❖ *to be born* nascere, essere nato. ♣ **bear away / off 1** portar via **2** conquistare un premio. ♣ **bear on 1** *(fig.)* poggiarsi su, sostenersi con **2** pesare su. ♣ **bear out** avvalorare, confermare. ♣ **bear up 1** sostenere (un principio) **2** tener duro. ♣ **bear with** aver pazienza con qu.no, sopportare.

beard /biəd/ *(sost.)* barba.

bearing /'beəriŋ/ *(sost.)* **1** portamento, aria **2** relazione, rapporto **3** tolleranza, sopportazione **4** TECN. cuscinetto.

beast /biːst/ *(sost.)* bestia, animale *(anche fig.)*.

beat ♦ /biːt/ *(v.t.)* **1** battere, picchiare, colpire, percuotere **2** percorrere in lungo e in largo, battere **3** battere, vincere **4** *(uova ecc.)* sbattere, montare ‖ *(v.i.)* **1** battere, sbattere, picchiare (su, contro) **2** *(ali)* battere, *(cuore)* pulsare. ♣ **beat back** respingere. ♣ **beat down 1** *(sole, pioggia ecc.)* battere **2** cadere pesantemente **3** *(prezzo)* far ridurre **4** distruggere. ♣ **beat off 1** avere il sopravvento **2** respingere. ♣ **beat out 1** spegnere, *(fiamme)* estinguere **2** battere il ritmo. ♣ **beat up 1** colpire ripetutamente **2** attaccare.

beat *(sost.)* **1** *(di cuore ecc.)* battito, *(di tamburo ecc.)* colpo **2** MUS. ritmo **3** ronda ‖ *(agg.)* esausto.

beaten v. **beat**.

beauty /'bjuːti/ *(sost.)* **1** bellezza **2** persona bellissima. **beautiful** /'bjuːtəfəl/ *(agg.)* bello, bellissimo, magnifico, stupendo.

became v. **become.**

because /bɪ'kɒz/ *(cong.)* **1** perché, poiché **2** ❖ *b. of* a causa di, per **3** per il fatto che.

beckon /'bekən/ *(v.t. / v.i.)* fare un cenno (a).

become ♦ /bɪ'kʌm/ *(v.i.)* diventare, divenire ‖ *(v.t.)* essere adatto (a), star bene (a). **becoming** /bɪ'kʌmiŋ/ *(agg.)* **1** adatto, conveniente, appropriato **2** che dona, che sta bene.

bed /bed/ *(sost.)* letto.

bedclothes /'bedkləʊðz/ *(sost. pl.)* coperte e biancheria da letto.

bedridden /'bedridən/ *(agg.)* costretto a letto.

bedroom /'bedru:m/ *(sost.)* camera da letto.

bee /bi:/ *(sost.)* ZOOL. ape.

beef /bi:f/ *(sost.)* (carne di) manzo.

beefsteak /'bi:fsteɪk/ *(sost.)* CUC. bistecca.

beehive /'bi:haɪv/ *(sost.)* alveare, arnia.

been v. **be**.

beer /bɪə*/ *(sost.)* birra.

before /bɪ'fɔ:*/ *(avv.)* **1** prima **2** davanti || *(prep.)* **1** prima di ❖ *b. long* fra breve **2** davanti a || *(cong.)* **1** prima di, prima che **2** piuttosto che.

beg ♦ /beg/ *(v.i.)* chiedere l'elemosina || *(v.t.)* chiedere, implorare.

began v. **begin**.

begin ♦ /bɪ'gɪn/ *(v.t. / v.i.)* incominciare (a), cominciare (a). **beginner** /bɪ'gɪnə*/ *(sost.)* principiante. **beginning** /bɪ'gɪnɪŋ/ *(sost.)* principio, inizio.

begrudge /bɪ'grʌʤ/ *(v.t.)* **1** invidiare **2** lesinare, dare malvolentieri.

behalf /bɪ'hɑ:f/ *(sost.)* ❖ *on b. of* per conto di, da parte di.

behave /bɪ'heɪv/ *(v.i.)* comportarsi. **behaviour**, AE **behavior** /bɪ↓heɪvjə*/ *(sost.)* comportamento, maniere.

behind /bɪ'haɪnd/ *(avv.)* **1** dietro, indietro **2** in arretrato, in ritardo || *(prep.)* dietro (a).

being /'bi:ɪŋ/ *(sost.)* **1** essere vivente, creatura **2** l'essere, esistenza.

belief /bɪ'li:f/ *(sost.)* **1** credenza, fede **2** convinzione, opinione.

believe /bɪ'li:v/ *(v.t.)* **1** credere, prestare fede a **2** credere, ritenere, supporre || *(v.i.)* credere in (qu.no / ql.sa), avere fiducia in (qu.no).

belittle /bɪ'lɪtl/ *(v.t.)* sminuire.

belly /'belɪ/ *(sost.)* ventre, pancia.

belong /bɪ'lɒŋ/ *(v.i.)* **1** appartenere **2** far parte, essere **3** essere messo, sistemato, avere come posto. **belongings** /bɪ'lɒŋɪŋz/ *(sost. pl.)* proprietà, cose, roba *(sing.)*.

beloved /bɪ'lʌvɪd/ *(agg. e sost.)* amato.

below /bɪ'ləʊ/ *(avv. e prep.)* sotto.

belt /belt/ *(sost.)* **1** cintura, cinghia *(anche TECN.)* ❖ *conveyor b.* nastro trasportatore **2** GEOGR. zona, fascia.

bemused /bɪ'mju:zd/ *(agg.)* *(by, with)* confuso, perplesso.

bench /benʧ/ *(sost.)* **1** panca, panchina, banco **2** seggio, scanno **3** SPORT panchina.

bend ♦ /bend/ *(v.t.)* **1** curvare, piegare **2** chinare **3** volgere, dirigere **4** *(fig.)* piegare, sottomettere || *(v.i.)* curvare, curvarsi, chinarsi. **bend** *(sost.)* **1** curva, svolta, *(di fiume)* ansa **2** curvatura, flessione.

beneath /bɪ'ni:θ/ *(avv. e prep.)* sotto, al di sotto di.

benefit /'benɪfɪt/ *(sost.)* **1** beneficio, vantaggio, profitto **2** indennità, sussidio. **benefit** *(v.t.)* giovare a, tornare utile a || *(v.i.)* beneficiare, trarre vantaggio.

bent /bent/ v. **bend** || *(agg.)* **1** curvo, piegato **2** risoluto, determinato **3** FAM. disonesto, corrotto.

bereaved /bɪ'ri:vd/ *(agg.)* in lutto.

berserk /bə'zɜ:k/ *(agg.)* furioso ❖ *to go b.* infuriarsi, arrabbiarsi molto.

beside /bɪ'saɪd/ *(prep.)* accanto a ❖ *go and sit b. the window* va' a sederti vicino alla finestra.

besides /bɪ'saɪdz/ *(avv.)* inoltre, per di più || *(prep.)* oltre a.

best /best/ *(agg.) (superl. di good)* (il) migliore || *(sost.)* (il) meglio, (il) migliore || *(avv.) (superl. di well)* 1 meglio, nel modo migliore 2 maggiormente, di più.

best man /best'mæn/ *(pl.* best men) *(sost.)* testimone dello sposo.

bestow /bɪ'stəʊ/ *(v.t.)* accordare, concedere.

bet ♦ /bet/ *(v.t. / v.i.)* scommettere. bet *(sost.)* scommessa, puntata.

betray /bɪ'treɪ/ *(v.t.)* tradire *(anche fig.).* betrayal /bɪ'treɪəl/ *(sost.)* tradimento.

better /'betə*/ *(agg.) (compar. di good)* migliore || *(sost.)* 1 il meglio 2 *(pl.) (di grado)* superiori || *(avv.) (compar. di well)* meglio, in modo migliore.

betting /'betɪŋ/ *(sost.)* lo scommettere.

between /bɪ'twiːn/ *(prep.)* tra, fra, in mezzo a (fra due) ||| *(avv.)* 1 in mezzo (fra due) 2 ♦ *in b.* nel frattempo, nell'intervallo.

beverage /'bevərɪdʒ/ *(sost.)* bevanda.

beware /bɪ'weə*/ *(v.i.) (of)* guardarsi (da), stare attento (a).

beyond /bɪ'jɒnd/ *(avv.)* oltre, al di là || *(prep.)* al di là di, oltre || *(sost.)* ♦ *the b.* l'aldilà.

bias /'baɪəs/ *(sost.)* 1 predisposizione, inclinazione 2 pregiudizio, preconcetto 3 ABBIGL. cucitura diagonale, di sbieco. bias(s)ed /'baɪəst/ *(agg.)* non obiettivo, prevenuto.

bib /bɪb/ *(sost.)* bavaglino, bavagliolo.

biceps /baɪ'seps/ *(sost. pl.)* ANAT. bicipiti.

bicker /'bɪkə*/ *(v.i.) (over, about)* bisticciare (per), litigare (per).

bid ♦ /bɪd/ *(v.t. / v.i.)* offrire, *(spec. a un'asta)* fare un'offerta. bid *(sost.)* 1 *(a un'asta)* offerta 2 *(fig.)* sforzo, tentativo 3 *(giochi di carte)* dichiarazione.

big /bɪg/ *(agg.)* 1 grosso, grande 2 maggiore (di età) || *(avv.)* in grande.

bigwig /'bɪgwɪg/ *(sost.)* FAM. pezzo grosso, persona importante.

bike /baɪk/ *(sost.)* 1 bici, bicicletta 2 moto, motocicletta.

bill /bɪl/ *(sost.)* 1 bolletta, *(ristorante ecc.)* conto 2 polizza, certificato 3 COMM. effetto ♦ *b. (of exchange)* cambiale 4 POL. disegno di legge 5 TEATR. cartellone, programma 6 AE banconota.

billion /'bɪljən/ *(sost.)* miliardo. billionaire /bɪljə'neə*/ *(sost.)* miliardario.

bin /bɪn/ *(sost.)* 1 silo, deposito 2 contenitore, bidone ♦ *dust b.* pattumiera.

bind ♦ /baɪnd/ *(v.t.)* 1 legare *(anche fig.)* 2 fasciare, bendare 3 rilegare 4 costringere, obbligare.

biology /baɪ'ɒlədʒɪ/ *(sost.)* biologia.

bird /bɜːd/ *(sost.)* 1 uccello 2 FAM. tipo, individuo.

birth /bɜːθ/ *(sost.)* nascita.

birthday /'bɜːθdeɪ/ *(sost.)* compleanno.

biscuit /'bɪskɪt/ *(sost.)* biscotto.

bishop /'bɪʃəp/ *(sost.)* 1 ECCL. vescovo 2 *(negli scacchi)* alfiere.

bit¹ v. bite.

bit² /bɪt/ *(sost.)* 1 pezzettino, pezzetto 2 ♦ *a b. (of)* un po' (di) 3 INFORM. bit.

bitch /bɪtʃ/ *(sost.)* 1 cagna 2 FAM. VOLG. stronza.

bite ♦ /baɪt/ *(v.t.)* 1 mordere, morsicare 2 *(di insetti)* pungere 3 *(di pesci)* abboccare **4** far presa (su) **5** *(fig.)* farsi sentire, fare effetto. **bite** *(sost.)* **1** morso, morsicatura **2** boccone **3** *(di pesci)* l'abboccare **4** sapore piccante.

bitten v. **bite**.

bitter /'bɪtə*/ *(agg.)* **1** amaro *(anche fig.)*, doloroso **2** *(nemico)* acerrimo **3** *(freddo, vento)* pungente.

blab ◊ /blæb/ *(v.i.)* FAM. spettegolare, parlare troppo ‖ *(v.t.)* spifferare.

black /blæk/ *(agg.)* **1** nero, scuro, buio **2** nero, clandestino ✧ *b. market* mercato nero **3** *(persona)* nero, di colore ‖ *(sost.) (colore)* nero.

blackmail /'blækmeɪl/ *(v.t.)* ricattare *(anche fig.)*.

blackout /'blækaʊt/ *(sost.)* **1** blackout **2** oscuramento, RAD., TV interruzione **3** MED. svenimento, perdita di coscienza.

blade /bleɪd/ *(sost.)* **1** lama, lametta per rasoi **2** filo d'erba.

blame /bleɪm/ *(v.t.)* **1** biasimare **2** incolpare. **blame** *(sost.)* **1** biasimo **2** colpa, responsabilità.

blank /blæŋk/ *(agg.)* **1** in bianco, non scritto **2** *(fig.)* vuoto, vacuo ‖ *(sost.)* spazio vuoto, bianco.

blanket /'blæŋkɪt/ *(sost.)* **1** coperta **2** *(fig.)* coltre ‖ *(agg.)* globale, generalizzato.

blast /blɑ:st/, AE /blæst/ *(sost.)* **1** raffica, colpo di vento ✧ *at full b.* a tutto spiano **2** esplosione, carica di esplosivo.

blatant /'bleɪtənt/ *(agg.)* **1** vistoso, sfacciato **2** chiaro, palese.

bleak /bli:k/ *(agg.)* **1** esposto al vento, al freddo **2** desolato, lugubre.

bled v. **bleed**.

bleed ♦ /bli:d/ *(v.i.)* sanguinare *(anche fig.)* ‖ *(v.t.)* **1** MED. salassare **2**

(fig.) dissanguare.

blemish /'blemɪʃ/ *(sost.)* **1** macchia **2** *(fig.)* difetto, imperfezione.

blend /blend/ *(v.t.)* **1** mescolare, frullare **2** combinare, fondere ‖ *(v.i.)* **1** mescolarsi, fondersi **2** *(fig.)* intonarsi, armonizzarsi. **blender** /'blendə*/ *(sost.)* miscelatore, frullatore.

bless /bles/ *(v.t.)* benedire.

blew v. **blow**[1].

blind /blaɪnd/ *(agg.)* **1** cieco *(anche fig.)* **2** AER. *(volo)* strumentale. **blind** *(v.t.)* accecare *(anche fig.)*.

blink /blɪŋk/ *(v.i.)* **1** battere le palpebre, ammiccare con gli occhi **2** *(di luce)* lampeggiare.

block /blɒk/ *(sost.)* **1** *(di pietra, legno ecc.)* blocco **2** *(di biglietti, fogli)* blocco, blocchetto **3** caseggiato, isolato **4** blocco, ostacolo. **block** *(v.t.)* **1** chiudere, bloccare **2** ostacolare. ✦ *block in* *(auto)* bloccare (col parcheggio), impedire di muoversi. ✦ *block off* chiudere (con barriere). ✦ *block up* ingorgare, otturare, bloccare.

bloke /'bləʊk/ *(sost.)* BE, FAM. tipo, tizio.

blond, blonde /'blɒnd/ *(agg.)* biondo ‖ *(sost.)* bionda.

blood /blʌd/ *(sost.)* **1** sangue **2** stirpe, discendenza, parentela.

bloody /'blʌdɪ/ *(agg.)* **1** sanguinante, insanguinato **2** sanguinoso, cruento **3** BE, FAM. maledetto, schifoso ‖ *(avv.)* FAM. molto.

blog /blɒg/ *(sost.)* INFORM. *(contraz. di* weblog*)* blog, diario on-line.

bloom /blu:m/ *(v.i.)* fiorire, sbocciare.

blossom /blɒsəm/ *(sost.)* *(spec. di albero da frutto)* fiore, bocciolo.

blow¹♦ /bləʊ/ *(v.i.) (vento)* soffiare ‖ *(v.t.)* **1** soffiare, spingere con un soffio **2** *(strumenti a fiato)* suonare **3** far saltare *(anche fig.)*. ♣ **blow in 1** arrivare senza preavviso, capitare **2** *(di vento)* entrare (spinto dal vento). ♣ **blow off 1** far volare via **2** FAM. snobbare, mettere in disparte **3** *(un impegno)* mancare, dare buca **4** FAM. sfogarsi. ♣ **blow out 1** estinguere **2** spegnersi **3** *(pneumatico)* scoppiare. ♣ **blow over 1** cadere giù **2** svanire **3** placarsi, esaurirsi. ♣ **blow up 1** esplodere **2** *(pallone, ruote)* gonfiare **3** scoppiare **4** *(fig.)* perdere la pazienza. **blow** *(sost.)* raffica, colpo di vento, *(di naso)* soffiata.

blow² *(sost.)* colpo *(anche fig.)*.

blown v. **blow¹**.

blue /bluː/ *(agg.)* **1** azzurro, celeste, blu **2** lindo **3** *(fig.)* malinconico, depresso **4** FAM. spinto, a sfondo sessuale ‖ *(sost.)* **1** azzurro, celeste, blu ♦ *out of the b.* all'improvviso **2** FAM. *(pl.)* tristezza, depressione.

blunt /blʌnt/ *(agg.)* **1** smussato, spuntato **2** schietto, diretto.

blur ◊ /blɜː*/ *(v.t.)* rendere indistinto, offuscare.

blush /blʌʃ/ *(v.i.)* arrossire.

board /bɔːd/ *(sost.)* **1** asse, tavola, tabellone **2** vitto ♦ *half b.* mezza pensione, *full b.* pensione completa **3** consiglio, comitato. **board** *(v.t.)* **1** coprire con assi, con pannelli **2** prendere a pensione **3** *(autobus, treno ecc.)* salire a bordo, *(aereo, nave)* imbarcarsi ‖ *(v.i.)* **1** frequentare un collegio **2** *(with)* essere a pensione (presso). **boarding school** /'bɔːdɪŋ'skuːl/ *(sost.)* collegio, convitto.

boat /bəʊt/ *(sost.)* barca, battello, imbarcazione ♦ *ferry b.* traghetto.

bob /bɒb/ *(sost.)* **1** movimento rapido (anche della testa) avanti e indietro, in su e in giù **2** *(di capelli)* caschetto **3** *(di pendolo, lenza)* peso **4** colpetto **5** slitta, bob.

body /'bɒdɪ/ *(sost.)* **1** corpo, busto **2** parte essenziale, nucleo, *(di leggi)* raccolta **3** corpo, ente, associazione **4** massa, grande quantità **5** ABBIGL. body.

bogus /'bəʊgəs/ *(agg.)* falso, finto.

boil /bɔɪl/ *(v.t. / v.i.)* **1** bollire, lessare **2** (fig.) ribollire. **boiler** /'bɔɪlə*/ *(sost.)* **1** caldaia **2** scaldabagno.

bold /bəʊld/ *(agg.)* **1** audace, coraggioso, ardito **2** sfacciato, sfrontato **3** netto, *(disegno)* ben delineato ♦ *b. type* TIP. (carattere) grassetto.

bolt /bəʊlt/ *(sost.)* **1** chiavistello, catenaccio **2** bullone.

bomb /bɒm/ *(sost.)* bomba. **bomb** *(v.t.)* bombardare.

bombastic /bɒm'bæstɪk/ *(agg.)* magniloquente, pomposo.

bond /bɒnd/ *(sost.)* **1** vincolo, legame *(anche fig.)* **2** DIR. cauzione, garanzia **3** FIN. obbligazione, titolo obbligazionario. **bond** *(v.t.)* legare, unire, saldare, *(persone)* stabilire un legame.

bone /bəʊn/ *(sost.)* osso ♦ *fish b.* lisca, spina di pesce.

bonfire /'bɒnfaɪə*/ *(sost.)* falò.

book /bʊk/ *(sost.)* **1** libro, volume ♦ *exercise b.* quaderno, *cheque b.* libretto di assegni **2** *(pl.)* AMM. libri contabili. **book** *(v.t.)* **1** prenotare, riservare **2** multare **3** SPORT ammonire. ♣ **book in** registrarsi (all'arrivo in albergo).

bookkeeping /'bʊkkiːpɪŋ/ *(sost.)* contabilità.

bookmark /'bʊkmɑːk/ *(sost.)* segnalibro.

bookshelf /'bʊkʃelf/ *(pl.* **bookshelves** /'bʊkʃelvz/) *(sost.) (scaffale)* libreria.

bookshop /'bʊkʃɒp/ *(negozio)* libreria.

boor /bɔː*/ *(sost.)* zotico, maleducato.

boot /buːt/ *(sost.)* **1** stivale, scarpone **2** AUT. baule, portabagagli. **boot** *(v.t.)* **1** dare un calcio, una pedata a **2** INFORM. avviare il sistema, il computer.

booth /buːð/ *(sost.)* **1** *(fiera, mercato)* bancarella **2** cabina.

bootleg /'buːtleg/ *(agg.)* di contrabbando, *(rif. a dischi)* pirata ‖ *(sost.)* disco prodotto e venduto illegalmente.

booze /buːz/ *(sost.)* FAM. bevande alcoliche.

border /'bɔːdə*/ *(sost.)* **1** bordo, orlo **2** frontiera, confine. **border** *(v.t.)* **1** bordare, delimitare **2** confinare con.

bore[1] v. bear[2].

bore[2] /bɔː*/ *(v.t.)* annoiare. **boring** /'bɔːrɪŋ/ *(agg.)* noioso, fastidioso.

born /bɔːn/ v. **bear**[2] ‖ *(agg.)* nato, generato.

borne v. bear[2].

borrow /'bɒrəʊ/ *(v.t.)* prendere in prestito.

boss /bɒs/ *(sost.)* FAM. capo, boss, padrone. **bossy** /'bɒsɪ/ *(agg.)* autoritario, prepotente.

both /bəʊθ/ *(agg. e pron.)* tutti e due, entrambi ‖ *(avv.)* nello stesso tempo ❖ *b. ... and...* sia... sia...

bother /'bɒðə*/ *(v.t.)* **1** infastidire, seccare **2** preoccupare ‖ *(v.i.)* preoccuparsi, darsi pensiero. **bother** *(sost.)* seccatura, noia. **bothersome** /'bɒðəsəm/ *(agg.)* seccante, noioso.

bottle /'bɒtl/ *(sost.)* bottiglia. **bottle** *(v.t.)* imbottigliare. ❖ **bottle up** *(fig.) (sentimenti ecc.)* tenere dentro di sé.

bottom /'bɒtəm/ *(sost.)* **1** fondo, estremità **2** FAM. sedere ‖ *(agg.)* inferiore, ultimo.

bought v. buy.

bounce /baʊns/ *(v.i.)* **1** rimbalzare **2** balzare ‖ *(v.t.)* fare rimbalzare.

bound[1] v. bind.

bound[2] /baʊnd/ *(sost.) (spec. pl.)* limite, confine *(anche fig.)*. **boundary** /'baʊndərɪ/ *(sost.)* limite, frontiera.

bow[1] /bəʊ/ *(sost.)* **1** arco **2** MUS. archetto **3** fiocco.

bow[2] /baʊ/ *(sost.)* inchino.

bow[3] *(sost.)* MAR. prua, prora.

bowel /'baʊəl/ *(sost.) (spec. pl.)* ANAT. intestino, viscere.

bowl /bəʊl/ *(sost.)* **1** scodella, ciotola, piatto fondo **2** cavità, incavo.

bowling /'baʊəlɪŋ/ *(sost.)* **1** gioco delle bocce **2** bowling.

bow tie /baʊ'taɪ/ *(sost.)* ABBIGL. papillon, farfallino.

box /bɒks/ *(sost.)* **1** cassa, cassetta, scatola **2** capanno, cabina **3** TEATR. palco ❖ *jury b.* banco della giuria.

boxroom /'bɒksrʊm/ *(sost.)* ripostiglio.

boy /bɔɪ/ *(sost.)* ragazzo, FAM. figlio.

boycott /'bɔɪkɒt/ *(v.t.)* boicottare.

boyfriend /'bɔɪfrend/ *(sost.) (fidanzato)* ragazzo, fidanzato.

bra /brɑː/ *(sost.)* ABBIGL. reggiseno.

brace /breɪs/ *(sost.)* **1** sostegno **2** apparecchio ortodontico **3** *(pl.)* BE bretelle.

bracket /'brækɪt/ *(sost.)* **1** supporto, mensola **2** parentesi **3** classe, fascia.

braid /breɪd/ *(sost.) (capelli)* treccia.

brain /breɪn/ *(sost.)* **1** ANAT. cervello **2** *(spec. pl.)* mente, intelligenza.

brake /breɪk/ *(sost.)* freno *(anche fig.)*. **brake** *(v.i.)* frenare.

branch /brɑːntʃ/ *(sost.)* **1** ramo **2** ramo, branca **3** *(di strada, ferrovia ecc.)* diramazione **4** COMM. filiale, agenzia. **branch** *(v.i.)* **1** ramificare, ramificarsi **2** *(fig.)* derivare. ♣ **branch off** *(di strade)* diramarsi, ramificarsi. ♣ **branch out 1** diversificare **2** COMM. creare filiali.

brand /brænd/ *(sost.)* **1** marchio (a fuoco) *(anche fig.)* ❖ *b. new* nuovo di zecca **2** COMM. marca.

brandish /'brændɪʃ/ *(v.t.)* brandire.

brave /breɪv/ *(agg.)* coraggioso, audace.

brazen /'breɪzən/ *(agg.) (fig.)* sfacciato, sfrontato.

breach /briːtʃ/ *(sost.)* **1** breccia, falla **2** violazione, infrazione.

bread /bred/ *(sost.)* pane.

breadth /bredθ/ *(sost.)* **1** larghezza, ampiezza **2** *(fig.)* larghezza di vedute.

break ♦ /breɪk/ *(v.t.)* **1** rompere, spezzare **2** interrompere **3** *(leggi, regole)* violare, infrangere **4** abbattere, avere la meglio su **5** stroncare, far fallire **6** *(notizia)* divulgare, comunicare, essere divulgata ‖ *(v.i.)* **1** rompersi, spezzarsi, infrangersi **2** interrompersi **3** cedere, crollare **4**

(rif. a giorno, alba ecc.) sorgere, spuntare. ♣ **break away 1** scappare, sfuggire **2** rompere i legami con qu.no. ♣ **break down 1** smettere di funzionare, rompersi **2** collassare **3** fallire **4** separare in parti. ♣ **break in 1** interrompere **2** entrare illegittimamente. ♣ **break into 1** iniziare improvvisamente **2** interrompere **3** irrompere. ♣ **break off 1** fermare **2** interrompere **3** rompere in pezzi **4** rompere una relazione. ♣ **break out 1** cominciare improvvisamente **2** scappare (dalla prigione), evadere. ♣ **break through 1** aprirsi un varco (attraverso), farsi strada **2** *(fig.)* superare, vincere, vincere il riserbo di qu.no. ♣ **break up 1** dividere, dividersi **2** rompere, rompersi **3** terminare **4** porre fine (a una relazione). **break** *(sost.)* **1** rottura, frattura **2** interruzione, intervallo, pausa, AE ricreazione.

breakdown /'breɪkdaʊn/ *(sost.)* **1** MED. collasso, esaurimento **2** crollo, dissesto **3** insuccesso, rottura **4** MECC. guasto, panne, rottura.

breakfast /'brekfəst/ *(sost.)* prima colazione.

breakup /'breɪkʌp/ *(sost.)* **1** rottura, scioglimento **2** fallimento, (di relazione) fine **3** smantellamento, smembramento.

breast /brest/ *(sost.)* **1** ANAT. seno, petto **2** *(fig.)* seno, cuore.

breastfeed /'brestfiːd/ *(v.t. / v.i.)* allattare al seno.

breath /breθ/ *(sost.)* **1** respiro, fiato **2** *(di vento)* soffio.

breathe /briːð/ *(v.i.)* **1** respirare, prendere fiato *(cose)* prendere aria, respirare ‖ *(v.t.)* **1** inalare **2** sussurrare. ♣ **breathe in** inspirare.

♣ **breathe out** espirare. **breathing** /'bri:ðɪŋ/ *(agg.)* che respira ‖ *(sost.)* respiro, respirazione.
breathtaking /'breθteɪkɪŋ/ *(agg.)* mozzafiato.
bred v. **breed**.
breed ♦ /bri:d/ *(v.t.)* 1 procreare 2 allevare, crescere, educare 3 *(fig.)* causare, produrre ‖ *(v.i.)* 1 riprodursi 2 *(fig.)* aver origine, nascere. **breed** *(sost.)* 1 razza, stirpe, BOT. varietà 2 *(fig.)* genere.
breeze /bri:z/ *(sost.)* brezza.
brew /bru:/ *(v.t.)* 1 fare, produrre birra 2 *(fig.)* macchinare, tramare ‖ *(v.i.)* 1 *(rif. a tè ecc.)* essere in infusione 2 *(fig.)* prepararsi, FAM. bollire in pentola. **brew** *(sost.)* 1 miscela (di liquidi), infuso, tisana 2 fermentazione, produzione di birra 3 *(di birra, tè)* qualità.
bribe /braɪb/ *(sost.)* bustarella, mazzetta.
brick /brɪk/ *(sost.)* 1 EDIL. mattone 2 *(pl.)* *(gioco per bambini)* cubi.
bride /braɪd/ *(sost.)* sposa. **bridegroom** /'braɪdgruːm/ *(sost.)* sposo.
bridge /brɪʤ/ *(sost.)* 1 ponte 2 MAR. ponte di comando, plancia.
brief /bri:f/ *(agg.)* 1 breve, conciso 2 succinto 3 brusco. **brief** *(v.t.)* 1 riassumere, riferire 2 dare, impartire istruzioni a. **briefly** /'bri:flɪ/ *(avv.)* brevemente, in breve.
bright /braɪt/ *(agg.)* 1 brillante, luminoso, splendente 2 allegro, vivace, brillante, intelligente.
brighten /'braɪtən/ *(v.t.)* 1 illuminare 2 animare, rallegrare ‖ *(v.i.)* 1 illuminarsi, brillare 2 animarsi, rallegrarsi. ♣ **brighten up** 1 schiarirsi 2 *(metalli ecc.)* lucidare.
brilliant /'brɪljənt/ *(agg.)* 1 brillante

(anche fig.), splendente 2 di spiccata intelligenza, geniale ✧ BE *it was b.!* è stato fantastico! ‖ *(sost.)* brillante.
brim /brɪm/ *(sost.)* 1 orlo, bordo 2 ala, *(di cappello)* tesa.
bring ♦ /brɪŋ/ *(v.t.)* 1 portare, condurre 2 *(fig.)* recare, provocare 3 DIR. presentare, intentare. ♣ **bring about** causare, determinare. ♣ **bring around** 1 convincere, tirare dalla propria parte 2 far rinvenire. ♣ **bring down** 1 distruggere, far crollare 2 *(aereo)* abbattere 3 far scendere. ♣ **bring in** 1 portar dentro 2 POL. *(leggi)* introdurre 3 coinvolgere 4 guadagnare, fruttare, apportare (capitali). ♣ **bring off** 1 portare in salvo 2 portare a termine. ♣ **bring on** provocare, causare, procurare. ♣ **bring out** 1 *(libro, disco ecc.)* far uscire, pubblicare, mettere sul mercato, *(prodotto)* lanciare 2 tirare fuori. ♣ **bring over** 1 far cambiare parere, convincere 2 portare con sé. ♣ **bring round / around** 1 convincere, far cambiare parere 2 FAM. far rinvenire. ♣ **bring up** 1 allevare, educare, *(fig.)* tirar su 2 proporre, mettere in discussione, sollevare (un argomento).
brisk /brɪsk/ *(agg.)* 1 svelto, vivace 2 *(aria)* frizzante.
bristle /'brɪsəl/ *(sost.)* setola, pelo ispido.
brittle /'brɪtəl/ *(agg.)* 1 fragile *(anche fig.)*, friabile 2 *(fig.)* *(rumore)* secco 3 *(fig.)* *(carattere)* freddo.
broad /brɔːd/ *(agg.)* 1 largo, ampio 2 chiaro, aperto 3 marcato, spinto 4 generale. **broadly** /'brɔːdlɪ/ *(avv.)* largamente, ampiamente ✧ *b. speaking* parlando in generale.

broadcast ♦ /'brɔːdkɑːst/ (v.t.) RAD., TV trasmettere per radio, per televisione. **broadcast** (sost.) RAD., TV trasmissione.

broil /'brɔɪəl/ (v.t. / v.i.) 1 AE cuocere a fuoco vivo, sulla brace 2 (fig.) arrostire, bruciare.

broke /brəʊk/ v. **break** ‖ (agg.) FAM. squattrinato, al verde.

broken /'brəʊkən/ v. **break** ‖ (agg.) 1 rotto, spezzato (anche fig.) 2 discontinuo, irregolare 3 avvilito, scoraggiato 4 (di lingua) stentato.

broker /'brəʊkə*/ (sost.) COMM. mediatore, FIN. agente di cambio, operatore di borsa.

brooch /brəʊtʃ/ (sost.) spilla, fermaglio.

brood /bruːd/ (sost.) covata, nidiata.

brook /brʊk/ (sost.) ruscello.

broom /bruːm/ (sost.) scopa.

brother /'brʌð */ (sost.) 1 fratello 2 compagno 3 RELIG. confratello.

brother-in-law /'brʌðərɪnlɔː/ (pl. **brothers-in-law**) (sost.) cognato.

brought v. bring.

brow /braʊ/ (sost.) 1 ANAT. fronte 2 (pl.) sopracciglia 3 cima, sommità.

brown /braʊn/ (agg.) 1 bruno, marrone, castano ♦ b. bread pane integrale 2 scuro, abbronzato.

browse /braʊz/ (v.i.) 1 pascolare, brucare 2 dare un'occhiata, curiosare, INFORM. navigare (in Internet).

bruise /bruːz/ (sost.) 1 contusione, livido 2 (di frutta) ammaccatura 3 (fig.) offesa, ferita.

brush /brʌʃ/ (sost.) 1 spazzola 2 colpo di spazzola 3 pennello 4 lieve tocco 5 breve scontro, scaramuccia (anche fig.). **brush** (v.t.) 1 spazzolare, (pavimento) spazzare ♦ to b. one's teeth lavarsi i denti 2 sfiora-

re. ♣ **brush aside / away** 1 respingere 2 mettere in disparte 3 dimenticare. ♣ **brush up** 1 spazzolare 2 (fig.) ripassare.

brutal /'bruːtəl/ (agg.) brutale.

bubble /'bʌbəl/ (sost.) bolla. **bubble** (v.i.) gorgogliare.

bubblebath /'bʌbəlbɑːθ/ (sost.) bagnoschiuma.

bucket /'bʌkɪt/ (sost.) 1 secchio 2 (pl.) FAM. un sacco (sing.).

buckle /'bʌkəl/ (sost.) fibbia, fermaglio.

Buddhism /'bʊdɪzəm/ (sost.) buddismo.

budget /'bʌdʒɪt/ (sost.) ECON. bi↓ lancio preventivo ♦ to be on a b. stare attenti ai soldi ‖ (agg.) economico.

buffer /'bʌfə*/ (sost.) 1 FERR. respingente, MECC. ammortizzatore, paracolpi 2 INFORM. memoria tampone.

bug /bʌg/ (sost.) 1 ZOOL. cimice, piccolo insetto 2 FAM. germe, disturbo, lieve malanno 3 (fig.) mania 4 INFORM. errore di programmazione 5 microspia, FAM. cimice.

build ♦ /bɪld/ (v.t. / v.i.) costruire (anche fig.), fabbricare. ♣ **build in / into** 1 incorporare 2 incassare. ♣ **build up** 1 creare, costruire (anche fig.) 2 aumentare, accumulare, accumularsi. ♣ **build (up)on** fondare, basare su. **building** /'bɪldɪŋ/ (agg.) edile, edilizio ‖ (sost.) edificio, costruzione, fabbricato. **built-in** /'bɪltɪn/ (agg.) incorporato, integrato.

bulb /bʌlb/ (sost.) 1 BOT. bulbo 2 ELETTR. lampadina.

bulge /bʌldʒ/ (sost.) gonfiore, protuberanza.

bulk /bʌlk/ (sost.) 1 massa, volume 2 la maggior parte. **bulky** /'bʌlkɪ/ (agg.) massiccio, voluminoso.

bull /bʊl/ (sost.) 1 ZOOL. toro 2 ASTROL. Toro.

bullet /'bʊlɪt/ (sost.) pallottola, proiettile.

bully /'bʊlɪ/ (sost.) prepotente, spaccone, FAM. bullo.

bum /bʌm/ (sost.) 1 BE, FAM. sedere 2 fannullone.

bump /bʌmp/ (v.t.) urtare, sbattere contro || 1 andare a sbattere 2 sobbalzare. ♣ **bump into** 1 scontrarsi con (qu.no o ql.sa) 2 incontrare (qu.no) per caso. ♣ **bump off** FAM. uccidere, SL. far fuori. ♣ **bump up** 1 FAM. accrescere 2 migliorare. **bump** (sost.) 1 urto, colpo 2 bernoccolo 3 dosso, cunetta.

bumper /'bʌmpə*/ (sost.) AUT. paraurti.

bun /bʌn/ (sost.) 1 CUC. focaccia, ciambella 2 (capelli) chignon, crocchia.

bunch /bʌntʃ/ (sost.) 1 mazzo, fascio, grappolo 2 FAM. gruppo (di persone).

bunny /'bʌnɪ/ (sost.) FAM. coniglietto.

buoy /bɔɪ/ (sost.) MAR. boa marina.

burden /'bɜːdən/ (sost.) peso, fardello (anche fig.).

burglar /'bɜːglə*/ (sost.) scassinatore.

burn ♦ /bɜːn/ (v.i.) 1 bruciare, ardere (anche fig.) 2 scottarsi, ustionarsi || (v.t.) 1 bruciare 2 INFORM. masterizzare. ♣ **burn down** 1 distruggere, dare alle fiamme 2 andare a fuoco 3 diminuire di intensità. ♣ **burn out** 1 estinguersi 2 fondere,

fondersi. ♣ **burn up** 1 essere distrutto 2 consumare.

burnt v. burn.

burp /bɜːp/ (sost.) FAM. rutto. **burp** (v.i.) FAM. ruttare.

burrow /'bʌrəʊ/ (sost.) tana.

burst ♦ /bɜːst/ (v.i.) 1 scoppiare, esplodere (anche fig.) 2 prorompere || (v.t.) far scoppiare, far esplodere. ♣ **burst into** 1 scoppiare in (risa, pianto ecc.) 2 irrompere in, fare irruzione in 3 iniziare improvvisamente. ♣ **burst out** 1 scoppiare a (ridere, piangere ecc.) 2 esclamare improvvisamente 3 uscire rumorosamente. **burst** (sost.) scoppio, esplosione (anche fig.), raffica, (di applausi) scroscio.

bury /'berɪ/ (v.t.) seppellire (anche fig.).

bus /bʌs/ (sost.) autobus.

bush /bʊʃ/ (sost.) 1 cespuglio 2 boscaglia. **bushy** /'bʊʃɪ/ (agg.) folto.

business /'bɪznəs/ (sost.) 1 affari, commercio 2 azienda, impresa 3 mestiere, lavoro, (fig.) compito 4 faccenda, affare ❖ mind your own b. bada agli affari tuoi. **businessman** /'bɪznəsmən/ (pl. **businessmen**) (sost.) uomo d'affari.

bust /bʌst/ (sost.) 1 ANAT. torace, petto 2 circonferenza del torace.

bustle /'bʌsəl/ (sost.) trambusto, confusione.

busy /'bɪzɪ/ (agg.) occupato, indaffarato.

but /bʌt/ (cong.) ma, però || (prep.) tranne, eccetto || (avv.) FORM. solo, soltanto.

butcher /'bʊtʃə*/ (sost.) macellaio.

butler /'bʌtlə*/ (sost.) maggiordomo.

butter /'bʌtə*/ (sost.) burro.

buttock /'bʌtək/ (sost.) ANAT. natica.

button /'bʌtən/ (sost.) 1 bottone 2 pulsante. button (v.t. / v.i.) abbottonare, abbottonarsi.

buy ♦ /baɪ/ (v.t.) comprare, acquistare. ♣ buy in 1 riscattare 2 comprare provviste. ♣ buy into comprare titoli o azioni. ♣ buy off FAM. pagare per tacitare, corrompere con denaro. ♣ buy out rilevare (un negozio, una quota ecc.). ♣ buy up 1 fare incetta 2 comprare in blocco. buyer /'baɪə*/ (sost.) compratore, acquirente.

buzz /bʌz/ (sost.) 1 (di insetto) ronzio 2 (fig.) (di conversazione) brusio 3 (suono di cicalino, FAM. (di telefono) squillo.

by /baɪ/ (prep.) 1 (con verbo passivo) da ♦ the bridge was destroyed b. a bomb il ponte fu distrutto da una bomba 2 (a opera) di ♦ a novel b.

Dickens un romanzo di Dickens 3 per mezzo di, con 4 per, attraverso, via 5 accanto a, davanti a 6 (non più tardi di) entro, per 7 (durante) di ♦ b. day, b. night di giorno, di notte 8 (quantità, livello di ql.sa) per, a, di ♦ my friend is older than me b. seven years la mia amica è più vecchia di me di sette anni 9 (ritmo, tipologia dell'azione) a, per ♦ one b. one uno alla volta, little b. little a poco a poco 10 per, secondo ♦ to pay b. the day pagare a giornata || (avv.) 1 vicino 2 ♦ to put b. mettere da parte.

bye-bye /baɪbaɪ/ (inter.) FAM. arrivederci, ciao.

bypass /'baɪpɑ:s/ (sost.) 1 circonvallazione, bretella stradale 2 TECN. diramazione 3 MED. by-pass arterioso. bypass (v.t.) girare intorno (a), evitare.

C

c /si:/ *(pl.* **cs**, **c's** /si:z/*) (sost.)* MUS. *(nota)* do.

cab /kæb/ *(sost.)* taxi.

cabin /'kæbɪn/ *(sost.)* **1** MAR., AER. cabina **2** capanna, casetta di legno.

cabinet /'kæbɪnət/ *(sost.)* **1** armadietto **2** POL. gabinetto, consiglio dei ministri.

cable /'keɪbəl/ *(sost.)* cavo *(anche* ELETTR., TV), TEL. cavo telefonico.

cacao /kə'kɑːəʊ/ *(sost.)* BOT. cacao.

café /'kæfeɪ/ *(sost.) (locale)* caffè, bar.

cafeteria /kæfə'tɪərɪə/ *(sost.)* bar self-service, AE mensa.

cage /keɪʤ/ *(sost.)* **1** gabbia *(anche fig.)* **2** prigione.

cagey /'keɪʤɪ/ *(agg.)* FAM. cauto, circospetto, riluttante.

cake /keɪk/ *(sost.)* **1** CUC. torta, pasticcio **2** ❖ *c. of soap* saponetta.

calculate /'kælkjʊleɪt/ *(v.t.)* calcolare, valutare ‖ *(v.i.)* **1** eseguire calcoli **2** contare, fare affidamento. **calculation** /kælkjʊ'leɪʃən/ *(sost.)* calcolo. **calculator** /kælkjʊ'leɪtə*/ *(sost.)* calcolatrice.

calendar /'kæləndə*/ *(sost.)* calendario, annuario.

calf¹ /kɑːf/, AE /kæf/ *(pl.* **calves** /kɑːvz/, AE /kævz/*) (sost.)* ZOOL. vitello.

calf² *(sost.)* ANAT. polpaccio.

calibre, AE **caliber** /'kæləbə*/ *(sost.)* **1** TECN. calibro **2** *(fig.)* importanza, calibro.

call /kɔːl/ *(v.t.)* **1** chiamare **2** annunciare, proclamare **3** TEL. telefonare a, chiamare al telefono **4** far venire, convocare ‖ *(v.i.)* **1** chiamare, gridare, invocare **2** lanciare un richiamo **3** TEL. telefonare **4** FERR. effettuare una fermata, MAR., AER. fare scalo **5** *(a poker)* vedere. ♣ **call back 1** ritornare, ripassare **2** TEL. richiamare **3** COMM. ritirare *(merce difettosa)*. ♣ **call for 1** passare a prendere **2** richiedere. ♣ **call in 1** visitare **2** *(di un prestito)* richiedere la restituzione **3** fare un salto *(da)*, fare una visitina *(a)*. ♣ **call off** disdire, revocare. ♣ **call on 1** rivolgersi a, chiedere l'aiuto di **2** far visita a, andare a trovare. ♣ **call out** far intervenire (qu.no), chiedere l'intervento (di qu.no). ♣ **call up 1** chiamare aiuto, rinforzi **2** MIL. chiamare alla leva **3** *(fig.)* richiamare alla memoria. **call** *(sost.)* **1** chiamata, richiamo **2** segnale, *(di animale)* richiamo **3** TEL. telefonata **4** FERR. fermata, MAR., AER. scalo.

callous /'kæləs/ *(agg.)* **1** MED. calloso **2** *(fig.)* indifferente, insensibile.

calm /kɑːm/ (agg.) calmo, tranquillo ‖ (sost.) calma. **calm** (v.t.) calmare ‖ (v.i.) calmarsi. ♣ **calm down 1** calmarsi, rilassarsi **2** far calmare.

calorie /'kælərɪ/ (sost.) FIS. caloria.

came v. come.

cameo /'kæmɪəʊ/ (sost.) **1** cammeo **2** CINEM. piccola parte interpretata da un attore famoso.

camera /'kæmərə/ (sost.) FOT. macchina fotografica, CINEM. cinepresa, TV telecamera ♣ web cam(era) telecamera per computer.

camouflage /'kæməflɑːʒ/ (v.t.) camuffare, MIL. mimetizzare.

camp /kæmp/ (sost.) campo, accampamento. **camp** (v.i.) accamparsi, campeggiare.

campaign /kæm'peɪn/ (sost.) MIL., POL., COMM. campagna.

campus /'kæmpəs/ (sost.) campus, città universitaria.

can¹ /kæn/ (sost.) (di bevande) lattina, (di cibi) latta, scatola, (di latte) bidone.

can²♣ (v. mod.) (nei tempi mancanti si usa to be able) **1** potere, riuscire a **2** saper fare, essere capace ♣ he c. swim sa nuotare **3** potere, essere permesso, essere lecito **4** (per esprimere possibilità) potere.

canal /kə'næl/ (sost.) canale.

cancel ◊ /'kænsəl/ (v.t.) annullare, cancellare, disdire.

cancer¹ /'kænsə*/ (sost.) ASTROL. Cancro.

cancer² (sost.) MED. cancro.

candid /'kændɪd/ (agg.) franco, sincero.

candidate /'kændɪdeɪt/ (sost.) candidato.

candle /'kændəl/ (sost.) candela.

candy /'kændɪ/ (sost.) (spec. AE) caramella, dolciume. **candyfloss** /'kændɪflɒs/ (sost.) zucchero filato.

canned /'kænd/ (agg.) **1** in scatola **2** FAM. ubriaco, sbronzo.

canny /'kænɪ/ (agg.) astuto, arguto.

can opener /'kænəʊpənə*/ (sost.) (anche tin opener) apriscatole.

canteen /kæn'tiːn/ (sost.) **1** BE mensa aziendale **2** posto di ristoro.

canvas /'kænvəs/ (sost.) **1** tela (anche PITT.) **2** MAR. velatura, vele.

cap /kæp/ (sost.) **1** ABBIGL. berretto **2** (di penna) cappuccio, (di bottiglia ecc.) tappo **3** coperchio.

capable /'keɪpəbəl/ (agg.) **1** capace, in grado **2** competente, esperto, dotato.

capacity /kə'pæsətɪ/ (sost.) **1** capacità, capienza **2** capacità, abilità **3** posizione, ruolo.

caper /'keɪpə*/ (sost.) **1** saltello, capriola **2** (fig.) scappatella, monelleria **3** SL. attività illegale.

capital¹ /'kæpɪtəl/ (agg.) **1** capitale **2** TIP. maiuscolo ‖ (sost.) **1** (di città) capitale **2** TIP. lettera maiuscola **3** ECON. capitale.

capital² (sost.) ARCH. capitello.

capricorn /kə'prɪkɔːn/ (sost.) ASTROL. Capricorno.

capsize /kæp'saɪz/ (v.t.) capovolgere ‖ (v.i.) capovolgersi.

captain /'kæptɪn/ (sost.) capitano, comandante.

caption /'kæpʃən/ (sost.) TIP. didascalia, CINEM. sottotitolo.

captive /'kæptɪv/ (agg. e sost.) prigioniero.

capture /'kæptʃə*/ (v.t.) catturare (anche fig.), far prigioniero.

car /kɑː*/ (sost.) **1** automobile, FAM. macchina **2** FERR. vagone, carrozza.

caravan /'kærəvæn/ (sost.) **1** AUT. roulotte **2** carovana.

card /ka:d/ (sost.) **1** carta, tessera **2** cartolina, biglietto **3** (pl.) carte da gioco.

cardboard /'ka:dbɔːd/ (sost.) cartone.

care /keə*/ (sost.) **1** cura, attenzione **2** custodia, responsabilità **3** preoccupazione, inquietudine. **care** (v.i.) **1** importare, interessare **2** preoccuparsi. ♣ **care about** avere interesse in. ♣ **care for 1** piacere, gradire **2** voler bene **3** prendersi cura di.

carefree /'keəfriː/ (agg.) spensierato, senza preoccupazioni. **careful** /'keəfʊl/ (agg.) **1** accurato **2** attento, prudente. **careless** /'keələs/ (agg.) noncurante, negligente.

career /kə'rɪə*/ (sost.) carriera || (agg.) di professione.

caress /kə'res/ (sost.) carezza.

carnation /ka:'neɪʃən/ (sost.) BOT. garofano.

carousel /kærə'sel/ (sost.) **1** AER. nastro trasportatore dei bagagli **2** AE carosello, giostra per bambini.

carpenter /'ka:pəntə*/ (sost.) carpentiere, falegname.

carpet /'ka:pɪt/ (sost.) tappeto.

carrier /'kærɪə*/ (sost.) **1** portatore, COMM. corriere **2** AE postino **3** AE portapacchi **4** MED. portatore.

carrier bag /'kærɪə*bæg/ (sost.) BE sacchetto, borsa per la spesa.

carrot /'kærət/ (sost.) BOT. carota.

carry /'kærɪ/ (v.t.) **1** portare (anche fig.), trasportare **2** reggere, sostenere (anche fig.) **3** approvare **4** (giornale) riportare, pubblicare **5** MAT. riportare. ♣ **carry away** (spec. passivo) farsi trascinare, lasciarsi trasportare (da sentimenti,

emozioni ecc.). ♣ **carry off 1** riuscire bene (in ql.sa), cavarsela bene **2** vincere (ql.sa). ♣ **carry on 1** continuare (ql.sa), proseguire (a fare ql.sa) **2** FAM. comportarsi male. ♣ **carry out 1** compiere, portare a termine **2** (promessa) mantenere.

cart /ka:t/ (sost.) **1** carro **2** carrello (per la spesa).

cartridge /'ka:trɪdʒ/ (sost.) (di arma, inchiostro ecc.) cartuccia.

carve /ka:v/ (v.t.) **1** scolpire **2** incidere, intagliare **3** (carne ecc.) tagliare, affettare. ♣ **carve out** ottenere, ricavare. ♣ **carve up** dividere, suddividere.

case¹ /keɪs/ (sost.) **1** caso, esempio **2** argomentazione **3** DIR. causa **4** MED., GRAMM. caso.

case² (sost.) **1** custodia, astuccio **2** cassetta **3** valigia, valigetta.

cash /kæʃ/ (sost.) denaro contante, contanti. **cash** (v.t.) incassare. ♣ **cash in** convertire in denaro. ♣ **cash in on** AE **1** fare soldi con **2** ricavare profitto (da ql.sa). **cashier** /kæ'ʃɪə*/ (sost.) cassiere.

cask /ka:sk/ (sost.) barile.

casket /'ka:skɪt/ (sost.) **1** scrigno, cofanetto **2** AE bara.

cast ♦ /ka:st/ (v.t.) **1** gettare, lanciare (anche fig.) **2** TEATR., CINEM. fare il casting, assegnare le parti agli attori **3** METALL. fondere. ♣ **cast aside** gettare, mettere da parte. ♣ **cast away 1** abbandonare, buttar via **2** (al passivo) fare naufragio. ♣ **cast off 1** liberarsi di **2** MAR. sciogliere (gli ormeggi) || (v.i.) salpare. ♣ **cast up** portare a galla, a riva.

cast iron /'ka:staɪən/ (sost.) METALL. ghisa.

castle /'kɑːsəl/ (sost.) 1 castello 2 torre (degli scacchi).

casual /'kæʒuəl/ (agg.) 1 casuale, accidentale, (lavoro) occasionale 2 noncurante, indifferente 3 (abiti) informale.

casualty /'kæʒuəltɪ/ (sost.) vittima (morto o ferito).

cat /kæt/ (sost.) ZOOL. gatto, felino.

catalogue, AE **catalog** /'kætəlɒg/ (sost.) catalogo.

catch ♦ /'kætʃ/ (v.t.) 1 afferrare, prendere, cogliere (anche fig.) 2 (malattia) prendere, contrarre || (v.i.) restar preso, intrappolato (anche fig.). ♣ **catch at** aggrapparsi a (ql.sa). ♣ **catch on** diventare popolare, diffondersi. ♣ **catch on to** afferrare il significato di (ql.sa). ♣ **catch out** cogliere in fallo, scoprire. ♣ **catch up** 1 raggiungere 2 recuperare, mettersi in pari (con il lavoro, gli studi). **catching** /'kætʃɪŋ/ (agg.) contagioso (anche fig.). **catchy** /'kætʃɪ/ (agg.) 1 che si ricorda facilmente, (melodia) orecchiabile 2 allettante, che attira 3 insidioso.

category /'kætɪgərɪ/ (sost.) categoria.

catnap /'kætnæp/ (sost.) pisolino.

cattle /'kætəl/ (sost. pl.) bestiame (sing.), armenti.

caught v. catch.

cause /kɔːz/ (sost.) 1 causa, motivo 2 ideale. **cause** (v.t.) causare, provocare.

caution /'kɔːʃən/ (sost.) 1 cautela, prudenza 2 avvertimento.

cavalry /'kævəlrɪ/ (sost.) MIL. cavalleria.

cave /keɪv/ (sost.) grotta, caverna.

cavity /'kævətɪ/ (sost.) 1 cavità 2 carie.

cease /siːs/ (v.i.) cessare, finire || (v.t.) cessare.

celebrate /'seləbreɪt/ (v.t.) celebrare, festeggiare || (v.i.) fare festa.

celebrity /sə'lebrətɪ/ (sost.) 1 celebrità, fama 2 persona famosa.

cell /sel/ (sost.) 1 (di prigione, monastero ecc.) cella 2 BIOL. cellula 3 POL. cellula, gruppo 4 ELETTR. accumulatore, pila, cella.

cellar /'selə*/ (sost.) cantina.

cello /'tʃeləʊ/ (sost.) MUS. violoncello.

cell phone /'selfəʊn/ (sost.) AE telefono cellulare.

cement /sə'ment/ (sost.) 1 EDIL. cemento 2 mastice, stucco 3 (fig.) cemento, legame.

censure /'senʃə*/ (v.t.) biasimare, criticare.

cent /sent/ (sost.) 1 centesimo 2 COMM. ♦ per c. per cento.

centimetre, AE **centimeter** /'sentɪ↓miːtə*/ (sost.) centimetro.

central /'sentrəl/ (agg.) 1 centrale 2 (fig.) principale, fondamentale.

centre, AE **center** /'sentə*/ (sost.) 1 centro, parte centrale 2 centro, complesso (di edifici). **centre**, AE **center** (v.t.) centrare, mettere al centro 2 concentrare || (v.i.) concentrarsi. **centre** (AE **center**) **forward** /'sentə'fɔːwəd/ (sost.) SPORT centravanti.

century /'sentʃərɪ/ (sost.) secolo.

ceramics /sə'ræmɪks/ (sost.) 1 (costruz. sing.) ceramica 2 (costruz. pl.) manufatti di ceramica.

cereal /'sɪərɪəl/ (sost.) 1 cereale 2 (pl.) fiocchi di avena.

ceremony /'serəmənɪ/ (sost.) cerimonia.

certain /'sɜːtən/ (agg.) **1** certo, sicuro **2** certo, tale ❖ a c. Mr. Smith un certo signor Smith. **certainly** /'sɜːtənlɪ/ (avv.) certamente, senza dubbio.

certificate /sə'tɪfɪkət/ (sost.) certificato, attestato.

certify /'sɜːtɪfaɪ/ (v.t.) certificare, attestare, DIR. autenticare.

chagrin /'ʃægrɪn/ (sost.) disappunto, delusione.

chain /tʃeɪn/ (sost.) catena (anche fig.).

chair /tʃeə*/ (sost.) **1** sedia **2** (di università) cattedra **3** (di un'assemblea) presidenza.

chairman /'tʃeəmən/ (pl. **chairmen**), **chairwoman** /'tʃeəwʊmən/ (pl. **chairwomen**) (sost.) (di comitato, assemblea, azienda) presidente.

chalk /tʃɔːk/ (sost.) gessetto.

challenge /'tʃælɪndʒ/ (sost.) sfida, provocazione. **challenge** (v.t.) **1** sfidare, provocare **2** (fig.) stimolare **3** contestare, mettere in discussione. **challenging** /'tʃælɪndʒɪŋ/ (agg.) **1** provocatorio, di sfida **2** stimolante **3** impegnativo.

chamber /'tʃeɪmbə*/ (sost.) sala, aula, camera. **chambermaid** /'tʃeɪmbəmeɪd/ (sost.) cameriera di albergo.

champion /'tʃæmpjən/ (sost.) **1** campione (anche SPORT) **2** (di un popolo, una causa) difensore.

chance /tʃɑːns/ (agg.) casuale, fortuito ‖ (sost.) **1** caso, sorte **2** possibilità, occasione.

chancellor /'tʃɑːnsələ*/ (sost.) POL., DIR. cancelliere.

change /tʃeɪndʒ/ (v.t. / v.i.) cambiare, mutare. ❖ **change into** diventare, trasformarsi in. ❖ **change over** **1** convertire, trasformare **2** passare a **3** darsi il cambio. **change** (sost.) **1** cambiamento **2** moneta spicciola, resto **3** COMM. Borsa.

channel /'tʃænəl/ (sost.) **1** GEOGR. canale, stretto ❖ the (English) Ch. la Manica **2** alveo, letto di fiume **3** TV, RAD. canale.

chant /tʃɑːnt/ (sost.) **1** canto, cantilena, RELIG. canto liturgico **2** filastrocca **3** slogan.

chap¹ ❖ /tʃæp/ (v.t. / v.i.) screpolare, screpolarsi. **chap** (sost.) (pelle, labbra) screpolatura.

chap² (sost.) FAM. tipo, individuo.

chapel /'tʃæpəl/ (sost.) RELIG. cappella.

chapter /'tʃæptə*/ (sost.) **1** (di libro ecc.) capitolo (anche fig.) **2** ECCL. capitolo.

character /'kærəktə*/ (sost.) **1** carattere, temperamento **2** TIP. carattere **3** TEATR. personaggio. **characteristic** /kærəktə'rɪstɪk/ (agg.) caratteristico ‖ (sost.) caratteristica.

charcoal /'tʃɑːkəʊl/ (sost.) **1** carbonella **2** carboncino (per disegnare).

charge /tʃɑːdʒ/ (v.t.) **1** far pagare, addebitare **2** accusare, incolpare **3** attaccare, caricare **4** ELETTR. (batteria) caricare ‖ (v.i.) MIL. caricare, andare alla carica. **charge** (sost.) **1** spesa, costo **2** incarico, responsabilità **3** sorveglianza, cura **4** DIR. accusa, imputazione **5** MIL., ELETTR. carica.

charisma /kə'rɪzmə/ (sost.) carisma.

charity /'tʃærətɪ/ (sost.) **1** carità **2** beneficenza, (organizzazione) associazione benefica.

charm /tʃɑːm/ *(sost.)* **1** fascino, attrattiva **2** incantesimo, malia.
charm *(v.t.)* affascinare, incantare.
charming /'tʃɑːmɪŋ/ *(agg.)* incantevole, affascinante ♦ *Prince Ch.* Principe Azzurro.
chart /tʃɑːt/ *(sost.)* **1** grafico, diagramma **2** carta, mappa **3** *(pl.) (di canzoni)* classifica, hit parade.
charter /'tʃɑːtə*/ *(sost.)* **1** POL. statuto, carta, atto istitutivo **2** COMM. *(di aereo, barca ecc.)* contratto di noleggio ‖ *(agg.)* a noleggio, charter.
chase /tʃeɪs/ *(v.t.)* inseguire, rincorrere. **chase** *(sost.)* inseguimento, caccia.
chasm /'kæzəm/ *(sost.)* abisso, baratro *(anche fig.).*
chaste /tʃeɪst/ *(agg.)* casto, puro.
chat /tʃæt/ *(sost.)* **1** chiacchierata **2** INFORM. chat. **chat (up)** *(v.i.)* **1** chiacchierare **2** INFORM. chattare (su Internet). **chatter** /'tʃætə*/ *(v.i.)* **1** chiacchierare **2** battere i denti.
chatty /'tʃætɪ/ *(agg.)* chiacchierone.
cheap /tʃiːp/ *(agg.)* **1** a buon mercato, economico **2** di poco valore, di scarsa qualità **3** basso, meschino, volgare **4** AE, FAM. spilorcio ‖ *(avv.)* a buon mercato. **cheaply** /'tʃiːplɪ/ *(avv.)* a buon mercato *(anche fig.).*
cheat /tʃiːt/ *(v.t.)* imbrogliare, ingannare ‖ *(v.i.) (a carte, al gioco)* barare, *(a scuola)* copiare. ♣ **cheat on 1** tradire il partner **2** essere disonesti, imbrogliare.
check¹ /tʃek/ *(v.t.)* **1** controllare, verificare **2** *(a scacchi)* dare scacco (a). ♣ **check in** (at) **1** *(albergo)* registrarsi **2** *(aeroporto)* fare il check-in. ♣ **check on** controllare (ql.sa, qu.no). ♣ **check out 1** lasciare l'al-

bergo **2** verificare, controllare. ♣ **check up on** verificare. **check** *(sost.)* **1** controllo, verifica **2** *(a scacchi)* scacco al re **3** scontrino **4** *(al ristorante ecc.)* AE conto **5** AE assegno.
check² *(sost.)* **1** scacco, quadretto **2** tessuto a scacchi, a quadretti.
checked /tʃekt/ *(agg.)* a quadretti, a scacchi.
checkers /'tʃekəz/ *(sost. pl.) (gioco)* dama.
checkout /'tʃekaʊt/ *(sost.)* **1** *(supermercato, grande negozio)* cassa **2** saldo del conto in albergo **3** verifica, controllo.
checkup /'tʃekʌp/ *(sost.)* **1** MED. controllo (medico) generale, check-up **2** *(di conti)* controllo, verifica.
cheek /tʃiːk/ *(sost.)* guancia, gota.
cheekbone /'tʃiːkbəʊn/ *(sost.)* ANAT. zigomo.
cheeky /'tʃiːkɪ/ *(agg.)* FAM. sfacciato, impertinente, birichino.
cheer /tʃɪə*/ *(v.t.)* **1** rallegrare, allietare **2** rincuorare, confortare ‖ *(v.i.)* applaudire, acclamare. ♣ **cheer up** *(v.i.)* farsi animo, coraggio ‖ *(v.t.)* acclamare, applaudire, incitare. **cheerful** /'tʃɪəfəl/ *(agg.)* **1** allegro, di buon umore **2** cordiale.
cheerio /tʃɪərɪ'əʊ/ *(inter.)* FAM. ciao!, salve! **cheers** /tʃɪəz/ *(inter.)* FAM. **1** cin cin!, salute! **2** FAM. ciao!, ci vediamo!
cheese /tʃiːz/ *(sost.)* CUC. formaggio.
chemic(al) /'kemɪk(əl)/ *(agg.)* chimico ‖ *(sost.) (spec. pl.)* prodotti chimici.
chemist /'kemɪst/ *(sost.)* **1** chimico **2** farmacista ♦ *ch.'s (shop)* farmacia.

chemistry /'kemɪstrɪ/ *(sost.)* chimica.

chemotherapy /kiːmə'θerəpɪ/ *(sost.)* MED. chemioterapia.

cheque, AE **check** /tʃek/ *(sost.)* BANC. assegno. **chequebook** /'tʃekbʊk/ *(sost.)* BANC. libretto degli assegni.

chequered /'tʃekəd/ *(agg.)* **1** a quadretti **2** *(fig.)* movimentato.

cherish /'tʃerɪʃ/ *(v.t.)* **1** amare, coccolare **2** avere a cuore, avere caro **3** nutrire, serbare (in cuore).

cherry /'tʃerɪ/ *(sost.)* BOT. ciliegia.

chess /tʃes/ *(sost.)* (gioco degli) scacchi. **chessboard** /'tʃesbɔːd/ *(sost.)* scacchiera.

chest /tʃest/ *(sost.)* **1** cassa, cassetta **2** ANAT. petto, torace.

chestnut /'tʃesnʌt/ *(agg.)* castano, *(cavallo)* sauro ‖ *(sost.)* BOT. *(tree)* castagno, castagna.

chew /tʃuː/ *(v.t.)* masticare.

chewing gum /'tʃuːɪŋɡʌm/ *(sost.)* gomma da masticare.

chick /tʃɪk/ *(sost.)* **1** pulcino, uccellino **2** FAM. ragazza.

chicken /'tʃɪkɪn/ *(sost.)* ZOOL. pollo.

chicken pox /'tʃɪkɪnpɒks/ *(sost.)* MED. varicella.

chief /tʃiːf/ *(agg.)* principale, più importante ‖ *(sost.)* capo, comandante. **chiefly** /'tʃiːflɪ/ *(avv.)* soprattutto, principalmente.

child /tʃaɪld/ *(pl.* **children** /'tʃɪldrən/ *) (sost.)* **1** bambino, bambina **2** figlio, figlia.

childbirth /'tʃaɪldbɜːθ/ *(sost.)* MED. parto.

childhood /'tʃaɪldhʊd/ *(sost.)* infanzia.

children v. child.

chill /tʃɪl/ *(agg.)* freddo, gelido *(anche fig.)* ‖ *(sost.)* **1** (sensazione di) freddo *(anche fig.)* **2** MED. colpo di freddo. chill *(v.t.)* raffreddare, gelare *(anche fig.)* ‖ *(v.i.)* raffreddarsi. ♣ **chill out** rilassarsi.

chime /tʃaɪm/ *(v.i.)* scampanare, suonare a festa ‖ *(v.t.)* suonare le ore.

chimney /'tʃɪmnɪ/ *(sost.)* **1** camino **2** ciminiera.

chin /tʃɪn/ *(sost.)* mento.

china /'tʃaɪnə/ *(sost.)* **1** porcellana fine **2** stoviglie (di porcellana o simili) **3** porcellane.

chip /tʃɪp/ *(sost.)* **1** scheggia, frammento **2** *(pl.)* CUC. patate fritte, AE patatine **3** *(giochi d'azzardo)* gettone, fiche **4** ELETTR., INFORM. microcircuito integrato, chip. chip ♦ *(v.t. / v.i.)* scheggiare, scheggiarsi. ♣ **chip in** FAM. **1** entrare in una conversazione **2** *(a un lavoro, una colletta)* contribuire, partecipare.

chirp /tʃɜːp/ *(v.i.)* cinguettare, pigolare.

chive /tʃaɪv/ *(sost.)* BOT. erba cipollina.

chocolate /'tʃɒklət/ *(sost.)* **1** cioccolato, cioccolata, *(pl.)* cioccolatini **2** color cioccolato.

choice /tʃɔɪs/ *(sost.)* **1** scelta, alternativa **2** assortimento ‖ *(agg.)* di qualità.

choir /'kwaɪə*/ *(sost.)* coro.

choke /tʃəʊk/ *(v.t.)* **1** soffocare **2** strozzare **3** intasare, ostruire **4** ♣ *ch. back* trattenere (singhiozzi ecc.) ‖ *(v.i.)* soffocare.

chomp /tʃɒmp/ *(v.i. / v.t.)* FAM. masticare rumorosamente.

choose ♦ /tʃuːz/ *(v.t.)* scegliere.

chop ♦ /tʃɒp/ *(v.t.)* **1** *(legna)* spaccare, *(verdure, carne ecc.)* tagliare a pezzetti, tritare **2** SPORT tagliare, dare effetto alla palla || *(v.i.)* vibrare un colpo. ♣ **chop off** tagliare via.

chopper /'tʃɒpə*/ *(sost.)* **1** FAM. elicottero **2** SL. motocicletta con lunga forcella anteriore **3** ascia, mannaia.

chore /'tʃɔː*/ *(sost.)* **1** lavoro di routine **2** lavoro spiacevole **3** faccenda domestica.

chorus /'kɔːrəs/ *(sost.)* **1** coro **2** MUS. ritornello **3** corpo di ballo.

chose, chosen v. choose.

Christ /kraist/ *(sost.)* Cristo.

christen /'krɪsən/ *(v.t.)* **1** RELIG. battezzare **2** dare un nome a **3** FAM. inaugurare, battezzare *(fig.)*.

Christmas /'krɪsməs/ *(sost.)* Natale.

chubby /'tʃʌbɪ/ *(agg.)* paffuto, grassoccio.

chuck /tʃʌk/ *(v.t.)* **1** gettare, buttare **2** FAM. mollare, scaricare.

chuckle /'tʃʌkəl/ *(v.i.)* ridacchiare. **chuckle** *(sost.)* risatina.

chug /tʃʌg/ *(v.i.)* *(di motore)* scoppiettio, *(di treno)* sbuffo.

chunk /tʃʌŋk/ *(sost.)* grosso pezzo, pezzettone. **chunky** /'tʃʌŋkɪ/ *(agg.)* **1** robusto, tarchiato *(alimenti)* con pezzi interi.

church /tʃɜːtʃ/ *(sost.)* **1** *(edificio)* chiesa **2** clero.

churchyard /'tʃɜːtʃjɑːd/ *(sost.)* cimitero, FAM. camposanto.

chutney /'tʃʌtnɪ/ *(sost.)* CUC. salsa indiana agrodolce.

cider /'saɪdə*/ *(sost.)* sidro.

cigar /sɪ'gɑː*/ *(sost.)* sigaro.

cigarette /sɪgə'ret/ *(sost.)* sigaretta.

cinema /'sɪnəmə/ *(sost.)* cinematografo, cinema.

circle /'sɜːkəl/ *(sost.)* **1** cerchio, circolo *(anche fig.)* ❖ *vicious c.* circolo vizioso **2** cerchia, ambiente. **circle** *(v.t.)* **1** circondare, accerchiare, cerchiare **2** girare intorno a || *(v.i.)* muoversi in cerchio.

circuit /'sɜːkɪt/ *(sost.)* **1** circuito, giro **2** ELETTR. circuito **3** giro, viaggio.

circumcise /'sɜːkəmsaɪz/ *(v.t.)* circoncidere.

circumstance /'sɜːkəmstæns/ *(sost.)* **1** *(spec. pl.)* circostanza **2** *(pl.)* situazione economica.

circus /'sɜːkəs/ *(pl.* **circuses** /'sɜːkəsɪz/) *(sost.)* **1** circo *(equestre)* **2** piazza circolare **3** circo, arena.

citizen /'sɪtɪzən/ *(sost.)* cittadino. **citizenship** /'sɪtɪzənʃɪp/ *(sost.)* cittadinanza.

city /'sɪtɪ/ *(sost.)* città.

civic /'sɪvɪk/ *(agg.)* civico.

civil /'sɪvəl/ *(agg.)* **1** civile **2** cortese, gentile.

civilized, civilised /'sɪvəlaɪzd/ *(agg.)* **1** civilizzato **2** civile, cortese.

claim /kleɪm/ *(v.t.)* **1** pretendere, rivendicare, richiedere, esigere **2** affermare, sostenere. **claim** *(sost.)* richiesta, pretesa, rivendicazione, DIR. domanda di indennizzo, *(di bagagli)* ritiro.

clam /klæm/ *(sost.)* ZOOL. vongola.

clamp /klæmp/ *(sost.)* morsa, morsetto. **clamp** *(v.t.)* bloccare con morsetti.

clang /klæŋ/ *(v.i.)* produrre un rumore metallico || *(v.t.)* far risuonare.

clap /klæp/ *(v.t.)* **1** applaudire **2** dare una pacca. **clap** *(sost.)* **1** battimano, applauso **2** colpetto con la mano, pacca **3** colpo, rumore improvviso.

clarify /'klærəfaɪ/ *(v.t.)* **1** chiarire **2** raffinare.

clarinet /klærɪ'net/ *(sost.)* MUS. clarinetto.

clash /klæʃ/ *(v.i.)* **1** cozzare rumorosamente **2** scontrarsi, urtarsi *(anche fig.)* **3** *(fig.) (colori)* stridere, stonare || *(v.t.)* far stridere, *(oggetti metallici)* far sbattere.

clasp /klɑːsp/ *(v.t.)* **1** agganciare **2** afferrare, stringere.

class /klɑːs/ *(sost.)* **1** classe, ceto, categoria **2** classe, corso, lezione **3** classe, eleganza. **class** *(v.t.)* classificare. **classic** /'klæsɪk/ *(agg.)* classico || *(sost.)* **1** classico **2** *(pl.)* studi classici. **classical** /'klæsɪkəl/ *(agg.)* classico.

classified /'klæsɪfaɪd/ *(agg.)* **1** segreto, riservato **2** ♦ *(su giornale)* c. *advertisement* annuncio economico.

classroom /'klɑːsruːm/ *(sost.)* aula *(scolastica)*.

clatter /'klætə*/ *(sost.)* FAM. vocio, baccano.

clause /klɔːz/ *(sost.)* **1** DIR. clausola, articolo **2** GRAMM. proposizione.

claw /klɔː/ *(sost.)* ZOOL. **1** artiglio **2** chela, tenaglia.

clay /kleɪ/ *(sost.)* argilla.

clean /kliːn/ *(agg.)* pulito *(anche fig.)* || *(avv.)* assolutamente, completamente. **clean** *(v.t.)* pulire || *(v.i.)* pulirsi, pulire. ♣ **clean out 1** riordinare, ripulire **2** FAM. *(fig.)* ripulire *(dei soldi)*, svuotare *(le tasche)*. ♣ **clean up** pulire, ripulire.

cleanse /klenz/ *(v.t.)* **1** detergere **2** MED. *(ferite ecc.)* pulire, disinfettare.

clear /klɪə*/ *(agg.)* **1** chiaro, limpido, pulito **2** chiaro, comprensibile

3 certo, sicuro **4** libero || *(avv.)* **1** chiaramente **2** completamente. **clear** *(v.t.)* **1** chiarire **2** sgombrare, liberare **3** dare un'autorizzazione, approvare **4** prosciogliere, discolpare **5** COMM. liquidare, svendere || *(v.i.)* schiarirsi *(anche fig.)*. ♣ **clear away** portar via, rimuovere. ♣ **clear off** BE, FAM. squagliarsela, filarsela. ♣ **clear up 1** stabilire, chiarificare **2** riordinare **3** *(tempo atmosferico)* schiarire.

clement /'klemənt/ *(agg.)* clemente.

clench /klentʃ/ *(v.t.)* stringere (pugni, denti).

clergy /'klɜːdʒɪ/ *(sost.)* clero.

clerical /'klerɪkəl/ *(agg.)* **1** clericale **2** impiegatizio, amministrativo.

clerk /klɑːk/, AE /klɜːk/ *(sost.)* **1** impiegato **2** DIR. cancelliere **3** AE commesso di negozio.

clever /'klevə*/ *(agg.)* **1** intelligente, furbo **2** ingegnoso, abile **3** bravo, capace.

click /klɪk/ *(sost.)* suono secco, clic. **click** *(v.i.)* **1** produrre un suono secco, scattare **2** INFORM. *(con il mouse)* cliccare || *(v.t.)* far scattare.

client /'klaɪənt/ *(sost.)* **1** cliente **2** INFORM. applicazione client.

cliff /klɪf/ *(sost.)* **1** precipizio **2** scogliera.

climate /'klaɪmət/ *(sost.)* clima.

climax /'klaɪmæks/ *(sost.)* **1** culmine, acme **2** orgasmo.

climb /klaɪm/ *(v.t.)* arrampicarsi, salire *(anche fig.)*, scalare || *(v.i.)* arrampicare, arrampicarsi, salire. ♣ **climb down 1** scendere **2** far marcia indietro, ammettere un errore. ♣ **climb** *(sost.)* **1** rampa, salita **2** ascesa, scalata. **climbing** /'klaɪmɪŋ/

(agg.) rampicante || *(sost.)* arrampicata, scalata.

cling ♦ /klɪŋ/ *(v.i.)* **1** aggrapparsi, stringersi **2** aderire **3** *(odore)* impregnare.

clinic /'klɪnɪk/ *(sost.)* **1** ambulatorio **2** clinica.

clip[1] /klɪp/ *(sost.)* fermaglio (a molla), clip, morsetto ❖ **paper** c. graffetta. **clip** ♦ *(v.t.)* bloccare con un fermaglio || *(v.i.)* stare unito tramite un fermaglio.

clip[2] *(v.t.)* **1** tosare **2** tagliare, rifilare **3** ritagliare.

clipboard /'klɪpbɔːd/ *(sost.)* raccoglitore per fogli.

cloakroom /'kləʊkruːm/ *(di teatro, ristorante ecc.)* guardaroba.

clock /klɒk/ *(sost.)* orologio (da tavolo o da muro).

clockwise /'klɒkwaɪz/ *(agg. e avv.)* in senso orario.

clog /klɒg/ *(sost.)* **1** intoppo **2** ABBIGL. zoccolo. **clog** ◊ *(v.t.)* ostruire, intasare || *(v.i.)* ostruirsi, intasarsi.

cloister /'klɔɪstə*/ *(sost.)* ARCH. chiostro.

clone /kləʊn/ *(sost.)* BIOL. clone.

close[1] /kləʊs/ *(agg.)* **1** vicino **2** *(amicizia, parentela)* stretto, intimo **3** accurato **4** serrato || *(avv.)* vicino **3** *(sost.)* spazio recintato, chiuso.

close[2] *(v.t.)* **1** chiudere **2** terminare, finire **3** MIL. accostare, avvicinare || *(v.i.)* **1** chiudersi, chiudere **2** terminare, concludersi. ♣ **close down 1** chiudere permanentemente **2** terminare. ♣ **close in 1** *(giornata)* accorciarsi **2** avvicinarsi **3** inglobare. ♣ **close off** isolare, chiudere. ♣ **close up 1** chiudere **2** avvicinarsi uno all'altro **3** *(ferita)* rimarginarsi. **closed** /kləʊzd/ *(agg.)* chiuso.

closet /'klɒzɪt/ *(sost.)* armadio a muro, ripostiglio || *(agg.)* segreto, nascosto.

close-up /'kləʊsʌp/ *(sost.)* CINEM., FOT. primo piano.

closure /'kləʊʒə*/ *(sost.)* **1** chiusura **2** conclusione.

cloth /klɒθ/, AE /klɔːθ/ *(pl. cloths* /klɒθs/, AE /klɔːðz/) *(sost.)* **1** tessuto, stoffa **2** strofinaccio.

clothes /kləʊðz/, AE /kləʊz/ *(sost. pl.)* abiti, vestiti, indumenti. **clothing** /'kləʊðɪŋ/ *(sost.)* vestiario, abiti.

cloud /klaʊd/ *(sost.)* nube, nuvola *(anche fig.)*. **cloud** *(v.t.)* annuvolare, *(fig.)* annebbiare, offuscare. **cloudy** /'klaʊdɪ/ *(agg.)* **1** nuvoloso, coperto **2** offuscato **3** *(liquido)* torbido **4** *(fig.)* confuso.

clove /kləʊv/ *(sost.)* CUC. chiodo di garofano.

clover /'kləʊvə*/ *(sost.)* BOT. trifoglio.

club /klʌb/ *(sost.)* **1** randello, mazza, clava ❖ **golf** c. bastone da golf **2** *(pl.)* *(a carte)* fiori **3** circolo, club.

clue /kluː/ *(sost.)* **1** indizio, traccia **2** *(cruciverba)* definizione.

clumsy /'klʌmzɪ/ *(agg.)* **1** goffo, rozzo **2** insensibile, senza tatto.

clung v. **cling**.

clutch[1] /klʌtʃ/ *(sost.)* **1** artiglio, grinfia **2** stretta, presa **3** AUT. frizione **4** ❖ c. **bag** *(borsa)* pochette.

clutch[2] *(sost.)* covata, nidiata.

clutter /'klʌtə*/ *(sost.)* confusione, disordine.

coach /kəʊtʃ/ *(sost.)* **1** BE pullman **2** carrozza (a cavalli), FERR. vettura **3** insegnante privato **4** SPORT allenatore. **coach** *(v.t.)* **1** SPORT allenare **2** dare lezioni private a || *(v.i.)* allenarsi.

coal /kəʊl/ *(sost.)* carbone.

coarse /kɔːs/ *(agg.)* **1** *(tessuto)* ruvido **2** *(fig.)* grossolano, rozzo.

coast /kəʊst/ *(sost.)* costa, litorale.

coat /kəʊt/ *(sost.)* **1** giacca, soprabito, cappotto **2** *(di animale)* manto, pelliccia **3** *(di neve)* manto, coltre **4** rivestimento, strato, *(di vernice)* mano ❖ a c. of paint una mano di vernice. **coat** *(v.t.)* rivestire, ricoprire.

cob /kɒb/ *(sost.)* **1** pannocchia **2** BE pagnotta rotonda.

cobble /'kɒbəl/ *(sost.)* ciottolo.

cobblestone /'kɒbəlstəʊn/ *(sost.)* ciottolo.

cobweb /'kɒbweb/ *(sost.)* ragnatela.

cocaine /kəʊ'keɪn/ *(sost.)* cocaina.

cock /kɒk/ *(sost.)* **1** ZOOL. gallo **2** VOLG. uccello, cazzo.

cockney /'kɒknɪ/ *(sost.)* **1** cockney (dialetto londinese) **2** chi è nato e cresciuto nell'East End di Londra.

cockroach /'kɒkrəʊtʃ/ *(sost.)* ZOOL. scarafaggio, blatta.

cocoon /kə'kuːn/ *(sost.)* ZOOL. bozzolo.

code /kəʊd/ *(sost.)* **1** codice *(anche* DIR.) **2** cifrario, codice ❖ BE *postal c.*, AE *zip c.* codice di avviamento postale, *dialling c.* prefisso telefonico.

codify /'kəʊdɪfaɪ/ *(v.t.)* codificare.

cod-liver oil /'kɒdlɪvər ɔɪl/ *(sost.)* olio di fegato di merluzzo.

coexist /kəʊɪg'zɪst/ *(v.i.)* coesistere.

coffee /'kɒfɪ/ *(sost.)* caffè.

coffin /'kɒfɪn/ *(sost.)* bara.

cog /kɒg/ *(sost.)* MECC. *(di ruota)* dente.

coherent /kəʊ'hɪərənt/ *(agg.)* coerente.

coil /'kɔɪəl/ *(sost.)* **1** rotolo, spirale **2** ZOOL. spira di serpente.

coin /kɔɪn/ *(sost.)* moneta.

coincidence /kəʊ'ɪnsɪdəns/ *(sost.)* coincidenza.

colander /'kʌləndə*/ *(sost.)* scolapasta, colino.

cold /kəʊld/ *(agg.)* **1** freddo ❖ to be c. aver freddo **2** freddo *(fig.)*, riservato, indifferente || *(sost.)* **1** freddo **2** raffreddore || *(avv.)* senza preparazione, a freddo.

collaborate /kə'læbəreɪt/ *(v.i.)* collaborare.

collapse /kə'læps/ *(v.i.)* **1** crollare, cadere **2** MED. avere un collasso **3** chiudersi, piegarsi || *(v.t.)* **1** far crollare **2** ripiegare. **collapse** *(sost.)* **1** crollo, fallimento, rovina **2** MED. collasso.

collar /'kɒlə*/ *(sost.)* **1** ABBIGL. colletto, bavero **2** collare (per animali) **3** MECC. collare, fascetta.

colleague /'kɒliːg/ *(sost.)* collega.

collect[1] /kə'lekt/ *(agg. e avv.)* AE a carico del destinatario.

collect[2] *(v.t.)* **1** riunire, raccogliere **2** collezionare **3** riscuotere, incassare **4** FAM. passare a prendere || *(v.i.)* riunirsi, raccogliersi. ❖ **collect up** raccogliere. **collection** /kə'lekʃən/ *(sost.)* **1** collezione, raccolta **2** ritiro, raccolta **3** *(di posta)* levata **4** COMM. riscossione, incasso **5** colletta.

college /'kɒlɪdʒ/ *(sost.)* **1** liceo **2** istituto superiore **3** AE università **4** FORM. collegio.

collide /kə'laɪd/ *(v.i.)* scontrarsi, urtarsi *(anche fig.)*.

collision /kə'lɪʒən/ (sost.) collisione, scontro (anche fig.).
colon[1] /'kəʊlən/ ANAT. colon.
colon[2] (sost.) GRAMM. due punti.
colony /'kɒlənɪ/ (sost.) 1 POL., ST., BIOL. colonia 2 colonia, comunità.
colour, AE color /'kʌlə*/ (sost.) 1 colore 2 colorito, carnagione || (agg.) a colori. colour (v.t.) 1 colorare 2 (fig.) influenzare. ♣ colour up arrossire. colour-blind, AE color-blind /'kʌləblaɪnd/ (agg.) MED. daltonico. coloured, AE colored /'kʌləd/ (agg.) 1 colorato, a colori 2 di colore || (sost.) persona di colore.
colourful /'kʌləfəl/ (agg.) colorito, pittoresco.
column /'kɒləm/ (sost.) 1 colonna (anche fig.) 2 rubrica (giornalistica).
comb /kəʊm/ (sost.) 1 pettine 2 ZOOL. cresta.
combat /'kɒmbæt/ (sost.) combattimento.
combination /kɒmbɪ'neɪʃən/ (sost.) combinazione.
combine /kɒm'baɪn/ (v.t.) combinare, unire || (v.i.) combinarsi, unirsi.
combustible /kəm'bʌstəbəl/ (agg.) infiammabile, combustibile || (sost.) combustibile.
come ♦ /kʌm/ (v.i.) 1 venire 2 arrivare, giungere 3 divenire ❖ to c. true avverarsi al accadere, verificarsi. ♣ come about accadere, avvenire. ♣ come across 1 attraversare 2 imbattersi in, incontrare (qu.no) per caso, trovare (ql.sa) per caso. ♣ come along 1 presentarsi, offrirsi 2 fare in fretta, affrettarsi 3 progredire, fare progressi. come apart rompersi in pezzi, sfasciarsi. ♣ come at 1 attaccare, dare addosso a (qu.no) 2 raggiungere, arrivare a (ql.sa). ♣ come away 1 venir via, staccarsi 2 venir via (da un luogo), allontanarsi. ♣ come back 1 ritornare 2 tornare di moda 3 ribattere, rispondere 4 ritornare in mente. ♣ come between interferire con, frapporsi. ♣ come by 1 procurarsi, acquisire 2 AE fare una visita a. ♣ come down 1 (prezzi ecc.) diminuire, calare 2 venir giù, scendere. ♣ come down on 1 criticare severamente, redarguire (qu.no) 2 opporsi a (ql.sa). ♣ come down to ridursi a. ♣ come down with FAM. prendersi (una malattia). ♣ come in 1 entrare, venir dentro 2 SPORT arrivare, piazzarsi 3 POL. venire eletto, andare al potere 4 avere un ruolo. ♣ come in for andare incontro a, attirare, ricevere. ♣ come into 1 entrare (in un luogo) 2 entrare in possesso, ereditare 3 essere coinvolto. ♣ come off 1 risultare da (ql.sa), derivare. ♣ come off 1 venire via da, staccarsi 2 districarsi (da una situazione difficile) 3 apparire, sembrare. ♣ come on 1 affrettarsi 2 progredire, migliorare 3 sopraggiungere 4 TEATR. entrare in scena 5 TV andare in onda. ♣ come out 1 venir fuori, uscire, venire alla luce 2 essere presentato 3 dichiarare ufficialmente 4 FAM. dichiarare pubblicamente la propria omosessualità. ♣ come out of originare, avere origine, derivare. ♣ come out with uscirsene con, fare una dichiarazione incauta, improvvisa. ♣ come over 1 venire (da lontano) 2 capitare 3 risultare, apparire. ♣ come round 1 rinvenire, riprendere conoscenza 2 cambiare

parere **3** fare una visita a (qu.no). ♣ **come through 1** arrivare **2** sopravvivere **3** superare, uscire da (una situazione) **4** portare a termine, compiere. ♣ **come to 1** rinvenire, riprendere conoscenza **2** costare, ammontare a **3** raggiungere (un accordo), giungere a (una conclusione, una decisione). ♣ **come under 1** rientrare in, far parte di **2** essere sotto l'autorità di, dipendere da. ♣ **come up 1** arrivare, giungere (anche fig.) **2** (di argomento) essere menzionato **3** avvicinarsi **4** FAM. venir fuori, saltar fuori, venirsene fuori **5** (fiori, foglie) spuntare. ♣ **come up against** dover fare i conti con (qu.no, ql.sa), scontrarsi con (qu.no). ♣ **come up to 1** raggiungere, avvicinarsi **2** essere all'altezza di. ♣ **come up with 1** concepire, escogitare **2** dare, fornire, presentare (ql.sa).

comedy /'kɒmədi/ (sost.) **1** TEATR. commedia **2** umorismo.

comet /'kɒmɪt/ (sost.) ASTRON. cometa.

comfort /'kʌmfət/ (sost.) **1** conforto, consolazione **2** agiatezza **3** (pl.) comfort, comodità. **comfort** (v.t.) confortare, consolare. **comfortable** /'kʌmftəbəl/ (agg.) **1** confortevole, comodo, (persona) a proprio agio **2** agiato, benestante.

comforter /'kʌmfətə*/ (sost.) **1** consolatore **2** AE coperta imbottita, piumino.

comic /'kɒmɪk/ (agg.) comico ‖ (sost.) **1** attore comico **2** fumetto, giornalino a fumetti.

comma /'kɒmə/ (sost.) GRAMM. virgola ❖ **inverted commas** virgolette.

command /kə'mɑːnd/ (v.t.) **1** comandare, ordinare (anche MIL.) **2** controllare, dominare (anche fig.) ‖ (v.i.) esercitare il comando. **command** (sost.) **1** ordine, comando (anche MIL.) **2** INFORM. comando, istruzione **3** padronanza, dominio (anche fig.).

commander /kə'mɑːndə*/ (sost.) comandante.

commandment /'kə'mɑːndmənt/ (sost.) TEOL. comandamento.

commend /kə'mend/ (v.t.) FORM. lodare. **commendable** /kə'mendəbl/ (agg.) encomiabile, lodevole.

comment /'kɒment/ (sost.) commento, osservazione.

commercial /kə'mɜːʃəl/ (agg.) commerciale ‖ (sost.) RAD., TV pubblicità.

commission /kə'mɪʃən/ (sost.) **1** commissione **2** comitato **2** missione, incarico **3** COMM. provvigione **4** COMM. (compenso per un dato servizio) commissione, FAM. percentuale.

commit ♦ /kə'mɪt/ (v.t.) **1** commettere, perpetrare **2** affidare, consegnare. **commit o.s. (to)** impegnarsi (anche sentimentalmente). **commitment** /kə'mɪtmənt/ (sost.) **1** impegno **2** responsabilità, obbligo.

committee /kə'mɪti/ (sost.) comitato, commissione.

commodity /kə'mɒdəti/ (sost.) (spec. pl.) merce, prodotto, materie prime.

common /'kɒmən/ (agg.) **1** comune, abituale **2** comune, condiviso **3** ordinario, rozzo ‖ (sost.) terreno demaniale. **commoner** /'kɒmənə*/ (sost.) persona non nobile. **commonly** /'kɒmənli/ (avv.)

comunemente. **commonplace** /'kɒmənpleɪs/ (agg.) comune, abituale ‖ (sost.) luogo comune. **common sense** /'kɒmən sens/ (sost.) buon senso.

commonwealth /'kɒmənwelθ/ (sost.) POL. confederazione, comunità indipendente.

commune /'kɒmjuːn/ (sost.) comune.

communicate /kə'mjuːnɪkeɪt/ (v.t.) comunicare, trasmettere ‖ (v.i.) **1** comunicare **2** ECCL. comunicarsi. **communication** /kəmjuːnɪ'keɪʃən/ (sost.) **1** comunicazione **2** (pl.) mezzi di comunicazione **3** comunicato, messaggio.

communism /'kɒmjʊnɪzəm/ (sost.) POL. comunismo.

community /kə'mjuːnətɪ/ (sost.) comunità.

commute /kə'mjuːt/ (v.t.) commutare ‖ (v.i.) fare il pendolare. **commuter** /kə'mjuːtə*/ (sost.) pendolare.

compact /kəm'pækt/ (agg.) **1** compatto **2** (fig.) conciso.

company /'kʌmpənɪ/ (sost.) **1** compagnia **2** COMM. società.

comparative /kəm'pærətɪv/ (agg.) **1** relativo **2** GRAMM. comparativo **3** comparato ‖ (sost.) GRAMM. comparativo.

compare /kəm'peə*/ (v.t.) paragonare, confrontare ‖ (v.i.) essere paragonabile, reggere il confronto. **comparison** /kəm'pærɪsən/ (sost.) **1** paragone, confronto **2** GRAMM. comparazione.

compass /'kʌmpəs/ (pl. **compasses** /'kʌmpəsɪz/) (sost.) **1** bussola **2** (spec. pl.) compasso (sing.).

compassion /kəm'pæʃən/ (sost.) compassione.

compel ◊ /kəm'pel/ (v.t.) costringere, obbligare ❖ we were compelled to stay here fummo costretti a restare qui. **compelling** /kəm'pelɪŋ/ (agg.) irresistibile, avvincente.

compensate /'kɒmpənseɪt/ (v.t.) ricompensare, indennizzare ‖ (v.i.) compensare, supplire a.

compete /kəm'piːt/ (v.i.) competere, gareggiare. **competence** /'kɒmpɪtəns/ (sost.) competenza, perizia. **competition** /kɒmpə'tɪʃən/ (sost.) **1** competizione **2** rivalità **3** ECON. concorrenza. **competitive** /kəm'petətɪv/ (agg.) competitivo. **competitor** /kəm'petɪtə*/ (sost.) concorrente, rivale.

complain /kəm'pleɪn/ (v.i.) lamentarsi. **complaint** /kəm'pleɪnt/ (sost.) **1** lamento, lagnanza **2** reclamo.

complete /kəm'pliːt/ (agg.) **1** completo, totale **2** finito, compiuto **3** perfetto, assoluto ❖ a c. stranger un perfetto sconosciuto. **complete** (v.t.) completare, terminare.

complex /'kɒmpleks/ (agg.) complesso, complicato ‖ (sost.) **1** insieme, complesso **2** PSIC. complesso.

complexion /kəm'plekʃən/ (sost.) **1** carnagione, colorito **2** (fig.) aspetto.

compliance /kəm'plaɪəns/ (sost.) FORM. **1** conformità **2** condiscendenza, arrendevolezza.

complicate /'kɒmplɪkeɪt/ (v.t.) complicare. **complicated** /'kɒmplɪkeɪtɪd/ (agg.) complicato, complesso.

compliment /'kɒmplɪmənt/ (sost.) **1** complimento ❖ to pay s.o. a c. fare un complimento a qu.no. **2** omaggio. **complimentary** /kɒmplɪ'mentərɪ/ (agg.) **1** lusinghiero **2** in omaggio.

comply (with) /kəm'plaɪ/ (v.i.) 1 conformarsi (a) 2 accondiscendere (a).

compose /kəm'pəʊz/ (v.t.) comporre. **composed** /kəm'pəʊzɪd/ (agg.) 1 composto 2 calmo, tranquillo.

compound[1] /'kɒmpaʊnd/ (agg.) composto (anche GRAMM.) || (sost.) 1 miscela, composto 2 CHIM. composto 3 FARM. preparato.

compound[2] (sost.) area recintata.

comprehend /kɒmprɪ'hend/ (v.t.) 1 comprendere, capire 2 includere.

compress /kɒm'pres/ (v.t.) comprimere.

comprise /kəm'praɪz/ (v.t.) contenere, includere.

compromise /'kɒmprəmaɪz/ (sost.) compromesso. **compromise** (v.i.) venire a un compromesso, venire a patti || (v.t.) compromettere.

compulsory /kəm'pʌlsərɪ/ (agg.) obbligatorio.

computer /kəm'pju:tə*/ (sost.) INFORM. computer, calcolatore.

con /kɒn/ (sost.) 1 contro, argomento contrario, a sfavore 2 SL. truffa, raggiro ❖ c. man truffatore.

concave /'kɒnkeɪv/ (agg.) concavo (anche GEOM.).

conceal /kən'si:əl/ (v.t.) nascondere.

concede /kən'si:d/ (v.t.) 1 ammettere, riconoscere 2 concedere, dare || (v.i.) cedere, arrendersi.

conceited /kən'si:tɪd/ (agg.) presuntuoso.

conceive /kən'si:v/ (v.t.) 1 (fig.) concepire, ideare 2 (anche v.i.) concepire, rimanere incinta.

concentrate /'kɒnsəntreɪt/ (v.t.) concentrare, riunire || (v.i.) 1 radunarsi 2 concentrarsi, concentrare l'attenzione. **concentration** /kɒnsən'treɪʃən/ (sost.) 1 concentrazione, il concentrarsi 2 concentramento.

concept /'kɒnsept/ (sost.) concetto, idea.

concern /kən'sɜːn/ (v.t.) 1 trattare di 2 riguardare, interessare 3 preoccupare. **concern** (sost.) 1 affare, faccenda ❖ it's my c. è affar mio 2 preoccupazione 3 COMM. ditta, azienda. **concerned** /kən'sɜːnəd/ (agg.) 1 interessato, coinvolto 2 ansioso, preoccupato.

concerning /kən'sɜːnɪŋ/ (prep.) circa, riguardo a.

concert /'kɒnsət/ (sost.) MUS. concerto.

conciliate /kən'sɪlɪeɪt/ (v.t.) 1 mettere d'accordo 2 placare.

concise /kən'saɪs/ (agg.) conciso, breve.

conclude /kən'kluːd/ (v.t. / v.i.) concludere. **conclusion** /kənkluː'ʒən/ (sost.) conclusione.

concrete /'kɒŋkriːt/ (agg.) 1 concreto, tangibile 2 di calcestruzzo || (sost.) EDIL. calcestruzzo ❖ reinforced c. cemento armato.

concur ♦ /kən'kɜː*/ (v.i.) 1 essere d'accordo 2 concorrere.

condemn /kən'dem/ (v.t.) condannare.

condense /kən'dens/ (v.t.) condensare (anche fig.) || (v.i.) condensarsi.

condition /kən'dɪʃən/ (sost.) 1 condizione, requisito 2 condizione, stato 3 (pl.) condizioni, circostanze.

conditional /kən'dɪʃənəl/ (agg.) condizionale, condizionato || (sost.) GRAMM. modo condizionale.

conditioner /kən'dɪʃənə*/ (sost.) balsamo per capelli.

condom /'kɒndəm/ (sost.) FARM. preservativo, profilattico.

condo(minium) /kɒndə('mɪnɪəm)/ (sost.) AE 1 condominio 2 (in un condominio) appartamento.

conduct /'kɒndʌkt/ (v.t.) 1 condurre, dirigere 2 guidare, accompagnare 3 FIS. condurre, trasmettere ll (v.i.) MUS. fare il direttore d'orchestra. conduct (sost.) 1 condotta, comportamento 2 conduzione, gestione.

conductor /kən'dʌktə*/ (sost.) 1 MUS. direttore d'orchestra 2 FIS. conduttore 3 (bus, tram) biglettaio 4 AE, FERR. controllore, capotreno.

cone /kəʊn/ (sost.) 1 GEOM. cono 2 BOT. pigna 3 (gelato) cono.

confection /kən'fekʃən/ (sost.) 1 dolce, confettura 2 composizione, creazione 3 ABBIGL. articolo confezionato di alta fattura.

conference /'kɒnfərəns/ (sost.) riunione, congresso, convegno.

confess /kən'fes/ (v.t. / v.i.) 1 confessare, ammettere 2 RELIG. confessare, confessarsi.

confetti /kən'fetɪ/ (sost.) coriandoli.

confide /kən'faɪd/ (v.t.) 1 confidare 2 FORM. affidare. ♣ confide in confidarsi con.

confident /'kɒnfɪdænt/ (agg.) sicuro, fiducioso. confidence /'kɒnfɪdəns/ (sost.) 1 fiducia 2 sicurezza 3 confidenza.

confine /kən'faɪn/ (v.t.) 1 relegare, rinchiudere 2 limitare. confined /kən'faɪnəd/ (agg.) limitato, ristretto.

confirm /kən'fɜːm/ (v.t.) confermare, convalidare 2 RELIG. cresi-

mare. confirmation /kɒnfə'meɪʃən/ (sost.) 1 conferma 2 RELIG. cresima.

confiscate /'kɒnfɪskeɪt/ (v.t.) confiscare.

conflict /'kɒnflɪkt/ (sost.) conflitto (anche fig.).

conform /kən'fɔːm/ (v.i.) conformarsi, adeguarsi.

confront /kən'frʌnt/ (v.t.) affrontare, fronteggiare.

confuse /kən'fjuːz/ (v.t.) confondere, disorientare. confused /kən'fjuːzəd/ (agg.) confuso, disorientato. confusing /kən'fjuːzɪŋ/ (agg.) poco chiaro, che confonde. confusion /kən'fjuːʒən/ (sost.) confusione.

confute /kən'fjuːt/ (v.t.) confutare.

congeal /kən'dʒiːl/ (v.i.) rapprendersi, coagularsi.

congestion /kən'dʒestʃən/ (sost.) congestione (anche MED.).

congratulate /kən'grætʃuleɪt/ (v.t.) congratularsi con. congratulation /kəngrætʃu'leɪʃən/ (sost.) (spec. pl.) congratulazioni.

congress /'kɒŋgres/ (sost.) congresso (anche POL.).

conjecture /kən'dʒektʃə*/ (sost.) congettura.

conjugate /'kɒndʒugeɪt/ (v.t.) GRAMM. coniugare ll (v.i.) coniugarsi. conjugation /kɒndʒu'geɪʃən/ (sost.) GRAMM. coniugazione.

conjunction /kən'dʌŋkʃən/ (sost.) 1 GRAMM. congiunzione 2 unione.

conjurer, conjuror /'kʌndʒərə*/ (sost.) prestigiatore.

connect /kə'nekt/ (v.t.) 1 collegare, connettere (anche ELETTR.) 2 TEL. mettere in comunicazione 3 (fig.) associare ll (v.i.) 1 collegarsi, connettersi 2 (di treni ecc.) essere in coincidenza. **connected** /kə'nektɪd/ *(agg.)* **1** collegato, connesso **2** *(fig.)* in relazione con.

connection, **connexion** /kə'nekʃən/ *(sost.)* **1** collegamento, connessione **2** *(spec. pl.)* parentela **3** *(spec. pl.)* conoscenza **4** *(di treni ecc.)* coincidenza.

conquer /'kɒŋkə*/ *(v.t.)* **1** conquistare **2** vincere || *(v.i.)* vincere, ottenere la vittoria.

conscience /'kɒnʃəns/ *(sost.)* coscienza.

conscious /'kɒnʃəs/ *(agg.)* **1** consapevole, conscio **2** cosciente || *(sost.)* PSIC. conscio.

consciousness /'kɒnʃəsnɪs/ *(sost.)* **1** coscienza **2** consapevolezza.

consent /kən'sent/ *(sost.)* consenso, accordo.

consequent /'kɒnsɪkwənt/ *(agg.)* conseguente, risultante. **consequence** /'kɒnsɪkwəns/ *(sost.)* conseguenza.

conservative /kən'sɜːvətɪv/ *(agg.)* **1** conservatore, tradizionalista **2** prudente, cauto || *(sost.)* conservatore.

conservatory /kən'sɜːvətərɪ/ *(sost.)* **1** serra **2** MUS. conservatorio.

consider /kən'sɪdə*/ *(v.t.)* **1** considerare, esaminare **2** reputare, stimare || *(v.i.)* riflettere, ponderare. **considerable** /kən'sɪdərəbəl/ *(agg.)* considerevole, notevole. **consideration** /kənsɪdə'reɪʃən/ *(sost.)* **1** considerazione, riflessione **2** riguardo, rispetto. **considering** /kən'sɪdərɪŋ/ *(prep.)* considerato, tenuto conto di, visto.

consign /kən'saɪn/ *(v.t.)* **1** COMM. inviare, spedire, consegnare **2** affidare **3** relegare.

consist /kən'sɪst/ *(v.i.)* consistere, essere composto.

consistence /kən'sɪstəns/, **consistency** /kən'sɪstənsɪ/ *(sost.)* **1** consistenza **2** coerenza, costanza.

console /'kɒnsəʊl/ *(v.t.)* consolare.

consonant /'kɒnsənənt/ *(agg.)* FORM. consono, conforme || *(sost.)* GRAMM. consonante.

constable /'kʌnstəbl/ *(sost.)* agente di polizia.

constant /'kɒnstənt/ *(agg.)* **1** costante **2** fedele **3** MAT. costante. **constantly** /'kɒnstəntlɪ/ *(avv.)* costantemente.

constitute /'kɒnstɪtjuːt/ *(v.t.)* costituire.

constrain /kən'streɪn/ *(v.t.)* **1** costringere, obbligare **2** limitare, trattenere.

construct /kən'strʌkt/ *(v.t.)* costruire *(anche fig.)*. **construction** /kən'strʌkʃən/ *(sost.)* costruzione.

consul /'kɒnsəl/ *(sost.)* console.

consult /kən'sʌlt/ *(v.t.)* consultare || *(v.i.)* consultarsi.

consume /kən'sjuːm/ *(v.t.)* **1** consumare, esaurire **2** distruggere **3** *(fig.)* rodere, divorare. **consumer** /kən'sjuːmə*/ *(sost.)* consumatore, utente.

consumption /kən'sʌmpʃən/ *(sost.)* consumo.

contact /'kɒntækt/ *(sost.)* **1** contatto **2** contatto, rapporto **3** ELETTR. contatto **4** *(pl.)* lenti a contatto. **contact** *(v.t.)* contattare, mettersi in contatto con.

contain /kən'teɪn/ *(v.t.)* contenere, limitare. **container** /kən'teɪnə*/ *(sost.)* contenitore, container.

contaminate /kən'tæmɪneɪt/ *(v.t.)* contaminare.

contemporary /kən'tempərərɪ/ *(agg. e sost.)* contemporaneo.
contempt /kən'tempt/ *(sost.)* disprezzo. **contemptuous** /kən'temptjuəs/ *(agg.)* FORM. sprezzante.
contend /kən'tend/ *(v.i.)* contendere, combattere ‖ *(v.t.)* FORM. sostenere, affermare.
content /'kɒntent/ *(sost.)* contenuto *(anche fig.)* ❖ *(table of) contents (di libri ecc.)* indice.
contest /'kɒntest/ *(sost.)* **1** competizione, gara, concorso **2** lotta, combattimento. **contest** /kən'test/ *(v.t.)* **1** contendere, contendersi, disputarsi **2** contestare, DIR. impugnare. **contestant** /kən'testənt/ *(sost.)* concorrente.
context /'kɒntekst/ *(sost.)* contesto.
continent /'kɒntɪnənt/ *(sost.)* GEOGR. continente.
continental /kɒntɪ'nəntəl/ *(agg.)* continentale, BE europeo ‖ *(sost.)* FAM., BE europeo.
continue /kən'tɪnjuː/ *(v.i. · v.t.)* continuare, proseguire. **continuous** /kən'tɪnjuəs/ *(agg.)* continuo, ininterrotto.
contour /'kɒntʊə*/ *(sost.)* contorno, profilo.
contraception /kɒntrə'sepʃən/ *(sost.)* contraccezione. **contraceptive** /kɒntrə'septɪv/ *(agg. e sost.)* anticoncezionale.
contract /'kɒntrækt/ *(sost.)* contratto *(anche DIR.)*, COMM. appalto. **contract** /kən'trækt/ *(v.i.)* **1** contrarsi, restringersi **2** contrattare, fare un contratto ‖ *(v.t.)* **1** contrarre, restringere **2** FORM. contrarre, concludere.
contraction /kən'trækʃən/ *(sost.)* contrazione *(anche GRAMM.)*

contractor /kən'træktə*/ *(sost.)* COMM. appaltatore.
contradict /kɒntrə'dɪkt/ *(v.t.)* contraddire.
contrary /'kɒntrərɪ/ *(agg.)* **1** contrario, opposto **2** FAM. ostinato, testardo ‖ *(sost.)* il contrario, l'opposto ❖ *on the c.* al contrario.
contrast /'kɒntrɑːst/ *(sost.)* contrasto ‖ *(v.i.)* essere in contrasto, contrastare.
contribute /kən'trɪbjuːt/ *(v.t.)* **1** contribuire con, fornire **2** scrivere *(un articolo)* ‖ *(v.i.)* contribuire *(anche fig.)*. **contribution** /kɒntrɪ'bjuːʃən/ *(sost.)* **1** contributo, contribuzione **2** collaborazione *(con un giornale)*.
control /kən'trəʊl/ *(sost.)* **1** controllo, dominio **2** controllo, verifica **3** TECN. *(dispositivo di)* comando, controllo ❖ *remote c.* telecomando. **control** ◊ *(v.t.)* **1** tenere a freno **2** controllare.
controller /kən'trəʊlə*/ *(sost.)* **1** controllore **2** AMM. revisore dei conti **3** MECC. regolatore.
convalescence /kɒnvə'lesəns/ *(sost.)* convalescenza.
convenience /kən'viːnɪəns/ *(sost.)* **1** comodo, convenienza **2** *(pl.)* comodità **3** BE gabinetto pubblico **4** ❖ *c. store* AE negozio di alimentari.
convenient /kən'viːnɪənt/ *(agg.)* **1** adatto, che va bene **2** utile, pratico **3** a portata di mano, vicino.
convent /'kɒnvənt/ *(sost.)* convento *(spec. di suore)*.
convention /kən'venʃən/ *(sost.)* **1** patto, convenzione **2** congresso, assemblea.
conventional /kən'venʃənəl/ *(agg.)* **1** tradizionale, convenzionale **2** corrente, comune.

converse /'kɒnvɜːs/ (agg.) inverso, contrario ‖ (sost.) inverso.

convert /kən'vɜːt/ (v.t.) convertire (anche ECON., FIS., RELIG.), trasformare ‖ (v.i.) **1** convertirsi **2** trasformarsi **3** SPORT (rugby) trasformare una meta.

convertible /kən'vɜːtəbəl/ (sost.) (auto) decappottabile.

convey /kən'veɪ/ (v.t.) **1** trasportare, convogliare **2** (suoni) trasmettere **3** (informazioni) comunicare.

convict /'kɒnvɪkt/ (sost.) condannato, carcerato.

convince /kən'vɪns/ (v.t.) convincere.

convoy /'kɒnvɔɪ/ (sost.) MAR., MIL. convoglio.

cook /kuk/ (v.t. / v.i.) cuocere, cucinare. **cook** (sost.) cuoco, cuoca. **cooker** /'kukə*/ (sost.) fornello, cucina.

cookie /'kukɪ/ (sost.) **1** AE biscotto **2** (spec. pl.) INFORM. cookie.

cool /kuːl/ (agg.) **1** fresco **2** (fig.) calmo, tranquillo **3** (fig.) freddo, distaccato **4** FAM. fantastico, eccezionale ‖ (sost.) **1** fresco, frescura **2** calma, sangue freddo. **cool** (v.t.) rinfrescare, raffreddare (anche fig.) ‖ (v.i.) rinfrescarsi, raffreddarsi (anche fig.). ♣ **cool down** (v.i.) **1** raffreddarsi, rinfrescarsi **2** (fig.) calmarsi ‖ (v.t.) raffreddare.

cooperate /kəu'ɒpəreɪt/ (v.i.) cooperare.

coordinate /kəu'ɔːdɪnət/ (v.t.) coordinare.

cop /kɒp/ (sost.) AE poliziotto.

cope /kəup/ (v.i.) far fronte a, farcela.

copper /'kɒpə*/ (sost.) rame.

copy /'kɒpɪ/ (sost.) copia. **copy** (v.t.) copiare, imitare.

copyright /'kɒpɪraɪt/ (sost.) DIR. diritti d'autore, copyright.

corduroy /'kɔːdərɔɪ/ (sost.) velluto a coste.

core /kɔː*/ (sost.) **1** centro, nucleo, (fig.) nocciolo **2** torsolo di frutto.

cork /kɔːk/ (sost.) **1** sughero **2** tappo, turacciolo.

corkscrew /'kɔːkskruː/ (sost.) cavaturaccioli, cavatappi.

corn /kɔːn/ (sost.) **1** granello, chicco **2** granaglie, cereali, BE grano, frumento, AE mais, granturco.

corner /'kɔːnə*/ (sost.) **1** angolo **2** SPORT calcio d'angolo. **corner** (v.t.) mettere in un angolo, (fig.) mettere alle strette ‖ (v.i.) curvare, (in moto, automobile) fare una curva.

corny /'kɔːnɪ/ (agg.) FAM. banale, scontato, sdolcinato.

coroner /'kɒrənə*/ (sost.) DIR. medico legale.

corps /kɔː*/ (sost.) (pl. invar.) corpo (spec. MIL.).

corpse /kɔːps/ (sost.) salma, cadavere.

correct /kə'rekt/ (v.t.) correggere, rettificare. **correct** (agg.) corretto, giusto, esatto.

correspond /kɒrɪ'spɒnd/ (v.i.) **1** corrispondere, equivalere, essere in accordo con **2** corrispondere, scriversi.

corrode /kə'rəud/ (v.t. / v.i.) corrodere, corrodersi.

corrupt /kə'rʌpt/ (agg.) **1** corrotto **2** alterato.

corset /'kɔːsɪt/ (sost.) **1** ABBIGL. corsetto, busto **2** MED. busto ortopedico.

cosmetic /kɒz'metɪk/ (agg. e sost.) cosmetico ♦ **c. surgery** chirurgia estetica.

cost ♦ /kɒst/ *(v.t.)* costare *(anche fig.)*. **cost** *(sost.)* **1** costo, prezzo **2** *(pl.)* DIR. spese processuali.

cosy, AE **cozy** /'kəʊzɪ/ *(agg.)* confortevole, accogliente, intimo.

cot /kɒt/ *(sost.)* lettino per bambini.

cottage /'kɒtɪdʒ/ *(sost.)* cottage, villino.

cotton /'kɒtən/ *(sost.)* cotone ❖ *c. wool* ovatta.

cough /kɒf/ *(sost.)* tosse. **cough** *(v.i.)* tossire. ♣ **cough up 1** espettorare, FAM. sputare **2** *(consegnare)* FAM. tirar fuori (con riluttanza), cacciare fuori.

could v. **can²**.

council /'kaʊnsəl/ *(sost.)* consiglio ❖ *city c.* consiglio comunale.

counselling, AE **counseling** /'kaʊnsəlɪŋ/ *(sost.)* PSIC. consulenza psicologica, counseling.

counsellor, AE **counselor** /'kaʊnsələ*/ *(sost.)* **1** consigliere, consulente **2** DIR. avvocato.

count /kaʊnt/ *(v.t.)* **1** contare, calcolare **2** considerare, ritenere ‖ *(v.i.)* contare *(anche fig.)*. ♣ **count down** fare il conto alla rovescia. ♣ **count in** FAM. includere, comprendere. ♣ **count on / upon** contare, fare assegnamento su. ♣ **count out 1** *(rif. a denaro)* contare uno per uno **2** escludere. ♣ **count up** sommare, calcolare. **count** *(sost.)* **1** conto *(anche fig.)*, calcolo, conteggio **2** DIR. capo d'accusa.

countenance /'kaʊntənəns/ *(sost.)* espressione del viso.

counter¹ /'kaʊntə*/ *(sost.)* *(di negozio ecc.)* banco, bancone, *(di banca)* sportello.

counter² *(agg.)* contrario, opposto ‖ *(avv.)* in senso inverso, in modo contrario.

counterclockwise /kaʊntə'klɒkwaɪz/ *(avv.)* in senso antiorario.

counterpart /'kaʊntəpɑːt/ *(sost.)* controparte.

country /'kʌntrɪ/ *(sost.)* **1** paese, nazione, regione **2** campagna ‖ *(agg.)* campagnolo.

countryside /'kʌntrɪsaɪd/ *(sost.)* campagna.

county /'kaʊntɪ/ *(sost.)* contea, provincia.

couple /'kʌpəl/ *(sost.)* coppia, paio. **couple** *(v.t.)* unire, agganciare ‖ *(v.i.) (di animali)* accoppiarsi.

courage /'kʌrɪdʒ/ *(sost.)* coraggio. **courageous** /kə'reɪdʒəs/ *(agg.)* coraggioso.

courgette /kɔː'ʒet/ *(sost.)* BE, BOT. zucchina, zucchino.

course /kɔːs/ *(sost.)* **1** corso, decorso ❖ *of c.* naturalmente **2** direzione, linea, AER., MAR. rotta **3** *(di pasti)* portata **4** SPORT percorso, pista.

court /kɔːt/ *(sost.)* **1** DIR. corte, tribunale **2** corte reale **3** cortile, corte **4** SPORT campo.

courtyard /'kɔːtjɑːd/ *(sost.)* cortile.

cousin /'kʌzən/ *(sost.)* cugino, cugina.

cover /'kʌvə*/ *(v.t.)* coprire *(anche fig.)*, ricoprire. ♣ **cover up 1** *(fig.)* coprire (qu.no) **2** nascondere, dissimulare, insabbiare. **cover** *(sost.)* **1** copertura *(anche fig.)* **2** *(di libri ecc.)* copertina **3** riparo, rifugio **4** ECON. garanzia, copertura **5** *(a tavola)* coperto. **covering** /'kʌvərɪŋ/ *(sost.)* copertura, rivestimento.

covert /'kʌvət/ (agg.) segreto.

cow /kaʊ/ (sost.) 1 ZOOL. vacca, mucca 2 femmina (di grossi mammiferi) 3 SPREG. donnaccia.

coward /'kaʊəd/ (sost.) codardo, vile.

coy /kɔɪ/ (agg.) ritroso, evasivo.

cozy v. cosy.

crack /kræk/ (agg.) di qualità, scelto ‖ (sost.) 1 incrinatura, fessura 2 colpo, detonazione 3 (in borsa) crollo 4 SL. (droga) crack. **crack** (v.t.) 1 rompere, incrinare 2 (un codice) decifrare, INFORM. accedere a dati informatici riservati ‖ (v.i.) 1 rompersi, incrinarsi 2 (fig.) cedere, crollare. ♣ **crack up** 1 FAM. crollare (emotivamente) 2 FAM. scoppiare a ridere. **cracked** /'krækət/ (agg.) incrinato.

cradle /'kreɪdəl/ (sost.) culla.

craft /krɑːft/ (sost.) 1 mestiere 2 abilità, maestria 3 astuzia, scaltrezza 4 MAR. imbarcazione, AER. aeroplano.

craftsman /'krɑːftsmən/ (pl. **craftsmen**) (sost.) artigiano.

cram ◊ /kræm/ (v.t.) ammassare.

cramp /kræmp/ (sost.) MED. crampo.

crane /kreɪn/ (sost.) ZOOL., MECC. gru.

cranky /'kræŋkɪ/ (agg.) 1 BE eccentrico 2 AE irritabile 3 mal funzionante.

crap /kræp/ (sost.) VOLG. 1 merda 2 stronzata. **crappy** /'kræpɪ/ (agg.) POP. schifoso.

crash /kræʃ/ (v.i.) 1 schiantarsi, scontrarsi 2 AER. schiantarsi al suolo 3 ECON. (titoli ecc.) crollare ‖ (v.t.) schiantare, fracassare. **crash** (sost.) 1 schianto, scontro 2 AER. disastro, incidente 3 ECON. crac, crollo finanziario.

crave /kreɪv/ (v.i. / v.t.) desiderare ardentemente (ql.sa). **craving** /'kreɪvɪŋ/ (sost.) forte desiderio, voglia.

crawl /krɔːl/ (v.i.) 1 strisciare, andare carponi 2 avanzare lentamente.

craze /kreɪz/ (sost.) 1 mania 2 voga.

crazy /'kreɪzɪ/ (agg.) pazzo, matto.

cream /kriːm/ (sost.) 1 CUC. crema, panna 2 (cosmetico ecc.) crema 3 color crema 4 (fig.) crema, fior fiore.

crease /kriːs/ (v.t.) 1 dare la piega a 2 sgualcire ‖ (v.i.) sgualcirsi, spiegazzarsi.

create /krɪ'eɪt/ (v.t.) creare.

creative /krɪ'eɪtɪv/ (agg.) 1 creativo 2 originale.

creature /'kriːtʃə*/ (sost.) creatura, essere vivente.

credit /'kredɪt/ (sost.) 1 fiducia, credito 2 merito, onore 3 COMM., BANC. credito, fido ♦ **c. card** carta di credito. **credit** (v.t.) 1 dar credito a, credere 2 attribuire 3 COMM. accreditare.

creed /kriːd/ (sost.) 1 RELIG. credo 2 (fig.) credo, convinzioni.

creek /kriːk/ (sost.) 1 insenatura 2 AE ruscello, fiumiciattolo.

creep ♦ /kriːp/ (v.i.) 1 strisciare (anche fig.) 2 muoversi furtivamente 3 rabbrividire, avere la pelle d'oca. **creeper** /'kriːpə*/ (sost.) BOT. rampicante. **creepy** /'kriːpɪ/ (agg.) 1 strisciante, che striscia 2 (fig.) che fa rabbrividire, spaventoso.

crept v. creep.

crescent /'krezənt/ (sost.) 1 luna crescente, mezzaluna 2 mezzaluna (isla·mica) 3 strada a semicerchio.

crest /krɛst/ *(sost.)* **1** *(di gallo)* cresta **2** *(di onda, collina)* cresta **3** pennacchio.

crew /kru:/ *(sost.)* **1** MAR., AER. equipaggio **2** squadra, gruppo.

crib /krɪb/ *(sost.)* **1** culla **2** mangiatoia **3** presepio.

cricket[1] /'krɪkɪt/ *(sost.)* ZOOL. grillo.

cricket[2] *(sost.)* SPORT cricket.

crime /kraɪm/ *(sost.)* delitto, crimine. **criminal** /krɪmɪnəl/ *(agg.)* **1** criminale **2** penale ‖ *(sost.)* criminale, delinquente.

cripple /'krɪpəl/ *(v.t.)* **1** storpiare **2** *(fig.)* danneggiare.

crisis /'kraɪsɪs/ *(pl.* **crises** /'kraɪsi:z/*) (sost.)* crisi.

crisp /krɪsp/ *(agg.)* **1** croccante, friabile **2** *(capelli)* crespo **3** *(aria)* fresco, frizzante ‖ *(sost.) (spec. pl.)* BE patatine fritte.

criterion /kraɪ'tɪərɪən/ *(pl.* **criteria** /kraɪ'tɪərɪə/*) (sost.)* criterio, principio.

critical /'krɪtɪkəl/ *(agg.)* **1** critico, pronto alla critica **2** critico, cruciale.

criticism /'krɪtɪsɪzəm/ *(sost.)* critica.

criticise, criticize /'krɪtɪsaɪz/ *(v.t.)* criticare.

crochet /'krəʊʃeɪ/ *(v.t.)* lavorare all'uncinetto.

crooked /'krʊkɪd/ *(agg.)* **1** curvo, storto **2** *(fig.)* tortuoso **3** sleale, disonesto.

crop /krɒp/ *(sost.)* **1** AGR. raccolto, messe **2** *(fig.)* raccolta, quantità. **crop** ◇ *(v.t.)* **1** tagliare via, mozzare, *(capelli)* rasare **2** coltivare **3** mietere.

cross /krɒs/ *(agg.)* **1** trasversale, obliquo **2** FAM. arrabbiato, di cattivo umore ‖ *(sost.)* **1** croce **2** ZOOL.,

BOT. incrocio **3** sbieco **4** SPORT *(calcio)* traversone. **cross** *(v.t.)* **1** incrociare **2** attraversare. ♣ **cross off** depennare, cancellare con un segno. ♣ **cross out** sbarrare, cancellare con un segno. ♣ **cross over** cambiare stile, cambiare genere.

cross-eyed /'krɒsaɪd/ *(agg.)* strabico.

crossing /'krɒsɪŋ/ *(sost.)* **1** incrocio, attraversamento ❖ *level c.* passaggio a livello **2** traversata.

crossroads /'krɒsrəʊdz/ *(sost. pl.)* incrocio (stradale).

crossword /'krɒsw3:d/ *(sost.)* cruciverba.

crotch /krɒtʃ/ *(sost.)* ABBIGL. cavallo dei pantaloni.

crouch /kraʊtʃ/ *(v.i.)* **1** accovacciarsi, rannicchiarsi **2** *(fig.)* piegarsi.

crowd /kraʊd/ *(sost.)* folla, massa. **crowd** *(v.i.)* affollarsi, ammassarsi ‖ *(v.t.)* affollare, ammassare. **crowded** /'kraʊdɪd/ *(agg.)* **1** affollato **2** stipato.

crown /kraʊn/ *(sost.)* **1** corona, ghirlanda **2** *(fig.)* coronamento **3** corona, *(di dente)* capsula.

crucial /'kru:ʃəl/ *(agg.)* cruciale, decisivo.

cruel /'kru:əl/ *(agg.)* crudele.

cruise /kru:z/ *(sost.)* crociera.

crumb /krʌm/ *(v.t.)* **1** sbriciolare **2** CUC. impanare.

crumple /'krʌmpəl/ *(v.t.)* spiegazzare, raggrinzire ‖ *(v.i.)* **1** spiegazzarsi, raggrinzirsi **2** abbattersi. ♣ **crumple up** appallottolare, accartocciare.

crunch /krʌntʃ/ *(v.t.)* **1** sgranocchiare rumorosamente **2** far scricchiolare ‖ *(v.i.)* scricchiolare.

crush /krʌʃ/ *(v.t.)* **1** schiacciare **2** spremere **3** *(fig.)* annientare, schiacciare || *(v.i.)* accalcarsi. **crush** *(sost.)* 1 calca, affollamento 2 spremuta 3 FAM. infatuazione, cotta.

crust /krʌst/ *(sost.)* crosta.

crutch /krʌtʃ/ *(sost.)* 1 gruccia, stampella 2 *(fig.)* appoggio, sostegno 3 v. crotch.

cry /kraɪ/ *(v.i. / v.t.)* 1 piangere 2 *(anche cry out)* gridare, urlare. ♣ **cry out for** esigere *(anche fig.)*, reclamare, *(aiuto)* invocare. **cry** *(sost.)* 1 grido 2 lamento, pianto.

crystal /ˈkrɪstəl/ *(sost.)* 1 cristallo 2 AE vetro di orologio || *(agg.)* cristallino.

cub /kʌb/ *(sost.)* *(di lupo, tigre, orso)* cucciolo .

cube /kjuːb/ *(sost.)* cubo.

cuddle /ˈkʌdəl/ *(v.t.)* coccolare.

cudgel /ˈkʌdʒəl/ *(sost.)* randello.

cuff /kʌf/ *(sost.)* ABBIGL. 1 *(di camicia, giacca)* polsino 2 AE *(di pantaloni)* risvolto 3 *(pl.)* FAM. manette.

culprit /ˈkʌlprəbəl/ *(sost.)* 1 colpevole 2 DIR. accusato, imputato.

cultivate /ˈkʌltɪveɪt/ *(v.t.)* 1 coltivare 2 *(fig.)* educare 3 *(fig.)* coltivare, curare.

culture /ˈkʌltʃə*/ *(sost.)* 1 cultura, istruzione 2 coltura, coltivazione. **cultured** /ˈkʌltʃəd/ *(agg.)* colto, istruito.

cumbersome /ˈkʌmbəsəm/ *(agg.)* ingombrante.

cunning /ˈkʌnɪŋ/ *(agg.)* 1 astuto, furbo 2 AE, FAM. grazioso.

cup /kʌp/ *(sost.)* 1 tazza, tazzina 2 ECCL. calice 3 SPORT coppa.

cupboard /ˈkʌbəd/ *(sost.)* credenza, armadio.

curb /kɜːb/ *(sost.)* 1 *(fig.)* freno, restrizione 2 AE bordo del marciapiede.

curdle /ˈkɜːdəl/ *(v.t.)* cagliare || *(v.i.)* rapprendersi, *(formaggio)* cagliarsi.

cure /kjʊə*/ *(v.t.)* 1 MED. curare 2 CUC. salare, affumicare. **cure** *(sost.)* 1 MED. cura, rimedio *(anche fig.)* 2 MED. guarigione 3 CUC. conservazione.

curfew /ˈkɜːfjuː/ *(sost.)* coprifuoco.

curious /ˈkjʊərɪəs/ *(agg.)* 1 curioso 2 strano, singolare. **curiosity** /kjʊərɪˈɒsətɪ/ *(sost.)* 1 curiosità 2 persona, cosa strana, bizzarra.

curl /kɜːl/ *(v.t.)* 1 *(capelli)* arricciare 2 torcere, increspare || *(v.i.)* 1 *(di capelli)* arricciarsi 2 accartocciarsi, torcersi. ♣ **curl up** 1 raggomitolarsi 2 accartocciarsi. **curl** *(sost.)* 1 *(di capelli)* riccio, ricciolo 2 curva, spirale. **curly** /ˈkɜːlɪ/ *(agg.)* 1 ricciuto, riccioluto 2 a spirale.

current /ˈkʌrənt/ *(agg.)* corrente, attuale || *(sost.)* corrente. **currently** /ˈkʌrəntlɪ/ *(avv.)* attualmente, al presente.

curse /kɜːs/ *(sost.)* 1 maledizione 2 imprecazione, bestemmia 3 *(fig.)* calamità, flagello. **curse** *(v.t.)* maledire || *(v.i.)* imprecare, bestemmiare.

curt /kɜːt/ *(agg.)* brusco, secco.

curtain /ˈkɜːtən/ *(sost.)* 1 tenda, TEATR. sipario 2 *(estens.)* *(di fumo, nebbia ecc.)* cortina.

curve /kɜːv/ *(sost.)* curva, svolta. **curve** *(v.t. / v.i.)* curvare, piegare.

cushion /ˈkuʃən/ *(sost.)* cuscino.

custard /ˈkʌstəd/ *(sost.)* CUC. crema pasticciera.

custom[1] /ˈkʌstəm/ *(agg.)* AE su ordinazione, su misura. **customize** /ˈkʌstəmaɪz/ *(v.t.)* personalizzare.

custom² *(sost.)* **1** costume, consuetudine **2** COMM. clientela **3** *(pl.)* dogana *(sing.)*.

customer /'kʌstəmə*/ *(sost.)* cliente.

cut ♦ /kʌt/ *(v.t.)* **1** tagliare **2** *(fig.)* ridurre, diminuire **3** CINEM. montare **4** tagliare (il mazzo di carte) ‖ *(v.i.)* tagliare, tagliarsi. ♣ **cut across 1** prendere una scorciatoia **2** trascendere **3** superare. ♣ **cut back 1** potare, spuntare **2** ridurre. ♣ **cut down 1** abbattere (alberi ecc.) **2** tagliare, ridurre. ♣ **cut in 1** intromettersi, intervenire **2** AUT. tagliare la strada (dopo un sorpasso). ♣ **cut off 1** tagliare, troncare, interrompere **2** isolare **3** escludere, disinserire. ♣ **cut out 1** togliere con un taglio **2** ritagliare **3** eliminare **4** AE, fam. levarsi di torno. ♣ **cut up** tagliare a pezzi. **cut** *(sost.)* **1** taglio *(anche fig.)* **2** taglio, riduzione **3** pezzo, fetta, quota **4** CINEM. montaggio.

cute /kjuːt/ *(agg.)* carino, grazioso.

cutlery /'kʌtlərɪ/ *(sost.)* posate.

cutter /'kʌtə*/ *(sost.)* **1** *(pl.)* fresa **2** taglierina **3** MAR. lancia armata.

cutting /'kʌtɪŋ/ *(agg.)* tagliente *(anche fig.)* ‖ *(sost.)* (di giornale ecc.) ritaglio.

cycle /'saɪkəl/ *(sost.)* **1** ciclo **2** bicicletta ✦ *c. path* pista ciclabile.

cycling /'saɪklɪŋ/ *(agg.)* ciclistico ‖ *(sost.)* ciclismo.

cylinder /'sɪlɪndə*/ *(sost.)* **1** cilindro **2** bombola (di gas).

cynical /'sɪnɪkəl/ *(agg.)* cinico.

cypress /'saɪprəs/ *(sost.)* BOT. cipresso.

cyst /sɪst/ *(sost.)* MED. ciste, cisti.

czar /zɑː*/ *(sost.)* ST. zar.

D

d /diː/ (pl. **d's**, **ds** /diːz/) (sost.) MUS. (nota) re.

dad /dæd/, **daddy** /'dædɪ/ (sost.) FAM. babbo, papà.

daily /'deɪlɪ/ (agg.) del giorno, giornaliero, quotidiano || (sost.) (giornale) quotidiano || (avv.) ogni giorno, quotidianamente.

dairy /'deərɪ/ (sost.) **1** caseificio ❖ d. products latticini, prodotti caseari **2** (negozio) latteria.

daisy /'deɪzɪ/ (sost.) BOT. margherita.

dam /dæm/ (sost.) diga, sbarramento.

damage /'dæmɪdʒ/ (sost.) **1** danno, guasto **2** (pl.) DIR. risarcimento. **damage** (v.t.) danneggiare, guastare.

damn /dæm/ (inter.) accidenti!, maledizione! || (avv.) FAM. maledettamente. **damn** (v.t.) **1** dannare, condannare **2** SL. maledire, imprecare.

damp /dæmp/ (agg.) umido || (sost.) umidità.

dance /dɑːns/ (v.t. / v.i.) ballare, danzare. **dance** (sost.) ballo, danza. **dancer** /'dɑːnsə*/ (sost.) ballerino, ballerina, danzatore, danzatrice. **dancing** /'dɑːnsɪŋ/ (sost.) danza, arte della danza.

dandruff /'dændrəf/ (sost.) forfora.

danger /'deɪndʒə*/ (sost.) pericolo.

dangerous /'deɪndʒərəs/ (agg.) pericoloso.

dangle /'dæŋgəl/ (v.t. / v.i.) (far) dondolare.

Danish /'dænɪʃ/ (agg. e sost.) danese.

dare ♦ /deə*/ (v.i.) osare || (v.t.) sfidare. **dare** (sost.) sfida, provocazione.

dark /dɑːk/ (agg.) **1** scuro, buio, oscuro **2** (capelli, colore ecc.) scuro **3** (fig.) triste, tetro, cupo || (sost.) buio, oscurità.

darling /'dɑːlɪŋ/ (sost.) **1** beniamino, prediletto **2** FAM. tesoro || (agg.) caro, diletto.

dart /dɑːt/ (sost.) **1** freccetta (da tirassegno) **2** (pl.) tirassegno con freccette.

dash /dæʃ/ (sost.) **1** scatto, balzo **2** spruzzo, goccio **3** TIP. lineetta, trattino.

dashboard /'dæʃbɔːd/ s(sost.) AUT. cruscotto.

data /'deɪtə/ (sost. pl.) dati.

database /'deɪtəbeɪs/ (sost.) INFORM. archivio elettronico.

date /deɪt/ (sost.) **1** data **2** FAM. appuntamento. **date** (v.t.) **1** datare **2** FAM. frequentare, uscire con qu.no || (v.i.) **1** risalire a, datare da **2** passare di moda.

daughter /'dɔːtə*/ (sost.) figlia.

daughter-in-law /'dɔːtərɪnlɔː/ (sost.) nuora.

daunt /dɔːnt/ (v.t.) intimidire, spaventare.

dawn /dɔːn/ (sost.) alba (anche fig.).

day /deɪ/ (sost.) giorno, giornata.

daze /deɪz/ (v.t.) 1 stordire 2 (fig.) sbalordire.

dazzle /'dæzəl/ (v.t.) abbagliare.

dead /ded/ (agg.) 1 morto (anche fig.) 2 non funzionante, scarico ✧ d. battery batteria scarica 3 FAM. esausto ‖ (sost.) the d. i morti ‖ (avv.) BE, FAM. molto, assolutamente.

dead end /ded'ənd/ (sost.) vicolo cieco.

deadline /'dedlaɪn/ (sost.) scadenza, data limite.

deaf /def/ (agg.) sordo.

deal ♦ /diːl/ (v.t.) (in giochi, rif. alle carte) fare, servire. ♣ deal in trattare, commerciare, occuparsi di. ♣ deal with 1 aver a che fare con qu.no, fare affari con qu.no 2 trattare, avere come tema 3 occuparsi (di un problema). deal (sost.) 1 accordo, affare 2 trattamento 3 (a carte) mano 4 FAM. ✧ a good d. of food un sacco di cibo.

dealer /'diːlə*/ (sost.) 1 commerciante 2 FIN. operatore di borsa 3 (di droga) spacciatore.

dealt v. deal.

dear /dɪə*/ (agg.) 1 caro, prezioso 2 caro, costoso ‖ (sost.) caro, tesoro ‖ (avv.) a caro prezzo, caro.

death /deθ/ (sost.) morte, decesso.

debate /dɪ'beɪt/ (sost.) dibattito, discussione. debate (v.t.) 1 discutere, dibattere 2 considerare, ponderare ‖ (v.i.) prendere parte a un dibattito.

debit /'debɪt/ (sost.) COMM. addebito. debit (v.t.) COMM. addebitare.

debris /'debriː/ (sost.) 1 GEOL. detriti 2 macerie.

debt /det/ (sost.) debito (anche fig.).

decade /'dekeɪd/ (sost.) decennio.

decay /dɪ'keɪ/ (v.i.) 1 decomporsi, marcire 2 MED. (di denti) cariarsi 3 (fig.) andare in rovina, decadere ‖ (v.t.) far marcire, fare imputridire. decay (sost.) 1 decomposizione, putrefazione ✧ tooth d. MED. carie dentaria 2 (fig.) rovina, decadenza.

decease /dɪ'siːs/ (sost.) DIR. decesso, morte.

deceit /dɪ'siːt/ (sost.) 1 inganno 2 DIR. frode.

deceive /dɪ'siːv/ (v.t.) ingannare, imbrogliare.

December /dɪ'sembə*/ (sost.) dicembre.

decent /'diːsənt/ (agg.) 1 decente, decoroso 2 FAM. gentile 3 adeguato.

deception /dɪ'sepʃən/ (sost.) inganno, imbroglio.

decide /dɪ'saɪd/ (v.t.) 1 decidere, stabilire 2 influenzare, determinare ‖ (v.i.) decidersi, prendere una decisione.

decimal /'desɪməl/ (agg. e sost.) MAT. decimale.

decision /dɪ'sɪʒən/ (sost.) 1 decisione, scelta 2 risolutezza, fermezza.

decisive /dɪ'saɪsɪv/ (agg.) decisivo.

deck /dek/ (sost.) 1 MAR. ponte 2 piano di autobus 3 mazzo di carte.

declare /dɪ'kleə*/ (v.t.) dichiarare, proclamare. declaration /deklə'reɪʃən/ (sost.) dichiarazione.

declension /dɪ'klenʃən/ (sost.) GRAMM. declinazione.

decline /dɪ'klaɪn/ (v.t.) 1 declinare, rifiutare 2 GRAMM. declinare ‖

(v.i.) **1** rifiutare **2** declinare, indebolirsi **3** diminuire, calare. **decline** *(sost.)* **1** declino, decadenza **2** diminuzione, calo.

decompose /di:kəm'pəuz/ *(v.t.)* decomporre || *(v.i.)* decomporsi.

decompress /di:kəm'pres/ *(v.t.)* decomprimere.

decorate /'dekəreit/ *(v.t.)* **1** decorare, adornare ❖ *to d. with paint* imbiancare, *to d. with paper* tappezzare **2** insignire di (una) decorazione. **decoration** /dekə'reiʃən/ *(sost.)* **1** decorazione, addobbo **2** onorificenza, medaglia. **decorative** /'dekəretıv/ *(agg.)* decorativo.

decoy /'di:kɔi/ *(sost.)* esca, richiamo (per uccelli). **decoy** *(v.t.)* attirare con l'inganno.

decrease /'di:kri:s/ *(v.t. / v.i.)* diminuire. **decrease** *(sost.)* diminuzione.

decree /dı'kri:/ *(sost.)* decreto.

deduce /dı'dju:s/ *(v.t.)* dedurre, desumere.

deed /di:d/ *(sost.)* **1** azione, atto ❖ *good d.* buona azione **2** DIR. atto.

deep /di:p/ *(agg.)* **1** profondo *(anche fig.)* **2** sprofondato in *(colore)* intenso, *(suono)* grave || *(avv.)* profondamente ❖ *d. down* in profondità. **deeply** /'di:plı/ *(avv.)* profondamente, molto.

deep-freeze ◆ *(v.t.)* surgelare.

deep-frozen v. **deep-freeze**.

deer /dıə*/ *(sost.)* *(pl. invar.)* ZOOL. cervo, daino.

default /dı'fɔ:lt/ *(sost.)* **1** mancanza, difetto **2** DIR. contumacia **3** FIN. fallimento **4** INFORM. scelta preimpostata.

defeat /dı'fi:t/ *(v.t.)* sconfiggere *(anche fig.)*. **defeat** *(sost.)* sconfitta, disfatta.

defect /'di:fekt/ *(sost.)* **1** difetto, imperfezione **2** mancanza.

defective /dı'fektıv/ *(agg.)* **1** difettoso, imperfetto **2** GRAMM. difettivo.

defence, AE **defense** /dı'fens/ *(sost.)* **1** difesa **2** *(pl.)* fortificazioni.

defend /dı'fend/ *(v.t.)* difendere.

defense /dı'fens/ AE v. **defence**.

defer ◊ /dı'fɜ:*/ *(v.t.)* rinviare, rimandare || *(v.i.)* temporeggiare.

defiance /dı'faıəns/ *(sost.)* **1** sfida, provocazione **2** sprezzo.

deficient /dı'fıʃənt/ *(agg.)* carente, insufficiente.

define /dı'faın/ *(v.t.)* definire.

definite /'defənət/ *(agg.)* **1** definito, preciso, determinato **2** certo, sicuro. **definitely** /'defənətlı/ *(avv.)* certamente, senza dubbio.

definition /defı'nıʃən/ *(sost.)* definizione *(anche* FOT., TV).

deflate /dı'fleıt/ *(v.t.)* **1** sgonfiare **2** ECON. deflazionare || *(v.i.)* sgonfiarsi.

deform /dı'fɔ:m/ *(v.t.)* deformare.

deft /deft/ *(agg.)* abile, destro.

defy /dı'faı/ *(v.t.)* **1** disattendere, disobbedire a **2** sfidare.

degree /dı'gri:/ *(sost.)* **1** grado **2** grado, livello, misura **3** laurea.

deign /deın/ *(v.t.)* degnare || *(v.i.)* degnarsi.

dejected /dı'dʒektıd/ *(agg.)* abbattuto, scoraggiato.

delay /dı'leı/ *(v.t.)* **1** ritardare **2** rinviare, rimandare || *(v.i.)* indugiare. **delay** *(sost.)* **1** ritardo **2** proroga, dilazione.

delegate /'delıgət/ *(v.t.)* delegare.

delete /dı'li:t/ *(v.t.)* cancellare.

deliberate /dı'lıbərət/ *(agg.)* **1** deliberato, intenzionale **2** ponderato.

deliberately /dɪ'lɪbərətəlɪ/ (avv.) deliberatamente, consapevolmente.

delicate /'delɪkət/ (agg.) delicato.

delicatessen /delɪkə'tesən/ (AE **deli**) (sost.) negozio di gastronomia.

delicious /dɪ'lɪʃəs/ (agg.) 1 (cibo) squisito 2 delizioso, piacevole.

delight /dɪ'laɪt/ (v.t.) deliziare || (v.i.) compiacersi, dilettarsi. **delight** (sost.) delizia, piacere. **delighted** /dɪ'laɪtɪd/ (agg.) felicissimo.

deliver /dɪ'lɪvə*/ (v.t.) 1 consegnare, recapitare 2 liberare, salvare 3 (promessa) mantenere 4 (colpo) assestare, (attacco) sferrare 5 (discorso, lezione) pronunciare 6 MED. (far) partorire 7 (fig.) essere all'altezza || (v.i.) effettuare consegne (a domicilio). **delivery** /dɪ↓lɪvərɪ/ (sost.) 1 consegna 2 MED. parto.

delude /dɪ'luːd/ (v.t.) illudere, ingannare. **delusion** /dɪ'luːʒən/ (sost.) 1 illusione 2 fissazione.

demand /dɪ'mɑːnd/ (sost.) 1 domanda, richiesta 2 (pl.) (fig.) esigenze. **demand** (v.t.) 1 esigere 2 richiedere. **demanding** /dɪ'mɑːndɪŋ/ (agg.) 1 impegnativo, arduo 2 esigente.

demean /dɪ'miːn/ (v.t.) avvilire, umiliare.

democracy /dɪ'mɒkrəsɪ/ (sost.) democrazia.

demon /'diːmən/ (sost.) 1 demonio (anche fig.) 2 demone, passione sfrenata.

demonstrate /'demənstreɪt/ (v.t.) dimostrare || (v.i.) POL. dimostrare, partecipare a una dimostrazione.

demoralize, demoralise /dɪ'mɒrəlaɪz/ (v.t.) demoralizzare, scoraggiare.

demote /diː'məʊt/ (v.t.) 1 retrocedere 2 MIL. degradare.

demur /dɪ'mɜː*/ (sost.) 1 esitazione 2 obiezione.

demure /dɪ'mjʊə*/ (agg.) riservato.

denim /'denɪm/ (sost.) 1 (tessuto) denim, jeans 2 (pl.) (pantaloni) denim, jeans.

dense /dens/ (agg.) denso, folto, fitto.

dent /dent/ (sost.) 1 ammaccatura 2 MECC. tacca.

dentist /'dentɪst/ (sost.) dentista.

deny /dɪ'naɪ/ (v.t.) 1 negare, smentire 2 rifiutare, negare 3 rinnegare, ripudiare.

deodorant /dɪ'əʊdərənt/ (sost.) deodorante.

departed /dɪ'pɑːtɪd/ (agg.) 1 passato, trascorso 2 morto, defunto || (sost.) morto, defunto.

department /dɪ'pɑːtmənt/ (sost.) 1 COMM. reparto, ufficio 2 POL., AMM. ministero, dipartimento. **department store** /dɪ'pɑːtmənt stɔː*/ (sost.) COMM. grande magazzino.

departure /dɪ'pɑːtʃə*/ (sost.) 1 partenza 2 (fig.) allontanamento.

depend /dɪ'pend/ (v.i.) 1 dipendere (da) 2 contare, fare assegnamento. **dependable** /dɪ'pendəbəl/ (agg.) fidato, affidabile.

depict /dɪ'pɪkt/ (v.t.) raffigurare, descrivere, dipingere (anche fig.).

depilate /'depɪleɪt/ (v.t.) depilare.

deplete /dɪ'pliːt/ (v.t.) (risorse, riserve ecc.) esaurire.

deploy /dɪ'plɔɪ/ (v.t.) impiegare, MIL. schierare || (v.i.) MIL. schierarsi.

deposit /dɪ'pɒzɪt/ (sost.) 1 ECON. deposito, versamento 2 COMM. acconto, caparra, cauzione **3** GEOL. sedimento. **deposit** *(v.t.)* ECON. depositare, versare.

depot /'depəʊ/ *(sost.)* **1** deposito, magazzino **2** *(di autobus ecc.)* rimessa.

deprecate /'deprɪkeɪt/ *(v.t.)* FORM. deprecare.

depress /dɪ'pres/ *(v.t.)* **1** deprimere, scoraggiare **2** COMM. far abbassare (i prezzi) **3** premere, schiacciare. **depressed** /dɪ'prest/ *(agg.)* **1** depresso, abbattuto **2** ECON. depresso. **depressing** /dɪ↓ presɪŋ/ *(agg.)* deprimente.

deprive /dɪ'praɪv/ *(v.t.)* privare.

depth /depθ/ *(sost.)* **1** profondità **2** *(fig.)* intensità, profondità **3** *(spec. pl.)* abisso **4** *(di colore)* intensità **5** *(di voce, suono)* profondità.

deputy /'depjʊtɪ/ *(sost.)* **1** delegato, sostituto **2** vice **3** POL. deputato.

derange /dɪ'reɪndʒ/ *(v.t.)* scombussolare, squilibrare, far impazzire. **deranged** /dɪ'reɪndʒəd/ *(agg.)* squilibrato, folle.

deregulation /di:'regjuleɪʃən/ *(sost.)* ECON. liberalizzazione.

derisive /dɪ'raɪsɪv/ *(agg.)* derisorio.

derisory /dɪ'raɪsərɪ/ *(agg.)* irrisorio.

derive /dɪ'raɪv/ *(v.t. / v.i.)* derivare, ricavare.

derogatory /dɪ'rɒgətərɪ/ *(agg.)* sprezzante, spregiativo.

descent /dɪ'sent/ *(sost.)* **1** discesa **2** *(fig.)* caduta, rovina **3** irruzione **4** origine **5** DIR. trasmissione, successione.

describe /dɪ'skraɪb/ *(v.t.)* descrivere. **description** /dɪ'skrɪpʃən/ *(sost.)* **1** descrizione **2** genere, specie.

desert¹ /'dezət/ *(agg.)* **1** deserto, vuoto, disabitato **2** desertico, del deserto ‖ *(sost.)* deserto.

desert² /dɪ'zɜːt/ *(v.t.)* disertare, abbandonare ‖ *(v.i.)* MIL. disertare. **deserted** /dɪ'zɜːtɪd/ *(agg.)* **1** vuoto, deserto **2** abbandonato.

deserve /dɪ'zɜːv/ *(v.t.)* meritare, essere degno di.

design /dɪ'zaɪn/ *(sost.)* **1** progetto **2** forma, modello, disegno **3** *(fig.)* proposito, intenzione. **design** *(v.t.)* progettare, ideare. **designer** /dɪ↓ zaɪnə*/ *(sost.)* progettista, stilista, designer.

desire /dɪ'zaɪə*/ *(sost.)* desiderio. **desire** *(v.t.)* desiderare.

desk /desk/ *(sost.)* **1** scrivania, scrittoio **2** banco.

desktop /'desktɒp/ *(sost.)* **1** scrivania **2** piano della scrivania **3** INFORM. area di lavoro (dello schermo), scrivania.

desolate /'desələt/ *(agg.)* **1** desolato, privo di vita **2** solitario **3** *(fig.)* afflitto, sconsolato.

despair /dɪ'speə*/ *(sost.)* disperazione.

desperate /'despərət/ *(agg.)* disperato.

despise /dɪ'spaɪz/ *(v.t.)* disprezzare. **despicable** /dɪ'spɪkəbəl/ *(agg.)* disprezzabile, spregevole.

despite /dɪ'spaɪt/ *(prep.)* malgrado, a dispetto di.

dessert /dɪ'zɜːt/ *(sost.)* CUC. dessert.

destiny /'destənɪ/ *(sost.)* destino, fato.

destroy /dɪ'strɔɪ/ *(v.t.)* **1** distruggere *(anche fig.)* **2** *(animali)* abbattere.

destruction /dɪ'strʌkʃən/ *(sost.)* distruzione.

detach /dɪ'tætʃ/ (v.t.) staccare, separare (anche fig.). **detached** /dɪ'tætʃt/ (agg.) 1 (edificio ecc.) isolato ✧ d. house villetta 2 (fig.) disinteressato.

detail /'di:teɪəl/ (sost.) particolare, dettaglio. **detail** (v.t.) 1 dettagliare 2 MIL. distaccare.

detect /dɪ'tekt/ (v.t.) 1 scoprire 2 rilevare, notare 3 percepire. **detective** /dɪ'tektɪv/ (sost.) investigatore, detective II (agg.) investigativo. **detector** /dɪ'tektə*/ (sost.) TECN. rivelatore, detector.

deter /dɪ'tɜ:*/ (v.t.) 1 dissuadere 2 impedire.

determine /dɪ'tɜ:mɪn/ (v.t.) 1 determinare, decidere 2 far decidere, convincere II (v.i.) decidersi. **determination** /dɪtɜ:mɪ'neɪʃən/ (sost.) 1 determinazione, risolutezza 2 accertamento. **determined** /dɪ'tɜ:mɪnd/ (agg.) determinato, risoluto.

detour /'di:tʊə*/ (sost.) deviazione.

deuce /dju:s/ (sost.) TENNIS parità.

devastate /'devəsteɪt/ (v.t.) 1 devastare, distruggere 2 sconvolgere.

develop /dɪ'veləp/ (v.t.) 1 sviluppare, valorizzare 2 ampliare, sviluppare (anche fig.) 3 (rif. a terreni) edificare 4 FOT. sviluppare II (v.i.) svilupparsi, trasformarsi.

development /dɪ'veləpmənt/ (sost.) sviluppo.

deviate /'di:vɪeɪt/ (v.i.) deviare.

device /dɪ'vaɪs/ (sost.) 1 mezzo, stratagemma, espediente 2 TECN. dispositivo, apparecchio.

devil /'devəl/ (sost.) diavolo, demonio (anche fig.).

devious /'di:vjəs/ (agg.) tortuoso, indiretto (anche fig.).

devoid /dɪ'vɔɪd/ (agg.) privo, sprovvisto.

devote /dɪ'vəʊt/ (v.t.) dedicare, consacrare. **devoted** /dɪ'vəʊtɪd/ (agg.) devoto.

devour /dɪ'vaʊə*/ (v.t.) divorare (anche fig.).

dew /dju:/ (sost.) rugiada.

diabetes /daɪə'bi:ti:z/ (sost.) MED. diabete.

diagonal /daɪ'ægənəl/ (agg. e sost.) diagonale.

diagram /'daɪəgræm/ (sost.) diagramma.

dial /'daɪəl/ (sost.) (di orologio ecc.) quadrante. **dial** ♦ (v.t.) TEL. comporre un numero telefonico, chiamare al telefono.

dialect /'daɪəlekt/ (sost.) dialetto.

dialogue, AE **dialog** /'daɪəlɒg/ (sost.) dialogo.

diameter /daɪ'æmɪtə*/ (sost.) diametro.

diamond /'daɪəmənd/ (sost.) 1 diamante 2 GEOM. losanga, rombo 3 (pl.) (nelle carte) quadri 4 SPORT diamante, campo da baseball.

diaper /'daɪəpə*/ (sost.) AE pannolino per bambini.

diary /'daɪərɪ/ (sost.) 1 agenda 2 diario.

dice /daɪs/ (sost.) (anche pl.) dado, dadi.

dictator /dɪk'teɪtə*/ (sost.) dittatore.

dictionary /'dɪkʃənərɪ/ (sost.) dizionario, vocabolario.

did v. do.

die /daɪ/ (v.i.) morire (anche fig.). ♣ **die away / down 1** (di vento) placarsi, calare 2 (di luce, suono) attenuarsi, smorzarsi. ♣ **die down** (di fuoco) spegnersi. ♣ **die off** morire l'uno dopo l'altro, estinguersi. ♣ **die out** estinguersi, scomparire.

diet /'daɪət/ *(sost.)* alimentazione, dieta *(anche* dimagrante) || *(agg.)* dietetico.

differ /'dɪfə*/ *(v.i.)* **1** essere diverso, differire **2** non essere d'accordo. **different** /'dɪfrənt/ *(agg.)* differente, diverso. **difference** /'dɪfrəns/ *(sost.)* differenza.

differentiate /dɪfə'renʃɪeɪt/ *(v.t. / v.i.)* distinguere.

difficulty /'dɪfɪkəltɪ/ *(sost.)* difficoltà. **difficult** /'dɪfɪkəlt/ *(agg.)* difficile.

diffuse /dɪ'fju:s/ *(agg.)* **1** diffuso **2** prolisso, verboso.

dig ♦ /dɪg/ *(v.t. / v.i.)* **1** scavare **2** zappare, vangare **3** conficcare, conficcarsi || *(v.i.)* ❖ *to d. in / into* frugare (per cercare). ♣ **dig in** MIL. trincerarsi *(anche fig.)*. ♣ **dig out** scovare, stanare. ♣ **dig up** estrarre, portare alla luce **2** *(fig.)* portare a galla. **dig** *(sost.)* **1** scavo archeologico **2** FAM. colpo, gomitata **3** FAM. frecciata.

digest /dɪ'dʒest/ *(v.t.)* digerire, assimilare *(anche fig.)* || *(v.i.)* essere digerito.

digit /'dɪdʒɪt/ *(sost.)* **1** MAT. cifra **2** ANAT. dito. **digital** /'dɪdʒɪtəl/ *(agg.)* **1** INFORM. digitale, numerico **2** ANAT. delle dita.

dignity /'dɪgnətɪ/ *(sost.)* dignità.

digress /daɪ'gres/ *(v.i.)* fare una digressione.

diligence /'dɪlɪdʒəns/ *(sost.)* diligenza, cura.

dim /dɪm/ *(agg.)* **1** fioco, debole **2** *(fig.)* vago, indistinto **3** FAM. ottuso, sciocco. **dim** ◊ *(v.t.)* **1** attenuare, affievolire **2** offuscare || *(v.i.)* **1** attenuarsi, affievolirsi **2** offuscarsi.

dimension /dɪ'menʃən/ *(sost.)* **1** dimensione *(anche fig.)* **2** *(pl.)* dimensioni, grandezza.

diminish /dɪ'mɪnɪʃ/ *(v.t.)* **1** diminuire, ridurre **2** *(fig.)* sminuire || *(v.i.)* diminuire, decrescere.

dimple /'dɪmpəl/ *(sost.)* *(viso)* fossetta.

din /dɪn/ *(sost.)* chiasso, baccano.

dine /daɪn/ *(v.i.)* pranzare.

diner /'daɪnə*/ *(sost.)* AE tavola calda.

dinner /'dɪnə*/ *(sost.)* **1** pranzo **2** cena.

dinosaur /'daɪnəsɔ:*/ *(sost.)* dinosauro.

dip ◊ /dɪp/ *(v.t.)* **1** immergere, intingere **2** abbassare, diminuire || *(v.i.)* **1** immergersi, tuffarsi **2** abbassarsi, calare. **dip** *(sost.)* **1** breve immersione, tuffo **2** avvallamento **3** CUC. salsa, intingolo.

dire /daɪə*/ *(agg.)* terribile, tremendo ❖ *d. straits* enormi difficoltà.

direct /dɪ'rekt/ *(agg.)* **1** diretto ❖ *d. object* GRAMM. complemento oggetto **2** franco, sincero || *(avv.)* direttamente. **direct** *(v.t.)* **1** dirigere, guidare **2** indirizzare, indicare la strada a **3** dirigere, rivolgere. **direction** /dɪ'rekʃən/, /daɪ'rekʃən/ *(sost.)* **1** direzione, guida **2** CINEM., TEATR. regia **3** direzione, senso **4** *(spec. pl.)* istruzione, indicazione. **directly** /dɪ'rektlɪ/ *(avv.)* **1** direttamente **2** immediatamente || *(cong.)* appena.

director /dɪ'rektə*/ *(sost.)* **1** direttore, AMM. dirigente, amministratore **2** CINEM., TEATR. regista.

dirt /dɜ:t/ *(sost.)* **1** sporcizia **2** terra, terriccio. **dirty** /'dɜ:tɪ/ *(agg.)* **1**

sporco, sudicio **2** *(fig.)* sconcio, osceno. **dirty** /'dɜːtɪ/ *(v.t.)* sporcare, insudiciare ‖ *(v.i.)* sporcarsi, insudiciarsi.

disabled /dɪs'eɪbəld/ *(agg.)* disabile ❖ *the d.* i disabili.

disadvantage /dɪsəd'vɑːntɪʤ/ *(sost.)* svantaggio.

disagree /dɪsə'griː/ *(v.i.)* essere in disaccordo, dissentire. **disagreement** /dɪsə'griːmənt/ *(sost.)* dissenso, disaccordo.

disappear /dɪsə'pɪə*/ *(v.i.)* scomparire.

disappoint /dɪsə'pɔɪnt/ *(v.t.)* deludere. **disappointed** /dɪsə'pɔɪntɪd/ *(agg.)* deluso, scontento. **disappointment** /dɪsə'pɔɪntmənt/ *(sost.)* delusione, disappunto. **disappointing** /dɪsə'pɔɪntɪŋ/ *(agg.)* deludente.

disapproval /dɪsə'pruːvəl/ *(sost.)* disapprovazione.

disapprove /dɪsə'pruːv/ *(v.t.)* disapprovare, respingere ‖ *(v.i.)* disapprovare, avere da ridire su. **disapproving** /dɪsə'pruːvɪŋ/ *(agg.)* di disapprovazione.

disaster /dɪ'zɑːstə*/ *(sost.)* disastro.

disbelief /dɪsbɪ'liːf/ *(sost.)* incredulità.

disc, AE **disk** /dɪsk/ *(sost.)* **1** disco *(anche* INFORM.*)* **2** ANAT. disco intervertebrale ❖ *slipped d.* MED. ernia del disco.

discard /dɪs'kɑːd/ *(v.t.)* scartare, eliminare, *(rif. a indumenti)* smettere.

discharge /dɪs'tʃɑːʤ/ *(v.t.)* **1** *(camion, nave ecc.)* scaricare **2** rilasciare, liberare, *(ospedale)* dimettere, MIL. congedare **3** *(debito)* estinguere.

disciple /dɪ'saɪpəl/ *(sost.)* discepolo.

discipline /'dɪsɪplɪn/ *(sost.)* **1** disciplina **2** castigo **3** FORM. disciplina, materia di studio.

disclaim /dɪs'kleɪm/ *(v.t.)* negare, declinare.

disclose /dɪs'kləʊz/ *(v.t.)* svelare, rivelare.

discomfort /dɪs'kʌmfət/ *(sost.)* disagio.

disconcert /dɪskən'sɜːt/ *(v.t.)* sconcertare.

disconnect /dɪskə'nekt/ *(v.t.)* scollegare, sconnettere, MECC. disinnestare.

discontinue /dɪskən'tɪnjuː/ *(v.t.)* cessare, interrompere.

discount /'dɪskaʊnt/ *(sost.)* COMM., ECON. sconto ❖ *d. shop (negozio)* (hard) discount. **discount** *(v.t.)* **1** COMM. scontare, vendere a prezzo ridotto **2** *(fig.)* trascurare, non tenere conto di.

discover /dɪ'skʌvə*/ *(v.t.)* scoprire. **discovery** /dɪ'skʌvərɪ/ *(sost.)* scoperta.

discreet /dɪ'skriːt/ *(agg.)* discreto, riservato.

discriminate /dɪ'skrɪmɪneɪt/ *(v.t. / v.i.)* discriminare.

discuss /dɪ'skʌs/ *(v.t.)* discutere, dibattere. **discussion** /dɪ'skʌʃən/ *(sost.)* discussione, dibattito.

disdain /dɪs'deɪn/ *(sost.)* sdegno, disprezzo.

disease /dɪ'ziːz/ *(sost.)* MED. malattia *(anche fig.).*

disembowel ◊ /dɪsɪm'baʊəl/ *(v.t.)* **1** sventrare **2** *(fig.)* svuotare.

disentangle /dɪsɪn'tæŋgəl/ *(v.t.)* districare ‖ *(v.i.)* districarsi.

disgrace /dɪs'greɪs/ *(sost.)* **1** disonore **2** disgrazia.

disgruntled /dɪsˈgrʌntəld/ *(agg.)* scontento, di cattivo umore.

disguise /dɪsˈgaɪz/ *(v.t.)* **1** travestire, mascherare *(anche fig.)* **2** *(voce)* contraffare, alterare.

disgust /dɪsˈgʌst/ *(sost.)* disgusto. **disgust** *(v.t.)* disgustare. **disgusting** /dɪsˈgʌstɪŋ/ *(agg.)* disgustoso.

dish /dɪʃ/ *(sost.)* **1** *(stoviglia)* piatto **2** *(cibo, pietanza)* piatto **3** RAD., TV antenna parabolica. **dish** *(v.t.)* *(cibo)* mettere nel piatto, scodellare. ♣ **dish out 1** servire da mangiare, portare in tavola **2** FAM. *(fig.)* criticare. ♣ **dish up 1** mettere nel piatto, scodellare **2** *(fig.)* ammannire, offrire.

dishearten /dɪsˈhɑːtən/ *(v.t.)* demoralizzare, scoraggiare.

dishonest /dɪsˈɒnɪst/ *(agg.)* disonesto, sleale.

dishwasher /ˈdɪʃwɒʃə*/ *(sost.)* lavapiatti, lavastoviglie.

disinfect /dɪsɪnˈfekt/ *(v.t.)* disinfettare.

disinterest /dɪsˈɪntrəst/ *(sost.)* disinteresse.

disjointed /dɪsˈdʒɔɪntɪd/ *(agg.)* **1** disarticolato **2** *(fig.)* sconnesso, incoerente.

disk v. **disc**.

dislike /dɪsˈlaɪk/ *(v.t.)* non piacere, non gradire, provare antipatia per. **dislike** *(sost.)* avversione, antipatia.

dislodge /dɪsˈlɒdʒ/ *(v.t.)* rimuovere, spostare.

disloyal /dɪsˈlɔɪəl/ *(agg.)* sleale, infedele.

dismal /ˈdɪzməl/ *(agg.)* **1** tetro, lugubre **2** misero, inadeguato.

dismay /dɪsˈmeɪ/ *(sost.)* sgomento.

dismiss /dɪsˈmɪs/ *(v.t.)* **1** congedare, licenziare **2** *(idea)* accantonare,

scartare **3** DIR. respingere. **dismissive** /dɪsˈmɪsɪv/ *(agg.)* sprezzante, che sminuisce.

disobey /dɪsəˈbeɪ/ *(v.t.)* disubbidire a, trasgredire.

disorder /dɪsˈɔːdə*/ *(sost.)* **1** disordine **2** MED. disturbo.

disorientate / dɪsˈɔːrɪenteɪt/, AE **disorient** /dɪsˈɔːrɪent/ *(v.t.)* disorientare.

disparaging /dɪˈspærɪdʒɪŋ/ *(agg.)* spregiativo.

disparity /dɪˈspærətɪ/ *(sost.)* disparità.

dispatch /dɪˈspætʃ/ *(v.t.)* inviare.

dispirited /dɪˈspɪrɪtɪd/ *(agg.)* scoraggiato, depresso.

display /dɪˈspleɪ/ *(v.t.)* **1** mostrare, esporre **2** FORM. rivelare. **display** *(sost.)* **1** mostra, esposizione ✧ **window d.** vetrina **2** esibizione **3** TECN. schermo, display.

displease /dɪsˈpliːz/ *(v.t.)* **1** dispiacere a, far dispiacere a **2** seccare, contrariare.

disposable /dɪˈspəʊzəbəl/ *(agg.)* a perdere, usa e getta.

disposal /dɪˈspəʊzəl/ *(sost.)* **1** disposizione **2** sistemazione **3** smaltimento.

dispose /dɪˈspəʊz/ *(v.t.)* disporre, sistemare. ♣ **dispose of 1** liberarsi di, eliminare **2** uccidere.

disregard /dɪsrɪˈgɑːd/ *(sost.)* **1** noncuranza **2** inosservanza.

disruptive /dɪsˈrʌptɪv/ *(agg.)* di disturbo, destabilizzante.

dissatisfied /dɪsˈsætɪsfaɪd/ *(agg.)* insoddisfatto.

dissent /dɪˈsent/ *(v.i.)* dissentire.

dissipate /ˈdɪsɪpeɪt/ *(v.t.)* **1** disperdere, dissolvere **2** dissipare, sprecare ‖ *(v.i.)* disperdersi, dissolversi.

dissolve /dɪˈzɒlv/ *(v.t.)* **1** dissolvere, disciogliere **2** *(fig.)* sciogliere **3** *(fig.)* dissolvere, porre fine a ‖ *(v.i.)* **1** dissolversi, disciogliersi **2** sciogliersi, svanire.

distant /ˈdɪstənt/ *(agg.)* **1** distante **2** *(fig.)* freddo, distaccato. **distance** /ˈdɪstəns/ *(sost.)* **1** distanza, lontananza **2** *(fig.)* riservatezza, distacco.

distaste /dɪsˈteɪst/ *(sost.)* avversione, disgusto. **distasteful** /dɪsˈteɪstfəl/ *(agg.)* **1** sgradevole **2** disgustoso.

distinctive /dɪˈstɪŋktɪv/ *(agg.)* caratteristico, distintivo.

distinguish /dɪˈstɪŋgwɪʃ/ *(v.t. / v.i.)* distinguere.

distort /dɪˈstɔːt/ *(v.t.)* distorcere *(anche fig.)*.

distract /dɪˈstrækt/ *(v.t.)* distrarre, distogliere.

distraught /dɪˈstrɔːt/ *(agg.)* sconvolto, turbato.

distress /dɪsˈtres/ *(sost.)* **1** angoscia, preoccupazione **2** dolore **3** miseria **4** MAR. pericolo.

distribute /dɪˈstrɪbjuːt/ *(v.t.)* distribuire. **distribution** /ˌdɪstrɪˈbjuːʃən/ *(sost.)* distribuzione.

district /ˈdɪstrɪkt/ *(sost.)* **1** AMM. distretto, circoscrizione **2** zona, regione.

distrust /dɪsˈtrʌst/ *(v.t.)* diffidare di, non aver fiducia in.

disturb /dɪˈstɜːb/ *(v.t.)* **1** disturbare **2** turbare, agitare. **disturbing** /dɪˈstɜːbɪŋ/ *(agg.)* inquietante, allarmante.

ditch /dɪtʃ/ *(sost.)* fosso, fossato.

dither /ˈdɪðə*/ *(v.i.)* essere incerto, tentennare.

ditto /ˈdɪtəʊ/ *(sost.)* FAM. idem.

dive ♦ /daɪv/ *(v.i.)* **1** tuffarsi, buttarsi *(anche fig.)* **2** MAR. immergersi.

divert /daɪˈvɜːt/ *(v.t.)* **1** deviare **2** *(fig.)* sviare, distrarre.

divide /dɪˈvaɪd/ *(v.t.)* dividere *(anche MAT.)*, separare, ripartire ‖ *(v.i.)* **1** dividersi, separarsi **2** divergere **3** MAT. essere divisibile. ♣ **divide off** separare. ♣ **divide up** dividere, distribuire. **division** /dɪˈvɪʒən/ *(sost.)* **1** divisione *(anche MAT.)* **2** suddivisione, ripartizione **3** divergenza **4** AMM., MIL. divisione, reparto, sezione **5** SPORT serie ✧ *first d.* serie A.

divorce /dɪˈvɔːs/ *(sost.)* DIR. divorzio *(anche fig.)*. **divorce** *(v.t.)* **1** divorziare da **2** *(fig.)* separare ‖ *(v.i.)* divorziare. **divorced** /dɪˈvɔːst/ *(agg.)* divorziato.

dizzy /ˈdɪzɪ/ *(agg.)* **1** vertiginoso **2** stordito ✧ *to feel d.* avere le vertigini, sentirsi stordito. **dizziness** /ˈdɪzɪnɪs/ *(sost.)* vertigine, capogiro.

do ♦ /duː/ *(v. aus.)* **1** *(nelle frasi interr. e neg.)* ✧ *which d. you prefer?* quale preferisci? **2** *(enfatico)* ✧ *d. call on me* dai, vieni a trovarmi **3** *(sostitutivo, per non ripetere il verbo)* ✧ *he plays better than I d.* suona meglio di me **4** *(nelle question tags)* ✧ *he works hard, doesn't he?* lavora sodo, vero? ‖ *(v.t.)* **1** fare **2** *(rif. a velocità)* andare a, *(rif. a distanza)* percorrere ‖ *(v.i.)* **1** fare, agire **2** *(passarsela)* andare ✧ *how are you doing?* come va? **3** andare bene, bastare ✧ *that will d.* va bene così, basta così **4** finire ✧ *have you done?* hai finito? ♣ **do away with** sbarazzarsi di. ♣ **do down** FAM., BE denigrare. ♣ **do for** *(al* *passivo)* **1** FAM. rovinare, distruggere **2** servire da, sostituire. ♣ **do in 1** SL. far fuori, uccidere **2** FAM. esaurire, stancare. ♣ **do out** pulire, riordinare. ♣ **do over 1** BE *(una casa)* rifare **2** ridipingere. ♣ **do up 1** allacciarsi **2** allacciare **3** avvolgere, impacchettare **4** riordinare, ripulire. ♣ **do with 1** *(con* could *nel senso di* aver bisogno) ◆ *I could really d. with a cup of coffee* avrei proprio bisogno di un caffè **2** riguardare, essere in relazione con **3** arrangiarsi, accontentarsi di. ♣ **do without** fare a meno di. **do** *(sost.)* **1** ciò che si deve fare ◆ *dos and don'ts* cose permesse e non (permesse) **2** BE, FAM. festa, party.

dock /dɒk/ *(sost.)* **1** MAR. bacino **2** *(pl.)* zona portuale, docks.

doctor /'dɒktə*/ *(sost.)* **1** medico, dottore **2** dottore (laureato).

document /'dɒkjumənt/ *(sost.)* documento. **document** *(v.t.)* documentare.

dodge /dɒdʒ/ *(v.t.)* schivare, evitare || *(v.i.)* scansarsi, deviare. **dodgy** /'dɒdʒi/ *(agg.)* BE **1** incerto **2** inaffidabile **3** di bassa qualità.

dog /dɒg/ *(sost.)* cane.

do-it-yourself /duːɪtjə'self/ *(sost.)* fai da te, bricolage.

dole /dəʊl/ *(sost.)* FAM. sussidio di disoccupazione.

doll /dɒl/ *(sost.)* bambola.

dollar /'dɒlə*/ *(sost.)* dollaro.

dolphin /'dɒlfɪn/ *(sost.)* ZOOL. delfino.

domestic /də'mestɪk/ *(agg.)* **1** domestico, casalingo **2** interno, nazionale || *(sost.)* cameriere, domestico.

dominate /'dɒmɪneɪt/ *(v.t. / v.i.)* dominare *(anche fig.)*.

donate /dəʊ'neɪt/ *(v.t.)* donare || *(v.i.)* fare una donazione.

done /dʌn/ v. do || *(agg.)* **1** fatto, completato ◆ *d.!* affare fatto! **2** cotto ◆ *(carne)* well d. ben cotta.

donkey /'dɒŋki/ *(sost.)* asino, somaro *(anche fig.)*.

donor /'dəʊnə*/ *(sost.)* donatore.

donut v. doughnut.

doodle /'duːdəl/ *(v.i.)* scarabocchiare.

doom /duːm/ *(v.t.)* predestinare, condannare (a fallimento, distruzione, morte). **doomed** /duːmd/ *(agg.)* spacciato, predestinato (a fallimento, distruzione, morte).

door /dɔː*/ *(sost.)* **1** porta, uscio **2** *(di automobile ecc.)* portiera, *(di armadietto ecc.)* sportello.

doorbell /'dɔːbel / *(sost.)* campanello (della porta).

doormat /'dɔːmæt/ *(sost.)* **1** zerbino **2** *(fig.)* pezza da piedi.

doorstep /'dɔːstep/ *(sost.)* soglia.

doorway /'dɔːweɪ/ *(sost.)* ingresso, entrata, soglia.

dope /dəʊp/ *(sost.)* FAM. **1** droga leggera, stupefacente **2** informazione segreta, soffiata **3** idiota.

dot /dɒt/ *(sost.)* **1** puntino **2** TIP. *(su lettera* i, *indirizzi Internet ecc.)* punto.

dotcom /dɒt'kɒm/ *(sost.)* azienda che opera tramite Internet.

double /'dʌbəl/ *(agg.)* doppio || *(sost.)* **1** *(pl.)* SPORT (tennis) doppio **2** sosia **3** CINEM. controfigura || *(avv.)* doppio, doppiamente. **double** *(v.t.)* **1** raddoppiare **2** piegare in due **3** MAR. doppiare (un capo ecc.) **4** CINEM. doppiare || *(v.i.)* raddoppiare.

doubt /daut/ *(sost.)* dubbio. **doubt** *(v.t.)* dubitare di, mettere in dubbio || *(v.i.)* dubitare.

dough /dəu/ *(sost.)* **1** impasto, pasta **2** SL. grana, quattrini.

doughnut, AE donut /'dəunʌt/ *(sost.)* CUC. bombolone, ciambella.

dove[1] /dʌv/ *(sost.)* **1** ZOOL. colomba **2** POL. moderato.

dove[2] v. dive.

dowdy /'daudɪ/ *(agg.)* trasandato || *(sost.)* sciattona.

down /daun/ *(avv.)* giù, in giù, a terra || *(prep.)* giù per, lungo, in fondo a || *(agg.)* **1** depresso **2** guasto || *(sost.)* fase negativa ❖ *the ups and downs of life* gli alti e bassi della vita.

downcast /'daunkɑːst/ *(agg.)* scoraggiato, abbattuto.

downhill /daun'hɪl/ *(agg.)* discendente, in discesa, SPORT *(sci)* discesa libera || *(avv.)* in discesa.

download /daun'ləud/ *(v.t.)* INFORM. scaricare (file ecc.).

downpour /'daunpɔː*/ *(sost.)* acquazzone.

downright /'daunraɪt/ *(agg.)* completo || *(avv.)* completamente.

downstairs /daun'steəz/ *(avv.)* al piano inferiore, giù || *(agg.)* di sotto, da basso || *(sost.)* pianterreno.

downtown /daun'taun/ *(spec. AE)* *(avv.)* in centro (città) || *(agg.)* del centro (della città) || *(sost.)* centro città.

downward /'daunwəd/ *(agg.)* discendente, verso il basso *(anche fig.)*.

downward(s) /'daunwəd(z)/ *(avv.)* in giù, verso il basso.

doze /dəuz/ *(sost.)* sonnellino.

dozen /'dʌzən/ *(sost.)* dozzina.

draft /drɑːft/ *(sost.)* **1** bozza, abbozzo **2** BANC. tratta, effetto **3** AE, MIL. leva militare **4** AE v. **draught**. draft *(v.t.)* **1** abbozzare, redigere una bozza **2** AE, MIL. arruolare.

drag ◊ /dræg/ *(v.t.)* **1** trascinare *(anche fig.)* **2** MAR. dragare || *(v.i.)* trascinarsi. ♣ **drag about** andare a zonzo. ♣ **drag in** trascinare dentro, tirare in ballo. ♣ **drag on** andare per le lunghe. ♣ **drag out** tirare in lungo. drag *(sost.)* **1** *(fig.)* freno, impedimento **2** FIS. resistenza, AER. resistenza aerodinamica **3** FAM. ❖ *d. queen* uomo che fa spettacoli *(spec. cantare)* travestito da donna **4** *(di sigaretta)* tiro **5** FAM. noia, seccatura ❖ *what a d.!* che rottura!

drain /dreɪn/ *(v.t.)* **1** drenare, prosciugare **2** scolare, scolarsi **3** esaurire **4** MED. drenare || *(v.i.)* **1** defluire **2** scolare, sgocciolare. drain *(sost.)* **1** scarico, canale di scolo, tombino **2** *(fig.)* esaurimento, impoverimento. **drainage** /'dreɪnɪʤ/ *(sost.)* drenaggio.

drama /'drɑːmə/ *(sost.)* **1** TEATR. dramma, letteratura drammatica **2** TV sceneggiato televisivo **3** *(fig.)* dramma, agitazione. **dramatic** /drə'mætɪk/ *(agg.)* **1** drammatico, teatrale *(anche fig.)* **2** eccezionale, sensazionale **3** improvviso, marcato.

drank v. drink.

draught, AE draft /drɑːft/ *(sost.)* **1** sorso **2** soffio d'aria, spiffero **3** *(di liquido)* spillatura ❖ *beer on d.* birra alla spina.

draughts /drɑːfts/ *(sost. pl.)* BE *(gioco)* dama.

draw ♦ /drɔ:/ (v.t.) 1 tirare, attirare 2 estrarre 3 disegnare, tracciare (linee ecc.) 4 (denaro) prelevare, (assegni ecc.) emettere ‖ (v.i.) 1 spostarsi, dirigersi 2 disegnare 3 SPORT pareggiare. ♣ draw aside farsi da parte, scostarsi. ♣ draw back tirarsi indietro (anche fig.). ♣ draw down (soldi in banca) consumare. ♣ draw in 1 (di giornata) accorciarsi 2 volgere al termine. ♣ draw on attingere a. ♣ draw out 1 (di giornata) protrarsi, allungarsi 2 tirare in lungo. ♣ draw up 1 (di veicolo) arrestarsi, fermarsi, accostarsi 2 compilare, redigere.

draw (sost.) 1 strattone, tirata 2 (di lotteria) estrazione 3 (fig.) attrazione, richiamo 4 SPORT pareggio, parità.

drawback /'drɔ:bæk/ (sost.) inconveniente, svantaggio.

drawer /drɔ:*/ (sost.) 1 cassetto 2 disegnatore 3 BANC. emittente, traente.

drawing /'drɔ:ɪŋ/ (sost.) disegno.

drawl /drɔ:l/ (v.t. / v.i.) biascicare.

dread /dred/ (v.t.) temere, aver paura di. dreadful /'dredfəl/ (agg.) terribile, spaventoso.

dream /dri:m/ (sost.) sogno ‖ (agg.) FAM. da sogno, favoloso. dream ♦ (v.t.) sognare (anche fig.) ‖ (v.i.) sognarsi, immaginarsi. ♣ dream up escogitare.

dreamt v. dream.

dreary /'drɪərɪ/ (agg.) tetro, monotono.

drench /drentʃ/ (v.t.) inzuppare, infradiciare.

dress /dres/ (v.t.) 1 vestire 2 decorare, ornare, (capelli) acconciare 3 CUC. preparare (una pietanza), (in-

salata) condire 4 MED. (ferita) medicare, curare ‖ (v.i.) vestirsi (bene, male, di nero ecc.). ♣ dress up 1 vestirsi con eleganza 2 mascherarsi. dress (sost.) abito, vestito (da donna).

dresser /'dresə*/ (sost.) 1 credenza (di cucina) 2 AE cassettone.

dressing gown /'dresɪŋɡaʊn/ (sost.) vestaglia.

drew v. draw.

dribble /'drɪbəl/ (v.i.) 1 gocciolare 2 (persona) sbavare 3 (anche v.t.) SPORT dribblare.

drift /drɪft/ (v.i.) 1 andare alla deriva (anche fig.) 2 (fig.) vagabondare 3 spostarsi lentamente 4 accumularsi, ammucchiarsi.

drill /drɪl/ (sost.) 1 trapano, trivella 2 allenamento, esercitazione 3 MIL. addestramento. drill (v.t.) 1 forare, trapanare, trivellare 2 allenare, far fare esercizio a 3 MIL. addestrare ‖ (v.i.) 1 fare perforazioni 2 MIL. fare esercitazioni.

drink ♦ /drɪŋk/ (v.t. / v.i.) bere. ♣ drink in assorbire (liquidi). ♣ drink up finire di bere, bere tutto. drink (sost.) bibita, bevanda.

drip ◊ /drɪp/ (v.t. / v.i.) gocciolare. drip (sost.) 1 gocciolamento 2 goccia 3 MED. fleboclisi.

drive ♦ /draɪv/ (v.t.) 1 guidare, condurre 2 accompagnare (in auto) 3 spingere, conficcare 4 TECN. azionare 5 (fig.) far diventare ‖ (v.i.) 1 guidare 2 andare in auto. ♣ drive at 1 intendere, voler dire 2 mirare a. ♣ drive away / off allontanarsi (con un veicolo). ♣ drive back 1 tornare (in auto) 2 riaccompagnare (in auto). ♣ drive on continuare a guidare. ♣ drive up avvicinarsi, accostarsi (in auto). **drive** *(sost.)* **1** viaggio, percorso, giro (in automobile) **2** viale d'accesso (di un'abitazione) **3** SPORT lancio, tiro **4** MECC. trasmissione, AUT. guida **5** INFORM. unità, lettore.

driven v. **drive**.

driver /'draɪvə*/ *(sost.)* conducente, autista.

driving /'draɪvɪŋ/ *(sost.)* AUT. guida ‖ *(agg.)* **1** MECC. motrice **2** *(pioggia)* battente, sferzante.

drizzle /'drɪzəl/ *(sost.)* pioggerellina.

drool /druːl/ *(v.i.)* **1** sbavare **2** *(fig.)* FAM. mostrare esagerato entusiasmo.

drop ◊ /drɒp/ *(v.i.)* **1** gocciolare **2** cadere, lasciarsi cadere **3** *(temperatura, prezzi ecc.)* calare ‖ *(v.t.)* **1** far cadere, lasciar cadere **2** abbandonare, lasciar perdere **3** deporre **4** AER., MIL. lanciare, sganciare (bombe ecc.). ♣ **drop away** diminuire, scemare. ♣ **drop back 1** rimanere indietro, essere lasciato indietro **2** MIL. ritirarsi. ♣ **drop by** passare, fare un salto. ♣ **drop in 1** passare, fare un salto **2** depositare. ♣ **drop off 1** staccarsi, venir via **2** addormentarsi **3** far scendere (qu.no) (dall'auto ecc.). ♣ **drop out 1** cadere fuori **2** FAM. rinunciare, abbandonare, ritirarsi da (studi, una gara ecc.). **drop** *(sost.)* **1** goccia **2** *(pl.)* pastiglie, caramelline **3** discesa, diminuzione.

drove v. **drive**.

drown /draʊn/ *(v.t.)* **1** annegare **2** allagare ‖ *(v.i.)* annegare.

drowse /draʊz/ *(v.i.)* sonnecchiare.

drowsy /'draʊzɪ/ *(agg.)* sonnolento.

drudge /drʌdʒ/ *(v.i.)* sgobbare.

drug /drʌg/ *(sost.)* **1** medicina, farmaco **2** droga, narcotico **3** *(fig.)* ossessione. **drug** ◊ *(v.t.)* drogare ‖ *(v.i.)* drogarsi.

drugstore /'drʌgstɔː*/ *(sost.)* AE drogheria, negozio di articoli vari.

drum /drʌm/ *(sost.)* **1** MUS. tamburo, *(pl.)* batteria **2** cilindro, rullo. **drum** ◊ *(v.i.)* **1** suonare il tamburo, la batteria **2** tamburellare. ♣ **drum into** inculcare. ♣ **drum up** cercare di ottenere.

drumstick /'drʌmstɪk/ *(sost.)* **1** MUS. bacchetta di tamburo **2** FAM. coscia di pollo.

drunk /drʌŋk/ v. **drink** ‖ *(agg. e sost.)* ubriaco. **drunkard** /'drʌŋkəd/ *(sost.)* SPREG. ubriacone.

dry /draɪ/ *(v.t.)* **1** asciugare **2** seccare, essiccare ‖ *(v.i.)* asciugarsi. ♣ **dry off** asciugare, asciugarsi. ♣ **dry out 1** asciugare, asciugarsi **2** FAM. smettere di bere (alcolici). ♣ **dry up 1** asciugare completamente, prosciugare **2** seccarsi, inaridirsi **3** FAM. smettere di parlare. **dry** *(agg.)* **1** asciutto **2** secco, arido **3** *(fig.)* monotono, noioso. **dry-clean** /draɪ'kliːn/ *(v.t.)* lavare a secco.

dub /dʌb/ *(v.t.)* CINEM. doppiare.

duck /dʌk/ *(sost.)* ZOOL. anatra.

due /djuː/ *(agg.)* **1** dovuto ❖ *d. to* a causa di **2** COMM. da pagarsi, scaduto ❖ *d. date* (data di) scadenza **3** doveroso, debito **4** adatto, conveniente **5** che è in arrivo, atteso ‖ *(sost.)* **1** il dovuto, il giusto **2** *(pl.)* COMM. diritti, competenze.

dug v. **dig**.

dull /dʌl/ *(agg.)* **1** tardo, lento **2** monotono, noioso **3** intorpidito, torpido **4** spuntato, smussato **5** *(dolore)* sordo, *(rumore)* sordo, soffocato, *(luce, colore)* debole, smorto.

duly /'dju:lɪ/ *(avv.)* **1** debitamente **2** a tempo debito.

dumb /dʌm/ *(agg.)* **1** muto **2** FAM. stupido.

dummy /'dʌmɪ/ *(sost.)* **1** manichino **2** modellino **3** FAM., SPREG. persona ottusa **4** BE ciuccio.

dump /dʌmp/ *(sost.)* **1** MIL. deposito (di munizioni) **2** discarica. **dump** *(v.t.)* **1** buttare, gettare **2** scaricare **3** COMM. vendere merci sottocosto.

dune /dju:n/ *(sost.)* duna.

dungeon /'dʌndʒən/ *(sost.)* cella, prigione sotterranea.

dunk /dʌŋk/ *(v.t.)* FAM. *(biscotti ecc.)* inzuppare.

durable /'djʊərəbəl/ *(agg.)* resistente, durevole.

during /'djʊərɪŋ/ *(prep.)* durante, nel corso di.

dusk /dʌsk/ *(sost.)* crepuscolo.

dust /dʌst/ *(sost.)* **1** polvere **2** LET-TER. ceneri. **dust** *(v.t.)* spolverare.

dustbin /'dʌstbɪn/ *(sost.)* BE bidone della spazzatura.

Dutch /dʌtʃ/ *(agg. e sost.)* olandese. **Dutchman** /'dʌtʃmən/ *(pl.* **Dutchmen***) (sost.)* olandese.

duty /'dju:tɪ/ *(sost.)* **1** dovere **2** *(gener. pl.)* incarico, servizio, compito, mansione **3** ECON. dazio, tassa, imposta. **dutiful** /'dju:tɪfəl/ *(agg.)* obbediente, ligio al dovere.

duvet /'du:veɪ/ *(sost.)* piumone, piumino d'oca.

dwarf /dwɔːf/ *(pl.* **dwarfs** /dwɔːfs/, **dwarves** /dwɔːvz/) *(sost.)* nano, gnomo || *(agg.)* nano.

dwell ♦ /dwel/ *(v.i.)* FORM. dimorare, abitare.

dwelt v. **dwell**.

dye /daɪ/ *(sost.)* tinta, tintura. **dye** ♦ *(v.t.)* tingere || *(v.i.)* tingersi.

dying /'daɪɪŋ/ v. **die** || *(agg.)* morente, moribondo.

dynasty /'dɪnəstɪ/ *(sost.)* dinastia.

E

e /iː/ *(pl.* es, e's /iːz/) *(sost.)* MUS. *(nota)* mi.

each /iːtʃ/ *(agg.)* ogni, ciascuno ‖ *(pron.)* ognuno, ciascuno. **each other** /iːtʃˈʌðə*/ *(pron. recip.)* l'un l'altro (fra due).

eager /ˈiːgə*/ *(agg.)* 1 desideroso, avido 2 ansioso, impaziente.

eagle /ˈiːgəl/ *(sost.)* ZOOL. aquila.

ear /ɪə*/ *(sost.)* ANAT. orecchio.

early /ˈɜːlɪ/ *(agg.)* 1 primo, del principio, iniziale 2 prematuro 3 remoto, antico 4 prossimo, imminente ‖ *(avv.)* 1 presto, di buon'ora 2 al principio 3 in anticipo.

earn /ɜːn/ *(v.t.)* 1 *(denaro)* guadagnare 2 *(rispetto ecc.)* guadagnarsi, meritarsi. **earning** /ˈɜːnɪŋ/ *(sost.)* 1 *(pl.)* ECON. profitti, entrate 2 salario, stipendio.

earnest /ˈɜːnɪst/ *(agg.)* 1 serio, coscienzioso 2 sincero 3 incalzante.

earphone /ˈɪəfəʊn/ *(sost.)* RAD., TEL. 1 auricolare 2 *(pl.)* cuffiette.

earring /ˈɪərɪŋ/ *(sost.)* orecchino.

earth /ɜːθ/ *(sost.)* 1 *(pianeta)* terra 2 terra, terreno 3 BE, ELETTR. (messa a) terra.

earthquake /ˈɜːθkweɪk/ *(sost.)* terremoto.

ease /iːz/ *(sost.)* 1 benessere, agio 2 facilità. **ease** *(v.t.)* alleviare, attenuare, tranquillizzare ‖ *(v.i.)* alleviarsi, attenuarsi. ♣ **ease off** *(in-*

tensità) diminuire 2 FAM. rilassarsi. **easy** /ˈiːzɪ/ *(agg.)* 1 facile 2 rilassato, tranquillo 3 *(abito ecc.)* ampio, comodo ‖ *(avv.)* 1 facilmente 2 comodamente. **easily** /ˈiːzɪlɪ/ *(avv.)* 1 facilmente, senza difficoltà 2 di gran lunga, senza dubbio.

east /iːst/ *(sost.)* est, oriente ‖ *(agg.)* dell'est, orientale ‖ *(avv.)* a est, verso est, a oriente. **eastern** /ˈiːstən/ *(agg.)* dell'est, orientale.

Easter /ˈiːstə*/ *(sost.)* Pasqua.

eat ♦ /iːt/ *(v.t. / v.i.)* 1 mangiare 2 corrodere, consumare *(anche fig.)*. ♣ **eat away** erodere, intaccare. ♣ **eat into** corrodere. ♣ **eat up** *(fig.)* consumare.

eaten v. **eat**.

eavesdrop /ˈiːvzdrɒp/ *(v.i.)* origliare.

eco-friendly /iːkəʊˈfrendlɪ/ *(agg.)* ecologico, che rispetta l'ambiente.

ecology /ɪˈkɒlədʒɪ/ *(sost.)* ecologia.

economy /ɪˈkɒnəmɪ/ *(sost.)* 1 economia 2 risparmio, parsimonia ‖ *(agg.)* economico. **economic** /iːkəˈnɒmɪk/ *(agg.)* economico. **economical** /iːkəˈnɒmɪkəl/ *(agg.)* 1 economico, che costa (o consuma) poco 2 *(persona)* parsimonioso 3 remunerativo, vantaggioso.

edge /edʒ/ *(sost.)* 1 bordo, orlo 2 ciglio, margine 3 *(di lama)* filo.

edge *(v.t.)* **1** bordare, orlare **2** fiancheggiare **3** affilare, arrotare ‖ *(v.i.)* muoversi con circospezione. ◆ **edge out 1** lasciare silenziosamente **2** soppiantare (qu.no). **edgy** /'edʒi/ *(agg.)* **1** affilato, tagliente **2** *(fig.)* nervoso, irritabile.

edit /'edit/ *(v.t.)* **1** curare l'edizione (di un testo) **2** CINEM. montare. **edition** /ɪ'dɪʃən/ *(sost.)* edizione. **editor** /'edɪtə*/ *(sost.)* **1** revisore, curatore (di un testo) **2** *(di un testo)* direttore, redattore **3** CINEM. tecnico di montaggio.

educate /'edjukeɪt/ *(v.t.)* **1** istruire, mandare a scuola **2** affinare. **educated** /'edjukeɪtɪd/ *(agg.)* colto, istruito. **education** /edju'keɪʃən/ *(sost.)* **1** istruzione, cultura **2** insegnamento, didattica, pedagogia.

effect /ɪ'fekt/ *(sost.)* **1** effetto, conseguenza **2** efficacia **3** DIR. effetti personali. **effective** /ɪ'fektɪv/ *(agg.)* **1** efficace **2** effettivo, reale **3** valido, in vigore. **effectively** /ɪ↓'fektɪvlɪ/ *(avv.)* **1** efficacemente **2** effettivamente, in realtà.

efficient /ɪ'fɪʃənt/ *(agg.)* efficiente.

effort /'efət/ *(sost.)* **1** sforzo, fatica **2** tentativo.

e.g. /i:'dʒi:/ *(abbr.)* per esempio.

egg /eg/ *(sost.)* uovo.

eggplant /'egplɑ:nt/ *(sost.)* AE melanzana.

eggshell /'egʃel/ *(sost.)* guscio d'uovo ‖ *(agg.)* delicato, fragile.

egoist /'egəʊɪst/, AE /'iːgəʊɪst/ *(sost.)* egoista.

either /'aɪðə*/ *(agg. e pron.)* l'uno o l'altro, l'uno e l'altro, entrambi ◆ *buy e. of them* compra l'uno o l'altro, *at e. side* da entrambi i lati ‖ *(avv.) not... either* nemmeno,

che, neppure ‖ *(cong.)* either... or (o)... o, *(in frasi neg.)* né... né.

eject /ɪ'dʒekt/ *(v.t.)* **1** espellere **2** emettere **3** DIR. sfrattare.

elaborate /ɪ'læbərət/ *(v.t. / v.i.)* elaborare.

elapse /ɪ'læps/ *(v.i.)* *(rif. a tempo)* trascorrere, passare.

elbow /'elbəʊ/ *(sost.)* ANAT., TECN. gomito. **elbow** *(v.t.)* spingere con il gomito, dare gomitate a ‖ *(v.i.)* farsi largo a gomitate.

elder /'eldə*/ *(agg.)* *(compar. di old)* **1** *(tra due)* *(di età)* maggiore **2** *(epiteto)* vecchio ◆ *Pliny the E.* Plinio il Vecchio ‖ *(sost.)* **1** *(con uno specifico lasso di tempo)* maggiore, più grande ◆ *my friend Sue is my e. by five years* la mia amica Sue è più vecchia di me di cinque anni **2** *(spec. pl.)* anziano. **elderly** /'eldəlɪ/ *(agg.)* anziano, di una certa età ‖ *(sost.)* ◆ *the e.* gli anziani.

eldest /'eldɪst/ *(agg.)* *(superl. di old)* *(tra fratelli)* maggiore, primogenito ‖ *(sost.)* **2** maggiore, primogenito.

elect /ɪ'lekt/ *(v.t.)* **1** eleggere **2** scegliere, decidere. **elect** *(agg.)* prescelto, eletto (ma non ancora in carica). **election** /ɪ'lekʃən/ *(sost.)* elezione.

electric /ɪ'lektrɪk/ *(agg.)* **1** elettrico **2** *(fig.)* *(atmosfera ecc.)* elettrico, teso. **electrical** /ɪ'lektrɪkəl/ *(agg.)* elettrico.

electricity /ɪlek'trɪsətɪ/ *(sost.)* elettricità.

electronic /ɪlek'trɒnɪk/ *(agg.)* elettronico. **electronics** /ɪlek'trɒnɪks/ *(sost.)* elettronica.

elegance /'elɪgəns/ *(sost.)* eleganza. **elegant** /'elɪgənt/ *(agg.)* elegante.

element /'elɪmənt/ *(sost.)* elemento *(anche* CHIM., *fig.)* ✣ *the elements* gli elementi atmosferici.

elementary /elɪ'mentərɪ/ *(agg.)* elementare.

elephant /'elɪfənt/ *(sost.)* ZOOL. elefante.

elevator /'elɪveɪtə*/ *(sost.)* montacarichi, AE ascensore.

elicit /ɪ'lɪsɪt/ *(v.t.)* 1 suscitare, provocare 2 dedurre, ricavare.

eligible /'elɪʤəbəl/ *(agg.)* 1 idoneo 2 desiderabile ✣ *e. bachelor* buon partito.

elk /elk/ *(sost.)* ZOOL. alce.

elope /ɪ'ləʊp/ *(v.i.)* fuggire (per sposarsi in segreto).

else /els/ *(agg. e avv.)* altro ✣ *or e.* altrimenti.

elsewhere /els'weə*/ *(avv.)* altrove.

elude /ɪ'lu:d/ *(v.t.)* 1 eludere, sfuggire a 2 sfuggire (di mente). elusive /ɪ'lu:sɪv/ *(agg.)* 1 evasivo, elusivo 2 inafferrabile.

e-mail /'i:meɪəl/ *(sost.)* posta elettronica. e-mail *(v.t.)* inviare tramite posta elettronica.

embark /ɪm'bɑːk/ *(v.t.)* MAR. imbarcare ‖ *(v.i.)* 1 MAR. imbarcarsi 2 *(fig.)* intraprendere.

embarrass /ɪm'bærəs/ *(v.t.)* 1 imbarazzare, mettere in imbarazzo 2 *(fig.)* mettere in difficoltà (finanziarie). embarrassment /ɪm'bærəsmənt/ *(sost.)* 1 (motivo di) imbarazzo 2 *(fig.)* difficoltà (finanziarie).

embassy /'embəsɪ/ *(sost.)* **em**-bassy /'embəsɪ/ *(sost.)* ambasciata.

embed ◊ /ɪm'bed/ *(v.t.)* incassare, inserire.

ember /'embə*/ *(sost.)* 1 tizzone 2 *(spec. pl.)* brace.

embody /ɪm'bɒdɪ/ *(v.t.)* 1 incarnare, personificare 2 incorporare.

emboss /ɪm'bɒs/ *(v.t.)* 1 TECN. goffrare 2 METALL. lavorare a sbalzo.

embrace /ɪm'breɪs/ *(v.t.)* abbracciare *(anche fig.)* ‖ *(v.i.)* abbracciarsi. embrace *(sost.)* abbraccio.

embroider /ɪm'brɔɪdə*/ *(v.t.)* ricamare *(anche fig.).* embroidery /ɪm'brɔɪdərɪ/ *(sost.)* 1 ricamo 2 *(fig.)* ornamento, abbellimento.

embryo /'embrɪəʊ/ *(sost.)* BIOL. embrione *(anche fig.).*

emend /ɪ'mend/ *(v.t.)* emendare, correggere.

emerald /'emərəld/ *(sost.)* 1 MIN. smeraldo 2 *(colore)* verde smeraldo.

emerge /ɪ'mɜːʤ/ *(v.i.)* emergere, apparire *(anche fig.).*

emergency /ɪ'mɜːʤənsɪ/ *(sost.)* emergenza ✣ MED. *e. room* pronto soccorso.

emigrate /'emɪgreɪt/ *(v.i.)* emigrare. emigrant /'emɪgrənt/ *(sost.)* emigrante.

emission /ɪ'mɪʃən/ *(sost.)* emissione.

emit ◊ /ɪ'mɪt/ *(v.t.)* emettere *(anche fig.).*

emotion /ɪ'məʊʃən/ *(sost.)* emozione, sentimento. emotional /ɪ'məʊʃənəl/ *(agg.)* 1 emotivo 2 emozionante, commovente.

empathise /'empəθaɪz/ *(v.i.)* identificarsi (con qu.no), capire (qu.no).

emphasis /'emfəsɪs/ *(pl.* emphases /'emfəsi:z/) *(sost.)* enfasi, risalto. emphasize /'emfəsaɪz/ *(v.t.)* accentuare, evidenziare.

empire /'empaɪə*/ *(sost.)* impero *(anche fig.).*

employ /ɪm'plɔɪ/ *(v.t.)* **1** impiegare, dare lavoro a **2** assumere **3** impiegare, utilizzare. **FAM.** principale. **employee** /ɪm'plɔɪiː/ *(sost.)* impiegato, dipendente. **employer** /ɪm'plɔɪə*/ *(sost.)* datore di lavoro, **FAM.** principale. **employment** /ɪm'plɔɪmənt/ *(sost.)* impiego, occupazione, lavoro.

empower /ɪm'paʊə*/ *(v.t.)* **1** autorizzare, dare pieni poteri a **2** mettere in grado.

empty /'emptɪ/ *(agg.)* vuoto. **empty** *(v.t.)* vuotare, svuotare ‖ *(v.i.)* vuotarsi.

emulsion /ɪ'mʌlʃən/ *(sost.)* emulsione.

enable /ɪn'eɪbəl/ *(v.t.)* mettere in grado di, consentire a, permettere a.

enamel /ɪ'næməl/ *(sost.)* *(vernice)* smalto.

enchant /ɪn'tʃɑːnt/ *(v.t.)* incantare, affascinare.

enclose /ɪn'kləʊz/ *(v.t.)* **1** racchiudere, recintare, circondare **2** accludere, allegare.

encompass /ɪn'kʌmpəs/ *(v.t.)* **1** circondare **2** includere, comprendere.

encounter /ɪn'kaʊntə*/ *(v.t.)* incontrare (per caso), imbattersi in *(anche fig.)*. **encounter** *(sost.)* incontro (casuale).

encourage /ɪn'kʌrɪdʒ/ *(v.t.)* incoraggiare. **encouragement** /ɪn'kʌrɪdʒmənt/ *(sost.)* incoraggiamento.

encrusted /ɪn'krʌstɪd/ *(agg.)* **1** incrostato **2** tempestato.

encrypt /ɪn'krɪpt/ *(v.t.)* cifrare, **INFORM.**, **TV** criptare.

end /end/ *(sost.)* **1** fine **2** fine, termine, parte finale **3** fine, scopo ✦ *to this e.* a questo scopo. **end** *(v.t. / v.i.)* finire, terminare. ♣ **end up** andare a finire, finire (per).

endearing /ɪn'dɪərɪŋ/ *(agg.)* tenero, affettuoso.

endeavour, **AE endeavor** /ɪn'devə*/ *(v.i.)* sforzarsi, tentare. **endeavour**, **AE endeavor** *(sost.)* sforzo, tentativo.

ending /'endɪŋ/ *(sost.)* **1** fine, conclusione **2** **GRAMM.** desinenza.

endless /'endləs/ *(agg.)* senza fine, interminabile.

endorse /ɪn'dɔːs/ *(v.t.)* **1** appoggiare, approvare **2** **COMM.** fare pubblicità a, promuovere **3** **BANC.** girare (un assegno).

endow /ɪn'daʊ/ *(v.t.)* **1** finanziare, fare una donazione a **2** dotare.

endure /ɪn'djʊə*/ *(v.t.)* tollerare, sopportare ‖ *(v.i.)* durare, sopravvivere *(anche fig.)*. **endurance** /ɪn'djʊərəns/ *(sost.)* resistenza, sopportazione.

enemy /'enəmɪ/ *(agg. e sost.)* nemico *(anche fig.)*.

energy /'enədʒɪ/ *(sost.)* energia *(anche FIS.)*.

enforce /ɪn'fɔːs/ *(v.t.)* imporre, far rispettare. **enforced** /ɪn'fɔːst/ *(agg.)* imposto, forzato. **enforcement** /ɪn'fɔːsmənt/ *(sost.)* **1** imposizione, costrizione **2** **DIR.** applicazione, esecuzione.

engage /ɪn'geɪdʒ/ *(v.t.)* **1** ingaggiare, assumere **2** impegnare, coinvolgere **3** **MECC.** innestare, ingranare **4** **MIL.** attaccare ‖ *(v.i.)* **1** impegnarsi **2** **TECN.** innestarsi, ingranare **3** **MIL.** ingaggiare battaglia. **engaged** /ɪn'geɪdʒd/ *(agg.)* **1** fidanzato **2** impegnato, occupato **3** **BE, TEL.** occupato. **engagement** /ɪn'geɪdʒmənt/ *(sost.)* **1** impegno, promessa, obbligo **2** impegno, appuntamento **3** fidanzamento **4** **MIL.** scontro.

engine /'endʒın/ (sost.) 1 motore 2 FERR. locomotiva.

engineer /endʒı'nıə*/ (sost.) 1 ingegnere 2 tecnico 3 FERR., AE macchinista 4 MIL. soldato del genio. **engineer** (v.t.) 1 progettare, costruire 2 (fig.) architettare. **engineering** /endʒı'nıərıŋ/ (sost.) ingegneria.

English /'ıŋglıʃ/ (agg.) inglese ‖ (sost.) 1 (pl.) ❖ the E. gli inglesi 2 lingua inglese. **Englishman** /'ıŋglıʃmən/ (pl. **Englishmen**) (sost.) inglese.

engrave /ın'greıv/ (v.t.) incidere, scolpire, intagliare.

engross /ın'grəus/ (v.t.) assorbire, impegnare. **engrossed** /ın'grəust/ (agg.) assorto, intento.

engulf /ın'gʌlf/ (v.t.) 1 inghiottire, ingoiare, (rif. ad acqua) sommergere 2 (fig.) sopraffare.

enhance /ın'hɑ:ns/ (v.t.) migliorare, accrescere.

enhancement /ın'hɑ:nsmənt/ (sost.) aumento, miglioramento.

enjoy /ın'dʒɔı/ (v.t.) 1 essere felice di, provare piacere in ❖ e. your meal! buon appetito! 2 (rifl.) divertirsi 3 godere di.

enlarge /ın'lɑ:dʒ/ (v.t.) 1 allargare, ampliare 2 FOT. ingrandire ‖ (v.i.) allargarsi, ampliarsi.

enlighten /ın'laıtən/ (v.t.) illuminare, chiarire. **enlightenment** /ın'laıtənmənt/ (sost.) spiegazione, chiarimento ❖ the Enlightenment ST. l'Illuminismo.

enliven /ın'laıvən/ (v.t.) animare, rallegrare.

enormous /ı'nɔ:məs/ (agg.) enorme, immenso. **enormity** /ı'nɔ:mətı/ (sost.) 1 enormità, immensità 2 (fig.) mostruosità, atrocità.

enough /ı'nʌf/ (agg.) abbastanza, sufficiente ‖ (avv.) abbastanza, discretamente ‖ (sost.) sufficienza, il necessario ❖ (that's) e.! basta!

enquire /ın'kwaıə*/ (v.t.) chiedere ‖ (v.i.) informarsi, indagare.

enquiry /ın'kwaıərı/ (sost.) 1 domanda, richiesta di informazioni 2 indagine, ricerca.

enrage /ın'reıdʒ/ (v.t.) rendere furioso.

enrich /ın'rıtʃ/ (v.t.) arricchire (anche fig.).

enrol ◊, AE enroll /ın'rəul/ (v.t.) 1 iscrivere 2 MIL. arruolare ‖ (v.i.) 1 iscriversi 2 MIL. arruolarsi.

ensue /ın'sju:/ (v.i.) 1 seguire, succedere 2 risultare, derivare. **ensuing** /ın'sju:ıŋ/ (agg.) seguente.

ensure /ın'ʃɔ:*/ (v.t.) assicurare, garantire.

entail /ın'teıəl/ (v.t.) comportare, implicare.

entangle /ın'tæŋgəl/ (v.t.) impigliare, invischiare (anche fig.). **entanglement** /ın'tæŋgəlmənt/ (sost.) 1 intrico, groviglio 2 relazione (spec. sentimentale) complicata 3 MIL. reticolato.

enter /'entə*/ (v.t.) 1 entrare 2 entrare a far parte di, diventare membro di 3 (gara ecc.) partecipare a 4 INFORM. scrivere, inserire ‖ (v.i.) 1 entrare 2 TEATR. entrare in scena 3 SPORT iscriversi ❖ enter into 1 avviare, intraprendere 2 far parte di, entrarci.

enterprise /'entəpraız/ (sost.) 1 impresa, avventura 2 iniziativa, intraprendenza 3 ECON. azienda, impresa.

entertain /entə'teın/ (v.t.) 1 divertire, intrattenere 2 ricevere, ospitare ‖ *(v.i.)* avere ospiti. **entertaining** /ˈentəˈteɪnɪŋ/ *(agg.)* divertente. **entertainment** /ˈentəˈteɪnmənt/ *(sost.)* **1** divertimento **2** spettacolo.

enthusiasm /ɪnˈθjuːzɪæzəm/ *(sost.)* **1** entusiasmo **2** passione, interesse. **enthuse** /ɪnˈθjuːz/ *(v.t.)* entusiasmare ‖ *(v.i.)* mostrare entusiasmo, essere entusiasta.

entice /ɪnˈtaɪs/ *(v.t.)* sedurre, attrarre.

entire /ɪnˈtaɪə*/ *(agg.)* intero, completo. **entirely** /ɪnˈtaɪə*lɪ/ *(avv.)* interamente, completamente, del tutto.

entitle /ɪnˈtaɪtəl/ *(v.t.)* **1** concedere un diritto a, qualificare ❖ *to be entitled to* avere diritto a **2** *(libro ecc.)* intitolare.

entity /ˈentətɪ/ *(sost.)* entità ❖ *legal e.* DIR. persona giuridica.

entrails /ˈentreɪlz/ *(sost. pl.)* **1** ANAT. visceri, interiora **2** *(fig.)* viscere.

entrance[1] /ˈentrəns/ *(sost.)* **1** entrata, ingresso **2** accesso, ammissione.

entrance[2] /ɪnˈtrɑːns/ *(v.t.)* mandare in estasi. **entrancing** /ɪnˈtrɑːnsɪŋ/ *(agg.)* incantevole.

entrap ◊ /ɪnˈtræp/ *(v.t.)* prendere in trappola, intrappolare *(anche fig.)*.

entreaty /ɪnˈtriːtɪ/ *(sost.)* supplica, preghiera.

entrust /ɪnˈtrʌst/ *(v.t.)* affidare (a).

entry /ˈentrɪ/ *(sost.)* **1** entrata, ingresso **2** *(dizionario)* lemma **3** *(in elenco, registro)* voce, nota, COMM. registrazione ❖ *double e.* COMM. partita doppia **4** domanda di iscrizione.

envelop /ɪnˈveləp/ *(v.t.)* avvolgere *(anche fig.)*.

envelope /ˈenvələup/ *(sost.)* busta.

environment /ɪnˈvaɪərənmənt/ *(sost.)* ambiente. **environmental** /ɪnˈvaɪərənˈmentəl/ *(agg.)* ambientale, dell'ambiente.

envisage /ɪnˈvɪzɪdʒ/ *(v.t.)* prevedere, avere in vista.

envy /ˈenvɪ/ *(sost.)* invidia. **envy** *(v.t.)* invidiare. **envious** /ˈenvɪəs/ *(agg.)* invidioso.

epicentre, AE **epicenter** /ˈepɪsentə*/ *(sost.)* GEOL. epicentro.

Epiphany /ɪˈpɪfənɪ/ *(sost.)* **1** RELIG. Epifania **2** momento illuminante, rivelatore, LETTER. epifania.

episode /ˈepɪsəud/ *(sost.)* episodio.

epoch /ˈiːpɒk/ *(sost.)* epoca, età.

equal /ˈiːkwəl/ *(agg.)* uguale, pari ‖ *(sost.)* **1** pari, simile **2** MAT. *(simbolo)* uguale. **equal** ♦ *(v.t.)* **1** uguagliare, essere pari a **2** MAT. essere uguale a, fare. **equally** /ˈiːkwəlɪ/ *(avv.)* **1** ugualmente, altrettanto **2** allo stesso modo.

equalize /ˈiːkwəlaɪz/ *(v.t.)* **1** livellare, perequare, AMM. pareggiare i conti **2** ELETTR. equalizzare ‖ *(v.i.)* SPORT pareggiare.

equation /ɪˈkweɪʒən/ *(sost.)* **1** identificazione **2** MAT. equazione.

equator /ɪˈkweɪtə*/ *(sost.)* GEOGR. equatore.

equilateral /iːkwɪˈlætərəl/ *(agg.)* GEOM. equilatero.

equip /ɪˈkwɪp/ *(v.t.)* **1** equipaggiare, attrezzare **2** MAR., MIL. armare **3** *(fig.)* dotare **4** *(fig.)* preparare, addestrare. **equipment** /ɪˈkwɪpmənt/ *(sost.)* **1** equipaggiamento **2** MAR., MIL. armamento **3** ELETTR. apparecchiatura.

equity /ˈekwətɪ/ *(sost.)* **1** equità **2** *(spec. pl.)* FIN. capitale azionario.

equivalent /ɪˈkwɪvələnt/ *(agg. e sost.)* equivalente.

equivocate /ɪˈkwɪvəkeɪt/ *(v.i.)* giocare sull'equivoco, parlare in modo ambiguo.

era /ˈɪərə/ *(sost.)* era *(anche GEOL.),* epoca.

erase /ɪˈreɪz/ *(v.t.)* cancellare *(anche INFORM., fig.).* **eraser** /ɪˈreɪzə*/ *(sost.)* **1** AE gomma *(per cancellare)* **2** *(per la lavagna)* cancellino.

erect /ɪˈrekt/ *(agg.)* eretto, diritto, ritto ‖ *(avv.)* in posizione eretta. **erect** *(v.t.)* **1** erigere, costruire *(anche fig.)* **2** TECN. montare. **erection** /ɪˈrekʃən/ *(sost.)* **1** erezione, costruzione *(anche fig.)* **2** *(del pene)* erezione.

ergonomic /ˌɜːɡəʊˈnɒmɪk/ *(agg.)* ergonomico.

erode /ɪˈrəʊd/ *(v.t.)* **1** erodere *(anche GEOL.),* corrodere **2** *(fig.)* consumare ‖ *(v.i.)* **1** erodersi **2** *(fig.)* consumarsi. **erosion** /ɪˈrəʊʒən/ *(sost.)* erosione *(anche fig.).*

erotic /ɪˈrɒtɪk/ *(agg.)* erotico.

err /ɜː*/ *(v.i.)* errare, sbagliare.

errand /ˈerənd/ *(sost.)* commissione, incarico.

erratic /ɪˈrætɪk/ *(agg.)* incostante, irregolare.

error /ˈerə*/ *(sost.)* errore ❖ *in e.* per errore. **erroneous** /ɪˈrəʊnjəs/ *(agg.)* erroneo.

erupt /ɪˈrʌpt/ *(v.i.)* **1** GEOL. eruttare **2** *(fig.) (guerra ecc.)* scoppiare **3** MED. *(denti ecc.)* spuntare. **eruption** /ɪˈrʌpʃən/ *(sost.)* **1** GEOL. eruzione *(vulcanica)* **2** *(di guerra ecc.)* scoppio **3** MED. eruzione *(cutanea).*

escalate /ˈeskəleɪt/ *(v.i.)* **1** intensificarsi, inasprirsi **2** ECON. au-

mentare ‖ *(v.t.)* intensificare, inasprire.

escalator /ˈeskəleɪtə*/ *(sost.)* scala mobile.

escape /ɪˈskeɪp/ *(v.i.)* **1** fuggire, evadere **2** scamparla, cavarsela **3** *(gas, acqua)* fuoriuscire ‖ *(v.t.)* **1** sfuggire a *(anche fig.),* scampare a **2** INFORM. uscire *(da un'operazione, una routine ecc.).* **escape** *(sost.)* **1** fuga, evasione *(anche fig.)* **2** *(acqua)* perdita, *(gas)* fuga.

escort /ɪˈskɔːt/ *(v.t.)* **1** scortare *(anche MIL.)* **2** accompagnare.

Eskimo /ˈeskɪməʊ/ *(agg. e sost.)* eschimese.

especially /ɪˈspeʃəlɪ/ *(avv.)* specialmente, particolarmente.

Esquire /ɪˈskwaɪə*/ *(sost.)* FORM. *(in indirizzi)* egregio ❖ *Luke J. Myers, Esq.* Egregio signor Luke J. Myers.

essay /ˈeseɪ/ *(sost.)* **1** LETT. saggio **2** *(scuola)* tema, componimento. **essay** /eˈseɪ/ *(v.t.)* tentare, cimentarsi in.

essence /ˈesəns/ *(sost.)* **1** essenza, sostanza **2** CHIM. essenza, estratto.

essential /ɪˈsenʃəl/ *(agg.)* essenziale, fondamentale ‖ *(sost.) (spec. pl.)* rudimenti, basi. **essentially** /ɪˈsenʃəlɪ/ *(avv.)* essenzialmente.

establish /ɪˈstæblɪʃ/ *(v.t.)* **1** costituire, istituire, fondare **2** stabilire, dimostrare, provare. **establishment** /ɪˈstæblɪʃmənt/ *(sost.)* **1** costituzione, instaurazione, fondazione **2** azienda, impresa **3** ❖ *the E.* la classe dirigente.

estate /ɪˈsteɪt/ *(sost.)* **1** proprietà, tenuta ❖ *e. agent* agente immobiliare **2** DIR. *(spec. pl.),* patrimonio ❖ *real e.* beni immobiliari **3** condizione, classe sociale.

esteem /ɪ'sti:m/ (sost.) stima, considerazione.

estimate /'estɪmət/ (v.t.) 1 stimare, valutare 2 fare il preventivo di ll (v.i.) fare un preventivo. estimate (sost.) 1 stima, valutazione 2 COMM. preventivo.

eternal /ɪ'tɜ:nəl/ (agg.) eterno.

eternity /ɪ'tɜ:nətɪ/ (sost.) eternità.

ethics /'eθɪks/ (sost.) FIL. etica.

ethnic /'eθnɪk/ (agg.) etnico.

Eucharist /'ju:kərɪst/ (sost.) ECCL. Eucaristia.

euphemism /'ju:fɪmɪzəm/ (sost.) eufemismo.

euphoric /ju'fɒrɪk/ (agg.) euforico.

euro /'juərəʊ/ (pl. euros /'juərəʊs/) (sost.) ECON. euro.

evacuate /ɪ'vækjʊeɪt/ (v.t.) evacuare. evacuation /ɪvækjʊ'eɪʃən/ (sost.) 1 evacuazione, MIL. ritiro 2 MED. evacuazione.

evaluate /ɪ'væljʊeɪt/ (v.t.) valutare. evaluation /ɪvælju'eɪʃən/ (sost.) valutazione.

evaporate /ɪ'væpəreɪt/ (v.i.) 1 evaporare 2 (fig.) svanire ll (v.t.) far evaporare.

eve /i:v/ (sost.) vigilia.

even /'i:vən/ (agg.) 1 regolare, uniforme 2 pari (anche MAT.) ll (avv.) anche, perfino. even (v.t.) livellare ll (v.i.) livellarsi. ♣ even out 1 distribuire, frazionare 2 rendere uguale, pareggiare.

evening /'i:vənɪŋ/ (sost.) 1 sera 2 serata, intrattenimento ll (agg.) serale, della sera.

event /ɪ'vent/ (sost.) 1 caso, eventualità 2 avvenimento, evento 3 SPORT gara.

eventual /ɪ'ventʃʊəl/ (agg.) finale, conclusivo. eventually /ɪ'ventʃʊəlɪ/ (avv.) alla fine, infine.

ever /'evə*/ (avv.) 1 (gener. in frasi interr., neg., dubitative) mai 2 sempre ♣ e. since da allora (in poi).

everlasting /evə'lɑ:stɪŋ/ (agg.) eterno, perenne ll (sost.) BOT. semprevivo.

every /'evrɪ/ (agg. indef.) ogni, ciascuno, tutti.

everybody /'evrɪbɒdɪ/ (pron. indef.) ognuno, ciascuno, tutti.

everyday /evrɪ'deɪ/ (agg.) quotidiano, di tutti i giorni.

everyone /'evrɪwʌn/ v. everybody.

everything /'evrɪθɪŋ/ (pron. indef.) ogni cosa, tutto.

everywhere /'evrɪweə*/ (avv.) dovunque, in ogni luogo.

evict /ɪ'vɪkt/ (v.t.) DIR. sfrattare. eviction /ɪ'vɪkʃən/ (sost.) DIR. sfratto.

evidence /'evɪdəns/ (sost.) 1 prova, dimostrazione 2 DIR. testimonianza.

evil /'i:vəl/ (agg.) 1 cattivo, malvagio 2 sgradevole ll (sost.) male.

evoke /ɪ'vəʊk/ (v.t.) evocare, rievocare.

evolution /i:və'lu:ʃən/ (sost.) evoluzione (anche BIOL.).

evolve /ɪ'vɒlv/ (v.t.) 1 sviluppare, elaborare 2 BIOL. evolvere ll (v.i.) evolversi, svilupparsi.

ex /eks/ (prep.) COMM. da, fuori da ll (sost.) (partner precedente) FAM. ex.

exact /ɪg'zækt/ (agg.) 1 esatto, preciso 2 (persona) rigoroso. exactly /ɪg'zæktlɪ/ (avv.) esattamente, precisamente.

exaggerate /ɪg'zædʒəreɪt/ (v.t. / v.i.) esagerare.

exam /ɪgˈzæm/ *abbr. di* examination.

examination /ɪgzæmɪˈneɪʃən/ *(sost.)* 1 *(a scuola ecc.)* esame, prova 2 esame, verifica, ispezione 3 DIR. interrogatorio 4 MED. visita, esame.

examine /ɪgˈzæmɪn/ *(v.t.)* 1 *(a scuola ecc.)* esaminare, interrogare 2 esaminare, verificare, ispezionare 3 DIR. interrogare 4 MED. visitare, esaminare.

example /ɪgˈzɑːmpəl/ *(sost.)* esempio.

exasperate /ɪgˈzæspəreɪt/ *(v.t.)* esasperare.

excavate /ˈekskəveɪt/ *(v.t.)* 1 scavare 2 estrarre ‖ *(v.i.)* fare scavi. **excavator** /ˈekskəveɪtə*/ *(sost.)* MECC. scavatrice.

exceed /ɪkˈsiːd/ *(v.t.)* 1 superare, oltrepassare 2 essere superiore a. **exceedingly** /ɪkˈsiːdɪŋlɪ/ *(avv.)* estremamente.

excel ♦ /ɪkˈsel/ *(v.i.)* eccellere ‖ *(v.t.)* superare, essere superiore a. **excellence** /ˈeksələns/ *(sost.)* eccellenza. **excellent** /ˈeksələnt/ *(agg.)* eccellente.

except /ɪkˈsept/ *(prep.)* eccetto, tranne ‖ *(cong.)* ❖ e. *(that)* eccetto che. **except** *(v.t.)* eccettuare, escludere. **exception** /ɪkˈsepʃən/ *(sost.)* eccezione. **exceptional** /ɪkˈsepʃənəl/ *(agg.)* eccezionale, straordinario.

exchange /ɪksˈtʃeɪndʒ/ *(sost.)* 1 cambio, scambio 2 ECON. cambio 3 FIN. Borsa. **exchange** *(v.t.)* cambiare, scambiare.

excite /ɪkˈsaɪt/ *(v.t.)* 1 eccitare, stimolare 2 suscitare, provocare. **excited** /ɪkˈsaɪtɪd/ *(agg.)* eccitato, agitato. **excitement** /ɪkˈsaɪtmənt/

(sost.) agitazione, eccitazione. **exciting** /ɪkˈsaɪtɪŋ/ *(agg.)* eccitante, emozionante.

exclaim /ɪkˈskleɪm/ *(v.t. / v.i.)* esclamare. **exclamation** /eksкləˈmeɪʃən/ *(sost.)* esclamazione ❖ GRAMM. e. *mark* punto esclamativo.

exclude /ɪkˈskluːd/ *(v.t.)* escludere. **excluding** /ɪkˈskluːdɪŋ/ *(prep.)* tranne, eccetto. **exclusive** /ɪkˈskluːsɪv/ *(agg.)* 1 esclusivo 2 chiuso, ristretto ‖ *(sost.) (notizia, contratto ecc.)* esclusiva.

excruciating /ɪkˈskruːʃɪeɪtɪŋ/ *(agg.)* 1 atroce 2 FAM. fortissimo, acuto.

excursion /ɪkˈskɜːʃən/ *(sost.)* 1 escursione, gita 2 FIS., MECC. escursione, ampiezza.

excuse /ɪkˈskjuːs/ *(v.t.)* scusare. **excuse** *(sost.)* scusa.

execute /ˈeksɪkjuːt/ *(v.t.)* 1 eseguire, DIR. dare esecuzione 2 giustiziare 3 INFORM. eseguire (un programma). **executive** /ɪgˈzekjʊtɪv/ *(agg.)* 1 esecutivo *(anche* POL.*)* 2 direttivo 3 per dirigenti, *(estens.)* lussuoso ‖ *(sost.)* 1 POL. (potere) esecutivo 2 COMM. dirigente.

exempt /ɪgˈzempt/ *(agg.)* esente, esonerato.

exercise /ˈeksəsaɪz/ *(sost.)* 1 esercizio, pratica 2 esercizio fisico, moto 3 MIL. esercitazione. **exercise** *(v.t.)* 1 esercitare 2 esercitare, usare ‖ *(v.i.)* fare esercizio (fisico), fare ginnastica.

exert /ɪgˈzɜːt/ *(v.t.)* esercitare, impiegare ❖ *to e.* oneself sforzarsi.

exhale /eksˈheɪəl/ *(v.t.)* MED. espirare.

exhaust /ɪgˈzɔːst/ *(v.t.)* esaurire ❖ *to be exhausted* essere esausto. **exhausted** /ɪgˈzɔːstɪd/ *(agg.)* esausto.

exhibit 112 export

exhibit /ɪg'zɪbɪt/ (v.t. / v.i.) esporre. **exhibit** (sost.) **1** (in museo ecc.) oggetto esposto **2** AE esposizione, mostra **3** DIR. prova, reperto. **exhibition** /eksɪ'bɪʃən/ (sost.) **1** esposizione, mostra **2** dimostrazione, esibizione.

exile /'eksaɪəl/ (sost.) **1** esilio **2** esule, esiliato. **exile** (v.t.) esiliare.

exist /ɪg'zɪst/ (v.i.) esistere. **existence** /ɪg'zɪstəns/ (sost.) esistenza. **existing** /ɪg'zɪstɪŋ/ (agg.) attuale, esistente.

exit /'eksɪt/ (sost.) uscita. **exit** (v.i.) uscire.

exorcize /'eksɔːsaɪz/ (v.t.) RELIG. esorcizzare (anche fig.). **exorcism** /'eksɔːsɪzəm/ (sost.) RELIG. esorcismo.

expand /ɪk'spænd/ (v.t.) espandere, dilatare || (v.i.) espandersi, dilatarsi. ♣ **expand on** approfondire, trattare approfonditamente.

expect /ɪk'spekt/ (v.t.) **1** aspettarsi **2** esigere, pretendere **3** supporre, ritenere, pensare. **expectation** /ekspek↓ 'teɪʃən/ (sost.) **1** attesa, aspettativa **2** previsione. **expected** /ɪk'spektɪd/ (agg.) atteso, previsto. **expecting** /ɪk'spektɪŋ/ (agg.) incinta, in attesa.

expedient /ɪk'spiːdɪənt/ (agg.) opportuno, conveniente, vantaggioso || (sost.) espediente.

expedite /'ekspədaɪt/ (v.t.) accelerare, affrettare.

expel ◊ /ɪk'spel/ (v.t.) espellere.

expend /ɪk'spend/ (v.t.) **1** consumare, esaurire **2** spendere. **expendable** /ɪk'spendəbəl/ (agg.) sacrificabile.

expense /ɪk'spens/ (sost.) spesa, costo (anche fig.). **expensive** /ɪk'spensɪv/ (agg.) costoso, caro.

experience /ɪk'spɪərɪəns/ (sost.) esperienza. **experience** (v.t.) sperimentare, provare. **experienced** /ɪk'spɪərɪənst/ (agg.) esperto.

experiment /ɪk'sperɪmənt/ (sost.) esperimento, prova. **experiment** (v.i.) sperimentare.

expert /'ekspɜːt/ (sost.) **1** esperto, specialista **2** perito || (agg.) esperto, competente.

expertise /ekspɜː'tiːz/ (sost.) **1** abilità, competenza **2** ARTE perizia, expertise.

expire /ɪk'spaɪə*/ (v.i.) **1** scadere, terminare **2** morire, spirare **3** BIOL. espirare. **expiry** /ɪk'spaɪərɪ/ (sost.) scadenza, termine, fine.

explain /ɪk'spleɪn/ (v.t.) **1** spiegare, chiarire **2** giustificare, spiegare || (v.i.) dare una spiegazione, dare chiarimenti. ♣ **explain sthg. away** giustificare (con una scusa). **explanation** /eksplə'neɪʃən/ (sost.) **1** spiegazione, chiarimento **2** giustificazione.

explode /ɪk'spləʊd/ (v.i.) esplodere (anche fig.) || (v.t.) (fig.) distruggere, demolire. **explosion** /ɪk'spləʊʒən/ (sost.) esplosione, scoppio (anche fig.). **explosive** /ɪk'spləʊsɪv/ (agg. e sost.) esplosivo (anche fig.).

exploit /ɪk'splɔɪt/ (v.t.) **1** utilizzare, sfruttare **2** (rif. a persona, situazione) approfittare di, sfruttare. **exploit** /'eksplɔɪt/ (sost.) impresa, prodezza.

explore /ɪk'splɔː*/ (v.t.) **1** esplorare, visitare **2** esaminare, indagare.

exponent /ek'spəʊnənt/ (sost.) **1** esponente, sostenitore **2** MAT. esponente.

export /ek'spɔːt/ (v.t. / v.i.) esportare. **export** /'ekspɔːt/ (sost.) **1** esportazione **2** merce di esportazione.

expose /ɪk'spəʊz/ *(v.t.)* **1** esporre **2** esibire, mettere in mostra **3** *(fig.)* svelare, rivelare. **exposition** /ekspə'zɪʃən/ *(sost.)* **1** esposizione, l'esporre **2** interpretazione, spiegazione **3** mostra, esposizione. **exposure** /ɪk'spəʊʒə*/ *(sost.)* **1** esposizione **2** smascheramento, rivelazione **3** FOT. (tempo di) esposizione.

express[1] /ɪk'spres/ *(v.t.)* esprimere, manifestare.

express[2] *(agg.) (treni ecc.)* espresso, rapido, *(posta)* espresso ‖ *(avv.) (posta)* (per) espresso.

express[3] *(agg.)* **1** chiaro, esplicito, preciso **2** espresso, manifesto.

expression /ɪk'spreʃən/ *(sost.)* **1** espressione, manifestazione **2** MAT. espressione.

exquisite /ɪk'skwɪzɪt/ *(agg.)* squisito, raffinato.

extend /ɪk'stend/ *(v.t.)* **1** estendere, tendere, allungare **2** estendere, ampliare **3** protrarre, prorogare **4** porgere, accordare ‖ *(v.i.)* **1** estendersi **2** ampliarsi **3** prolungarsi. **extension** /ɪk'stenʃən/ *(sost.)* **1** estensione, ampliamento, aggiunta **2** prolungamento, differimento **3** COMM. proroga **4** TEL. (numero) interno **5** MECC., ELETTR. prolunga **6** INFORM. estensione. **extensive** /ɪk'stensɪv/ *(agg.)* **1** esteso, ampio **2** AGR. estensivo. **extent** /ɪk'stent/ *(sost.)* **1** estensione, dimensione **2** grado, misura, punto.

exterior /ɪk'stɪərɪə*/ *(agg.)* esterno, esteriore ‖ *(sost.)* **1** esterno, parte esterna **2** esteriorità.

external /ɪk'stɜːnəl/ *(agg.)* **1** esteriore, esterno **2** estero, straniero.

extinguish /ɪk'stɪŋgwɪʃ/ *(v.t.)* estinguere, spegnere *(anche fig.)*. **extinct** /ɪk'stɪŋkt/ *(agg.)* **1** estinto, scomparso, morto **2** caduto in disuso **3** *(fuoco)* spento, *(vulcano)* inattivo.

extol ♦ /ɪk'stəʊl/ *(v.t.)* lodare, esaltare.

extort /ɪk'stɔːt/ *(v.t.)* estorcere, carpire.

extra /'ekstrə/ *(agg.)* supplementare ‖ *(sost.)* **1** supplemento **2** AUT. optional, accessorio **3** CINEM. comparsa ‖ *(avv.)* **1** particolarmente, eccezionalmente **2** in più, extra.

extract /ek'strækt/ *(v.t.)* estrarre. **extract** /'ekstrækt/ *(sost.)* **1** estratto **2** citazione, brano (da un testo).

extraordinary /ɪk'strɔːdənərɪ/ *(agg.)* straordinario.

extravagance /ɪk'strævəgəns/ *(sost.)* **1** sperpero, prodigalità **2** stravaganza, bizzarria.

extreme /ɪk'striːm/ *(agg.)* estremo ‖ *(sost.)* estremo. **extremely** /ɪk↓ striːmlɪ/ *(avv.)* estremamente.

exult /ɪg'zʌlt/ *(v.i.)* esultare (per).

eye /aɪ/ *(sost.)* **1** occhio *(anche* ANAT.*)*, sguardo **2** cruna dell'ago.

eyebrow /'aɪbraʊ/ *(sost.)* ANAT. sopracciglio.

eyelash /'aɪlæʃ/ *(sost.)* ANAT. ciglio.

eyelid /'aɪlɪd/ *(sost.)* ANAT. palpebra.

F

f /ef/ (pl. **fs**, **f's** /efs/) (sost.) f MUS. (nota) fa.

fa /fɑː/ (sost.) MUS. (nota) fa.

fabric /'fæbrɪk/ (sost.) **1** tessuto **2** struttura, composizione.

fabulous /'fæbjʊləs/ (agg.) favoloso, leggendario.

face /feɪs/ (sost.) **1** faccia (anche fig.), volto **2** faccia, superficie **3** boccaccia, smorfia **4** (di orologio) quadrante. **face** (v.t.) **1** fronteggiare (anche fig.), essere di fronte a **2** affrontare **3** EDIL. ricoprire, rivestire.

facial /'feɪʃəl/ (agg.) del viso || (sost.) trattamento estetico al viso.

facility /fə'sɪlɪtɪ/ (sost.) **1** facilità, abilità, attitudine **2** facilitazione, agevolazione **3** (spec. pl.) attrezzature, servizi, impianti, infrastrutture.

fact /fækt/ (sost.) **1** fatto, vicenda **2** realtà, cosa provata ❖ **as a matter of f.** in realtà.

factor /'fæktə*/ (sost.) **1** fattore **2** COMM. commissario, agente.

factory /'fæktərɪ/ (sost.) fabbrica.

faculty /'fækəltɪ/ (sost.) **1** facoltà, capacità **2** facoltà (universitaria).

fade /feɪd/ (v.i.) **1** sbiadirsi, scolorarsi **2** (fiori) appassire **3** affievolirsi, attenuarsi **4** svanire, scomparire, dissolversi || (v.t.) scolorare, stingere. ❖ **fade away / out** svani-

re lentamente. ❖ **fade in** (suono, immagine) apparire lentamente.

fade (sost.) **1** scolorimento, sbiadimento **2** TV dissolvenza.

fail /feɪl/ (v.i.) **1** fallire, non riuscire **2** deperire, indebolirsi **3** (venire a) mancare **4** COMM. fallire **5** non funzionare più, guastarsi || (v.t.) **1** bocciare **2** (un esame) non passare **3** (venire a) mancare a. **fail** (sost.) **1** (a scuola) insufficienza **2** ❖ **without f.** senza fallo.

failure /'feɪljə*/ (sost.) **1** insuccesso, fallimento **2** (fig.) (persona) fallito **3** MED. collasso, arresto **4** MECC. guasto, avaria.

faint /feɪnt/ (agg.) **1** debole, fiacco **2** fievole, leggero || (sost.) mancamento, svenimento.

faint (v.i.) svenire, sentirsi mancare.

fair¹ /feə*/ (agg.) **1** giusto, onesto, equo, imparziale **2** leale, corretto **3** notevole, considerevole **4** (capelli) biondo **5** (tempo) bello, (cielo) sereno **6** ANT. bello || (avv.) **1** lealmente, correttamente **2** con precisione.

fair² (sost.) fiera, mostra.

fairly /'feəlɪ/ (avv.) **1** lealmente, correttamente, imparzialmente **2** abbastanza **3** completamente, del tutto.

fair play /feə'pleɪ/ (sost.) comportamento leale.

fairy /'feərı/ *(agg.)* 1 di fata, fatato 2 fantastico || *(sost.)* fata, maga.

fairy tale /'feərıteıl/ *(sost.)* fiaba, favola *(anche fig.).*

faith /feıθ/ *(sost.)* fede, fiducia.

faithful /'feıθfəl/ *(agg.)* 1 fedele, leale 2 conforme a verità, esatto. **faithfully** /'feıθfəlı/ *(avv.)* fedelmente ❖ *(nelle lettere) Yours f.* distinti saluti.

fake /feık/ *(agg.)* falso, falsificato, finto || *(sost.)* 1 *(opera d'arte ecc.)* falso 2 impostore, imbroglione. **fake** *(v.t.)* 1 contraffare, falsificare 2 *(anche v.i.)* fingere, simulare.

fall ♦ /fɔ:l/ *(v.i.)* cadere *(anche fig.).* ❖ *the apple fell from the table* la mela cadde dal tavolo. ♣ **fall apart** andare a pezzi *(anche fig.).* ♣ **fall back** retrocedere, ritirarsi. ♣ **fall behind** rimanere indietro. ♣ **fall for** 1 innamorarsi 2 farsi ingannare, abboccare *(fig.).* ♣ **fall in** crollare, cedere, sprofondare. ♣ **fall into** 1 cadere dentro 2 suddividersi in. ♣ **fall in with** 1 imbattersi in 2 accordarsi con, trovarsi d'accordo con. ♣ **fall off** 1 cadere da 2 essere in declino, in calo. ♣ **fall on** 1 gettarsi su 2 attaccare. ♣ **fall out** 1 cadere fuori da 2 litigare. ♣ **fall over** 1 cadere 2 inciampare in. ♣ **fall through** fallire, fare fiasco. ♣ **fall under** rientrare in (categoria, gruppo). ♣ **fall upon** v. **fall on**. ♣ **fall within** rientrare tra. **fall** *(sost.)* 1 caduta *(anche fig.)* 2 AE autunno 3 *(spec. pl.)* cascata, cascate.

fallen v. **fall**.

false /fɔ:ls/ *(agg.)* falso, finto || *(avv.)* falsamente.

falter /'fɔ:ltə*/ *(v.i.)* 1 barcollare 2 esitare || *(v.t.)* balbettare.

fame /feım/ *(sost.)* fama.

familiar /fə'mıljə*/ *(agg.)* 1 familiare, intimo 2 conosciuto, noto 3 consueto || *(sost.)* amico intimo.

family /'fæmılı/ *(sost.)* famiglia.

famous /'feıməs/ *(agg.)* famoso.

fan¹ /fæn/ *(sost.)* 1 ammiratore 2 SPORT tifoso.

fan² *(sost.)* 1 ventaglio 2 ventola, ventilatore.

fanatic /fə'nætık/ *(sost.)* fanatico.

fancy /'fænsı/ *(v.t.)* 1 BE desiderare, gradire 2 BE, FAM. essere attratto (sessualmente) da 3 immaginare, pensare. **fancy** *(sost.)* 1 immaginazione, fantasia 2 inclinazione, simpatia 3 voglia, capriccio || *(agg.)* 1 sofisticato, chic 2 AE di qualità.

far /fɑ:*/ *(compar.* **farther** /fɑ:ðə*/, **further** /fɜ:ðə*/, *superl.* **farthest** /fɑ:ðıst/, **furthest** /fɜ:ðıst/) *(agg.)* lontano, distante || *(avv.)* 1 lontano ❖ *so f.* finora 2 molto, parecchio ❖ *f. better* molto meglio, *by f.* moltissimo, di gran lunga.

faraway /fɑ:rə'weı/ *(agg.)* 1 lontano, distante 2 *(fig.)* assente, sognante.

fare /feə*/ *(sost.)* tariffa, *(di mezzi di trasporto)* costo del biglietto.

farewell /feə'wel/ *(sost. e inter.)* addio.

farm /fɑ:m/ *(sost.)* 1 fattoria, cascina 2 allevamento. **farm** *(v.t.)* 1 coltivare 2 allevare || *(v.i.)* 1 fare l'agricoltore 2 fare l'allevatore. **farmer** /'fɑ:mə*/ *(sost.)* 1 coltivatore, agricoltore 2 allevatore. **farming** /'fɑ:mıŋ/ *(sost.)* 1 agricoltura 2 allevamento.

fart /fɑ:t/ *(sost.)* VOLG. scoreggia.

farther /'fɑ:ðə*/ *(agg.) (compar. di* **far**) più lontano, più distante ||

(avv.) oltre, più lontano ❖ *f. on* più avanti.

farthest /'fɑːðɪst/ *(superl. di far)* *(agg. e avv.)* il più lontano.

fascism /'fæʃɪzəm/ *(sost.)* POL. fascismo.

fashion /'fæʃən/ *(sost.)* **1** modo, maniera, stile **2** moda. **fashionable** /'fæʃənəbəl/ *(agg.)* alla moda.

fast[1] /fɑːst/ *(agg.)* **1** veloce, rapido **2** *(orologio)* avanti, in anticipo **3** saldo, solido ‖ *(avv.)* **1** velocemente, rapidamente **2** saldamente, solidamente, *(addormentato, convinto)* profondamente.

fast[2] *(v.i.)* digiunare ‖ *(sost.)* digiuno.

fasten /'fɑːsən/ *(v.t.)* **1** *(bottone, cintura ecc.)* legare, allacciare **2** chiudere, serrare **3** fissare, bloccare ‖ *(v.i.)* **1** allacciarsi **2** chiudersi, serrarsi.

fat /fæt/ *(agg.)* grasso ‖ *(sost.)* grasso.

fate /feɪt/ *(sost.)* fato. **fatal** /'feɪtəl/ *(agg.)* fatale.

father /'fɑːðə*/ *(sost.)* **1** padre **2** *(pl.)* gli antenati.

father-in-law /'fɑːðərɪnlɔː/ *(sost.)* suocero.

faucet /'fɔːsɪt/ *(sost.)* AE rubinetto.

fault /fɔːlt/ *(sost.)* **1** errore, colpa ❖ *it is my f.* è colpa mia **2** difetto, imperfezione **3** GEOL. faglia **4** TENNIS fallo. **fault** *(v.t.)* disapprovare, biasimare.

favour, AE **favor** /'feɪvə*/ *(sost.)* **1** favore, benevolenza **2** *(azione)* favore, cortesia. **favour**, AE **favor** *(v.t.)* **1** favorire, aiutare **2** preferire, prediligere.

favourite, AE **favorite** /'feɪvərɪt/ *(agg.)* preferito ‖ *(sost.)* favorito, prediletto.

fear /fɪə*/ *(sost.)* paura, timore. **fear** *(v.t.)* temere, aver paura di ‖ *(v.i.)* aver paura, avere timore.

feasible /'fiːzəbəl/ *(agg.)* fattibile, realizzabile.

feather /'feðə*/ *(sost.)* penna, piuma.

feature /'fiːtʃə*/ *(sost.)* **1** caratteristica, tratto distintivo **2** *(pl.)* lineamenti, fattezze, fisionomia **3** CINEM., TEATR., TV servizio speciale, approfondimento. **feature** *(v.t.)* **1** essere caratterizzato da, dotato di **2** CINEM., TEATR., TV avere un ruolo importante **3** CINEM., TEATR., TV avere come protagonista ‖ *(v.i.)* comparire, avere una parte (importante) *(anche CINEM., TEATR.).*

February /'februərɪ/ *(sost.)* febbraio.

fed v. feed.

federal /'fedərəl/ *(agg.)* federale. **federalism** /'fedərəlɪzəm/ *(sost.)* POL. federalismo.

fed up /fed'ʌp/ *agg.* fam. stufo, che non ne pu- pi .

fee /fiː/ *(sost.)* **1** tariffa, onorario **2** tassa (di iscrizione, ingresso ecc.).

feeble /'fiːbəl/ *(agg.)* **1** debole, fiacco **2** poco efficace **3** *(luce, suono)* fioco, fievole.

feed ❖ /fiːd/ *(v.t.)* **1** nutrire, cibare, dare da mangiare a **2** *(fig.)* alimentare, tener vivo **3** TECN. rifornire, alimentare ‖ **1** *(di neonati)* mangiare, *(di animali)* pascolare **2** *(fig.)* essere alimentato, nutrirsi. ♣ **feed in** INFORM. caricare dati. ♣ **feed up** nutrire bene, *(animali)* far ingrassare. **feed** *(sost.)* **1** alimentazione, nutrimento **2** *(di animali)* pastura, pascolo **3** TECN. alimentazione.

feel ♦ /fiːəl/ (v.t.) 1 (al tatto) sentire 2 sentire, percepire, provare sensazioni || (v.i.) 1 sentire, provare 2 (al tatto) sembrare, dare l'impressione di. ♣ feel up to sentirsi (in grado) di. feel (sost.) tatto, sensazione (tattile). feeling /ˈfiːəlɪŋ/ (sost.) 1 sensazione, senso 2 sensazione, impressione, presentimento 3 opinione || (agg.) sensibile.

feet v. foot.

feign /feɪn/ (v.t.) fingere || (v.i.) fingersi.

feisty /ˈfiːstɪ/ (agg.) FAM., AE 1 irascibile 2 agitato.

feline /ˈfiːlaɪn/ (agg. e sost.) ZOOL. felino (anche fig.).

fell v. fall.

fellow /ˈfeləʊ/ (sost.) 1 FAM. persona, individuo, tipo 2 compagno, socio 3 (di associazione) membro || (agg.) simile, uguale ♦ f. citizen concittadino.

felony /ˈfelənɪ/ (sost.) DIR. crimine.

felt-tip pen /ˈfelttɪpˈpen/ (sost.) pennarello.

female /ˈfiːmeɪl/ (agg.) femminile, di sesso femminile || (sost.) femmina.

feminine /ˈfemɪnɪn/ (agg.) femminile.

feminism /ˈfemɪnɪzəm/ (sost.) femminismo.

femur /ˈfiːmə*/ (sost.) ANAT. femore.

fence /fens/ (sost.) 1 recinto, staccionata ♦ to sit on the f. (fig.) rimanere neutrale 2 FAM. ricettatore. fence (v.t.) cintare, recintare || (v.i.) 1 SPORT tirare di scherma 2 (fig.) (cercare di) eludere, tracheggiare. fencing /ˈfensɪŋ/ (sost.) SPORT scherma.

fender /ˈfendə*/ (sost.) AE parafango.

fennel /ˈfenəl/ (sost.) BOT. finocchio.

ferry /ˈferɪ/ (sost.) MAR. traghetto.

fertile /ˈfɜːtaɪl/ (agg.) fertile, fecondo. fertilize /ˈfɜːtəlaɪz/ (v.t.) fertilizzare, BIOL. fecondare.

fervour, AE fervor /ˈfɜːvə*/ (sost.) fervore.

festival /ˈfestɪvəl/ (sost.) 1 festa, festività 2 TEATR., CINEM., ARTE festival.

fetch /fetʃ/ (v.t.) andare a prendere.

fetish /ˈfetɪʃ/ (sost.) 1 feticcio 2 (fig.) mania, fissazione.

fever /ˈfiːvə*/ (sost.) febbre.

few /fjuː/ (determinante pl.) 1 pochi 2 alcuni, qualche || (pron. e sost. pl.) 1 pochi 2 ♦ a f. alcuni.

fibre, AE fiber /ˈfaɪbə*/ (sost.) 1 BIOL., BOT., IND. fibra 2 (fig.) fibra, costituzione.

fiddle /ˈfɪdəl/ (sost.) MUS. strumento ad arco, FAM. violino.

fidget /ˈfɪdʒɪt/ (v.i.) FAM. agitarsi, innervosirsi.

field /ˈfiːəld/ (sost.) 1 campo (anche SPORT, FIS.) 2 (fig.) campo, settore.

fierce /fɪəs/ (agg.) 1 feroce, crudele 2 (fig.) aspro, accanito, tenace.

fig /fɪg/ (sost.) BOT. fico.

fight ♦ /faɪt/ (v.t.) 1 combattere 2 litigare || (v.i.) combattere, battersi. ♣ fight back reagire, contrattaccare. ♣ fight down reprimere, soffocare. ♣ fight off respingere, scacciare. ♣ fight on continuare a combattere. ♣ fight out risolvere una questione combattendo. ♣ fight over disputarsi qualcosa. fight (sost.) 1 combattimento, lotta 2 litigio 3 SPORT (di boxe, lotta ecc.) incontro.

figure 118 fire

figure /'fɪgə*/ *(sost.)* **1** figura *(anche fig.)* ✧ **to cut a poor f.** fare una brutta figura **2** MAT. cifra, numero. **figure** *(v.t.)* **1** raffigurare **2** AE immaginare, ritenere || *(v.i.)* **1** apparire, figurare **2** FAM. quadrare. ✦ **figure on 1** contare su **2** prevedere. ✦ **figure out 1** capire *(problema)* risolvere.

file[1] /'faɪəl/ *(sost.)* lima. **file** *(v.t.)* limare *(anche fig.)*.

file[2] *(sost.)* **1** schedario, archivio **2** dossier, scheda, fascicolo **3** INFORM. documento, file. **file** *(v.t.)* **1** schedare, archiviare **2** DIR. presentare, intentare.

fill /fɪl/ *(v.t.)* **1** riempire, colmare **2** *(carica, ruolo ecc.)* occupare, ricoprire. ✦ **fill in** riempire, compilare. ✦ **fill out 1** rimpolpare, ampliare **2** riempire, compilare. ✦ **fill up** riempire, riempirsi, colmare, AUT. *(di benzina)* fare il pieno. **fill** *(sost.)* sazietà.

film /fɪlm/ *(sost.)* **1** pellicola, strato sottile **2** FOT. pellicola, rullino **3** CINEM. film. **film** *(v.t.)* **1** coprire con una pellicola **2** CINEM. filmare, girare un film. **filmy** /'fɪlmɪ/ *(agg.)* sottile, trasparente.

filter /'fɪltə*/ *(sost.)* filtro *(anche FOT., INFORM., TECN.)*. **filter** *(v.t.)* filtrare, passare al filtro || *(v.i.)* **1** filtrare **2** *(fig.)* trapelare.

filthy /'fɪlθɪ/ *(agg.)* sporco, schifoso *(anche fig.)*.

fin /fɪn/ *(sost.)* **1** ZOOL. pinna natatoria **2** AE pinna *(per nuotare)*.

final /'faɪnəl/ *(agg.)* finale || *(sost.)* **1** finale, ultimo **2** *(scuola, università)* esame finale.

finally /'faɪnəlɪ/ *(avv.)* **1** alla fine, infine **2** definitivamente.

finance /'faɪnæns, AE /'fɪnæns/ *(sost.)* **1** finanza, attività finanziaria **2** *(pl.)* finanze, denaro a disposizione. **finance** *(v.t.)* finanziare. **financial** /faɪ'nænʃəl/ *(agg.)* finanziario.

find ✦ /faɪnd/ *(v.t.)* **1** trovare, ritrovare, scoprire *(anche fig.)* **2** considerare. ✦ **find out 1** scoprire, rendersi conto di **2** cogliere in flagrante, in fallo. **find o.s.** *(v.pron.)* ritrovarsi a, sorprendersi a. **find** *(sost.)* scoperta.

fine[1] /faɪn/ *(agg.)* **1** bello, di buona qualità **2** fine, sottile **3** *(fig.)* sottile, acuto || *(avv.)* bene.

fine[2] *(sost.)* multa, ammenda. **fine** *(v.t.)* multare.

finger /'fɪŋgə*/ *(sost.)* **1** ANAT. dito (della mano) **2** *(quantità)* dito. **fingernail** /'fɪŋgəneɪl/ *(sost.)* unghia (della mano). **fingerprint** /'fɪŋgəprɪnt/ *(sost.)* impronta digitale.

finish /'fɪnɪʃ/ *(v.t.)* **1** finire, terminare **2** rifinire, perfezionare || *(v.i.)* finire, terminare. ✦ **finish off 1** rifinire, dare il tocco finale a **2** finire, esaurire **3** finire, uccidere. ✦ **finish up** finire, ritrovarsi, andare a finire. ✦ **finish with** troncare con, farla finita con. **finish** *(sost.)* **1** fine, conclusione **2** rifinitura. **finished** /'fɪnɪʃt/ *(agg.)* **1** finito **2** rifinito.

Finn /fɪn/ *(sost.)* finlandese.

Finnish /'fɪnɪʃ/ *(agg. e sost.)* finlandese, finnico.

fire /'faɪə*/ *(sost.)* **1** fuoco **2** incendio **3** stufa **4** MIL. tiro, fuoco **5** *(fig.)* fuoco, ardore, passione. **fire** *(v.t.)* **1** dar fuoco a, incendiare **2** sparare, tirare **3** FAM. licenziare **4** *(fig.)* accendere, infiammare, eccitare || *(v.i.)* **1** prender fuoco, incendiarsi **2** sparare *(anche fig.)*, far fuoco ✦ FAM. *f. away* parla pure, dimmi **3** *(fig.)* infiammarsi, eccitarsi **4** TECN. *(motore)* accendersi.

fire brigade /'faɪəbrɪgeɪd/ *(sost.)* BE vigili del fuoco, pompieri.

firefighter /'faɪəfaɪtə*/ *(sost.)* pompiere.

fireman /'faɪəmən/ *(pl.* **firemen**) *(sost.)* vigile del fuoco.

fireplace /'faɪəpleɪs/ *(sost.)* caminetto.

firework /'faɪəwɜːk/ *(sost.)* fuoco d'artificio *(anche fig.)*.

firm[1] /fɜːm/ *(agg.)* **1** solido **2** saldo, stabile **3** deciso, forte. **firm** *(v.t.)* **1** consolidare, stabilizzare **2** AGR. rassodare || *(v.i.)* consolidarsi, stabilizzarsi. ✦ **firm up 1** *(muscoli ecc.)* rassodare **2** confermare. **firmly** /'fɜːmlɪ/ *(avv.)* **1** fermamente **2** stabilmente.

firm[2] *(sost.)* COMM. ditta, società.

first /fɜːst/ *(agg. num. ord.)* primo || *(avv.)* **1** per primo, innanzi tutto **2** per la prima volta **3** inizialmente || *(s.)* **1** *(persona, cosa)* il primo, la prima **2** principio, inizio.

firth /fɜːθ/ *(sost.)* GEOGR. **1** estuario **2** fiordo.

fish /fɪʃ/ *(sost.)* ZOOL. pesce. **fish** *(v.t. / v.i.)* pescare. ✦ **fish for 1** andare a pesca, pescare **2** FAM. *(informazioni, complimenti ecc.)* cercare di ottenere. ✦ **fish out / up** ripescare, cavare, tirar fuori. **fishing** /'fɪʃɪŋ/ *(agg.)* da pesca, per la pesca || *(sost.)* pesca.

fit[1] /fɪt/ *(agg.)* **1** adatto, capace **2** in forma, in buona salute || *(s.)* *(di indumento)* vestibilità, misura. **fit** ✦ *(v.t.)* **1** adattarsi a, andar bene a

2 accordarsi con, conciliarsi con **3** FORM. rendere idoneo, preparare **4** installare, montare || *(v.i.)* **1** *(scarpe, vestiti ecc.)* andar bene, calzare, vestire, stare **2** accordarsi, combaciare. ✦ **fit in(to) 1** far entrare, infilare **2** inserirsi, ambientarsi. ✦ **fit out** equipaggiare, rifornire.

fit[2] *(sost.)* attacco, accesso.

fix /fɪks/ *(v.t.)* **1** fissare *(anche fig.)*, fermare, attaccare **2** stabilire, fissare **3** FAM. sistemare, provvedere a **4** FAM. aggiustare, riparare **5** FAM. truccare, alterare. ✦ **fix on** fissare, attaccare. ✦ **fix up** FAM. sistemare, riparare. **fix** *(sost.)* FAM. **1** difficoltà, pasticcio **2** imbroglio, trucco **3** SL. *(di droga)* dose. **fixed** /fɪkst/ *(agg.)* **1** fisso, immobile **2** stabilito, fissato **3** FAM. truccato, alterato.

flabbergasted /'flæbəgɑːstɪd/ *(agg.)* FAM. sbalordito.

flag[1] /flæg/ *(sost.)* bandiera. **flag** ✦ *(v.t.)* **1** segnalare (con bandiere) **2** ornare con bandiere.

flag[2] *(v.i.)* affievolirsi, indebolirsi.

flair /fleə*/ *(sost.)* **1** talento, fiuto **2** carisma, fascino.

flake /fleɪk/ *(sost.)* **1** *(di neve, cereali ecc.)* fiocco **2** scaglia, lamella.

flamboyant /flæm'bɔɪənt/ *(agg.)* **1** vistoso, sgargiante **2** ostentato.

flame /fleɪm/ *(sost.)* **1** fiamma **2** INFORM. messaggio provocatorio durante una chat su Internet, flame. **flame** *(v.i.)* **1** fiammeggiare, ardere **2** *(fig.)* infiammarsi **3** splendere.

flank /flæŋk/ *(sost.)* fianco, lato.

flap /flæp/ *(v.t.)* **1** battere le ali **2** sbattere, sventolare || *(v.t.)* *(ali, mani ecc.)* agitare, sbattere. **flap**

flare /fleə*/ (sost.) 1 (di cappello) lembo, tesa, (di busta ecc.) linguetta 2 colpo leggero, colpetto 3 AER. flap, deflettore.

flare /fleə*/ (sost.) 1 luce tremolante 2 bagliore, vampata 3 razzo (di segnalazione), segnale luminoso.

flare (v.i.) 1 ardere, bruciare 2 sfolgorare, scintillare 3 svasarsi, allargarsi. ♣ **flare up** 1 prendere fuoco, infiammarsi (anche fig.) 2 scoppiare, esplodere 3 (malattia) ripresentarsi.

flared /fleəd/ (agg.) svasato.

flash /flæʃ/ (v.i.) 1 lampeggiare, brillare 2 sfrecciare, spostarsi velocemente II (v.t.) proiettare, illuminare. **flash** /flæʃ/ (sost.) 1 bagliore, lampo (anche fig.) 2 occhiata, rapido sguardo 3 RAD., TV notizia in breve, flash 4 FOT. flash II (agg.) FAM. vistoso. **flasher** /flæʃə*/ (sost.) 1 lampeggiatore, luce intermittente 2 FAM. esibizionista.

flashy /flæʃi/ (agg.) vistoso, appariscente.

flashlight /flæʃlaɪt/ (sost.) 1 (spec. AE) torcia elettrica 2 FOT. flash.

flask /flɑːsk/ (sost.) fiasca, borraccia.

flat[1] /flæt/ (agg.) 1 piatto, piano, liscio 2 (fig.) netto, secco 3 (fig.) scialbo, monotono 4 (bibita ecc.) privo di effervescenza, (batteria) scarico, (pneumatico) sgonfio II (avv.) 1 assolutamente, completamente 2 FAM. esattamente 3 in posizione orizzontale II (sost.) 1 superficie piana 2 pianura. **flatly** /flætli/ (avv.) 1 decisamente, nettamente 2 in modo piatto, in modo scialbo.

flat[2] (sost.) BE appartamento.

flatten /flætən/ (v.t.) 1 appiattire, rendere piatto 2 abbattere, mettere a terra, stendere 3 (fig.) abbattere, deprimere II (v.i.) 1 appiattirsi 2 (fig.) deprimersi. ♣ **flatten out** 1 spianare 2 livellarsi, stabilizzarsi.

flatter /flætə*/ (v.t.) adulare, lusingare.

flavour, AE **flavor** /fleɪvə*/ (sost.) gusto, sapore. **flavour**, AE **flavor** (v.t.) aromatizzare, insaporire. **flavouring**, AE **flavoring** /fleɪvərɪŋ/ (sost.) aroma.

flaw /flɔː/ (sost.) pecca, difetto, imperfezione. **flawless** /flɔːləs/ (agg.) senza difetti, impeccabile.

flaxen /flæksən/ (agg.) (capelli) biondo chiaro.

flea /fliː/ (sost.) ZOOL. pulce.

fleck /flek/ (sost.) macchiolina, chiazza.

fled v. **flee**.

flee ♦ /fliː/ (v.t.) fuggire da, abbandonare II (v.i.) fuggire, darsi alla fuga.

fleece /fliːs/ (sost.) 1 vello 2 ABBIGL. pile.

fleet /fliːt/ (sost.) MAR. flotta.

fleeting /fliːtɪŋ/ (agg.) fugace, passeggero.

flesh /fleʃ/ (sost.) 1 carne 2 (di frutta, verdura) polpa.

flew v. **fly**[2].

flexible /fleksəbəl/ (agg.) pieghevole, flessibile (anche fig.).

flick /flɪk/ (v.t.) 1 dare un buffetto con una mano 2 dare un colpo di frusta II (v.i.) muoversi rapidamente, a scatti. ♣ **flick through** (libro ecc.) scorrere, sfogliare.

flicker /flɪkə*/ (v.i.) 1 tremolare 2 guizzare. **flicker** (sost.) 1 tremolio, fremito 2 guizzo.

flier /flaɪə*/ (sost.) volantino.

flight /flaɪt/ (sost.) **1** volo (anche fig.) **2** (di uccelli) stormo **3** fuga **3** rampa.

fling ♦ /flɪŋ/ (v.t.) gettare, lanciare. **fling** (sost.) FAM. avventura amorosa.

flip ◊ /flɪp/ (v.t.) **1** colpire con un buffetto, muovere con un piccolo colpo **2** rigirare **3** lanciare (con un rapido movimento). **♣ flip over 1** girare, girarsi **2** rovesciare, rovesciarsi, capovolgersi. **♣ flip through** FAM. sfogliare, dare una scorsa a.

flirt /flɜːt/ (v.i.) amoreggiare, flirtare.

float /fləʊt/ (v.i.) **1** fluttuare **2** galleggiare, stare a galla **3** lasciarsi trascinare dalla corrente ‖ (v.t.) far galleggiare. **♣ float around 1** andare in giro **2** circolare, diffondersi. **float** (sost.) galleggiante, MAR. piattaforma galleggiante.

flock /flɒk/ (sost.) **1** gregge, stormo **2** RELIG. fedeli **3** (fig.) folla.

flood /flʌd/ (sost.) **1** inondazione, alluvione **2** (di marea) flusso **3** (fig.) diluvio, fiume, piena. **flood** (v.t.) inondare, sommergere (anche fig.) ‖ (v.i.) **1** inondarsi, allagarsi **2** straripare **3** (fig.) riversarsi. **♣ flood in** affluire in grande quantità. **♣ flood out** riversarsi fuori, scappare precipitosamente. **flooding** /ˈflʌdɪŋ/ (sost.) inondazione.

floor /flɔː*/ (sost.) **1** pavimento **2** (di edificio) piano **3** pista da ballo.

flop /flɒp/ (v.i.) **1** FAM. fallire, fare fiasco **2** lasciarsi cadere (su ql.sa). **flop** (sost.) **1** tonfo **2** FAM. fiasco, insuccesso.

floss /flɒs/ (sost.) seta da ricamo ♦ dental f. filo interdentale.

flour /ˈflaʊə*/ (sost.) farina.

flourish /ˈflʌrɪʃ/ (v.i.) fiorire, essere rigoglioso ‖ (v.t.) brandire, agitare, (fig.) ostentare.

flow /fləʊ/ (v.i.) scorrere, fluire. **flow** (sost.) (solo sing.) corrente, (di acqua) corso, flusso (anche fig.).

flower /ˈflaʊə*/ (sost.) **1** fiore **2** (fig.) (fior) fiore, parte migliore. **flower** (v.i.) fiorire (anche fig.).

flowerpot /ˈflaʊəpɒt/ (sost.) vaso da fiori.

flown v. fly².

flu /fluː/ (sost.) FAM. (malattia) influenza.

fluctuate /ˈflʌktjʊeɪt/ (v.i.) oscillare (anche fig.). **fluctuation** /flʌktjʊˈeɪtʃən/ (sost.) oscillazione, variazione.

fluency /ˈfluːənsɪ/ (sost.) (di linguaggio, stile ecc.) fluidità, scorrevolezza.

fluent /ˈfluːənt/ (agg.) **1** (linguaggio) fluente, scorrevole **2** (persona) che parla e scrive correttamente una lingua (straniera) ❖ he's f. in English parla correntemente l'inglese **3** (stile ecc.) scorrevole, fluido, sciolto.

fluffy /ˈflʌfɪ/ (agg.) soffice.

fluid /ˈfluːɪd/ (agg.) **1** fluido **2** (fig.) fluido, instabile, mutevole ‖ (sost.) fluido.

fluke /fluːk/ (sost.) colpo di fortuna.

flung v. fling.

flush¹ /flʌʃ/ (v.i.) arrossire, avvampare ‖ (v.t.) **1** far scorrere **2** lavare con un getto d'acqua ❖ to f. the toilet tirare lo sciacquone. **flush** (sost.) **1** getto d'acqua **2** sciacquone **3** vampa, rossore improvviso **4** (fig.) impeto, scoppio **5** (fig.) ebbrezza.

flush² *(agg.)* **1** a livello, rasente **2** FAM. ricco, fornito (di denaro).

fluster /'flʌstə*/ *(v.t.)* agitare, innervosire, agitarsi. **fluster** *(sost.)* eccitazione, agitazione.

flute /fluːt/ *(sost.)* MUS. flauto.

flutter /'flʌtə*/ *(v.i.)* **1** fluttuare, ondeggiare **2** MED. *(cuore)* battere irregolarmente **3** *(fig.)* agitarsi, eccitarsi ‖ *(v.t.)* agitare, *(ali)* battere.

fly¹ /flaɪ/ *(sost.)* ZOOL. mosca.

fly² ♦ *(v.i.)* volare *(anche fig.)* ‖ *(v.t.)* **1** far volare **2** *(aereo)* pilotare **3** attraversare in aereo. ♣ **fly off** decollare, volare via. ♣ **fly out** partire in aereo, trasportare in aereo. **flying** /flaɪŋ/ *(agg.)* volante ♦ *f. saucer* disco volante.

foam /fəʊm/ *(sost.)* schiuma ♦ *f. rubber* gommapiuma. **foam** *(v.i.)* **1** spumeggiare **2** schiumare.

focus /'fəʊkəs/ *(pl.* **focuses** /'fəʊkəsɪz/, **foci** /'fəʊsaɪ/ *(sost.)* GEOM., FIS., FOT. fuoco. **focus** *(v.t.)* focalizzare, mettere a fuoco *(anche* FOT.*)*. ♣ **focus on** convergere, concentrarsi (su).

fog /fɒg/ *(sost.)* nebbia *(anche fig.)*. **fog** ♦ *(v.t.)* **1** annebbiare, appannare **2** *(fig.)* confondere ‖ *(v.i.)* annebbiarsi.

foil /'fɔɪl/ *(sost.)* foglio di metallo, lamina ♦ *aluminium f.* foglio di alluminio (per alimenti).

fold¹ /'fəʊld/ *(sost.)* ovile *(anche fig.)*.

fold² *(v.t.)* **1** piegare **2** avvolgere **3** ripiegare, richiudere ‖ *(v.i.)* piegarsi, essere pieghevole. ♣ **fold away** chiudere, chiudersi (piegando). ♣ **fold up 1** piegare, chiudere (piegando), piegarsi, essere pieghevole **2** FAM. *(rif. a impresa commerciale)* chiudere l'attività, fallire.

fold *(sost.)* piega, piegatura. **folding** /'fəʊldɪŋ/ *(agg.)* pieghevole.

folk /fəʊk/ *(sost.)* **1** gente ‖ popolo, nazione ‖ *(agg.)* popolare.

follow /'fɒləʊ/ *(v.t.)* **1** seguire, andare dietro a **2** venire dopo **3** seguire, capire **4** tenersi informato su **5** inseguire, perseguire ‖ *(v.i.)* **1** seguire, venire successivamente **2** risultare, derivare. ♣ **follow on 1** sussequirsi **2** continuare **3** risultare, derivare. ♣ **follow through** portare a termine, seguire fino in fondo. ♣ **follow up 1** indagare, andare a fondo di **2** *(un pagamento)* seguire **3** far seguire. **following** /'fɒləʊɪŋ/ *(agg.)* seguente, successivo ‖ *(sost.)* seguito, seguaci ‖ *(prep.)* dopo, successivamente.

follow-up /'fɒləʊʌp/ *(sost.)* **1** azione supplementare **2** lettera di sollecito **3** MED. (periodo di) osservazione, controllo **4** *(di articolo ecc.)* seguito, continuazione.

fond /fɒnd/ *(agg.)* **1** appassionato **2** affettuoso, tenero.

food /fuːd/ *(sost.)* alimento, cibo, nutrimento *(anche fig.)*.

fool /fuːl/ *(sost.)* **1** sciocco, stupido **2** ST. buffone (di corte). **fool** *(v.t.)* ingannare, truffare ‖ *(v.i.)* scherzare. ♣ **fool about / around 1** fare lo sciocco (per divertimento), trastullarsi **2** AE, FAM. avere rapporti sessuali occasionali o adulterini. **foolish** /'fuːlɪʃ/ *(agg.)* sciocco, insensato, assurdo.

foot /fʊt/ *(pl.* **feet** /fiːt/*) (sost.)* **1** piede *(anche fig.)* **2** *(unità di misura)* piede.

football /'fʊtbɔːl/ *(sost.)* SPORT **1** pallone (da calcio) **2** gioco del calcio, AE football americano.

footloose /'fʊtluːs/ (agg.) libero, senza legami.

for /fɔː*/ (prep.) **1** (termine) per **2** (scopo) per, a, al fine di **3** (causa) per, a causa di **4** (tempo) per, da, durante **5** (moto a luogo) per, alla volta di **6** per, a favore di **7** malgrado, nonostante || (cong.) poiché, perché.

forbade v. forbid.

forbid ♦ /fə'bɪd/ (v.t.) vietare, proibire. **forbidden** /fə'bɪdən/ (agg.) proibito, vietato.

force /fɔːs/ (sost.) **1** forza (anche fig.) ♦ in f. in vigore **2** MIL. corpo militare. **force** (v.t.) **1** forzare **2** costringere (a).

ford /fɔːd/ (sost.) guado.

forearm /'fɔːrɑːm/ (sost.) ANAT. avambraccio.

forecast (sost.) pronostico, previsione ♦ weather f. previsioni del tempo.

forefinger /'fɔːfɪŋgə*/ (sost.) ANAT. (dito) indice.

forehead /'fɔːhed/ (sost.) ANAT. fronte.

foreign /'fɒrən/ (agg.) **1** straniero, estero **2** FORM. estraneo.

forename /'fɔːneɪm/ (sost.) nome di battesimo.

foresaw v. foresee.

foresee ♦ /fɔː'siː/ (v.t.) prevedere.

foreseen v. foresee.

forest /'fɒrɪst/ (sost.) foresta, bosco (anche fig.).

forever, for ever /fər'evə*/ (avv.) **1** per sempre **2** senza sosta, continuamente.

forgave v. forgive.

forget ♦ /fə'get/ (v.t.) dimenticare, non ricordare || (v.i.) dimenticarsi, non ricordarsi.

forgive ♦ /fə'gɪv/ (v.t.) perdonare, condonare. **forgiving** /fə'gɪvɪŋ/ (agg.) clemente, indulgente.

forgot v. forget.

forgotten v. forget.

fork /fɔːk/ (sost.) **1** forchetta **2** AGR. forcone **3** biforcazione, bivio **4** forcella **5** MUS. diapason.

form /fɔːm/ (sost.) **1** forma, figura **2** forma, tipo **3** forma (fisica) **4** modulo, scheda. **form** (v.t.) **1** formare (anche fig.) **2** disporre, organizzare || (v.i.) **1** formarsi (anche fig.) **2** disporsi (anche MIL.).

formal /'fɔːməl/ (agg.) formale, cerimonioso ♦ f. dress abito da cerimonia.

format /'fɔːmæt/ (sost.) formato, struttura. **format** ♦ (v.t.) INFORM. formattare.

former /'fɔːmə*/ (agg.) **1** primo (di due) ♦ the f. and the latter il primo e il secondo **2** anteriore, precedente. **formerly** /'fɔːməlɪ/ (avv.) precedentemente, in passato.

formula /'fɔːmjʊlə/ (pl. **formulae** /'fɔːmjuliː/, **formulas**) (sost.) **1** formula (anche CHIM., MAT., fig.) **2** latte artificiale (per bambini).

forthcoming /fɔːθ'kʌmɪŋ/ (agg.) **1** imminente, prossimo **2** disponibile, pronto **3** (fig.) cordiale, socievole.

fortnight /'fɔːtnaɪt/ (sost.) BE due settimane, quindici giorni.

fortress /'fɔːtrəs/ (sost.) MIL. fortezza (anche fig.).

fortune /'fɔːtʃən/ (sost.) fortuna, sorte.

forward /'fɔːwəd/ (avv.) (anche **forwards**) (in) avanti || (agg.) verso l'avanti. **forward** (v.t.) inoltrare.

foster /'fɒstə*/ (v.t.) **1** allevare, prendersi cura di ♦ to f. a child

DIR. avere un bambino in affidamento **2** incoraggiare, favorire.

fought v. fight.

foul /faʊl/ (agg.) **1** sporco, schifoso **2** (fig.) orribile, osceno **3** (tempo atmosferico) pessimo **4** sleale, disonesto ‖ (sost.) SPORT fallo.

found v. find.

found /faʊnd/ (v.t.) **1** fondare, istituire **2** fondare, basare (anche fig.).

foundation /faʊnˈdeɪʃən/ (sost.) **1** fondazione, istituzione **2** (pl.) EDIL. fondamenta (anche fig.) **3** (fig.) fondamento.

fountain /ˈfaʊntɪn/ (sost.) fontana.

four-letter word /fɔːletəˈwɜːd/ (sost.) FAM. parolaccia.

fowl(s) /faʊl/ (pl. **fowls**) /faʊls/ (sost.) pollo, gallina, pollame.

fox /fɒks/ (sost.) ZOOL. volpe.

fraction /ˈfrækʃən/ (sost.) frazione (anche MAT.).

fracture /ˈfræktʃə*/ (sost.) frattura.

fragile /ˈfrædʒaɪəl/ (agg.) fragile, delicato.

fragment /ˈfrægmənt/ (sost.) frammento.

fragrance /ˈfreɪgrəns/ (sost.) fragranza, profumo.

frail /freɪəl/ (agg.) debole, fragile.

frame /freɪm/ (sost.) **1** struttura, ossatura **2** (di quadro) cornice, (di occhiali) montatura ❖ the f. of a building la struttura di un edificio **3** CINEM., FOT. fotogramma, TV quadro.

framework /ˈfreɪmwɜːk/ (sost.) struttura (anche fig.), armatura.

frank /fræŋk/ (agg.) franco, schietto.

fraternity /frəˈtɜːnətɪ/ (sost.) **1** FORM. fratellanza **2** RELIG. confraternita **3** AE confraternita di studenti.

fraud /frɔːd/ (sost.) **1** frode, truffa **2** FAM. truffatore, impostore.

freak /friːk/ (sost.) **1** essere deforme, mostro **2** FAM. fanatico ‖ (agg.) anomalo, inconsueto.

freak out (v.i.) FAM. perdere il controllo ‖ (v.t.) FAM. far andare fuori di testa.

freckle /ˈfrekəl/ (sost.) lentiggine.

free /friː/ (compar. **freer** /friːə*/, superl. **freest** /friːɪst/) (agg.) **1** libero **2** non occupato, non impegnato **3** gratuito.

freedom /ˈfriːdəm/ (sost.) libertà.

free kick /ˈfriːkɪk/ (sost.) SPORT (calcio) di punizione.

freelance /ˈfriːlɑːns/ (agg.) (professionista) indipendente ‖ (sost.) collaboratore esterno, freelance.

freely /ˈfriːlɪ/ (avv.) liberamente.

freeway /ˈfriːweɪ/ (sost.) AE autostrada senza pedaggio, superstrada.

freeze ♦ /friːz/ (v.i.) **1** gelare (anche fig.) **2** (fig.) fermarsi di colpo, bloccarsi ‖ (v.t.) congelare, gelare (anche fig.). ♣ **freeze out** FAM. tagliare fuori, escludere. ♣ **freeze over** coprirsi di ghiaccio, gelare. **freeze-dried** /ˈfriːzdraɪd/ (agg.) liofilizzato. **freezer** /ˈfriːzə*/ (sost.) congelatore, freezer.

freight /freɪt/ (sost.) COMM. carico, trasporto (di merci).

French /frenʃ/ (agg. e sost.) francese ❖ the F. i francesi.

frenzy /ˈfrenzɪ/ (sost.) frenesia.

frequent /ˈfriːkwənt/ (agg.) frequente. **frequently** /ˈfriːkwəntlɪ/ (avv.) frequentemente, spesso.

fresh /freʃ/ (agg.) **1** fresco, nuovo **2** (aria ecc.) fresco, puro. **freshen** /ˈfreʃən/ (v.t.) rinfrescare ‖ (v.i.) (di vento) rinforzarsi. ♣ **freshen up**

rinfrescare, rinfrescarsi. **freshly** /'freʃlɪ/ (avv.) appena, recentemente. **fresher** /'freʃə*/ (sost.) BE matricola (universitaria).

freshman /'freʃmən/ (pl. **freshmen**) (sost.) AE matricola (universitaria).

fret /fret/ (v.t.) inquietare ‖ (v.i.) agitarsi.

friar /'fraɪə*/ (sost.) RELIG. frate.

Friday /'fraɪdeɪ/ (sost.) venerdì ❖ Good F. Venerdì Santo.

fridge /frɪʤ/ (sost.) FAM. frigo, frigorifero.

friend /frend/ (sost.) amico ❖ she is a f. of mine è una mia amica. **friendly** /'frendlɪ/ (agg.) amichevole, cordiale ‖ (sost.) SPORT partita amichevole. **friendship** /'frendʃɪp/ (sost.) amicizia.

fright /fraɪt/ (sost.) paura, spavento. **frighten** /'fraɪtən/ (v.t.) spaventare, far paura a. **frightening** /'fraɪtənɪŋ/ (agg.) pauroso, spaventoso.

fringe /frɪnʤ/ (sost.) 1 frangia 2 bordo, margine.

frisky /'frɪskɪ/ (agg.) 1 saltellante 2 FAM. vivace.

frizzy /'frɪzɪ/ (agg.) crespo, (capello) riccio.

frog /frɒg/ (sost.) ZOOL. rana.

from /frɒm/ (prep.) 1 (provenienza) da, (origine) di, con 2 (tempo) (a partire) da 3 (causa) per, (a causa) di, da.

front /frʌnt/ (agg.) davanti, anteriore ‖ (sost.) parte anteriore, facciata ❖ in f. of davanti a. **front** (v.t.) fronteggiare, guardare verso.

frontier /'frʌntɪə*/ (sost.) 1 confine, frontiera 2 (pl.) (fig.) confini, limiti.

frost /frɒst/ (sost.) gelo, brina.

froth /frɒθ/ (sost.) 1 schiuma, spuma 2 (fig.) frivolezza.

frown (v.i.) accigliarsi. ❖ **frown at** guardare (qu.no) con cipiglio.

froze v. **freeze**.

frozen /'frəʊzən/ v. **freeze** ‖ (agg.) gelato, congelato, ghiacciato, surgelato.

fruit /fruːt/ (sost.) frutto, frutta.

frustration /frʌ'streɪʃən/ (sost.) frustrazione.

fry /fraɪ/ (v.t. / v.i.) friggere. **fry** (sost.) CUC. fritto, frittura.

frying pan /'fraɪɪŋpæn/ (sost.) padella.

fuck /fʌk/ (v.t.) VOLG. fottere ❖ f. off! fottiti!, vaffanculo!

fuel /'fjʊəl/ (sost.) combustibile, carburante, FAM. benzina. **fuel** ◊ (v.t.) 1 rifornire di combustibile 2 (fig.) alimentare ‖ (v.i.) rifornirsi di carburante.

fulfil, AE **fulfill** ◊ /fʊl'fɪl/ (v.t.) 1 adempiere, eseguire 2 soddisfare, appagare ❖ to f. a need soddisfare una necessità.

full /fʊl/ (agg.) 1 pieno (anche fig.) 2 intero, completo, massimo ‖ (sost.) il tutto, l'intero.

full stop /fʊl'stɒp/ (sost.) (segno di interpunzione) punto (anche fig.). **full-time** /fʊl'taɪm/ (agg. e avv.) a tempo pieno. **fully** /'fʊlɪ/ (avv.) completamente, ampiamente.

fumble /'fʌmbəl/ (v.i.) 1 brancolare 2 armeggiare.

fumes /fjuːm/ (spec. pl.) fumo, esalazione. **fume** /fjuːm/ (v.t.) emettere, esalare (fumo, vapore) ‖ (v.i.) 1 emettere fumo o vapore 2 (fig.) essere in collera.

fun /fʌn/ (sost.) divertimento.

function /'fʌŋkʃən/ (sost.) **1** funzione **2** cerimonia. **function** (v.i.) funzionare (anche fig.).

fund /fʌnd/ (sost.) **1** ECON. fondo **2** (pl.) FIN. fondi **3** (pl.) FAM. mezzi, denaro **4** (fig.) fondo, riserva. **fund** (v.t.) finanziare.

fundamental /fʌndə'mentəl/ (agg.) fondamentale || (sost.) fondamento.

fund-raising /'fʌndreɪzɪŋ/ (sost.) raccolta di fondi.

funeral /'fjuːnərəl/ (agg.) funebre || (sost.) funerale.

funfair /'fʌnfeə/ (sost.) (spec. BE) luna park.

funnel /'fʌnəl/ (sost.) **1** imbuto **2** ciminiera, fumaiolo.

funny /'fʌnɪ/ (agg.) **1** divertente, buffo **2** FAM. bizzarro, curioso.

fur /fɜː*/ (sost.) **1** ZOOL. (di animale) pelo, pelame **2** ABBIGL. ❖ f. (coat) pelliccia.

furbish /'fɜːbɪʃ/ (v.t.) rinnovare.

furious /'fjʊərɪəs/ (agg.) furioso.

furnish /'fɜːnɪʃ/ (v.t.) **1** ammobiliare, arredare **2** fornire, rifornire.

furniture /'fɜːnɪtʃə*/ (sost.) mobilio, mobili.

further /'fɜːðə*/ (agg.) (compar. di far) **1** più lontano **2** ulteriore || (avv.) **1** oltre, più lontano ❖ how much f. is it? quanto manca ancora?, f. to your letter... COMM. facendo seguito alla vostra lettera... **2** inoltre, in più.

furthest /'fɜːðɪst/ (agg.) (superl. di far) il più lontano, estremo || (avv.) alla più grande distanza, al massimo.

fury /'fjʊərɪ/ (sost.) furia, collera.

fuse¹ /fjuːz/ (v.t. / v.i.) **1** FIS., METALL. fondere, fondersi **2** (fig.) fondere, unire. **fuse** (sost.) ELETTR. fusibile.

fuse² (sost.) miccia.

fuss (v.i.) agitarsi, preoccuparsi.

fussy /'fʌsɪ/ (agg.) **1** meticoloso, pignolo **2** AE schizzinoso.

futile /'fjuːtaɪl/, AE /'fjuːtl/ (agg.) inutile, futile.

future /'fjuːtʃə*/ (agg. e sost.) futuro (anche GRAMM.).

fuzzy /'fʌzɪ/ (agg.) **1** (capelli) crespo **2** vago, indistinto, sfocato **3** INFORM. relativo alla logica fuzzy.

G

g /dʒiː/ (pl. **gs**, **g's** /dʒiːz/) (sost.) MUS. (nota) sol ❖ *G-clef* chiave di sol.

gag /gæg/ (sost.) **1** bavaglio **2** TEATR. battuta.

gain/geɪn/ (v.t. / v.i.) **1** guadagnare, ottenere **2** acquistare, aumentare, (orologio) correre. ❖ **gain on** guadagnare terreno su. **gain** (sost.) **1** guadagno **2** aumento **3** vantaggio, miglioramento.

galaxy /'gæləksɪ/ (sost.) ASTRON. galassia (anche fig.).

gallery /'gælərɪ/ (sost.) **1** galleria (anche ARCH.) **2** TEATR. galleria, loggione.

gallon /'gælən/ (sost.) (misura) gallone.

gallop /'gæləp/ (v.t.) galoppare, andare al galoppo.

gamble /'gæmbəl/ (v.i.) giocare d'azzardo, scommettere, puntare || (v.t.) scommettere, puntare (su). **gamble** (sost.) azzardo. **gambling** /'gæmblɪŋ/ (sost.) gioco d'azzardo ❖ g. den bisca clandestina.

game /geɪm/ (sost.) **1** gioco (anche fig.) **2** SPORT partita **3** cacciagione, selvaggina || (agg.) FAM. disposto, pronto (a partecipare).

gap /gæp/ (sost.) **1** spazio vuoto, interstizio, (tra alture) varco **2** vuoto, intervallo, lacuna **3** divario, scarto, gap.

gape /geɪp/ (v.i.) **1** rimanere a bocca aperta **2** spalancarsi, aprirsi. ❖ **gape at** guardare a bocca aperta.

garage /'gærɑːʒ/, AE /gə'rɑːʒ/ (sost.) **1** garage, autorimessa **2** stazione di servizio. **garage** (v.t.) mettere in garage.

garbage /'gɑːbɪdʒ/ (sost.) (spec. AE) immondizia, spazzatura (anche fig.).

garden /'gɑːdən/ (sost.) giardino ❖ kitchen g. orto domestico. **garden** (v.i.) fare giardinaggio. **gardener** /'gɑːdnə*/ (sost.) giardiniere.

gargoyle /'gɑːgɔɪl/ (sost.) ARCH. doccione.

garlic /'gɑːlɪk/ (sost.) BOT. aglio ❖ clove of g. spicchio d'aglio.

garment /'gɑːmənt/ (sost.) **1** indumento **2** (pl.) abiti.

garnish /'gɑːnɪʃ/ (v.t.) CUC. guarnire.

gas /gæs/ (pl. **gas(s)es** /'gæsɪz/) (sost.) **1** gas **2** AE, FAM. benzina ❖ g. station stazione di servizio. **gas** ❖ (v.t.) **1** AE, FAM. fare rifornimento di benzina **2** uccidere con il gas, gassare.

gasket /'gæskɪt/ (sost.) MECC. guarnizione.

gasoline /'gæsəliːn/ (sost.) AE benzina.

gasp /gɑːsp/ (v.i.) **1** respirare affannosamente, ansimare **2** (meraviglia) ecc.) rimanere senza fiato, a bocca aperta **3** BE, FAM. *to be gasping for* morire dalla voglia di. ♣ **gasp at** rimanere senza fiato per. ♣ **gasp out** farfugliare. **gasp** (*sost.*) respiro affannoso, rantolo.

gastric /'gæstrɪk/ (*agg.*) gastrico.

gastronomy /gæs'trɒnəmɪ/ (*sost.*) gastronomia.

gate /geɪt/ (*sost.*) **1** cancello, portone **2** (*in aeroporto*) cancello d'imbarco **3** entrata, accesso (*anche fig.*) **4** SPORT spettatori paganti.

gateway /'geɪtweɪ/ (*sost.*) **1** entrata, ingresso **2** (*fig.*) strada, via.

gather /'gæðə*/ (*v.t.*) **1** raccogliere **2** (*forza, velocità*) prendere, acquistare **3** (*fig.*) dedurre, capire || (*v.i.*) raccogliersi, riunirsi. ♣ **gather in** (*cereali*) fare il raccolto. **gathering** /'gæðərɪŋ/ (*sost.*) **1** riunione **2** raccolta.

gauge /geɪdʒ/ (*sost.*) **1** TECN. spessore, calibro, diametro **2** TECN. indicatore, misuratore **3** FERR. scartamento **4** metro di giudizio.

gauze /gɔːz/ (*sost.*) **1** MED. garza **2** velo.

gave v. give.

gay /geɪ/ (*agg.*) **1** gaio, vivace **2** omosessuale || (*sost.*) omosessuale, gay.

gear /gɪə*/ (*sost.*) **1** MECC. ingranaggio, meccanismo **2** AUT. marcia, cambio **3** attrezzatura (*anche* SPORT) **4** FAM. abiti, tenuta. **gear** (*v.t.*) **1** MECC. ingranare **2** attrezzare. ♣ **gear up 1** MECC. accelerare **2** prepararsi, potenziarsi || (*v.t.*) potenziare. **gearbox** /'gɪəbɒks/ (*sost.*) AUT. scatola del cambio.

geese v. goose.

gel /dʒel/ (*sost.*) CHIM., FIS., CUC. gel.

Gemini /'dʒemɪnaɪ/ (*sost.*) ASTROL. Gemelli.

gender /'dʒendə*/ (*sost.*) **1** GRAMM. genere **2** sesso.

general /'dʒenərəl/ (*agg.*) **1** generale, universale **2** generico || (*sost.*) MIL. generale. **generalization** /dʒenərəlaɪ'zeɪʃən/ (*sost.*) generalizzazione. **generalize** /'dʒenərəlaɪz/ (*v.t / v.i.*) generalizzare. **generally** /'dʒenərəlɪ/ (*avv.*) generalmente.

generate /'dʒenəreɪt/ (*v.t.*) generare, produrre. **generation** /dʒenə'reɪʃən/ (*sost.*) generazione.

generic /dʒɪ'nerɪk/ (*agg.*) generico.

generous /'dʒenərəs/ (*agg.*) generoso, abbondante.

genetic /dʒɪ'netɪk/ (*agg.*) genetico.

genial /'dʒiːnɪəl/ (*agg.*) **1** cordiale, socievole **2** (*clima*) mite.

genitals /'dʒenɪtəlz/ (*sost. pl.*) ANAT. (organi) genitali.

genius /'dʒiːnjəs/ (*pl.* **geniuses** /'dʒiːnjəsɪz/) (*sost.*) **1** genio, ingegno **2** genio, persona geniale.

genre /'ʒɒnrə/ (*sost.*) genere, specie, tipo.

gentle /'dʒentəl/ (*agg.*) **1** delicato **2** gentile, cortese **3** mite, moderato, leggero. **gently** /'dʒentlɪ/ (*avv.*) gentilmente, con delicatezza.

gentleman /'dʒentəlmən/ (*pl.* **gentlemen**) (*sost.*) **1** gentiluomo **2** signore, uomo.

gents /dʒents/ (*sost.*) BE bagno degli uomini.

genuine /'dʒenjʊɪn/ (*agg.*) **1** genuino, autentico **2** sincero, schietto. **genuinely** /'dʒenjʊɪnlɪ/ (*avv.*) sinceramente.

geography /dʒɪ'ɒgrəfɪ/ (*sost.*) geografia.

geology /dʒɪˈɒlədʒɪ/ (sost.) geologia.

geometry /dʒɪˈɒmɪtrɪ/ (sost.) geometria.

geriatric /dʒerɪˈætrɪk/ (agg.) geriatrico.

germ /dʒɜːm/ (sost.) 1 germe (anche BIOL.) 2 (fig.) principio, origine.

German /ˈdʒɜːmən/ (agg. e sost.) tedesco.

germinate /ˈdʒɜːmɪneɪt/ (v.i.) 1 BOT. germinare, germogliare 2 (fig.) nascere, svilupparsi.

gerund /dʒeˈrənd/ (sost.) GRAMM. gerundio.

gesture /ˈdʒestʃə*/ (sost.) gesto (anche fig.).

get ♦ /get/ (v.t.) 1 ottenere, procurarsi 2 prendere 3 (telefonicamente) contattare, raggiungere 4 (mezzi di trasporto) prendere 5 (telefono, campanello) rispondere 6 FAM. irritare 7 ricevere 8 far diventare, rendere 9 far fare ❖ she got him to buy it glielo ha fatto comprare 10 capire, afferrare il senso ‖ (v.i.) 1 diventare 2 andare, arrivare ❖ when do you get there? quando ci vai? 3 riuscire ❖ they didn't g. to finish their game non sono riusciti a finire la partita. ♣ get about BE. v. get around (accezioni 2 e 3). ♣ get across 1 attraversare, passare dall'altra parte 2 capire, far capire. ♣ get along 1 andare d'accordo 2 FAM. farcela, tirare avanti 3 FAM. andar via. ♣ get around 1 superare, aggirare (un ostacolo) 2 diffondersi, propagarsi 3 spostarsi. ♣ get at 1 arrivare a prendere, raggiungere 2 trovare, scoprire. ♣ get away 1 andarsene, fuggire, scappare 2 rimuove-

re. ♣ get away with passarla liscia, farla franca. ♣ get back at FAM. vendicarsi. ♣ get back to 1 ritornare 2 ricontattare. ♣ get behind rimanere indietro (anche fig.). ♣ get by 1 passare 2 farcela, tirare avanti, arrangiarsi 3 passare inosservato. ♣ get down 1 (da auto, bus ecc.) scendere 2 tirar giù, far scendere 3 abbassarsi 4 prendere appunti, prendere nota di. ♣ get down to iniziare a, mettersi a, occuparsi di. ♣ get in 1 entrare 2 arrivare 3 introdurre, inserire 4 far venire, chiamare 5 portare dentro, fare entrare. ♣ get in on prendere parte a, intromettersi in. ♣ get into 1 entrare, penetrare, (in un veicolo) salire 2 entrare in (un vestito) 3 cacciarsi (nei guai). ♣ get in with 1 avere buoni rapporti con 2 fare società con. ♣ get off 1 (da un veicolo) scendere 2 andare via, partire, uscire 3 (da cavallo, moto ecc.) smontare 4 finire di lavorare 5 FAM. passarla liscia, farla franca 6 mandare, spedire 7 togliere, levare. ♣ get off with iniziare una relazione con, mettersi con. ♣ get on 1 montare, salire 2 avanzare, fare progressi 3 invecchiare 4 farsi tardi 5 avere buoni rapporti con 6 indossare, mettersi. ♣ get on to 1 capire, comprendere 2 contattare 3 andare avanti, passare a un altro argomento. ♣ get on with 1 continuare (a fare ql.sa) 2 progredire. ♣ get out 1 uscire, andar fuori 2 partire 3 essere rilasciati, liberati 4 estrarre 5 liberare 6 far uscire. ♣ get out of 1 (da una situazione difficile) venir fuori 2 disabituarsi 3 partire 4 derivare 5 estrarre.

♣ **get over 1** passare al di là **2** comunicare **3** *(da malattia, choc)* riprendersi **4** *(difficoltà)* superare **5** trasportare. ♣ **get over with** liberarsi di, non pensare più a, farla finita con. ♣ **get round 1** arrivare **2** spargersi, diffondersi **3** FAM. viaggiare, muoversi **4** raggirare, persuadere. ♣ **get through 1** telefonare **2** giungere, arrivare **3** finire, terminare **4** passare esami **5** farcela **6** far superare **7** trasportare. ♣ **get through to 1** (far) pervenire a **2** *(telefonicamente)* contattare, comunicare (con). ♣ **get to 1** raggiungere, arrivare **2** cominciare **3** riuscire a (comunicare con qu.no). ♣ **get together 1** incontrarsi, adunarsi **2** raccogliere. ♣ **get up 1** alzarsi **2** *(vento)* aumentare **3** svegliare, far alzare **4** mettere su, organizzare. ♣ **get up to** FAM. fare, combinare.

getaway /'getəweɪ/ *(sost.)* FAM. fuga.

get-together /'gettəgeðə*/ *(sost.)* FAM. ritrovo (in famiglia, tra amici).

ghastly /'gɑːstlɪ/ *(agg.)* spaventoso, spettrale.

ghost /gəʊst/ *(sost.)* **1** spirito **2** fantasma, spettro.

giant /'dʒaɪənt/ *(agg.)* gigantesco, enorme || *(sost.)* gigante *(anche fig.)*.

giddy /'gɪdɪ/ *(agg.)* **1** preso da vertigini ♦ *to feel g.* avere le vertigini **2** vertiginoso. **giddiness** /'gɪdɪnɪs/ *(sost.)* vertigini, capogiro.

gift /gɪft/ *(sost.)* **1** dono, regalo **2** dote naturale.

gig /gɪg/ *(sost.)* FAM. concerto, spettacolo, ingaggio.

giggle /'gɪgəl/ *(v.i.)* ridacchiare. **giggle** *(sost.)* **1** risatina sciocca **2** FAM. ♦ *for a g.* per scherzo.

ginger /'dʒɪndʒə*/ *(agg.)* fulvo, rossiccio || *(sost.)* **1** BOT. zenzero **2** (color) fulvo, rossiccio.

gingerly /'dʒɪndʒəlɪ/ *(avv.)* cautamente, con cautela.

gipsy /'dʒɪpsɪ/ *(sost.)* zingaro, gitano.

girl /gɜːl/ *(sost.)* **1** ragazza, bambina **2** figlia **3** v. **girlfriend**.

girlfriend /'gɜːlfrend/ *(sost.)* ragazza, fidanzata. **girlhood** /'gɜːlhʊd/ *(sost.)* adolescenza (di ragazza).

give ♦ /gɪv/ *(v.t.)* **1** dare, fornire **2** dare, eseguire, rappresentare **3** *(malattia)* trasmettere, attaccare, *(coraggio)* infondere **4** indurre **5** MAT. ♦ *fare one plus one gives two* uno più uno fa due || *(v.i.)* **1** donare, fare doni **2** affacciarsi **3** *(cose)* cedere, piegarsi. ♣ **give away 1** donare, regalare **2** distribuire **3** rivelare, svelare **4** tradire, smascherare. ♣ **give back** restituire, ridare. ♣ **give in 1** consegnare **2** arrendersi, cedere. ♣ **give off** emettere, emanare. ♣ **give on to** affacciarsi, aprirsi su. ♣ **give out 1** distribuire **2** rendere noto, divulgare **3** esaurirsi, finire. ♣ **give over 1** dedicare **2** consegnare, affidare **3** cedere, consentire di usare. ♣ **give up 1** abbandonare, rinunciare **2** smettere di, cessare di **3** dedicare **4** arrendersi, cedere.

given /'gɪvən/ v. **give** || *(agg.)* **1** concesso **2** convenuto, stabilito **3** dedito.

glacier /'glæsɪə*/ *(sost.)* GEOL. ghiacciaio.

glad /glæd/ *(agg.)* contento, felice. **gladly** /'glædlɪ/ *(avv.)* volentieri, con piacere.

glamour, AE **glamor** /'glæmə*/ (sost.) fascino.

glance /glɑːns/ (v.i.) dare un'occhiata. ♣ **glance off** rimbalzare, essere deviato. **glance** (sost.) rapido sguardo, occhiata.

gland /glænd/ (sost.) BIOL. ghiandola.

glare /gleə*/ (sost.) 1 bagliore, riverbero 2 sguardo truce, FAM. occhiataccia.

glass /glɑːs/ (sost.) 1 vetro 2 bicchiere ‖ (agg.) di vetro, vitreo.

glasses /'glɑːsɪs/ (sost. pl.) 1 occhiali 2 binocolo (sing.).

glasshouse /'glɑːshaʊs/ (sost.) serra.

glaze /gleɪz/ (sost.) 1 superficie vetrosa 2 smalto trasparente 3 CUC. glassa.

gleam /gliːm/ (v.i.) brillare, luccicare (anche fig.). **gleam** (sost.) 1 luccichio 2 (fig.) barlume.

glee /gliː/ (sost.) allegria, gioia. **gleeful** /'gliːfəl/ (agg.) allegro, giulivo.

glide /glaɪd/ (v.i.) 1 scorrere, scivolare 2 AER. planare. **glider** /'glaɪdə*/ (sost.) AER. aliante.

glimpse /glɪmps/ (sost.) apparizione fugace. **glimpse** (v.t.) intravedere, vedere di sfuggita.

glitch /'glɪtʃ/ (sost.) AE, FAM. difetto di funzionamento, guasto.

glitter /'glɪtə*/ (v.i.) 1 scintillare, luccicare 2 (fig.) distinguersi, risplendere. **glitter** (sost.) 1 scintillio, luccichio 2 lustrini.

global /'gləʊbəl/ (agg.) globale, mondiale.

globe /gləʊb/ (sost.) 1 globo, sfera 2 globo terrestre 3 mappamondo 4 AuE lampadina.

gloom /gluːm/ (sost.) 1 buio, oscurità 2 (fig.) tristezza, malinconia, depressione. **gloomy** /'gluːmɪ/ (agg.) cupo, malinconico.

glory /'glɔːrɪ/ (sost.) 1 gloria 2 bellezza, splendore. **glorious** /'glɔːrɪəs/ (agg.) 1 glorioso 2 stupendo, splendido.

gloss (sost.) 1 lucentezza 2 (fig.) apparenza. **glossy** /'glɒsɪ/ (agg.) 1 lucido 2 (fig.) patinato.

glossary /'glɒsərɪ/ (sost.) glossario.

glove /glʌv/ (sost.) guanto ❖ **to fit like a g.** andare a pennello.

glow /gləʊ/ (sost.) 1 luminosità, splendore 2 (fig.) ardore, fervore. **glow** (v.i.) 1 risplendere, rifulgere 2 avvampare.

glue /gluː/ (sost.) colla. **glue** (v.t.) incollare (anche fig.).

gnarled /nɑːld/ (agg.) nodoso.

gnaw /nɔː/ (v.t. / v.i.) 1 rodere, rosicchiare 2 (fig.) tormentare, rodere.

go ♦ /gəʊ/ (v.i.) 1 andare 2 procedere ❖ **how is the work going?** come procede il lavoro? 3 (macchinari, veicoli ecc.) funzionare 4 consumarsi 5 (persone) dire, (animali) fare come verso 6 AE (caffè, cibo ecc.) ❖ **to g.** da portare via. ♣ **go about** andare in giro. ♣ **go after** 1 correre dietro, inseguire (anche fig.) 2 fare la corte a 3 cercare di ottenere. ♣ **go against** andare contro, essere contrario a. ♣ **go ahead** 1 andare avanti, tirare dritto 2 procedere, fare progressi 3 precedere, andare avanti. ♣ **go along** 1 procedere, progredire 2 (per una strada ecc.) andare avanti. ♣ **go around** andare in giro, circolare. ♣ **go at** attaccare, scagliarsi contro. ♣ **go back** 1 tornare indietro

2 risalire a **3** tornare a (fare, essere ql.sa). ♣ **go back on** non mantenere (la parola), venire meno. ♣ **go back to** risalire a, datare da. ♣ **go by 1** passare vicino a **2** scorrere, trascorrere **3** giudicare sulla base di **4** lasciarsi guidare da. ♣ **go down 1** andar giù, abbassarsi **2** calare di livello **3** affondare **4** tramontare. ♣ **go for 1** andare a cercare, andare a prendere **2** attaccare, scagliarsi contro **3** mirare a, cercare di ottenere. ♣ **go in for 1** dedicarsi a, interessarsi di **2** partecipare a, iscriversi a. ♣ **go into 1** entrare in **2** occuparsi di. ♣ **go off 1** scappare, andarsene, partire **2** esplodere, scoppiare **3** spegnersi. ♣ **go on 1** andare avanti, continuare, perseverare **2** accadere, succedere. ♣ **go out 1** uscire **2** dimettersi **3** spegnersi. ♣ **go over 1** andare, trasferirsi **2** passare dall'altra parte, passare a. ♣ **go round 1** girare, ruotare **2** (voce, diceria) circolare **3** fare una deviazione **4** andare a far visita. ♣ **go through 1** attraversare, penetrare **2** approfondire, esaminare minuziosamente **3** portare a termine. ♣ **go together** andare bene insieme, intonarsi. ♣ **go under 1** affondare, andare a fondo **2** fallire. ♣ **go up 1** salire, arrampicarsi **2** aumentare (rif. a prezzi) **3** saltare in aria. ♣ **go with 1** accompagnarsi, andare con, armonizzare con **2** essere compreso in. ♣ **go without** venire meno a, rinunciare a. **go** (pl. **goes** /gəʊz/) (sost.) FAM. **1** movimento ❖ **on the g.** in movimento **2** BE, FAM. tentativo, prova **3** BE, FAM. turno **4** AE, FAM. proposta approvata.

goal /gəʊl/ (sost.) **1** traguardo, obiettivo, scopo **2** SPORT rete, porta, traguardo, goal.

goalkeeper /'gəʊlkiːpə*/ (sost.) SPORT portiere.

goat /gəʊt/ (sost.) ZOOL. capra.

god /gɒd/ (sost.) **1** divinità, dio **2** (cattolicesimo) Dio **3** (fig.) idolo.

godchild /'gɒdtʃaɪld/ (pl. **godchildren** /'gɒdtʃɪldrən/) (sost.) figlioccio, figlioccia (di battesimo).

goddess /'gɒdes/ (sost.) dea (anche fig.).

godfather /'gɒdfɑːðə*/ (sost.) padrino.

goggle /'gɒgəl/ (v.t.) strabuzzare gli occhi. **goggles** /'gɒgəlz/ (sost. pl.) occhiali di protezione, FAM. occhialini.

gold /gəʊld/ (sost.) **1** oro (anche fig.) **2** medaglia d'oro || (agg.) di color giallo oro. **golden** /'gəʊldən/ (agg.) **1** d'oro, dorato **2** (fig.) prezioso, d'oro **3** (fig.) fiorente, prospero, promettente.

goldfish /'gəʊldfɪʃ/ (sost.) FAM. pesce rosso.

golf /gɒlf/ (sost.) SPORT golf.

gone v. **go**.

good /gʊd/ (compar. **better** /betə*/, superl. **best** /best/) (agg.) **1** buono, bravo ❖ **a g. child** un bravo bambino **2** bello, ben fatto ❖ **a g. film** un bel film **3** di qualità **4** (che va bene) utile, valido, ok **5** bravo, competente || (sost.) **1** bene, correttezza **2** utilità, vantaggio || (avv.) FAM. bene ❖ **I feel g.** mi sento bene.

goodbye /gʊd'baɪ/ (inter. e sost.) **1** addio **2** arrivederci.

goods /gʊdz/ (sost. pl.) COMM. merci, merce.

goodwill /ɡʊd'wɪl/ (sost.) 1 benevolenza 2 buona volontà.

goofy /'ɡuːfɪ/ (agg.) FAM. sciocco.

goose /ɡuːs/ (pl. geese /ɡiːs/) (sost.) ZOOL. oca (anche fig.) ❖ g. bumps, g. pimples (fig.) pelle d'oca.

gorgeous /'ɡɔːdʒəs/ (agg.) 1 magnifico, splendido, bellissimo 2 fastoso.

gorilla /ɡə'rɪlə/ (sost.) ZOOL. gorilla.

gory /'ɡɔːrɪ/ (agg.) 1 insanguinato 2 sanguinoso 3 (fig.) agghiacciante.

gosh /ɡɒʃ/ (esclam.) FAM. caspita!

gospel /'ɡɒspəl/ (sost.) RELIG. vangelo.

gossip /'ɡɒsɪp/ (sost.) chiacchiera, pettegolezzo.

got /ɡɒt/ 1 v. get 2 (con have ha valore pleonastico) ❖ I have g. two cats ho due gatti.

gotta /'ɡɒtə/ FAM. contraz. di got to.

gotten v. get.

gourmet /'ɡʊəmeɪ/ (sost.) buongustaio.

govern /'ɡʌvən/ (v.t.) 1 governare, amministrare 2 GRAMM. reggere.

government /'ɡʌvənmənt/ (sost.) 1 governo 2 regime, forma di governo.

governor /'ɡʌvənə*/ (sost.) 1 governatore 2 (di prigione) direttore, (di ospedale) membro del consiglio di amministrazione 3 MECC. regolatore.

grab ◊ /ɡræb/ (v.t.) 1 afferrare 2 usurpare, impadronirsi (di). ♣ grab at / for cercare di afferrare.

grace /ɡreɪs/ (sost.) 1 grazia 2 (pl.) maniere. gracefully /'ɡreɪsfəlɪ/ (avv.) con grazia.

grade /ɡreɪd/ (sost.) 1 grado, livello, qualità 2 (scuola) AE voto 3 (scuola) AE anno di corso. grade (v.t.) 1 classificare 2 (a scuola) valutare.

gradual /'ɡrædʒʊəl/ (agg.) graduale. gradually /'ɡrædʒʊəlɪ/ (avv.) gradualmente.

graduate /'ɡrædʒʊət/ (sost.) 1 laureato 2 AE diplomato. graduate (v.i.) 1 laurearsi 2 AE diplomarsi ‖ (v.t.) 1 laureare 2 AE diplomare 3 graduare, dividere in gradi.

grain /ɡreɪn/ (sost.) 1 AGR., CUC. grano, cereali 2 granello, chicco 3 (di legno) venatura.

gram /ɡræm/ (sost.) grammo.

grammar /'ɡræmə*/ (sost.) grammatica. grammar school /'ɡræməskuːl/ (sost.) 1 BE scuola secondaria simile al liceo classico 2 AE scuola elementare.

gramme /ɡræm/ (sost.) grammo.

grand /ɡrænd/ (agg.) 1 grandioso, splendido 2 pretenzioso ‖ (sost.) 1 MUS. pianoforte a coda (pl. invar.) 2 FAM., BE 1000 sterline, AE 1000 dollari.

grandad, granddad /'ɡrændæd/ (sost.) FAM. 1 nonno 2 (come appellativo) vecchio, nonnetto.

grandchild /'ɡræntʃaɪld/ (pl. grandchildren /'ɡræntʃɪldrən/) (sost.) nipotino, nipotina (di nonno).

granddaughter /'ɡrændɔːtə*/ (sost.) nipote, nipotina (di nonni).

grandfather /'ɡrændfɑːðə*/ (sost.) nonno ❖ g. clock orologio a pendolo.

grandmother /'ɡrænmʌðə/ ˌsost.ˌ nonna.

grandparents /'ɡrændpeərənts/ (sost.) nonni.

grandson /'ɡrænsʌn/ (sost.) nipote, nipotino (di nonni).

grant /gra:nt/ (v.t.) **1** concedere, accordare **2** acconsentire. **grant** (sost.) **1** concessione, assegnazione (anche DIR.) **2** sussidio, contributo, borsa di studio. **granted** /'gra:ntɪd/ (agg.) ❖ to take sthg. for g. dare ql.sa per scontato || (avv.) (seguito da ma) è vero, certo ❖ g., he was there, but... è vero, lui era là, ma...

grape /greɪp/ (sost.) **1** acino **2** (pl.) uva.

grapefruit /'greɪpfru:t/ (sost.) BOT. pompelmo.

graphic /'græfɪk/ (agg.) grafico. **graphic design** /'græfɪk'dɪzaɪn/ (sost.) design, grafica.

grasp /gra:sp/ (v.t.) **1** afferrare, aggiuntare **2** (fig.) comprendere, cogliere. **grasp** (sost.) **1** stretta, presa **2** (fig.) potere, controllo **3** (fig.) comprensione.

grass /gra:s/ (sost.) **1** erba, prato **2** SL. erba, marijuana.

grasshopper /'gra:shɒpə*/ (sost.) ZOOL. cavalletta.

grate[1] /greɪt/ (v.t.) grattugiare || (v.i.) **1** stridere, gracchiare **2** irritare.

grate[2] (sost.) **1** grata, griglia **2** focolare.

grateful /'greɪtfəl/ (agg.) grato, riconoscente.

grater /'greɪtə*/ (sost.) grattugia.

gratify /'grætɪfaɪ/ (v.t.) gratificare, soddisfare.

gratitude /'grætɪtju:d/ (sost.) gratitudine, riconoscenza.

grave[1] /greɪv/ (sost.) **1** tomba, sepolcro **2** (fig.) morte **3** GRAMM. accento grave.

grave[2] (agg.) **1** grave, serio **2** solenne, austero **3** GRAMM. grave.

gravel /'grævəl/ (sost.) ghiaia.

graveyard /'greɪvjɑ:d/ (sost.) cimitero.

gravity /'grævɪtɪ/ (sost.) **1** gravità **2** FIS. gravità.

gravy /'greɪvɪ/ (sost.) CUC. sugo, salsa.

graze[1] /greɪz/ (v.t.) **1** sfiorare **2** graffiare.

graze[2] (v.i.) pascolare || (v.t.) brucare.

grease /gri:s/ (sost.) **1** grasso animale **2** brillantina **3** olio lubrificante. **greasy** /'gri:sɪ/ (agg.) **1** grasso, oleoso **2** macchiato d'unto **3** sdrucciolevole **4** (fig.) FAM. viscido, falso.

great /greɪt/ (agg.) **1** grande **2** FAM. splendido, fantastico || (sost.) (spec. pl.) personaggio illustre. **greatly** /'greɪtlɪ/ (avv.) molto.

Grecian /'gri:ʃən/ (agg.) greco, dell'antica Grecia.

greed /gri:d/ (sost.) avidità, ingordigia.

Greek /gri:k/ (agg. e sost.) greco.

green /gri:n/ (agg.) **1** verde **2** (fig.) ecologico **3** (fig.) ingenuo **4** (fig.) inesperto || (sost.) (colore) verde **2** (pl.) verdura **3** parco, verde pubblico **4** SPORT (golf) green **5** POL. ❖ the Greens i verdi.

greengrocer /'gri:ngrəʊsə*/ (sost.) fruttivendolo.

greenhouse /'gri:nhaʊs/ (sost.) serra.

greet /gri:t/ (v.t.) salutare, accogliere (anche fig.). **greeting** /'gri:tɪŋ/ (sost.) **1** saluto **2** (pl.) auguri.

grew v. grow.

grey, AE **gray** /greɪ/ (agg.) **1** grigio **2** (fig.) tetro, deprimente **3** (fig.) monotono, incolore || (sost.) (colore) grigio. **grey** (v.i.) ingrigire.

greyhound /'greɪhaʊnd/ *(sost.)* ZOOL. levriero.

grid /grɪd/ *(sost.)* **1** grata **2** reticolato, griglia.

grief /griːf/ *(sost.)* dolore.

grieve /griːv/ *(v.i.)* affliggersi, addolorarsi, rattristarsi.

grill /grɪl/ *(v.t.)* CUC. grigliare.

grim /grɪm/ *(agg.)* **1** torvo **2** cupo, tetro **3** feroce, spietato.

grimace /grɪ'meɪs/ *(sost.)* smorfia.

grime /graɪm/ *(sost.)* sporcizia.

grin ◊ /grɪn/ *(v.i.)* **1** sorridere **2** sogghignare || *(v.t.)* esprimere con un sorriso. **grin** *(sost.)* sorriso.

grind ♦ /graɪnd/ *(v.t.)* **1** macinare **2** *(denti)* digrignare **3** *(fig.)* opprimere, vessare, schiacciare. **♣ grind down 1** frantumare **2** *(fig.)* schiacciare, opprimere. **♣ grind on** *(v.i.)* **1** continuare inesorabilmente **2** protrarsi noiosamente. **♣ grind up** polverizzare, ridurre in briciole. **grinder** /'graɪndə*/ *(sost.)* **1** tritatutto, *(carne)* tritacarne, FAM. macinino **2** TECN. affilatrice, molatrice.

grip ◊ /grɪp/ *(v.t.)* **1** stringere strettamente **2** *(fig.)* avvincere, impressionare. **grip** *(sost.)* **1** stretta, presa **2** *(fig.)* controllo, dominio **3** impugnatura.

grit /grɪt/ *(sost.)* **1** GEOL. arenaria **2** sabbia grossa, brecciolino **3** *(fig.)* forza di carattere. **grit ♦** *(v.t.)* **1** cospargere di brecciolino **2** stringere, *(denti)* digrignare *(anche fig.)* || *(v.i.)* stridere.

groan /grəʊn/ *(v.i.)* **1** gemere, lamentarsi **2** scricchiolare.

grocer /'grəʊsə*/ *(sost.)* droghiere.

grocery /'grəʊsərɪ/ *(sost.)* **1** *(pl.)* generi di drogheria **2** *(negozio)* drogheria.

groin /grɔɪn/ *(sost.)* ANAT. inguine.

groom /gruːm/ *(v.t.)* **1** *(cavalli)* strigliare **2** *(animali)* pulire. **groom** *(sost.)* **1** palafreniere **2** *(nel giorno della cerimonia)* sposo. **groomed** /gruːmd/ *(agg.)* *(persona)* elegante e ben curato.

groove /gruːv/ *(sost.)* **1** scanalatura, solco **2** MUS. frase ritmica.

gross /grəʊs/ *(agg.)* **1** volgare **2** grossolano **3** pesante **4** COMM. lordo.

ground[1] /graʊnd/ *(sost.)* **1** terra, terreno *(anche fig.)* **2** SPORT terreno di gioco **3** ragione, motivo **4** sfondo **5** *(pl.)* parco, giardino **6** AE, ELETTR. terra, massa || *(agg.)* **1** terrestre, di terra **2** del suolo **3** di base **4** AE, ELETTR. a terra, di massa || *(v.t.)* **1** *(fig.)* fondare, basare **2** AE, ELETTR. mettere a terra, a massa **3** AER. *(pilota, aereo)* costringere a terra **4** FAM. *(a figli, spec. adolescenti)* vietare di uscire come punizione.

ground[2] v. grind || *(agg.)* **1** macinato **2** molato.

group /gruːp/ *(sost.)* **1** gruppo **2** gruppo musicale || *(agg.)* di gruppo, collettivo. **group** *(v.t.)* raggruppare || *(v.i.)* raggrupparsi.

grove /grəʊv/ *(sost.)* boschetto.

grow ♦ /grəʊ/ *(v.i.)* **1** crescere, svilupparsi **2** diventare **❖ to g. old** invecchiare || *(v.t.)* coltivare. **♣ grow apart** ALLONTANARSI, estraniarsi. **♣ grow into** diventare. **♣ grow up** crescere, diventare adulti.

grown v. grow.

grown-up /grəʊn'ʌp/ *(agg. e sost.)* adulto.

growth /grəʊθ/ *(sost.)* **1** crescita, sviluppo *(anche fig.)* **2** MED. formazione tumorale.

grub /grʌb/ (sost.) ZOOL. larva, bruco.

grudge /grʌdʒ/ (sost.) rancore, risentimento.

gruesome /'gruːsəm/ (agg.) raccapricciante.

grumble /'grʌmbəl/ (v.i.) **1** lamentarsi **2** brontolare.

grumpy /'grʌmpɪ/ (agg.) scontroso, burbero.

grunt /grʌnt/ (v.t. / v.i.) grugnire.

G-string /'dʒiːstrɪŋ/ (sost.) ABBIGL. tanga.

guarantee /gærən'tiː/ (sost.) **1** garanzia **2** DIR. garante. **guarantee** (v.t.) garantire, farsi garante di. **guarantor** /gærən'tɔː/ (sost.) garante.

guard /gɑːd/ (v.t.) **1** difendere, sorvegliare **2** proteggere, custodire. **guard** (sost.) **1** MIL. guardia **2** guardia, scorta **3** riparo, protezione. **guardian** /'gɑːdɪən/ (sost.) **1** guardiano **2** DIR. tutore ‖ (agg.) custode ❖ g. angel angelo custode.

guess /ges/ (v.t. / v.i.) **1** indovinare **2** supporre. **guess** (sost.) **1** supposizione **2** ❖ to have a g. indovinare.

guest /gest/ (sost.) ospite.

guide /gaɪd/ (sost.) guida. **guide** (v.t.) guidare, fare da guida a, dirigere.

guilt /gɪlt/ (sost.) colpa. **guilty** /'gɪltɪ/ (agg.) colpevole.

guitar /gɪ'tɑː*/ (sost.) MUS. chitarra.

gulf /gʌlf/ (sost.) **1** GEOGR. golfo **2** abisso (anche fig.).

gullible /'gʌləbəl/ (agg.) credulone, ingenuo.

gulp /gʌlp/(v.t.) ingoiare, trangugiare.

gum¹ /gʌm/ (sost.) anat. gengiva.

gum² (sost.) **1** gomma **2** gomma da masticare.

gun /gʌn/ (sost.) arma da fuoco.

gurgle /'gɜːgəl/(v.i.) gorgogliare.

gust /gʌst/ (sost.) **1** colpo di vento, raffica **2** (fig.) (di rabbia ecc.) impeto, scoppio.

gut /gʌt/ (sost.) **1** ANAT. intestino **2** (pl.) budella, visceri **3** (pl.) FAM. coraggio, fegato.

guy /gaɪ/ (sost.) AE, FAM. tipo, tizio, ragazzo.

gym /dʒɪm/ (sost.) FAM. **1** palestra **2** ginnastica.

gymnasium /dʒɪm'neɪzjəm/ (sost.) palestra.

gynaecologist, AE **gynecologist** /gaɪnɪ'kɒlədʒɪst/ (sost.) MED. ginecologo.

gypsy /'dʒɪpsɪ/ (sost.) zingaro.

H

habit /'hæbɪt/ (sost.) consuetudine, abitudine.

habitat /'hæbɪtæt/ (sost.) BIOL. habitat, ambiente naturale.

hacker /'hækə*/ (sost.) INFORM. pirata informatico.

had v. have.

hail /'heɪəl/ (sost.) grandine, grandinata (anche fig.). hailstone /'heɪəlstəʊn/ (sost.) chicco di grandine.

hair /heə*/ (sost.) 1 capelli, capigliatura 2 capello 3 (anche pl.) pelo, peli. hairbrush /'heəbrʌʃ/ (sost.) spazzola per capelli. haircut /'heəkʌt/ taglio (di capelli). hairdo /'heədu:/ (sost.) FAM. acconciatura, pettinatura.

hairdresser /'heədresə*/ (sost.) parrucchiere.

hairdryer /'heədraɪə*/ (sost.) asciugacapelli, fon.

hairy /'heərɪ/ (agg.) 1 irsuto, peloso 2 FAM. pericoloso, rischioso.

half /hɑːf/ (pl. halves /hɑːvz/) (sost.) metà, mezzo, (di partita, film ecc.) parte, tempo || (agg.) mezzo || (avv.) mezzo, a metà.

half-length /hɑːf'leŋθ/ (agg.) a mezzo busto || (sost.) ritratto a mezzo busto.

half-time /hɑːf'taɪm/ (sost.) SPORT intervallo (tra due tempi).

halfway /hɑːf'weɪ/ (agg. e avv.) a metà strada (anche fig.).

hall /hɔːl/ (sost.) 1 sala, salon 2 edificio pubblico 3 atrio, ingresso.

hallo v. hello.

hallucination /həluːsɪ'neɪʃən/ (sost.) allucinazione.

hallway /'hɔːlweɪ/ (sost.) 1 atrio 2 AE corridoio.

halt /hɔːlt/ (v.t.) fermare, interrompere || (v.i.) fermarsi. halting /'hɔːltɪŋ/ (agg.) esitante, incerto.

halves v. half.

ham /hæm/ (sost.) CUC. prosciutto.

hamlet /'hæmlɪt/ (sost.) borgo, piccolo villaggio.

hammer /'hæmə*/ (sost.) 1 martello (anche SPORT) 2 (di fucile) cane 3 ANAT. martello.

hamper /'hæmpə*/ (v.t.) ostacolare, impedire.

hand /hænd/ (sost.) 1 mano 2 mano, stile, impronta 3 operaio, lavoratore 4 (di orologio) lancetta 5 mano di carte. hand (v.t.) dare, passare. ♣ hand back restituire, riconsegnare. ♣ hand down tramandare, trasmettere. ♣ hand in dare, consegnare, presentare. ♣ hand on passare, trasmettere in eredità. ♣ hand out dare, distribuire. ♣ hand over 1 consegnare 2 dare, passare le consegne 3 cedere. ♣ hand round offrire (a tutti), distribuire.

handbag /'hændbæg/ (sost.) borsetta.

handbook /'hændbʊk/ (sost.) manuale, guida, libretto d'istruzioni.

handbrake /'hændbreɪk/ (sost.) AUT. freno a mano.

handcuffs /'hændkʌfs/ (sost. pl.) manette.

handful /'hændfʊl/ (sost.) 1 manciata 2 (estens.) piccola quantità.

handicap /'hændɪkæp/ (sost.) 1 MED. handicap, disabilità 2 (fig.) handicap, svantaggio.

handkerchief /'hæŋkətʃɪf/ (sost.) fazzoletto.

handle /'hændəl/ (v.t.) 1 maneggiare 2 occuparsi di, gestire 3 manovrare. handle (sost.) manico, maniglia.

handler /'hændlə*/ (sost.) (di animali) addestratore.

handout /'hændaʊt/ (sost.) 1 elemosina, donazione 2 volantino, (scuola) materiale distribuito in classe.

handsome /'hænsəm/ (agg.) (uomo) bello, di bell'aspetto.

handy /'hændɪ/ (agg.) 1 utile, comodo, pratico, funzionale 2 a portata di mano.

hang ♦ hæŋ/(v.t.) 1 appendere, sospendere, attaccare 2 impiccare || (v.i.) pendere, essere sospeso, essere appeso (anche fig.). ♣ hang about / around FAM. 1 trattenersi, rimanere 2 bighellonare. ♣ hang around with BE, FAM. bazzicare, frequentare abitualmente. ♣ hang back 1 restare indietro 2 tirarsi indietro. ♣ hang down pendere da. ♣ hang in SL. perseverare, non perdersi d'animo. ♣ hang on 1 aggrapparsi, tenersi stretto 2 tener duro, perseverare 3 dipendere da 4 TEL. restare in linea. ♣ hang out

1 sporgersi 2 (insegna, bandiera) esporre, mettere fuori, (bucato) stendere 3 FAM. bazzicare. ♣ hang over incombere su (anche fig.). ♣ hang together rimanere uniti. ♣ hang up appendere, attaccare, TEL. riattaccare.

hanger /'hæŋə*/ (sost.) appendino, gruccia per abiti.

hangover /'hæŋəʊvə*/ (sost.) FAM. stato di malessere dopo una sbornia.

happen /'hæpən/ (v.i.) 1 accadere, succedere 2 capitare, avere la fortuna di.

happy /'hæpɪ/ (agg.) felice, contento.

harass /'hærəs/ (v.t.) molestare, perseguitare.

harbour, AE harbor /'hɑːbə*/ (sost.) 1 porto 2 (fig.) asilo, rifugio. harbour, AE harbor (v.t.) 1 accogliere, ospitare, dare rifugio a 2 (fig.) covare, nutrire.

hard /hɑːd/ (agg.) 1 duro (anche fig.) 2 difficile 3 forte, accanito 4 (rif. all'effetto di ql.sa) pesante || (avv.) 1 intensamente 2 con difficoltà.

hard-boiled /hɑːd'bɔɪld/ (agg.) 1 (uovo) sodo 2 (fig.) cinico, spietato.

hardcore /'hɑːdkɔː*/ (sost.) nucleo centrale, zoccolo duro || (agg.) 1 ostinato, duro 2 (film ecc.) hard, molto esplicito, porno.

hardened /'hɑːdənd/ (agg.) 1 indurito (anche fig.) 2 incorreggibile, incallito.

hard feelings /hɑːd'fiːlɪŋz/ (sost. pl.) rancore.

hardly /'hɑːdlɪ/ (avv.) 1 difficilmente, appena 2 quasi, appena.

hard shoulder /hɑːd'ʃəʊldə*/ (sost.) AUT. banchina transitabile.

hardware /'hɑːdweə*/ (sost.) 1 ferramenta 2 MIL. armamenti, armi militari 3 INFORM. hardware.

hare /heə*/ (sost.) ZOOL. lepre.

harm /hɑːm/ (sost.) male, danno.

harmful /'hɑːmful/ (agg.) dannoso.

harmless /'hɑːmlɪs/ (agg.) innocuo.

harmony /'hɑːmənɪ/ (sost.) armonia.

harness /'hɑːnɪs/ (sost.) finimenti, bardatura.

harpoon /hɑː'puːn/ (sost.) arpione, fiocina.

harsh /hɑːʃ/ (agg.) 1 rigido (anche fig.), severo 2 ruvido.

harvest /'hɑːvɪst/ (sost.) mietitura, raccolto, messe (anche fig.).

has v. have.

hash /hæʃ/ (sost.) 1 CUC. polpettone 2 il simbolo # (cancelletto).

haste /heɪst/ (sost.) fretta, premura.

hasten /'heɪsən/ (v.t.) affrettare, accelerare ll (v.i.) affrettarsi. hastily /'heɪstɪlɪ/ (avv.) in modo affrettato, in fretta.

hat /hæt/ (sost.) cappello.

hatch /hætʃ/ (v.t.) 1 covare, far schiudere le uova 2 (fig.) tramare ll (v.i.) 1 uscire dal guscio 2 (di uova) schiudersi.

hatchet /'hætʃɪt/ (sost.) accetta.

hate /heɪt/ (sost.) odio. hate (v.t.) odiare, detestare. hatred /'heɪtrɪd/ (sost.) odio.

haul /hɔːl/ (v.t. / v.i.) 1 tirare, trainare (anche fig.) 2 trasportare.

haunt /hɔːnt/ (v.t.) 1 (spiriti, fantasmi) infestare (un luogo) 2 (fig.) perseguitare, ossessionare.

have ♦ /hæv/ (v. aus.) 1 avere ♦ h. you seen it? l'hai visto? 2 far fare

❖ I'll h. the work finished this afternoon farò terminare il lavoro nel pomeriggio 3 dovere ❖ I h. to stay at home devo stare a casa ll (v.t.) 1 avere, possedere 2 (bagno, doccia, passeggiata, pranzo, cena ecc.) fare, (tè, caffè) prendere, (cibi) mangiare, (bevande) bere. ♣ have in 1 fare entrare, invitare 2 avere in casa, essere provvisti di. ♣ have on 1 indossare, avere addosso 2 FAM. prendere in giro 3 avere in programma. ♣ have out farsi togliere, cavare. ♣ have up FAM. citare in giudizio, denunciare.

haven /'heɪvən/ (sost.) porto, rifugio (anche fig.).

havoc /'hævək/ (sost.) 1 devastazione, distruzione 2 caos.

hawk /hɔːk/ (sost.) ZOOL. falco (anche fig.).

hay /heɪ/ (sost.) fieno ❖ h. fever MED. raffreddore da fieno.

haystack /'heɪstæk/ (sost.) pagliaio.

hazard /'hæzəd/ (sost.) 1 azzardo, rischio, pericolo 2 sorte, caso, fatalità.

haze /heɪz/ (sost.) 1 foschia 2 (fig.) confusione mentale.

hazelnut /'heɪzəlnʌt/ (sost.) BOT. nocciola.

he /hiː/ (pron. pers. sogg. 3a pers. sing. m.) egli, lui.

head /hed/ (sost.) 1 testa 2 capo, dirigente 3 parte iniziale, capo 4 (di moneta) testa ❖ heads or tails? testa o croce? head (v.t.) 1 essere in testa a 2 guidare, capeggiare. ♣ head for 1 dirigersi verso 2 andare incontro a, essere destinato a. ♣ head off 1 far cambiare direzione 2 (fig.) prevenire, impedire. ♣ head up essere a capo di, dirigere.

headache /'hedeɪk/ *(sost.)* **1** mal di testa, emicrania **2** *(fig.)* FAM. grattacapo, fastidio.

heading /'hedɪŋ/ *(sost.)* intestazione, titolo.

headlight /'hedlaɪt/ *(sost.)* AUT. faro anteriore.

headline /'hedlaɪn/ *(sost.) (di giornale)* titolo.

headmaster /hed'mɑːstə*/ *(sost.) (di scuola)* direttore, preside.

head office /hed'ɒːfɪs/ *(sost.)* COMM. sede centrale.

headphones /'hedfəʊnz/ *(sost. pl.)* RAD., TEL. cuffia.

headrest /'hedrest/ *(sost.)* poggiatesta.

headway /'hedweɪ/ *(sost.)* **1** marcia avanti **2** progresso.

heal /hiːl/ *(v.t. / v.i.)* guarire.

health /helθ/ *(sost.)* **1** salute *(anche fig.)* **2** salute pubblica, sanità. **healthy** /'helθɪ/ *(agg.)* **1** sano, in buona salute **2** robusto, vigoroso **3** salubre, salutare.

heap /hiːp/ *(sost.)* **1** mucchio, cumulo **2** FAM. gran quantità.

hear ♦ /hɪə*/ *(v.t. / v.i.)* sentire. ♣ **hear of** sentir parlare di, venire a sapere.

heard v. hear.

hearing /'hɪərɪŋ/ *(sost.)* **1** udito **2** DIR. udienza.

heart /hɑːt/ *(sost.)* **1** cuore *(anche fig.)* **2** nocciolo, centro **3** *(pl.) (a carte)* cuori. **heartily** /'hɑːtɪlɪ/ *(avv.)* **1** cordialmente **2** con grande entusiasmo **3** completamente.

heartbeat /'hɑːtbiːt/ *(sost.)* battito cardiaco.

heartburn /'hɑːtbɜːn/ *(sost.)* MED. bruciore di stomaco.

heat /hiːt/ *(sost.)* **1** calore *(anche* FIS.*)*, caldo, calura **2** foga, impe-

tuosità **3** SPORT batteria, prova eliminatoria. **heat** *(v.t.)* **1** scaldare, riscaldare **2** *(fig.)* eccitare, animare ll *(v.i.)* scaldarsi, riscaldarsi. ♣ **heat up 1** riscaldarsi, animarsi **2** riscaldare. **heater** /'hiːtə*/ *(sost.)* **1** radiatore **2** stufa.

heating /'hiːtɪŋ/ *(sost.)* riscaldamento.

heave /hiːv/ *(v.t.)* sollevare, alzare con sforzo.

heaven /'hevən/ *(sost.)* paradiso, cielo.

heavy /'hevɪ/ *(agg.)* **1** pesante **2** forte, intenso **3** profondo. **heavily** /'hevɪlɪ/ *(avv.)* **1** pesantemente **2** molto, abbondantemente.

Hebrew /'hiːbruː/ *(sost.)* ebraico, lingua ebraica.

heck /hek/ *(inter.)* FAM. diavolo!, diamine!

hectic /'hektɪk/ *(agg.)* agitato, febbrile.

hedge /hedʒ/ *(sost.)* **1** siepe **2** barriera *(anche fig.)*.

hedgehog /'hedʒhɒg/ *(sost.)* ZOOL. riccio.

heel /hiːl/ *(sost.)* **1** ANAT. calcagno, tallone **2** tacco.

hefty /'heftɪ/ *(agg.)* robusto, massiccio.

height /haɪt/ *(sost.)* **1** altezza **2** altitudine, quota **3** altura, collina **4** *(fig.)* apice, culmine.

heir /eə*/ *(sost. m.)* erede *(m.) (anche fig.)*. **heiress** /'eərɪs/ *(sost. f.)* erede *(f.)*, ereditiera.

held v. hold.

hell /hel/ *(sost.)* inferno *(anche fig.)*.

hello /hə'ləʊ/ *(inter.)* **1** *(incontrando qu.no)* ciao!, salve! **2** *(al telefono)* pronto.

helm /helm/ *(sost.)* MAR. timone *(anche fig.)*.

helmet /ˈhelmɪt/ *(sost.)* **1** MIL. elmetto **2** casco.

help /help/ *(v.t.)* **1** aiutare, soccorrere **2** *(cibo)* servire **3** *(con can, cannot)* evitare, fare a meno di. **help** *(sost.)* aiuto. **helpful** /ˈhelpfʊl/ *(agg.)* utile, di aiuto. **helpless** /ˈhelplɪs/ *(agg.)* indifeso, inerme. **helplessly** /ˈhelplɪslɪ/ *(avv.)* senza poter far niente.

helping /ˈhelpɪŋ/ *(sost.)* *(di cibo)* porzione.

hem /hem/ *(sost.)* orlo, bordo.

hemp /hemp/ *(sost.)* BOT. canapa.

hen /hen/ *(sost.)* ZOOL. gallina.

hence /hens/ *(avv.)* **1** *(conseguenza)* da qui, da ciò **2** *(dopo espressione di tempo)* di qui a.

her /hɜː*/ *(agg. poss. 3a pers. sing.)* suo, sua, suoi, sue (di lei) II *(pron. pers. compl. 3a pers. sing. f.)* la, le, lei, sé.

herb /hɜːb/ *(sost.)* **1** BOT. pianta erbacea **2** FARM. erba medicinale **3** CUC. erba aromatica.

herd /hɜːd/ *(sost.)* **1** branco, gregge, mandria **2** *(fig.)* SPREG. massa.

here /hɪə*/ *(avv.)* **1** qui, qua **2** ecco (qui) ❖ *h. I am* eccomi.

hereafter /hɪərˈɑːftə*/ *(avv.)* in seguito, *(in un testo)* più avanti II *(sost.)* la vita futura, l'aldilà.

hereby /hɪəˈbaɪ/ *(avv.)* COMM., DIR. con il presente documento.

herein /hɪərˈɪn/ *(avv.)* COMM. nella presente *(lettera)*, qui allegato.

heresy /ˈherəsɪ/ *(sost.)* eresia *(anche fig.)*.

herewith /hɪəˈwɪð/ *(avv.)* COMM. qui allegato.

heritage /ˈherɪtɪdʒ/ *(sost.)* eredità, retaggio *(anche fig.)*.

hermetic /hɜːˈmetɪk/ *(agg.)* **1** ermetico, a perfetta tenuta **2** ermetico, occulto.

hero /ˈhɪərəʊ/ *(pl. heroes /ˈhɪərəʊz/)* *(sost.)* eroe. **heroine** /ˈherəʊɪn/ *(sost.)* eroina.

heroin /ˈherəʊɪn/ *(sost.)* CHIM. eroina.

hers /hɜːz/ *(pron. poss. 3a pers. sing.)* di lei, il suo, la sua, i suoi, le sue (di lei).

herself /hɜːˈself/ *(pron. 3a pers. sing. f.)* **1** *(rifl.)* si, sé, se stessa **2** *(enfatico)* lei stessa, proprio lei.

hesitate /ˈhezɪteɪt/ *(v.i.)* esitare.

hi /haɪ/ *(inter.)* FAM. *(incontrando qu.no)* ciao!

hiccough, hiccup /ˈhɪkʌp/ *(sost.)* singhiozzo.

hid v. **hide.**

hidden /ˈhɪdən/ v. **hide** II *(agg.)* nascosto, segreto.

hide ♦ /haɪd/ *(v.t.)* nascondere, celare II *(v.i.)* nascondersi, celarsi. ♣ **hide out** darsi alla macchia.

hide-and-seek /haɪdənˈsiːk/ *(sost.)* nascondino.

hideaway /ˈhaɪdəweɪ/ *(sost.)* nascondiglio.

hideous /ˈhɪdɪəs/ *(agg.)* orrendo, orribile.

hierarchy /ˈhaɪərɑːkɪ/ *(sost.)* gerarchia.

high /haɪ/ *(agg.)* **1** alto *(anche fig.)* **2** intenso, forte **3** FAM. su di giri, *(per alcol)* alticcio, *(per droga)* fatto II *(avv.)* alto, in alto *(anche fig.)*.

highly /ˈhaɪlɪ/ *(avv.)* **1** molto, estremamente **2** bene, favorevolmente.

highbrow /ˈhaɪbraʊ/ *(agg. e sost.)* intellettuale.

highland /ˈhaɪlənd/ *(sost.)* GEOGR. altopiano, regione montuosa.

highlight /'haɪlaɪt/ *(sost.)* **1** momento clou, pezzo forte, parte migliore **2** *(pl.) (capelli)* colpi di sole, riflessi **3** FOT., PITT. zona di massima luminosità.

Highness /'haɪnɪs/ *(sost.) (titolo)* Altezza.

high-pitched /haɪ'pɪtʃt/ *(agg.) (suono)* alto, acuto.

highroad /'haɪrəʊd/ *(sost.)* strada maestra, strada principale.

high school /haɪ/ *(sost.)* **1** scuola secondaria **2** AE scuola superiore.

high-spirited /haɪ'spɪrɪtɪd/ *(agg.)* vivace.

highway /'haɪweɪ/ *(sost.)* **1** strada maestra **2** AE autostrada.

hijack /'haɪdʒæk/ *(v.t.) (aereo)* dirottare *(anche fig.).*

hike /haɪk/ *(v.i.)* fare una passeggiata.

hiker /'haɪkə*/ *(sost.)* escursionista.

hilarious /hɪ'leərɪəs/ *(agg.)* esilarante.

hill /hɪl/ *(sost.)* collina, colle.

him /hɪm/ *(pron. pers. compl. 3a pers. sing. m.)* lo, gli, lui, sé.

himself /hɪm'self/ *(pron. 3a pers. sing. m.)* **1** *(rifl.)* si, sé, se stesso **2** *(enfatico)* lui stesso, proprio lui.

hind /haɪnd/ *(agg.) (dietro)* posteriore.

hinder /'hɪndə*/ *(v.t.)* **1** ostacolare, intralciare **2** impedire.

hindsight /'haɪndsaɪt/ *(sost.)* senno di poi.

hinge /hɪndʒ/ *(sost.)* cardine, cerniera.

hint /hɪnt/ *(sost.)* **1** accenno, allusione **2** traccia, indizio. **hint** *(v.i.)* accennare, alludere.

hip /hɪp/ *(sost.)* ANAT. anca, fianco.

hire /'haɪə*/ *(v.t.)* **1** BE affittare **2** BE dare a nolo **3** assumere. **hire** *(sost.)* BE affitto, noleggio.

his /hɪz/ *(agg. poss. 3a pers. sing.)* di lui, suo, sua, suoi, sue (di lui) ‖ *(pron. poss. 3a pers. sing.)* il suo, la sua, i suoi, le sue (di lui).

hiss /hɪs/ *(v.i.)* **1** sibilare, fischiare **2** bisbigliare con rabbia. **hiss** *(sost.)* sibilo, fischio.

history /'hɪstərɪ/ *(sost.)* storia. **historic(al)** /hɪ'stɒrɪk(əl)/ *(agg.)* **1** storico **2** memorabile, degno di passare alla storia.

hit /hɪt/ *(v.t.)* **1** colpire, battere **2** scontrarsi con, urtare *(anche fig.)* **3** *(tasto, interruttore)* premere **4** *(fig.)* raggiungere, toccare ‖ *(v.i.)* **1** colpire, battere **2** urtare, sbattere **3** attaccare. ♣ **hit back 1** replicare **2** controbattere **3** contrattaccare. ♣ **hit out** attaccare con violenza, criticare aspramente. ♣ **hit on 1** scoprire, trovare (per caso) **2** AE, FAM. abbordare, tentare di rimorchiare. **hit** *(sost.)* **1** colpo *(anche fig.)*, botta, urto **2** FAM. successo **3** *(pl.)* INFORM. *(di un sito web)* numero di visitatori.

hitch /hɪtʃ/ *(v.t.)* **1** legare, agganciare **2** farsi dare un passaggio ‖ *(v.i.)* rimanere impigliato. **hitch** *(sost.)* problema, intoppo.

hitchhike /'hɪtʃhaɪk/ *(v.i.)* fare l'autostop.

hive /haɪv/ *(sost.)* alveare *(anche fig.).*

hoard /hɔ:d/ *(sost.)* **1** scorta, riserva **2** gruzzolo. **hoard** *(v.t.)* ammucchiare, ammassare. **hoarding** /'hɔ:dɪŋ/ *(sost.)* accaparramento, incetta.

hoarse /hɔ:s/ *(agg.)* rauco.

hoax /həʊks/ (sost.) scherzo, burla, mistificazione, falso allarme.

hobby /'hɒbɪ/ (sost.) passatempo, hobby.

hobnob /'hɒbnɒb/ (v.i.) 1 essere in rapporti di amicizia 2 intrattenersi.

hobo /'həʊbəʊ/ AE 1 vagabondo 2 lavoratore stagionale.

hoe /həʊ/ (sost.) zappa. hoe (v.t. / v.i.) zappare.

hold ♦ /həʊld/ (v.t.) 1 avere in mano, impugnare 2 tenere, reggere, sostenere (anche fig.) 3 contenere 4 tenere, trattenere (anche fig.) ♣ h. the line, please resti in linea, prego 5 (riunione, festa ecc.) tenere, dare 6 riservare, serbare 7 tenere, ritenere II (v.i.) 1 mantenere la presa 2 resistere. ♣ hold against avercela (con). ♣ hold back stare in disparte 2 frenarsi, essere restio, tirarsi indietro 3 frenare, trattenere, impedire 4 nascondere. ♣ hold down 1 tenere basso, tenere giù 2 tenere a freno 3 contenere (i prezzi). ♣ hold in trattenere, frenare, controllare. ♣ hold off 1 tenere a distanza, tenere lontano 2 ritardare, trattenersi 3 (pioggia) smettere. ♣ hold out 1 durare, resistere, tenere duro 2 allungare, stendere in fuori (la mano). ♣ hold to tener fede a, attenersi a. ♣ hold up 1 tenere in alto 2 sostenere 3 ritardare, trattenere. hold (sost.) 1 presa, stretta 2 (fig.) influenza, potere 3 appiglio, sostegno.

holdall /'həʊldɔːl/ (sost.) BE borsone (da viaggio).

holder /'həʊldə*/ (sost.) 1 proprietario, titolare 2 sostegno, contenitore.

holding /'həʊldɪŋ/ (sost.) 1 presa, stretta 2 tenuta, podere 3 FIN. partecipazione azionaria.

hole /həʊl/ (sost.) 1 buco, foro (anche fig.) 2 tana 3 GOLF buca.

holiday /'hɒlədeɪ/ (sost.) 1 festa 2 (spec. pl.) vacanza, ferie.

hollow /'hɒləʊ/ (agg.) 1 cavo, vuoto (anche fig.) 2 (suono) sordo, cupo.

holster /'həʊlstə*/ (sost.) fondina.

holy /'həʊlɪ/ (agg.) santo, sacro (anche fig.).

homage /'hɒmɪdʒ/ (sost.) omaggio.

home /həʊm/ (sost.) 1 casa 2 patria 3 asilo, ospizio, ricovero II (agg.) 1 domestico, casalingo, familiare 2 nazionale 3 SPORT di casa II (avv.) a casa.

homecoming /'həʊmkʌmɪŋ/ (sost.) ritorno a casa, in patria.

homeland /'həʊmlænd/ (sost.) patria.

homeless /'həʊmlɪs/ (agg. e sost.) senza casa, senzatetto.

homely /'həʊmlɪ/ (agg.) 1 semplice, alla buona 2 AE bruttino, brutto.

homesickness /'həʊmsɪknɪs/ (sost.) nostalgia della propria casa.

hometown /'həʊmtaʊn/ (sost.) città natale.

homework /'həʊmwɜːk/ (sost.) compiti a casa.

homey /'həʊmɪ/ (agg.) accogliente, confortevole.

homoeopathy, AE homeopathy /həʊmɪ'ɒpəθɪ/ (sost.) MED. omeopatia.

homonym /'hɒməʊnɪm/ (sost.) omonimo.

homosexual /həʊməʊ'seksjʊəl/ (agg. e sost.) omosessuale.

honest /'ɒnɪst/ (agg.) 1 onesto 2 leale, sincero 3 semplice, genuino. **honestly** /'ɒnɪstlɪ/ (avv.) 1 onestamente 2 sinceramente. **honesty** /'ɒnɪstɪ/ onestà.

honey /'hʌnɪ/ (sost.) 1 miele 2 (fig.) tesoro, caro, cara.

honeymoon /'hʌnɪmuːn/ (sost.) 1 luna di miele 2 (fig.) periodo felice.

honk /hɒŋk/ (v.i.) 1 suonare il clacson 2 (anatra) starnazzare.

honour, AE honor /'ɒnə*/ (sost.) onore.

hood /hʊd/ (sost.) 1 ABBIGL. cappuccio 2 AUT., AE cofano.

hoof /huːf/ (sost.) ZOOL. zoccolo.

hook /hʊk/ (sost.) uncino, gancio. **hook** (v.t.) 1 agganciare 2 prendere all'amo || (v.i.) 1 agganciarsi 2 BOXE colpire con un gancio. ♣ **hook up** 1 agganciare 2 (apparecchiature elettriche ecc.) attaccare, collegare.

hooker /'hʊkə*/ (sost.) 1 FAM. prostituta 2 SPORT tallonatore (a rugby).

hooligan /'huːlɪɡən/ (sost.) teppista.

hoot /huːt/ (sost.) 1 grido della civetta 2 fischio di disapprovazione 3 suono di clacson, (di treno ecc.) fischio.

Hoover® /'huːvə*/ (sost.) aspirapolvere.

hop ♦ /hɒp/ (v.t. / v.i.) 1 saltare, saltellare 2 FAM. fare un salto, andare un attimo. ♣ **hop off** saltare giù.

hope /həʊp/ (sost.) speranza. **hope** (v.t. / v.i.) sperare. **hopefully** /'həʊpfʊlɪ/ (avv.) 1 fiduciosamente, con speranza 2 se tutto va bene.

hopeless /'həʊplɪs/ (agg.) senza speranza, disperato.

horde /hɔːd/ (sost.) orda.

horizontal /hɒrɪ'zɒntəl/ (agg.) orizzontale.

hormone /'hɔːməʊn/ (sost.) BIOL. ormone.

horn /hɔːn/ (sost.) 1 corno 2 MUS. corno 3 AUT. clacson.

hornet /'hɔːnɪt/ (sost.) ZOOL. calabrone.

horrible /'hɒrəbəl/ (agg.) orribile.

horror /'hɒrə*/ (sost.) orrore.

hors d'oeuvre /ˌɔː'dɜːvr/ (sost.) CUC. antipasto.

horse /hɔːs/ (sost.) ZOOL. cavallo.

horsepower /'hɔːspaʊə*/ (sost.) FIS. cavallo vapore.

horseshoe /'hɔːsʃuː/ (sost.) ferro di cavallo.

hose /həʊz/ (sost.) 1 tubo di gomma, canna dell'acqua 2 (usato come plurale) calze, collant.

hospice /'hɒspɪs/ (sost.) ospizio, ricovero.

hospitable /hɒ'spɪtəbəl/ (agg.) ospitale.

hospital /'hɒspɪtəl/ (sost.) ospedale ♦ general h. policlinico.

host /həʊst/ (sost.) 1 ospite, padrone di casa 2 oste, albergatore 3 RAD., TV presentatore, conduttore || (agg.) ospite, che ospita.

hostage /'hɒstɪdʒ/ (sost.) ostaggio.

hostel /'hɒstəl/ (sost.) ostello.

hostess /'həʊstɪs/ (sost.) 1 ospite (f.), padrona di casa 2 AER. assistente di volo (f.), hostess.

hostile /'hɒstaɪəl/ (agg.) ostile, nemico.

hot /hɒt/ (agg.) 1 caldo, bollente 2 (cibo) piccante 3 (animo, sentimenti) focoso, eccitato 4 FAM. erotico, sensuale, (persona) sexy, attraente || (avv.) ad alta temperatura.

hotel /həʊ'tel/ (sost.) hotel, albergo.

hotline /'hɒtlaɪn/ (sost.) linea telefonica diretta (spec. di emergenza).

hound /haʊnd/ (sost.) ZOOL. cane da caccia, segugio.

hour /'aʊə*/ (sost.) 1 ora 2 (pl.) orario.

house /haʊs/ (sost.) 1 casa, abitazione 2 albergo, bar ecc. ❖ on the h. offerto dalla casa 3 POL. edificio per assemblee 4 casato, dinastia.

household /'haʊshəʊld/ (sost.) famiglia, casa e abitanti (considerati come entità) || (agg.) domestico.

housekeeper /'haʊski:pə*/ (sost.) governante, domestica.

housewife /'haʊswaɪf/ (pl. housewives /'haʊswaɪvz/) (sost.) casalinga, donna di casa.

housework /'haʊswɜːk/ (sost.) lavori domestici.

housing /'haʊzɪŋ/ (sost.) 1 l'accogliere, l'alloggiare 2 alloggio, abitazione 3 TECN. alloggiamento.

hover /'hɒvə*/ (v.i.) 1 librarsi nell'aria 2 (fig.) indugiare 3 (fig.) essere sospeso, oscillare.

how /haʊ/ (avv.) 1 come ❖ h. are you? come stai? 2 (rif. a quantità) quanto ❖ h. long? quanto tempo? 3 (in esclam.) h. lovely! che bello!

however /haʊ'evə*/ (avv.) 1 comunque, in qualunque modo 2 per quanto || (cong.) tuttavia.

howl /haʊl/ (v.i.) ululare, urlare.

hubbub /'hʌbʌb/ (sost.) 1 baccano, chiasso 2 confusione, baraonda.

huff /hʌf/ (v.i.) 1 offendersi, risentirsi 2 sbuffare. huffy /'hʌfɪ/ (agg.) permaloso.

hug /hʌg/ (v.t.) abbracciare, stringere fra le braccia. hug (sost.) abbraccio.

huge /hju:dʒ/ (agg.) enorme.

hum ◊ /hʌm/ (v.i.) 1 ronzare, (rif. a voce) mormorare 2 canticchiare a bocca chiusa.

human /'hju:mən/ (agg.) umano || (sost.) essere umano.

humane /hju'meɪn/ (agg.) umano, caritatevole. humanistic /hju:mə'nɪstɪk/ (agg.) umanistico.

humanity /hju'mænɪtɪ/ (sost.) 1 umanità, genere umano 2 umanità, benevolenza 3 (pl.) discipline umanistiche.

humble /'hʌmbəl/ (agg.) umile, modesto.

humdrum /'hʌmdrʌm/ (agg.) noioso, monotono.

humid /'hju:mɪd/ (agg.) umido.

humiliate /hju'mɪlɪeɪt/ (v.t.) umiliare. humiliating /hju'mɪlɪeɪtɪŋ/ (agg.) umiliante.

humour, AE humor /'hju:mə*/ (sost.) 1 umorismo 2 umore, stato d'animo 3 MED. umore, fluido. humorous /'hju:mərəs/ (agg.) 1 umoristico, comico, divertente 2 che ha senso dell'umorismo.

humpback /'hʌmpbæk/ (sost.) gobba, gibbosità.

hunch /hʌntʃ/ (v.t.) incurvare le spalle.

hung v. hang.

hunger /'hʌŋgə*/ (sost.) fame.

hungry /'hʌŋgrɪ/ (agg.) 1 affamato ❖ to be h. aver fame 2 (fig.) bramoso, desideroso.

hunt /hʌnt/ (v.t.) cacciare, andare a caccia. ❖ hunt down 1 inseguire, dare la caccia a, braccare 2 trovare. ❖ hunt for cercare affannosamente. hunt (sost.) caccia (anche fig.). hunter /'hʌntə*/ (sost.) cacciatore. hunting /'hʌntɪŋ/ (sost.) caccia (anche fig.).

hurdle /'hɜːdəl/ (sost.) 1 SPORT ostacolo 2 (fig.) ostacolo, difficoltà.

hurl /hɜːl/ (v.t.) lanciare, scagliare.

hurricane /'hʌrɪkən/ (sost.) uragano.

hurry /'hʌrɪ/ (v.i.) affrettarsi, precipitarsi || (v.t.) mettere fretta a. ♣ hurry up 1 sbrigarsi, affrettarsi 2 muovere, affrettare. hurry (sost.) fretta ❖ to be in a h. avere fretta, andare di fretta.

hurt ♦ /hɜːt/ (v.t.) 1 ferire (lievemente), far male a 2 (fig.) ferire, addolorare, offendere 3 danneggiare || (v.i.) 1 dolere, fare male 2 danneggiare, nuocere. hurt (sost.) 1 ferita, lesione 2 dolore, male 3 (fig.) danno, offesa || (agg.) 1 ferito 2 (fig.) offeso.

husband /'hʌzbənd/ (sost.) marito.

hush /hʌʃ/ (sost. ed esclam.) silenzio ❖ h.! silenzio! hush (v.t.) far tacere, far stare zitto || (v.i.) tacere, fare silenzio.

husky /'hʌskɪ/ (agg.) (voce) roco, rauco. huskily /'hʌskɪlɪ/ (avv.) con voce roca.

hustle /'hʌsəl/ (sost.) attività febbrile, trambusto.

hustler /'hʌslə*/ (sost.) AE, FAM. 1 imbroglione 2 prostituta.

hut /hʌt/ (sost.) capanna, baracca.

hydraulic /haɪ'drɔːlɪk/ (agg.) idraulico.

hydrofoil /'haɪdreʊfɔɪl/ (sost.) MAR. aliscafo.

hydroplane /'haɪdrəʊpleɪn/ (sost.) AER. idrovolante.

hygiene /'haɪdʒiːn/ (sost.) igiene.

hygienic /haɪ'dʒiːnɪk/ (agg.) igienico.

hymn /hɪm/ (sost.) inno (anche fig.).

hyped up /haɪpt'ʌp/ (agg.) fam. eccitato, nervoso.

hyperlink /'haɪpəlɪŋk/ (sost.) INFORM. collegamento ipertestuale.

hypertext /haɪpə'tekst/ (sost.) INFORM. ipertesto.

hyphen /'haɪfən/ (sost.) lineetta, trattino (d'unione).

hyphen(ate) /'haɪfən(eɪt)/ (v.t.) (parola) unire (o dividere) con un trattino.

hypnosis /hɪp'nəʊsɪs/ (sost.) ipnosi.

hypnotize /'hɪpnətaɪz/ (v.t.) ipnotizzare.

hypocrisy /hɪ'pɒkrəsɪ/ (sost.) ipocrisia. hypocrite /'hɪpəkrɪt/ (sost.) ipocrita. hypocritical /hɪpə'krɪtɪkəl/ (agg.) ipocrita.

hypothesis /haɪ'pɒθɪsɪs/ (pl. hypotheses /haɪ'pɒθiːz|/) (sost.) ipotesi.

hypothetic(al) /haɪpə'θetɪk(əl)/ (agg.) ipotetico.

hysterical /hɪ'sterɪkəl/ (agg.) 1 sovreccitato, PSIC. isterico 2 FAM. esilarante.

I

I /aɪ/ *(pron. pers. sogg. 1ª pers. sing.)* io.

ice /aɪs/ *(sost.)* **1** ghiaccio *(anche fig.)* **2** CUC. gelato **3** CUC. glassa. **ice** *(v.t.)* CUC. glassare. ♣ **ice up** ricoprirsi di ghiaccio, ghiacciarsi. **ice cream** /'aɪskriːm/ *(sost.)* CUC. gelato. **ice lolly** /'aɪslɒlɪ/ *(sost.)* BE, CUC. ghiacciolo. **icicle** /'aɪsɪkəl/ *(sost.)* ghiacciolo, cannello di ghiaccio. **icing** /'aɪsɪŋ/ *(sost.)* CUC. glassa ♣ *the i. on the cake (fig.)* la ciliegina sulla torta. **icing sugar** /'aɪsɪŋʃʊgə*/ *(sost.)* CUC. zucchero a velo.

icon /'aɪkɒn/ *(sost.)* **1** ARTE icona **2** *(fig.)* mito, simbolo **3** INFORM. icona.

idea /aɪ'dɪə/ *(sost.)* idea. **ideal** /aɪ↓dɪəl/ *(agg. e sost.)* ideale.

identical /aɪ'dentɪkəl/ *(agg.)* identico, uguale. **identity** /aɪ'dentətɪ/ *(sost.)* identità. **identify** /aɪ'dentɪfaɪ/ *(v.t.)* identificare, riconoscere.

ideology /aɪdɪ'ɒlədʒɪ/ *(sost.)* POL., FIL. ideologia.

idiom /'ɪdɪəm/ *(sost.)* **1** frase idiomatica, modo di dire **2** idioma, linguaggio.

idle /'aɪdəl/ *(agg.)* **1** inattivo, inoperoso **2** ozioso, pigro **3** inutile, vano **4** MECC., AUT. folle **5** INFORM. inattivo.

idol /'aɪdəl/ *(sost.)* idolo *(anche fig.)*.

i.e. /aɪ'iː/ *(abbr. di id est)* cioè.

if /ɪf/ *(cong. e sost.)* se.

ignite /ɪg'naɪt/ *(v.t.)* accendere, dar fuoco a ‖ *(v.i.)* accendersi, prendere fuoco. **ignition** /ɪg'nɪʃən/ *(sost.)* accensione *(anche MECC.)*.

ignore /ɪg'nɔː*/ *(v.t.)* ignorare, trascurare. **ignorant** /'ɪgnərənt/ *(agg.)* **1** ignorante, incolto **2** ignaro.

ill /ɪl/ *(agg.)* **1** *(pred.)* ammalato **2** *(attr.)* cattivo ‖ *(avv.)* male, malamente. **illness** /'ɪlnəs/ *(sost.)* malattia, malessere. **ill-advised** /ɪləd'↓vaɪzd/ *(agg.)* incauto, sconsiderato.

illegal /ɪ'liːgəl/ *(agg.)* illegale. **illegitimate** /ɪlə'dʒɪtəmət/ *(agg.)* **1** *(figlio)* illegittimo **2** illegale, illecito ‖ *(sost.)* *(figlio)* illegittimo. **illicit** /ɪ'lɪsɪt/ *(agg.)* illecito.

illuminate /ɪ'luːmɪneɪt/ *(v.t.)* illuminare *(anche fig.)*. **illumination** /ɪluːmɪ'neɪʃən/ *(sost.)* illuminazione *(anche fig.)*.

illusion /ɪ'luːʒən/ *(sost.)* illusione, inganno.

illustrate /'ɪləstreɪt/ *(v.t.)* **1** spiegare **2** illustrare, disegnare. **illustration** /ɪlə'streɪʃən/ *(sost.)* **1** illustrazione, disegno **2** spiegazione.

image /'ɪmɪdʒ/ *(sost.)* immagine, figura. **imagination** /ɪmædʒɪ'neɪʃən/ *(sost.)* **1** immaginazione, fantasia,

inventiva **2** ingegnosità, genialità.
imagine /ɪ'mædʒɪn/ *(v.t. / v.i.)* immaginare, immaginarsi.
imitate /'ɪmɪteɪt/ *(v.t.)* **1** imitare **2** riprodurre, copiare **3** contraffare.
imitation /ɪmɪ'teɪʃən/ *(sost.)* **1** imitazione, riproduzione **2** contraffazione.
immaterial /ɪmə'tɪərɪəl/ *(agg.)* **1** irrilevante **2** immateriale, incorporeo.
immediate /ɪ'miːdjət/ *(agg.)* immediato. **immediately** /ɪ'miːdjətlɪ/ *(avv.)* immediatamente.
immerse /ɪ'mɜːs/ *(v.t.)* immergere *(anche fig.)*.
immigrate /'ɪmɪgreɪt/ *(v.i.)* immigrare. **immigrant** /'ɪmɪgrənt/ *(agg. e sost.)* immigrato.
imminent /'ɪmɪnənt/ *(agg.)* imminente.
immobilize /ɪ'məʊbəlaɪz/ *(v.t.)* immobilizzare.
immoral /ɪ'mɒrəl/ *(agg.)* immorale.
immortal /ɪ'mɔːtəl/ *(agg. e sost.)* immortale.
immune /ɪ'mjuːn/ *(agg.)* immune *(anche MED.)*, esente.
impact /'ɪmpækt/ *(sost.)* impatto *(anche fig.)*.
impaired /ɪm'peəd/ *(agg.)* **1** danneggiato **2** MED. disabile.
impart /ɪm'pɑːt/ *(v.t.)* FORM. **1** impartire **2** comunicare, rivelare.
impartial /ɪm'pɑːʃəl/ *(agg.)* imparziale.
impatient /ɪm'peɪʃənt/ *(agg.)* **1** impaziente **2** intollerante, insofferente.
impeach /ɪm'piːtʃ/ *(v.t.)* **1** incriminare, accusare **2** POL. mettere sotto accusa.
impeccable /ɪm'pekəbəl/ *(agg.)* impeccabile.

impel ◊ /ɪm'pel/ *(v.t.)* spingere, costringere.
impending /ɪm'pendɪŋ/ *(agg.)* **1** imminente, prossimo **2** incombente.
imperfect /ɪm'pɜːfɪkt/ *(agg.)* imperfetto II *(sost.)* GRAMM. imperfetto.
impersonal /ɪm'pɜːsənəl/ *(agg.)* **1** impersonale **2** distaccato.
impervious /ɪm'pɜːvjəs/ *(agg.)* **1** impenetrabile, impermeabile **2** *(fig.)* insensibile, indifferente.
impinge /ɪm'pɪndʒ/ *(v.t.)* violare, ledere.
implant /ɪm'plɑːnt/ *(v.t.)* **1** conficcare **2** MED. impiantare **3** *(fig.)* imprimere.
implement /'ɪmplɪmənt/ *(v.t.)* **1** realizzare, attuare **2** INFORM. implementare.
implication /ɪmplɪ'keɪʃən/ *(sost.)* **1** implicazione **2** insinuazione.
implore /ɪm'plɔː*/ *(v.t.)* implorare.
imply /ɪm'plaɪ/ *(v.t.)* **1** implicare **2** insinuare. **implied** /ɪm'plaɪd/ *(agg.)* implicito, sottinteso, tacito.
impolite /ɪmpə'laɪt/ *(agg.)* scortese, maleducato.
import /ɪm'pɔːt/ *(v.t. / v.i.)* **1** COMM. importare **2** FORM. implicare.
important /ɪm'pɔːtənt/ *(agg.)* importante. **importance** /ɪm'pɔːtəns/ *(sost.)* importanza.
impose /ɪm'pəʊz/ *(v.t.)* imporre.
impossible /ɪm'pɒsəbəl/ *(agg.)* impossibile.
impotent /'ɪmpətənt/ *(agg.)* **1** impotente **2** MED. (sessualmente) impotente.
imprecise /ɪmprɪ'saɪs/ *(agg.)* impreciso.

impress /ɪm'pres/ (v.t.) 1 impressionare 2 stampare, imprimere (anche fig.). impression /ɪm'preʃən/ (sost.) 1 impressione, impronta 2 (fig.) impressione, effetto 3 TIP. stampa. impressive /ɪm'presɪv/ (agg.) impressionante, imponente.

imprint /ɪm'prɪnt/ (v.t.) 1 imprimere (anche fig.) 2 TIP. stampare.

imprison /ɪm'prɪzən/ (v.t.) 1 imprigionare, mettere in prigione 2 (fig.) rinchiudere, relegare.

improper /ɪm'prɒpə*/ (agg.) 1 improprio 2 erroneo, scorretto 3 sconveniente, non appropriato.

improve /ɪm'pruːv/ (v.t.) migliorare. improvement /ɪm'pruːvmənt/ (sost.) miglioramento.

improvise /'ɪmprəvaɪz/ (v.t.) improvvisare (anche MUS.).

impulse /'ɪmpʌls/ (sost.) impulso (anche fis., psic.), spinta. impulsive /ɪm'pʌlsɪv/ (agg.) impulsivo.

impure /ɪm'pjʊə*/ (agg.) impuro, adulterato.

in /ɪn/ (prep.) 1 (luogo) in, a ❖ i. Florence a Firenze, i. the drawer nel cassetto 2 (tempo) in, a, di, durante, fra ❖ i. June in, a giugno, i. two hours fra due ore 3 (modo) di, in, con, a ❖ i. English in inglese, dressed i. white vestita di bianco ‖ (avv.) dentro, in, a casa ‖ (agg.) 1 interno, interiore 2 FAM. alla moda.

inability /ɪnə'bɪlətɪ/ (sost.) incapacità.

inaccurate /ɪn'ækjərət/ (agg.) impreciso.

inadequate /ɪn'ædɪkwət/ (agg.) inadeguato, inadatto.

inane /ɪ'neɪn/ (agg.) insensato, sciocco.

inapt /ɪn'æpt/ (agg.) 1 inadatto 2 incapace.

inaudible /ɪn'ɔːdəbəl/ (agg.) impercettibile.

inaugurate /ɪ'nɔːgjʊreɪt/ (v.t.) 1 inaugurare 2 insediare.

inbound /'ɪnbaʊnd/ (agg.) 1 diretto verso l'interno 2 di ritorno.

incense¹ /ɪn'sens/ (v.t.) provocare, esasperare.

incense² (v.i.) incensare, profumare d'incenso.

inch /ɪntʃ/ (sost.) (misura di lunghezza) pollice.

incident /'ɪnsɪdənt/ (sost.) 1 caso, avvenimento 2 POL. incidente (diplomatico ecc.). incidental /ɪnsɪ'dentəl/ (agg.) 1 incidentale, accessorio 2 casuale, fortuito 3 inerente.

incisive /ɪn'saɪzɪv/ (agg.) (fig.) incisivo.

incite /ɪn'saɪt/ (v.t.) 1 incitare, stimolare 2 istigare.

incline /ɪn'klaɪn/ (v.t.) 1 inclinare, piegare 2 (fig.) rendere incline, indurre ‖ (v.i.) 1 inclinarsi 2 (fig.) tendere, propendere.

include /ɪn'kluːd/ (v.t.) includere, comprendere. including /ɪn'kluːdɪŋ/ (prep.) compreso, incluso. inclusive /ɪn'kluːsɪv/ (agg.) incluso, compreso.

income /'ɪnkʌm/ (sost.) ECON. rendita, reddito, entrata. incoming /'ɪnkʌmɪŋ/ (agg.) 1 subentrante 2 in entrata.

incomplete /ɪnkəm'pliːt/ (agg.) incompleto, incompiuto.

inconsistent /ɪnkən'sɪstənt/ (agg.) 1 incoerente 2 contraddittorio 3 discontinuo.

inconvenient /ɪnkən'viːnjənt/ (agg.) poco opportuno, scomodo. inconvenience /ɪnkən'viːnjəns/ (sost.) noia, disturbo, disagio.

incorporate /ɪnˈkɔːpəreɪt/ (v.t.) 1 incorporare 2 DIR., COMM. costituire || (v.i.) 1 incorporarsi DIR., COMM. associarsi.

incorrect /ɪnkəˈrekt/ (agg.) scorretto.

incorrupt /ɪnkəˈrʌpt/ (agg.) puro, incontaminato.

increase /ɪŋˈkriːs/ (v.t.) accrescere, aumentare || (v.i.) crescere, aumentare. increasingly /ɪnˈkriːsɪŋlɪ/ (avv.) sempre più, in aumento.

incredible /ɪnˈkredəbəl/ (agg.) incredibile.

incriminate /ɪnˈkrɪmɪneɪt/ (v.t.) incriminare.

incur ◊ /ɪnˈkɜː*/ (v.t.) incorrere (in).

incurable /ɪŋˈkjʊərəbəl/ (agg.) incurabile, inguaribile.

indebted /ɪnˈdetɪd/ (agg.) 1 indebitato 2 (fig.) in debito, obbligato, grato.

indecent /ɪnˈdiːsənt/ (agg.) indecente, osceno.

indecisive /ɪndɪˈsaɪsɪv/ (agg.) 1 indeciso 2 non decisivo.

indeed /ɪnˈdiːd/ (avv.) 1 davvero, infatti 2 anzi, a dire il vero.

indefinite /ɪnˈdefɪnɪt/ (agg.) 1 indefinito, vago 2 indeterminato 3 GRAMM. (aggettivo, pronome) indefinito.

indelible /ɪnˈdeləbəl/ (agg.) incancellabile, indelebile (anche fig.).

indelicate /ɪnˈdelɪkət/ (agg.) indelicato, privo di tatto.

independent /ɪndɪˈpendənt/ (agg.) 1 indipendente 2 imparziale, obiettivo. independence /ɪndɪˈpendəns/ (sost.) indipendenza.

in-depth /ˈɪndepθ/ (agg.) approfondito, dettagliato.

index /ˈɪndeks/ (pl. indexes, indices /ˈɪndɪsiːz/) (sost.) 1 indice, elenco 2 ECON. indice (statistico) 3 (fig.) indice, indicazione.

index finger /ˈɪndeksfɪŋgə*/ (sost.) ANAT. dito indice.

indicate /ˈɪndɪkeɪt/ (v.t.) indicare. indication /ɪndɪˈkeɪʃən/ (sost.) 1 indicazione 2 indizio. indicative /ɪnˈdɪkətɪv/ (agg.) 1 indicativo, che indica 2 GRAMM. indicativo || (sost.) GRAMM. (modo) indicativo. indicator /ˈɪndɪkeɪtə*/ (sost.) 1 indicatore 2 BE, AUT. indicatore di direzione.

indifferent /ɪnˈdɪfrənt/ (agg.) indifferente.

indignant /ɪnˈdɪgnənt/ (agg.) indignato.

indigo /ˈɪndɪgəʊ/ (agg. e sost.) indaco.

indirect /ɪndəˈrekt/ (agg.) indiretto.

indiscreet /ɪndɪˈskriːt/ (agg.) 1 privo di tatto 2 avventato.

indisposed /ɪndɪˈspəʊzd/ (agg.) 1 indisposto 2 avverso, contrario.

indistinct /ɪndɪsˈtɪŋkt/ (agg.) indistinto.

individual /ɪndɪˈvɪdjʊəl/ (agg.) 1 individuale 2 particolare, caratteristico || (sost.) individuo.

indoor /ɪnˈdɔː*/ (agg.) interno, al coperto. indoors /ɪnˈdɔːz/ (avv.) in casa, all'interno, al coperto.

induce /ɪnˈdjuːs/ (v.t.) 1 indurre, persuadere 2 provocare. inducement /ɪnˈdjuːsmənt/ (sost.) incentivo.

indulge /ɪnˈdʌldʒ/ (v.t.) essere indulgente con, accontentare. ♣ indulge in (v.i.) permettersi, concedersi.

industry /ˈɪndəstrɪ/ (sost.) 1 industria 2 laboriosità. industrial /ɪnˈdʌstrɪəl/ (agg.) industriale, industrializzato.

inedible /ın'edəbəl/ (agg.) non commestibile.

ineffective /ını'fektıv/ (agg.) 1 (cosa) inefficace 2 (persona) inefficiente.

inefficient /ını'fıʃənt/ (agg.) 1 (persona) inefficiente, incompetent 2 (cosa) inefficace.

ineligible /ın'elıdʒəbəl/ (agg.) 1 inadatto, non idoneo 2 DIR. ineleggibile.

inept /ı'nept/ (agg.) inetto, incapace.

inert /ı'nз:t/ (agg.) inerte (anche CHIM., fig.).

inevitable /ın'evıtəbəl/ (agg.) 1 inevitabile, ineluttabile 2 sicuro, immancabile.

inexcusable /ınık'skju:zəbəl/ (agg.) imperdonabile.

inexpensive /ınık'spensıv/ (agg.) economico.

infamous /'ınfəməs/ (agg.) 1 infame 2 malfamato.

infantry /'ınfəntrı/ (sost.) MIL. fanteria.

infect /ın'fekt/ (v.t.) 1 MED. infettare, contagiare (anche fig.) 2 (fig.) corrompere. infection /ın'fekʃən/ (sost.) 1 MED. infezione, malattia infettiva 2 (fig.) infezione, contaminazione. infectious /ın'fekʃəs/ (agg.) MED. infettivo, contagio (anche fig.).

infer ♦ /ın'fз:*/ (v.t.) dedurre, desumere.

inferior /ın'fıərıə*/ (agg.) inferiore.

infinite /'ınfınət/ (agg. e sost.) infinito (anche MAT.).

infinitive /ın'fınıtıv/ (agg. e sost.) GRAMM. (modo) infinito.

infinity /ın'fınıtı/ (sost.) 1 infinità, immensità 2 MAT. infinito.

inflame /ın'fleım/ (v.t.) 1 infiammare, incendiare 2 (fig.) infiammare, accendere.

inflate /ın'fleıt/ (v.t.) gonfiare (anche fig.) ‖ (v.i.) gonfiarsi.

inflation /ın'fleıʃən/ (sost.) 1 ECON. inflazione 2 MED. gonfiore, tumefazione.

inflict /ın'flıkt/ (v.t.) infliggere.

influence /'ınfluəns/ (sost.) (effetto) influenza, influsso. influence (v.t.) influenzare, avere influenza su.

influx /'ınflʌks/ (sost.) affluenza, afflusso.

inform /ın'fɔ:m/ (v.t.) informare, fornire informazioni a. informal /ın'fɔ:məl/ (agg.) informale, non ufficiale. information /ınfə'meıʃən/ (sost.) 1 informazioni ❖ a piece of i. un'informazione 2 INFORM. informazione.

informer /ın'fɔ:mə*/ (sost.) delatore, spia.

infringe /ın'frındʒ/ (v.t.) infrangere, violare. ♠ infringe (up)on (v.i.) interferire, intromettersi.

infuriating /ın'fjʊərıeıtıŋ/ (agg.) esasperante.

infuse /ın'fju:z/ (v.t.) 1 (fig.) infondere 2 fare un infuso di 3 MED. applicare una fleboclisi.

ingest /ın'dʒest/ (v.t.) ingerire.

inglorious /ın'glɔ:rıəs/ (agg.) disonorevole.

ingot /'ıŋgət/ (sost.) METALL. lingotto.

ingredient /ın'gri:djənt/ (sost.) ingrediente.

inhabit /ın'hæbıt/ (v.t.) abitare.

inhale /ın'heıəl/ (v.t.) inalare.

inherit /ın'herıt/ (v.t. / v.i.) ereditare.

inhibit /ın'hıbıt/ (v.t.) inibire (anche PSIC.), impedire.

inhospitable /ınhɒ'spıtəbəl/ (agg.) inospitale.

initial /ɪˈnɪʃəl/ (agg. e sost.) iniziale. **initially** /ɪˈnɪʃəlɪ/ (avv.) inizialmente.

initiate /ɪˈnɪʃɪeɪt/ (v.t.) **1** promuovere, dare inizio a **2** iniziare, introdurre.

initiative /ɪˈnɪʃɪətɪv/ (sost.) iniziativa.

inject /ɪnˈdʒekt/ (v.t.) **1** iniettare (anche MED., TECN.) **2** (fig.) introdurre, immettere.

injure /ˈɪndʒə*/ (v.t.) **1** ferire **2** offendere. **injured** /ˈɪndʒəd/ (agg.) **1** ferito ❖ the i. i feriti **2** (fig.) offeso.

ink /ɪŋk/ (sost.) inchiostro.

inland /ˈɪnlənd/ (agg.) **1** (di regione) interno, dell'entroterra **2** (spec. BE) interno, nazionale ‖ (avv.) GEOGR. all'interno, verso l'interno.

in-laws /ˈɪnlɔːz/ (sost. pl.) FAM. suoceri, parenti acquisiti.

inlet /ˈɪnlət/ (sost.) **1** GEOGR. insenatura **2** (punto di) entrata, apertura.

inmost /ˈɪnməʊst/ (agg.) **1** il più interno **2** (fig.) il più intimo.

inn /ɪn/ (sost.) locanda.

inner /ˈɪnə*/ (agg.) **1** interiore, interno **2** (fig.) intimo. **innermost** /ˈɪnəməʊst/ (agg.) v. **inmost**.

inning /ˈɪnɪŋ/ (sost.) SPORT (baseball, cricket) turno di battuta.

innocent /ˈɪnəsənt/ (agg. e sost.) **1** innocente **2** sprovveduto.

innovate /ˈɪnəʊveɪt/ (v.i.) innovare.

innuendo /ˌɪnjuˈendəʊ/ (sost.) **1** allusione **2** insinuazione.

inordinate /ɪnˈɔːdɪnət/ (agg.) **1** eccessivo, straordinario **2** sregolato.

input /ˈɪnpʊt/ (sost.) **1** introduzione, inserimento **2** ELETTR. alimentazione **3** INFORM. immissione, input.

inquire /ɪnˈkwaɪə*/ (v.t.) FORM. chiedere ‖ (v.i.) indagare, investigare.

inquiry /ɪnˈkwaɪərɪ/ (sost.) **1** richiesta di informazioni **2** indagine **3** INFORM. interrogazione.

insane /ɪnˈseɪn/ (agg.) pazzo, folle.

inscription /ɪnˈskrɪpʃən/ (sost.) **1** iscrizione **2** (su un libro) dedica.

insect /ˈɪnsekt/ (sost.) ZOOL. insetto.

insecure /ˌɪnsɪˈkjʊə*/ (agg.) **1** malfermo, instabile **2** incerto, insicuro.

insensitive /ɪnˈsensətɪv/ (agg.) **1** insensibile **2** insensibile, indifferente.

insert /ˈɪnsɜːt/ (v.t.) inserire, introdurre.

inside /ɪnˈsaɪd/ (agg.) interno, interiore ‖ (sost.) interno, parte interna ‖ (avv.) internamente, dentro.

insider /ɪnˈsaɪdə*/ (sost.) **1** affiliato, membro **2** chi è in possesso di informazioni riservate.

insight /ˈɪnsaɪt/ (sost.) **1** discernimento **2** intuizione.

insipid /ɪnˈsɪpɪd/ (agg.) **1** (cibo) insipido **2** (fig.) insulso, scialbo.

insist /ɪnˈsɪst/ (v.i.) insistere, perseverare ‖ (v.t.) sostenere, asserire.

insole /ˈɪnsəʊl/ (sost.) sottopiede.

insolent /ˈɪnsələnt/ (agg.) insolente.

insomnia /ɪnˈsɒmnɪə/ (sost.) MED. insonnia.

inspection /ɪnˈspekʃən/ (sost.) ispezione (anche MIL.), controllo.

inspector /ɪnˈspektə*/ (sost.) **1** ispettore **2** (su mezzi di trasporto) controllore.

inspire /ɪnˈspaɪə*/ (v.t.) ispirare, suscitare, infondere.

install /ɪnˈstɔːl/ (v.t.) **1** installare **2** insediare. **instalment**, AE **installment** /ɪnˈstɔːlmənt/ (sost.) **1** COMM. rata, rateazione **2** AE acconto **3** (di pubblicazione) puntata, fascicolo.

instance /ˈɪnstəns/ (sost.) **1** caso **2** esempio ❖ for i. per esempio **3** DIR. istanza, richiesta.

instant /'ınstənt/ (agg.) 1 immediato, istantaneo 2 COMM. corrente mese || (sost.) istante, momento.

instead /ın'sted/ (avv.) invece ❖ i. of invece di, anziché.

institute /'ınstɪtjuːt/ (sost.) istituto. institute (v.t.) FORM. istituire. institution /ınstɪ'tjuːʃən/ (sost.) 1 istituzione 2 istituto.

instruct /ın'strʌkt/ (v.t.) 1 istruire, insegnare 2 dare istruzioni a. instruction /ın'strʌkʃən/ (sost.) 1 insegnamento 2 (spec. pl.) istruzioni, disposizioni, mil. consegne.

instrument /'ınstrəmənt/ (sost.) 1 strumento (anche fig.), utensile 2 MUS. strumento.

insubstantial /ınsəb'stænʃəl/ (agg.) inconsistente.

insulation /ınsju'leɪʃən/ (sost.) 1 isolamento (anche fig.) 2 TECN. materiale isolante.

insult /ın'sʌlt/ (v.t.) insultare, offendere. insult /'ınsʌlt/ (sost.) insulto, offesa. insulting /ın'sʌltıŋ/ (agg.) insultante, offensivo.

insurance /ın'ʃuərəns/ (sost.) 1 assicurazione 2 sicurezza.

insure /ın'ʃuə*/ (v.t.) 1 assicurare 2 AE garantire, assicurare.

intact /ın'tækt/ (agg.) intatto.

intake /'ınteık/ (sost.) 1 (di cibo) assunzione 2 (capacità di) afflusso, aspirazione 3 TECN. presa d'aspirazione 4 reclute (anche MIL.) 5 allievi ammessi.

integrate /'ıntıgreıt/ (v.t.) 1 unire, unificare 2 integrare || (v.i.) integrarsi.

intellect /'ıntılekt/ (sost.) intelletto, intelligenza.

intelligent /ın'telıdʒənt/ (agg.) intelligente. intelligence /ın'telıdʒəns/ (sost.) 1 intelligenza 2 informazioni (pl.).

intend /ın'tend/ (v.t.) 1 intendere, avere l'intenzione di 2 voler dire, significare 3 destinare, designare.

intense /ın'tens/ (agg.) 1 intenso, forte 2 ardente, appassionato.

intensify /ın'tensıfaı/ (v.t. / v.i.) intensificare, intensificarsi.

intent /ın'tent/ (agg.) 1 intento, dedito 2 deciso || (sost.) intenzione. intention /ın'tenʃən/ (sost.) intenzione.

intercept /ıntə'sept/ (v.t.) intercettare.

intercom /'ıntəkɒm/ (sost.) 1 citofono 2 interfono.

intercourse /'ıntəkɔːs/ (sost.) 1 FORM. relazioni, rapporti 2 rapporto sessuale.

interest /'ıntrəst/ (sost.) 1 interesse, interessamento 2 interesse, vantaggio 3 FIN. interesse, interessi. interest (v.t.) interessare. interested /'ıntrəstıd/ (agg.) interessato. interesting /'ıntrəstıŋ/ (agg.) interessante, che attira l'attenzione.

interface /'ıntəfeıs/ (v.t. / v.i.) IN-FORM. connettere, connettersi, interfacciare, interfacciarsi.

interfere /ıntə'fıə*/ (v.i.) interferire.

interior /ın'tıərıə*/ (agg.) interiore, interno || (sost.) interno.

interlock /ıntə'lɒk/ (v.t.) collegare, intrecciare || (v.i.) collegarsi, intrecciarsi.

intermediate /ıntə'miːdjət/ (agg.) intermedio, medio.

internal /ın'tɜːnəl/ (agg.) interno, interiore.

international /ıntə'næʃənəl/ (agg.) internazionale.

Internet /'ıntənet/ (sost.) Internet.

interpose /ɪntə'pəʊz/ (v.t.) interporre, intromettere ‖ (v.i.) interporsi, intromettersi.

interpret /ɪn'tɜːprɪt/ (v.t.) interpretare, decifrare ‖ (v.i.) fare da interprete. **interpretation** /ɪntɜːprɪ'teɪʃən/ (sost.) interpretazione. **interpreter** /ɪn'tɜːprɪtə*/ (sost.) interprete.

interrelated /ɪntərɪ'leɪtɪd/ (agg.) interrelato, in correlazione.

interrogative /ɪntə'rɒɡətɪv/ (agg.) interrogativo (anche GRAMM.).

interrupt /ɪntə'rʌpt/ (v.t. / v.i.) interrompere. **interruption** /ɪntə'rʌpʃən/ (sost.) interruzione.

intersection /ɪntə'sekʃən/ (sost.) intersezione (anche GEOM.), incrocio.

interval /'ɪntəvəl/ (sost.) intervallo.

intervene /ɪntə'viːn/ (v.i.) 1 intervenire, intromettersi 2 accadere.

interview /'ɪntəvjuː/ (sost.) 1 intervista 2 colloquio di lavoro.

intimate /'ɪntɪmət/ (agg.) 1 intimo, interiore 2 intimo, accogliente 3 completo, profondo, fondamentale 4 intimo, personale, privato 5 ❖ *to be i. with s.o.* essere in intimità con qu.no ‖ (sost.) amico intimo.

intimidate /ɪn'tɪmɪdeɪt/ (v.t.) intimidire, intimorire.

into /'ɪntuː/ (prep.) in, dentro.

intolerable /ɪn'tɒlərəbəl/ (agg.) intollerabile.

intolerant /ɪn'tɒlərənt/ (agg.) intollerante.

intoxicate /ɪn'tɒksɪkeɪt/ (v.t.) 1 inebriare (anche fig.), ubriacare 2 MED. intossicare.

intransitive /ɪn'trænsɪtɪv/ (agg. e sost.) GRAMM. intransitivo.

intricate /'ɪntrɪkət/ (agg.) intricato, complicato.

intrigue /ɪn'triːɡ/ (sost.) intrigo, tresca. **intriguing** /ɪn'triːɡɪŋ/ (agg.) interessante, intrigante.

introduce /ɪntrə'djuːs/ (v.t.) 1 introdurre 2 presentare, far conoscere. **introduction** /ɪntrə'dʌkʃən/ (sost.) 1 introduzione, prefazione 2 presentazione.

intrude /ɪn'truːd/ (v.i.) intromettersi, introdursi indebitamente ‖ (v.t.) imporre. **intruder** /ɪn'truːdə*/ (sost.) intruso.

intuition /ɪntjuː'ɪʃən/ (sost.) intuizione, intuito.

invade /ɪn'veɪd/ (v.t.) 1 invadere (anche fig.), occupare 2 violare, calpestare. **invasion** /ɪn'veɪʒən/ (sost.) invasione.

invalidate /ɪn'vælɪdeɪt/ (v.t.) invalidare, rendere nullo (anche DIR.).

invaluable /ɪn'væljuəbəl/ (agg.) inestimabile.

invent /ɪn'vent/ (v.t.) inventare. **invention** /ɪn'venʃən/ (sost.) 1 invenzione 2 inventiva.

inverse /ɪn'vɜːs/ (agg. e sost.) inverso (anche MAT.), opposto.

invest /ɪn'vest/ (v.t.) 1 investire (anche ECON.) 2 conferire (a), investire (di) ‖ (v.i.) fare un investimento. **investment** /ɪn'vestmənt/ (sost.) ECON. investimento.

investigate /ɪn'vestɪɡeɪt/ (v.t.) investigare, indagare. **investigation** /ɪnvestɪ'ɡeɪʃən/ (sost.) indagine.

invigorating /ɪn'vɪɡəreɪtɪŋ/ (agg.) tonificante, corroborante.

invincible /ɪn'vɪnsɪbəl/ (agg.) invincibile.

invisible /ɪn'vɪzəbəl/ (agg.) invisibile.

invite /ɪn'vaɪt/ (v.t.) 1 invitare 2 incoraggiare. **invitation** /ɪnvɪ'teɪʃən/ (sost.) invito (anche fig.). **inviting**

/ɪn'vaɪtɪŋ/ *(agg.)* invitante, allettante.
invoice /'ɪnvɔɪs/ *(sost.)* COMM. fattura.
invoke /ɪn'vəʊk/ *(v.t.)* **1** invocare **2** appellarsi a **3** evocare, suscitare, destare.
involve /ɪn'vɒlv/ *(v.t.)* **1** coinvolgere **2** comportare. **involved** /ɪn'vɒlvd/ *(agg.)* **1** coinvolto *(anche sentimentalmente)*, implicato **2** complicato.
inward /'ɪnwəd/ *(agg.)* **1** interno, interiore **2** *(fig.)* interiore, intimo **1** *(avv.)* v. **inwards. inwards** /'ɪnwədz/ *(avv.)* verso l'interno.
Iranian /ɪ'reɪnjən/ *(agg. e sost.)* iraniano.
Iraqi /ɪ'rɑːkɪ/ *(agg. e sost.)* iracheno.
irate /aɪ'reɪt/ *(agg.)* FORM. adirato.
Irish /'aɪərɪʃ/ *(agg.)* irlandese **‖** *(sost.)* **1** *(Gaelic)* lingua (gaelica) irlandese **2 ✧** *the I.* *(pl.)* gli irlandesi.
iron /'aɪən/ *(sost.)* **1** CHIM. ferro *(anche fig.)* **2** ferro da stiro **3** *(pl.)* catene, ceppi **4** GOLF ferro **‖** *(agg.)* di, in ferro *(anche fig.).* **iron** *(v.t.)* stirare.
ironmonger /'aɪənmʌŋgə*/ *(sost.)* BE negoziante di ferramenta.
irony /'aɪərənɪ/ *(sost.)* ironia. **ironic(al)** /aɪ'rɒnɪk(əl)/ *(agg.)* ironico.
irrational /ɪ'ræʃənəl/ *(agg.)* irrazionale *(anche MAT.),* irragionevole **‖** *(sost.)* MAT. numero irrazionale.
irregular /ɪ'regjʊlə*/ *(agg.)* irregolare.
irrelevant /ɪ'reləvənt/ *(agg.)* non pertinente.
irreproachable /ɪrɪ'prəʊtʃəbəl/ *(agg.)* irreprensibile.
irresolute /ɪ'rezəluːt/ *(agg.)* irresoluto, indeciso.
irrigate /'ɪrɪgeɪt/ *(v.t.)* irrigare.
irritate /'ɪrɪteɪt/ *(v.t.)* irritare *(anche fig.).*

irrupt /ɪ'rʌpt/ *(v.i.)* irrompere.
is v. **be.**
Islam /'ɪzlɑːm/ *(sost.)* **1** islamismo **2** Islam.
island /'aɪlənd/ *(sost.)* isola *(anche fig.).*
isosceles /aɪ'sɒsɪliːz/ *(agg.)* GEOM. isoscele.
issue /'ɪʃuː/ *(sost.)* **1** questione, problema **2** *(di libri)* pubblicazione, *(di riviste ecc.)* numero **3** FORM. uscita, sbocco **4** risultato, esito. **issue** *(v.t.)* **1** emettere **2** pronunciare, diffondere **3** FIN. mettere in circolazione **4** pubblicare **5** rilasciare documenti **‖** *(v.i.)* provenire, derivare.
it /ɪt/ *(pron. pers. 3a pers. neutro sing.)* **1** *(sogg.)* esso, essa **2** *(compl.)* lo, la, ciò **3** *(sogg. di v. impers.)* **✧** *i. is late* è tardi, *i. is snowing* nevica.
Italian /ɪ'tæljən/ *(agg. e sost.)* italiano.
italics /ɪ'tælɪks/ *(sost. pl.)* TIP. corsivo.
itch /ɪtʃ/ *(v.i.)* **1** prudere **2** FAM. avere una gran voglia di. **itchy** /'ɪtʃɪ/ *(agg.)* **1** che prude **2** che dà prurito.
item /'aɪtəm/ *(sost.)* **1** articolo, capo **2** voce di elenco, *(agenda, ordine del giorno)* argomento.
its /ɪts/ *(agg. poss. neutro)* suo, di esso.
itself /ɪt'self/ *(pron. 3a pers. neutro sing.)* **1** *(rifl.)* si, sé, se stesso **2** stessa **2** *(enfatico)* stesso, *(fig.)* in persona.
ivory /'aɪvərɪ/ avorio.
ivy /'aɪvɪ/ *(sost.)* BOT. edera.

J

jab /ʤæb/ (sost.) **1** stilettata, colpo di punta **2** BE, FAM. vaccinazione. **jab** ◊ (v.t.) conficcare ‖ (v.i.) dare colpi.

jabber /'ʤæbə*/ (v.t. / v.i.) farfugliare, balbettare.

jack /ʤæk/ (sost.) **1** MECC. martinetto, cric **2** (a carte) fante **3** ELETTR. spinotto jack **4** bandiera ✦ the Union Jack la bandiera britannica. ♣ **jack up** (v.t.) **1** sollevare con il cric **2** FAM. aumentare (il prezzo).

jackal /'ʤækɔːl/ (sost.) ZOOL. sciacallo (anche fig.).

jacket /'ʤækɪt/ (sost.) **1** ABBIGL. giacca, giubbotto ✦ life j. giubbotto di salvataggio **2** TIP. soprraccoperta.

jack knife /'ʤæknaɪf/ (sost.) coltello a serramanico.

jackpot /'ʤækpɒt/ (sost.) **1** montepremi **2** (a poker) piatto, posta.

Jacobin /'ʤækəbɪn/ (agg. e sost.) **1** ST. giacobino **2** (fig.) estremista, radicale.

jade /ʤeɪd/ (sost.) MIN. giada.

jaguar /'ʤægjʊə*/ (sost.) ZOOL. giaguaro.

jail /ʤeɪl/ (sost.) prigione, carcere. **jail** (v.t.) mandare in prigione, incarcerare. **jailbreak** /'ʤeɪəlbreɪk/ (sost.) evasione dal carcere.

jam¹ /ʤæm/ (v.t.) **1** pigiare, schiacciare **2** MECC. bloccare, inceppare

3 RAD. disturbare (con interferenze) ‖ (v.i.) **1** bloccarsi, incepparsi **2** MUS. improvvisare. **jam** (sost.) **1** MECC. inceppamento **2** AUT. ingorgo **3** (session) MUS. improvvisazione di gruppo. **jammed** /ʤæmd/ (agg.) FAM., AE affollato.

jam² (sost.) marmellata. **jammy** /'ʤæmɪ/ (agg.) FAM. appiccicoso.

jamboree /ʤæmbə'riː/ (sost.) FAM. baldoria, riunione festosa.

jangle /'ʤæŋgəl/ (sost.) suono metallico, sferragliamento. **jangle** (v.t.) **1** far tinnire, far sferragliare **2** (fig.) (nervi) scuotere ‖ (v.i.) sferragliare, stridere.

janitor /'ʤænɪtə*/ (sost.) (spec. AE) custode.

January /'ʤænjʊərɪ/ (sost.) gennaio.

jar¹◊ /ʤɑ:*/ (v.t.) scuotere ‖ (v.i.) **1** (fig.) stridere **2** (fig.) discordare, essere in conflitto. ♣ **jar on** dare fastidio, innervosire. **jar** (sost.) **1** scossa **2** stridore.

jar² (sost.) **1** giara **2** barattolo.

jargon /'ʤɑːgən/ (sost.) gergo, linguaggio.

jasmine /'ʤæzmɪn/ (sost.) BOT. gelsomino.

jaundice /'ʤɔːndɪs/ (sost.) **1** MED. itterizia **2** (fig.) astio, rabbia.

jaunt /ʤɔːnt/ (sost.) scampagnata, gita. **jaunt** (v.i.) fare una gita.

jaunty /'dʒɔːntɪ/ (agg.) spigliato, disinvolto.

javelin /'dʒævəlɪn/ (sost.) SPORT giavellotto.

jaw /dʒɔː/ (sost.) 1 ANAT. mandibola, mascella 2 (pl.) fauci 3 (pl.) MECC. morsa, ganascia.

jazz /dʒæz/ (sost.) MUS. jazz ❖ FAM. and all that j. e così via ‖ (agg.) jazzistico. **jazz** (v.i.) MUS. suonare il jazz. ♣ **jazz up** ravvivare, vivacizzare.

jealous /'dʒeləs/ (agg.) geloso, invidioso. **jealousy** /'dʒeləsɪ/ (sost.) gelosia, invidia.

jeans /dʒiːnz/ (sost. pl.) ABBIGL. jeans.

jeer /dʒɪə*/ (sost.) scherno, canzonatura. **jeer** (v.t. / v.i.) schernire, deridere.

jelly /'dʒelɪ/ (sost.) CUC. 1 gelatina 2 AE marmellata.

jellyfish /'dʒelɪfɪʃ/ (sost.) ZOOL. medusa.

jeopardy /'dʒepədɪ/ (sost.) rischio, pericolo ❖ in j. in pericolo. **jeopardize** /'dʒepədaɪz/ (v.t.) mettere a rischio.

jerk¹ /dʒɜːk/ (sost.) scossone, sobbalzo.

jerk² (sost.) AE, FAM. fesso, idiota.

jersey /'dʒɜːzɪ/ (sost.) 1 ABBIGL., BE maglioncino 2 SPORT maglia 3 (tessuto) jersey, maglina.

jest /dʒest/ (sost.) scherzo. **jest** (v.i.) scherzare.

Jesuit /'dʒezjuɪt/ (sost.) RELIG. gesuita. **Jesuitic** /'dʒezjuɪtɪk/ (agg.) RELIG. gesuitico.

Jesus /'dʒiːzəs/ (sost.) BIBL. Gesù.

jet /dʒet/ (sost.) 1 getto, zampillo, spruzzo 2 AER. motore a reazione 3 AER. aereo a reazione, jet. **jet** ♦ (v.i.) 1 zampillare, sgorgare 2 FAM. volare (in jet).

jet-black /dʒet'blæk/ (agg.) (colore) nero corvino.

jet lag /'dʒetlæg/ (sost.) malessere provocato dal rapido passaggio di fuso orario, jet lag.

jetty /'dʒetɪ/ (sost.) MAR. molo.

Jew /dʒuː/ (sost.) ebreo. **Jewess** /'dʒuːɪs/ (sost.) ebrea. **Jewish** /'dʒuːɪʃ/ (agg.) ebraico, ebreo .

jewel /'dʒuːəl/ (sost.) gioiello .

jeweller, AE **jeweler** /'dʒuːələ*/ (sost.) gioielliere. **jewellery**, AE **jewelry** /'dʒuːəlrɪ/ (sost.) gioielli, gioielleria.

jib ◊ /dʒɪb/ (v.i.) impuntarsi, rifiutarsi di.

jibe /dʒaɪb/ (sost.) frecciata, allusione maligna, punzecchiatura.

jiggle /'dʒɪgəl/ (v.t / v.i.) muovere, muoversi a scatti.

jigsaw /'dʒɪgsɔː/ (sost.) MECC. seghetto da traforo ❖ j. puzzle puzzle.

jingle /'dʒɪngəl/ (sost.) 1 tintinnio 2 RAD., TV motivo pubblicitario, jingle. **jingle** (v.t.) far tintinnare ‖ (v.i.) tintinnare .

jinx /dʒɪŋks/ (sost.) 1 iettatura, malocchio 2 iettatore, menagramo 3 cosa che porta sfortuna ‖ (agg.) che porta sfortuna.

jitters /'dʒɪtəz/ (sost. pl.) FAM. agitazione, nervosismo, fifa

job /dʒɒb/ (sost.) 1 lavoro, impiego, posto di lavoro 2 compito, mansione.

job centre /'dʒɒb'sentə*/ (sost.) ufficio di collocamento.

jobless /'dʒɒbləs/ (agg.) senza lavoro, disoccupato.

jockey /'dʒɒkɪ/ (sost.) fantino.

jog ◊ /dʒɒg/ (v.t.) **1** dare un colpetto a, dare una (leggera) gomitata a **2** (fig.) stimolare ‖ (v.i.) fare jogging, correre. ♣ **jog along** (fig.) tirare avanti, vivere la solita routine. **jog** (sost.) **1** colpetto, (leggera) gomitata **2** corsa leggera. **jogging** /'dʒɒgɪŋ/ (sost.) SPORT jogging.

join (v.t.) **1** unire, collegare (anche fig.) **2** raggiungere **3** diventare membro di, associarsi a ‖ (v.i.) unirsi, congiungersi. **join** /dʒɔɪn/ (sost.) giuntura, giunzione. ♣ **join in** unirsi, partecipare, prendere parte (a una festa ecc.). ♣ **join up 1** arruolarsi nell'esercito **2** incontrare.

joint /dʒɔɪnt/ (agg.) collettivo, collegiale, congiunto ‖ (sost.) **1** giunzione, giuntura **2** MED. articolazione, giuntura **3** MECC. giunto, snodo **4** SL. spinello.

joint venture /'dʒɔɪnt'ventʃə*/ (sost.) COMM. associazione in partecipazione, società mista.

joke /dʒəʊk/ (sost.) **1** scherzo, beffa **2** barzelletta. **joke** (v.i.) scherzare. **jokey** /'dʒəʊkɪ/ (agg.) FAM. scherzoso.

joker /'dʒəʊkə*/ (sost.) **1** burlone **2** (a carte) jolly.

jolly /'dʒɒlɪ/ (agg.) allegro, gioviale.

jolt /dʒəʊlt/ (v.t.) far sobbalzare, sballottare ‖ (v.i.) sobbalzare, avanzare a balzi. **jolt** (sost.) scossa, sobbalzo.

jostle /'dʒɒsəl/ (v.t. / v.i.) spingere, spintonare.

jot ◊ /dʒɒt/ (v.t.) annotare, appuntare. ♣ **jot down** annotarsi, prendere appunti.

joule /dʒu:l/ (sost.) FIS. (unità di misura) joule.

journal /'dʒɜ:nəl/ (sost.) **1** diario **2** giornale, periodico **3** MAR. giornale di bordo.

journalism /dʒɜ:nə'lɪzm/ (sost.) giornalismo. **journalist** /'dʒɜ:nəlɪst/ (sost.) giornalista.

journey /'dʒɜ:nɪ/ (sost.) viaggio. **journey** (v.i.) viaggiare.

jovial /'dʒəʊvɪəl/ (agg.) gioviale, allegro.

joy /dʒɔɪ/ (sost.) gioia, felicità, contentezza. **joyful** /'dʒɔɪfəl/ (agg.) felice, gioioso.

joystick /'dʒɔɪstɪk/ (sost.) **1** AER. cloche **2** INFORM. joystick (di computer).

jubilation /dʒu:bɪ'leɪʃən/ (sost.) esultanza.

jubilee /'dʒu:bɪli:/ (sost.) giubileo, anniversario.

Jud(a)ea /dʒu:'dɪə/ (sost.) GEOGR. Giudea.

Judaic /'dʒu:deɪk/ (agg.) giudaico. **Judaism** /'dʒu:deɪzəm/, AE /'dʒu:dɪɪzəm/ (sost.) RELIG. giudaismo, ebraismo.

judge /dʒʌdʒ/ (sost.) **1** giudice, magistrato **2** arbitro **3** intenditore, conoscitore. **judge** (v.t.) **1** DIR. giudicare, emettere una sentenza **2** giudicare, ritenere ‖ (v.i.) **1** fare da giudice, da arbitro **2** giudicare, farsi un'opinione.

judgement /'dʒʌdʒmənt/ (sost.) **1** giudizio, opinione **2** discernimento, senno **3** DIR. sentenza, verdetto.

judicious /dʒu'dɪʃəs/ (agg.) giudizioso, assennato.

jug /dʒʌg/ (sost.) brocca, caraffa.

juggle /'dʒʌgəl/ (v.i.) fare giochi di destrezza. **juggler** /'dʒʌglə*/ (sost.) giocoliere.

jugular /'dʒʌgjʊlə*/ (agg. e sost.) ANAT. giugulare.

juice /dʒuːs/ (sost.) succo. juicy /'dʒuːsɪ/ (agg.) 1 succoso 2 FAM. interessante, intrigante.

July /dʒʊ'laɪ/ (sost.) luglio.

jumble /'dʒʌmbəl/ (sost.) accozzaglia, confusione ❖ j. sale BE mercatino (di beneficenza). jumble (v.t.) mescolare, accozzare || (v.i.) mescolarsi confusamente.

jumbo /'dʒʌmbəʊ/ (agg.) FAM. gigantesco, enorme.

jump /dʒʌmp/ (v.i.) saltare || (v.t.) saltare, scavalcare. jump (sost.) salto, balzo (anche fig.). ♣ jump at cogliere al volo, affrettarsi ad accettare. ♣ jump in 1 saltare dentro 2 FAM. intromettersi in (una conversazione), interrompere. ♣ jump on 1 saltare su 2 FAM. attaccare, criticare. ♣ jump up balzare in piedi. jumpy /'dʒʌmpɪ/ (agg.) FAM. nervoso, irritabile.

jumper /'dʒʌmpə*/ (sost.), be pullover.

jumpsuit /'dʒʌmpsuːt/ (sost.) ABBIGL. tuta.

junction /'dʒʌŋkʃən/ (sost.) 1 congiunzione, connessione 2 scambio ferroviario, svincolo stradale.

juncture /'dʒʌŋkθə*/ (sost.) 1 (fig.) congiuntura 2 ANAT. giuntura, articolazione.

June /dʒuːn/ (sost.) giugno.

jungle /'dʒʌŋgl/ (sost.) giungla.

junior /'dʒuːnɪə*/ (agg.) 1 minore (d'età), più giovane 2 inferiore, subalterno.

junior high-school /dʒuːnjə'haɪ-

skuːl/ (sost.) AE scuola media inferiore.

juniper /'dʒuːnɪpə*/ (sost.) BOT. ginepro.

junk /dʒʌŋk/ (sost.) 1 robaccia, porcheria ❖ j. food cibo poco sano 2 SL. (droga) eroina. junkie /'dʒʌnkɪ/ (sost.) SL. drogato, tossicomane.

Jupiter /'dʒuːpɪtə*/ (sost.) ASTRON., MIT. Giove.

juridical /dʒʊə'rɪdɪkəl/ (agg.) 1 giuridico 2 legale.

jurisdiction /dʒʊərɪs'dɪkʃən/ (sost.) giurisdizione.

jurisprudence /dʒʊərɪs'pruːdəns/ (sost.) giurisprudenza.

juror /'dʒʊərə*/ (sost.) DIR. giurato, membro della giuria.

jury /'dʒʊərɪ/ (sost.) giuria, giurati (anche DIR.).

just /dʒʌst/ (agg.) giusto, equo || (avv.) 1 proprio 2 solo, soltanto 3 appena, poco fa 4 per poco, per un pelo, appena 5 davvero, veramente.

justice /'dʒʌstɪs/ (sost.) 1 giustizia (anche dir.) 2 giudice.

justifiable /dʒʌstɪ'faɪəbəl/ (agg.) giustificabile, legittimo.

justification /dʒʌstɪfɪ'keɪʃən/ (sost.) 1 giustificazione, scusa 2 TIP., INFORM. giustificazione.

justify /'dʒʌstɪfaɪ/ (v.t.) 1 giustificare, scusare 2 giustificare, motivare 3 TIP. giustificare.

jut /dʒʌt/ (v.i.) sporgere, protendersi.

juvenile /'dʒuːvənaɪəl/ (agg.) 1 giovanile 2 DIR. minorile, dei minorenni 3 (fig.) infantile, puerile || (sost.) 1 giovane 2 DIR. minorenne.

K

kangaroo /kæŋgəˈruː/ (sost.) ZO-
OL. canguro.
keel /kiːl/ (sost.) MAR. chiglia.
keen /kiːn/ (agg.) 1 appassionato,
entusiasta 2 desideroso 3 pungente, intenso 4 tagliente, affilato (anche fig.).
keep ♦ /kiːp/ (v.t.) 1 tenere, mantenere 2 gestire, amministrare 3 trattenere 4 conservare, custodire 5
proteggere, salvaguardare || (v.i.) 1
mantenersi, stare, restare 2 (seguito da gerundio) continuare 3 (rif. a
cibo) conservarsi. ♣ keep at perseverare, insistere. ♣ keep from 1
nascondere 2 prevenire, evitare (di
fare ql.sa) 3 distrarre. ♣ keep in
with essere in buoni rapporti con.
♣ keep off 1 stare, tenere alla lar-
ga 2 non toccare. ♣ keep on (seguito da gerundio) continuare. ♣
keep o.s. out non farsi coinvolgere. ♣ keep to mantenere un percorso (anche fig.), attenersi a. ♣
keep up with 1 mantenere (lo stesso livello ecc.) 2 essere all'altezza
di 3 restare in contatto 4 essere in
grado di ottemperare. ♣ keep
sthg. up continuare, proseguire. ♣
keep s.o. up tenere sveglio.
keeper /ˈkiːpə*/ (sost.) guardiano,
custode.
kennel /ˈkenəl/ (sost.) 1 canile 2
cuccia.

kept /kept/ v. keep || (agg.) (uomo,
donna) mantenuto.
kerb /kɜːb/ (sost.) BE bordo del
marciapiede.
kerchief /ˈkɜːtʃɪf/ (sost.) fazzoletto.
kernel /ˈkɜːnəl/ (sost.) 1 BOT. chicco, gheriglio 2 (fig.) nucleo.
kettle /ˈketəl/ (sost.) bollitore.
key /kiː/ (sost.) 1 chiave (anche fig.)
2 MUS. chiave 3 tasto || (agg.)
importante, fondamentale.
keyboard /ˈkiːbɔːd/ (sost.) tastiera.
keyhole /ˈkiːhəʊl/ (sost.) buco della
serratura.
keyring /ˈkiːrɪŋ/ (sost.) portachiavi.
kick /kɪk/ (v.t.) 1 dare calci a, dare
un calcio a 2 SPORT calciare, tira-
re || (v.i.) scalciare, dare calci. ♣
kick about / around 1 (persona)
gironzolare 2 (cosa) essere inutilizzato 3 maltrattare. ♣ kick in
1 (porta) sfondare 2 entrare in
azione, fare effetto. ♣ kick off 1
cominciare (anche SPORT) 2
FAM. dare inizio 3 FAM. cacciare,
mandar via. ♣ kick out FAM. cacciare (a pedate). kick (sost.) 1 calcio, pedata 2 forte stimolo, eccitazione.
kickback /ˈkɪkbæk/ (sost.) 1 con-
traccolpo 2 FAM. tangente, mazzetta.
kid /kɪd/ (sost.) 1 FAM. ragazzo,
bambino 2 ZOOL. capretto, pelle di

capretto. **kid** *(v.t.)* FAM. prendere in giro, scherzare.

kidnap ♦ /'kɪdnæp/ *(v.t.)* rapire, sequestrare. **kidnapper** /'kɪdnæpə*/ *(sost.)* rapitore, sequestratore.

kidney /'kɪdnɪ/ *(sost.)* 1 ANAT. rene 2 CUC. rognone.

kill /kɪl/ *(v.t.)* 1 uccidere, ammazzare *(anche fig.)* 2 disattivare, spegnere *(anche fig.)* 3 *(tempo)* far passare *(v.i.)* 1 uccidere, ammazzare 2 fare colpo. ♣ **kill off** distruggere, sterminare. **kill** *(sost.)* uccisione, omicidio.

killer /'kɪlə*/ *(sost.)* assassino.

killing /'kɪlɪŋ/ *(agg.)* 1 mortale, letale 2 FAM. estenuante, faticoso || *(sost.)* assassinio, uccisione.

killer whale /'kɪləweɪl/ *(sost.)* ZOOL. orca (assassina).

kilo /'kiːləʊ/ *(sost.)* chilo.

kilo- *(pref.)* chilo-.

kilogram /'kɪləʊɡræm/ *(sost.)* chilogrammo.

kilometre, AE **kilometer** /'kɪləʊmiːtə*/ *(sost.)* chilometro.

kilt /'kɪlt/ *(sost.)* ABBIGL. kilt.

kin /kɪn/ *(sost.)* parenti, congiunti, parentela ♣ **next of k.** parente più prossimo.

kind[1] /kaɪnd/ *(agg.)* gentile, cortese. **kindly** /'kaɪndlɪ/ *(agg.)* gentile, cortese || *(avv.)* gentilmente. **kindness** /'kaɪndnəs/ *(sost.)* gentilezza.

kind[2] *(sost.)* specie, genere.

kindergarten /'kɪndəɡɑːtən/ *(sost.)* asilo infantile, scuola materna.

kind-hearted /kaɪnd'hɑːtɪd/ *(agg.)* di buon cuore, di animo gentile.

kindle /'kɪndəl/ *(v.t. / v.i.)* accendere, accendersi *(anche fig.)*.

king /kɪŋ/ *(sost.)* re *(anche fig.)*.

kingdom /'kɪŋdəm/ *(sost.)* regno, reame.

kink /kɪŋk/ *(sost.)* 1 piega, curvatura *(anche fig.)* 2 *(fig.)* bizzarria, *(sfera sessuale)* perversione 3 AE, FAM. dolore muscolare. **kinky** /'kɪŋkɪ/ *(agg.)* 1 attorcigliato 2 *(capelli)* riccio, crespo 3 FAM. eccentrico 4 FAM. *(sfera sessuale)* perverso.

kiosk /'kiːɒsk/ *(sost.)* 1 chiosco, edicola 2 BE cabina telefonica.

kiss /kɪs/ *(v.t. / v.i.)* baciare, baciarsi. **kiss** *(sost.)* bacio.

kit /kɪt/ *(sost.)* equipaggiamento, corredo *(anche MIL.)*.

kitchen /'kɪtʃən/ *(sost.)* cucina. **kitchenware** /'kɪtʃənweə*/ *(sost.)* utensili da cucina.

kite /kaɪt/ *(sost.)* 1 ZOOL. nibbio 2 aquilone.

kitten /'kɪtən/ *(sost.)* gattino, micino.

kiwi /'kiːwiː/ *(sost.)* 1 ZOOL. kiwi 2 BOT. kiwi 3 FAM. neozelandese.

kleptomania /'kleptəʊ'meɪnjə/ *(sost.)* cleptomania. **kleptomaniac** /'kleptəʊ'meɪnjæk/ *(agg. e sost.)* cleptomane.

knack /næk/ *(sost.)* abilità.

knackered /'nækəd/ *(agg.)* BE, FAM. esausto, stanco morto.

knead /niːd/ *(v.t.)* 1 impastare 2 massaggiare.

knee /niː/ *(sost.)* ANAT. ginocchio. **knee** *(v.t.)* dare una ginocchiata a.

kneecap /'niːkæp/ *(sost.)* ANAT. rotula.

kneel ♦ /niːəl/ *(v.i.)* inginocchiarsi, genuflettersi.

knelt v. **kneel.**

knew v. **know.**

knickerbockers /'nɪkəbɒkəz/ *(sost. pl.)* ABBIGL. pantaloni alla zuava.

knickers /'nɪkəz/ *(sost. pl.)* AB-BIGL. **1** BE mutandine (da donna), slip **2** AE pantaloni alla zuava.

knick-knack /'nɪknæk/ *(sost.)* gingillo, ninnolo, soprammobile.

knife /naɪf/ *(pl.* **knives** /naɪvz/*) (sost.)* coltello, pugnale. **knife** *(v.t.)* accoltellare, pugnalare.

knight /naɪt/ *(sost.)* ST. cavaliere *(anche fig.).* **knight** *(v.t.)* nominare cavaliere. **knighthood** /'naɪthʊd/ *(sost.)* **1** titolo di cavaliere **2** cavalleria.

knit ♦ /nɪt/ *(v.t.)* **1** lavorare a maglia **2** aggrottare le ciglia, la fronte **3** *(fig.)* unire ‖ *(v.i.)* **1** lavorare a maglia **2** *(fig.)* unirsi, congiungersi. **knitting** /'nɪtɪŋ/ *(sost.)* lavoro a maglia. **knitwear** /'nɪtweə*/ *(sost.)* maglieria, indumenti di maglia.

knives v. knife.

knob /nɒb/ *(sost.)* **1** pomo, pomello, manopola **2** noce (di burro).

knock /nɒk/ *(v.t.)* **1** colpire, picchiare, battere **2** FAM. criticare ‖ *(v.i.)* **1** bussare, dare colpi regolari **2** colpire *(anche fig.).* ♣ **knock down 1** demolire, abbattere **2** far cadere colpendo. ♣ **knock off 1** FAM. staccare, smontare (dal lavoro) **2** *(qualcosa)* FAM. fare ql.sa velocemente e senza sforzo **3** *(qualcosa)* togliere da una somma, scontare. ♣ **knock out 1** mettere fuori combattimento (a pugni) *(anche* SPORT*)* **2** SPORT eliminare **3** mettere fuori uso **4** FAM. produrre velocemente. ♣ **knock over 1** investire **2** far cadere, rovesciare. ♣ **knock together**

raffazzonare. ♣ **knock up 1** FAM. fare, preparare alla meglio **2** POP. mettere incinta. **knock** *(sost.)* colpo *(anche fig.),* il bussare.

knock-knee /'nɒkniː/ *(sost.)* MED. ginocchio valgo.

knock-on /'nɒkɒn/ *(agg.)* a catena.

knockout /'nɒkaʊt/ *(agg.)* **1** che mette fuori combattimento **2** straordinario ‖ *(sost.)* **1** SPORT *(boxe)* k.o. **2** FAM. persona, cosa straordinaria.

knot /nɒt/ *(sost.)* **1** nodo *(anche fig.)* **2** MAR. *(unità di misura)* nodo. **knot** ♦ *(v.t.)* annodare, legare ‖ *(v.i.)* annodarsi, aggrovigliarsi. **knotty** /'nɒti/ *(agg.)* **1** nodoso **2** *(fig.)* complicato.

know ♦ /nəʊ/ *(v.t.)* **1** conoscere, sapere **2** *(persone)* conoscere **3** riconoscere **4** distinguere ‖ *(v.i.)* sapere, essere informato.

know-how /'nəʊhaʊ/ *(sost.)* complesso di conoscenze tecniche e tecnologiche.

knowing /'nəʊɪŋ/ *(agg.)* d'intesa. **knowingly** /'nəʊɪŋli/ *(avv.)* deliberatamente, di proposito.

knowledge /'nɒlɪʤ/ *(sost.)* **1** conoscenza, il conoscere **2** consapevolezza **3** il sapere.

known /nəʊn/ v. **know** ‖ *(agg.)* saputo, conosciuto, noto.

knuckle /'nʌkəl/ *(sost.)* ANAT. nocca.

knucklebone /'nʌkəlbəʊn/ *(sost.)* anat. falange.

Koran /kə'rɑːn/, AE /kə'ræn/*(sost.)* RELIG. Corano. **Koranic** /kɒ'rænɪk/ *(agg.)* RELIG. coranico, del Corano.

krona, krone /'krəʊnə/ *(sost.)* ECON. corona (moneta).

L

lab /læb/ (sost.) FAM. abbr. di **laboratory**.

label /'leɪbəl/ (sost.) etichetta. **label** ◊ /'leɪbəld/ (v.t.) etichettare, (fig.) classificare.

laboratory /ləˈbɒrətrɪ/ (sost.) laboratorio II (agg.) di laboratorio.

labour, AE **labor** /'leɪbə*/ (sost.) 1 lavoro, fatica 2 manodopera 3 doglie del parto (pl.), travaglio. **labour** (v.i.) 1 lavorare duro, faticare 2 avere le doglie.

lace /leɪs/ (sost.) 1 pizzo, merletto 2 laccio, stringa.

lack /læk/ (sost.) mancanza, scarsità. **lack** (v.t.) mancare (di ql.sa). **lacking** /'lækɪŋ/ (agg.) carente.

ladder /'lædə*/ (sost.) 1 scala a pioli 2 BE smagliatura (di collant).

lady /'leɪdɪ/ (sost.) 1 signora 2 (titolo nobiliare) Lady.

ladybird /'leɪdɪbɜːd/, AE **ladybug** /'leɪdɪbʌg/ (sost.) ZOOL. coccinella.

lag /læg/ (sost.) 1 intervallo di tempo 2 FIS. ritardo 3 isolante termico.

lager /'lɑːgə*/ (sost.) birra chiara.

laid v. **lay³**.

lain v. **lie¹**.

lake /leɪk/ (sost.) lago.

lamb /læm/ (sost.) ZOOL. agnello.

lame /leɪm/ (agg.) 1 zoppo 2 (fig.) debole.

lamp /læmp/ (sost.) lampada, lampadina.

land /lænd/ (sost.) 1 terra, terreno 2 (nazione) paese. **land** (v.t.) 1 sbarcare, scaricare 2 (colpo) sferrare, impartire II (v.i.) 1 sbarcare, approdare, AER. atterrare (anche fig.) 2 (fig.) finire ✦ to l. (up) in prison finire in prigione. **landing** /'lændɪŋ/ (sost.) 1 sbarco, approdo, AER. atterraggio 2 pianerottolo.

landlord /'lændlɔːd/ (sost.) proprietario (di pensione ecc.), padrone di casa, affittacamere (f. **landlady**).

landscape /'lændskeɪp/ (sost.) paesaggio.

lane /leɪn/ (sost.) 1 stradina, sentiero, vicolo 2 (di strada) corsia 3 MAR., AER. rotta.

language /'læŋgwɪʤ/ (sost.) lingua, linguaggio.

languish /'læŋgwɪʃ/ (v.i.) languire, illanguidire.

lap¹ /læp/ (sost.) grembo.

lap² (sost.) 1 SPORT (di pista, circuito) giro 2 (di un viaggio) tappa. **lap** ◊ (v.t.) SPORT sorpassare, doppiare.

lapse /læps/ (sost.) 1 passo falso, svista, distrazione 2 intervallo, lasso di tempo. **lapse** (v.i.) 1 mancare, venire meno, (fig.) cadere 2 (tempo) trascorrere.

laptop /'læptɒp/ (sost.) INFORM. computer portatile, laptop.

lard /lɑːd/ (sost.) lardo, strutto.

larder /'lɑːdə*/ (sost.) dispensa.

large /lɑːdʒ/ (agg.) grande, ampio. **largely** /'lɑːdʒlɪ/ (avv.) in gran parte.

larynx /'lærɪŋks/ (sost.) ANAT. laringe.

lash /læʃ/ (v.t.) **1** frustare, sferzare (anche fig.) **2** agitare con forza **3** incitare, aizzare **4** (di onde) frangersi, (pioggia) sferzare. ♣ **lash out** menar colpi, (fig.) inveire.

last¹ /lɑːst/, AE /læst/ (agg.) **1** ultimo **2** precedente, scorso ‖ (sost.) **1** fine **2** ultimo ‖ (avv.) **1** per ultimo ❖ **to come in l.** entrare per ultimo **2** (per) l'ultima volta.

last² (v.i.) durare, andare avanti.

last name /'lɑːstneɪm/ (sost.) cognome.

latch /lætʃ/ (sost.) **1** chiavistello **2** serratura a scatto.

late /leɪt/ (compar. **later** /'leɪtə*/, SUPERL. **latest** /'leɪtɪst/) (agg.) **1** in ritardo **2** tardo, inoltrato **3** defunto ‖ (avv.) tardi. **latecomer** /'leɪtkʌmə*/ (sost.) ritardatario. **lately** /'leɪtlɪ/ (avv.) recentemente.

later /'leɪtə*/ (agg.) (compar. di **late**) posteriore, successivo a ‖ (avv.) più tardi, dopo ❖ **see you l.!** FAM. a più tardi!

lateral /'lætərəl/ (agg.) laterale.

latest /'leɪtɪst/ (agg.) (superl. di **late**) ultimo, più recente ‖ (sost.) ❖ **at the l.** al più tardi.

Latin /'lætɪn/ (agg. e sost.) latino.

latitude /'lætɪtjuːd/ (sost.) **1** latitudine **2** (fig.) spazio, libertà d'azione.

latrine /lə'triːn/ (sost.) latrina.

latter /'lætə*/ (agg.) ultimo (di due), più recente, secondo ‖ (pron.) l'ultimo (di due).

laugh /lɑːf/, AE /læf/ (v.i.) ridere. ♣ **laugh at** ridere di, deridere. ♣ **laugh off** prendere sul ridere. **laugh** (sost.) riso, risata.

laughter /'lɑːftə*/, AE /'læftə*/ (sost.) risa (pl.), risata.

launch /lɔːntʃ/ (v.t.) **1** lanciare (anche fig.) **2** MAR. varare ‖ (v.i.) (into) lanciarsi, buttarsi (in). **launch** (sost.) **1** lancio (anche fig.) **2** MAR. varo.

launder /'lɔːndə*/ (v.t.) lavare e stirare. **laund(e)rette** /lɔːndə'ret/ (sost.) lavanderia a gettone. **laundry** /'lɔːndrɪ/ (sost.) **1** lavanderia **2** bucato. **lavatory** /'lævətərɪ/ (sost.) gabinetto.

lavish /'lævɪʃ/ (agg.) **1** (persona) generoso, prodigo **2** (pasto) lauto **3** (ricevimento ecc.) sontuoso.

law /lɔː/ (sost.) **1** legge **2** diritto, giurisprudenza.

lawn /lɔːn/ (sost.) prato all'inglese.

lawn mower /lɔːnmɔʊə*/ (sost.) tagliaerba.

lawyer /'lɔːjə*/ (sost.) avvocato.

lax /læks/ (agg.) **1** permissivo **2** (arto, muscolo) rilassato **3** affetto da diarrea.

lay¹ /leɪ/ (agg.) laico.

lay² v. **lie¹.**

lay³ ♣ (v.t.) **1** posare, collocare **2** deporre (uova). ♣ **lay aside** mettere da parte, mettere via. ♣ **lay down 1** posare, mettere giù ql.sa **2** (leggi, regole) fissare. ♣ **lay off** licenziare, mettere in cassa integrazione. ♣ **lay on** provvedere, fornire. ♣ **lay out 1** stendere, dispiegare **2** preparare, pianificare **3** mettere fuori combattimento **4** (libri ecc.) impaginare.

layer /leɪə*/ (sost.) strato.

lay-off /'leɪɒf/ (sost.) licenziamento, cassa integrazione.

layout /'leɪaʊt/ (sost.) **1** disposizione **2** schema **3** ❖ *page l.* impaginazione.

lazy /'leɪzɪ/ (agg.) pigro, ozioso.

lazybones /'leɪzɪbəʊnz/ (sost.) FAM. scansafatiche, pigrone.

lead¹ /led/ (sost.) **1** piombo **2** mina per matite.

lead²❖ /liːd/ (v.t. / v.i.) **1** essere in testa a, guidare **2** (per mano, al guinzaglio) guidare, condurre **3** comandare, essere al comando **4** (avere come destinazione) condurre, portare **5** (fig.) indurre. ♣ **lead in** introdurre. ♣ **lead off** cominciare, dare il via. ♣ **lead on 1** condurre **2** ingannare. ♣ **lead up to** preludere, portare a. **lead** (sost.) **1** comando, guida **2** guinzaglio **3** (in spettacolo, film ecc.) parte principale. **leaded** /'ledɪd/ (agg.) piombato, (benzina) con piombo.

leader /'liːdə*/ (sost.) **1** capo, guida, leader **2** chi è in testa in una gara **3** (di giornale) editoriale. **leading** /'liːdɪŋ/ (agg.) primo, in testa || (sost.) guida, comando.

leaf /liːf/ (pl. **leaves** /liːvs/) (sost.) **1** foglia **2** foglio, (di libro) pagina **3** lamina sottile (di metallo).

leaflet /'liːflɪt/ (sost.) volantino, dépliant.

league /liːg/ (sost.) **1** lega, unione **2** SPORT campionato.

leak /liːk/ (v.i.) perdere || (v.t.) **1** (liquidi, gas ecc.) perdere **2** (imbarcazione) fare acqua **3** (fig.) (notizie ecc.) far trapelare. ♣ **leak out 1** fuoriuscire **2** (fig.) (notizia) trapelare. **leak** (sost.) **1** fessura, crepa,

MAR. falla **2** (di liquidi) perdita, (di gas) fuga, ELETTR. dispersione **3** (fig.) (di notizie) fuga.

lean¹❖ /liːn/ (v.i.) **1** pendere, inclinare, inclinarsi (anche fig.) **2** appoggiarsi (anche fig.) || (v.t.) appoggiare. ♣ **lean on 1** dipendere da **2** FAM. fare pressioni. **lean** (sost.) inclinazione, pendenza.

lean² (agg.) magro || (sost.) parte magra (della carne).

leant v. lean¹.

leap ❖ /liːp/ (v.i.) saltare, balzare || (v.t.) saltare, scavalcare.

leap year /'liːpjɜː*/, AE /'liːpjɪə*/ (sost.) anno bisestile.

leapt v. leap.

learn ❖ /lɜːn/ (v.t. / v.i.) **1** imparare, studiare **2** venire a sapere.

learnt v. learn.

lease /liːs/ (sost.) **1** contratto d'affitto, locazione **2** DIR., FIN. contratto di leasing.

leash /liːʃ/ (sost.) guinzaglio.

least /liːst/ (agg.) (superl. di **little**) (il) più piccolo, (il) minore, (il) minimo || (sost.) (il) meno || (avv.) (il) meno, minimamente ❖ *at l.* almeno.

leather /'leðə*/ (sost.) **1** cuoio, pelle **2** oggetto in cuoio, pelle.

leave¹ /liːv/ (sost.) **1** permesso, autorizzazione **2** licenza (anche MIL.), congedo, permesso ❖ *on l.* in licenza, *sick l.* aspettativa, congedo per malattia **3** congedo, commiato ❖ FORM. *to take l. of s.o.* prendere congedo.

leave²❖ (v.t.) **1** lasciare, abbandonare **2** affidare, consegnare || (v.i.) (lasciare un luogo) partire, andarsene, uscire. ♣ **leave behind 1** abbandonare **2** dimenticare, tralasciare. ♣ **leave off 1** dismettere (un abito ecc.) **2** smettere di fare. ♣ **leave out 1** omettere **2** non coinvolgere.

leaves /liːvs/ v. **leaf**.

lecherous /'letʃərəs/ (agg.) lascivo, libidinoso.

lecture /'lektʃə*/ (sost.) **1** conferenza, lezione universitaria **2** ramanzina.

lecturer /'lektʃərə*/ (sost.) docente universitario.

led v. **lead²**.

left¹ v. **leave²**.

left² /left/ (agg.) sinistro || (sost.) sinistra ❖ POL. the Left la sinistra.

leftover /'leftəʊvə*/ (sost.) **1** resto **2** (pl.) (di cibo) avanzi || (agg.) avanzato, rimasto.

leg /leg/ (sost.) **1** gamba ❖ FAM. to pull s.o.'s l. prendere in giro qu.no **2** zampa **3** CUC. coscia, cosciotto **4** (di viaggio) tappa **5** SPORT manche, batteria.

legal /'liːgəl/ (agg.) DIR. legale, (estens.) lecito, legittimo. **legality** /lɪ'gælətɪ/ (sost.) legalità.

legend /'ledʒənd/ (sost.) **1** leggenda **2** (fig.) mito, persona leggendaria **3** legenda.

leggings /'legɪŋz/ (sost.) fuseaux, pantacollant.

legislation /ledʒɪs'leɪʃən/ (sost.) legislazione.

legislature /'ledʒɪslətʃə*/ (sost.) assemblea legislativa.

legitimate /lɪ'dʒɪtəmət/ (agg.) legittimo. **legitimacy** /lɪ'dʒɪtɪməsɪ/ (sost.) legittimità.

legume /'legjuːm/ (sost.) legume.

leisure /'leʒə*/ (sost.) tempo libero.

lemon /'lemən/ (sost.) **1** limone **2** (colore) giallo limone.

lend ♦ /lend/ (v.t.) prestare, dare in prestito. **lending** /'lendɪŋ/ (sost.) BANC. prestito.

length /leŋθ/ (sost.) **1** lunghezza **2** durata, periodo di tempo **3** (di stoffa) pezzo, tratto, taglio. **lengthen** /'leŋθən/ (v.t. / v.i.) allungare, allungarsi.

lens /lenz/ (sost.) **1** lente **2** FOT. obiettivo **3** ANAT. cristallino.

lent v. **lend**.

Lent /lent/ (sost.) ECCL. Quaresima.

leopard /'lepəd/ (sost.) ZOOL. leopardo.

leper /'lepə*/ (sost.) **1** lebbroso **2** SPREG. appestato.

lesbian /'lezbɪən/ (agg.) lesbico || (sost.) lesbica.

lesion /'liːʒən/ (sost.) lesione.

less /les/ (agg. compar. di **little**) meno, minore || (avv.) meno || (sost.) (minore quantità) meno || (prep.) (prima di sottrarre) meno ❖ € 250 l. 10% discount € 250 meno il 10% di sconto. **lessen** /'lesən/ (v.t. / v.i.) diminuire.

lesson /'lesən/ (sost.) lezione.

let ♦ /let/ (v.t.) **1** lasciare, permettere ❖ l. me go! **2** (aus. dell'imp. per la 1a e 3a pers. sing. e pl.) ❖ l.'s go andiamo || (v.i.) affittare, venire affittato. ♣ **let down 1** calare, abbassare **2** deludere, piantare in asso **3** (pneumatici) sgonfiare. ♣ **let in** (luce, acqua ecc.) fare entrare, lasciar passare. ♣ **let off 1** lasciar andare **2** emettere **3** (arma da fuoco) far partire un colpo **4** perdonare, non punire **5** lasciar uscire **6** far scendere (da un'auto). ♣ **let out 1** lasciar uscire **2** rivelare **3** (suono) emettere **4** affittare. ♣ **let up** smettere, cessare.

let² *(sost.)* affitto, durata dell'affitto.

letdown /'letdaʊn/ *(sost.)* delusione.

lethal /'li:θl/ *(agg.)* letale, mortale.

letter /'letə*/ *(sost.)* 1 lettera 2 lettera dell'alfabeto 3 *(pl.)* lettere, letteratura.

lettuce /'letɪs/ *(sost.)* BOT. lattuga.

level /'levəl/ *(agg.)* 1 piano 2 a livello, pari || 1 livello *(anche fig.)* 2 superficie piana 3 TECN. livella. level ♦ *(v.t.)* 1 livellare, pareggiare 2 *(arma)* puntare || *(v.i.)* divenire piano.

level crossing /levəl'krɒsɪŋ/ *(sost.)* passaggio a livello.

lever /'li:və*/ *(sost.)* MECC. 1 leva *(anche fig.)* 2 manovella.

leverage /'li:vrɪʤ/ *(sost.)* 1 *(azione di)* leva 2 *(fig.)* potere, influenza.

liability /laɪə'bɪlətɪ/ *(sost.)* 1 DIR. responsabilità 2 *(pl.)* FIN. passività.

liar /'laɪə*/ *(sost.)* bugiardo.

liberal /'lɪbərəl/ *(agg. e sost.)* POL. liberale || *(agg.)* abbondante.

liberty /'lɪbətɪ/ *(sost.)* FORM. libertà.

Libra /'li:brə/ *(sost.)* ASTROL. Bilancia.

librarian /laɪ'breərɪən/ *(sost.)* bibliotecario.

library /'laɪbrərɪ/, AE /'laɪbrerɪ/ *(sost.)* biblioteca.

licence, AE **license** /'laɪsəns/ *(sost.)* licenza, autorizzazione, patente.

license /'laɪsəns/ *(v.t.)* autorizzare, rilasciare licenza a.

lick /lɪk/ *(v.t.)* 1 leccare 2 *(onde, fiamme)* lambire. lick *(sost.)* 1 leccata 2 FAM. piccola quantità.

lid /lɪd/ *(sost.)* 1 coperchio 2 ♦ *(eye)* l. palpebra.

lie¹♦ /laɪ/ *(v.i.)* 1 giacere, stare disteso 2 stare, trovarsi *(anche fig.)*. ♦ lie back sdraiarsi, stendersi. ♦ lie in restare a letto. ♦ lie up 1 stare a letto (per malattia) 2 nascondere. lie *(sost.)* posizione, situazione.

lie² *(sost.)* bugia, menzogna. lie *(v.i.)* mentire, ingannare.

life /laɪf/ *(pl.* **lives** /laɪvz/ *) (sost.)* 1 vita 2 ELETTR. *(di batteria)* durata, autonomia.

lifeguard /'laɪfgɑːd/ *(sost.)* bagnino.

lifelong /'laɪflɒŋ/ *(agg.)* che dura tutta la vita.

lifetime /'laɪftaɪm/ *(sost.)* l'arco della vita, FAM. un'eternità.

lift /lɪft/ *(v.t.)* 1 alzare, sollevare *(anche fig.)* 2 togliere || *(v.i.)* alzarsi, sollevarsi, innalzarsi *(anche fig.)*. ♦ lift off partire, decollare. lift *(sost.)* 1 BE ascensore, montacarichi 2 BE passaggio (su un veicolo).

light¹ /laɪt/ *(sost.)* 1 luce 2 lanterna, lampada ♦ AUT. *the lights* i fanali 3 *(pl.)* semaforo 4 fiammifero, accendisigari || *(agg.)* 1 chiaro, luminoso 2 *(colore)* chiaro. light ♦ *(v.t.)* 1 accendere, *(fig.)* infiammare 2 illuminare || *(v.i.)* 1 accendersi, incendiarsi 2 illuminarsi. ♦ light up 1 brillare, illuminarsi 2 accendere, illuminare.

light² *(agg.)* 1 leggero *(anche fig.)* 2 moderato, modesto. light bulb /'laɪtbʌlb/ *(sost.)* lampadina.

lighten¹ /'laɪtən/ *(v.t.)* alleggerire, sgravare, diminuire le tasse || *(v.i.)* rallegrarsi.

lighten² *(v.i.)* rischiararsi, *(di tempo)* schiarirsi || *(v.t.)* schiarire, rischiarare.

lighter /'laɪtə*/ *(sost.)* accendino.

lighthouse /'laɪthaʊs/ *(sost.)* faro.

lightly /'laɪtlɪ/ *(avv.)* **1** leggermente **2** poco, insufficientemente **3** con leggerezza, alla leggera.

lightning /'laɪtnɪŋ/ *(sost.)* fulmine, lampo ‖ *(agg.)* fulmineo.

like¹ /laɪk/ *(sost.)* **1** simile, uguale **2** *(spec. pl.)* gusti, preferenze ‖ *(prep.)* come ‖ *(cong.)* come ❖ *it's l. I said* è come ho detto ‖ *(agg.)* simile, stesso, uguale ❖ *to be of l. mind* essere della stessa idea, pensarla allo stesso modo.

like² *(v.t.) (costruz. pers.)* **1** piacere, gradire ❖ *I l. chocolate* mi piace il cioccolato **2** *(al cond.)* volere, desiderare ❖ *I would l...* vorrei... ‖ *(v.i.)* volere, desiderare ❖ *as you l.* come vuoi.

-like *(suff.)* simile a.

likely /'laɪklɪ/ *(agg.)* probabile ‖ *(avv.)* probabilmente ❖ *most l.* con tutta probabilità.

likewise /'laɪkwaɪz/ *(avv.)* altrettanto, allo stesso modo.

liking /'laɪkɪŋ/ *(sost.)* gusto, preferenza.

lily /'lɪlɪ/ *(sost.)* BOT. giglio.

limb /lɪm/ *(sost.)* arto, membro.

limit /'lɪmɪt/ *(sost.)* limite. **limit** *(v.t.)* limitare, porre un limite (a).

limited /'lɪmɪtɪd/ *(agg.)* limitato.

limp /lɪmp/ *(v.i.)* zoppicare. **limp** *(sost.)* andatura zoppicante.

line¹ /laɪn/ *(sost.)* **1** linea, riga **2** *(di persone o cose)* fila, AE coda **3** filo, corda **4** *(telefono)* linea **5** *(di navigazione, aerea, ferroviaria ecc.)* linea **6** profilo, contorno **7** stirpe, discendenza **8** area, settore di interesse o attività **9** linea di prodotti. **line** *(v.t.)* **1** *(linee, rughe)* segnare **2** allineare, disporre in fila **3** essere disposto in fila. ♣ **line**

up 1 mettersi in fila, in coda **2** allineare.

line² *(v.t.)* foderare.

linen /'lɪnɪn/ *(agg.)* di lino ‖ *(sost.)* **1** lino **2** biancheria ❖ *l. basket* BE cesto del bucato.

linger /'lɪŋgə*/ *(v.i.)* **1** indugiare, attardarsi **2** durare, persistere.

linguistic /lɪŋ'gwɪstɪk/ *(agg.)* linguistico.

linguistics /lɪŋ'gwɪstɪks/ *(sost.)* linguistica.

lining /'laɪnɪŋ/ *(sost.)* fodera, rivestimento.

link /lɪŋk/ *(sost.)* **1** collegamento, legame, INFORM. collegamento ipertestuale **2** *(di catena)* anello, maglia. **link** *(v.t.)* collegare, connettere, INFORM. collegare ❖ *to l. arms* prendersi sottobraccio ‖ *(v.i.)* collegarsi, unirsi. ♣ **link up 1** unirsi **2** collegarsi.

lion /'laɪən/ *(sost.)* ZOOL. leone.

lip /lɪp/ *(sost.)* **1** ANAT. labbro **2** orlo, bordo.

lipstick /'lɪpstɪk/ *(sost.)* rossetto.

liqueur /lɪ'kjʊə*/ *(sost.)* liquore.

liquid /'lɪkwɪd/ *(agg. e sost.)* liquido.

liquidate /'lɪkwɪdeɪt/ *(v.t.)* liquidare ‖ *(v.i.)* COMM. andare in liquidazione.

liquor /'lɪkə*/ *(sost.)* bevanda superalcolica.

list /lɪst/ *(sost.)* lista, elenco. **list** *(v.t.)* elencare, catalogare.

listen /'lɪsən/ *(v.i.)* ascoltare *(anche fig.)*. ♣ **listen in** ascoltare di nascosto, origliare.

lit v. **light¹**.

literacy /'lɪtərəsɪ/ *(sost.)* il saper leggere e scrivere.

literal /'lɪtərəl/ *(agg.)* letterale, alla lettera. **literally** /'lɪtərəlɪ/ *(avv.)* letteralmente.

literature /'lɪtrətʃə*/ (sost.) **1** letteratura **2** FAM. opuscoli (pubblicitari).

litigation /lɪtɪ'ɡeɪʃən/ (sost.) DIR. causa.

litre, AE **liter** /'liːtə*/ (sost.) litro.

litter /'lɪtə*/ (sost.) **1** rifiuti, immondizie **2** cucciolata. **litter** (v.t.) disseminare.

little /'lɪtəl/ (compar. **less** /les/, superl. **least** /liːst/) (agg.) **1** piccolo **2** poco ‖ (sost.) poco ‖ (avv.) poco ❖ **l. by l.** a poco a poco.

live[1] /lɪv/ (v.i.) **1** vivere **2** abitare ‖ (v.t.) vivere. ♣ **live off** farsi mantenere. ♣ **live on** sopravvivere a lungo, perdurare. ♣ **live up to** essere all'altezza di.

live[2] /laɪv/ (agg.) **1** vivo **2** (spettacolo) dal vivo **3** TV, RAD. in diretta **4** ELETTR. sotto tensione ‖ (avv.) dal vivo, TV, RAD. in diretta.

livelihood /'laɪvlɪhʊd/ (sost.) mezzi di sostentamento.

lively /'laɪvlɪ/ (agg.) vivace.

liver /'lɪvə*/ (sost.) ANAT. fegato.

livestock /'laɪvstɒk/ (sost.) bestiame.

livid /'lɪvɪd/ (agg.) furibondo.

living /'lɪvɪŋ/ (agg.) **1** vivo, in vita **2** di vita, relativo alla vita ‖ (sost.) **1** (ciò che serve per) vivere ❖ **to earn one's l.** guadagnarsi da vivere **2** il vivere, la vita ❖ **standard of l.** tenore di vita.

living room /'lɪvɪŋrʊm/ (sost.) soggiorno.

load /ləʊd/ (sost.) **1** carico, peso (anche fig.) **2** FAM. ❖ **loads (of), a l. of** un sacco (di) **3** MECC. carico, pressione **4** ELETTR. carico. **load** (v.t.) caricare (anche fig.) ‖ (v.i.) fare un carico, salire a bordo.

loaf /ləʊf/ (pl. **loaves** /ləʊvz/) (sost.) (pane) pagnotta, filone.

loafer /'ləʊfə*/ (sost.) fannullone.

loan /ləʊn/ (sost.) prestito, mutuo.

loathe /ləʊð/ (v.t.) detestare. **loathsome** /'ləʊðsəm/ (agg.) disgustoso.

lobby /'lɒbɪ/ (sost.) **1** (di teatro, hotel ecc.) atrio, ingresso **2** POL. gruppo di interesse, lobby.

local /'ləʊkəl/ (agg.) locale, del posto ❖ TEL. **l. call** telefonata urbana ‖ (sost.) **1** abitante del luogo **2** (treno ecc.) locale.

locate /ləʊ'keɪt/ (v.t.) **1** individuare, localizzare **2** collocare. **location** /ləʊ'keɪʃən/ (sost.) **1** ubicazione, sito **2** CINEM. esterni.

lock[1] /lɒk/ (sost.) **1** serratura **2** chiusa. **lock** (v.t.) **1** chiudere a chiave, serrare **2** MECC. bloccare ‖ (v.i.) **1** chiudersi a chiave **2** MECC. bloccarsi, incepparsi. ♣ **lock in** mettere sotto chiave, imprigionare. ♣ **lock out** chiudere fuori, impedire l'ingresso a. ♣ **lock up** mettere al sicuro sotto chiave.

lock[2] (sost.) ciocca (di capelli).

locker /'lɒkə*/ (sost.) armadietto.

locker room /'lɒkərʊm/ (sost.) (di palestra ecc.) spogliatoio.

locksmith /'lɒksmɪθ/ (sost.) fabbro.

locomotive /ləʊkə'məʊtɪv/ (sost.) locomotiva, locomotore.

lodging /'lɒdʒɪŋ/ (sost.) **1** alloggio **2** camere in affitto.

loft /lɒft/ (sost.) soffitta.

log[1] /lɒɡ/ (sost.) ceppo.

log[2] (sost.) MAR., AER. giornale di bordo. **log** ♦ (v.t.) registrare sul giornale di bordo. ♣ **log in / on** INFORM. connettersi, collegarsi. ♣ **log off / out** INFORM. disconnettersi, scollegarsi.

logic /'lɒdʒɪk/ (sost.) logica. **logical** /'lɒdʒɪkəl/ (agg.) logico.

loin /lɔɪn/ (sost.) **1** CUC. lonza, lombata **2** ANAT. regione lombare, LETT. fianchi.

loiter /'lɔɪtə*/ (v.i.) bighellonare.

lollipop /'lɒlɪpɒp/ (sost.) leccalecca.

lonely /'ləʊnlɪ/ (agg.) solo, solitario.

long¹ /lɒŋ/ (agg.) lungo ✧ *a l. time* molto tempo || (avv.) a lungo, (per) molto tempo ✧ *don't be l.* non metterci tanto (tempo), *how l....?* quanto (tempo)...?, *all day l.* (per) tutto il giorno.

long² (v.i.) desiderare fortemente.

longing /'lɒŋɪŋ/ (agg.) desideroso || (sost.) brama.

longitude /'lɒŋdʒɪtjuːd/ (sost.) longitudine.

long-lasting /lɒŋ'lɑːstɪŋ/ (agg.) durevole, duraturo.

long-term /lɒŋtɜːm/ (agg.) a lunga scadenza.

look /lʊk/ (v.t. / v.i.) **1** guardare, osservare **2** sembrare, apparire. ♣ **look after** badare a, prendersi cura di, sorvegliare. ♣ **look at 1** guardare, dare un'occhiata a **2** considerare. ♣ **look back** rievocare, guardare indietro nel tempo. ♣ **look down on** guardare dall'alto in basso. ♣ **look for** cercare. ♣ **look forward to** attendere con impazienza, non vedere l'ora di. ♣ **look into** investigare su. ♣ **look on** osservare. ♣ **look (up)on s.o. / sthg.** considerare (qu.no, ql.sa) in un determinato modo. ♣ **look out** guardare fuori, fare attenzione, cercare. ♣ **look out for** dare un'occhiata, sorvegliare. ♣ **look over** esaminare. ♣ **look to** fare affidamento su. ♣ **look up 1** alzare la testa **2** avanzare, migliorare **3** andare a trovare, visitare **4** cercare su un libro, dizionario ecc. **look** (sost.) **1** sguardo, occhiata **2** aspetto.

loom¹ /luːm/ (sost.) telaio.

loom² (v.i.) **1** profilarsi **2** apparire minaccioso, incombere.

loony /'luːnɪ/ (agg. e sost.) pazzo.

loop /luːp/ (sost.) **1** cappio **2** gancio, passante **3** INFORM. sequenza di istruzioni che si ripete **4** MUS. campione che si ripete.

loophole /'luːphəʊl/ (sost.) scappatoia.

loose /luːs/ (agg.) **1** sciolto, libero **2** allentato, non fermo **3** (di abiti) ampio, largo. **loose** (v.t.) sciogliere, slegare || loosely /'luːslɪ/ (avv.) **1** senza stringere **2** vagamente.

lord /lɔːd/ (sost.) **1** signore, sovrano **2** RELIG. il Signore, Dio **3** (titolo nobiliare) Lord.

lorry /'lɒrɪ/ (sost.) BE camion.

lose ♦ /luːz/ (v.t.) perdere, smarrire, (orologio) andare indietro ✧ FAM. *to l. it* perdere il controllo || (v.i.) perdere.

loser /'luːzə*/ (sost.) perdente.

loss /lɒs/ (sost.) perdita ✧ *to be at a l.* non saper che fare.

lost /lɒst/ v. **lose** || (agg.) **1** perduto, smarrito ✧ FAM. *get l.!* fuori dai piedi! **2** dannato.

lot /lɒt/ (pron.) (di persone, cose ecc.) gran numero o quantità, FAM. sacco ✧ *a l. of* molto, molti, *lots of friends* un sacco di amici || (sost.) **1** (di terreno) lotto **2** ✧ *parking l.* AE parcheggio **3** destino, sorte || (avv.) ✧ *a l.* molto.

lottery /'lɒtərɪ/ (sost.) lotteria.

loud /laʊd/ (agg.) (di suono) forte, alto || (avv.) rumorosamente, ad alta voce.

loudspeaker /laʊd'spiːkə*/ (sost.) altoparlante.

lounge /laʊndʒ/ (sost.) soggiorno, salone d'albergo, (di aeroporto) sala partenze.

louse /laʊs/ (pl. lice /laɪs/) (sost.) pidocchio. lousy /'laʊzɪ/ (agg.) FAM. pidocchioso, schifoso.

love /lʌv/ (sost.) 1 amore, affetto 2 SPORT (tennis) zero ❖ l. all zero a zero. love (v.t. / v.i.) 1 (persone) amare, voler bene a 2 (cose, attività ecc.) piacere, amare. lovely /'lʌvlɪ/ (agg.) 1 bello, attraente 2 piacevole, delizioso. lover /'lʌvə*/ (sost.) 1 amante 2 appassionato. loving /'lʌvɪŋ/ (agg.) amoroso, affettuoso.

low /ləʊ/ (agg.) (altezza, livello, rango ecc.) basso || (avv.) 1 in basso 2 a voce bassa. lower /'ləʊə*/ (agg.) (compar. di low) 1 più basso 2 inferiore || (avv.) più in basso. lowest /'ləʊəst/ (agg.) (superl. di low) il più basso, l'infimo.

lower /'ləʊə*/ (v.t.) 1 abbassare ❖ (fig.) to l. o.s. umiliarsi 2 ridurre, indebolire || (v.i.) 1 abbassarsi, scendere (anche fig.) 2 calare, diminuire.

loyal /'lɔɪəl/ (agg.) leale.

lubricate /'luːbrɪkeɪt/ (v.t.) lubrificare.

luck /lʌk/ (sost.) 1 sorte 2 fortuna, buona sorte. luckily /'lʌkɪlɪ/ (avv.) fortunatamente, per fortuna. lucky /'lʌkɪ/ (agg.) fortunato.

luggage /'lʌgɪdʒ/ (sost.) bagaglio.

lukewarm /luːk'wɔːm/ (agg.) tiepido (anche fig.).

lull /lʌl/ (v.t.) cullare, calmare || (v.i.) calmarsi.

lumber /'lʌmbə*/ (sost.) 1 cianfrusaglie 2 AE legname da costruzione.

lump /lʌmp/ (sost.) 1 pezzo, blocco, grumo 2 zolletta, zolla 3 bernoccolo 4 MED. nodulo.

lunch /lʌntʃ/ (sost.) pranzo ❖ packed l. colazione al sacco.

luncheon meat /'lʌntʃənmiːt/ (sost.) carne in scatola.

lung /lʌŋ/ (sost.) ANAT. polmone.

lure /ljʊə*/ (v.t.) adescare, allettare.

lurk /lɜːk/ (v.i.) stare in agguato.

lush /lʌʃ/ (agg.) (di vegetazione) lussureggiante.

lust /lʌst/ (sost.) 1 lussuria, libidine 2 brama, avidità.

luxury /'lʌkʃərɪ/ (sost.) lusso.

lyric /'lɪrɪk/ (agg.) lirico || (sost.) 1 (poesia) lirica 2 testo di una canzone.

M

mac(k) /mæk/ (sost.) (abbr. di mackintosh) ABBIGL. FAM. impermeabile.

machine /mə'ʃiːn/ (sost.) (macchinario) macchina (anche fig.).

machine gun /mə'ʃiːngʌn/ (sost.) mitragliatrice.

machinery /mə'ʃiːnəri/ (sost.) 1 macchinario 2 (fig.) apparato, strumento.

macho /'mɑtʃəʊ/ (sost.) macho, maschio.

mad /mæd/ (agg.) 1 matto, pazzo (anche fig.) 2 FAM. ❖ to be m. (at) essere arrabbiato.

madam /'mædəm/ (sost.) signora ❖ (nell'intestazione di una lettera) Dear M. Gentile signora.

madden /'mædən/ (v.t.) esasperare.

maddening /'mædnɪŋ/ (agg.) irritante, esasperante.

made /meɪd/ v. make || (agg.) fatto, fabbricato (anche fig.).

made-up /meɪd'ʌp/ (agg.) 1 (con cosmetici) truccato 2 inventato.

magazine /mægə'ziːn/ (sost.) 1 periodico, rivista 2 MIL. deposito.

magic /'mædʒɪk/ (agg.) magico || (sost.) magia, incantesimo.

magician /mə'dʒɪʃən/ (sost.) mago, illusionista.

magnet /'mægnɪt/ (sost.) magnete, calamita (anche fig.).

magnificent /mæg'nɪfɪsənt/ (agg.) magnifico.

magnify /'mægnɪfaɪ/ (v.t.) ingrandire. magnifying glass /'mægnɪ↓faɪŋ 'glɑːs/ (sost.) lente di ingrandimento.

magnitude /'mægnɪtjuːd/, AE /'mægnɪtuːd/ 1 grandezza, importanza 2 ASTRON. magnitudine 3 GEOL. (di terremoto) magnitudo.

magpie /'mægpaɪ/ (sost.) ZOOL. gazza.

mahogany /mə'hɒgəni/ (sost.) mogano.

maid /meɪd/ (sost.) domestica, (in albergo) cameriera.

mail /meɪl/ (sost.) 1 posta, corrispondenza 2 (spec. AE) servizio postale. mail (v.t.) 1 AE spedire, mandare per posta 2 INFORM. spedire per posta elettronica.

mailbox /'meɪlbɒks/ (sost.) 1 AE cassetta delle lettere, buca delle lettere 2 INFORM. casella postale elettronica.

mailman /'meɪlmæn/ (pl. mailmen) (sost.) AE postino, portalettere.

main /meɪn/ (agg.) principale || (sost.) (spec. pl.) conduttura (principale). mainland /'meɪnlənd/ (sost.) continente, terraferma.

mainly /'meɪnli/ (avv.) 1 principalmente, soprattutto 2 in gran parte.

mainstream /'meɪnstriːm/ *(sost.)* corrente, flusso principale ‖ *(agg.)* comune, convenzionale.

maintain /meɪn'teɪn/ *(v.t.)* 1 mantenere, conservare 2 sostenere economicamente 3 sostenere, affermare 4 mantenere in buono stato. **maintenance** /'meɪntənəns/ *(sost.)* 1 mantenimento 2 manutenzione 3 DIR. sostentamento.

maize /meɪz/ *(sost.)* granoturco, mais.

majestic /mə'dʒestɪk/ *(agg.)* maestoso, superbo.

majesty /'mædʒəstɪ/ *(sost.)* maestà ❖ *Her* ‖ *His M.* Sua Maestà.

major /'meɪdʒə*/ *(agg.)* 1 principale, importante 2 MUS. chiave maggiore ‖ *(sost.)* DIR. maggiorenne. **majority** /mə'dʒɒrətɪ/ *(sost.)* 1 POL. maggioranza 2 DIR. maggiore età.

make ♦ /meɪk/ *(v.t.)* 1 fare, creare, fabbricare, produrre 2 *(azione, errore)* fare, compiere, *(decisione)* prendere 3 far diventare, rendere 4 far fare, causare, obbligare 5 fare, guadagnare, ottenere 6 riuscire, fare in tempo 7 MAT. fare ❖ *two and one makes three* due più uno fa tre. ♣ **make away / off with** portar via, rubare. ♣ **make for** 1 dirigersi verso, dirigersi contro 2 essere, costituire. ♣ **make off** scappare, sfuggire a qu.no. ♣ **make out** 1 compilare 2 capire 3 vedere, capire a fatica 4 cavarsela 5 spacciarsi per qu.no 6 AE, FAM. baciarsi e toccarsi in modo sensuale. ♣ **make over** 1 convertire, ristrutturare 2 *(proprietà)* trasferire. ♣ **make up** 1 *(il viso)* truccare 2 fare la pace 3 compensare *(una perdita)* 4 inven-

tare 5 formare, costituire. ♣ **make up for** compensare, indennizzare. ♣ **make up to** ripagare, farsi perdonare.

makeshift /'meɪkʃɪft/ *(agg.)* improvvisato ‖ *(sost.)* ripiego.

make-up /'meɪkʌp/ *(sost.)* 1 trucco, cosmetici 2 composizione 3 temperamento, carattere.

male /'meɪəl/ *(sost.)* maschio ‖ *(agg.)* maschile, di sesso maschile.

malfunction /mæl'fʌŋkʃən/ *(v.i.)* funzionare male. **malfunction** *(sost.)* cattivo funzionamento, disfunzione.

malice /'mælɪs/ *(sost.)* cattiveria, malvagità. **malicious** /mə'lɪʃəs/ *(agg.)* cattivo, malvagio.

mall /mɔːl/ *(sost.)* *(spec. AE)* *(abbr. di* shopping mall*)* centro commerciale.

malnourished /mæl'nʌrɪʃt/ *(agg.)* denutrito.

malpractice /mæl'præktɪs/ *(sost.)* negligenza, malcostume.

malt /mɔːlt/ *(sost.)* malto.

maltreat /mæl'triːt/ *(v.t.)* maltrattare.

mammal /'mæməl/ *(sost.)* mammifero.

mammography /mæ'mɒɡrəfɪ/ *(sost.)* MED. mammografia.

mammoth /'mæməθ/ *(agg.)* colossale, mastodontico ‖ *(sost.)* mammut.

man /mæn/ *(pl.* **men** /men/*) (sost.)* 1 uomo 2 marito, amante, compagno, uomo.

manage /'mænɪdʒ/ *(v.t.)* 1 dirigere, amministrare, gestire *(anche fig.)* 2 riuscire a (fare) ‖ *(v.i.)* cavarsela ❖ *how do you m. on £ 500 a month?* ce la fai a tirare avanti con 500 sterline al mese? **manage-**

ment /'mænɪʤmənt/ (sost.) **1** gestione **2** i dirigenti, la direzione. **manager** /'mænɪʤə*/ (sost.) direttore, dirigente, amministratore.

mandarin /'mændərɪn/ (sost.) (lingua) cinese mandarino, cinese letterario.

mandarin (orange) (sost.) BOT. mandarino.

mandatory /'mændətəri/ (agg.) obbligatorio.

mane /meɪn/ (sost.) criniera.

manful /'mænfəl/ (agg.) coraggioso. **manfully** /'mænfəli/ (agg.) coraggiosamente.

manger /'meɪnʤə*/ (sost.) mangiatoia.

manhandle /'mænhændəl/ (v.t.) **1** muovere a mano **2** FAM. malmenare.

manhole /'mænhəʊl/ (sost.) tombino.

manhood /'mænhʊd/ (sost.) **1** età adulta **2** virilità **3** tutti gli uomini (di una nazione).

maniac /'meɪnɪæk/ (agg. e sost.) maniaco (anche fig.).

manifest /'mænɪfest/ (agg.) FORM. palese.

manipulate /mə'nɪpjʊleɪt/ (v.t.) **1** (macchinari) manovrare **2** (fig.) (persona, situazione) controllare, influenzare **3** alterare, falsare. **manipulative** /mə'nɪpjʊlətɪv/ (agg.) **1** manipolatore **2** di, con manipolazione.

mankind /mæn'kaɪnd/ (sost.) umanità, genere umano.

man-made /'mænmeɪd/ (agg.) costruito dall'uomo, artificiale.

manner /'mænə*/ (sost.) **1** modo, maniera **2** modo di fare, atteggiamento **3** (pl.) buone maniere.

manoeuvre, AE **maneuver** (v.t. / v.i.) manovrare, fare manovre (anche fig.).

manpower /'mænpaʊə*/ (sost.) personale, manodopera.

manslaughter /'mænslɔːtə*/ (sost.) DIR. omicidio colposo.

manual /'mænjʊəl/ (agg. e sost.) manuale.

manufacture (v.t.) **1** fabbricare, produrre industrialmente **2** (fig.) inventare. **manufacturer** /mænjʊ'fæktʃərə*/ (sost.) fabbricante, produttore. **manufacturing** /mænjʊ'fæktʃərɪŋ/ (sost.) **1** (settore) industria (manifatturiera) **2** (processo) fabbricazione || (agg.) manifatturiero.

manure /mə'njʊə*/ (sost.) letame.

manuscript /'mænjʊskrɪpt/ (agg. e sost.) manoscritto.

many /'meni/ (compar. **more** /'mɔː*/, superl. **most** /'məʊst/) (agg. e pron.) molti, un gran numero di.

map /mæp/ (sost.) carta (geografica), mappa.

maple /'meɪpəl/ (sost.) BOT. acero.

marathon /'mærəθən/ (sost.) SPORT maratona (anche fig.).

marble /'mɑːbəl/ (sost.) **1** marmo **2** biglia.

March[1] /mɑːtʃ/ (sost.) marzo.

march[2] (v.i.) marciare || (v.t.) far marciare. **march** (sost.) **1** marcia **2** (fig.) progresso, cammino **3** MUS. marcia.

margin /'mɑːʤɪn/ (sost.) margine (anche fig.). **marginal** /'mɑːʤɪnəl/ (agg.) marginale.

mark /mɑːk/ (sost.) **1** segno, traccia (anche fig.) **2** BE (a scuola) voto **3** marchio, modello **4** SPORT punto di partenza. **mark** (v.t.) **1**

marcare, segnare **2** macchiare **3** caratterizzare **4** fare attenzione a **5** BE dare i voti, correggere **6** SPORT marcare. ♣ **mark down** abbassare (i prezzi). ♣ **mark up** aumentare (i prezzi). **marker** /'mɑ:kə*/ *(sost.)* **1** indicatore **2** pennarello, evidenziatore.

market /'mɑ:kɪt/ *(sost.)* mercato *(anche* ECON.*).* **marketing** /'mɑ:kɪtɪŋ/ *(sost.)* ECON. marketing, commercializzazione. **market place** /'mɑ:kɪtpleɪs/ *(sost.)* (piazza del) mercato.

marmalade /'mɑ:məleɪd/ *(sost.)* marmellata (di agrumi).

maroon /mə'ru:n/ *(v.t.)* abbandonare (in un luogo deserto).

marquee /mɑ:'ki:/ *(sost.)* tendone, padiglione.

marriage /'mærɪdʒ/ *(sost.)* matrimonio, nozze.

marrow /'mærəʊ/ *(sost.)* **1** ANAT. midollo **2** BOT. zucca.

marry /'mærɪ/ *(v.t.)* sposare || *(v.i.)* sposarsi.

marsh /mɑ:ʃ/ *(sost.)* palude, acquitrino.

martial /'mɑ:ʃl/ *(agg.)* marziale, guerresco.

martyr /'mɑ:tə*/ *(sost.)* martire *(anche fig.).*

marvel ◊ /'mɑ:vəl/ *(v.i.)* (at) meravigliarsi (di), stupirsi (di). **marvellous**, AE **marvelous** /'mɑ:vləs/ *(agg.)* meraviglioso, stupendo.

masculine /'mæskjʊlɪn/ *(agg.)* **1** maschile, virile **2** GRAMM. di genere maschile || *(sost.)* GRAMM. il genere maschile.

mash /mæʃ/ *(sost.)* **1** BE, FAM. purè (di patate) **2** pastone (per animali).

mask /mɑ:sk/ *(sost.)* maschera *(anche fig.).*

mason /'meɪsən/ *(sost.)* **1** muratore ♦ **master m.** capomastro **2** massone.

Mass¹ /mæs/ *(sost.)* messa.

mass² *(sost.)* **1** massa, ammasso **2** folla, maggioranza **3** FIS. massa || *(agg.)* di massa, ampio.

massage /'mæsɑ:ʒ/, AE /mə'sɑ:ʒ/ *(sost.)* massaggio.

masseur /mæ'sɜ:*/ *(sost.)* massaggiatore. **masseuse** /mæ'sɜ:z/ *(sost.)* massaggiatrice.

massive /'mæsɪv/ *(agg.)* **1** massiccio **2** enorme.

master /'mɑ:stə*/, AE /'mæstə*/ *(sost.)* **1** padrone **2** maestro, esperto, grande artista **3** insegnante **4** titolo accademico **5** *(documento, registrazione, film ecc.)* originale || *(agg.)* **1** specializzato **2** principale, più importante. **master** *(v.t.)* **1** padroneggiare, conoscere a fondo **2** dominare.

masterpiece /'mɑ:stəpi:s/ *(sost.)* capolavoro.

masturbate /'mæstəbeɪt/ *(v.t.)* masturbare || *(v.i.)* masturbarsi.

mat /mæt/ *(sost.)* **1** tappetino **2** sottobicchiere.

match¹ /mætʃ/ *(sost.)* fiammifero.

match² *(sost.)* **1** partita, incontro **2** degno avversario **3** compagno, simile, uguale. **match** *(v.t.)* **1** competere, misurarsi con **2** pareggiare, uguagliare || *(v.i.)* **1** armonizzarsi, accordarsi **2** corrispondere, combaciare. **matching** /'mætʃɪŋ/ *(agg.)* abbinato, coordinato.

mate /meɪt/ *(sost.)* **1** BE, FAM. amico, compagno **2** *(di animali)* compagno.

material /mə'tɪərɪəl/ (agg.) 1 materiale, concreto 2 essenziale, rilevante ‖ (sost.) 1 materia, materiale 2 stoffa, tessuto.

maternity /mə'tɜːnəti/ (sost.) maternità. maternal /mə'tɜːnəl/ (agg.) materno.

mathematics /mæθə'mætɪks/ (sost.) matematica. maths /mæθs/, AE math /mæθ/ FAM. matematica.

matrix /'meɪtrɪks/ (pl. matrices /'meɪtrɪsiːz/, matrixes /'meɪtrɪksↄ siːz/) (sost.) matrice.

matt, matte, AE mat /mæt/ (agg.) opaco.

matter /'mætə*/ (sost.) 1 materia, materiale, FIS. materia 2 questione, argomento, faccenda ❖ as a m. of fact in effetti 3 importanza. matter (v.i.) importare ❖ it doesn't m. non importa.

mattress /'mætrəs/ (sost.) materasso.

mature /mə'tjʊə*/, AE /mə'tʊə*/ (agg.) 1 maturo (anche fig.) 2 (formaggio) stagionato, (vino) invecchiato.

Maundy Thursday /'mɔːndɪ 'θɜːzdɪ/ (sost.) Giovedì Santo.

maverick /'mævərɪk/ (sost.) persona anticonformista, indipendente.

max /mæks/ (sost.) FAM. massimo.

maximum /'mæksɪməm/ (pl. maximums /'mæksɪməmz/, maxima /'mæksɪmə/) il massimo, il massimo livello ‖ (agg.) massimo.

May[1] /meɪ/ (sost.) maggio.

may[2]❖ (v. mod.) 1 (permesso) potere, essere permesso, essere lecito ❖ m. I come in? posso entrare? 2 (possibilità) potere, essere possibile.

maybe /'meɪbɪ/ (avv.) forse, può darsi.

mayday /'meɪdeɪ/ (sost.) SOS (richiesta di soccorso).

May Day /'meɪdeɪ/ (sost.) il primo maggio.

mayor /meə*/, AE /meɪə*/ (sost.) sindaco.

maze /meɪz/ (sost.) labirinto.

me /miː/ (pron. pers. 1a pers. sing.) me, mi.

meadow /'medəʊ/ (sost.) prato, prateria.

meagre, AE meager /'miːgə*/ (agg.) 1 magro, scarno 2 scarso, insufficiente.

meal[1] /miːəl/ (sost.) pasto.

meal[2] (sost.) farina (non di frumento).

mean[1] /miːn/ (agg.) 1 tirchio, avaro 2 cattivo 3 mediocre 4 FAM. formidabile.

mean[2]❖ (v.t.) 1 significare, voler dire 2 significare, avere valore 3 intendere.

meander /mɪ'ændə*/ (v.i.) 1 (fiume, strada) serpeggiare 2 (persona) vagare, (fig.) divagare.

meaning /'miːnɪŋ/ (agg.) eloquente ‖ (sost.) senso, significato. meaningful /'miːnɪŋfəl/ (agg.) 1 comprensibile 2 significativo, eloquente.

means /miːnz/ (sost. pl.) mezzi, risorse finanziarie.

meantime /'miːntaɪm/ (avv.) ❖ (in the) m. nel frattempo, intanto.

meanwhile /'miːnwaɪl/ (avv.) intanto.

measles /'miːzəlz/ (sost.) MED. morbillo.

measure /'meʒə*/ (sost.) 1 unità di misura 2 metro 3 misura, quantità 4

provvedimento, misura. **measure**
(v.t.) **1** misurare, prendere le misure
a **2** misurare, valutare || *(v.i.)* misu-
rare, avere una certa misura. ♣
measure out dosare, distribuire.
measurement /'meʒəmənt/ *(sost.)*
1 misurazione **2** *(pl.)* misure.

meat /miːt/ *(sost.)* carne. **meatball**
/'miːtbɔːl/ *(sost.)* polpetta di carne.
meatloaf /'miːtləʊf/ *(sost.)* polpettone.

mechanic(al) /mɪ'kænɪk(əl)/ *(agg.)*
1 meccanico **2** *(gesto)* meccanico,
automatico.

mechanics /mɪ'kænɪks/ *(sost.)* **1**
meccanica **2** *(pl.)* meccanismo
(sing.).

medal /'medəl/ *(sost.)* medaglia.

media /'miːdɪə/ *(sost. pl.)* mezzi di
comunicazione, media.

mediate /'miːdɪeɪt/ *(v.t. / v.i.)* me-
diare, fare da mediatore.

medical /'medɪkəl/ *(agg.)* medico ||
(sost.) visita medica.

medicament /me'dɪkəmənt/
(sost.) FORM. farmaco, medicina.

medicine /'medsɪn/, AE /'medɪsən/
(sost.) **1** medicina, farmaco, *(fig.)*
rimedio **2** medicina, scienza medica.

medieval /medɪ'iːvəl/, AE /miːdɪ'iːvəl/
(agg.) medievale.

mediocre /miːdɪ'əʊkə*/ *(agg.)* mediocre.

meditate /'medɪteɪt/ *(v.t. / v.i.)* meditare.

medium¹ /'miːdjəm/ *(agg.)* **1** medio **2** *(carne)* cotta mediamente.

medium² *(pl.* **mediums** /' miːdjəmz/,
media /'miːdjə/) *(sost.)* **1** mezzo,
strumento **2** elemento naturale, ambiente **3** *(pl.* **mediums**) *(spiritismo)*
medium.

meek /miːk/ *(agg.)* docile, mite.

meet ♦ /miːt/ *(v.t.)* **1** incontrare *(anche fig.)* **2** conoscere, fare la conoscenza di **3** *(necessità, richiesta,
condizione)* soddisfare || *(v.i.)* **1** in-
contrarsi, riunirsi **2** conoscersi, far
conoscenza.

meeting /'miːtɪŋ/ *(sost.)* **1** incontro,
riunione, assemblea **2** punto d'incontro, incrocio.

melancholia /melən'kəʊljə/ *(sost.)*
malinconia.

mellifluous /me'lɪfluəs/ *(agg.)*
(voce, musica) dolce, soave.

mellow /'meləʊ/ *(agg.)* **1** *(frutto)*
maturo, *(vino)* stagionato **2** *(fig.)*
(colore ecc.) caldo **3** *(fig.)* *(persona)* posato.

melody /'melədɪ/ *(sost.)* melodia.

melon /'melən/ *(sost.)* melone.

melt /melt/ *(v.t.)* **1** sciogliere, lique-
fare **2** *(fig.)* addolcire || *(v.i.)* **1** scio-
gliersi, liquefarsi **2** sparire, dissolversi **3** intenerirsi. ♣ **melt away**
dileguarsi. ♣ **melt down** fondere.

member /'membə*/ *(sost.)* **1** membro, componente ♦ *M. of Parliament* deputato al Parlamento.

membership /'membəʃɪp/ *(sost.)*
1 membri di una associazione **2**
l'appartenenza a una associazione.

memory /'memərɪ/ *(sost.)* **1** memoria **2** ricordo **3** INFORM. memoria. **memo** /'meməʊ/ *(sost.)* circolare, promemoria. **memorial**
/mə'mɔːrɪəl/ *(agg.)* commemorati-
vo || *(sost.) (monumento)* memo-
riale. **memorize** /'meməraɪz/ *(v.t.)*
imparare a memoria.

men /men/ *pl. di* man.

menace /'menəs/ *(sost.)* **1** minaccia, pericolo **2** FAM. peste, calamità.

mend /mend/ (v.t.) rammendare, riparare (anche fig.) ‖ (v.i.) guarire.

menial /'miːnɪəl/ (agg.) (lavoro) umile ‖ (sost.) servo.

menstruation /menstru'eɪʃən/ (sost.) mestruazione.

mental /'mentəl/ (agg.) mentale. **mentally** /'mentəlɪ/ (avv.) mentalmente, a mente.

mention /'menʃən/ (v.t.) menzionare, nominare, accennare a.

menu /'menjuː/ (sost.) menu (anche INFORM.).

merchandise /'mɜːtʃəndaɪz/ (sost.) merce. **merchandise** (v.t.) commercializzare.

mercy /'mɜːsɪ/ (sost.) 1 misericordia, pietà 2 mercè. **merciful** /'mɜːsɪfəl/ (agg.) misericordioso. **merciless** /'mɜːsɪləs/ (agg.) spietato, crudele.

mere /mɪə*/ (agg.) mero, puro e semplice.

merge /mɜːdʒ/ (v.t.) fondere, unire (anche INFORM.) ‖ (v.i.) fondersi, unirsi.

meridian /mə'rɪdɪən/ (sost.) GEOGR. meridiano.

merit /'merɪt/ (sost.) merito, pregio. **merit** (v.t.) meritare.

merry /'merɪ/ (agg.) allegro ❖ m. Christmas! buon Natale!

merry-go-round /'merɪɡəʊ'raʊnd/ (sost.) giostra.

mesmerize /'mezməraɪz/ (v.t.) ammaliare, incantare.

mess /mes/ (sost.) 1 disordine 2 pasticcio, guaio. **mess** (v.t. / v.i.) mettere in disordine, sporcare. ❖ **mess about / around** 1 fare lo sciocco 2 perdere tempo, oziare. ❖ **mess up** 1 mettere in disordine 2 (sbagliare) fare un casino 3 rovinare, rovinarsi. **messy** /'mesɪ/ (agg.) in disordine, sporco.

message /'mesɪdʒ/ (sost.) messaggio.

met v. meet.

metabolism /mətæ'bəlɪzəm/ (sost.) metabolismo.

metal /'metəl/ (agg.) in metallo, di metallo ‖ (sost.) metallo. **metallic** /mɪ'tælɪk/ (agg.) metallico (anche fig.).

metaphor /'metəfə*/ (sost.) metafora.

meteorology /miːtjə'rɒlədʒɪ/ (sost.) meteorologia.

method /'meθəd/ (sost.) 1 metodo, modo 2 metodo, ordine.

metre, AE meter /'miːtə*/ (sost.) (unità di misura) metro ❖ square m. metro quadrato, cubic m. metro cubo.

metro /'metrəʊ/ (pl. metros /'metrəʊz/) (sost.) metropolitana.

mice /maɪs/ v. mouse.

microphone /'maɪkrəfəʊn/ (sost.) microfono.

microwave /'maɪkrəweɪv/ (sost.) ❖ m. (oven) forno a microonde.

mid- /mɪd/ (pref.) mezzo-, metà.

midday /mɪd'deɪ/ (sost.) mezzogiorno.

middle /'mɪdəl/ (agg.) di mezzo, intermedio ‖ (sost.) mezzo, centro.

middle-aged /mɪdəl'eɪdʒd/ (agg.) di mezza età.

middle class /mɪdəl'klɑːs/, AE /mɪdəl'klæs/ (sost.) ceto medio ‖ (agg.) del ceto medio.

middleman /'mɪdəlmæn/ (sost.) intermediario.

midnight /'mɪdnaɪt/ (sost.) mezzanotte.

midwife /'mɪdwaɪf/ (pl. midwives /'mɪdwaɪvz/) (sost.) ostetrica.

might v. may².
mighty /'maɪtɪ/ (agg.) 1 potente 2 FAM. molto grande || (avv.) FAM. molto.
migraine /'mi:greɪn/, AE /'maɪ↓greɪn/ (sost.) emicrania.
migrate /maɪ'greɪt/ (v.i.) 1 (uccelli ecc.) migrare 2 emigrare, immigrare.
mild /maɪld/ (agg.) 1 mite, dolce 2 (di cibo, bevanda) dolce, leggero 3 (punizione, malattia ecc.) leggero, blando || (sost.) FAM. birra leggera.
mildew /'mɪldju:/ (sost.) muffa.
mile /maɪl/ (sost.) (unità di misura) miglio.
military /'mɪlɪtərɪ/ (agg.) militare || (sost.) ❖ the m. l'esercito.
milk /mɪlk/ (sost.) latte ❖ whole m. latte intero, skim(med) m. latte scremato. milk (v.t.) 1 mungere 2 (fig.) (persone, situazioni ecc.) sfruttare || (v.i.) produrre latte. milk tooth /'mɪlktu:θ/ (pl. milk teeth /'mɪlk ti:θ/) (sost.) dente da latte. milky /'mɪlkɪ/ (agg.) 1 con tanto latte 2 lattiginoso ❖ the M. Way ASTRON. la Via Lattea.
mill /mɪl/ (sost.) 1 mulino 2 macinino 3 fabbrica, stabilimento.
millet /'mɪlɪt/ (sost.) BOT. miglio.
milligram(me) /'mɪlɪgræm/ (sost.) milligrammo.
millilitre, AE milliliter /'mɪlili:tə*/ (sost.) millilitro.
millimetre, AE millimeter /'mɪlɪ↓mi:tə*/ (sost.) millimetro.
mimic /'mɪmɪk/ (v.t.) imitare.
mince /mɪns/ (sost.) carne tritata. mince (v.t.) tritare, sminuzzare || (v.i.) BE camminare a passettini.
mince pie /mɪns'paɪ/ (sost.) CUC. fagottino ripieno di frutta secca e fresca.

mind /maɪnd/ (sost.) 1 mente, intelletto 2 memoria, ricordo ❖ to bear in m. tenere a mente, ricordare 3 intenzione, opinione, parere 4 spirito, animo. mind (v.t.) 1 fare attenzione a, preoccuparsi di, ricordarsi di ❖ m. the step! attenzione allo scalino! 2 (anche v.i.) badare a, occuparsi di, tenere d'occhio 3 (anche v.i.) importare, spiacere || (v.i.) 1 BE fare attenzione ❖ mind! attenzione! 2 preoccuparsi ❖ never m. non preoccuparti, non importa 3 importare, spiacere ❖ if you don't m. se non le spiace.
mind-boggling /'maɪndbɒglɪŋ/ (agg.) FAM. incredibile.
mindful /'maɪndfəl/ (agg.) consapevole, attento.
mine¹ /maɪn/ (pron. poss. 1a pers. sing.) il mio, la mia, i miei, le mie.
mine² (sost.) 1 miniera 2 MIL. mina. miner /'maɪnə*/ (sost.) minatore.
mineral /'mɪnərəl/ (agg.) minerale || (sost.) minerale.
mingle /'mɪŋgəl/ (v.t.) mischiare, mescolare || (v.i.) mischiarsi, mescolarsi.
miniature /'mɪnətʃə*/, AE /'mɪnətʃʊə*/ (agg.) minuscolo, in miniatura || (sost.) miniatura.
minicab /'mɪnɪkæb/ (sost.) radiotaxi.
minimize /'mɪnɪmaɪz/ (v.t.) 1 ridurre al minimo 2 (fig.) minimizzare, sminuire.
minimum /'mɪnɪməm/ (sost. sing. e agg.) minimo.
minister /'mɪnɪstə*/ (sost.) 1 POL. ministro 2 ECCL. pastore (protestante).
ministry /'mɪnɪstrɪ/ (sost.) 1 POL. ministero 2 ECCL. sacerdozio.

minor /'maɪnə*/ *(agg.)* **1** lieve, trascurabile **2** minore **3** MUS. minore ll *(sost.)* minorenne. **minority** /maɪ'nɒrəti/ *(sost.)* **1** minoranza **2** DIR. minore età.

mint /mɪnt/ *(sost.)* zecca ❖ *in m. condition* come nuovo.

minus /'maɪnəs/ *(prep.)* MAT. meno ll *(agg.)* MAT. meno, negativo ❖ *the m. sign* il segno meno.

minute /'mɪnɪt/ *(sost.)* **1** minuto (primo) **2** FAM. momento, attimo.

miracle /'mɪrəkəl/ *(sost.)* miracolo, prodigio.

mirage /'mɪrɑːʒ/, AE /mɪ'rɑːʒ/ *(sost.)* miraggio *(anche fig.)*.

mirror /'mɪrə*/ *(sost.)* specchio ❖ AUT. *rear-view m.* specchietto retrovisore.

misbehave /mɪsbɪ'heɪv/ *(v.i.)* comportarsi male. **misbehaviour**, AE **misbehavior** /mɪsbɪ'heɪvjə*/ *(sost.)* comportamento scorretto.

miscalculate /mɪs'kælkjuleɪt/ *(v.t. / v.i.)* **1** calcolare male **2** giudicare male.

miscarry /'mɪskærɪ/ *(v.i.)* **1** MED. abortire (spontaneamente) **2** *(fig.) (piano)* fallire. **miscarriage** /mɪs'kærɪdʒ/ *(sost.)* MED. aborto spontaneo.

miscellaneous /mɪsə'leɪnjəs/ *(agg.)* eterogeneo, misto.

mischief /'mɪstʃɪf/ *(sost.)* **1** birichinata **2** danno, cattiveria.

mischievous /'mɪstʃɪvəs/ *(agg.)* **1** FAM. vivace, birichino **2** perfido.

misdemeanour, AE **misdemeanor** /mɪsdɪ'miːnə*/ *(sost.)* colpa lieve, DIR. infrazione, reato minore.

miser /'maɪzə*/ *(sost.)* avaro, taccagno.

miserable /'mɪzərəbəl/ *(agg.)* **1** triste, infelice **2** deprimente **3** *(compenso, stipendio)* miseverole, miserabile.

misery /'mɪzərɪ/ *(sost.)* **1** infelicità, sofferenza **2** miseria.

misgivings /mɪs'gɪvɪŋz/ *(sost. pl.)* dubbi, perplessità.

mishap /'mɪshæp/ *(sost.)* incidente, contrattempo.

misinterpret /mɪsɪn'tɜːprɪt/ *(v.t.)* interpretare male, fraintendere.

mislead ♦ /mɪs'liːd/ *(v.t.)* trarre in inganno.

misled v. **mislead**.

misplace /mɪs'pleɪs/ *(v.t.)* **1** collocare fuori posto **2** *(fig.) (fiducia ecc.)* riporre male.

misprint /'mɪsprɪnt/ *(sost.)* refuso, errore di stampa.

misread ♦ /mɪs'riːd/ *(v.t.)* leggere male, fraintendere.

miss[1] /mɪs/ *(sost.)* signorina.

miss[2] *(v.t.)* **1** mancare, sbagliare, fallire **2** *(treno ecc.)* perdere **3** non notare **4** mancare a, essere assente a **5** sentire la mancanza di ll *(v.i.)* **1** fallire *(anche fig.)* **2** AUT. perdere colpi. ❖ **miss out on** perdere.

missile /'mɪsaɪl/, AE /mɪsl/ *(sost.)* missile.

missing /'mɪsɪŋ/ *(agg.)* **1** mancante, scomparso **2** MIL. disperso.

mission /'mɪʃən/ *(sost.)* missione.

misspell ♦ /mɪs'spel/ *(v.t.)* sbagliare l'ortografia di.

misspelt v. **misspell**.

mist /mɪst/ *(sost.)* foschia *(anche fig.)*, bruma. **misty** /'mɪstɪ/ *(agg.)* **1** nebbioso ❖ *m. rain* pioggerella **2** *(occhi)* velati, *(fig.)* vago, indistinto.

mistake /mɪ'steɪk/ *(sost.)* sbaglio, errore ❖ *to make a m.* fare uno sbaglio. **mistake** ♦ *(v.t.)* sbagliare ❖ *to m. sthg. (s.o.) for sthg. (s.o.)* else scambiare ql.sa (qu.no) per ql.sa (qu.no) altro. **mistaken** /mɪˈsteɪkən/ *(agg.)* sbagliato ❖ *to be m. (about s.o., sthg.)* sbagliarsi.

mister /ˈmɪstə*/ *(sost.) (abbr.* **Mr***)* signor(e).

mistook v. **mistake**.

mistreat /mɪsˈtriːt/ *(v.t.)* maltrattare.

mistress /ˈmɪstrəs/ *(sost.)* **1** padrona *(anche fig.)* **2** maestra, esperta **3** BE insegnante (donna) **4** amante.

misunderstand ♦ /mɪsʌndəˈstænd/ *(v.t. / v.i.)* fraintendere. **misunderstanding** /mɪsʌndəˈstændɪŋ/ *(sost.)* malinteso, equivoco.

misunderstood v. **misunderstand**.

misuse /mɪsˈjuːz/ *(sost.)* uso improprio.

mite /maɪt/ *(sost.)* ZOOL. acaro.

mix /mɪks/ *(v.t.)* mescolare *(anche fig.)* ‖ *(v.i.)* mescolarsi, socializzare. ❖ **mix up 1** *(ingredienti)* mescolare **2** confondere **3** coinvolgere qu.no. **mix** *(sost.)* miscela, miscuglio. **mixed** /mɪkst/ *(agg.)* **1** misto, variato **2** contrastante. **mixer** /ˈmɪksə*/ *(sost.)* **1** ❖ *(food)* m. CUC. frullatore **2** MUS. mixer **3** persona socievole. **mixture** /ˈmɪkstʃə*/ *(sost.)* miscuglio, CUC., CHIM. mescla.

moan /məʊn/ *(sost.)* **1** gemito, lamento **2** lamentela. **moan** *(v.i.)* gemere, lamentarsi ‖ dire con voce lamentosa.

mob /mɒb/ *(sost.)* **1** folla, gentaglia **2** ❖ AE *the Mob* la mafia.

mobile /ˈməʊbaɪəl/, AE /ˈməʊbəl/ *(agg.)* mobile, che si può muovere. **mobile (phone)** /məʊˈbaɪəl (fəʊn)/,

AE /ˈməʊbəl (fəʊn)/ *(sost.)* TEL. telefono cellulare.

mock /mɒk/ *(v.t.)* **1** deridere **2** imitare, fare il verso a ‖ *(v.i.)* burlarsi. **mock** *(agg.)* finto, simulato.

mode /məʊd/ *(sost.)* **1** modo, maniera **2** ELETTR., INFORM., TEL. modalità.

model /ˈmɒdəl/ *(sost.)* **1** modello *(anche fig.)* **2** modella, indossatrice ❖ *male m.* indossatore.

moderate /ˈmɒdərət/ *(agg.)* moderato ‖ *(sost.)* POL. moderato.

modern /ˈmɒdən/ *(agg. e sost.)* moderno.

modest /ˈmɒdɪst/ *(agg.)* modesto. **modesty** /ˈmɒdɪsti/ *(sost.)* modestia, pudicizia.

modify /ˈmɒdɪfaɪ/ *(v.t.)* modificare.

moist /mɔɪst/ *(agg.)* umido. **moisten** /ˈmɔɪsən/ *(v.t.)* inumidire ‖ *(v.i.)* inumidirsi. **moisture** /ˈmɔɪstʃə*/ *(sost.)* umidità. **moisturize** /ˈmɔɪstʃəraɪz/ *(v.t.)* idratare.

molar /ˈməʊlə*/ *(agg. e sost.)* (dente) molare.

mole¹ /məʊl/ *(sost.)* neo.

mole² *(sost.)* ZOOL. talpa *(anche fig.)*.

molest /məʊˈlest/ *(v.t.)* molestare, infastidire. **molester** /məʊˈlestə*/ *(sost.)* molestatore.

mom v. **mum**.

moment /ˈməʊmənt/ *(sost.)* **1** momento **2** FIS. momento.

momentous /məʊˈmentəs/ *(agg.)* importante.

momentum /məʊˈmentəm/ *(sost.)* **1** FIS. quantità di moto **2** *(fig.)* impeto, slancio.

monarchy /ˈmɒnəki/ *(sost.)* monarchia.

Monday /ˈmʌndeɪ/ *(sost.)* lunedì ❖ *Easter M.* Lunedì dell'Angelo.

money /'mʌnɪ/ (sost.) denaro, soldi.

-monger /'mʌŋgə*/ (suff.) (sost.) - vendolo, mercante di, fabbricante di ❖ *fishmonger* pescivendolo.

monitor /'mɒnɪtə*/ (sost.) **1** INFORM., TECN. monitor **2** osservatore. **monitor** (v.t.) osservare, controllare.

monk /mʌŋk/ (sost.) monaco.

monkey /'mʌŋkɪ/ (sost.) ZOOL. scimmia.

monopoly /mə'nɒpəlɪ/ (sost.) monopolio (anche fig.).

monotheism /'mɒnəυθi:ɪzəm/ (sost.) RELIG. monoteismo.

monotone /'mɒnətəυn/ (sost.) tono uniforme || (agg.) monotono.

monster /'mɒnstə*/ (sost.) mostro (anche fig.) || (agg.) FAM. colossale, gigantesco. **monstrous** /'mɒnstrəs/ (agg.) **1** mostruoso **2** atroce **3** deforme.

month /mʌnθ/ (sost.) mese. **monthly** /'mʌnθlɪ/ (agg.) mensile || (sost.) rivista mensile || (avv.) mensilmente.

monument /'mɒnjυmənt/ (sost.) monumento (anche fig.).

mood[1] /mu:d/ (sost.) GRAMM. modo.

mood[2] (sost.) umore, stato d'animo ❖ (bad) m. malumore. **moody** /'mu:dɪ/ (agg.) **1** lunatico **2** di cattivo umore.

moon /mu:n/ (sost.) luna.

moor[1] /mυə*/ (sost.) brughiera, landa.

moor[2] (v.t. / v.i.) MAR. ormeggiare.

mop /mɒp/ (sost.) **1** mocio, spazzolone **2** ❖ m. of hair FAM. capigliatura arruffata.

moped /'məυped/ (sost.) motorino, ciclomotore.

moral /'mɒrəl/ (agg.) **1** morale **2** retto, di saldi principi morali || (sost.) **1** morale **2** (pl.) moralità.

morale /mɒ'rɑːl/ (sost.) (umore) morale, stato d'animo.

morbid /'mɔːbɪd/ (agg.) (fig.) morboso.

more /mɔː*/ (agg.) (compar. di **much, many**), (pron. e sost.) più, di più, altro || (avv.) (di) più, maggiormente, ancora. **moreover** /mɔːr'əυvə*/ (avv.) inoltre, per di più.

morgue /mɔːg/ (sost.) obitorio.

morning /'mɔːnɪŋ/, LETTER. **morn** /mɔːn/ (sost.) mattino, mattinata.

morning dress /'mɔːnɪŋdres/ (sost.) abito da cerimonia, (per uomo) tight.

moron /'mɔːrɒn/ (sost.) FAM. idiota, deficiente.

morsel /'mɔːsəl/ (sost.) **1** boccone **2** (fig.) briciolo, pizzico.

mortal /'mɔːtəl/ (agg. e sost.) **1** mortale **2** fatale **3** all'ultimo sangue.

mortgage /'mɔːgɪʤ/ (sost.) ipoteca, mutuo ipotecario.

mortify /'mɔːtɪfaɪ/ (v.t.) mortificare || (v.i.) mortificarsi.

mosaic /məυ'zeɪɪk/ (agg.) musivo, di mosaico || (sost.) mosaico.

mosque /mɒsk/ (sost.) moschea.

mosquito /mə'skiːtəυ/ (sost.) zanzara.

moss /mɒs/ (sost.) muschio.

most /məυst/ (agg.) (superl. di **much, many**) la maggior parte di, il maggior numero di || (pron. e sost.) la maggior parte, il maggior numero || (avv.) **1** (di) più **2** (per formare il superl.) più ❖ the m. interesting il più interessante. **mostly** /'məυstlɪ/ (avv.) per lo più, generalmente.

moth /mɒθ/ (sost.) ZOOL. 1 falena
2 tarma.
mother /'mʌðə*/ (sost.) madre,
mamma.
motherboard /'mʌðəbɔːd/ (sost.)
INFORM. scheda madre.
mother-in-law /'mʌðərɪnlɔː/ (sost.)
suocera.
mother-of-pearl /mʌðərɒv'pɜːl/
(sost.) madreperla.
mother tongue /'mʌðətʌŋ/ (sost.)
madrelingua.
motif /məʊ'tiːf/ (sost.) motivo, tema.
motion /'məʊʃən/ (sost.) 1 moto,
movimento ❖ slow m. CINEM.,
TV rallentatore 2 mozione. motion (v.t. / v.i.) far segno (a), far
cenno (a).
motion picture /məʊʃən'pɪktʃə*/
(sost.) CINEM. AE film.
motive /'məʊtɪv/ (sost.) motivo, ra-
gione || (agg.) motore.
motley /'mɒtlɪ/ (agg.) eterogeneo.
motor /'məʊtə*/ (sost.) 1 motore 2
BE FAM. auto || (agg.) a motore.
motorbike /'məʊtəbaɪk/ (sost.)
motocicletta, moto.
motorcycle /'məʊtəsaɪkəl/ (sost.)
motocicletta.
motorist /'məʊtərɪst/ (sost.) automobilista.
mould¹, AE mold /məʊld/ (sost.)
muffa. moulder, AE molder
/'məʊldə*/ (v.i.) marcire.
mould², AE mold (sost.) stampo ❖
to be cast in the same m. (fig.) essere dello stesso stampo.
mount¹ /maʊnt/ (sost.) monte.
mount² (v.t.) 1 FORM. (gradini,
collina ecc.) salire 2 (in bicicletta,
a cavallo ecc.) montare 3 montare,
inserire in, incorniciare 4 organiz-
zare || (v.i.) salire, aumentare.

mountain /'maʊntɪn/ (sost.) montagna, monte.
mountain lion /maʊntɪn'laɪən/
(sost.) ZOOL. puma.
mourn /mɔːn/ (v.i.) essere in lutto ||
(v.t.) piangere, lamentare. mourning /'mɔːnɪŋ/ (sost.) lutto.
mouse /maʊs/ (pl. mice /maɪs/)
(sost.) 1 topo 2 (pl. anche mouses
/maʊsɪz/) INFORM. mouse.
moustache, AE mustache
/mə'staːʃ/ (sost.) baffi.
mouth /maʊθ/ (sost.) 1 bocca (anche
fig.) 2 apertura, ingresso 3 (di fiume)
foce.
mouthful /'maʊθfʊl/ (sost.) boccone, sorsata.
mouthpiece /'maʊθpiːs/ (sost.) 1
(di pipa, strumento a fiato ecc.)
bocchino 2 ricevitore del telefono.
move /muːv/ (v.t.) 1 muovere, spo-
stare, trasferire 2 commuovere ||
(v.i.) 1 muoversi, spostarsi 2 traslocare, trasferirsi 3 procedere, avanzare. ♣ move along 1 far spostare
2 spostarsi. ♣ move away trasferirsi altrove. ♣ move in 1 cambiare casa, sede 2 andare a vivere da
qu.no 3 (on) avanzare minacciosa-
mente. ♣ move on 1 passare a un
nuovo argomento 2 ricominciare
da capo 3 muovere, spostarsi, andarsene. ♣ move out 1 lasciare casa, andarsene 2 sgombrare il campo. ♣ move over 1 spostarsi, far
posto 2 (fig.) farsi da parte, lasciar
libero il campo. ♣ move up 1 promuovere 2 fare carriera. move
(sost.) 1 movimento 2 mossa (anche al gioco), azione 3 trasloco.
movement /'muːvmənt/ (sost.) 1
movimento (anche fig.) 2 meccanismo 3 MUS. movimento.

movie /'muːvɪ/ (sost.) **1** AE film **2** (pl.) AE cinema. **movie theater** /'muːvɪ'θɪətə*/ (sost.) AE cinema.

moving /'muːvɪŋ/ (agg.) **1** commovente **2** mobile, in movimento.

mow ◆ /məʊ/ (v.t.) tagliare l'erba.

mower /'məʊə*/ (sost.) tosaerba.

mown v. mow.

Mr /'mɪstə*/ (abbr. di Mister) v. mister.

Mrs /'mɪsɪz/ (sost.) (abbr. di Missis) signora.

Ms /mɪz/ (sost.) (usato per donne sia sposate sia nubili) signora.

much /mʌtʃ/ (compar. **more** /mɔː*/, SUPERL. **most** /məʊst/, pl. **many** /'menɪ/) (agg., pron. e sost.) molto ‖ (avv.) molto, assai.

mud /mʌd/ (sost.) fango (anche fig.). **muddy** /'mʌdɪ/ (agg.) **1** infangato (anche fig.) **2** (liquido) torbido **3** (fig.) confuso, poco chiaro.

muffin /'mʌfɪn/ (sost.) tortina, muffin.

muffle /'mʌfəl/ (v.t.) **1** (up) avvolgere, coprire bene **2** (suoni, rumori) smorzare, attutire.

mug¹ /mʌg/ (sost.) **1** tazza grande, boccale **2** FAM. faccia, volto.

mug²◊ (v.t.) aggredire per rapinare. **mugger** /'mʌgə*/ (sost.) aggressore, rapinatore.

mulberry /'mʌlbərɪ/ (sost.) BOT. gelso.

mull /mʌl/ (v.t.) scaldare (bevande) con zucchero e aromi ❖ **mulled wine** vin brûlé.

mull over /'mʌləʊvə*/ (v.i.) riflettere, rimuginare (su ql.sa).

multiple /'mʌltɪpəl/ (agg.) multiplo ‖ (sost.) MAT. multiplo. **multiple-choice** /mʌltɪpəl'tʃɔɪs/ (agg.) a scelta multipla.

multiply /'mʌltɪplaɪ/ (v.t.) moltiplicare ‖ (v.i.) moltiplicarsi.

multipurpose /mʌltɪ'pɜːpəs/ (agg.) multiuso.

multitasking /mʌltɪtɑːskɪŋ/ (sost.) INFORM. **1** esecuzione contemporanea di due o più programmi **2** multifunzionalità.

mum, AE **mom** /mʌm/ (sost.) FAM. mamma.

mumble /'mʌmbəl/ (v.t. / v.i.) mormorare, borbottare. **mumble** (sost.) borbottio.

mummy, AE **mommy** /'mʌmɪ/ (sost.) FAM. mamma.

mumps /mʌmps/ (sost.) FAM. orecchioni (MED. parotite).

munch /mʌntʃ/ (v.t. / v.i.) sgranocchiare.

mundane /mʌn'deɪn/ (agg.) (fig.) banale.

murder /'mɜːdə*/ (sost.) **1** assassinio, omicidio **2** FAM. inferno. **murder** (v.t.) **1** assassinare **2** (fig.) FAM. rovinare, massacrare. **murderer** /'mɜːdərə*/ (sost.) assassino, omicida.

murky /'mɜːkɪ/ (agg.) **1** buio, oscuro **2** (liquido) torbido **3** (fig.) tenebroso.

murmur /'mɜːmə*/ (v.t.) mormorare.

muscle /'mʌsəl/ (sost.) **1** muscolo **2** (fig.) forza.

muse /mjuːz/ (v.i.) riflettere, meditare.

museum /mjuː'zɪəm/ (sost.) museo.

mush /mʌʃ/ (sost.) poltiglia.

mushroom /'mʌʃrʊm/ (sost.) fungo.

music /'mjuːzɪk/ (sost.) musica. **musical** /'mjuːzɪkəl/ (agg.) **1** musicale **2** armonioso, (voce) melodioso **3** portato per la musica ‖ *(sost.)* musical, commedia. **musical box** /'mjuːzɪkəl'bɒks/, AE **music box** /'mjuːzɪkbɒks/ *(sost.)* carillon. **musician** /mjuˈzɪʃən/ *(sost.)* musicista.

music stand /'mjuːzɪk'stænd/ *(sost.)* leggio.

Muslim /'mʊzlɪm/ *(agg.)* islamico ‖ *(sost.)* musulmano.

mussel /'mʌsəl/ *(sost.)* ZOOL. cozza.

must ♦ /mʌst/ *(v. mod.)* **1** *(obbligo, necessità)* dovere **2** *(supposizione, probabilità)* dovere ❖ they m. have arrived by now ormai devono essere arrivati. **must** *(sost.)* FAM. must, cosa da fare assolutamente, cosa da non perdere. **must-have** /mʌst'hæv/ *(agg e sost.)* (oggetto) imperdibile. **must-read** /mʌst'riːd/ *(sost.)* lettura essenziale. **must-see** /mʌst'siː/ *(sost.)* cosa da vedere assolutamente.

mustard /'mʌstəd/ *(sost.)* senape.

muster /'mʌstə*/ *(v.t.)* chiamare a raccolta, radunare.

mute /mjuːt/ *(agg.)* muto ‖ *(sost.)* MUS. sordina. **mute** *(v.t.)* *(suono)* smorzare. **muted** /'mjuːtɪd/ *(agg.)* tenue.

mutilate /'mjuːtɪleɪt/ *(v.t.)* mutilare.

mutiny /'mjuːtənɪ/ *(sost.)* ammutinamento, rivolta.

mutter /'mʌtə*/ *(v.t. / v.i.)* mormorare, brontolare. **mutter** *(sost.)* mormorio, brontolio.

mutual /'mjuːtʃʊəl/ *(agg.)* **1** mutuo, reciproco **2** comune. **mutually** /'mjuːtʃʊəlɪ/ *(avv.)* per entrambi.

muzzle /'mʌzəl/ *(sost.)* **1** *(di animale)* muso **2** museruola.

my /maɪ/ *(agg. poss. 1ª pers. sing.)* mio, mia, miei, mie.

myself /maɪ'self/ *(pron. 1a pers. sing.)* **1** *(rifl.)* mi, me, me stesso **2** *(enfatico)* io stesso, (proprio) io.

mystery /'mɪstərɪ/ *(sost.)* mistero. **mysterious** /mɪ'stɪərɪəs/ *(agg.)* misterioso.

mystify /'mɪstɪfaɪ/ *(v.t.)* disorientare, sconcertare.

myth /mɪθ/ *(sost.)* mito.

N

nag ◊ /næg/ *(v.t.)* assillare, *(di dubbio)* tormentare ‖ *(v.i.)* lamentarsi continuamente.

nail /'neɪəl/ *(sost.)* **1** unghia **2** chiodo. **nail** *(v.t.)* **1** inchiodare **2** FAM. sorprendere con le mani nel sacco.

nail polish /'neɪəlpɒlɪʃ/ *(sost.)* smalto per unghie.

naive, naïve /naɪ'iːv/ *(agg.)* ingenuo.

naked /'neɪkɪd/ *(agg.)* nudo *(anche fig.)*.

name /neɪm/ *(sost.)* **1** nome ✧ *first n.* nome (di battesimo), *last n., family n.* cognome, *full n.* nome e cognome **2** fama, reputazione **3** insulto ✧ *to call s.o. names* insultare qu.no. **name** *(v.t.)* **1** dare un nome **2** nominare, designare **3** menzionare, fare il nome (di). **namely** /'neɪmlɪ/ *(avv.)* cioè, vale a dire, nella fattispecie, segnatamente.

nanny /'nænɪ/ *(sost.)* **1** bambinaia, balia **2** FAM., BE nonna.

nap ♦ /næp/ *(v.i.)* fare un sonnellino. **nap** *(sost.)* sonnellino, pisolino.

nape /neɪp/ *(sost.)* nuca.

napkin /'næpkɪn/ *(sost.)* tovagliolo.

narcotic /nɑː'kɒtɪk/ *(agg.)* narcotico ‖ *(sost.)* narcotico, stupefacente.

narrate /nə'reɪt/ *(v.t.)* narrare, raccontare. **narrator** /nə'reɪtə*/ *(sost.)* narratore.

narrow /'nærəʊ/ *(agg.)* **1** stretto, ristretto **2** limitato **3** misero, scarso ‖ *(sost.)* GEOGR. stretto. **narrow** *(v.i.)* stringersi, ridursi ‖ *(v.t.)* **1** restringere, rendere più stretto **2** *(fig.)* limitare. ♣ **narrow down** ridurre, restringere. **narrowly** /'nærəʊlɪ/ *(avv.)* **1** a stento, per poco **2** *(fig.)* in modo limitato, ristretto.

narrow-minded /nærəʊ'maɪndɪd/ *(agg.)* di vedute ristrette.

nasal /'neɪzəl/ *(agg. e sost.)* nasale.

nasty /'nɑːstɪ/ *(agg.)* **1** sgradevole, brutto, fastidioso **2** cattivo, minaccioso **3** pericoloso.

nation /'neɪʃən/ *(sost.)* nazione. **national** /'næʃənəl/ *(agg.)* nazionale ‖ *(sost.)* cittadino. **nationality** /næʃə'nælətɪ/ *(sost.)* nazionalità, cittadinanza.

native /'neɪtɪv/ *(agg.)* **1** nativo, indigeno ✧ *n. language* lingua madre, *English n. speaker* persona di madrelingua inglese **2** innato, naturale ‖ *(sost.)* nativo, indigeno, originario (di).

natural /'nætʃərəl/ *(agg.)* naturale ‖ *(sost.)* FAM. persona con doti innate. **naturalist** /'nætʃərəlɪst/ *(agg.)* naturalistico ‖ *(sost.)* naturalista. **naturally** /'nætʃərəlɪ/ *(avv.)* **1** con naturalezza, per natura **2** naturalmente, ovviamente.

nature /'neɪtʃə*/ (sost.) 1 natura 2 natura, temperamento.

naughty /'nɔːti/ (agg.) 1 (spec. di bambino) cattivo, disubbidiente 2 FAM. spinto, volgare.

nausea /'nɔːziə/ (sost.) nausea. **nauseate** /'nɔːzieɪt/ (v.t.) nauseare, disgustare, dare la nausea.

naval /'neɪvəl/ (agg.) navale.

navel /'neɪvəl/ (sost.) ANAT. ombelico.

navy /'neɪvɪ/ (sost.) marina militare.

near /nɪə*/ (agg.) 1 vicino, prossimo 2 intimo, stretto 3 quasi, circa ‖ (avv.) 1 vicino, presso 2 quasi ‖ (prep.) vicino a. **near** (v.t. / v.i.) avvicinare, avvicinarsi (a). **nearby** /'nɪəbaɪ/ (agg.) vicino ‖ /nɪə'baɪ/ (avv.) vicino. **nearly** /'nɪəlɪ/ (avv.) 1 quasi 2 da vicino.

neat /niːt/ (agg.) 1 ordinato, accurato 2 efficace, abile 3 (di bevande alcoliche) liscio.

necessary /'nesəsərɪ/ (agg.) 1 necessario 2 inevitabile. **necessarily** /'nesəsərɪlɪ/ (avv.) necessariamente.

neck /nek/ (sost.) 1 collo 2 GEOGR. istmo.

necklace /'nekləs/ (sost.) collana.

neckline /'neklaɪn/ (sost.) scollatura.

need /niːd/ (v.t. / v.i.) (costruz. pers.) 1 essere necessario, occorrere 2 aver bisogno di ❖ I n. a coffee ho bisogno di un caffè ‖ (v. mod.) (frasi neg. e interr., seguite da infinitiva senza 'to') dovere, esserci bisogno che ❖ n. I say that again? devo dirlo di nuovo? **need** (sost.) 1 necessità, bisogno ❖ there is no n. to... non c'è bisogno di... 2 miseria, ristrettezze.

needle /'niːdəl/ (sost.) 1 ago (anche BOT.) 2 puntina (di giradischi ecc.).

needless /'niːdləs/ (agg.) inutile, superfluo ❖ n. to say inutile dirlo.

negate /nɪ'geɪt/ (v.t.) 1 negare 2 annullare, rendere vano.

negative /'negətɪv/ (agg.) negativo ‖ (sost.) 1 LING. negazione 2 FOT. negativo.

neglect /nɪ'glekt/ (v.t.) trascurare, omettere. **neglect** (sost.) 1 trascuratezza, negligenza, DIR. omissione 2 disinteresse. **neglected** /nɪ'glektɪd/ (agg.) trascurato.

negligence /'neglɪdʒəns/ (sost.) negligenza. **negligent** /'neglɪdʒənt/ (agg.) 1 negligente 2 DIR. colposo.

negotiate /nɪ'gəʊʃɪeɪt/ (v.t.) 1 negoziare, trattare 2 (assegni ecc.) girare, trasferire. **negotiable** /nɪ'gəʊʃɪəbəl/ (agg.) 1 negoziabile 2 (assegno) trasferibile 3 (strada) percorribile. **negotiation** /nɪgəʊʃɪ'eɪʃən/ (sost.) negoziato, trattativa.

neigh /neɪ/ (v.i.) ONOM. nitrire.

neighbour, AE **neighbor** /'neɪbə*/ (sost.) vicino, vicino di casa, confinante. **neighbourhood**, AE **neighborhood** /'neɪbəhʊd/ (sost.) 1 quartiere 2 vicinato 3 paraggi, dintorni.

neither /'naɪðə*/, AE /'niːðə*/ (agg.) né l'uno né l'altro, nessuno dei due ❖ n. player nessuno dei due giocatori ‖ (pron.) né l'uno né l'altro, nessuno dei (due) ❖ n. of them is Italian nessuno di loro due è italiano ‖ (cong.) (seguito da nor) né ❖ n. ... nor né ... né, n. I nor he speaks French né io né lui parliamo francese ‖ (avv.) neppure, nemmeno, neanche ❖ I'm not tired. N. am I non sono stanco. Neanch'io.

nephew /'nefjuː/ (sost.) nipote (di zii) maschio ❖ great-n. pronipote.

nerd /nɜːd/ *(sost.)* FAM., SPREG. sfigato.

nerve /nɜːv/ *(sost.)* **1** ANAT. nervo **2** *(fig.)* *(pl.)* nervi, nervoso **3** *(fig.)* sangue freddo **4** *(fig.)* FAM. sfrontatezza, faccia tosta. **nervous** /ˈnɜːvəs/ *(agg.)* **1** nervoso, agitato **2** relativo ai nervi ❖ *n. breakdown* esaurimento nervoso. **nervously** /ˈnɜːvəslɪ/ *(avv.)* nervosamente.

nest /nest/ *(sost.)* nido *(anche fig.)*. **nest** *(v.i.)* nidificare ‖ *(v.t.)* *(fig.)* annidarsi.

nestle /ˈnesəl/ *(v.i.)* **1** rannicchiarsi, accoccolarsi **2** annidarsi *(anche fig.)*.

net¹ /net/ *(agg.)* **1** netto ❖ *n. weight* peso netto, ECON. *n. profit* utile netto **2** *(fig.)* finale, definitivo.

net² *(sost.)* **1** rete **2** *(the Net)* INFORM. Internet, rete. **net** *(v.t.)* **1** pescare con la rete **2** *(fig.)* riuscire a prendere, accaparrarsi.

nettle /ˈnetəl/ *(sost.)* BOT. ortica. **nettle** *(v.t.)* irritare *(anche fig.)*. **nettle rash** /ˈnetəlræʃ/ *(sost.)* MED. orticaria.

network /ˈnetwɜːk/ *(sost.)* *(fig.)* rete.

neurology /njʊəˈrɒlədʒɪ/, AE /nʊəˈrɒlədʒɪ/ *(sost.)* MED. neurologia.

neuter /ˈnjuːtə*/, AE /ˈnuːtə*/ *(agg. e sost.)* GRAMM. neutro.

neutral /ˈnjuːtrəl/, AE /ˈnuːtrəl/ *(agg.)* **1** neutrale **2** neutro ‖ *(sost.)* **1** stato neutrale, persona neutrale **2** AUT. folle.

never /ˈnevə*/ *(avv.)* mai, non… mai.

nevertheless /nevəðə'les/ *(avv.)* tuttavia, ciononostante.

new /njuː/, AE /nuː/ *(agg.)* nuovo.

newbie /ˈnjuːbiː/, AE /ˈnuːbiː/ *(sost.)* neofita, novellino, utente inesperto.

newborn /ˈnjuːbɔːn/, AE /ˈnuːbɔːn/ *(agg.)* neonato, appena nato.

newly /ˈnjuːlɪ/, AE /ˈnuːlɪ/ *(avv.)* **1** recentemente, da poco **2** nuovamente, di nuovo.

news /njuːz/, AE /nuːz/ *(sost.)* **1** notizie **2** novità ❖ *any n.?* ci sono novità? **3** notiziario (alla radio, in TV).

newsagent /ˈnjuːzeɪdʒənt/, AE /ˈnuːzeɪdʒənt/ *(sost.)* giornalaio.

newspaper /ˈnjuːzpeɪpə*/, AE /ˈnuːzpeɪpə*/ *(sost.)* giornale, quotidiano.

newsstand /ˈnjuːzstænd/, AE /ˈnuːzstænd/ *(sost.)* edicola, chiosco di giornali.

next /nekst/ *(agg.)* **1** *(nello spazio)* vicino, prossimo **2** *(nel tempo)* prossimo, successivo ‖ *(avv.)* dopo, in seguito ‖ *(loc. prep.)* *next to* accanto a.

nibble /ˈnɪbəl/ *(v.t. / v.i.)* sbocconcellare, mordicchiare.

nice /naɪs/ *(agg.)* **1** bello, piacevole **2** gentile, carino, simpatico. **nicely** /ˈnaɪslɪ/ *(avv.)* **1** piuttosto bene, in modo soddisfacente **2** in maniera carina **3** gentilmente, educatamente.

nicknack /ˈnɪknæk/ *(sost.)* gingillo, ninnolo, soprammobile.

nickname /ˈnɪkneɪm/ *(sost.)* soprannome.

niece /niːs/ *(sost.)* nipote (di zii) femmina.

night /naɪt/ *(sost.)* notte, sera.

nightclub /ˈnaɪtklʌb/ *(sost.)* locale notturno.

nightgown /ˈnaɪtgaʊn/ *(sost.)* camicia da notte.

nightingale /ˈnaɪtɪŋgeɪəl/ *(sost.)* ZOOL. usignolo.

nightmare /'naɪtmeə*/ (sost.) incubo (anche fig.).

nil /nɪl/ (sost.) **1** nulla **2** SPORT. zero.

nip ◊ /nɪp/ (v.t.) **1** pizzicare **2** mordere ‖ (v.i.) BE, FAM. (recarsi) fare un salto.

nipple /'nɪpəl/ (sost.) **1** capezzolo **2** AE tettarella.

nit /nɪt/ (sost.) ZOOL. lendine.

no /nəʊ/ (avv.) **1** no **2** (seguito da compar.) non ❖ n. bigger than non più grande di ‖ (agg.) **1** nessuno, (in frasi negative) alcuno ❖ n. man nessun uomo **2** vietato, proibito ❖ n. smoking vietato fumare ‖ (sost.) no. **no way** /nəʊ'weɪ/ (avv.) FAM. niente affatto, impossibile.

noble /'nəʊbəl/ (agg.) **1** nobile, aristocratico **2** (gesto, spirito) nobile, elevato **3** illustre, (edificio) maestoso ‖ (sost.) nobile.

nobody /'nəʊbədɪ/ (pron. indef.) nessuno ❖ n. knows nessuno lo sa ‖ (sost.) persona di nessun valore, nullità.

nod ◊ /nɒd/ (v.i.) **1** fare un cenno con il capo (per annuire) **2** sonnecchiare ‖ (v.t.) chinare il capo, indicare (con il capo). ❖ **nod off** FAM. addormentarsi, appisolarsi. **nod** (sost.) cenno (di assenso) del capo.

noise /nɔɪz/ (sost.) rumore, chiasso.

noisy /'nɔɪzɪ/ (agg.) rumoroso.

nominate /'nɒmɪneɪt/ (v.t.) nominare, designare. **nomination** /nɒmɪ↓neɪʃən/ (sost.) nomina, candidatura.

none /nʌn/ (pron. indef.) nessuno, niente ❖ n. of them nessuno di loro ‖ (avv.) affatto, per niente ❖ he's n. too pleased non è affatto contento.

nonetheless /nʌnðə'les/ (avv.) ciononostante, tuttavia.

non-profit /nɒn'prɒfɪt/ (agg.) senza fini di lucro.

nonsense /'nɒnsəns/ (sost. solo sing.) sciocchezze.

noodles /'nuːdəlz/ (sost. pl.) tagliatelle, spaghetti.

noon /nuːn/ (sost.) mezzogiorno.

no one /'nəʊwʌn/ v. nobody.

nope /nəʊp/ (avv.) FAM. no.

nor /nɔː*/ (cong.) **1** neanche, nemmeno **2** (neither... nor) né.

normal /'nɔːməl/ (agg.) **1** normale **2** solito. **normally** /'nɔːməlɪ/ (avv.) di solito, normalmente.

north /nɔːθ/ (agg.) del nord, settentrionale ‖ (sost.) nord, settentrione ‖ (avv.) a nord, verso nord ❖ north of a nord di. **northern** /'nɔːðən/ (agg.) nordico, settentrionale. **northwards** /'nɔːθwədz/ (avv.) in direzione nord.

Norwegian /nɔː'wiːdʒən/ (agg. e sost.) norvegese.

nose /nəʊz/ (sost.) **1** naso **2** (di nave) prua, (di aeroplano) muso.

nostril /'nɒstrəl/ (sost.) ANAT. narice.

not /nɒt/ (avv.) non, no ❖ I hope n. spero di no, he's n. here non è qui.

notch /nɒtʃ/ (sost.) tacca, dentellatura.

note /nəʊt/ (sost.) **1** appunto, nota **2** (breve documento ufficiale) certificato (medico ecc.) **3** MUS. nota **4** BE banconota. **note** (v.t.) **1** notare, accorgersi **2** annotare.

notebook /'nəʊtbʊk/ (sost.) **1** taccuino **2** BE banconota. notebook.

nothing /'nʌθɪŋ/ (pron. indef.) nulla, niente ‖ (sost.) niente, nulla ‖ (avv.) niente affatto, per nulla.

notice /'nəʊtɪs/ (sost.) **1** avviso, annuncio **2** preavviso **3** attenzione, osservazione. **notice** *(v.t.)* accorgersi (di), notare. **noticeable** /'nəʊtɪsəbəl/ *(agg.)* 1 notevole 2 evidente.

notify /'nəʊtɪfaɪ/ *(v.t.)* 1 notificare, informare 2 rendere noto, annunciare.

notion /'nəʊʃən/ *(sost.)* 1 idea, opinione 2 desiderio, voglia *(spec. improvvisa)*.

notorious /nəʊ'tɔːrɪəs/ *(agg.)* famigerato.

noun /naʊn/ *(sost.)* GRAMM. sostantivo, nome.

nourish /'nʌrɪʃ/ *(v.t.)* alimentare, nutrire. **nourishment** /'nʌrɪʃmənt/ *(sost.)* 1 nutrimento 2 nutrizione, alimentazione.

novel /'nɒvəl/ *(sost.)* romanzo. **novelist** /'nɒvəlɪst/ *(sost.)* romanziere.

November /nəʊ'vembə*/ *(sost.)* novembre.

novice /'nɒvɪs/ *(sost.)* 1 principiante, apprendista 2 ECCL. novizio.

now /naʊ/ *(avv.)* 1 ora, adesso ✣ *by n.* a quest'ora 2 *(per introdurre un discorso)* allora, dunque.

nowadays /'naʊədeɪz/ *(avv.)* oggigiorno.

nowhere /'nəʊweə*/ *(avv.)* da nessuna parte ✣ *he is n. to be found* non lo si trova da nessuna parte || *(sost.)* luogo che non esiste, *(fig.)* nulla.

noxious /'nɒkʃəs/ *(agg.)* nocivo, dannoso.

nozzle /'nɒzəl/ *(sost.)* bocchetta, ugello.

nuclear /'njuːklɪə*/, AE /'nuːklɪə*/ *(agg.)* nucleare.

nude /njuːd/, AE /nuːd/ *(agg.)* 1 ARTE nudo 2 *(colore)* nudo, color carne || *(sost.)* ARTE nudo.

nudge /nʌdʒ/ *(v.t.)* 1 *(spec. per attrarre attenzione)* dare un colpetto con il gomito 2 *(fig.)* spronare gentilmente.

nuisance /'njuːsəns/, AE /'nuːsəns/ *(sost.)* noia, seccatura.

numb /nʌm/ *(agg.)* intorpidito, intirizzito.

number /'nʌmbə*/ *(sost.)* 1 numero, cifra 2 *(scenetta)* numero 3 BE *(di rivista)* numero. **number** *(v.t.)* 1 contare, numerare 2 ammontare (a) 3 annoverare.

numeral /'njuːmərəl/, AE /'nuːmərəl/ *(agg.)* numerale || *(sost.)* numero, cifra.

nun /nʌn/ *(sost.)* monaca, suora.

nurse /nɜːs/ *(sost.)* 1 infermiera ✣ *male n.* infermiere, ANTIQ. *wet n.* balia. **nurse** *(v.t.)* 1 assistere, curare *(anche fig.)* 2 allattare al seno 3 stringere al petto 4 trattare (tenere in mano) con cura || *(v.i.)* allattare al seno.

nursery /'nɜːsərɪ/ *(sost.)* 1 camera dei bambini 2 v. **nursery school** 3 AGR. vivaio.

nursery school /'nɜːsərɪ skuːl/ *(sost.)* asilo, scuola materna.

nursery rhyme /'nɜːsərɪ raɪm/ *(sost.)* filastrocca.

nut /nʌt/ *(sost.)* noce. **nuts** /nʌts/ *(agg.)* FAM. pazzo, svitato.

nutcracker /'nʌtkrækə*/ *(sost.)* schiaccianoci.

nutrition /njuː'trɪʃən/, AE /nuː'trɪʃən/ *(sost.)* nutrizione, alimentazione. **nutritious** /njuː'trɪʃəs/ *(agg.)* nutriente.

nutshell /'nʌtʃel/ *(sost.)* guscio di noce ✣ *in a n.* in breve, in poche parole.

O

oak /əʊk/ *(pl.* **oak(s)** /əʊk(s)/*)* *(sost.)* BOT. quercia.

oar /ɔː*/ *(sost.)* remo.

oatmeal /'əʊtmiːəl/ *(sost.)* farina d'avena.

oath /əʊθ/ *(sost.)* **1** DIR. giuramento **2** imprecazione, bestemmia.

obese /əʊ'biːs/ *(agg.)* obeso.

obey /ə'beɪ/ *(v.t. / v.i.)* ubbidire (a). **obedient** /ə'biːdjənt/ *(agg.)* ubbidiente.

object /'ɒbʤekt/ *(sost.)* **1** oggetto, argomento, materia **2** scopo, obiettivo **3** GRAMM. oggetto ❖ **direct o.** complemento oggetto. **object** *(v.t.)* obiettare **ll** *(v.i.)* opporsi, disapprovare. **objection** /əb'ʤekʃən/ *(sost.)* obiezione, opposizione (a).

objective /əb'ʤektɪv/ *(agg.)* oggettivo **ll** *(sost.)* **1** obiettivo *(anche* MIL. e FOT.*)* **2** GRAMM. complemento oggetto.

oblige /ə'blaɪʤ/ *(v.t.)* **1** obbligare, costringere **2** FORM. fare un favore a **3** ❖ **to be obliged** essere riconoscente.

obliged /ə'blaɪʤd/ *(agg.)* **1** obbligato **2** riconoscente ❖ **much o.!** grazie mille!

oblique /ə'bliːk/ *(agg.)* **1** inclinato, obliquo **2** indiretto *(anche fig.).*

oblivious /ə'blɪvɪəs/ *(agg.)* incurante, ignaro.

obnoxious /əb'nɒkʃəs/ *(agg.)* estremamente sgradevole, offensivo.

obscene /əb'siːn/ *(agg.)* osceno, indecente.

obscure /əb'skjʊə*/ *(agg.)* oscuro, poco chiaro, *(ricordo)* vago.

observation /ɒbzə'veɪʃən/ *(sost.)* **1** osservazione, sorveglianza **2** osservazione, considerazione, constatazione.

observe /əb'zɜːv/ *(v.t. / v.i.)* **1** osservare, notare **2** osservare, esaminare **3** *(regole ecc.)* osservare, rispettare, obbedire.

obsession /əb'seʃən/ *(sost.)* ossessione.

obstacle /'ɒbstəkəl/ *(sost.) (anche fig.)* impedimento, ostacolo.

obstetrician /ɒbstə'trɪʃən/ *(sost.)* MED. ostetrico.

obtain /əb'teɪn/ *(v.t.)* **1** ottenere, conseguire **2** procurarsi.

obvious /'ɒbvɪəs/ *(agg.)* **1** ovvio, chiaro **2** logico. **obviously** /'ɒbvɪəslɪ/ *(avv.)* ovviamente, evidentemente.

occasion /ə'keɪʒən/ *(sost.)* **1** *(momento)* occasione, circostanza **2** occasione, opportunità **3** FORM. motivo. **occasional** /ə'keɪʒənəl/ *(agg.)* **1** occasionale, saltuario **2** FORM. *(discorso ecc.)* di circostanza. **occasionally** /ə'keɪʒənəlɪ/ *(avv.)* di tanto in tanto, occasionalmente.

Occident /'ɒksɪdənt/ (sost.) FORM. Occidente. **occidental** /ɒksɪ'dəntəl/ (agg. e sost.) occidentale.

occupation /ɒkju'peɪʃən/ (sost.) 1 occupazione (anche MIL.) 2 occupazione, professione, impiego 3 (impiego di tempo) attività. **occupational** /ɒkju'peɪʃənəl/ (agg.) professionale, occupazionale, lavorativo ❖ o. hazard rischio professionale.

occupy /'ɒkjupaɪ/ (v.t.) occupare. **occupied** /'ɒkjupaɪd/ (agg.) occupato.

occur ◊ /ə'kɜː*/ (v.i.) accadere, capitare. ♣ **occur to** 1 venire in mente 2 parere.

ocean /'əʊʃən/ (sost.) oceano.

o'clock /ə'klɒk/ (avv.) ❖ at three o'clock alle tre.

October /ɒk'təʊbə*/ (sost.) ottobre.

odd /ɒd/ (agg.) 1 strano 2 strambo, bizzarro 3 occasionale, saltuario 4 (numero) MAT. dispari 5 spaiato. **oddly** /'ɒdlɪ/ (avv.) stranamente.

odds /ɒdz/ (sost. pl.) 1 pronostico, probabilità 2 (nelle scommesse) quotazione 3 ❖ at o. in disaccordo.

ode /əʊd/ (sost.) ode.

odour, AE **odor** /'əʊdə*/ (sost.) odore.

of /ɒv/ (prep.) 1 di 2 da parte di, tipico di ❖ that's very kind o. you è molto gentile da parte tua.

off /ɒf/, AE /ɔːf/ (avv.) 1 (distanza) via (da), fuori (da) 2 (indica rimozione) via ❖ with his hat o. senza cappello 3 (non al lavoro) ❖ I took a day o. mi sono preso un giorno libero, di vacanza 4 (non in funzione) spento, chiuso ❖ the TV is o. la TV è spenta 5 di sconto ❖ ten per cent o. (con) il dieci per cento di sconto 6 completamente, del tutto ❖ he ate it o. se lo mangiò tutto || (prep.) 1 giù da ❖ o. the stairs (sono caduto) giù dalle scale 2 via da ❖ o. the main road via dalla strada principale 3 staccato, fuori da || (agg.) 1 spento, chiuso 2 annullato, sospeso ❖ the wedding is o. il matrimonio è cancellato 3 (non di lavoro) libero, di vacanza ❖ day o. giorno libero 4 negativo, fuori fase ❖ FAM. I'm feeling a bit o. mi sento un po' giù di tono 5 (cibo) non fresco.

offbeat /'ɒf'biːt/ (agg.) insolito, non convenzionale.

offence, AE **offense** /ə'fens/ (sost.) 1 DIR. reato 2 offesa, oltraggio 3 MIL. attacco.

offend /ə'fend/ (v.t. / v.i.) offendere, insultare 2 costituire un'offesa per. **offender** /ə'fendə*/ (sost.) 1 colpevole (anche DIR.) 2 DIR. trasgressore. **offensive** /ə'fensɪv/ (agg.) offensivo, oltraggioso || (sost.) MIL. offensiva.

offer /'ɒfə*/ (v.t. / v.i.) offrire, porgere. **offer** (sost.) offerta, proposta.

office /'ɒfɪs/ (sost.) 1 ufficio 2 incarico, carica 3 (Office) Ministero, ufficio governativo.

officer /'ɒfɪsə*/ (sost.) 1 MIL. ufficiale 2 agente di polizia 3 funzionario.

official /ə'fɪʃəl/ (agg.) ufficiale || (sost.) funzionario. **officially** /ə'fɪʃəlɪ/ (avv.) ufficialmente.

officiate /ə'fɪʃɪeɪt/ (v.i.) 1 presiedere 2 ECCL. officiare.

off limits /ɒf 'lɪmɪts/ (agg.) vietato, proibito (anche fig.).

off-line /'ɒflaɪn/ (agg.) INFORM. non in linea, non collegato, off-line.

off-season /'ɒfsiːzən/ (agg.) di bassa stagione || (sost.) bassa stagione.

offshore /ɒf'ʃɔː*/ (agg.) 1 in mare aperto, al largo 2 COMM. offshore, all'estero (spec. in un paradiso fiscale).

offspring /'ɒfsprɪŋ/ (sost.) discendenza, prole.

offstage /ɒf'steɪʤ/ (agg.) 1 TEATR. fuori scena 2 (fig.) dietro le quinte.

off-the-record /ɒfðə'rekɔːd/ (agg.) ufficioso.

often /'ɒfən/ (avv.) spesso.

oil /ɔɪl/ (sost.) 1 olio 2 petrolio 3 ARTE dipinto ad olio. **oil** (v.t.) lubrificare, ungere (anch fig.). **oily** /'ɔɪlɪ/ (agg.) 1 oleoso 2 (fig.) untuoso.

O.K., **OK**, **okay** /əʊ'keɪ/ (agg., avv. e inter.) FAM. (va) bene, O.K || (sost.) FAM. approvazione, benestare.

old /əʊld/ (compar. **older** /'əʊldə*/, **elder** /'eldə*/, superl. **oldest** /'əʊldəst/, **eldest** /'eldəst/) (agg.) 1 (persona) vecchio, (cosa) vecchio, antico 2 (in espressioni di età) ❖ a twelve-year-old boy un ragazzo di dodici anni, how o. are you? quanti anni hai?

old-fashioned /əʊld'fæʃənd/ (agg.) antiquato, fuori moda.

oligarchy /'ɒlɪgɑːkɪ/ (sost.) oligarchia.

olive /'ɒlɪv/ (sost.) 1 oliva 2 (tree) ulivo.

Olympiad /əʊ'lɪmpɪæd/ (sost.) Olimpiade. **Olympic** /əʊ'lɪmpɪk/ (agg.) olimpico, olimpionico ❖ O. Games Olimpiadi, Giochi Olimpici.

omen /'əʊmen/ (sost.) auspicio, presagio. **ominous** /'ɒmɪnəs/ (agg.) sinistro, di cattivo auspicio.

omission /ə'mɪʃən/ (sost.) omissione, dimenticanza.

omit ◊ /əʊ'mɪt/ (v.t.) omettere, tralasciare.

on /ɒn/ (prep.) 1 (posizione) su, sopra, a ❖ o. the sofa sul divano, o. page ten a pagina dieci 2 (tempo) a, in ❖ o. Sunday domenica, o. Sundays di domenica 3 (mezzo, modo) in, con, a ❖ o. foot a piedi, o. television alla televisione 4 (argomento) di, su ❖ a book o. cats un libro sui gatti 5 (agente) di, con || (avv.) 1 su, sopra, indosso 2 avanti ❖ to go o. andare avanti 3 (tempo) ❖ o. that day quel giorno, o. and off di tanto in tanto 4 acceso, in funzione || (agg.) 1 acceso, aperto 2 in programma.

once /wʌns/ (avv.) 1 (numero di volte) una volta ❖ o. a week una volta alla settimana 2 una volta, un tempo ❖ o. upon a time there was… c'era una volta… 3 ❖ at o. immediatamente, subito, at o. tutto (tutti) insieme, allo stesso tempo, all at o. improvvisamente || (cong.) una volta che, quando.

oncology /ɒŋ'kɒləʤɪ/ (sost.) MED. oncologia.

oncoming /'ɒnkʌmɪŋ/ (agg.) 1 che si avvicina 2 (fig.) prossimo, futuro.

one /wʌn/ (agg. num. card.) 1 uno || (agg.) solo, unico || (pron. dimostr. anche pl. **ones** /wʌnz/) questo, quello ❖ his hat, the white o. il suo cappello, quello bianco || (pron. indef.) 1 uno, una ❖ o. went this way another went that way uno andò da una parte un altro dall'altra 2 (costruz. impers.) uno, qualcuno, si ❖ o. does what o. can si fa quel che si può || (sost.) uno, unità.

one another /wʌnə'nʌðə*/ (pron. recip.) l'un l'altro.

one-night stand /wʌnaıt'stænd/ (sost.) **1** spettacolo unico, unica rappresentazione **2** FAM. avventura (sessuale) di una notte.

one-off /'wʌn'ɒf/ (sost.) pezzo unico, fatto eccezionale || (agg.) BE una tantum.

oneself /wʌn'self/ (pron. rifl. impers.) si, se stesso, se stessi, sé.

one-sided /wʌn'saıdıd/ (agg.) **1** unilaterale, parziale **2** impari.

one-way /wʌn'weı/ (agg.) (strada a) senso unico ❖ o. ticket AE biglietto di sola andata.

ongoing /'ɒngəʊıŋ/ (agg.) in corso.

onion /'ʌnjən/ (sost.) BOT. cipolla.

online /ɒn'laın/ (agg. e avv.) INFORM. in linea, collegato (spec. a Internet), online ❖ o. banking servizio bancario online.

only /'əʊnlı/ (agg.) unico, solo ❖ o. son figlio unico || (avv.) solo, soltanto, unicamente, semplicemente || (cong.) FAM. solo (che), tranne (che), ma.

onto, on to /'ɒntə/ (prep.) sopra, su (anche fig.).

open /'əʊpən/ (agg.) **1** aperto **2** (persona) franco, schietto || (sost.) ❖ in the o. all'aperto. open (v.t.) aprire || (v.i.) aprire, aprirsi.

opener /'əʊpənə*/ (sost.) (spec. nei composti) chi, che apre ❖ can o., tin o. apriscatole.

opening /'əʊpənıŋ/ (sost.) **1** apertura, inizio, esordio, inaugurazione **2** occasione, opportunità || (agg.) che inizia, d'inizio.

openly /'əʊpənlı/ (avv.) **1** apertamente **2** francamente.

open-minded /əʊpən'maındıd/ (agg.) di larghe vedute.

opera /'ɒpərə/ (sost.) TEATR. opera.

opera house /'ɒpərəhaʊs/ (sost.) teatro d'opera.

operate /'ɒpəreıt/ (v.i.) **1** operare, agire **2** (macchina) funzionare, essere in funzione **3** MED. operare, eseguire un'operazione || (v.t.) **1** operare, mettere in atto **2** far funzionare **3** MED. operare.

operating system /'ɒpəreıtıŋ 'sıstəm/ (sost.) INFORM. sistema operativo.

operation /ɒpə'reıʃən/ (sost.) **1** operazione **2** MED. intervento chirurgico **3** (di macchina) funzionamento. operational /ɒpə'reıʃənəl/ (agg.) operativo.

operator /'ɒpəreıtə*/ (sost.) **1** operatore **2** TEL. centralinista.

opinion /ə'pınjən/ (sost.) opinione, parere ❖ in my o. secondo me.

opponent /ə'pəʊnənt/ (sost.) avversario, antagonista.

opportunity /ɒpə'tjuːnətı/ (sost.) occasione, opportunità.

oppose /ə'pəʊz/ (v.t.) **1** opporsi a, essere contrario a **2** opporre, contrapporre || (v.i.) opporsi, fare opposizione. opposed /ə'pəʊzd/ (agg.) **1** avverso, contrario **2** opposto, contrapposto **3** ❖ as o. to invece di, in contrapposizione a.

opposite /'ɒpəzıt/ (agg.) **1** opposto, contrario **2** di faccia, di fronte ❖ on the o. side of the road sul lato opposto della strada || (sost.) (il) contrario || (avv.) di fronte, dall'altra parte, dirimpetto || (prep.) di fronte a.

opposition /ɒpə'zıʃən/ (sost.) **1** opposizione, contrasto **2** parte avversa, avversari.

oppression /ə'preʃən/ (sost.) oppressione.

optical /'ɒptɪkəl/ (agg.) ottico ❖ o. fibre (AE fiber) TEL. fibra ottica.

optimism /'ɒptɪmɪzəm/ (sost.) ottimismo.

option /'ɒpʃən/ (sost.) opzione.

optional /'ɒpʃənəl/ (agg.) facoltativo, a scelta ❖ o. extra(s) optional(s).

or /ɔ:*/ (cong.) 1 o, oppure ❖ o. (else) altrimenti 2 (con negazione) né ❖ without food o. water senza cibo né acqua.

orange /'ɒrɪndʒ/ (agg.) (colore) arancio, arancione II ◆ (sost.) arancia.

orbit /'ɔ:bɪt/ (sost.) orbita. orbit (v.t. / v.i.) 1 orbitare intorno a 2 mandare in orbita.

orchestra /'ɔ:kɪstrə/ (sost.) orchestra.

order /'ɔ:də*/ (sost.) 1 ordine 2 ordine, classe, categoria 3 ordine, comando 4 COMM. ordinazione, commessa. order (v.t.) 1 comandare, ordinare 2 COMM. ordinare, commissionare 3 ordinare, mettere in ordine.

ordinal /'ɔ:dɪnəl/ (agg. e sost.) MAT. ordinale.

ordinary /'ɔ:dənərɪ/ (agg.) normale, comune.

organ /'ɔ:gən/ (sost.) 1 MUS. organo 2 ANAT. organo.

organic /ɔ:'gænɪk/ (agg.) 1 organico 2 (alimenti) biologico ❖ o. farming agricoltura biologica.

organization /ɔ:gənaɪ'zeɪʃən/ (sost.) organizzazione.

organize /'ɔ:gənaɪz/ (v.t. / v.i.) organizzare, organizzarsi.

orientation /ɔ:rɪən'teɪʃən/ (sost.) orientamento (anche fig.). origin /'ɒrɪdʒɪn/ (sost.) origine.

original /ə'rɪdʒənəl/ (agg.) originale. originally /ə'rɪdʒənəlɪ/ (avv.) in origine.

originate /ə'rɪdʒəneɪt/ (v.t. / v.i.) FORM. dare origine, avere origine.

ornament /'ɔ:nəmənt/ (sost.) 1 ornamento, decorazione 2 soprammobile.

orphan /'ɔ:fən/ (agg. e sost.) orfano.

orthopaedic /ɔ:θəʊ'pi:dɪk/ (agg.) MED. ortopedico.

other /'ʌðə*/ (agg.) altro ❖ the o. side of the page l'altro lato della pagina II (pron. indef.) (l')altro ❖ the others gli altri, two others altri due.

otherwise /'ʌðəwaɪz/ (avv.) 1 altrimenti 2 diversamente.

ought /'ɔ:t/ (v. mod.) 1 dovere, essere necessario 2 (probabilità) dovere ❖ two minutes o. to be enough time due minuti o. dovrebbero essere sufficienti.

our /'aʊə*/ (agg. poss.) nostro, nostra, nostri, nostre.

ours /'aʊəz/ (pron. poss.) il nostro, la nostra, i nostri, le nostre.

ourselves /aʊə'selvz/ (pron.) 1 (rifl.) ci, noi stessi ❖ we can see o. in the mirror ci possiamo vedere nello specchio 2 (enfatico) noi stessi.

out /aʊt/ (avv.) 1 (posizione, movimento) fuori, al di fuori, via ❖ she's o. at the moment al momento è fuori (di casa, dall'ufficio) 2 (indica mancanza, fine) ❖ we're o. of coffe siamo senza caffè 3 alla ricerca (di), a caccia (di) ❖ he's o. for all the money he can get mira a ottenere tutto il denaro che può II (agg.) 1 rivelato, pubblicato ❖ the secret was o. il segreto fu svelato, the newspaper is o. il giornale è uscito 2 (calcolo) impreciso, sbagliato 3 FAM. fuori moda.

outdoor /aut'dɔː*/ (agg.) esterno, all'aperto.

outdoors /aut'dɔːz/ (avv.) all'aperto, fuori di casa.

outfit /'autfɪt/ (sost.) 1 (rif. ad abiti) mise, vestito 2 corredo, equipaggiamento, attrezzatura.

outlet /'autlet/ (sost.) 1 sbocco, scarico, via d'uscita (anche fig.) ❖ power o. presa di corrente elettrica 2 COMM. punto vendita.

outline /'autlaɪn/ (sost.) 1 contorno, profilo 2 abbozzo.

outlook /'autluk/ (sost.) 1 prospettiva 2 (fig.) veduta, vista.

out of /aut'ɒv/ (prep.) 1 (movimento, posizione) fuori (da), lontano da 2 (origine, causa) da, di, a causa di, per ❖ he did it out of spite l'ha fatto per dispetto 3 (proporzione) su ❖ nine times out of ten nove volte su dieci.

output /'autput/ (sost.) 1 produzione 2 emissione.

outrageous /aut'reɪdʒəs/ (agg.) scandaloso, scioccante, oltraggioso.

outright /'autraɪt/ (agg.) 1 diretto, franco 2 completo, totale ❖ the o. abolition of the death penalty l'abolizione totale della pena di morte 3 indiscusso ❖ an o. victory una netta vittoria || (avv.) 1 completamente 2 esplicitamente 3 al primo colpo, sul colpo.

outside /aut'saɪd/ (agg.) esterno, esteriore 1 (sost.) 1 esterno, aspetto esteriore 2 il limite massimo ❖ at the (very) o. al massimo || (avv.) (di) fuori, all'esterno || (prep.) 1 fuori di, all'esterno di, al di là di 2 eccetto, all'infuori di.

outsider /aut'saɪdə*/ (sost.) 1 estraneo, (a gruppo, organizzazione)

esterno 2 SPORT outsider, concorrente non favorito.

outskirts /'autskɜːts/ (sost. pl.) periferia, sobborghi ❖ on the o. in periferia.

outsource /aut'sɔːs/ (v.t.) appaltare ad aziende esterne.

outstanding /aut'stændɪŋ/ (agg.) 1 (fig.) rilevante, notevole 2 notevole, eccezionale.

outward /'autwəd/ (agg.) 1 esteriore 2 verso l'esterno, d'andata || (avv.) 1 al di fuori, esternamente 2 verso l'esterno.

oven /'ʌvən/ (sost.) forno.

over /'əuvə*/ (agg.) terminato, finito ❖ the match is o. la partita è finita || (avv.) 1 (con here, there) qui, qua, là, laggiù ❖ come o. here vieni qui 2 oltre || (prep.) 1 su, sopra, al di sopra di 2 oltre, dall'altra parte 3 su, riguardo a 4 a causa di, per 5 più di, oltre ❖ o. 200 people più di 200 persone.

overall /əuvər'ɔːl/ (agg.) complessivo, totale || (avv.) complessivamente, nell'insieme.

overcome ♦ /əuvə'kʌm/ (v.t.) vincere, sopraffare || (v.i.) vincere.

overdraft /'əuvədrɑːft/ (sost.) BANC. scoperto (di conto corrente).

overdraw ♦ /'əuvədrɔː/ (v.t.) BANC. andare, essere in rosso di.

overflow /əuvə'fləu/ (v.t.) 1 inondare, sommergere 2 (fig.) invadere, inondare || (v.i.) straripare, traboccare (anche fig.).

overhead /əuvə'hed/ (agg.) alto, sopra la testa || (avv.) in alto, al di sopra.

overhear ♦ /əuvə'hɪə*/ (v.t.) sentire per caso.

overlap /əʊvə'læp/ (v.t. / v.i.) sovrapporre, sovrapporsi. **overlap** /'əʊvəlæp/ (sost.) sovrapposizione.

overlook /əʊvə'lʊk/ (v.t.) **1** dare su, dominare **2** lasciarsi sfuggire ql.sa **3** tollerare, passare sopra a.

overnight /əʊvə'naɪt/ (agg.) notturno, fatto di notte ❖ o. stay pernottamento ‖ (avv.) **1** durante la notte, per la durata di una notte **2** improvvisamente, da un giorno all'altro.

override ♦ /əʊvə'raɪd/ (v.t.) prevalere su, annullare la decisione di.

overrule /əʊvə'ruːl/ (v.t.) DIR. annullare.

overseas /əʊvə'siːz/ (agg.) straniero (spec. d'oltremare) ‖ (avv.) all'estero (spec. oltremare).

overtake ♦ /əʊvə'teɪk/ (v.t.) superare, sorpassare.

overtime /'əʊvətaɪm/ (avv.) oltre l'ora fissata ❖ to work o. fare dello straordinario.

overview /'əʊvəvjuː/ (sost.) visione d'insieme.

owe /əʊ/ (v.t.) dovere, essere in debito di ❖ I o. you a beer ti devo una birra.

owl /aʊl/ (sost.) ZOOL. **1** gufo **2** civetta.

own /əʊn/ (agg. spec. raff. dopo un pron. poss.) proprio ❖ my o. car la mia auto.

own (v.t.) possedere. ♣ **own up** ammettere, confessare.

owner /'əʊnə*/ (sost.) proprietario.

ownership /'əʊnəʃɪp/ (sost.) proprietà ❖ under new o. nuova gestione.

ox /ɒks/ (pl. **oxen** /'ɒksən/) (sost.) ZOOL. bue.

P

pace /peɪs/ *(sost.)* passo, andatura. **pace** *(v.t.)* **1** camminare, passeggiare **2** dare l'andatura a ‖ *(v.i.)* andare al passo.

pacemaker /'peɪsmeɪkə*/ *(sost.)* **1** SPORT battistrada **2** MED. pacemaker.

pacific /pə'sɪfɪk/ *(agg.)* pacifico.

pacifier /'pæsɪfaɪə*/ *(sost.)* **1** pacificatore **2** AE ciuccio (per bambini).

pack /pæk/ *(sost.)* **1** pacco, pacchetto, confezione **2** zaino **3** *(di animali)* branco, *(di cani)* muta **4** *(di persone)* banda, branco, *(di cose)* mucchio, sacco **5** BE *(di carte)* mazzo **6** MED. impacco. **pack** *(v.t.)* **1** impacchettare, inscatolare, avvolgere **2** affollare, gremire **3** pigiare, pressare ‖ *(v.i.)* **1** fare i bagagli **2** raggrupparsi. ♣ **pack sthg. in 1** stipare **2** attirare una folla **3** smettere, mollare. ♣ **pack off** spedire via. ♣ **pack up 1** preparare le valigie **2** prepararsi a lasciare il lavoro **3** BE, FAM. rompersi.

package /'pækɪdʒ/ *(sost.)* **1** pacco **2** *(insieme di proposte)* pacchetto ♦ *p. holiday* viaggio organizzato **3** INFORM. pacchetto di programmi. **package** *(v.t.)* imballare, confezionare *(anche fig.)*. **packaging** /'pækɪdʒɪŋ/ *(sost.)* **1** imballaggio, confezione **2** confezionamento.

packet /'pækɪt/ *(sost.)* confezione, pacchetto *(anche* INFORM.*)*. **packet** *(v.t.)* impacchettare.

pact /pækt/ *(sost.)* patto, convenzione.

pad /pæd/ *(sost.)* **1** cuscinetto imbottito **2** MED. tampone ♦ *sanitary p.* assorbente igienico **3** blocco note **4** AER. piattaforma.

paddle /'pædəl/ *(sost.)* pagaia.

padlock /'pædlɒk/ *(sost.)* lucchetto.

paediatrician, AE **pediatrician** /piːdɪə'trɪʃən/ *(sost.)* MED. pediatra.

pagan /'peɪgən/ *(agg. e sost.)* pagano.

page /peɪdʒ/ *(sost.)* pagina.

pager /'peɪdʒə*/ *(sost.)* cercapersone.

paid /peɪd/ v. **pay** ‖ *(agg.)* retribuito.

pain /peɪn/ *(sost.)* **1** dolore, sofferenza ♦ *a p. in the neck* FAM. una seccatura **2** *(pl.)* fatica, sforzo. **pain** *(v.t.)* fare male a, addolorare ♦ *it pains me to say this* mi addolora dire questo. **painful** /'peɪnfəl/ *(agg.)* **1** doloroso, penoso **2** gravoso. **painless** /'peɪnləs/ *(agg.)* indolore.

painkiller /'peɪnkɪlə*/ *(sost.)* MED. analgesico.

painstaking /'peɪnzteɪkɪŋ/ *(agg.)* accurato.

paint /peɪnt/ *(sost.)* **1** pittura, vernice **2** verniciatura **3** FAM. belletto, trucco. **paint** *(v.t. / v.i.)* dipingere, verniciare. **paintbrush** /'peɪntbrʌʃ/ *(sost.)* pennello. **painter** /'peɪntə*/ *(sost.)* **1** pittore **2** imbianchino. **painting** /'peɪntɪŋ/ *(sost.)* **1** quadro, dipinto **2** pittura, il dipingere.

pair /peə*/ *(sost.)* paio, coppia. **pair** *(v.t. / v.i.)* appaiare, appaiarsi, accoppiare, accoppiarsi.

pal /pæl/ *(sost.)* FAM. compagno, amico.

palace /'pæləs/ *(sost.)* palazzo.

palate /'pælət/ *(sost.)* ANAT. palato *(anche fig.).*

pale /'peɪəl/ *(agg.)* pallido *(anche fig.).* **pale** *(v.i.)* impallidire *(anche fig.).*

palm[1] /pɑːm/ *(sost.)* BOT. palma.

palm[2] *(sost.)* ANAT. palmo.

pamper /'pæmpə*/ *(v.t.)* coccolare, viziare.

pan /pæn/ *(sost.)* tegame, padella, teglia.

pancake /'pænkeɪk/ *(sost.)* frittella.

pane /peɪn/ *(sost.)* vetro di finestra.

panel /'pænəl/ *(sost.)* **1** pannello, lastra **2** pannello, quadro **3** comitato, commissione **4** DIR. albo dei giurati.

pang /pæŋ/ *(sost.)* dolore acuto, fitta *(anche fig.).*

panic /'pænɪk/ *(sost.)* **1** panico **2** FAM. fretta e furia.

pansy /'pænzɪ/ *(sost.)* **1** BOT. viola del pensiero **2** BE POP. checca.

pant /pænt/ *(v.i.)* **1** ansimare **2** agognare, bramare.

panties /'pæntɪz/ *(sost. pl.)* mutandine (da donna).

pantry /'pæntrɪ/ *(sost.)* dispensa.

pants /pænts/ *(sost. pl.)* **1** mutande (da uomo) **2** AE pantaloni, calzoni.

pantyhose /'pæntɪhəʊz/ *(sost.)* AE collant.

paper /'peɪpə*/ *(sost.)* **1** carta **2** giornale **3** *(pl.)* documenti **4** prova scritta **5** relazione, saggio. **paper** *(v.t.)* tappezzare.

paperwork /'peɪpəwɜːk/ *(sost.)* lavoro d'ufficio.

parachute /'pærəʃuːt/ *(sost.)* paracadute.

parade /pə'reɪd/ *(sost.)* **1** corteo, sfilata **2** MIL. parata **3** mostra **4** BE viale, passeggiata.

paradise /'pærədaɪs/ *(sost.)* paradiso *(anche fig.).*

paragraph /'pærəɡrɑːf/ *(sost.)* paragrafo, capoverso.

parallel /'pærəlel/ *(agg.)* parallelo || *(sost.)* **1** parallelo, confronto **2** GEOGR. parallelo **3** GEOM. parallela.

paralysis /pə'ræləsɪs/ *(pl. paralyses* /pə'ræləsiːz/) *(sost.)* **1** MED. paralisi **2** paralisi, inattività.

paramount /'pærəmaʊnt/ *(agg.)* **1** supremo **2** di vitale importanza.

paranoid /'pærənɔɪd/ *(agg.)* MED. paranoico.

paraphernalia /pærəfə'neɪlɪə/ *(sost.)* armamentario, arnesi, accessori.

parcel /'pɑːsəl/ *(sost.)* **1** pacco, pacchetto **2** appezzamento, lotto di terreno.

pardon /'pɑːdən/ *(sost.)* **1** perdono, scusa ❖ *I beg your p. ...?* scusi... ? **2** DIR. grazia **3** ECCL. indulgenza.

parent /'peərənt/ *(sost.)* genitore. **parental** /pə'rentəl/ *(agg.)* di genitori.

parish /'pærɪʃ/ *(sost.)* parrocchia.

park[1] /pɑːk/ *(sost.)* **1** parco, giardino pubblico **2** ❖ *(car) p.* parcheggio.

park[2] *(v.t.)* **1** parcheggiare **2** FAM. depositare, lasciare ❖ *p. your bag by the door* lascia la borsa vicino alla porta. **parking** /'pɑːkɪŋ/ *(sost.)* parcheggio, posteggio.

parliament /'pɑːləmənt/ (sost.) parlamento.

parlour, AE **parlor** /'pɑːlə*/ (sost.) salone.

parole /pə'rəʊl/ (sost.) 1 parola d'onore 2 DIR. libertà vigilata.

parsley /'pɑːslɪ/ (sost.) BOT. prezzemolo.

part /pɑːt/ (sost.) 1 parte 2 pezzo 3 TV puntata 4 TEATR. ruolo ‖ (avv.) in parte. **part** (v.t.) dividere, separare ‖ (v.i.) dividersi, separarsi.

partake ♦ /pɑː'teɪk/ (v.t. / v.i.) prendere parte, partecipare.

partaken v. partake.

partial /'pɑːʃəl/ (agg.) parziale.

participate /pɑː'tɪsɪpeɪt/ (v.i.) partecipare, prendere parte.

participle /'pɑːtɪsɪpəl/ (sost.) GRAMM. participio.

particular /pə'tɪkjʊlə*/ (agg.) 1 particolare 2 pignolo, esigente ‖ (sost.) 1 particolare 2 (pl.) dettagli. **particularity** /pətɪkjʊ'lærətɪ/ (sost.) 1 particolarità 2 (pl.) piccoli dettagli.

parting /'pɑːtɪŋ/ (agg.) d'addio ‖ (sost.) 1 separazione 2 BE (di capelli) scriminatura.

partly /'pɑːtlɪ/ (avv.) in parte.

partner /'pɑːtnə*/ (sost.) 1 COMM. socio 2 partner, compagno. **partnership** /'pɑːtnəʃɪp/ (sost.) COMM. associazione, società.

partook v. partake.

party /'pɑːtɪ/ (sost.) 1 partito politico 2 gruppo, comitiva 3 festa 4 DIR. parte in causa.

pass[1]◊ /pɑːs/, AE /pæs/ (v.t.) 1 passare 2 superare 3 (tempo) trascorrere ‖ (v.i.) 1 passare 2 essere promosso. **pass** (sost.) 1 passaggio 2 lasciapassare, permesso 3 (ferroviario ecc.) tessera, abbonamento 4 promozione 5 SPORT passaggio. ♣ **pass away** morire, passare a miglior vita. ♣ **pass down** tramandare, trasmettere. ♣ **pass off** 1 esaurirsi 2 svolgersi. ♣ **pass off as** far passare per, spacciare per. ♣ **pass out** perdere conoscenza, svenire.

pass[2] (sost.) passo, valico.

passage /'pæsɪdʒ/ (sost.) 1 passaggio 2 traversata, viaggio su nave o aereo.

passbook /'pɑːsbʊk/, AE /'pæsbʊk/ (sost.) libretto di risparmio.

passenger /'pæsɪndʒə*/ (sost.) passeggero.

passing /'pɑːsɪŋ/, AE /'pæsɪŋ/ (agg.) 1 che passa 2 effimero, passeggero 3 casuale ‖ (sost.) 1 passaggio, il passare 2 scomparsa, morte.

passion /'pæʃən/ (sost.) passione.

passive /'pæsɪv/ (agg. e sost.) passivo.

passport /'pɑːspɔːt/, AE /'pæspɔːt/ (sost.) passaporto (anche fig.).

past /pɑːst/, AE /pæst/ (agg.) 1 passato, trascorso ‖ (sost.) passato ‖ (prep.) oltre, al di là di ‖ (avv.) vicino, presso, oltre.

paste (v.t.) incollare, appiccicare.

pastime /'pɑːstaɪm/, AE /'pæstaɪm/ (sost.) passatempo.

pastor /'pɑːstə*/, AE /'pæstə*/ (sost.) ECCL. pastore.

pastry /'peɪstrɪ/ (sost.) 1 pasta (per dolci) 2 pasticcino, dolce.

pat /pæt/ (sost.) buffetto, colpetto.

patch /pætʃ/ (sost.) 1 pezza, toppa 2 chiazza 3 zona, (di nebbia) banco. **patch** (v.t.) mettere una pezza a. ♣ **patch up** riparare alla meglio (anche fig.).

patent /'peɪtənt/, AE /'pætənt/ (agg.) 1 FORM. palese, evidente 2 brevettato II *(sost.)* brevetto, cosa brevettata.

path /pɑːθ/, AE /pæθ/ *(sost.)* 1 sentiero 2 corsia riservata ai pedoni 3 traiettoria 4 *(fig.)* linea, via.

pathfinder /'pɑːθfaɪndə*/, AE /'pæθfaɪndə*/ *(sost.)* 1 esploratore 2 AER. ricognitore.

patience /'peɪʃəns/ *(sost.)* 1 pazienza, sopportazione 2 *(carte)* solitario.

patient /'peɪʃənt/ *(agg.)* paziente, tollerante II *(sost.)* paziente.

patio /'pætɪəʊ/ *(sost.)* patio, cortile pavimentato.

patrimony /'pætrɪmənɪ/ *(sost.)* patrimonio.

patriot /'pætrɪət/ *(sost.)* patriota.

patrol /pə'trəʊl/ *(sost.)* 1 pattuglia, ronda 2 AER. volo di ricognizione.

patrol car /pə'trəʊlkɑː*/ *(sost.)* autopattuglia.

pattern /'pætən/ *(sost.)* 1 modello, campione 2 *(di tessuto ecc.)* disegno, motivo 3 schema.

paunch /pɔːntʃ/ *(sost.)* pancione.

pause /pɔːz/ *(v.i.)* 1 fare una pausa, fermarsi 2 *(operazione, strumento)* mettere in pausa, fermare. **pause** *(sost.)* 1 pausa, intervallo 2 MUS. pausa.

pave /peɪv/ *(v.t.)* pavimentare, lastricare *(anche fig.)*.

pavement /'peɪvmənt/ *(sost.)* 1 selciato 2 BE marciapiede.

paw /pɔː/ *(sost.)* 1 zampa 2 FAM. mano.

pawn /pɔːn/ *(v.t.)* impegnare, dare in pegno.

pay ♦ /peɪ/ *(v.t.)* 1 pagare 2 fare ❖ *to p. attention* fare attenzione II *(v.i.)* 1 pagare *(anche fig.)* 2 rendere, fruttare *(anche fig.)*. ♣ **pay back** 1 restituire, rimborsare, ripagare 2 vendicarsi. ♣ **pay off** 1 *(debito)* liquidare 2 FAM. dare un buon risultato 3 FAM. corrompere con denaro. ♣ **pay out** 1 spendere denaro, sborsare 2 *(corda)* srotolare. ♣ **pay up** pagare un debito, saldare. **pay** *(sost.)* paga, salario.

payback /'peɪbæk/ *(sost.)* 1 rimborso, risarcimento 2 vendetta.

payment /'peɪmənt/ *(sost.)* 1 pagamento 2 *(fig.)* ricompensa.

payoff /'peɪɒf/ *(sost.)* 1 saldo, liquidazione 2 FAM. tangente.

payout /'peɪaʊt/ *(sost.)* indennizzo.

pea /piː/ *(sost.)* BOT. pisello.

peace /piːs/ *(sost.)* 1 pace 2 ordine pubblico. **peaceful** /'piːsfəl/ *(agg.)* tranquillo, pacifico.

peach /piːtʃ/ *(sost.)* 1 BOT. pesca 2 *(color)* pesca.

peak /piːk/ *(sost.)* 1 picco, cima 2 *(fig.)* apice 3 BE *(di cappello)* visiera 4 *(fig.)* massimo, apice II *(agg.)* massimo, di punta, *(stagione ecc.)* alto. **peak** *(v.i.)* raggiungere il punto massimo.

peanut /'piːnʌt/ *(sost.)* BOT. arachide.

pear /peə*/ *(sost.)* BOT. pera.

pearl /pɜːl/ *(sost.)* 1 perla *(anche fig.)* 2 madreperla.

peat /piːt/ *(sost.)* torba.

peck /pek/ *(v.t.)* beccare II *(v.i.)* 1 beccare 2 FAM. piluccare 3 FAM. dare un bacetto.

pecker /'pekə*/ *(sost.)* ZOOL. picchio.

peculiar /pɪ'kjuːlɪə*/ *(agg.)* 1 caratteristico, tipico 2 strano.

pedal /'pedəl/ *(sost.)* pedale.

pedestal /'pedɪstəl/ *(sost.)* piedistallo.

pedestrian /pə'destrɪən/ *(agg.)* 1 pedonale 2 *(fig.)* pedestre, scadente II *(sost.)* pedone.

pediatrician v. **paediatrician**.

pee /pi:/ (v.i.) FAM. fare pipì. **pee** (sost.) FAM. pipì.

peel /pi:l/ (v.t.) sbucciare ‖ (v.i.) 1 spellarsi, squamarsi 2 scrostarsi. **peel** (sost.) buccia.

peephole /'pi:phəʊl/ (sost.) (di porta ecc.) spioncino.

peer /pɪə*/ (sost.) 1 pari, persona dello stesso grado 2 Pari, membro della Camera dei Lord.

peg /peg/ (sost.) 1 piolo 2 attaccapanni 3 BE molletta.

pellet /'pelɪt/ (sost.) 1 pallina 2 pallottola.

pen /pen/ (sost.) penna ❖ fountain p. penna stilografica.

penalty /'penəltɪ/ (sost.) pena, punizione, ammenda.

pencil /'pensəl/ (sost.) matita ❖ in p. a matita.

pendant /'pendənt/ (sost.) pendente, ciondolo.

pending /'pendɪŋ/ (agg.) 1 in attesa, in sospeso, DIR., AMM. pendente 2 imminente ‖ (prep.) fino a, in attesa di.

pendrive /'pendraɪv/ (sost.) INFORM. chiavetta USB, penna USB.

penis /'pi:nɪs/ (sost.) ANAT. pene.

penknife /'pennaɪf/ (sost.) coltello a serramanico.

penny /'penɪ/ (pl. **pennies** /'penɪz/ rif. alla moneta in sé, **pence** /pens/ rif. al valore) (sost.) 1 penny 2 AE, FAM. centesimo (di dollaro).

pension¹ /'penʃən/ (sost.) pensione. ❖ **pension off** (v.t.) mandare in pensione.

pension² (sost.) (albergo) pensione.

penthouse /'penthaʊs/ (sost.) attico.

people /'pi:pəl/ (sost.) 1 popolo 2 (costruz. pl.) gente, persone 3 genitori, famiglia ❖ my p. i miei.

pepper /'pepə*/ (sost.) 1 BOT. pepe 2 BOT. peperone. **pepper** (v.t.) 1 CUC. pepare 2 (fig.) disseminare.

peppermint /'pepəmɪnt/ (sost.) 1 menta piperita 2 mentina.

per /pɜ:*/ (prep.) per, a ❖ 100 km p. hour 100 km all'ora.

perceive /pə'si:v/ (v.t.) 1 percepire, accorgersi di 2 interpretare.

per cent, AE **percent** /pə'sent/ (agg.) per cento ‖ (sost.) percentuale, percento.

perception /pə'sepʃən/ (sost.) 1 percezione, intuizione 2 sensibilità.

perceptive /pə'septɪv/ (agg.) perspicace.

perch (v.t. / v.i.) 1 collocare su un sostegno 2 appollaiarsi.

percolator /'pɜ:kəleɪtə*/ (sost.) caffettiera a filtro.

percussion /pə'kʌʃən/ (sost.) percussione. **percussionist** /pə'kʌʃənɪst/ (sost.) MUS. percussionista.

perennial /pə'renɪəl/ (agg.) perenne.

perfect /'pɜ:fɪkt/ (agg.) perfetto, completo, esatto ‖ (sost.) GRAMM. (tempo verbale) perfetto. **perfect** /pə'fekt/ (v.t.) perfezionare, completare alla perfezione. **perfection** /pə'fekʃən/ (sost.) 1 perfezione 2 perfezionamento.

perfectly /'pɜ:fɪktlɪ/ (avv.) 1 perfettamente 2 assolutamente.

perform /pə'fɔ:m/ (v.t.) 1 eseguire, compiere 2 TEATR. rappresentare, recitare 3 MUS. eseguire ‖ (v.i.) 1 TEATR. dare una rappresentazione 2 MUS. suonare 3 funzionare. **performance** /pə'fɔ:məns/ (sost.) 1 (spettacolo) rappresentazione 2 (di musica) esecuzione 3 prestazione, rendimento 4 (di un compito) esecuzione, adempimento. **performer**

/pə'fɔːmə*/ (sost.) **1** esecutore **2** (di musica, film ecc.) interprete, artista.
perfume /'pɜːfjuːm/ (sost.) profumo.
perfunctory /pə'fʌŋktərɪ/ (agg.) superficiale.
perhaps /pə'hæps/ (avv.) forse, magari.
peril /'perəl/ (sost.) pericolo, rischio.
perimeter /pe'rɪmɪtə*/ (sost.) perimetro.
period /'pɪərɪəd/ (sost.) **1** periodo, epoca **2** MED. ciclo mestruale **3** (segno di interpunzione) AE punto (fermo). **periodic** /pɪərɪ'ndɪk/ (agg.) periodico. **periodical** /pɪərɪ'ndɪkəl/ (agg.) periodico II (sost.) (rivista) periodico.
peripheral /pə'rɪfərəl/ (agg.) **1** periferico **2** secondario, marginale II (sost.) INFORM. (unità) periferica.
perish /'perɪʃ/ (v.i.) **1** FORM. perire, morire (anche fig.) **2** deteriorarsi, rovinarsi. **perishable** /'perɪʃəbəl/ (agg.) deperibile.
perjury /'pɜːdʒərɪ/ (sost.) DIR. falsa testimonianza.
perky /'pɜːkɪ/ (agg.) vivace, allegro.
permanent /'pɜːmənənt/ (agg.) permanente, fisso ❖ p. job lavoro fisso.
permission /pə'mɪʃən/ (sost.) permesso, autorizzazione.
permit ◊ /pə'mɪt/ (v.t. / v.i.) permettere, autorizzare. **permit** /'pɜːmɪt/ (sost.) permesso, autorizzazione.
peroxide /pə'rɒksaɪd/ (sost.) **1** CHIM. perossido **2** acqua ossigenata.
perpendicular /pɜːpən'dɪkjʊlə*/ (agg.) perpendicolare.
perpetual /pə'petʃʊəl/ (agg.) perpetuo, perenne.
perplexed /pə'plekst/ (agg.) perplesso, confuso.

persist /pə'sɪst/ (v.i.) **1** persistere, durare **2** ostinarsi, perseverare. **persistent** /pə'sɪstənt/ (agg.) **1** duraturo **2** ostinato, perseverante ❖ p. rain pioggia insistente.
person /'pɜːsən/ (sost.) **1** persona ❖ in p. di persona, per p. a testa, a persona **2** FORM. corpo, figura. **personal** /'pɜːsənəl/ (agg.) personale. **personality** /pɜːsə'nælətɪ/ (sost.) personalità. **personally** /'pɜːsənəlɪ/ (avv.) personalmente, in persona.
personnel /pɜːsə'nel/ (sost.) (di lavoro) personale.
perspective /pə'spektɪv/ (sost.) prospettiva.
perspire /pə'spaɪə*/ (v.i.) traspirare, sudare.
persuade /pə'sweɪd/ (v.t.) persuadere, convincere.
persuasion /pə'sweɪʒən/ (sost.) **1** persuasione **2** credenza, fede.
pertain /pə'teɪn/ (v.i.) FORM. riguardare, essere di pertinenza.
pervasive /pə'veɪsɪv/ (agg.) **1** invadente **2** (concetto, idea) diffuso.
pervert /'pɜːvɜːt/ (sost.) pervertito.
pessimism /'pesɪmɪzəm/ (sost.) pessimismo.
pest /pest/ (sost.) **1** animale, pianta infestante **2** FAM. peste, persona insopportabile.
pester /'pestə*/ (v.t.) assillare, tormentare.
pet /pet/ (agg.) prediletto II (sost.) **1** animale domestico **2** beniamino, FAM. cocco **3** (come appellativo) tesoro.
petrify /'petrɪfaɪ/ (v.t.) **1** pietrificare **2** (fig.) terrorizzare **3** FORM. cristallizzare II (v.i.) pietrificarsi, impietrire.
petrol /'petrəl/ (sost.) BE benzina.

petty /'petɪ/ *(agg.)* **1** insignificante, trascurabile **2** *(di persona)* meschino.

pew /pjuː/ *(sost.)* *(in chiesa)* banco, panca.

phantom /'fæntəm/ *(sost.)* **1** fantasma, spettro **2** *(fig.)* apparizione.

pharmacy /'fɑːməsɪ/ *(sost.)* farmacia.

phase /feɪz/ *(sost.)* fase, periodo.

pheasant /'fezənt/ *(sost.)* ZOOL. fagiano.

philosophy /fɪ'lɒsəfɪ/ *(sost.)* filosofia. **philosopher** /fɪ'lɒsəfə*/ *(sost.)* filosofo.

phobia /'fəʊbɪə/ *(sost.)* PSIC. fobia.

phone /fəʊn/ *(sost.)* telefono. **phone** *(v.t. / v.i.)* FAM. telefonare (a).

phone book /'fəʊnbʊk/ *(sost.)* elenco telefonico.

phone card /'fəʊnkɑːd/ *(sost.)* carta telefonica.

phon(e)y /'fəʊnɪ/ *(agg.)* **1** falso, fasullo **2** bugiardo.

photocopy /'fəʊtəʊkɒpɪ/ *(sost.)* fotocopia.

photo(graph) /'fəʊtə(grɑːf)/ *(sost.)* foto(grafia) ❖ *to take a ph. (of s.o.)* fare una fotografia (a qu.no). **photograph** *(v.t.)* fotografare ‖ *(v.i.)* venire (bene, male) in fotografia.

phrase /freɪz/ *(sost.)* **1** frase, espressione **2** MUS. frase. **phrase** *(v.t.)* **1** esprimere, formulare **2** MUS. fraseggiare.

physical /'fɪzɪkəl/ *(agg.)* fisico, del fisico. **physically** /'fɪzɪkəlɪ/ *(avv.)* fisicamente.

physician /fɪ'zɪʃən/ *(sost.)* dottore, medico.

physics /'fɪzɪks/ *(sost.)* fisica.

physiotherapy /fɪzɪəʊ'θerəpɪ/ *(sost.)* fisioterapia.

piano /pɪ'ænəʊ/ *(pl.* **pianos** /pɪ'ænəʊz/) *(sost.)* MUS. piano(forte). **pianist** /'pɪənɪst/ *(sost.)* pianista.

pick /pɪk/ *(v.t.)* **1** *(fiori, frutti)* prendere, raccogliere **2** scegliere, selezionare **3** *(denti, naso)* liberare da residui (con stuzzicadenti, dita) **4** ❖ *to p. s.o.'s pocket* borseggiare **5** mangiucchiare, piluccare ‖ *(v.i.)* **1** scegliere **2** pizzicare, stuzzicare. ♣ **pick on** FAM. *(fig.)* prendersela con, maltrattare. ♣ **pick out 1** selezionare, riconoscere **2** mettere, essere in evidenza, in rilievo. ♣ **pick over** scegliere, selezionare. ♣ **pick up 1** migliorare **2** intensificarsi **3** passare a prendere (ql.sa, qu.no) **4** *(telefono)* rispondere **5** SL. rimorchiare, fare nuove conoscenze **6** buscarsi un malanno **7** FAM. imparare **8** pizzicare, cogliere in flagrante **9** riprendere, sgridare **10** dare sollievo, rincuorare.

pickles /'pɪkəlz/ *(sost. pl.)* sottaceti, giardiniera.

pickpocket /'pɪkpɒkɪt/ *(sost.)* borseggiatore.

picky /'pɪkɪ/ *(agg.)* difficile da accontentare.

picture /'pɪktʃə*/ *(sost.)* **1** quadro, ritratto **2** illustrazione, immagine **3** fotografia **4** *(TV)* immagine **5** *(spec. AE)* film **6** *(pl.)* cinema. **picture** *(v.t.)* **1** dipingere, illustrare **2** immaginare.

pie /paɪ/ *(sost.)* CUC. torta, pasticcio.

piece /piːs/ *(sost.)* **1** pezzo, porzione **2** *(con sost. non numerabili)* ❖ *a p. of* un, uno, una, *a p. of advice* un consiglio **3** moneta.

pie chart /'paɪtʃɑːt/ *(sost.)* diagramma a torta.

pier /pɪə*/ *(sost.)* molo, pontile.

pierce /pɪəs/ (v.t.) forare, (fig.) trafiggere.

pig /pɪg/ (sost.) ZOOL. maiale.

pigeonhole /'pɪdʒənhəʊl/ (sost.) casella, (fig.) posto.

piggybank /'pɪgɪbæŋk/ (sost.) FAM. salvadanaio.

pigsty /'pɪgstaɪ/ (sost.) porcile.

pile /paɪl/ (sost.) pila, mucchio. **pile** (v.t.) accumulare, accatastare. ♣ **pile up** accumulare, accumularsi.

pile-up /'paɪəlʌp/ (sost.) AUT. tamponamento a catena.

pilgrim /'pɪlgrɪm/ (sost.) pellegrino. **pilgrimage** /'pɪlgrɪmɪdʒ/ (sost.) pellegrinaggio.

pill /pɪl/ (sost.) pillola.

pillar /'pɪlə/ (sost.) pilastro, colonna (anche fig.).

pillar box /'pɪləbɒks/ (sost.) BE buca per le lettere (a colonnina).

pillow /'pɪləʊ/ (sost.) cuscino, guanciale.

pilot /'paɪlət/ (sost.) (di nave, aereo) pilota || (agg.) pilota, sperimentale.

pimple /'pɪmpəl/ (sost.) brufolo.

pin /pɪn/ (sost.) 1 spillo, puntina 2 spilla, spilletta 3 ELETTR. spinotto. **pin** ♦ (v.t.) 1 (spilla) appuntare, (con spilli, puntine ecc.) attaccare 2 tenere fermo, immobilizzare. ♣ **pin down** costringere (a fare, a spiegarsi, a impegnarsi). ♣ **pin on** imputare ql.sa a qu.no, dare la colpa.

pincers /'pɪnsəz/ (sost. pl.) 1 tenaglie, pinze 2 ZOOL. chele.

pinch /pɪntʃ/ (sost.) 1 pizzicotto 2 (quantità) pizzico, (di tabacco ecc.) presa 3 (fig.) morso, stretta.

pink /pɪŋk/ (agg.) rosa || (sost.) (colore) rosa.

pinpoint /'pɪnpɔɪnt/ (v.t.) 1 localizzare, individuare 2 mettere in evidenza.

pint /paɪnt/ (sost.) pinta.

pioneer /paɪə'nɪə*/ (sost.) pioniere.

pipe /paɪp/ (sost.) 1 conduttura, tubo 2 pipa 3 MUS. piffero, (pl.) cornamusa.

pipeline /'paɪplaɪn/ (sost.) 1 conduttura, tubatura 2 oleodotto.

piping /'paɪpɪŋ/ (sost.) tubature, tubazioni.

piracy /'paɪərəsɪ/ (sost.) pirateria.

pirate /'paɪərət/ (sost.) 1 pirata, corsaro 2 chi riproduce, duplica abusivamente (dischi, software ecc.) || (agg.) INFORM., MUS. pirata.

piss /pɪs/ (v.i.) VOLG. pisciare. ♣ **piss off** andare via, sparire ♦ p. off! levati dalle palle!, to p. s.o. off far infuriare qu.no. **pissed** /pɪst/ (agg.) ubriaco. **pissed off** /'pɪstɒf/ (agg.) FAM. incavolato.

pistol /'pɪstəl/ (sost.) pistola.

piston /'pɪstən/ (sost.) pistone, stantuffo.

pit /pɪt/ (sost.) 1 fossa, buca 2 cava, miniera 3 TEATR. platea.

pitch[1] /pɪtʃ/ (sost.) 1 BE campo sportivo 2 SPORT lancio, tiro 3 MUS. intonazione, (di suono) altezza 4 (fig.) apice, culmine 5 (allo scopo di persuadere) discorso, FAM. discorsetto. **pitch** (v.t.) 1 lanciare 2 SPORT (cricket, baseball) servire 3 (tende ecc.) piantare 4 MUS. intonare, dare il tono a 5 adeguare, adattare 6 fare un'offerta per ql.sa || (v.i.) 1 (veicolo) procedere sobbalzando 2 cadere giù, abbattersi. ♣ **pitch in** entrare a prendere parte. ♣ **pitch into** attaccare, dare addosso a.

pitch² *(sost.)* pece ❖ *p. black* buio pesto.

pitfall /'pɪtfɔːl/ *(sost.)* *(fig.)* tranello, trabocchetto.

pitiful /'pɪtɪfəl/ *(agg.)* 1 compassionevole, pietoso 2 miserando.

pity /'pɪtɪ/ *(sost.)* 1 pietà 2 *(enfatico)* peccato ❖ *what a p.!* che peccato!

pivot /'pɪvət/ *(v.i.)* ruotare su di un perno. pivotal /'pɪvət əl/ *(agg.)* molto importante.

place /pleɪs/ *(sost.)* 1 posto, luogo ❖ *one's p.* casa propria (o di altra specifica persona) 2 posizione *(anche fig.)*, SPORT piazzamento 3 posto di lavoro. place *(v.t.)* piazzare, collocare. placement /'pleɪsmənt/ *(sost.)* sistemazione, collocazione.

plague /pleɪg/ *(sost.)* 1 epidemia 2 peste *(fig.)* piaga, flagello.

plaid /plæd/ *(sost.)* tartan (tessuto scozzese).

plain /pleɪn/ *(agg.)* 1 chiaro, evidente 2 semplice 3 comune ❖ *in p. clothes* in borghese 4 schietto ‖ *(sost.)* pianura ‖ *(avv.)* semplicemente.

plait /plæt/ *(sost.)* treccia. plait *(v.t.)* intrecciare.

plan /plæn/ *(sost.)* 1 piano, progetto 2 pianta, disegno. plan ♦ *(v.t.)* progettare, programmare ‖ *(v.i.)* fare progetti.

plane¹ /pleɪn/ *(agg.)* piano ‖ *(sost.)* 1 piano 2 *(fig.)* livello, grado.

plane² *(sost.)* AER. aereo.

planet /'plænɪt/ *(sost.)* ASTRON. pianeta.

plank /plæŋk/ *(sost.)* asse, tavola.

planning /'plænɪŋ/ *(sost.)* progettazione, pianificazione ❖ DIR. *p. permission* licenza edilizia.

plant /plɑːnt/, AE /plænt/ *(sost.)* 1 pianta, albero 2 impianto, macchinario 3 stabilimento, fabbrica 4 spia, infiltrato. plant *(v.t.)* 1 piantare, seminare 2 piantarsi, posizionarsi 3 piazzare, mettere.

plaque /plɑːk/, AE /plæk/ *(sost.)* 1 targa, lapide 2 MED. placca batterica.

plaster /'plɑːstə*/, AE /'plæstə*/ *(sost.)* 1 intonaco, gesso 2 MED. ingessatura 3 cerotto.

plastered /'plɑːstəd/, AE /'plæstəd/ *(agg.)* FAM. sbronzo.

plastic /'plæstɪk/ *(sost.)* 1 plastica 2 *(pl.)* TECN. materie plastiche ‖ *(agg.)* 1 di plastica 2 *(chirurgia)* plastica 3 *(malleabile)* plastico.

plate /pleɪt/ *(sost.)* 1 piatto, AE portata 2 lastra, lamiera 3 placca, targa ❖ *(number) p.* targa (di autoveicolo) 4 metallo placcato 5 SPORT coppa 6 FAM. dentiera 7 GEOL. placca. plate *(v.t.)* placcare.

platform /'plætfɔːm/ *(sost.)* 1 piattaforma 2 FERR. banchina, binario 3 palco.

platitude /'plætɪtjuːd/, AE /'plætɪ↓tuːd/ *(sost.)* luogo comune, banalità.

platoon /plə'tuːn/ *(sost.)* MIL. plotone.

play /pleɪ/ *(v.t. / v.i.)* 1 giocare 2 suonare 3 *(teatro, TV)* rappresentare un'opera 4 recitare, interpretare. ❖ play about / around scherzare, non essere serio. ❖ play along with fingere di cooperare. ❖ play down minimizzare, sdrammatizzare. ❖ play off *(in una gara)* giocare uno spareggio. ❖ play on fare leva su, insistere. ❖ play out 1 finire, andare in un certo modo 2 mettere in scena. play *(sost.)* 1 gioco 2 TEATR. rappresentazione, opera teatrale. player /'pleɪə*/ *(sost.)* 1 giocatore 2 suonatore **3** (di CD, MP3 ecc.) riproduttore, player.

playbill /'pleɪbɪl/ (sost.) TEATR. **1** locandina **2** programma.

playful /'pleɪfəl/ (agg.) giocoso, scherzoso.

playmate /'pleɪmeɪt/ (sost.) compagno di giochi.

play-off /'pleɪɒf/ (sost.) SPORT (partita di) spareggio.

plea /pli:/ (sost.) **1** appello **2** scusa.

pleading /'pli:dɪŋ/ (agg.) implorante **ll** (sost. pl.) DIR. dichiarazioni (delle parti in un processo).

please /pli:z/ (v.t. / v.i.) piacere a, far piacere a, accontentare ❖ *just as you p.* come preferisci. **please** (avv. e inter.) prego, per favore. **pleasant** /'plezənt/ (agg.) **1** piacevole **2** (tempo atmosferico) bello. **pleased** /pli:zd/ (agg. pred.) contento, soddisfatto. **pleasing** /'pli:zɪŋ/ (agg.) FORM. piacevole, gradevole. **pleasure** /'pleʒə*/ (sost.) **1** contentezza **2** piacere.

pleat /pli:t/ (sost.) piega.

pledge /pledʒ/ (sost.) **1** promessa, impegno **2** pegno, garanzia.

plenty /'plentɪ/ (sost.) abbondanza **ll** (avv.) FAM. molto.

pliers /'plaɪəz/ (sost. pl.) pinze.

plight /plaɪt/ (sost.) situazione critica.

plot /plɒt/ (sost.) **1** complotto, congiura **2** (di racconto ecc.) trama **3** appezzamento di terreno. **plot** ◆ (v.t.) **1** complottare **2** (di terreno ecc.) fare il rilievo **3** (punti, linee, grafici) tracciare **ll** (v.i.) cospirare.

plough /plaʊ/ (sost.) aratro. **plough** (v.t.) arare, solcare **ll** (v.i.) **1** arare **2** farsi strada, procedere faticosamente (anche fig.).

plow AE v. plough.

ploy /plɔɪ/ (sost.) stratagemma.

pluck /plʌk/ (v.t.) **1** strappare, spennare **2** tirare **3** MUS. (strumento a corde) pizzicare.

plug /plʌg/ (sost.) **1** (di lavandino ecc.) tappo **2** ELETTR. SPINA. **plug** ◆ (v.t.) **1** tappare, turare **2** inserire **3** (fig.) FAM. pubblicizzare. ❖ *plug in attaccare* la spina, collegare un apparecchio all'impianto elettrico.

plum /plʌm/ (sost.) BOT. prugna, susina.

plumber /'plʌmə*/ (sost.) idraulico.

plumbing /'plʌmɪŋ/ (sost.) impianto idraulico.

plummet /'plʌmɪt/ (v.i.) cadere in modo verticale, precipitare.

plump /plʌmp/ (agg.) paffuto, in carne.

plunder /'plʌndə*/ (sost.) saccheggio.

plunge /plʌndʒ/ (v.t.) tuffare, immergere **ll** (v.i.) **1** tuffarsi, immergersi **2** precipitare, precipitarsi.

plural /'plʊərəl/ (agg. e sost.) GRAMM. plurale.

plus /plʌs/ (pl. **pluses** /'plʌsɪz/) (sost.) **1** MAT. più ❖ *p. sign* segno più **2** extra, surplus.

plush /plʌʃ/ (agg.) lussuoso, di lusso.

p.m. /piː'em/ (abbr. di post meridiem) del pomeriggio, della sera.

pneumonia /njuː'məʊnɪə/ (sost.) MED. polmonite.

poach /pəʊtʃ/ (v.t.) **1** cacciare, pescare di frodo **2** (idee ecc.) soffiare, rubare.

pocket /'pɒkɪt/ (sost.) tasca **ll** (agg.) tascabile.

poem /'pəʊɪm/ (sost.) poesia, componimento poetico.

poetry /'pəʊətrɪ/ (sost.) poesia.

poignant /'pɔɪnənt/ (agg.) commovente, doloroso.

point /pɔɪnt/ (sost.) 1 punto 2 punta, estremità, GEOGR. promontorio 3 senso, scopo. point (v.t.) 1 indicare 2 puntare, orientare. ♣ point out 1 identificare 2 specificare. ♣ point up mettere in evidenza.

point-blank /pɔɪnt'blæŋk/ (agg.) 1 categorico 2 a bruciapelo II (avv.) 1 categoricamente 2 a bruciapelo.

pointed /'pɔɪntɪd/ (agg.) 1 appuntito 2 (fig.) critico.

pointless /'pɔɪntləs/ (agg.) inutile.

poise /pɔɪz/ (sost.) 1 compostezza, padronanza di sé 2 portamento.

poison /'pɔɪzən/ (sost.) veleno. poison (v.t.) avvelenare. poisonous /'pɔɪzənəs/ (agg.) 1 velenoso 2 (fig.) odioso.

poke /pəʊk/ (v.t.) 1 dare un colpetto 2 ficcare 3 (fuoco) attizzare II (v.i.) 1 sporgere, spuntare 2 frugare, curiosare.

polar /'pəʊlə*/ (agg.) polare.

pole[1] /pəʊl/ (sost.) 1 palo, paletto, asta ❖ ski p. racchetta da sci.

pole[2] (sost.) polo ❖ South P. Polo Sud.

pole vault /'pəʊlvɔːlt/ (sost.) SPORT salto con l'asta.

police /pə'liːs/ (sost.) polizia.

policeman /pə'liːsmən/ (pl. policemen) (sost.) poliziotto, agente, vigile urbano. policewoman /pə'liːswʊmən/ (pl. policewomen / pə'liːswɪmɪn/) (sost.) donna poliziotto.

policy[1] /'pɒləsɪ/ (sost.) politica, indirizzo.

policy[2] (sost.) polizza.

Polish /'pəʊlɪʃ/ (agg. e sost.) polacco.

polish /'pɒlɪʃ/ (v.t.) 1 lucidare, lisciare 2 rendere elegante. polish (sost.) 1 brillantezza 2 lucido ❖ nail p. smalto per unghie (fig.) raffinatezza, eleganza.

polite /pə'laɪt/ (agg.) 1 cortese, educato 2 colto, raffinato.

political /pə'lɪtɪkəl/ (agg.) politico.

politician /pɒlə'tɪʃən/ (sost.) uomo politico.

politics /'pɒlətɪks/ (sost. sing.) politica, attività politica.

poll /pəʊl/ (sost.) 1 votazione 2 sondaggio, inchiesta di mercato. poll (v.t.) 1 raccogliere voti 2 intervistare per un sondaggio.

pollen /'pɒlən/ (sost.) BOT. polline.

pollute /pə'luːt/ (v.t.) inquinare, contaminare (anche fig.). pollution /pə'luːʃən/ (sost.) inquinamento, contaminazione.

polyp /'pɒlɪp/ (sost.) 1 ZOOL. polpo 2 MED. polipo.

pond /pɒnd/ (sost.) stagno, laghetto.

ponder /'pɒndə*/ (v.t. / v.i.) ponderare, riflettere.

ponytail /'pəʊnɪteɪl/ (sost.) (acconciatura) coda di cavallo.

pool[1] /puːl/ (sost.) 1 stagno, pozza 2 ❖ (swimming) p. piscina.

pool[2] (sost.) 1 gruppo di persone, squadra 2 fondo, cassa comune 3 (pl.) totocalcio 4 AE biliardo.

poop[1] /puːp/ (sost.) MAR. poppa.

poop[2] (sost.) AE, FAM. cacca.

poor /pʊə*/ (agg.) 1 povero 2 insufficiente, mediocre. poorly /'pʊəlɪ/ (agg.) FAM. indisposto II (avv.) male, scarsamente.

pop[1] /pɒp/ abbr. di popular (agg. e sost.) pop II (sost.) FAM. (musica) pop.

pop²⁰ *(v.t.)* far schioccare, far scoppiare ‖ *(v.i.)* **1** schioccare, saltare con un botto **2** FAM. sbucare, apparire all'improvviso **3** FAM. infilare. ♣ **pop in** entrare un attimo. ♣ **pop off** scomparire improvvisamente. ♣ **pop out** fare un salto fuori. ♣ **pop up** apparire, comparire improvvisamente.

Pope /pəʊp/ *(sost.)* ECCL. papa.

poppy /'pɒpɪ/ *(sost.)* BOT. papavero.

popular /'pɒpjʊlə*/ *(agg.)* popolare.

population /pɒpjʊ'leɪʃən/ *(sost.)* popolazione.

porch /pɔːtʃ/ *(sost.)* **1** portico **2** AE veranda.

pork /pɔːk/ *(sost.)* CUC. *(carne)* maiale.

porn /pɔːn/ *(agg. e sost.)* FAM. porno.

porridge /'pɒrɪdʒ/ *(sost.)* porridge, pappa d'avena.

port /pɔːt/ *(sost.)* porto.

portion /'pɔːʃən/ *(sost.)* porzione.

portray /pɔː'treɪ/ *(v.t.)* dipingere, ritrarre.

Portuguese /pɔːtjʊ'giːz/ *(agg. e sost.)* portoghese.

pose /pəʊz/ *(v.t.)* *(quesito ecc.)* sollevare, proporre ‖ *(v.i.)* **1** mettersi in posa **2** farsi passare per.

posh /pɒʃ/ *(agg.)* FAM. elegante, chic, SPREG. snob ‖ *(avv.)* FAM. da snob.

position /pə'zɪʃən/ *(sost.)* posizione. **position** *(v.t.)* **1** mettere in posizione, piazzare **2** determinare la posizione.

positive /'pɒzətɪv/ *(agg.)* **1** positivo **2** concreto **3** definito, certo ♣ *to be p.* essere sicuro ‖ *(sost.)* qualità, cosa positiva.

possess /pə'zes/ *(v.t.)* possedere.

possession /pə'zeʃən/ *(sost.)*

1 possesso **2** *(pl.)* possedimenti, proprietà.

possessive /pə'zesɪv/ *(agg.)* possessivo ‖ *(sost.)* GRAMM. aggettivo, pronome possessivo.

possibility /pɒsə'bɪlətɪ/ *(sost.)* **1** possibilità, eventualità **2** *(pl.)* possibilità di successo.

possible /'pɒsəbəl/ *(agg.)* possibile, eventuale ‖ *(sost.)* possibile. **possibly** /'pɒsəblɪ/ *(avv.)* **1** forse, eventualmente **2** *(in frasi neg.)* affatto, assolutamente.

post¹ /pəʊst/ *(sost.)* posta, corrispondenza. **post** *(v.t.)* spedire per posta, imbucare.

post² *(v.t.)* assegnare un posto, una mansione.

post³ *(v.t.)* **1** affiggere, esporre **2** INFORM. postare. **postage** /'pəʊstɪdʒ/ *(sost.)* affrancatura postale.

postcode /'pəʊstkəʊd/ *(sost.)* codice postale.

postman /'pəʊstmən/ *(pl.* **postmen***)* *(sost.)* postino, portalettere.

post-mortem /pəʊst'mɔːtəm/ *(sost.)* **1** autopsia **2** resoconto, analisi.

post office /'pəʊst'ɒfɪs/ *(sost.)* ufficio postale.

postpone /pəʊst'pəʊn/ *(v.t.)* rinviare, posporre, posticipare.

posture /'pɒstʃə*/ *(sost.)* postura, posizione.

pot /pɒt/ *(sost.)* **1** pentola **2** vaso, recipiente **3** vaso da notte.

potato /pə'teɪtəʊ/ *(pl.* **potatoes** /pə'teɪtəʊz/*)* *(sost.)* patata.

potbelly /'pɒtbelɪ/ *(sost.)* pancione, FAM. pancetta.

pothole /'pɒthəʊl/ *(sost.)* *(di strada)* buca.

potroast /'pɒtrəʊst/ *(sost.)* CUC. brasato.

pottery /'pɒtərɪ/ (sost.) **1** ceramiche **2** fabbrica di ceramiche **3** arte della ceramica.

potty /'pɒtɪ/ (sost.) FAM. vasino (per bambini).

pouch /pautʃ/ (sost.) borsa.

poultry /'pəultrɪ/ (sost.) pollame.

pound[1] /paund/ (sost.) **1** libbra **2** ❖ p. (sterling) lira sterlina.

pound[2] (sost.) **1** canile municipale **2** deposito automobili (rimosse).

pour /pɔ:*/ (v.t.) versare ‖ (v.i.) riversarsi. ♣ pour out **1** riversare, riversarsi fuori **2** versare.

pout /paut/ (sost.) broncio.

powder /'paudə*/ (sost.) **1** polvere **2** ❖ (face) p. cipria. powder (v.t.) **1** ridurre in polvere **2** cospargere di polvere **3** incipriare ‖ (v.i.) polverizzarsi.

power /'pauə*/ (sost.) **1** forza, potenza **2** potere, autorità **3** ELETTR. energia **4** MAT. potenza.

powerful /'pauəfəl/ (agg.) potente.

practicability /præktɪkə'bɪlətɪ/ (sost.) fattibilità.

practical /'præktɪkəl/ (agg.) **1** pratico, funzionale **2** concreto **3** realistico ‖ (sost.) prova pratica. practically /'præktɪklɪ/ (avv.) **1** quasi, praticamente **2** in modo pratico.

practicality /præktɪ'kælətɪ/ (sost.) praticità, senso pratico.

practical joke /'præktɪkəl 'dʒəuk/ (sost.) burla.

practice /'præktɪs/ (sost.) **1** pratica **2** abitudine, prassi, norma **3** esercizio, SPORT allenamento.

practise, AE practice /'præktɪs/ (v.t.) **1** fare pratica di, esercitarsi in **2** esercitare una professione **3** mettere in pratica ‖ (v.i.) esercitarsi.

prairie /'preərɪ/ (sost.) prateria.

praise /preɪz/ (v.t.) **1** lodare, elogiare **2** adorare, glorificare.

pram /præm/ (sost.) carrozzina.

prank /præŋk/ (sost.) burla, tiro mancino.

prawn /prɔ:n/ (sost.) ZOOL. gambero.

pray /preɪ/ (v.t. / v.i.) pregare. prayer /preə*/ (sost.) **1** preghiera **2** supplica.

preach /pri:tʃ/ (v.t. / v.i.) predicare.

preachy /'pri:tʃɪ/ (agg.) incline a fare prediche, moraleggiante.

precaution /prɪ'kɔ:ʃən/ (sost.) precauzione.

precede /prɪ'si:d/ (v.t.) precedere.

precinct /'pri:sɪŋkt/ (sost.) **1** area delimitata **2** AE distretto.

precious /'preʃəs/ (agg.) prezioso (anche fig.).

precise /prɪ'saɪs/ (agg.) preciso, meticoloso. precisely /prɪ'saɪslɪ/ (avv.) precisamente, esattamente.

precision /prɪ'sɪʒən/ (sost.) precisione, meticolosità, accuratezza.

preclude /prɪ'klu:d/ (v.t.) precludere, escludere.

precooked /pri:'kukt/ (agg.) precotto.

predator /'predətə*/ (sost.) predatore.

predecessor /'pri:dɪsesə*/ (sost.) predecessore.

predict /prɪ'dɪkt/ (v.t.) predire, profetizzare. predictable /prɪ'dɪktəbəl/ (agg.) prevedibile.

predominant /prɪ'dɒmɪnənt/ (agg.) predominante.

preface /'prefɪs/ (sost.) prefazione.

prefer ◊ /prɪ'fɜ:*/ (v.t.) preferire. preferable /'prefərəbəl/ (agg.) preferibile. preference /'prefərəns/ (sost.) preferenza.

pregnant /'pregnant/ *(agg.)* **1** incinta **2** pregnante, denso di significato.
pregnancy /'pregnənsi/ *(sost.)* gravidanza.

prehistory /priː'hɪstəri/ *(sost.)* preistoria.

preliminary /prɪ'lɪmɪnəri/ *(agg.)* preliminare II *(sost.)* *(pl.)* preliminari.

premature /'prematjʊə*/ *(agg.)* prematuro.

premise /'premɪs/ *(sost.)* premessa.
premises /'premɪsɪz/ *(sost. pl.)* locali, edificio con terreni annessi.

preoccupied /priˈɒkjupaɪd/ *(agg.)* **1** preoccupato **2** assorto, ossessionato.

prepaid /priːˈpeɪd/ *(agg.)* pagato in anticipo, prepagato.

prepare /prɪ'peə*/ *(v.t.)* preparare, predisporre, organizzare II *(v.i.)* prepararsi (a, per). **preparation** /prepə'reɪʃən/ *(sost.)* preparazione, *(pl.)* preparativo. **prepared** /prɪ'peəd/ *(agg.)* *(for)* preparato, pronto (a).

preposterous /prɪ'pɒstərəs/ *(agg.)* assurdo.

prerequisite /priː'rekwəzɪt/ *(agg.)* indispensabile II *(sost.)* FORM. presupposto, requisito primo.

prerogative /prɪ'rɒgətɪv/ *(sost.)* prerogativa.

prescription /prɪ'skrɪpʃən/ *(sost.)* MED. ricetta.

present[1] /'prezənt/ *(agg.)* presente, attuale. **presence** /'prezəns/ *(sost.)* presenza.

present[2] *(sost.)* dono, regalo.

presentation /prezən'teɪʃən/ *(sost.)* **1** presentazione **2** rappresentazione.

preservative /prɪ'zɜːvətɪv/ *(agg. e sost.)* conservante.

preserve /prɪ'zɜːv/ *(v.t.)* **1** preservare, proteggere **2** mantenere **3** mettere in conserva.

preset ♦ /priːˈset/ *(v.t.)* predisporre, programmare. **presetting** /priːˈset↓tɪŋ/ *(sost.)* programmazione.

president /'prezɪdənt/ *(sost.)* **1** presidente **2** *(di università)* rettore.

press /pres/ *(v.t.)* **1** premere **2** schiacciare, spremere **3** stampare **4** stirare **5** *(fig.)* imporre, mettere alle strette II *(v.i.)* **1** insistere, fare pressione **2** accalcarsi. **press** *(sost.)* **1** stampa **2** pressa, torchio **3** pressione. **pressure** /'preʃə*/ *(sost.)* pressione.

prestige /pre'stiːʒ/ *(sost.)* prestigio.

presumably /prɪ'zjuːməbli/ *(avv.)* presumibilmente.

presume /prɪ'zjuːm/, AE /prɪ'zuːm/ *(v.t. / v.i.)* presumere.

pretence /prɪ'tens/ *(sost.)* **1** finta **2** pretesa.

pretend /prɪ'tend/ *(v.t. / v.i.)* **1** fingere **2** pretendere.

pretentious /prɪ'tenʃəs/ *(agg.)* pretenzioso.

pretty /'prɪti/ *(agg.)* grazioso, carino II *(avv.)* abbastanza, piuttosto.

prevail /prɪ'veɪl/ *(v.i.)* predominare, prevalere.

prevaricate /prɪ'værɪkeɪt/ *(v.i.)* tergiversare.

prevent /prɪ'vent/ *(v.t.)* impedire, ostacolare.

preview /'priːvjuː/ *(sost.)* anteprima.

previous /'priːvɪəs/ *(agg.)* precedente, anteriore.

prey /preɪ/ *(sost.)* preda ❖ bird of p. uccello rapace.

price /praɪs/ *(sost.)* prezzo.

priceless /'praɪsləs/ *(agg.)* di valore inestimabile.

pride /praɪd/ (sost.) 1 orgoglio, amor proprio 2 superbia, presunzione.

priest /priːst/ (sost.) sacerdote, prete.

primarily /praɪˈmerəli/ (avv.) principalmente.

primary /ˈpraɪməri/ (agg.) principale, primario.

prime /praɪm/ (agg.) 1 primo, primario 2 eccellente, di prima scelta ‖ (sost.) rigoglio ✦ to be in one's p. essere nel fiore degli anni.

Prime Minister /ˈpraɪm ˈmɪnɪstə*/ (sost.) Primo Ministro.

primeval /praɪˈmiːvəl/ (agg.) primordiale.

primrose /ˈprɪmrəʊz/ (sost.) BOT. primula.

prince /prɪns/ (sost.) principe (anche fig.). princess /prɪnˈses/ (sost.) principessa.

principle /ˈprɪnsəpəl/ (sost.) principio.

print /prɪnt/ (v.t. / v.i.) 1 stampare 2 imprimere (anche fig.) 3 scrivere in stampatello. ✦ print out stampare (dal computer). print (sost.) 1 TIP. carattere 2 stampa, riproduzione 3 FOT. stampa, copia 4 impronta, marchio, (pl.) impronte digitali. printer /ˈprɪntə*/ (sost.) 1 tipografo, stampatore 2 INFORM. stampante. printing /ˈprɪntɪŋ/ (sost.) 1 stampa 2 stampatello.

prior /ˈpraɪə*/ (agg.) 1 precedente ✦ p. to prima di 2 prioritario ‖ (sost.) ECCL. priore.

priority /praɪˈɒrəti/ (sost.) priorità, ordine di precedenza.

prise /praɪz/ (v.t.) far leva su. ✦ prise out estorcere, carpire.

prison /ˈprɪzən/ (sost.) prigione, carcere. prisoner /ˈprɪzənə*/ (sost.) prigioniero (anche fig.), detenuto.

pristine /ˈprɪstiːn/ (agg.) 1 immacolato 2 intatto, nelle condizioni originali.

privacy /ˈprɪvəsi/, AE /ˈpraɪvəsi/ (sost.) 1 intimità, vita privata 2 riserbo, riservatezza.

private /ˈpraɪvət/ (agg.) 1 privato 2 riservato, personale ✦ p. parts FAM. parti intime ‖ (sost.) MIL. soldato semplice.

privatize /ˈpraɪvətaɪz/ (v.t.) privatizzare.

privilege /ˈprɪvəlɪdʒ/ (sost.) 1 privilegio, prerogativa 2 onore.

prize /praɪz/ (sost.) premio, trofeo ‖ (agg.) 1 premiato 2 eccellente, degno di un premio. prize (v.t.) apprezzare, dare valore a.

probable /ˈprɒbəbəl/ (agg.) probabile, verosimile. probably /ˈprɒbəbli/ (avv.) probabilmente.

problem /ˈprɒbləm/ (sost.) problema.

procedure /prəʊˈsiːdʒə*/ (sost.) procedura, procedimento.

proceed /prəˈsiːd/ (v.i.) 1 procedere 2 proseguire, continuare 3 DIR. procedere. proceeding /prəˈsiːdɪŋ/ (sost.) 1 procedimento 2 (pl.) DIR. azione legale.

process¹ /ˈprəʊses/, AE /ˈprɒses/ (sost.) 1 procedimento ✦ in the p. of durante 2 processo, sviluppo.

process² (v.t.) 1 trattare 2 INFORM. (dati) elaborare.

procession /prəˈseʃən/ (sost.) processione, corteo.

processor /ˈprəʊsesə*/, AE /ˈprɒsesə*/ (sost.) INFORM. processore.

proclaim /prəˈkleɪm/ (v.t.) proclamare, dichiarare.

proclivity /prəʊˈklɪvəti/ (sost.) tendenza, propensione.

prod ♦ /prɒd/ *(v.t.)* pungolare, *(fig.)* incitare, stimolare ❖ *he prodded at the logs in the fireplace* attizzava la legna nel camino.

prodigy /ˈprɒdədʒɪ/ *(sost.)* prodigio.

produce /prəˈdjuːs/, AE /prəˈduːs/ *(v.t.)* **1** produrre **2** dare origine a **3** presentare, esibire **4** TEATR. mettere in scena **5** CINEM. produrre. **produce** /ˈprɒdjuːs/, AE /ˈprɒduːs/ *(sost.)* **1** prodotti agricoli **2** prodotto, risultato. **producer** /prəˈdjuːsə*/, AE /prɒˈduːsə*/ *(sost.)* **1** produttore, fabbricante **2** CINEM., TEATR. produttore. **product** /ˈprɒdʌkt/ *(sost.)* prodotto *(anche fig.)*. **production** /prəˈdʌkʃən/ (sost.) **1** produzione **2** CINEM., TEATR. produzione.

profane /prəˈfeɪn/ *(agg.)* **1** profano **2** blasfemo, empio **3** laico, secolare.

profess /prəˈfes/ *(v.t.)* **1** dichiarare **2** pretendere di **3** RELIG. professare.

profession /prəˈfeʃən/ *(sost.)* **1** professione **2** l'insieme di persone che esercitano una professione **3** dichiarazione, professione. **professional** /prəˈfeʃənəl/ *(agg.)* professionista, professionale **II** *(sost.)* professionista.

professor /prəˈfesə*/ *(sost.)* professore (universitario).

proficient /prəˈfɪʃənt/ *(agg. e sost.)* esperto, competente. **proficiency** /prəˈfɪʃənsɪ/ *(sost.)* competenza.

profit /ˈprɒfɪt/ *(sost.)* **1** profitto, vantaggio **2** COMM. guadagno, utile. **profit** *(v.i.)* trarre beneficio, approfittare.

profound /prəˈfaʊnd/ *(agg.)* profondo.

profusion /prəˈfjuːʒən/ *(sost.)* abbondanza, profusione.

prognosis /prɒgˈnəʊsɪs/ *(pl.* **prognoses** /prɒgˈnəʊsiːz/) *(sost.)* **1** MED. prognosi **2** FORM. pronostico, previsione.

programme, AE **program** /ˈprəʊgræm/ *(sost.)* programma. **programme**, AE **program** *(v.t.)* programmare.

progress /ˈprəʊgres/ *(sost.)* (solo *sing.)* **1** avanzata, avanzamento **2** progresso, miglioramento. **progress** /prəʊˈgres/ *(v.i.)* **1** avanzare **2** progredire, fare progressi.

prohibit /prəˈhɪbɪt/ *(v.t.)* **1** proibire **2** impedire.

project /ˈprɒdʒekt/ *(sost.)* progetto, piano. **project** /prəˈdʒekt/ *(v.t.)* **1** progettare *(ombra ecc.)* proiettare **II** *(v.i.)* sporgere in fuori.

projectile /prəˈdʒektaɪl/ *(sost.)* proiettile.

projector /prəˈdʒektə*/ *(sost.)* proiettore.

prolific /prəʊˈlɪfɪk/ *(agg.)* **1** prolifico, fecondo **2** abbondante, numeroso.

prolong /prəʊˈlɒŋ/ *(v.t.)* prolungare.

prominent /ˈprɒmɪnənt/ *(agg.)* **1** prominente, sporgente **2** *(fig.)* importante.

promise /ˈprɒmɪs/ *(sost.)* promessa. **promise** *(v.t. / v.i.)* promettere. **promising** /ˈprɒmɪsɪŋ/ *(agg.)* promettente.

promote /prəˈməʊt/ *(v.t.)* **1** promuovere **2** fare promozione a, pubblicizzare. **promotion** /prəˈməʊʃən/ *(sost.)* **1** promozione, avanzamento **2** pubblicità.

prompt /prɒmpt/ *(v.t.)* **1** suggerire **2** spingere, indurre **3** incoraggiare. **prompt** *(agg.)* puntuale, tempestivo **II** *(sost.)* **1** suggerimento **2** INFORM. prompt **II** prompt *(avv.)* BE, FAM. *(orario)* in punto. **promptly** /ˈprɒmptlɪ/ *(avv.)*

1 prontamente, rapidamente 2 puntualmente.

pronoun /'prəunaun/ (sost.) GRAMM. pronome.

pronounce /prə'nauns/ (v.t.) 1 pronunciare 2 dichiarare ‖ (v.i.) ❖ to p. (on) pronunciarsi (su). **pronunciation** /prənʌnsi'eɪʃən/ (sost.) pronuncia.

proof /pru:f/ (sost.) 1 prova, dimostrazione 2 DIR. prova 3 TIP. bozza, prova di stampa.

prop ◊ /prɒp/ (v.t.) puntellare.

propel /prə'pel/ (v.t.) 1 spingere 2 azionare. **propeller** /prə'pelə*/ (sost.) elica.

proper /'prɒpə*/ (agg.) 1 adatto, appropriato 2 proprio, tipico 3 (pred.) vero e proprio 4 proprio ❖ p. name NOME PROPRIO. **properly** /'prɒpəlɪ/ (avv.) 1 correttamente 2 in modo appropriato 3 in senso stretto.

property /'prɒpətɪ/ (sost.) proprietà.

prophecy /'prɒfəsɪ/ (sost.) profezia, predizione.

proportion /prə'pɔ:ʃən/ (sost.) 1 proporzione 2 (pl.) dimensioni.

propose /prə'pəuz/ (v.t.) proporre ‖ (v.i.) 1 proporsi, riproporsi 2 fare una proposta di matrimonio. **proposal** /prə'pəuzəl/ (sost.) 1 proposta, progetto 2 proposta di matrimonio.

prosaic /prəu'zeɪɪk/ (agg.) banale.

prose /prəuz/ (sost.) prosa.

prosecute /'prɒsɪkju:t/ (v.t.) DIR. perseguire, intentare un'azione legale.

prosecutor /'prɒsɪkju:tə*/ (sost.) DIR. pubblico ministero, avvocato dell'accusa.

prospect /'prɒspekt/ (sost.) 1 prospettiva futura, speranza 2 vista, panorama. **prospect** /prə'spekt/ (v.t. / v.i.) esplorare, fare ricerche.

prosperous /'prɒspərəs/ (agg.) prospero, fiorente.

prostitute /'prɒstɪtju:t/ (sost.) prostituta.

prostrate /prɒ'streɪt/ (v.t.) prostrare.

protect /prə'tekt/ (v.t.) proteggere, salvaguardare. **protection** /prə'tekʃən/ (sost.) protezione, salvaguardia ❖ p. money pizzo (estorsione).

protest /'prəutest/ (sost.) protesta. **protest** /prə'test/ (v.t. / v.i.) protestare.

protocol /'prəutəkɒl/ (sost.) protocollo.

protrude /prə'tru:d/ (v.i.) sporgere, sporgersi.

proud /praud/ (agg.) 1 fiero, orgoglioso 2 superbo, presuntuoso. **proudly** /'praudlɪ/ (avv.) 1 fieramente, orgogliosamente 2 superbamente, arrogantemente.

prove ♦ /pru:v/ (v.t.) 1 provare, dimostrare 2 DIR. convalidare ‖ (v.i.) risultare, dimostrarsi.

proverb /'prɒvɜ:b/ (sost.) proverbio.

provide /prə'vaid/ (v.t.) procurare. ❖ **provide for** provvedere a. **provided** /prə'vaidid/ (cong.) a condizione che. **provider** /prə'vaidə*/ (sost.) fornitore.

providing /prə'vaidɪŋ/ (cong.) a condizione che.

providence /'prɒvidəns/ (sost.) provvidenza.

province /'prɒvins/ (sost.) provincia.

provision /prə'vɪʒən/ (sost.) 1 fornitura 2 (pl.) provviste, scorte 3 COMM., DIR. disposizione, clausola.

provoke /prə'vəuk/ (v.t.) provocare, causare.

provost /'prɒvəst/ *(sost.)* **1** rettore (in alcune università) **2** ECCL. prevosto.

proxy /'prɒksɪ/ *(sost.)* **1** DIR. procura, delega ❖ *by p.* per procura **2** procuratore **3** INFORM. proxy.

prudish /'pruːdɪʃ/ *(agg.)* puritano, che si scandalizza facilmente.

prune /pruːn/ *(sost.)* prugna secca.

psychologist /saɪ'kɒlədʒɪst/ *(sost.)* psicologo.

pub /pʌb/ *(sost.)* pub, bar.

puberty /'pjuːbətɪ/ *(sost.)* pubertà.

public /'pʌblɪk/ *(agg. e sost.)* pubblico.

publication /pʌblɪ'keɪʃən/ *(sost.)* pubblicazione.

publicity /pʌb'lɪsətɪ/ *(sost.)* pubblicità.

public school /'pʌblɪk skuːl/ *(sost.)* **1** BE scuola secondaria privata **2** AE scuola pubblica.

publish /'pʌblɪʃ/ *(v.t.)* **1** *(libri ecc.)* pubblicare **2** rendere noto, divulgare. **publisher** /'pʌblɪʃə*/ *(sost.)* editore. **publishing** /'pʌblɪʃɪŋ/ *(sost.)* editoria.

pudding /'pʊdɪŋ/ *(sost.)* budino.

puddle /'pʌdəl/ *(sost.)* pozzanghera.

puff /pʌf/ *(v.t. / v.i.)* ansimare, sbuffare.

puffy /'pʌfɪ/ *(agg.)* gonfio.

puke /pjuːk/ *(v.t. / v.i.)* vomitare. **puke** *(sost.)* vomito.

pull /pʊl/ *(v.t.)* **1** tirare *(anche fig.)*, tendere **2** estrarre, tirar fuori **3** *(di muscolo)* strapparsi, stirarsi **4** *(fig.)* FAM. *(ragazzo, ragazza)* rimorchiare **5** ❖ *to p. faces* fare le boccacce ‖ *(v.i.)* **1** tirare, strattonare **2** bere un sorso, *(di sigaretta)* dare un tiro **3** trascinarsi, arrancare. ♣ **pull apart** **1** separare **2** smontare. ♣ **pull away** **1** partire **2** allontanarsi. ♣ **pull back**

ritirarsi, tirarsi indietro. ♣ **pull down** demolire. ♣ **pull in 1** *(treno)* arrivare (in stazione) **2** *(auto)* accostare, fermarsi. ♣ **pull off 1** *(veicoli)* accostare, fermarsi **2** FAM. riuscire a fare qualcosa. ♣ **pull on** indossare. ♣ **pull out 1** *(treno)* partire **2** *(veicolo)* partire, immettersi (in corsia) **3** ritirarsi. ♣ **pull over** *(veicolo)* accostare, fermarsi. ♣ **pull through** *(rif. a malattia, difficoltà ecc.)* riuscire a superare, farcela. ♣ **pull up 1** riprendere, rimproverare **2** *(veicolo)* fermarsi.

pull-out /'pʊlaʊt/ *(agg.)* estraibile ‖ *(sost.)* inserto staccabile.

pullover /'pʊləʊvə*/ *(sost.)* maglione, pullover.

pulp /pʌlp/ *(sost.)* **1** polpa **2** poltiglia.

pulse /pʌls/ *(sost.)* **1** MED. polso, battito **2** FIS. impulso **3** MUS. ritmo.

pun /pʌn/ *(sost.)* gioco di parole.

punch[1] /pʌntʃ/ *(v.t.)* dare un pugno a, prendere a pugni.

punch[2] *(v.t.)* forare, perforare.

punctual /'pʌŋktjʊəl/ *(agg.)* puntuale.

punctuation /pʌŋktʃʊ'eɪʃən/ *(sost.)* punteggiatura.

puncture /'pʌŋktʃə*/ *(sost.)* **1** MED. puntura, iniezione **2** *(di pneumatico)* foratura.

punish /'pʌnɪʃ/ *(v.t.)* punire, penalizzare. **punishment** /'pʌnɪʃmənt/ *(sost.)* **1** punizione, castigo **2** FAM. maltrattamenti.

pupil[1] /'pjuːpəl/ *(sost.)* ANAT. pupilla.

pupil[2] *(sost.)* allievo, scolaro.

puppet /'pʌpɪt/ *(sost.)* burattino *(anche fig.)*.

puppy /'pʌpɪ/ *(sost.)* cagnolino.

purchase /'pɜːtʃəs/ *(v.t.)* acquistare, comprare. **purchase** *(sost.)* acquisto.

pure /pjʊə*/ *(agg.)* puro. **purely** /'pjʊəlɪ/ *(avv.)* puramente, unicamente.

purge /pɜːdʒ/ *(v.t.)* 1 purificare 2 POL. epurare.

purify /'pjʊərɪfaɪ/ *(v.t.)* purificare.

purple /'pɜːpəl/ *(agg. e sost.) (colore)* viola.

purpose /'pɜːpəs/ *(sost.)* 1 scopo, fine 2 fermezza, risolutezza.

purposely /'pɜːpəslɪ/ *(avv.)* di proposito, volutamente.

purr /pɜː*/ *(v.i.)* fare le fusa.

purse /pɜːs/ *(sost.)* 1 borsellino 2 AE borsetta, borsa da donna.

pursue /pə'sjuː/ *(v.t.)* FORM. 1 inseguire 2 perseguire 3 intraprendere 4 continuare, proseguire.

pursuit /pə'sjuːt/ *(sost.)* FORM. 1 inseguimento, ricerca 2 occupazione, impiego 3 passatempo.

push /pʊʃ/ *(v.t.)* 1 spingere, premere 2 *(fig.)* fare pressione su, forzare 3 *(fig.)* esortare, spronare 4 SL. spacciare (droga). ♣ **push ahead** andare avanti con determinazione. ♣ **push in** BE passare avanti in una coda. ♣ **push on** *(attività, viaggio)* andare avanti, continuare. **push** *(sost.)* 1 spinta, pressione 2 grinta, energia 3 FAM. sforzo, faticata.

pushchair /'pʊʃtʃeə*/ *(sost.)* BE passeggino.

pusher /'pʊʃə*/ *(sost.)* FAM. spacciatore (di droga).

pushover /'pʊʃəʊvə*/ *(sost.)* 1 bazzecola 2 pollo, persona facile da persuadere.

put ♦ /pʊt/ *(v.t.)* 1 mettere, porre *(anche fig.)* 2 sottoporre, esporre. ♣ **put across** comunicare, trasmettere (efficacemente). ♣ **put away** 1 *(denaro)* risparmiare 2 FAM. *(cibo, bevande)* consumare in quantità. ♣ **put back** posporre. ♣ **put down** 1 mettere per iscritto 2 versare come anticipo 3 reprimere 4 FAM. parlar male di. ♣ **put in** 1 inserirsi IN UN DISCORSO 2 proporsi (per), fare domanda 3 impiegare (tempo) 4 far entrare, includere. ♣ **put off** 1 rinviare, posporre 2 venire scoraggiato. ♣ **put on** 1 *(abiti, accessori)* indossare, *(espressione, tono)* assumere 2 *(luce, TV ecc.)* accendere 3 mettere in scena 4 aumentare di peso. ♣ **put out** 1 tirare fuori (per usare) 2 pubblicare 3 *(fuoco, sigaretta, luce)* spegnere. ♣ **put through** 1 *(al telefono)* mettere in comunicazione, collegare 2 far passare (preoccupazioni, dolori). ♣ **put up** 1 erigere 2 BE *(prezzi, affitto ecc.)* aumentare. ♣ **put up with** tollerare, sopportare.

putrid /'pjuːtrɪd/ *(agg.)* putrido.

puzzle /'pʌzəl/ *(v.t.)* confondere, rendere perplesso ‖ *(v.i.)* scervellarsi. **puzzle** *(sost.)* enigma, rompicapo.

pyjamas, AE **pajamas** /pə'dʒɑːməz/ *(sost. pl.)* pigiama.

pylon /'paɪlən/ *(sost.)* pilone, traliccio.

pyramid /'pɪrəmɪd/ *(sost.)* piramide.

Q

quack /kwæk/ (sost.) ciarlatano.
quadrangle /'kwɒdræŋgəl/ (sost.) 1 GEOM. quadrilatero 2 ARCH. cortile a quattro lati.
quadrilateral /kwɒdrɪ'lætərəl/ (agg. e sost.) MAT. quadrilatero.
quadruped /'kwɒdrʊped/ (agg. e sost.) ZOOL. quadrupede.
quadruple /'kwɒdrʊpəl/ (agg. e sost.) quadruplo.
quagmire /'kwɒgmaɪə*/ (sost.) 1 pantano 2 (fig.) pantano, pasticcio.
quail¹ /'kweɪəl/ (pl. quail(s)) (sost.) ZOOL. quaglia.
quail² (v.i.) provare sgomento.
quaint /kweɪnt/ (agg.) pittoresco.
quake /kweɪk/ (sost.) 1 tremito 2 FAM. terremoto. quake (v.i.) tremare.
Quaker /'kweɪkə*/ (sost.) RELIG. quacchero.
qualification /kwɒlɪfɪ'keɪʃən/ (sost.) 1 qualificazione 2 requisito, qualifica 3 riserva, condizione ❖ without q. SENZA RISERVE.
qualified /'kwɒlɪfaɪd/ (agg.) qualificato, specializzato.
qualifier /'kwɒlɪfaɪə*/ (sost.) SPORT eliminatoria.
qualify /'kwɒlɪfaɪ/ (v.t.) 1 qualificare, abilitare 2 DIR. autorizzare 3 precisare ‖ (v.i.) 1 avere i requisiti 2 SPORT qualificarsi 3 specializzarsi, abilitarsi.

quality /'kwɒlɪti/ (sost.) qualità. qualitative /'kwɒlɪtətɪv/ (agg.) qualitativo.
qualm /kwɑːm/ (sost.) scrupolo.
quandary /'kwɒndərɪ/ (sost.) perplessità, incertezza.
quantify /'kwɒntɪfaɪ/ (v.t.) quantificare. quantifiable /'kwɒntɪfaɪəbəl/ (agg.) quantificabile.
quantity /'kwɒntətɪ/ (sost.) quantità.
quantum leap /'kwɒntəm'liːp/ (sost.) (fig.) grande (e veloce) progresso.
quarantine /'kwɒrəntiːn/ (sost.) quarantena.
quarrel /'kwɒrəl/ (sost.) litigio, disputa. quarrel ♦ (v.i.) 1 litigare, bisticciare 2 trovar da ridire.
quarry¹ /'kwɒrɪ/ (sost.) 1 cava 2 (fig.) fonte. quarry (v.t.) 1 MIN. estrarre, cavare 2 (fig.) ricavare informazioni da.
quarry² (sost.) preda (anche fig.).
quart /kwɔːt/ (sost.) quarto di gallone.
quarter /'kwɔːtə*/ (sost.) 1 quarto 2 (di animale macellato) quarto 3 AE quarto di dollaro 4 (di città) quartiere 5 (pl.) alloggio, MIL. acquartieramento.
quarterly /'kwɔːtəlɪ/ (agg. e sost.) (pubblicazione) trimestrale ‖ (avv.) trimestralmente, ogni trimestre.
quartet /'kwɔːtet/ (sost.) MUS. quartetto.
quartz /kwɔːts/ (sost.) MIN. quarzo.
quash /kwɒʃ/ (v.t.) 1 far cessare, stroncare 2 DIR. annullare, cassare.

quaternary /kwə'tɜːnərɪ/ *(agg.)* GE-OL. quaternario.

quatrain /'kwɒtreɪn/ *(sost.)* quartina.

quaver /'kweɪvə*/ *(sost.)* **1** tremito, tremolio **2** MUS. BE croma.

quay /kiː/ *(sost.)* banchina, molo.

queasy /'kwiːzɪ/ *(agg.)* **1** nauseato ❖ *to feel q.* avere la nausea **2** schizzinoso.

queen /kwiːn/ *(sost.)* regina.

queer /kwɪə*/ *(agg.)* **1** strano, bizzarro **2** SL. SPREG. da finocchio ‖ *(sost.)* SL. SPREG. checca, finocchio.

quell /kwel/ *(v.t.)* reprimere, sedare.

quench /kwentʃ/ *(v.t.)* **1** placare, soddisfare (la sete) **2** *(fuoco)* estinguere.

query /'kwɪərɪ/ *(sost.)* **1** domanda, quesito. **query** *(v.t.)* chiedere, interrogare.

question /'kwestʃən/ *(sost.)* **1** domanda **2** problema, questione **3** dubbio. **question** *(v.t.)* **1** interrogare **2** mettere in discussione. **questionable** /'kwestʃənəbəl/ *(agg.)* discutibile.

questionnaire /kwestʃə'neə*/ *(sost.)* questionario.

queue /kjuː/ *(sost.)* coda, fila. **queue** *(v.i.)* fare la coda.

quibble /'kwɪbəl/ *(sost.)* cavillo. **quibble** *(v.i.)* cavillare, sottilizzare.

quick /kwɪk/ *(agg.)* **1** rapido, svelto **2** pronto, sveglio ‖ *(sost.)* *(fig.)* punto più sensibile. **quickly** /'kwɪklɪ/ *(avv.)* rapidamente, in fretta.

quicken /'kwɪkən/ *(v.t.)* **1** affrettare, accelerare **2** stimolare, suscitare interesse ‖ *(v.i.)* **1** accelerare **2** destarsi.

quicksand /'kwɪksænd/ *(sost.)* GE-OL. sabbie mobili.

quid /kwɪd/ *(pl. quid)* FAM. sterlina.

quiet /'kwaɪət/ *(agg.)* **1** quieto, calmo, tranquillo **2** silenzioso **3** sobrio, discreto ‖ *(sost.)* silenzio, quiete. **quietly** /'kwaɪətlɪ/ *(avv.)* **1** silenziosamente **2** tranquillamente.

quill /kwɪl/ *(sost.)* **1** *(di uccello)* penna **2** aculeo **3** penna d'oca (per scrivere).

quilt /kwɪlt/ *(sost.)* trapunta, piumino. **quilted** /'kwɪltɪd/ *(agg.)* imbottito, trapuntato.

quintet /kwɪn'tet/ *(sost.)* MUS. quintetto.

quip /kwɪp/ *(sost.)* battuta spiritosa.

quirky /'kwɜːkɪ/ *(agg.)* bizzarro.

quit ♦ /kwɪt/ *(v.t.)* **1** lasciare, abbandonare **2** smettere, cessare ‖ *(v.i.)* **1** abbandonare, andarsene **2** dare le dimissioni, licenziarsi **3** INFORM. uscire (da un'applicazione).

quite /kwaɪt/ *(avv.)* **1** completamente, proprio **2** piuttosto, abbastanza **3** parecchio.

quits /kwɪts/ *(agg.)* pari ❖ *now we are q.* adesso siamo pari.

quiver[1] /'kwɪvə*/ *(sost.)* faretra.

quiver[2] *(sost.)* fremito, tremito. **quiver** *(v.i.)* tremare, fremere.

quiz /kwɪz/ *(pl. quizzes* /'kwɪzɪz/*)* *(sost.)* quiz. **quiz** ♦ *(v.t.)* interrogare.

quizzical /'kwɪzɪkəl/ *(agg.)* interrogativo, *(espressione ecc.)* divertito.

quota /'kwəʊtə/ *(sost.)* quota.

quotation /kwəʊ'teɪʃən/ *(sost.)* **1** citazione ❖ *q. marks* virgolette **2** *(di spesa)* preventivo.

quote /kwəʊt/ *(sost.)* **1** citazione **2** preventivo **3** *(pl.)* virgolette. **quote** *(v.t.)* **1** citare **2** COMM. quotare, fare un preventivo.

quotient /'kwəʊʃənt/ *(sost.)* MAT. quoziente.

Quran /kə'ræn/ *(sost.)* RELIG. Corano.

R

rabbi /'ræbaɪ/ (sost.) RELIG. rabbino.

rabbit /'ræbɪt/ (sost.) ZOOL. coniglio.

rabid /'ræbɪd/ (agg.) 1 fanatico 2 MED. (animale) rabbioso, idrofobo.

race¹ /reɪs/ (sost.) razza. racial /'reɪʃəl/ (agg.) razziale.

race² (sost.) SPORT corsa, gara. race (v.i.) 1 SPORT gareggiare 2 andare di corsa ‖ (v.t.) 1 gareggiare con 2 sfidare (a una gara).

racing /'reɪsɪŋ/ (agg.) SPORT da corsa ‖ (sost.) corse.

racism /'reɪsɪzəm/ (sost.) razzismo.

rack¹ /ræk/ (sost.) 1 rastrelliera 2 (sul treno) rete portabagagli 3 scaffale (per esposizione merci).

rack² (v.t.) torturare (anche fig.). ❖ to r. one's brains scervellarsi.

racket¹ /'rækɪt/ (sost.) SPORT racchetta.

racket² (sost.) 1 baccano, fracasso 2 racket, attività criminale organizzata.

radar /'reɪdɑː*/ (sost.) radar ❖ r. trap autovelox.

radiance /'reɪdjəns/, radiancy /'reɪdjənsɪ/ (sost.) splendore, (di persona) radiosità.

radiate /'reɪdɪeɪt/ (v.t. / v.i.) irradiare, irradiarsi. radiation /reɪdɪ'eɪʃən/ (sost.) FIS. radiazione. radiator /'reɪdɪeɪtə*/ (sost.) radiatore.

radical /'rædɪkəl/ (agg. e sost.) (anche POL.) radicale.

radio /'reɪdɪəʊ/ (pl. radios /'reɪdɪəʊz/) (sost.) radio (stazione, apparecchio).

radioactive /reɪdɪəʊ'æktɪv/ (agg.) radioattivo.

radiology /reɪdɪ'ɒlədʒɪ/ (sost.) MED. radiologia.

raft /rɑːft/ (sost.) zattera.

rag /ræg/ (sost.) straccio, cencio, (pl.) abiti vecchi. ragged /'rægɪd/ (agg.) 1 stracciato 2 frastagliato.

rage /reɪdʒ/ (sost.) 1 rabbia, collera 2 mania, passione 3 FAM. moda, oggetto di moda.

raid /reɪd/ (sost.) raid, incursione, irruzione.

rail /'reɪəl/ (sost.) 1 FERR. rotaia 2 barra, inferriata, parapetto.

railing /'reɪlɪŋ/ (sost.) (spec. pl.) cancellata, inferriata, ringhiera.

railroad /'reɪlrəʊd/ (sost.) AE ferrovia.

railway /'reɪlweɪ/ (sost.) BE ferrovia.

rain /reɪn/ (sost.) pioggia (anche fig.). rain (v.i.) (costruz. impers.) piovere.

rainbow /'reɪnbəʊ/ (sost.) arcobaleno.

raincoat /'reɪnkəʊt/ (sost.) ABBIGL. impermeabile.

rainstorm /'reɪnstɔːm/ (sost.) temporale.

raise /reɪz/ (v.t.) **1** alzare, rialzare **2** far salire, aumentare **3** (fig.) sollevare, suscitare, alimentare **4** costruire, erigere **5** allevare. **raise** (sost.) AE aumento di salario.

raisin /'reɪzən/ (sost.) BOT. uva passa.

rally /'rælɪ/ (sost.) **1** manifestazione, raduno **2** SPORT rally **3** ripresa, recupero.

ramp /ræmp/ (sost.) rampa.

rampant /'ræmpənt/ (agg.) **1** dilagante **2** (piante ecc.) lussureggiante **3** ARCH. rampante.

rampart /'ræmpɑːt/ (sost.) (spec. pl.) bastione.

ran v. run.

rancour /'ræŋkə*/ (sost.) rancore.

random /'rændəm/ (agg.) casuale, fatto a caso.

range /reɪndʒ/ (sost.) **1** campo, intervallo, gamma **2** raggio d'azione, gittata, portata **3** FIS. escursione, scala **4** catena di montagne **5** spazio, distesa **6** poligono di tiro.

ranger /'reɪndʒə*/ (sost.) guardia forestale.

rank /ræŋk/ (sost.) **1** rango, MIL. grado **2** MIL. fila, rango. **rank** (v.t.) **1** classificare, considerare **2** schierare ‖ (v.i.) classificarsi, collocarsi. **ranking** /'ræŋkɪŋ/ (agg. e sost.) (di) rango, (di) posizione.

ransom /'rænsəm/ (sost.) prezzo del riscatto, riscatto.

rant /rænt/ (v.i.) inveire. **rant** (sost.) invettiva.

rape /reɪp/ (sost.) stupro. **rape** (v.t.) violentare, stuprare.

rapid /'ræpɪd/ (agg.) rapido, celere.

rapport /ræ'pɔː*/ (sost.) rapporto, relazione.

rapture /'ræptʃə*/ (sost.) estasi, rapimento.

rare¹ /reə*/ (agg.) raro, non frequente. **rarely** /'reəlɪ/ (avv.) di rado, raramente.

rare² (agg.) CUC. (carne) al sangue.

rascal /'rɑːskəl/ (sost.) birbante, mascalzone.

rash /ræʃ/ (sost.) MED. orticaria, eritema.

raspberry /'rɑːzbərɪ/ (sost.) BOT. lampone.

rat /ræt/ (sost.) ZOOL. ratto.

rate /reɪt/ (sost.) **1** prezzo, tariffa **2** ECON. tasso, corso **3** andamento, ritmo. **rate** (v.t.) **1** stimare, valutare (anche fig.) **2** reputare **3** meritare ‖ (v.i.) essere reputato, considerato.

rather /'rɑːðə*/ (avv.) **1** piuttosto **2** di preferenza ❖ I'd r. preferirei, I would r. stay home preferirei restare a casa **3** un po', abbastanza.

ratify /'rætɪfaɪ/ (v.t.) ratificare.

rattle /'rætəl/ (v.i.) **1** tintinnare, sferragliare **2** FAM. innervosire ‖ (v.t.) far tintinnare. ❖ **rattle off** dire velocemente. ❖ **rattle on** parlare in continuazione.

rave /reɪv/ (v.i.) **1** delirare **2** FAM. esaltarsi, entusiasmarsi.

raven /'reɪvən/ (sost.) ZOOL. corvo.

raw /rɔː/ (agg.) **1** (cibo) crudo **2** (materiale) grezzo, naturale **3** (informazione) non analizzata, non elaborata (anche INFORM.) **4** (persona) inesperto **5** (parte del corpo) infiammato **6** (clima ecc.) umido, freddo **7** (fig.) crudo ‖ (sost.) ❖ in the r. allo stato naturale.

ray /reɪ/ (sost.) raggio (anche fig.).

razor /'reɪzə*/ (sost.) rasoio.

reach /riːtʃ/ (v.t.) **1** raggiungere, arrivare a, mettersi in contatto con **2** (il *braccio, la mano)* stendere, allungare **3** passare, porgere ‖ *(v.i.)* **1** estendersi, allungarsi. ♣ **reach out** allungare la mano. ♣ **reach up** spingersi, allungarsi verso l'alto. **reach** *(sost.)* portata, distanza.

react /rɪˈækt/ *(v.i.)* reagire. **reaction** /rɪˈækʃən/ *(sost.)* reazione. **reactive** /rɪˈæktɪv/ *(agg.)* reattivo, reagente.

read ♦ /riːd/ *(v.t.)* **1** leggere *(anche fig.)* **2** capire, interpretare ‖ *(v.i.)* **1** leggere **2** *(strumenti di misura)* indicare, segnare **3** INFORM. lettore. **reading** /ˈriːdɪŋ/ *(sost.)* **1** lettura **2** interpretazione **3** *(strumento di misura)* misurazione.

ready /ˈredɪ/ *(agg.)* pronto. **ready-made** /redɪˈmeɪd/ *(agg.)* **1** *(abito)* preconfezionato **2** bell'e pronto.

real /rɪəl/ *(agg.)* reale, vero. **really** /ˈrɪəlɪ/ *(avv.)* veramente, davvero. **real estate** /rɪəlɪˈsteɪt/ *(sost.)* proprietà immobiliari.

realistic /rɪəˈlɪstɪk/ *(agg.)* realistico. **reality** /rɪˈælətɪ/ *(sost.)* realtà. **realize** /ˈrɪəlaɪz/ *(v.t.)* **1** rendersi conto di, comprendere **2** realizzare, attuare **3** COMM. realizzare.

realm /relm/ *(sost.)* regno.

reap /riːp/ *(v.t. / v.i.)* mietere, raccogliere *(anche fig.)*.

rear[1] /rɪə*/ *(agg.)* posteriore ‖ *(sost.)* retro, parte posteriore.

rear[2] /rɪə*/ *(v.t.)* **1** allevare, coltivare, tirare su **2** alzare, sollevare. ♣ **rear over** sovrastare. ♣ **rear up** *(di cavallo)* impennarsi.

rearmost /ˈrɪəməʊst/ *(agg.)* ultimo.

rearrange /riːəˈreɪnʒ/ *(v.t.)* spostare, risistemare, *(orari ecc.)* cambiare.

reason /ˈriːzən/ *(sost.)* **1** causa, motivo **2** ragione. **reason** *(v.i.)* **1** ragionare, riflettere **2** persuadere, convincere. **reasonable** /ˈriːzənəbəl/ *(agg.)* ragionevole. **reasonably** /ˈriːzənəblɪ/ *(avv.)* ragionevolmente. **reasoning** /ˈriːzənɪŋ/ *(sost.)* ragionamento.

reassess /riːəˈses/ *(v.t.)* rivedere, correggere.

reassure /riːəˈʃɔː*/ *(v.t.)* rassicurare. **rebel** /ˈrebəl/ *(agg. e sost.)* ribelle.

rebound /riˈbaʊnd/ *(sost.)* **1** rimbalzo **2** *(fig.)* ripercussione.

rebuff /rɪˈbʌf/ *(v.t.)* respingere, rifiutare *(in modo secco)*.

recall /rɪˈkɔːl/ *(v.t.)* **1** richiamare, far ritornare **2** *(far)* ricordare. **recall** *(sost.)* **1** *(a funzionario ecc.)* richiamo ufficiale **2** COMM. *(di merce difettosa)* ritiro **3** ricordo, memoria.

recap ♦ /ˈriːkæp/ *(v.i.)* FAM. ricapitolare. **recap** *(sost.)* FAM. riepilogo.

receipt /rɪˈsiːt/ *(sost.)* **1** COMM. ricevuta, scontrino **2** ricezione, il ricevere **3** *(pl.)* FIN. introiti.

receiver /rɪˈsiːvə*/ *(sost.)* **1** ricevitore del telefono **2** RAD., TV *(apparecchio)* ricevitore **3** DIR., FIN. curatore fallimentare.

recent /ˈriːsənt/ *(agg.)* recente. **recently** /ˈriːsəntlɪ/ *(avv.)* recentemente, di recente.

reception /rɪˈsepʃən/ *(sost.)* **1** il ricevere **2** accoglienza **3** FORM. ricevimento **4** *(albergo, ufficio, ospedale ecc.)* accettazione, reception. **receptive** /rɪˈseptɪv/ *(agg.)* ricettivo. **recipient** /rɪˈsɪpɪənt/ *(agg.)* destinatario.

recess /rɪˈses/ *(sost.)* **1** rientranza, nicchia **2** *(di enti, istituzioni)* periodo di vacanza **3** AE *(scuola)* ricreazione.

recession /rɪˈseʃən/ *(sost.)* ECON. recessione.

recharge /riːˈtʃɑːdʒ/ *(v.t.)* *(batteria)* ricaricare *(anche fig.).*

recipe /ˈresəpɪ/ *(sost.)* ricetta *(anche fig.).*

reciprocate /rɪˈsɪprəkeɪt/ *(v.t.)* ricambiare.

reckless /ˈrekləs/ *(agg.)* avventato, spericolato.

reckon /ˈrekən/ *(v.t. / v.i.)* **1** reputare, stimare **2** contare, calcolare. ♣ **reckon on** contare su, fare affidamento su. ♣ **reckon up** fare il conto di, fare la somma di. ♣ **reckon with 1** tener conto di **2** fare i conti con. ♣ **reckon without** non tener conto di.

reclaim /rɪˈkleɪm/ *(v.t.)* **1** *(oggetti smarriti ecc.)* recuperare, *(bagagli)* ritirare **2** chiedere in restituzione **3** riscattare, redimere **4** *(terreni)* bonificare **5** *(materiali di scarto)* riciclare.

recline /rɪˈklaɪn/ *(v.i.)* distendersi, sdraiarsi.

recognition /rekəgˈnɪʃən/ *(sost.)* riconoscimento.

recognize /ˈrekəgnaɪz/ *(v.t.)* riconoscere.

recoil /rɪˈkɔɪl/ *(v.i.)* **1** indietreggiare **2** MECC. rinculare.

recollect /rekəˈlekt/ *(v.t.)* rammentare.

recommend /rekəˈmend/ *(v.t.)* consigliare, raccomandare.

reconcile /ˈrekənsaɪl/ *(v.t.)* **1** riconciliare, conciliare **2** ♦ to r. o.s. (to) rassegnarsi (a).

reconsider /riːkənˈsɪdə*/ *(v.t.)* riconsiderare.

reconstruct /riːkənˈstrʌkt/ *(v.t.)* ricostruire.

record /ˈrekɔːd/ *(sost.)* **1** registrazione, registro, documento, *(pl.)* schedario, archivio **2** precedenti ♦ *(criminal) r.* DIR. fedina penale **3** SPORT record, primato **4** MUS. disco. **record** /rɪˈkɔːd/ *(v.t.)* **1** annotare, mettere per iscritto **2** *(voce, musica, filmati ecc.)* registrare.

recorder /rɪˈkɔːdə*/ *(sost.)* registratore. **recording** /rɪˈkɔːdɪŋ/ *(sost.)* registrazione.

recover /rɪˈkʌvə*/ *(v.t.)* riprendere, recuperare **ll** *(v.i.)* *(da una malattia)* rimettersi, guarire.

recovery /rɪˈkʌvərɪ/ *(sost.)* **1** recupero, ritrovamento **2** guarigione **3** ECON. ripresa.

recreate /riːkrɪˈeɪt/ *(v.t.)* **1** ricreare **2** riprodurre.

recreation /rekrɪˈeɪʃən/ *(sost.)* ricreazione, svago ♦ *r. ground* campo giochi. **recreational** /rekrɪˈeɪʃənəl/ *(agg.)* ricreativo.

recruit /rɪˈkruːt/ *(v.t. / v.i.)* **1** MIL. arruolare **2** assumere, raccogliere *(seguaci).* **recruit** *(sost.)* **1** MIL. recluta **2** nuovo assunto.

rectangle /ˈrektæŋgəl/ *(sost.)* rettangolo.

recur ◊ /rɪˈkɜː*/ *(v.i.)* **1** ricorrere, ripetersi, ripresentarsi **2** tornare alla mente, riandare (col pensiero o un discorso). **recurrent** /rɪˈkʌrənt/ *(agg.)* ricorrente, periodico.

recycle /riːˈsaɪkəl/ *(v.t.)* riciclare.

red /red/ *(agg. e sost.)* *(colore)* rosso.

redeem /rɪˈdiːm/ *(v.t.)* **1** redimere, salvare, compensare **2** riscattare, svincolare **3** *(debito)* estinguere. **redemption** /rɪˈdempʃən/ *(sost.)* **1**

RELIG. redenzione **2** ECON. rimborso, estinzione.

redid v. redo.

redirect /riːdəˈrekt/ *(v.t.)* **1** reindirizzare **2** rispedire a un nuovo indirizzo (di posta) **3** *(traffico)* deviare.

redo ♦ /riːˈduː/ *(v.t.)* rifare, ripetere.

redone v. redo.

reduce /rɪˈdjuːs/ *(v.t.)* **1** ridurre, diminuire **2** *(portare a una determinata condizione)* ridurre a ‖ *(v.i.)* ridursi, diminuire. **reduction** /rɪˈdʌkʃən/ *(sost.)* **1** riduzione **2** copia in scala ridotta.

redundant /rɪˈdʌndənt/ *(agg.)* **1** superfluo **2** in soprannumero **3** ❖ BE *to be made r.* essere licenziato. **redundancy** /rɪˈdʌndənsɪ/ *(sost.)* 1 l'essere inutile, superfluo **2** prolissità **3** tecn. sovrabbondanza, soprannumero **4** be licenziamento.

reef /riːf/ *(sost.)* banco di scogli, secca.

reel /riːl/ *(sost.)* **1** *(di filo)* rocchetto **2** *(di pellicola, nastro magnetico)* bobina **3** *(di canna da pesca)* mulinello.

refer ◊ /rɪˈfɜː/ *(v.i.)* **1** riferirsi a, alludere a, riguardare **2** ❖ *to r. to* rivolgersi a, consultare, fare ricorso a, affidarsi ‖ *(v.t.)* demandare a, sottoporre a.

referee /refəˈriː/ *(sost.)* SPORT arbitro.

reference /ˈrefərəns/ *(sost.)* **1** riferimento, allusione **2** consultazione **3** (lettera di) referenza, raccomandazione.

refill /riːˈfɪl/ *(v.t.)* riempire nuovamente, ricaricare. **refill** /ˈriːfɪl/ *(sost.)* ricambio, *(per penna ecc.)* cartuccia.

refine /rɪˈfaɪn/ *(v.t.)* raffinare *(anche fig.).* **refined** /rɪˈfaɪnd/ *(agg.)* raffi-

nato *(anche fig.).* **refinery** /rɪˈfaɪnərɪ/ *(sost.)* raffineria.

reflect /rɪˈflekt/ *(v.t.)* riflettere, rispecchiare *(anche fig.)* ‖ *(v.i.)* **1** riflettersi, ripercuotersi **2** riflettere, meditare. **reflection** /rɪˈflekʃən/ *(sost.)* **1** riflesso **2** conseguenza **3** riflessione, meditazione.

reform /rɪˈfɔːm/ *(v.t.)* riformare, correggere ‖ *(v.i.)* correggersi. **reform** *(sost.)* riforma. **reformed** /rɪˈfɔːmd/ *(agg.)* riformato, corretto.

refract /rɪˈfrækt/ *(v.t.)* FIS. rifrangere. **refraction** /rɪˈfrækʃən/ *(sost.)* FIS. rifrazione. **refractory** /rɪˈfræktərɪ/ *(agg.)* **1** FIS. refrattario **2** FORM. *(fig.)* ostinato, testardo.

refrain[1] /rɪˈfreɪn/ *(sost.)* ritornello.

refrain[2] /rɪˈfreɪn/ *(v.i.)* astenersi, evitare.

refresh /rɪˈfreʃ/ *(v.t.)* **1** rinvigorire, ritemprare **2** *(fig.)* rinfrescare, ravvivare. **refreshing** /rɪˈfreʃɪŋ/ *(agg.)* rinfrescante, ristoratore.

refreshment /rɪˈfreʃmənt/ *(sost.)* **1** ristoro, ricarica **2** *(pl.)* rinfresco.

refrigerator /rɪˈfrɪdʒəreɪtə*/ *(sost.)* frigorifero.

refuel ◊ /riːˈfjuːəl/ *(v.t.)* AER., AUT., MAR. rifornire di carburante ‖ *(v.i.)* fare rifornimento.

refuge /ˈrefjuːdʒ/ *(sost.)* rifugio, riparo. **refugee** /refjuˈdʒiː/ *(sost.)* rifugiato, profugo.

refund /rɪˈfʌnd/ *(v.t.)* rimborsare. **refund** /ˈriːfʌnd/ *(sost.)* rimborso.

refuse[1] /ˈrefjuːs/ *(sost.)* rifiuti, scarti.

refuse[2] /rɪˈfjuːz/ *(v.t. / v.i.)* rifiutare, rifiutarsi. **refusal** /rɪˈfjuːzəl/ *(sost.)* rifiuto, diniego.

regain /rɪˈgeɪn/ *(v.t.)* **1** riprendere, riconquistare **2** tornare a, riguadagnare.

regard /rɪˈgɑːd/ (v.t.) stimare, considerare. **regard** (sost.) 1 stima, attenzione, considerazione 2 (pl.) saluti 3 riguardo. **regarding** /rɪˈgɑːdɪŋ/ (prep.) FORM. riguardo a. **regardless** /rɪˈgɑːdləs/ (avv.) nonostante, nonostante tutto ❖ r. of nonostante, senza tener conto di.

regime /reɪˈʒiːm/ (sost.) 1 POL. regime, forma di governo (spec. autoritario) 2 regime alimentare, dieta.

regimen /ˈredʒɪmən/ (sost.) MED. dieta, regime alimentare.

region /ˈriːdʒən/ (sost.) 1 regione, zona, ANAT. regione 2 campo, sfera. **regional** /ˈriːdʒənəl/ (agg.) regionale.

register /ˈredʒɪstə*/ (sost.) 1 registro 2 MUS. (di voce, strumento) registro 3 ❖ AE (cash) r. registratore di cassa. **register** (v.t.) 1 registrare, iscrivere, (auto) immatricolare 2 (lettera, pacco) raccomandare, (lettera, pacco, bagaglio) assicurare 3 (emozioni) mostrare ‖ (v.i.) 1 iscriversi 2 POL. iscriversi nelle liste elettorali.

registrar /redʒɪsˈtrɑː*/ (sost.) ufficiale di stato civile.

registry /ˈredʒɪstrɪ/ (sost.) 1 registro, archivio 2 ufficio di registrazione ❖ land r. catasto.

regress /rɪˈgres/ (v.i.) regredire. **regression** /rɪˈgreʃən/ (sost.) regressione.

regret ♦ /rɪˈgret/ (v.t.) 1 rimpiangere 2 rammaricarsi di ❖ we r. to inform you that... siamo spiacenti di informarla che... **regret** (sost.) rimpianto, rincrescimento.

regular /ˈregjʊlə*/ (agg.) 1 regolare, uniforme 2 regolare, metodico, abituale 3 AE normale. **regularly** /ˈregjʊləlɪ/ (avv.) regolarmente.

regulate /ˈregjʊleɪt/ (v.t.) regolare, controllare, disciplinare. **regulation** /regjʊˈleɪʃən/ (sost.) 1 regolamento, regola 2 regolazione, controllo.

rehab /ˈriːhæb/ (sost.) FAM. riabilitazione (spec. da droga, alcol).

rehabilitation /riːəbɪlɪˈteɪʃən/ (sost.) 1 riabilitazione 2 ripristino, (di edificio) restauro.

rehearse /rɪˈhɜːs/ (v.t.) MUS., TEATR. provare, fare le prove (di uno spettacolo). **rehearsal** /rɪˈhɜːsəl/ (sost.) MUS., TEATR. prova.

reign /reɪn/ (sost.) regno.

reimburse /riːɪmˈbɜːs/ (v.t.) rimborsare.

reindeer /ˈreɪndɪə*/ (sost.) (pl. invar.) ZOOL. renna.

reinforce /riːɪnˈfɔːs/ (v.t.) 1 rinforzare 2 (fig.) rafforzare, avvalorare.

reissue (v.t.) (libri) ristampare, (francobolli) riemettere, (dischi, CD ecc.) ridistribuire.

reject /rɪˈdʒekt/ (v.t.) 1 rifiutare, respingere 2 MED. rigettare (un organo).

rejoice /rɪˈdʒɔɪs/ (v.i.) gioire, rallegrarsi.

rekindle /riːˈkɪndəl/ (v.t.) (passione, interesse) ravvivare, riaccendere.

relapse /rɪˈlæps/ (sost.) ricaduta.

relate /rɪˈleɪt/ (v.t.) 1 raccontare, riferire 2 mettere in relazione ‖ (v.i.) riferirsi a, avere rapporto con. **related** /rɪˈleɪtɪd/ (agg.) 1 imparentato 2 connesso, collegato. **relation** /rɪˈleɪʃən/ (sost.) 1 relazione, rapporto, connessione 2 parente, congiunto. **relationship** /rɪˈleɪʃənʃɪp/ (sost.) relazione, rapporto, connessione.

relative /ˈrelətɪv/ (agg.) relativo ‖ (sost.) 1 parente 2 GRAMM. (pronome) relativo. **relatively** /ˈrelətɪvlɪ/ (avv.) relativamente.

relax /rɪ'læks/ (v.t. / v.i.) rilassare, rilassarsi, allentare, allentarsi. **relaxation** /ri:læk'seɪʃən/ (sost.) 1 rilassamento 2 svago, relax. **relaxed** /ri:'lækst/ (agg.) rilassato. **relaxing** /rɪ'læksɪŋ/ (agg.) rilassante.

relay /'ri:leɪ/ (sost.) 1 (in un lavoro, un compito) cambio, turno 2 SPORT (corsa a) staffetta 3 ELETTR. relè 4 RAD., TV ritrasmissione.

release /rɪ'li:s/ (v.t.) 1 liberare, rilasciare 2 distribuire, pubblicare, diffondere 3 DIR. (diritti, proprietà ecc.) cedere 4 MECC. far scattare, sganciare. **release** (sost.) 1 liberazione, rilascio 2 uscita, distribuzione 3 INFORM. versione (di software) 4 DIR. cessione.

relent /rɪ'lent/ (v.i.) cedere, placarsi. **relentless** /rɪ'lentləs/ (agg.) incessante, implacabile.

relevant /'reləvənt/ (agg.) relativo, attinente.

reliable /rɪ'laɪəbəl/ (agg.) attendibile, affidabile.

relic /'relɪk/ (sost.) 1 reliquia 2 vestigia, cimelio.

relief /rɪ'li:f/ (sost.) rilievo (anche GEOGR.).

relieve /rɪ'li:v/ (v.t.) 1 alleviare, alleggerire 2 soccorrere, aiutare 3 dare il cambio a, sostituire. **relief** /rɪ'li:f/ (sost.) 1 sollievo, conforto 2 soccorso, aiuto 3 alleggiamento, alleggerimento 4 cambio, sostituto.

religion /rɪ'lɪdʒən/ (sost.) religione. **religious** /rɪ'lɪdʒəs/ (agg.) religioso, devoto.

relinquish /rɪ'lɪŋkwɪʃ/ (v.t.) rinunciare a, lasciare.

relish /'relɪʃ/ (v.t.) gustare.

relocate /ri:ləʊ'keɪt/ (v.t. / v.i.) trasferire, trasferirsi.

reluctant /rɪ'lʌktənt/ (agg.) riluttante, restio.

rely /rɪ'laɪ/ (v.i.) 1 contare, fare affidamento, fidarsi 2 dipendere.

remade v. remake.

remain /rɪ'meɪn/ (v.i.) rimanere, restare.

remainder /rɪ'meɪndə*/ (sost.) 1 rimanenza, parte rimanente, MAT. resto 2 (pl.) (di libri) giacenze.

remains /rɪ'meɪnz/ (sost. pl.) 1 (di cibo) avanzi 2 rovine (archeologiche) 3 (di un corpo) resti, MED. cadavere.

remake ♦ /ri:'meɪk/ (v.t.) rifare. **remake** /'ri:meɪk/ (sost.) CINEM. rifacimento, remake.

remark /rɪ'mɑːk/ (v.t.) osservare, notare || (v.i.) commentare. **remark** (sost.) 1 commento, osservazione 2 ❖ worthy of r. degno di nota, degno di rilievo. **remarkable** /rɪ'mɑːkəbəl/ (agg.) notevole.

remedy /'remədɪ/ (sost.) rimedio, cura. **remedial** /rɪ'miːdjəl/ (agg.) correttivo, riparatore, (corso) di recupero.

remember /rɪ'membə*/ (v.t.) ricordare, ricordarsi di || (v.i.) ricordarsi.

remind /rɪ'maɪnd/ (v.t.) (far) ricordare a. **reminder** /rɪ'maɪndə*/ (sost.) 1 promemoria 2 COMM. sollecito (di pagamento).

reminiscent /remɪ'nɪsənt/ (agg.) che fa venire alla mente. **reminiscence** /remɪ'nɪsəns/ (sost.) ricordo.

remit ◇ /rɪ'mɪt/ (v.t.) 1 rimettere, cancellare, DIR. condonare 2 COMM. inviare (denaro).

remorse /rɪ'mɔːs/ (sost.) rimorso.

remote /rɪ'məʊt/ (agg.) 1 remoto, lontano (anche fig.) 2 isolato 3 ELETTR., TEL. remoto ❖ r.

(control) telecomando. **remotely** /rɪ'məʊtlɪ/ *(avv.)* lontanamente, vagamente.

remove /rɪ'muːv/ *(v.t.)* 1 rimuovere, eliminare, MED. asportare, *(vestiti, occhiali ecc.)* levarsi 2 *(da ufficio, incarico ecc.)* rimuovere, destituire. **removal** /rɪ'muːvəl/ *(sost.)* 1 rimozione, eliminazione 2 trasferimento, trasloco.

remunerate /rɪ'mjuːnəreɪt/ *(v.t.)* rimunerare.

renaissance /rɪ'neɪsəns/ *(sost.)* rinascita ❖ *the R.* il Rinascimento.

rename /riːˈneɪm/ *(v.t.)* ribattezzare, rinominare.

render /'rendə*/ *(v.t.)* 1 rendere 2 *(aiuto, servizio)* fornire, dare 3 ARTE, MUS. interpretare. **rendering** /'rendərɪŋ/ *(sost.)* 1 ARTE, MUS. interpretazione, esecuzione 2 INFORM. resa tridimensionale.

renegade /'renɪgeɪd/ *(sost.)* rinnegato, traditore.

renew /rɪ'njuː/ *(v.t.)* 1 rinnovare 2 *(attività, relazione)* riprendere, ristabilire.

renounce /rɪ'naʊns/ *(v.t.)* 1 rinunciare a 2 rinnegare, ripudiare.

rent¹ /rent/ *(sost.)* affitto, nolo, somma pagata per affitto o nolo. **rent** *(v.t.)* affittare, noleggiare. **rental** /'rentəl/ *(sost.)* affitto, noleggio.

repaid v. repay.

repair /rɪ'peə*/ *(v.t.)* riparare. **repair** *(sost.)* 1 riparazione 2 stato, condizione.

repay ❖ rɪ'peɪ/ *(v.t.)* 1 restituire *(denaro)*, rimborsare 2 ricambiare, ripagare.

repeat /rɪ'piːt/ *(v.t.)* ripetere. **repeat** *(sost.)* 1 ripetizione 2 TV,

RAD. replica. **repeated** /rɪ'piːtɪd/ *(agg.)* ripetuto.

repellent /rɪ'pelənt/ *(agg.)* ripugnante ‖ *(sost.)* ❖ *(insect)* r. insettifugo.

repent /rɪ'pent/ *(v.t. / v.i.)* pentirsi.

replace /rɪ'pleɪs/ *(v.t.)* 1 sostituire, rimpiazzare 2 rimettere a posto. **replacement** /rɪ'pleɪsmənt/ *(sost.)* 1 sostituzione 2 *(persona)* sostituto.

replay /'riːpleɪ/ *(sost.)* 1 replay 2 *(partita di)* spareggio.

replica /'replɪkə/ *(sost.)* riproduzione, copia.

reply /rɪ'plaɪ/ *(v.t. / v.i.)* rispondere, replicare. **reply** *(sost.)* risposta, replica.

report /rɪ'pɔːt/ *(v.t.)* 1 riferire, raccontare 2 denunciare ‖ *(v.i.)* 1 fare il corrispondente 2 presentarsi 3 ❖ *(sul lavoro, gerarchicamente)* r. to rispondere a. **report** *(sost.)* 1 relazione, resoconto 2 servizio giornalistico.

represent /reprɪ'zent/ *(v.t.)* rappresentare. **representative** /reprɪ'zentətɪv/ *(agg.)* rappresentativo ‖ *(sost.)* 1 rappresentante 2 esempio tipico.

repress /rɪ'pres/ *(v.t.)* 1 reprimere, frenare 2 opprimere 3 PSIC. rimuovere.

reprisal /rɪ'praɪzəl/ *(sost.) (spec. pl.)* rappresaglia.

reproach /rɪ'prəʊtʃ/ *(v.t.)* rimproverare. **reproach** *(sost.)* rimprovero.

reproduce /riːprə'djuːs/ *(v.t. / v.i.)* riprodurre, riprodursi. **reproduction** /riːprə'dʌkʃən/ *(sost.)* riproduzione.

reptile /'reptaɪl/ *(sost.)* ZOOL. rettile.

republic /rɪ'pʌblɪk/ *(sost.)* repubblica.

republican /rɪˈpʌblɪkən/ (agg. e sost.) repubblicano (anche POL.).

repulsion /rɪˈpʌlʃən/ (sost.) repulsione, disgusto.

reputation /repjuˈteɪʃən/ (sost.) reputazione.

request /rɪˈkwest/ (sost.) richiesta.

require /rɪˈkwaɪə*/ (v.t.) 1 richiedere, esigere, pretendere 2 ordinare, costringere, obbligare, pregare 3 richiedere, aver bisogno di. **requirement** /rɪˈkwaɪəmənt/ (sost.) 1 esigenza, necessità 2 requisito.

rerun /ˈriːrʌn/ (sost.) ripetizione, replica (anche CINEM. e TV).

rescue /ˈreskjuː/ (v.t.) salvare, soccorrere. **rescue** (sost.) salvataggio, soccorso.

research /rɪˈsɜːtʃ/ (sost.) ricerca, indagine. **research** (v.i. / v.t.) indagare, fare ricerche. **researcher** /rɪˈsɜːtʃə*/ (sost.) ricercatore.

resemblance /rɪˈzembləns/ (sost.) somiglianza.

resentful /rɪˈzentfʊl/ (agg.) risentito.

resentment /rɪˈzentmənt/ (sost.) risentimento.

reserve /rɪˈzɜːv/ (v.t.) 1 riservare, riservarsi, mettere da parte 2 prenotare. **reserve** (sost.) 1 riserva, scorta, SPORT riserva 2 riserva, condizione 3 riserva, terreno riservato. **reservation** /rezəˈveɪʃən/ (sost.) 1 riserva, condizione 2 prenotazione 3 (zona riservata a una comunità etnica) riserva. **reserved** /rɪˈzɜːvd/ (agg.) 1 riservato, prenotato 2 (fig.) (persona, modo) riservato.

reset ♦ /riːˈset/ (v.t.) 1 reimpostare, regolare 2 INFORM. resettare, riavviare (il computer).

resident /ˈrezɪdənt/ (agg. e sost.) residente.

resign /rɪˈzaɪn/ (v.t.) dimettersi da, rinunciare a ‖ (v.i.) dimettersi, dare le dimissioni.

resilient /rɪˈzɪliənt/ (agg.) 1 elastico 2 (fig.) dotato di buone capacità di ripresa 3 resistente.

resist /rɪˈzɪst/ (v.t. / v.i.) 1 resistere (a) 2 trattenersi da. **resistance** /rɪˈzɪstəns/ (sost.) resistenza. **resistant** /rɪˈzɪstənt/ (agg.) resistente.

resolution /rezəˈluːʃən/ (sost.) 1 risoluzione, decisione, proposito 2 risolutezza, determinazione 3 (di un problema) soluzione, risoluzione.

resolve /rɪˈzɒlv/ (v.t.) risolvere ‖ (v.i.) decidere. **resolve** (sost.) 1 risoluzione, decisione 2 risolutezza, determinazione.

resort /rɪˈzɔːt/ (sost.) 1 località, luogo di soggiorno 2 risorsa. **resort (to)** (v.i.) ricorrere, far ricorso (a).

resound /rɪˈzaʊnd/ (v.i.) risuonare, echeggiare, (fig.) diffondersi.

resource /rɪˈzɔːs/ (sost.) (spec. pl.) risorsa, mezzo.

respect /rɪˈspekt/ (sost.) 1 rispetto, stima 2 punto (di vista), aspetto. **respect** (v.t.) rispettare. **respectful** /rɪˈspektfʊl/ (agg.) rispettoso.

respond /rɪˈspɒnd/ (v.i.) rispondere (anche fig.). **response** /rɪˈspɒns/ (sost.) 1 risposta 2 (fig.) reazione. **responsibility** /rɪspɒnsəˈbɪlətɪ/ (sost.) responsabilità. **responsible** /rɪˈspɒnsəbəl/ (agg.) 1 responsabile 2 che comporta responsabilità.

rest¹ /rest/ (v.i. / v.t.) 1 riposare, riposarsi 2 appoggiare, appoggiarsi. **rest** (sost.) 1 riposo 2 supporto, sostegno. **restless** /ˈrestləs/ (agg.) irrequieto, agitato.

rest² *(sost.)* **1** *(ciò che rimane)* resto **2** *(persone)* i rimanenti. **rest** *(v.i.)* *(rif. a condizione)* restare, rimanere.

restore /rɪ'stɔ:*/ *(v.t.)* **1** ripristinare, ristabilire **2** restaurare, riparare **3** rinvigorire, rigenerare. **restoration** /restə'reɪʃən/ *(sost.)* restauro, ripristino.

restrain /rɪ'streɪn/ *(v.t.)* trattenere, tenere a freno, *(emozione)* controllare.

restrict /rɪ'strɪkt/ *(v.t.)* limitare. **restricted** /rɪ'strɪktɪd/ *(agg.)* *(accesso ecc.)* limitato, *(documento)* riservato. **restriction** /rɪ'strɪkʃən/ *(sost.)* restrizione, limitazione.

restroom /'restruːm/ *(sost.)* AE toilette.

result /rɪ'zʌlt/ *(sost.)* **1** risultato **2** conseguenza. **result** *(v.i.)* **1** derivare, risultare **2** risolversi, concludersi.

resume /rɪ'zjuːm/ *(v.t.)* riprendere.

résumé /'rezumeɪ/ *(sost.)* AE curriculum vitae.

resurrection /rezə'rekʃən/ *(sost.)* **1** resurrezione **2** *(fig.)* rinascita, ripresa.

retail /'riːteɪəl/ *(sost.)* vendita al dettaglio ‖ *(agg.)* al dettaglio ‖ *(avv.)* al dettaglio. **retail** *(v.t.)* vendere al dettaglio.

retain /rɪ'teɪn/ *(v.t.)* **1** conservare, mantenere **2** tenere a memoria.

retaliate /rɪ'tælieɪt/ *(v.t.)* *(attacco, insulto)* restituire ‖ *(v.i.)* vendicarsi, far rappresaglie.

retch /retʃ/ *(v.i.)* avere conati di vomito.

rethink ◆ /riː'θɪŋk/ *(v.t. / v.i.)* riconsiderare, ripensare. **rethink** /'riːθɪŋk/ *(sost.)* FAM. ripensamento.

rethought v. rethink.

reticent /'retɪsənt/ *(agg.)* riservato.

retire /rɪ'taɪə*/ *(v.t.)* mandare in pensione ‖ *(v.i.)* **1** andare in pensione **2**

ritirarsi. **retired** /rɪ'taɪəd/ *(agg.)* in pensione. **retirement** /rɪ'taɪəmənt/ *(sost.)* **1** pensionamento, pensione **2** *(di atleta)* ritiro, il ritirarsi.

retort /rɪ'tɔːt/ *(v.i.)* replicare, ribattere.

retouch /riː'tʌtʃ/ *(v.t.)* *(una fotografia ecc.)* ritoccare.

retrace /rɪ'treɪs/ *(v.t.)* ripercorrere *(anche fig.)*.

retrain /riː'treɪn/ *(v.i.)* riqualificarsi.

retreat /rɪ'triːt/ *(v.i.)* ritirarsi, tirarsi indietro *(anche fig.)*.

retrieve /rɪ'triːv/ *(v.t.)* recuperare. **retrieval** /rɪ'triːvəl/ *(sost.)* recupero.

retrospect /'retrəuspekt/ *(sost.)* retrospettiva ❖ *in* r. ripensandoci.

return /rɪ'tɜːn/ *(v.t.)* **1** restituire **2** contraccambiare **3** *(guadagno, profitto)* ottenere, conseguire ‖ *(v.i.)* **1** ritornare **2** ricomparire **3** replicare, rispondere. **return** *(sost.)* **1** ritorno **2** restituzione **3** guadagno, *(pl.)* ECON. rendimento **4** INFORM. (tasto di) invio ‖ *(agg.)* di ritorno ❖ *r. ticket* BE biglietto di andata e ritorno.

reunion /riː'juːnɪən/ *(sost.)* **1** riunione **2** rimpatriata, il rivedersi.

reveal /rɪ'viːəl/ *(v.t.)* rivelare, svelare, mostrare. **revealing** /rɪ'viːəlɪŋ/ *(agg.)* **1** rivelatore **2** *(abito)* osé.

revel ◊ /'revəl/ *(v.i.)* fare baldoria, divertirsi. ♣ **revel in** godere di, provare gusto in.

revenge /rɪ'vendʒ/ *(sost.)* vendetta.

revere /rɪ'vɪə*/ *(v.t.)* riverire, venerare.

reverend /'revərənd/ *(agg.)* ECCL. reverendo.

reverie /'revərɪ/ *(sost.)* sogno a occhi aperti.

reverse /rɪ'vɜːs/ (v.t.) 1 invertire 2 rovesciare, capovolgere ‖ (v.i.) AUT. fare retromarcia. **reverse** (agg.) opposto, contrario, inverso ‖ (sost.) 1 l'opposto, il contrario 2 (di documento, moneta) il rovescio 3 ❖ AUT. r. (gear) retromarcia.

reversible /rɪ'vɜːsəbəl/ (agg.) reversibile, (tessuto) double-face.

revert /rɪ'vɜːt/ (v.i.) tornare indietro. ❖ revert to 1 tornare (a uno stato precedente) 2 tornare indietro a.

review /rɪ'vjuː/ (sost.) 1 analisi, valutazione, revisione 2 recensione 3 rivista, periodico. **review** (v.t.) 1 analizzare, rivedere, riesaminare 2 recensire 3 MIL. passare in rassegna (le truppe).

revise /rɪ'vaɪz/ (v.t.) 1 rivedere, riesaminare 2 (una lezione) ripassare ‖ (v.i.) ripassare (per un esame). **revision** /rɪ'vɪʒən/ (sost.) 1 revisione 2 ripasso.

revival /rɪ'vaɪvəl/ (sost.) 1 ritorno, revival 2 (di paziente, economia) miglioramento, ripresa.

revoke /rɪ'vəʊk/ (v.t.) revocare, abrogare.

revolt /rɪ'vəʊlt/ (v.i.) ribellarsi ‖ (v.t.) disgustare, rivoltare.

revolution /revə'luːʃən/ (sost.) 1 rivoluzione 2 giro, rotazione 3 ASTRON. rivoluzione.

revolve /rɪ'vɒlv/ (v.t. / v.i.) (far) ruotare. **revolving** /rɪ'vɒlvɪŋ/ (agg.) rotante, girevole.

revolver /rɪ'vɒlvə*/ (sost.) rivoltella.

reward /rɪ'wɔːd/ (sost.) ricompensa. **reward** (v.t.) ricompensare. **rewarding** /rɪ'wɔːdɪŋ/ (agg.) gratificante.

rewind ❖ /riː'waɪnd/ (v.t. / v.i.) riavvolgere, riavvolgersi.

rewound v. rewind.

rhetoric /'retərɪk/ (sost.) retorica.

rheumatism /'ruːmətɪzəm/ (sost.) reumatismo.

rhubarb /'ruːbɑːb/ (sost.) BOT. rabarbaro.

rhyme /raɪm/ (sost.) 1 rima 2 filastrocca.

rhythm /'rɪðəm/ (sost.) ritmo.

rib /rɪb/ (sost.) 1 ANAT. costola ❖ r. cage gabbia toracica 2 CUC. costata 3 ARCH. costolone, nervatura.

ribbon /'rɪbən/ (sost.) nastro.

rice /raɪs/ (sost.) BOT. riso.

rich /rɪtʃ/ (agg.) 1 ricco 2 (cibo) pesante 3 (terreno) fertile.

ricochet /'rɪkəʃeɪ/ (v.i.) rimbalzare. **ricochet** (sost.) rimbalzo.

rid ❖ /rɪd/ (v.t.) liberare ❖ to get r. of liberarsi da, di.

ridden v. ride.

riddle /'rɪdəl/ (sost.) indovinello.

ride ❖ /raɪd/ (v.t.) cavalcare, viaggiare su (veicoli ecc.) ‖ (v.i.) viaggiare, cavalcare. ❖ ride down travolgere, calpestare. ❖ ride out sopravvivere. **ride** (sost.) cavalcata, giro, (in bicicletta, moto, automobile, su una giostra ecc.) corsa, viaggio 2 AE passaggio (in automobile) 3 sentiero. **rider** /'raɪdə*/ (sost.) 1 cavallerizzo 2 ciclista, motociclista 3 (in documenti) postilla. **riding** /'raɪdɪŋ/ (sost.) equitazione.

ridge /rɪdʒ/ (sost.) 1 spigolo 2 EDIL. colmo (del tetto) 3 (di monte) cresta.

ridiculous /rɪ'dɪkjʊləs/ (agg.) ridicolo.

rifle /'raɪfəl/ (sost.) fucile, carabina.

rig ❖ /rɪg/ (sost.) 1 equipaggiamento, attrezzatura 2 ❖ (oil) r. piattaforma per trivellazioni subacquee.

right /raɪt/ (agg.) 1 esatto, corretto 2 giusto, adatto 3 destro, POL. di destra ‖ *(sost.)* **1** il giusto, il bene **2** diritto **3** destra, lato destro ‖ *(avv.)* **1** bene ❖ *all r.!* benissimo! **2** proprio ❖ *r. here* proprio qui **3** nel modo giusto, correttamente **4** a destra. **righteous** /'raɪtʃəs/ *(agg.)* **1** virtuoso **2** giustificabile, legittimo.

right-hand /'raɪthænd/ *(agg.)* destro ❖ *on the r. side* a destra.

rigid /'rɪdʒɪd/ *(agg.)* rigido, inflessibile *(anche fig.).*

rigour, AE **rigor** /'rɪgə*/ *(sost.)* rigore.

rim /rɪm/ *(sost.)* **1** bordo, orlo **2** AUT. cerchione.

ring¹ /rɪŋ/ *(sost.)* **1** cerchio, anello **2** *(circo)* pista, SPORT *(boxe)* quadrato.

ring²❖ *(v.t.)* **1** suonare **2** chiamare (al telefono) ‖ *(v.i.)* **1** suonare, squillare **2** *(orecchie)* fischiare. ♣ **ring back** ritelefonare, richiamare. ♣ **ring off** BE riattaccare (il telefono). ♣ **ring out** risuonare. ♣ **ring up** mettersi in contatto telefonico, telefonare. **ring** *(sost.)* **1** suono vibrante e metallico **2** trillo, *(del telefono)* squillo ❖ FAM. *to give s.o. a r.* dare un colpo di telefono a qu.no. **ringtone** TEL. *(sost.)* suoneria.

rink /rɪŋk/ *(sost.)* pista di pattinaggio (su ghiaccio).

rinse /rɪns/ *(v.t.)* (ri)sciacquare.

riot /'raɪət/ *(sost.)* sommossa, *(pl.)* disordini.

rip (up) ❖ /rɪp/ *(v.t.)* strappare, lacerare ‖ *(v.i.)* strapparsi, scucirsi. ♣ **rip off 1** strappare via **2** SL. derubare, fregare. **rip** *(sost.)* strappo, scucitura.

ripe /raɪp/ *(agg.)* maturo, *(formaggio)* stagionato.

ripen /'raɪpən/ *(v.t. / v.i.)* (far) maturare, (far) stagionare.

rip-off /'rɪpɒf/ *(sost.)* SL. fregatura.

ripple /'rɪpəl/ *(sost.)* **1** increspatura (dell'acqua) **2** mormorio.

rise ❖ /raɪz/ *(v.i.)* **1** sorgere, alzarsi, innalzarsi *(anche fig.)* **2** *(da letto, sedia ecc.)* alzarsi *(spec.* al mattino), tirarsi su **3** crescere, aumentare **4** aver origine, scaturire. ♣ **rise above1** superare **2** diventare superiore. ♣ **rise to** reagire, rispondere. **rise** *(sost.)* **1** il sorgere, l'alzarsi **2** ascesa, progresso **3** aumento, crescita **4** salita, altura. **rising** /'raɪzɪŋ/ *(agg.)* **1** che sorge, nascente *(anche fig.)* **2** in aumento, in crescita **3** in salita ‖ *(sost.)* **1** il sorgere, l'alzarsi **2** sollevazione, rivolta.

risen v. **rise**.

risk /rɪsk/ *(sost.)* rischio. **risk** *(v.t.)* rischiare. **risky** /'rɪskɪ/ *(agg.)* rischioso.

rite /raɪt/ *(sost.)* rito, cerimonia.

ritual /'rɪtjʊəl/ *(agg. e sost.)* rituale.

rival /'raɪvəl/ *(agg. e sost.)* rivale, COMM. concorrente. **rival** ❖ *(v.t.)* competere con. **rivalry** /'raɪvəlrɪ/ *(sost.)* rivalità, concorrenza.

river /'rɪvə*/ *(sost.)* fiume *(anche fig.).* **riverbank** /'rɪvəbæŋk/ *(sost.)* sponda del fiume. **riverbed** /'rɪvəbed/ *(sost.)* alveo, letto del fiume. **riverside** /'rɪvəsaɪd/ *(agg.)* lungo il fiume ‖ *(sost.)* lungofiume, riva del fiume.

rivet /'rɪvɪt/ *(sost.)* rivetto, ribattino. **rivet** *(v.t.)* rivettare **2** *(fig.)* inchiodare. **riveting** /'rɪvɪtɪŋ/ *(agg.)* avvincente, affascinante.

road /rəʊd/ *(sost.)* strada, via. **roadhouse** /'rəʊdhaʊs/ *(sost.)* autogrill.

roam /rəʊm/ *(v.i.)* girovagare. **roaming** /'rəʊmɪŋ/ *(sost.)* TEL. roaming, utilizzo di una rete straniera per chiamate all'estero.

roar /rɔː*/ (*sost.*) **1** ruggito **2** rombo, fragore. **roar** (*v.i.*) **1** ruggire **2** (*di motore*) rombare, (*di persona*) gridare ❖ **to r. with laughter** ridere fragorosamente. **roaring** /'rɔːrɪŋ/ (*agg.*) **1** rumoroso, fragoroso **2** (*fig.*) ruggente, florido, fiorente, FAM. strepitoso.

roast /rəʊst/ (*v.t.*) **1** arrostire **2** (*caffè, arachidi ecc.*) tostare II (*v.i.*) (*fig.*) arrostirsi.

rob ◊ /rɒb/ (*v.t.*) rapinare, svaligiare.

robber /'rɒbə*/ (*sost.*) rapinatore.

robbery /'rɒbərɪ/ (*sost.*) rapina.

robin /'rɒbɪn/ (*sost.*) ZOOL. pettirosso.

robust /rəʊ'bʌst/ (*agg.*) robusto.

rock[1] /rɒk/ (*sost.*) **1** roccia, scoglio ❖ **on the rocks** (*di drink*) con ghiaccio **2** rocca. **rocky** /'rɒkɪ/ (*agg.*) roccioso.

rock[2] (*v.t.*) dondolare, (*un bimbo*) cullare II (*v.i.*) **1** dondolare, dondolarsi **2** FAM. suonare musica rock **3** FAM. essere forte, figo. **rock** (*sost.*) **1** dondolio, oscillazione **2** ❖ MUS. **r. (music)** (musica) rock. **rocking chair** /'rɒkɪŋ'tʃeə*/ (*sost.*) sedia a dondolo.

rocket /'rɒkɪt/ (*sost.*) razzo.

rod /rɒd/ (*sost.*) **1** sbarra, bacchetta **2** canna (da pesca).

rode v. ride.

rodent /'rəʊdənt/ (*agg. e sost.*) ZOOL. roditore.

role /rəʊl/ (*sost.*) **1** TEATR. ruolo **2** (*fig.*) ruolo, funzione, parte.

roll /rəʊl/ (*v.i.*) **1** rotolare, rotolarsi **2** MAR., AER. rollare **3** (*tamburi*) rullare II (*v.t.*) **1** arrotolare **2** roteare. ❖ **roll out 1** stendere con un rullo

srotolare. ❖ **roll over 1** rigirarsi **2** rovesciare, rovesciarsi **3** rinnovare. **roll** (*sost.*) **1** rotolo, rullo **2** panino **3** lista, elenco **4** (*di tamburo*) rullo, (*di tuono*) rombo **5** MAR. rollio. **roller coaster** /'rəʊlə' kəʊstə*/ (*sost.*) montagne russe.

romance /rəʊ'mæns/ (*sost.*) **1** storia d'amore, avventura amorosa **2** romanzo rosa, film d'amore.

Romanian /ruː'meɪnjən/ (*agg. e sost.*) romeno.

romantic /rəʊ'mæntɪk/ (*agg.*) romantico II (*sost.*) persona romantica.

Romany /'rəʊmənɪ/ (*agg.*) gitano II (*sost.*) rom, lingua rom.

rompers /'rɒmpəz/ (*sost. pl.*) BE pagliaccetto, tutina.

roof /ruːf/ (*sost.*) tetto (*anche fig.*). **roof garden** /'ruːfgɑːdən/ (*sost.*) giardino pensile.

rookie /'rʊkɪ/ (*sost.*) FAM. novellino, pivello.

room /ruːm/ (*sost.*) **1** spazio, posto **2** camera, stanza, locale, sala. **roomy** /'ruːmɪ/ (*agg.*) (*camera*) spazioso, (*vestito*) ampio.

rooster /'ruːstə*/ (*sost.*) ZOOL. (*spec.* AE) gallo.

root /ruːt/ (*sost.*) radice (*anche fig.*) ❖ MAT. **square r.** radice quadrata.

rope /rəʊp/ (*sost.*) corda, fune.

rose /rəʊz/ (*sost.*) **1** BOT. rosa **2** (*colore*) rosa II (*agg.*) di color rosa.

rose v. rise.

rosemary /'rəʊzmərɪ/ (*sost.*) BOT. rosmarino.

rot ◊ /rɒt/ (*v.i.* / *v.t.*) (far) marcire (*anche fig.*). **rot** (*sost.*) **1** putrefazione, (*fig.*) BE declino **2** marciume **3** FAM. sciocchezze. **rotten** /'rɒtən/ (*agg.*) **1** marcio, avariato (*anche fig.*) **2** FAM. schifoso.

rotate /rəʊˈteɪt/ (v.t.) ruotare ‖ (v.i.) ruotare. **rotation** /rəʊˈteɪʃən/ (sost.) rotazione ❖ *in r.* a turno.

rough /rʌf/ (agg.) **1** irregolare, ruvido **2** grezzo, non lavorato **3** rozzo, violento **4** (tempo, mare) tempestoso, burrascoso **5** approssimativo **6** FAM. difficile, duro. **roughly** /ˈrʌflɪ/ (avv.) **1** in modo rozzo, brusco **2** circa, pressappoco.

round /raʊnd/ (agg.) rotondo ‖ (sost.) **1** cerchio, tondo, sfera **2** (di visite, drink) giro, (di carte) mano **3** SPORT girone, (boxe) ripresa **4** serie, ciclo **5** fetta ‖ (avv. e prep.) (spec. BE) intorno a, tutto intorno ❖ *the other way r.* il contrario, dall'altra parte, *to turn r.* girarsi (su se stessi). **round** (v.t.) **1** arrotondare **2** girare. ♣ **round down** arrotondare (una cifra) per difetto. ♣ **round off 1** smussare **2** terminare. ♣ **round up 1** radunare **2** arrotondare (una cifra) per eccesso. **rounded** /ˈraʊndɪd/ (agg.) **1** arrotondato **2** paffuto.

roundabout /ˈraʊndəbaʊt/ (agg.) indiretto ‖ (sost.) **1** rotatoria, rondò **2** giostra.

round trip /ˈraʊndtrɪp/ (sost.) AE viaggio di andata e ritorno ❖ *r. ticket* AE biglietto di andata e ritorno.

route /ruːt/ (sost.) itinerario, (di bus) percorso, AER., MAR. rotta.

routine /ruːˈtiːn/ (sost.) routine ‖ (agg.) abituale, di routine.

rove /rəʊv/ (v.t. / v.i.) vagare, girovagare. **rover** /ˈrəʊvə*/ (sost.) vagabondo, giramondo.

row¹ /rəʊ/ (sost.) fila ❖ *in a r.* in fila. **row house** /ˈrəʊhaʊs/ (sost.) AE villetta a schiera.

row² /raʊ/ (sost.) FAM. **1** litigio **2** schiamazzo. **row** (v.i.) litigare.

row³ (v.i.) remare.

royal /ˈrɔɪəl/ (agg.) reale, regio (anche fig.). **royalty** /ˈrɔɪəltɪ/ (sost.) **1** membro della famiglia reale, i reali **2** (pl.) diritti d'autore.

rub ◊ /rʌb/ (v.t.) strofinare, sfregare ‖ (v.i.) strofinarsi, strusciarsi. ♣ **rub down 1** asciugare, asciugarsi **2** levigare. ♣ **rub in** (creme, lozioni) spalmare, spalmarsi. ♣ **rub off 1** cancellare **2** logorare, consumare **3** FAM. trasmettersi, passare da uno a un altro. ♣ **rub out** cancellare via. **rub** (sost.) **1** strofinata, sfregata **2** difficoltà. **rubber** /ˈrʌbə*/ (sost.) **1** gomma **2** BE gomma per cancellare.

rubbish /ˈrʌbɪʃ/ (sost.) **1** spazzatura, immondizia **2** (fig.) porcheria, robaccia **3** FAM. sciocchezze, idiozie.

rubella /ruˈbelə/ (sost.) MED. rosolia.

rudder /ˈrʌdə*/ (sost.) timone (anche fig.).

rude /ruːd/ (agg.) **1** scortese, maleducato **2** brusco **3** spinto, volgare.

rudiments /ˈruːdɪmənts/ (sost.) rudimenti.

rueful /ˈruːfəl/ (agg.) rassegnato.

ruffle /ˈrʌfəl/ (v.t.) **1** (piume, pelo) arruffare, (capelli) scompigliare, (acqua) increspare **2** (fig.) turbare ‖ (v.i.) **1** (le piume, il pelo) arruffarsi, (i capelli) scompigliarsi, (di acqua) incresparsi **2** (fig.) scomporsi.

rug /rʌg/ (sost.) **1** tappetino **2** plaid, coperta da viaggio **3** FAM. parrucchino.

rugged /ˈrʌgɪd/ (agg.) **1** (terreno) accidentato, (costa) roccioso e frastagliato **2** (carattere) duro, (lineamenti) marcato **3** (materiale, manufatto) resistente.

ruin /ˈruːɪn/ (sost.) rovina (anche fig.). **ruin** (v.t.) rovinare (anche fig.), distruggere. **ruined** /'ru:ɪnd/ (agg.) in rovina, (fig.) rovinato.

rule /ru:l/ (sost.) 1 regola, norma 2 governo, dominio. **rule** (v.t.) 1 governare, dominare 2 (fig.) dirigere, guidare 3 DIR. decidere, decretare ‖ (v.i.) 1 governare 2 predominare, prevalere 3 FAM. essere grande, essere il migliore. ♣ **rule out** escludere. **ruled** /ru:ld/ (agg.) (foglio) a righe. **ruler** /'ru:lə*/ (sost.) 1 capo di Stato 2 righello.

rumble /'rʌmbəl/ (v.i.) 1 rombare 2 (di stomaco) brontolare. **rumbling** /'rʌmblɪŋ/ (agg.) che rimbomba, che brontola ‖ (sost.) rombo, brontolio, (pl.) (fig.) avvisaglie.

rummage /'rʌmɪdʒ/ (v.i.) rovistare.

rumour, AE **rumor** /'ru:mə*/ (sost.) diceria, voce.

rumple /'rʌmpəl/ (v.t.) 1 (foglio, tessuto) sgualcire 2 (capelli) scompigliare.

run ♦ /rʌn/ (v.i.) 1 correre 2 fuggire 3 (spec. AE) candidarsi 4 scorrere, colare 5 (di treni, autobus) far servizio, viaggiare 6 INFORM. (di software) girare 7 (di motore, macchina) funzionare 8 diventare, trasformarsi 9 estendersi (nello spazio), durare (nel tempo) 10 (di notizie) diffondersi, spandersi 11 (di colore) stingere 12 (di calza) smagliarsi ‖ (v.t.) 1 correre (anche fig.) 2 fam. dare un passaggio a 3 amministrare, gestire, dirigere 4 IN-FORM. (un'applicazione) lanciare 5 (una macchina) far funzionare 6 far passare, far scorrere. ♣ **run about** 1 correre in giro 2 essere molto occupati. ♣ **run across** incontrare per caso. ♣ **run away with** 1 scappare (di casa) 2 scappare con la cassa 3 sfuggire al controllo 4 portar via, consumare (i risparmi). ♣ **run down** 1 correre giù (dalle scale) 2 perdere energia, esaurirsi, scaricarsi 3 investire qu.no 4 sminuire qu.no. ♣ **run into** 1 scontrarsi 2 incontrare per caso. ♣ **run off** 1 scappare 2 riprodurre, fare copie. ♣ **run out** terminare, finire. ♣ **run out of** avere esaurito. ♣ **run through** 1 consumare, usare 2 rivedere, riguardare (uno scritto). ♣ **run up** 1 correre su per le scale 2 arrivare correndo 3 (debiti, carte ecc.) accumulare 4 ✧ to r. up against imbattersi in, incontrare. **run** (sost.) 1 il correre, corsa 2 giro, breve viaggio 3 tragitto, percorso 4 pista, discesa 5 serie, periodo, durata 6 corso, andamento 7 tipo, categoria 8 FAM. libero accesso 9 (in una calza) smagliatura.

runaway /'rʌnəweɪ/ (agg.) 1 fuggitivo, in fuga 2 (di ragazzi) scappato di casa 3 (successo) eclatante 4 ECON. in rapido rialzo ‖ (sost.) 1 fuggitivo, evaso 2 ragazzo scappato di casa 3 animale, veicolo senza controllo.

rung v. **ring**².

runner /'rʌnə*/ (sost.) 1 corridore, sport podista 2 contrabbandiere 3 passatoia, guida 4 MECC. guida di scorrimento.

running /'rʌnɪŋ/ (agg.) 1 che corre, che scorre 2 MECC. funzionante 3 di seguito, consecutivo ‖ (sost.) 1 corsa 2 gestione, direzione.

runny /'rʌnɪ/ (agg.) 1 semiliquido 2 che gocciola ✧ r. nose naso che cola.

runway /'rʌnweɪ/ (sost.) AER. pista.

rupture /'rʌptʃə*/ (sost.) 1 rottura, lacerazione (anche fig.) 2 MED. ernia.

rural /'rʊərəl/ (agg.) rurale, rustico.
rush /rʌʃ/ (v.i.) affrettarsi, precipitarsi, agire in modo frettoloso ‖ (v.t.) 1 mettere premura a 2 portare, spedire in fretta. ♣ rush into buttarsi in. ♣ rush through 1 trasportare velocemente 2 sbrigare, evadere un ordine. rush (sost.) 1 fretta 2 attività febbrile, corsa, ressa. rush hour /'rʌʃaʊə*/ (sost.) ora di punta.

Russian /'rʌʃən/ (agg.) russo ‖ (sost.) russo, lingua russa.
rust /rʌst/ (sost.) ruggine.
rustic /'rʌstɪk/ (agg.) rustico, agreste.
rustle /'rʌsəl/ (v.i.) (di carta, stoffa ecc.) frusciare, (di foglie) stormire ‖ (v.t.) (carta) far frusciare, (foglie) far stormire.
ruthless /'ruːθləs/ (agg.) spietato, crudele.
rye /raɪ/ (sost.) BOT. segale.

S

sack /sæk/ (sost.) 1 sacco 2 FAM. licenziamento. sack (v.t.) FAM. licenziare.

sacred /'seɪkrɪd/ (agg.) sacro, consacrato.

sacrifice /'sækrɪfaɪs/ (v.t.) sacrificare.

sad /sæd/ (agg.) 1 triste 2 deplorevole.

sadly /'sædlɪ/ (avv.) 1 tristemente 2 deplorevolmente 3 purtroppo. sadness /'sædnəs/ (sost.) tristezza.

saddle /'sædəl/ (sost.) sella.

sadism /'seɪdɪzəm/ (sost.) sadismo.

safe /seɪf/ (agg.) 1 sicuro, al sicuro 2 salvo, intatto ❖ s. and sound sano e salvo 3 prudente 4 accurato II (sost.) cassaforte. safely /'seɪflɪ/ (avv.) 1 in salvo, al sicuro 2 in modo sicuro, senza pericolo 3 (guidare ecc.) con prudenza. safety /'seɪftɪ/ (sost.) sicurezza, salvezza.

sage /seɪdʒ/ (sost.) BOT. salvia.

Sagittarius /sædʒɪ'teərɪəs/ (sost.) ASTROL. Sagittario.

said v. say.

sail /seɪl/ (v.i.) 1 navigare, veleggiare 2 salpare, fare vela 3 (fig.) librarsi in volo II (v.t.) 1 condurre una barca 2 solcare, percorrere navigando. sailing /'seɪlɪŋ/ (sost.) 1 navigazione 2 (di nave) partenza 3 SPORT vela. sailor /'seɪlə*/ (sost.) marinaio.

saint /'seɪnt/ (agg. e sost.) santo.

sake /seɪk/ (sost.) ❖ for all our s. nell'interesse di tutti, for heaven's s.! per amor del cielo!

salad /'sæləd/ (sost.) insalata.

salary /'sælərɪ/ (sost.) stipendio.

sale /seɪl/ (sost.) 1 vendita 2 liquidazione, saldo 3 asta.

salt /sɔːlt/ (agg.) salato II (sost.) 1 sale 2 (pl.) sali.

same /seɪm/ (agg.) stesso, medesimo II (pron.) lo stesso, la stessa cosa II (avv.) proprio come, allo stesso modo (di).

sample /'sɑːmpəl/ (sost.) campione, esemplare. sample (v.t.) 1 prelevare un campione, campionare (anche ELETTR.) 2 assaggiare, provare.

sanctuary /'sæŋktʃʊərɪ/ (sost.) 1 santuario, tempio 2 (fig.) asilo, rifugio 3 riserva (per animali selvatici).

sand /sænd/ (sost.) 1 sabbia 2 (pl.) spiaggia, banco di sabbia.

sandpaper /'sændpeɪpə*/ (sost.) carta vetrata.

sane /seɪn/ (agg.) 1 sano di mente 2 sensato.

sang v. sing.

sanitary /'sænətərɪ/ (agg.) igienico, sanitario.

sank v. sink².

Santa Claus /'sæntə klɔːz/ (n. pr.) Babbo Natale.

sarcastic /sɑːˈkæstɪk/ *(agg.)* sarcastico.

sat v. sit.

satellite /ˈsætəlaɪt/ *(agg. e sost.)* satellite.

satisfaction /sætɪsˈfækʃən/ *(sost.)* soddisfazione.

satisfy /ˈsætɪsfaɪ/ *(v.t.)* **1** soddisfare, appagare **2** convincere, persuadere. **satisfying** /ˈsætɪsfaɪɪŋ/ *(agg.)* soddisfacente. **satisfied** /ˈsætɪsfaɪd/ *(agg.)* soddisfatto.

Saturday /ˈsætədeɪ/ *(sost.)* sabato.

sauce /sɔːs/ *(sost.)* salsa, sugo.

saucepan /ˈsɔːspən/ *(sost.)* tegame, pentolino.

saucer /ˈsɔːsə*/ *(sost.)* piattino.

sausage /ˈsɒsɪdʒ/ *(sost.)* salsiccia.

save /seɪv/ *(v.t.)* **1** salvare, mettere al sicuro *(anche fig.)* **2** conservare, salvaguardare **3** risparmiare, mettere da parte **4** INFORM. memorizzare, registrare **5** SPORT parare. ♣ **save up** accumulare, risparmiare. **saving** /ˈseɪvɪŋ/ *(sost.) (spec. pl.)* risparmio.

savour, AE **savor** /ˈseɪvə*/ *(sost.)* sapore, gusto. **savoury**, AE **savory** /ˈseɪvəri/ *(agg.) (contrapposto a dolce)* salato.

saw¹ /sɔː/ *(sost.)* sega. **saw** ♦ *(v.i. / v.t.)* segare, usare la sega.

saw² v. see.

sawn v. saw¹.

say ♦ /seɪ/ *(v.t. / v.i.)* **1** dire, pronunciare **2** sostenere, dichiarare **3** *(poesie, preghiere ecc.)* recitare. **saying** /ˈseɪɪŋ/ *(sost.)* proverbio, detto.

scald /skɔːld/ *(v.t.)* **1** scottare, ustionare *(con acqua bollente, vapore)* **2** scaldare con acqua bollente **3** sterilizzare con acqua bollente.

scale¹ /ˈskeɪəl/ *(sost.)* **1** scala, graduazione **2** MUS. scala. **scale** *(v.t.)*

scalare, salire su. ♣ **scale down** diminuire in proporzione, in scala.

scale² *(sost.)* **1** piatto di bilancia **2** bilancia.

scalp /skælp/ *(sost.)* **1** ANAT. cuoio capelluto **2** scalpo, *(fig.)* trofeo.

scalpel /ˈskælpəl/ *(sost.)* MED. bisturi.

scan / skæn/ *(sost.)* **1** esame accurato **2** MED. esplorazione diagnostica **3** scorsa, rapida lettura. **scan** ♦ *(v.t.)* **1** esaminare, scrutare **2** scorrere con gli occhi **3** TECN. scandire, analizzare **4** INFORM. scansionare, scannerizzare.

scanty /ˈskænti/ *(agg.)* scarso, insufficiente, *(vestito)* succinto.

scar /skɑː*/ *(sost.)* cicatrice *(anche fig.)*, sfregio.

scarce /skeəs/ *(agg.)* **1** scarso, limitato **2** raro.

scare /skeə*/ *(v.t.)* spaventare, atterrire. ♣ **scare away / off** far fuggire per lo spavento.

scarecrow /ˈskeəkrəʊ/ *(sost.)* spaventapasseri.

scarf /skɑːf/ *(pl.* **scarfs**, **scarves** /skɑːvz/) *(sost.)* sciarpa.

scatter /ˈskætə*/ *(v.t.)* spargere, sparpagliare, disperdere ‖ *(v.i.)* disperdersi, sparpagliarsi.

scene /siːn/ *(sost.)* **1** scena *(anche TEATR., fig.)* **2** veduta, panorama **3** FAM. ambiente, mondo **4** FAM. scenata.

scent /sent/ *(sost.)* **1** profumo, fragranza **2** *(di animale)* odore, *(estens.)* traccia, pista *(anche fig.)*.

sceptical, AE **skeptical** /ˈskeptɪkəl/ *(agg.)* scettico.

schedule /ˈʃedjuːl/, AE /ˈskedjuːl/ *(sost.)* **1** programma, piano, scaletta **2** elenco, lista, tabella, prospetto **3** *(di treno ecc.)* orario.

scheme 237 screen

scheme /skiːm/ (sost.) **1** progetto, piano, programma **2** complotto, intrigo.

scholarship /'skɒləʃɪp/ (sost.) **1** sapere, erudizione **2** borsa di studio.

school[1] /skuːl/ (sost.) banco (di pesci).

school[2] (sost.) **1** scuola **2** facoltà universitaria **3** scuola, discepoli.

science /'saɪəns/ (sost.) scienza. **scientific** /saɪən'tɪfɪk/ (agg.) scientifico. **scientist** /'saɪəntɪst/ (sost.) scienziato.

scissors /'sɪzəz/ (sost. pl.) forbici.

scold /skəʊld/ (v.t.) sgridare, rimproverare.

scoop[1] /skuːp/ (sost.) mestolo, cucchiaio dosatore.

scoop[2] (sost.) notizia in esclusiva, scoop.

scooter /'skuːtə*/ (sost.) **1** monopattino **2** ❖ (motor) s. scooter, motorino.

score /skɔː*/ (sost.) **1** punti, punteggio, (estens.) voto **2** tacca, incisione, graffio, sfregio **3** (fig.) conto, debito **4** MUS. spartito **5** CINEM. colonna sonora **6** (pl.) gran numero. **score** (v.t.) **1** (punti, goal ecc.) segnare **2** (successo, vittoria) ottenere, riportare **3** scalfire, incidere (anche fig.) || (v.i.) **1** segnare, fare punti **2** tenere il punteggio **3** fare graffi.

scorn /skɔːn/ (sost.) disprezzo, sdegno. **scornful** /'skɔːnfəl/ (agg.) sprezzante, sdegnoso.

Scorpio /'skɔːpɪəʊ/ (sost.) ASTROL. Scorpione.

scot-free /skɒt'friː/ (avv.) **1** senza pagare **2** impunemente.

Scotsman /'skɒtsmən/ (pl. **Scotsmen** /'skɒtsmen/, f. **Scotswoman** /'skɒtswʊmən/, f. pl. **Scotswomen**

/'skɒtswɪmɪn/) (sost.) scozzese. **Scottish** /'skɒtɪʃ/ (agg.) scozzese ❖ the S. gli scozzesi.

scout /skaʊt/ (v.i.) andare in esplorazione, perlustrare. ❖ **scout out** scovare.

scramble /'skræmbəl/ (v.i.) **1** inerpicarsi **2** avanzare carponi **3** accapigliarsi, azzuffarsi || (v.t.) **1** mescolare alla rinfusa **2** CUC. rimestare, (uova) strapazzare **3** RAD., TEL., TV codificare, criptare **4** MIL., AER. far decollare rapidamente (per allarme).

scrap /skræp/ (sost.) **1** pezzetto, frammento **2** (pl.) rottami, scarti, (di cibo) avanzi. **scrap** ❖ (v.t.) **1** demolire, smantellare **2** (fig.) scartare, accantonare.

scrape /skreɪp/ (v.t.) **1** raschiare, togliere raschiando **2** scorticare, sbucciare || (v.i.) **1** sfregare, strisciare **2** stridere **3** (fig.) far economia, risparmiare.

scratch /skrætʃ/ (v.t.) **1** graffiare, scalfire **2** grattare, raschiare **3** scarabocchiare || (v.i.) **1** graffiarsi **2** grattarsi. **scratch** (agg.) **1** irregolare **2** FAM. improvvisato || (sost.) **1** graffio, scalfittura **2** grattata **3** stridore **4** SPORT linea di partenza (anche fig.) ❖ from s. da zero.

scratchy /'skrætʃɪ/ (agg.) **1** che stride **2** graffiato **3** (tessuto ecc.) ruvido.

scream /skriːm/ (v.t. / v.i.) gridare, urlare, strillare. ❖ **scream out** emettere un grido, gridare. **scream** (sost.) **1** grido, urlo, strillo **2** FAM. persona, cosa spassosa.

screech /skriːtʃ/ (v.t. / v.i.) **1** strillare **2** stridere.

screen /skriːn/ (sost.) **1** (protezione) schermo (anche fig.), paravento **2** CINEM., INFORM., TV schermo. **screen** (v.t.) **1** schermare, riparare, nascondere **2** selezionare, filtrare **3** vagliare, esaminare **4** CINEM., TV proiettare, dare (al cinema, in televisione) **5** MED. sottoporre a un esame (o serie di esami). ♣ **screen out** *(fig.)* escludere, tagliare fuori.

screw /skru:/ *(sost.)* **1** MECC. vite ❖ *to have a s. loose* FAM. essere un po' svitato **2** giro (di vite) **3** AER., MAR. elica **4** VOLG. scopata. **screw** *(v.t.)* **1** avvitare, fissare con viti **2** *(fig.)* torcere, storcere **3** VOLG. scopare. ♣ **screw up 1** *(occhi, viso)* strizzare **2** appallottolare, accartocciare **3** FAM. incasinare **4** AE gestire male.

screwdriver /'skru:draɪvə*/ *(sost.)* cacciavite.

scribble /'skrɪbəl/ *(v.t. i v.i.)* scarabocchiare, scribacchiare.

script /skrɪpt/ *(sost.)* CINEM., TV, TEATR. copione.

scroll /skrəʊl/ *(sost.)* rotolo di carta, di pergamena. **scroll** *(v.t.)* INFORM. far scorrere (sul video).

scrub /skrʌb/ *(v.t. i v.i.)* strofinare, pulire strofinando.

scruffy /'skrʌfɪ/ *(agg.)* trasandato, sciatto.

scrutinize /'skru:tɪnaɪz/ *(v.t.)* esaminare attentamente, scrutare.

sculpt /skʌlpt/ *(v.t.)* scolpire. **sculptor** /'skʌlptə*/ *(sost.)* scultore.

sea /si:/ *(sost.)* mare *(anche fig.)*.

seafood /'si:fu:d/ *(sost.)* frutti di mare.

seagull /'si:gʌl/ *(sost.)* ZOOL. gabbiano.

seal[1] /si:əl/ *(sost.)* ZOOL. foca.

seal[2] *(sost.)* **1** sigillo, timbro **2** *(fig.)* garanzia, suggello **3** *(fig.)* segno, marchio **4** TECN. chiusura ermetica. **seal** *(v.t.)* **1** chiudere con un sigillo, *(fig.)* suggellare **2** sigillare, chiudere ermeticamente.

seam /si:m/ *(sost.)* **1** cucitura **2** GEOL., MIN. filone.

search /sɜ:tʃ/ *(v.t.)* **1** perlustrare **2** perquisire **3** ricercare, esaminare || *(v.i.)* **1** cercare **2** frugare. **search** *(sost.)* **1** ricerca **2** perquisizione.

seaside /'si:saɪd/ *(sost.)* spiaggia, litorale, lido ❖ *to go to the s.* andare al mare.

season /'si:zən/ *(sost.)* stagione. **season** *(v.t.)* **1** stagionare, far invecchiare **2** CUC. condire *(anche fig.)* || *(v.i.)* stagionarsi, invecchiare.

seat /si:t/ *(sost.)* **1** posto a sedere, sedile, sedia **2** POL. seggio **3** sede, centro. **seat** *(v.t.)* **1** mettere a sedere, far sedere **2** avere, fornire posti a sedere.

seat belt /'si:tbelt/ *(sost.)* cintura di sicurezza.

secluded /sɪ'klu:dɪd/ *(agg.)* appartato, isolato.

second[1] /'sekənd/ *(agg. num. ord.)* secondo || *(avv.)* al secondo posto || *(sost.)* **1** secondo **2** MUS. (intervallo di) seconda **3** AUT. *(gear)* seconda (marcia) **4** *(pl.)* merce di seconda scelta. **second** *(v.t.)* assecondare, appoggiare, sostenere. **secondary** /'sekəndərɪ/ *(agg.)* secondario.

second[2] *(sost.)* **1** (minuto) secondo **2** *(fig.)* istante, momento.

second-hand /sekənd'hænd/ *(agg. e avv.)* di seconda mano.

secret /'si:krət/ *(agg. e sost.)* segreto.

secretary /'sekrət ərɪ/ *(sost.)* **1** segretario **2** POL. ministro.

section /'sekʃən/ *(sost.)* parte, sezione.

sector /'sektə*/ *(sost.)* settore.

secular /'sekjulə*/ *(agg.)* secolare, laico.

secure /sɪ'kjʊə*/ (agg.) 1 sicuro, certo 2 salvo 3 ben saldo, solido 4 tranquillo. secure (v.t.) 1 mettere al sicuro, rendere sicuro 2 fissare, assicurare, chiudere saldamente 3 assicurarsi, procurarsi, ottenere 4 COMM., DIR. garantire. security /sɪ'kjʊərətɪ/ (sost.) 1 sicurezza, tranquillità 2 protezione, sorveglianza 3 garanzia 4 (pl.) COMM. titoli, obbligazioni.

sediment /'sedɪmənt/ (sost.) sedimento.

seduce /sɪ'djuːs/ (v.t.) 1 distogliere, sviare 2 sedurre, allettare.

see ♦ /siː/ (v.t.) 1 vedere 2 capire, comprendere, rendersi conto (di) 3 visitare, andare a trovare, incontrare 4 frequentare, uscire con 5 accompagnare 6 esaminare, osservare, considerare 7 consultare II (v.i.) 1 vedere, vederci 2 badare, accertarsi. ♣ see about 1 fare, occuparsi di ql.sa 2 prendere in considerazione. ♣ see out (periodo particolare, incarico ecc.) terminare, portare a termine. ♣ see through 1 sostenere qu.no (in difficoltà) 2 finire, portare a termine 3 non lasciarsi ingannare da.

seed /siːd/ (sost.) 1 seme (anche fig.), semente 2 sperma 3 SPORT testa di serie.

seek ♦ /siːk/ (v.t.) 1 cercare, andare alla ricerca di 2 cercare, chiedere 3 cercare di, tentare II (v.i.) cercare, andare in cerca. ♣ seek out scovare, trovare.

seem /siːm/ (v.i.) 1 (costruz. pers.) sembrare, apparire 2 (costruz. impers.) sembrare (che).

seen v. see.

segregate /'segrɪgeɪt/ (v.t.) segregare, separare, isolare II (v.i.) segregarsi, isolarsi.

seize /siːz/ (v.t.) 1 impadronirsi di, impossessarsi 2 afferrare, cogliere 3 DIR. confiscare, sequestrare.

select /sə'lekt/ (v.t.) scegliere, selezionare. select (agg.) scelto, selezionato. selection /sə'lekʃən/ (sost.) scelta, selezione.

self /self/ (pl. selves /selvz/) (sost.) l'io, se stesso.

self-centred, AE self-centered /self'sentəd/ (agg.) egocentrico.

self-esteem /selfɪ'stiːm/ (sost.) autostima.

self-evident /self'evɪdənt/ (agg.) lapalissiano.

self-pity /self'pɪtɪ/ (sost.) autocommiserazione.

self-possessed /selfpə'zest/ (agg.) padrone di sé.

sell ♦ /sel/ (v.t.) vendere, far vendere II (v.i.) vendere, avere buon risultato nelle vendite. ♣ sell off svendere. ♣ sell out (merce, biglietti ecc.) esaurire, esaurirsi.

sellotape /'seləʊteɪp/ (sost.) nastro adesivo.

selves v. self.

semester /sɪ'mestə*/ (sost.) AE semestre accademico.

senate /'senət/ (sost.) senato. senator /'senətə*/ (sost.) senatore.

send ♦ /send/ (v.t.) 1 mandare, inviare, spedire 2 ELETTR., RAD. trasmettere. ♣ send for mandare a chiamare, convocare. ♣ send in far pervenire, inviare. ♣ send off 1 spedire 2 SPORT espellere 3 salutare (chi parte). ♣ send on 1 inoltrare, trasmettere 2 mandare avanti. ♣ send out 1 spedire molte copie, far circolare 2 (fumo, sostanze ecc.) emettere, rilasciare. ♣ send out for farsi mandare ql.sa. ♣

send up BE, FAM. parodiare, prendere in giro.

sender /'sendə*/ *(sost.)* **1** mittente **2** ELETTR., TV, RAD. trasmettitore.

senior /'si:njə*/ *(agg.)* **1** più vecchio, più anziano **2** superiore di grado, più autorevole, più elevato ‖ *(sost.)* **1** persona più anziana **2** superiore **3** AE studente dell'ultimo anno, laureando.

sensation /sen'seɪʃən/ *(sost.)* **1** sensazione, sensibilità **2** fatto sensazionale **3** scalpore.

sense /sens/ *(sost.)* **1** senso **2** significato **3** *(pl.)* ragione, senno. **sense** *(v.t.)* **1** intuire, percepire **2** TECN. rilevare.

sensible /'sensəbəl/ *(agg.)* **1** assennato, sensato, di buon senso **2** *(oggetti)* pratico ❖ *s. shoes* scarpe pratiche.

sensitive /'sensətɪv/ *(agg.)* **1** sensibile, emotivo, delicato **2** sensibile, riservato.

sensor /'sensə*/ *(sost.)* TECN. sensore.

sensual /'sensjʊəl/ *(agg.)* sensuale.

sent v. send.

sentence /'sentəns/ *(sost.)* **1** DIR. condanna, pena **2** GRAMM. frase, periodo.

sentiment /'sentɪmənt/ *(sost.)* **1** sentimento, stato d'animo **2** sentimentalismo **3** opinione, parere.

separate /'sepərət/ *(agg.)* **1** separato, staccato **2** distinto, diverso. **separate** /'sepəreɪt/ *(v.t.)* **1** separare, dividere **2** distinguere ‖ *(v.i.)* separarsi, dividersi. **separation** /sepə'reɪʃən/ *(sost.)* separazione *(anche DIR.)*, divisione.

September /sep'tembə*/ *(sost.)* settembre.

sequin /'si:kwɪn/ *(sost.)* lustrino, paillette.

serial /'sɪərɪəl/ *(agg.)* **1** RAD., TV, EDIT. a puntate, a dispense **2** di serie, seriale **3** INFORM. seriale ‖ *(sost.)* RAD., TV programma a puntate, serial.

series /'sɪərɪːz/ *(sost.)* *(pl. invar.)* **1** serie, successione **2** RAD., TV serie, programma a puntate.

serious /'sɪərɪəs/ *(agg.)* **1** serio **2** grave, importante. **seriously** /'sɪərɪəslɪ/ *(avv.)* **1** seriamente, sul serio **2** seriamente, gravemente.

serve /sɜːv/ *(v.t.)* **1** servire **2** prestare servizio **3** servire, essere utile **4** *(condanna)* scontare, espiare ‖ *(v.i.)* **1** servire, essere a servizio, prestare servizio **2** avere ruolo, funzione. ♣ **serve out 1** *(contratto ecc.)* portare a termine **2** BE servire, *(cibo)* distribuire. **servant** /'sɜːvənt/ *(sost.)* **1** domestico, servitore, *(fig.)* servo **2** impiegato. **service** /'sɜːvɪs/ *(sost.)* **1** servizio **2** assistenza, manutenzione **3** favore, piacere **4** RELIG. funzione, ufficio **5** MIL. forze armate, servizio militare **6** SPORT servizio, battuta.

serving /'sɜːvɪŋ/ *(sost.)* porzione (di cibo) ‖ *(agg.)* per servire (in tavola), da portata.

session /'seʃən/ *(sost.)* **1** sessione, seduta **2** anno accademico **3** DIR. udienza **4** INFORM. sessione.

set /set/ *(v.t.)* **1** mettere, porre, posare, collocare **2** regolare, mettere a punto **3** preparare, sistemare, *(sveglia)* puntare, *(tavola)* apparecchiare **4** fissare, stabilire **5** situare, porre **6** piantare, conficcare **7** causare, provocare, mettere ‖ *(v.i.)* **1** tramontare *(anche fig.)* **2** *(cemento, colla)* solidificarsi, far presa. ♣ **set about** accingersi a. ♣ **set against** mettere contro. ♣ **set aside** lasciare / mettere da parte. ♣ **set back 1** rinviare, rimandare **2** far ritardare **3** ostacolare. ♣ **set down** registrare, mettere per iscritto. ♣ **set in** incominciare, *(malattia)* insorgere. ♣ **set off 1** partire, incamminarsi **2** far esplodere **3** provocare **4** mettere in risalto. ♣ **set on** attaccare fisicamente. ♣ **set out 1** partire, cominciare un viaggio **2** sistemare, esporre. ♣ **set to 1** iniziare a lavorare **2** iniziare a litigare. ♣ **set up 1** erigere, montare **2** *(per ql.sa non commesso)* incastrare **3** provvedere, fornire **4** *(attività ecc.)* avviare, rendere possibile l'avvio.

set² *(sost.)* **1** serie, set, servizio, *(di libri)* collana, collezione, *(di persone)* gruppo **2** modo di stare, modo di mettere, modo di portare **3** ❖ *(hair)* s. messa in piega **4** TEATR. scenario, scene, CINEM. set **5** ELETTR., RAD., TV apparecchio **6** MAT. insieme **7** TENNIS partita, set.

set³ *(agg.)* **1** stabilito, determinato **2** pronto **3** *(non spontaneo)* studiato, preparato **4** deciso, determinato **5** ostinato, rigido **6** fisso, immobile **7** situato, collocato.

settee /se'ti:/ *(sost.)* BE divano.

settle /'setəl/ *(v.t.)* **1** fissare, stabilire, concordare **2** sistemare, mettere **3** risolvere, *(controversia)* appianare, *(debito)* saldare II *(v.i.)* **1** stabilirsi, andare a stare **2** stabilizzarsi **3** sistemarsi, accomodarsi **4** calmarsi, ricomporsi **5** accordarsi, trovare un accordo. ♣ **settle down 1** accomodarsi, sistemarsi **2** calmarsi **3** stabilirsi **4** far accomodare **5** far calmare. ♣ **settle for** accettare in sostituzione, in cambio. ♣ **settle in** stabilire, stabilirsi, sistemare, sistemarsi,

♣ **settle on** fissare, stabilire. ♣ **settle up** pagare, liquidare, saldare i conti.

several /'sevrəl/ *(agg.)* **1** diversi, svariati, più **2** rispettivo II *(pron.)* diversi, parecchi, alcuni.

severe /sɪ'vɪə*/ *(agg.)* **1** grave, serio, *(dolore)* acuto **2** severo, rigido **3** severo, austero **4** impegnativo, gravoso **5** *(clima)* rigido, inclemente.

sew ♦ /səʊ/ *(v.t. / v.i.)* cucire. ♣ **sew up 1** ricucire, rammendare **2** monopolizzare **3** FAM. portare a termine.

sewing machine /'səʊɪŋ mə'ʃiːn/ *(sost.)* macchina per cucire.

sewage /'suːɪdʒ/ *(sost.)* acque di scolo, liquami. **sewer** /'sjuːə*/, AE /'suːə*/ *(sost.)* fogna.

sewn v. **sew.**

sex /seks/ *(agg.)* sessuale II *(sost.)* **1** sesso **2** sesso, organi genitali. **sexual** /'seksjuəl/ *(agg.)* sessuale.

shabby /'ʃæbɪ/ *(agg.)* **1** trasandato **2** *(luogo)* squallido **3** *(fig.)* spregevole, meschino.

shade /ʃeɪd/ *(sost.)* **1** ombra *(anche fig.)* **2** schermo, riparo **3** *(di colore)* tonalità, *(fig.)* *(di significato)* sfumatura **4** *(pl.)* FAM. occhiali da sole.

shade *(v.t.)* **1** ombreggiare **2** riparare (da luce, calore) **3** mettere in ombra, oscurare *(anche fig.)* II *(v.i.)* sfumare.

shadow /'ʃædəʊ/ *(sost.)* ombra *(anche fig.)*.

shaft /ʃɑːft/ *(sost.)* **1** asta, manico **2** *(estens.)* lancia, freccia **3** *(fig.)* frecciata, stoccata **4** *(ascensore, scale ecc.)* pozzo, tromba **5** MECC. albero.

shake ♦ /ʃeɪk/ *(v.t.)* **1** scuotere, agitare **2** far tremare, far vacillare **3** *(fig.)* turbare, scuotere II *(v.i.)* tremare, vibrare, *(fig.)* vacillare. ♣

shake off scuotere, scuotersi di dosso. ♣ **shake up 1** agitare, scuotere, mescolare **2** (fig.) risvegliare, scuotere.

shaken v. shake.

shall ♦ /ʃæl/ (v. mod.) **1** (aus. per la 1a pers. sing. e pl. del futuro; alla 2a e 3a pers. sing. e pl. ha il significato di dovere) ❖ I'll do my best farò del mio meglio, you sh. obey me mi devi ubbidire **2** (per esprimere suggerimento, nelle formule di cortesia) ❖ sh. we go? andiamo?

shallow /ˈʃæləʊ/ (agg.) **1** basso, poco profondo **2** (fig.) superficiale, frivolo.

shame /ʃeɪm/ (sost.) **1** vergogna, (senso del) pudore **2** FAM. peccato ❖ what a sh.! che peccato!

shameful /ˈʃeɪmfəl/ (agg.) vergognoso, ignobile.

shampoo /ʃɒmˈpuː/ (sost.) shampoo.

shape /ʃeɪp/ (sost.) **1** forma, sagoma **2** forma, condizioni, stato. **shape** (v.t.) **1** dare forma, modellare **2** formare, educare **‖** (v.i.) prendere forma. ♣ **shape up** migliorare, rimettersi in forma.

share /ʃeə*/ (sost.) **1** parte, quota, porzione **2** ECON. azione, titolo. **share** (v.t.) **1** dividere, condividere **2** prendere parte a **‖** (v.i.) partecipare, prendere parte **2** INFORM. condividere. ♣ **share out** ripartire, distribuire.

shark /ʃɑːk/ (sost.) ZOOL. pescecane, squalo (anche fig.).

sharp /ʃɑːp/ (agg.) **1** tagliente, affilato **2** appuntito, aguzzo **3** (fig.) pungente, intenso **4** netto, distinto **5** spiccato, marcato **6** brusco, improvviso **7** secco, deciso **8** ripido, scosceso **9** sveglio, pronto, perspicace **‖** (avv.) **1**

bruscamente, all'improvviso **2** alla svelta **3** in punto, puntualmente.

sharpen /ˈʃɑːpən/ (v.t.) **1** affilare, aguzzare, (fig.) acuire, affinare **2** mettere a fuoco, rendere nitido **‖** (v.i.) **1** diventare tagliente (anche fig.), diventare appuntito **2** (fig.) acuirsi, intensificarsi.

shatter /ˈʃætə*/ (v.t.) **1** frantumare **2** (fig.) infrangere **‖** (v.i.) frantumarsi, andare in pezzi.

shave /ʃeɪv/ (v.t.) **1** radere, rasare **2** piallare **3** tagliare, ridurre leggermente **4** rasentare, sfiorare **‖** (v.i.) radersi, farsi la barba.

she /ʃiː/ (pron. pers. sogg. 3a pers. sing. f.) **1** lei **2** (nei nomi composti) femmina ❖ sh.-cat gatta.

shed /ʃed/ (sost.) capanno, capannone, AER. hangar.

sheep /ʃiːp/ (sost.) (pl. invar.) ZOOL. pecora (anche fig.).

sheer /ʃɪə*/ (agg.) **1** vero (e proprio), mero **2** (tessuto) sottile, trasparente **3** a piombo, a picco **‖** (avv.) a picco, a strapiombo.

sheet /ʃiːt/ (sost.) **1** lenzuolo **2** foglio **3** lamiera, lamina **4** (di ghiaccio ecc.) lastra.

shelf /ʃelf/ (pl. **shelves** /ʃelvz/) (sost.) scaffale, ripiano, mensola.

shell /ʃel/ (sost.) **1** conchiglia, guscio (anche fig.), BOT. baccello **2** involucro **3** MIL. granata.

shelter /ˈʃeltə*/ (sost.) riparo, rifugio, (fig.) difesa, protezione.

shepherd /ˈʃepəd/ (sost.) pastore.

sheriff /ˈʃerɪf/ (sost.) sceriffo.

shift /ʃɪft/ (v.t.) **1** spostare, trasferire, cambiare **2** (fig.) scaricare, far cadere **3** togliere, rimuovere **‖** (v.i.) spostarsi, cambiare (anche fig.). **shift** (sost.) **1** cambiamento (anche *fig.*), spostamento **2** turno di lavoro, squadra di turno.

shimmer /'ʃɪmə*/ *(v.i.)* luccicare, scintillare.

shin /ʃɪn/ *(sost.)* stinco.

shine ♦ /ʃaɪn/ *(v.i.)* splendere, brillare *(anche fig.)* ll *(v.t.)* **1** fare luce su, puntare la luce su **2** lucidare, lustrare. **shiny** /'ʃaɪnɪ/ *(agg.)* lucido, lucente.

shingle /'ʃɪŋɡəl/ *(sost.)* ciottolo.

ship /ʃɪp/ *(sost.)* nave. **ship** *(v.t.)* **1** spedire, trasportare **2** imbarcare, caricare. **shipwrecked** /'ʃɪprekt/ *(agg.)* naufragato.

shirt /ʃɜːt/ *(sost.)* camicia.

shit /ʃɪt/ VOLG. merda.

shiver /'ʃɪvə*/ *(v.i.)* rabbrividire, tremare.

shock /ʃɒk/ *(sost.)* **1** urto, colpo **2** violenta emozione, shock *(anche fig.)* **3** scossa elettrica **4** MED. shock, collasso. **shocking** /'ʃɒkɪŋ/ *(agg.)* **1** scioccante, che colpisce **2** scandaloso, oltraggioso **3** FAM. pessimo, allucinante.

shoe /ʃuː/ *(sost.)* **1** scarpa, calzatura **2** ferro di cavallo.

shone v. **shine**.

shook v. **shake**.

shoot ♦ /ʃuːt/ *(v.i.)* **1** sparare a **2** ferire, uccidere (con arma da fuoco), fucilare **3** lanciare, gettare **4** CINEM. riprendere (una scena), filmare **5** FOT. fotografare ll *(v.i.)* **1** sparare, tirare **2** CINEM. girare **3** FAM. sfrecciare, passare velocemente **4** SPORT tirare forte, segnare. ♣ **shoot down 1** (aereo) abbattere **2** (argomento) smontare, demolire. ♣ **shoot out** emergere, sbocciare. ♣ **shoot up 1** salire in fretta **2** sparare, crivellare di colpi. **shooting** /'ʃuːtɪŋ/ *(sost.)* **1**

sparatoria **2** uccisione, ferimento **3** caccia **4** il fotografare, il girare un film **5** SPORT tiro a segno.

shop /ʃɒp/ *(sost.)* **1** negozio, bottega **2** laboratorio, officina **3** FAM. spesa.

shopping /'ʃɒpɪŋ/ *(sost.)* **1** compere, acquisti, spese **2** *(attività)* shopping, *(di alimentari)* spesa.

shore /ʃɔː*/ *(sost.)* riva, costa, spiaggia.

short /ʃɔːt/ *(agg.)* **1** corto, *(tempo, distanza)* breve, *(statura)* basso **2** breve, conciso **3** abbreviato **4** scarso, insufficiente **5** brusco, secco, scortese ll *(avv.)* **1** bruscamente, improvvisamente ♦ *to cut sthg. (s.o.)* sh. interrompere ql.sa, qu.no **2** in modo scarso. **shortage** /'ʃɔːtɪdʒ/ *(sost.)* carenza, scarsità.

shortcoming /'ʃɔːtkʌmɪŋ/ *(sost.)* difetto.

shortcut /ʃɔːt'kʌt/ *(sost.)* scorciatoia *(anche fig.)*.

shortly /'ʃɔːtlɪ/ *(avv.)* **1** presto, fra breve **2** per poco tempo **3** concisamente **4** bruscamente.

shorts /ʃɔːts/ *(sost. pl.)* ABBIGL. pantaloncini.

short-tempered /ʃɔːt'tempəd/ *(agg.)* irascibile.

shot /ʃɒt/ *(sost.)* **1** *(di arma)* sparo, colpo, tiro **2** *(fig.)* tentativo, prova **3** tiratore **4** SPORT peso, tiro **5** CINEM. ripresa **6** FOT. foto **7** MED. iniezione **8** *(pl.)* pallini (di piombo).

shot v. **shoot**.

should /ʃʊd/ *(v. mod.) (pass. di* **shall)** **1** *(traduce il condizionale del verbo* sorperé) ♦ *you shouldn't do that* non dovresti farlo, *he sh. have arrived* dovrebbe essere arrivato **2** *(per esprimere condizione)* ♦ *sh. anything happen, call me* se dovesse accadere qualche cosa, chiamami **3** *(in formule di cortesia, alla 1a pers. sing. e pl.)* FORM. ❖ **I** *sh. like a cup of tea* gradirei una tazza di tè **4** *(aus. per tutte le persone del congiunt.)* ❖ *he was afraid she shouldn't come back* aveva paura che lei non tornasse.

shoulder ♦ /ˈʃəʊldə*/ *(sost.)* **1** spalla *(anche* ANAT.*)* **2** *(di strada)* bordo, margine, spalletta.

shout /ʃaʊt/ *(v.t. / v.i.)* gridare, urlare.

shove /ʃʌv/ *(v.t.)* **1** spingere, spostare spingendo, dare spinte **2** FAM. ficcare **ll** *(v.i.)* spingere, dare spintoni.

shovel /ˈʃʌvəl/ *(sost.)* pala.

show ♦ /ʃəʊ/ *(v.t.)* **1** mostrare, far vedere **2** esibire, esporre, mettere in mostra, *(film)* proiettare, *(opere teatrali)* rappresentare **3** rappresentare, raffigurare, indicare **4** dimostrare, rivelare **5** condurre, accompagnare ❖ *to sh. s.o. to his table* accompagnare qu.no al suo tavolo **ll** *(v.i.)* apparire, vedersi. ♣ **show around** accompagnare in giro, far visitare. ♣ **show in** far entrare. ♣ **show off** mettere / mettersi in mostra, ostentare. ♣ **show up 1** rivelare, mettere in luce **2** mettere in imbarazzo **3** FAM. farsi vivo. ♣ **show out** accompagnare qu.no (che sta andando via) alla porta. **show** *(sost.)* **1** dimostrazione, manifestazione **2** apparenza **3** mostra, esposizione **4** TEATR., RAD., TV spettacolo.

shower /ˈʃaʊə*/ *(sost.)* **1** acquazzone, scroscio di pioggia **2** *(fig.)* pioggia, scarica **3** doccia. **shower** *(v.t.)* *(fig.)* coprire di, inondare **ll** *(v.i.)* fare la doccia.

shown v. show.

shrank v. shrink.

shred ◊ /ʃred/ *(v.t.)* **1** fare a brandelli, stracciare **2** CUC. sminuzzare.

shriek /ʃriːk/ *(v.t. / v.i.)* gridare, strillare.

shrill /ʃrɪl/ *(agg.)* **1** acuto, stridulo **2** *(fig.)* insistente.

shrimp /ʃrɪmp/ *(sost.)* ZOOL. gamberetto.

shrink ♦ /ʃrɪŋk/ *(v.i.)* **1** restringersi, rimpicciolirsi, *(fig.)* ridursi **2** indietreggiare, ritirarsi **ll** *(v.t.)* far restringere.

shrug ◊ /ʃrʌg/ *(v.t. / v.i.)* alzare, scrollare le spalle.

shrunk v. shrink.

shrunken v. shrink.

shuffle /ˈʃʌfəl/ *(v.t.)* **1** mescolare, mischiare **2** muovere, cambiare di posto **ll** *(v.i.)* **1** trascinarsi, strascicare i piedi **2** tergiversare.

shut ♦ /ʃʌt/ *(v.t. / v.i.)* chiudere, serrare **ll** *(v.i.)* chiudersi, serrarsi. ♣ **shut away** segregare, rinchiudere. ♣ **shut down 1** chiudere i battenti, cessare l'attività **2** INFORM. *(il computer)* spegnere, spegnersi. ♣ **shut off 1** *(radio, TV ecc.)* spegnere **2** isolare, tenere lontano **3** fermarsi, spegnersi. ♣ **shut out 1** chiudere fuori, non far entrare **2** escludere. ♣ **shut up 1** confinare, rinchiudere **2** chiudere (la porta, FAM. la bocca, il becco) **3** FAM. stare zitto.

shutter /ˈʃʌtə*/ *(sost.)* **1** imposta, persiana **2** FOT. otturatore.

shuttle /ˈʃʌtəl/ *(sost.)* spola, navetta.

shy /ʃaɪ/ *(agg.)* **1** timido, schivo, riservato **2** reticente, sospettoso **3** ❖ *sh. of* quasi, poco meno di, poco prima di.

sibling /ˈsɪblɪŋ/ *(sost.)* fratello, sorella.

sick /sɪk/ (agg.) 1 malato (anche fig.) 2 sofferente di nausea, nauseato 3 (fig.) disgustato, nauseato, FAM. stufo ❖ FAM. to be s. of essere stufo di. **sickness** /'sɪknəs/ (sost.) 1 malattia 2 nausea.

side /saɪd/ (agg.) 1 laterale, di lato 2 (fig.) secondario || (sost.) 1 lato, fianco, parte 2 sponda, riva, margine, (di strada) lato 3 (fig.) lato, aspetto 4 (fig.) (in una contesa ecc.) parte, posizione.

sidelong /'saɪdlɒŋ/ (agg.) laterale, (sguardo) furtivo || (avv.) di traverso, di sbieco.

sidewalk /'saɪdwɔːk/ (sost.) AE marciapiede.

sideways /'saɪdweɪz/ (agg.) laterale, obliquo || (avv.) di lato, di traverso.

sigh /saɪ/ (v.i.) 1 sospirare 2 (fig.) rimpiangere.

sight /saɪt/ (sost.) 1 vista 2 veduta, panorama 3 (pl.) luoghi da vedere, luoghi di interesse turistico 4 TECN. mirino.

sightseeing /'saɪtsiːɪŋ/ (sost.) visita turistica ❖ to go s. fare un giro turistico.

sign /saɪn/ (sost.) 1 segno, cenno 2 prova, testimonianza 3 indizio, presagio 4 indicazione, traccia 5 segnale, cartello, insegna 6 MED. sintomo. **sign** (v.t. / v.i.) 1 firmare, sottoscrivere 2 fare segno, fare cenno. ♣ **sign away** rinunciare per iscritto. ♣ **sign in** registrarsi all'arrivo, timbrare il cartellino. ♣ **sign off 1** RAD., TV chiudere le trasmissioni 2 FAM. smettere di lavorare. ♣ **sign on** assumere, ingaggiare. ♣ **sign out** firmare, registrarsi all'uscita. ♣ **sign up** iscriversi, MIL. arruolarsi.

signal /'sɪgnəl/ (sost.) segnale, segno. **signal** ♦ (v.i.) far segnali || (v.t.) 1 segnalare 2 indicare, annunciare. **signature** /'sɪgnətʃə*/ (sost.) firma.

significant /sɪg'nɪfɪkənt/ (agg.) 1 significativo, importante 2 significativo, eloquente. **significantly** /sɪↄg'nɪfɪkəntlɪ/ (avv.) 1 significativamente 2 considerevolmente.

signpost /'saɪnpəʊst/ (sost.) cartello stradale.

silence /'saɪləns/ (sost.) silenzio. **silence** (v.t.) far tacere, ridurre al silenzio. **silent** /'saɪlənt/ (agg.) 1 silenzioso, in silenzio 2 taciturno 3 (film ecc.) muto.

silk /sɪlk/ (agg.) 1 di seta 2 setoso || (sost.) seta.

silly /'sɪlɪ/ (agg.) sciocco, stupido.

silver /'sɪlvə*/ (agg.) d'argento, argenteo || (sost.) 1 argento 2 argenteria.

similar /'sɪmələ*/ (agg.) simile. **similarity** /sɪmə'lærətɪ/ (sost.) 1 rassomiglianza 2 elemento simile.

simple /'sɪmpəl/ (agg.) 1 semplice 2 ingenuo. **simple-minded** /sɪmpəl↓'maɪndɪd/ (agg.) ingenuo.

simulate /'sɪmjʊleɪt/ (v.t.) simulare.

sin /sɪn/ (sost.) RELIG. peccato. **sinner** /'sɪnə*/ (sost.) peccatore.

since /sɪns/ (avv.) da allora (in poi) || (cong.) 1 (in espressioni di tempo) da quando 2 poiché, visto che || (prep.) da, da quando.

sincere /sɪn'sɪə*/ (agg.) sincero. **sincerely** /sɪn'sɪəlɪ/ (avv.) con sincerità ❖ (chiusura di lettera) yours s. distinti saluti.

sing ♦ /sɪŋ/ (v.t. / v.i.) 1 cantare 2 LETTER. celebrare (in versi) 3 ronzare, sibilare. **singer** /'sɪŋə*/ (sost.) cantante.

single /'sɪŋgəl/ (agg.) **1** solo, unico, singolo **2** celibe, nubile ‖ (sost.) **1** persona non sposata, single **2** camera singola **3** ❖ s. ticket BE biglietto di sola andata **4** (pl.) SPORT singolare.

singular /'sɪŋgjʊlə*/ (agg.) **1** singolare, eccezionale **2** singolare, strano **3** GRAMM. singolare ‖ (sost.) GRAMM. singolare.

sink¹ /sɪŋk/ (sost.) lavello, lavandino.

sink² ❖ (v.i.) **1** affondare, andare a fondo **2** sprofondare **3** scendere, abbassarsi **4** cedere **5** crollare, abbattersi ❖ he sank onto the bed crollò sul letto ‖ (v.t.) **1** (far) affondare, colare a picco **2** conficcare, far penetrare **3** scavare, perforare.

sip ◊ /sɪp/ (v.t.) sorseggiare ‖ (v.i.) bere a sorsi.

sir /sɜ:*/ (sost.) **1** FORM. signore **2** (titolo, premesso al nome di un baronetto) Sir.

siren /'saɪərən/ (sost.) sirena.

sister /'sɪstə*/ (sost.) **1** sorella **2** RELIG. suora **3** BE (infermiera) caposala, caporeparto ‖ (agg.) (fig.) gemella ❖ s. cities città gemelle.

sister-in-law /'sɪstərɪnlɔ:/ (sost.) cognata.

sit ❖ /sɪt/ (v.i.) **1** sedere, stare seduto **2** sedersi **3** (animali) accovacciarsi, appollaiarsi **4** stare, rimanere **5** (per un ritratto, una fotografia) posare ‖ (v.t.) **1** far sedere **2** avere posti a sedere per **3** dare, sostenere un esame. ❖ sit back mettersi comodamente seduto, rilassarsi. ❖ sit down sedersi, mettersi a sedere. ❖ sit on **1** far parte, essere membro di **2** trascurare (una faccenda). ❖ sit up **1** rimanere alzati fino a tardi, vegliare **2** sedersi in posizione eretta.

site /saɪt/ (sost.) **1** luogo, area (edificabile) **2** ubicazione **3** posto, scena **4** INFORM. sito ❖ web s. sito web.

situation /sɪtʃu'eɪʃən/ (sost.) **1** situazione, condizione **2** posizione, ubicazione **3** impiego, lavoro.

size /saɪz/ (sost.) **1** grandezza, dimensione **2** taglia, misura.

sizzling /'sɪzəlɪŋ/ (agg.) **1** sfrigolante **2** FAM. rovente.

skating /'skeɪtɪŋ/ (sost.) pattinaggio.

skeleton /'skelɪtən/ (sost.) **1** scheletro (anche fig.) **2** ARCH., EDIL., MAR. ossatura, intelaiatura **3** schema, abbozzo ‖ (agg.) **1** scheletrico **2** (fig.) schematico, ridotto all'essenziale.

sketch /sketʃ/ (v.t. / v.i.) abbozzare, fare uno schizzo.

skew /skju:/ (agg.) storto, sbilenco.

ski /ski:/ (sost.) sci. ski (v.i.) sciare.

skill /skɪl/ (sost.) **1** abilità, capacità, attitudine **2** mestiere. skilful, AE skillful /'skɪlfəl/ (agg.) abile, esperto. skilled /skɪld/ (agg.) abile, esperto.

skim ◊ /skɪm/ (v.t.) **1** togliere la schiuma, scremare (anche fig.) **2** sfiorare, rasentare **3** scorrere, leggere sommariamente. ❖ skim over / through leggere velocemente (per selezionare i punti importanti).

skin /skɪn/ (sost.) **1** (di persona, animale) pelle, (di frutta) buccia **2** involucro esterno, pellicola.

skinny /'skɪnɪ/ (agg.) (molto) magro, pelle e ossa.

skint /skɪnt/ (agg.) BE, FAM. al verde, squattrinato.

skip ◊ /skɪp/ (v.t.) saltare (anche fig.) ‖ (v.i.) **1** saltare (anche fig.), saltellare **2** saltare la corda.

skirt /skɜ:t/ (sost.) **1** gonna **2** FAM., SPREG. donna.

skull /skʌl/ (sost.) **1** ANAT. cranio, teschio **2** (fig.) FAM. testa, cervello.

sky /skaɪ/ (sost.) cielo.

skyscraper /'skaɪskreɪpə*/ (sost.) grattacielo.

slack /slæk/ (agg.) **1** allentato **2** lento **3** negligente ‖ (sost.) **1** allentamento **2** ristagno (anche COMM.).

slam ◊ /slæm/ (v.t.) **1** sbattere, chiudere con violenza **2** gettare con violenza ‖ (v.i.) (porta ecc.) sbattere.

slang /slæŋ/ (sost.) gergo, slang.

slap /slæp/ (v.t.) dare uno schiaffo a, dare una pacca a ‖ (v.i.) sbattere rumorosamente. ♣ **slap down** sbattere giù, posare senza riguardi. ♣ **slap on** FAM. sbattere su, applicare senza cura.

slash /slæʃ/ (sost.) **1** taglio, squarcio **2** INFORM., TIP. barra, slash.

slaughter /'slɔːtə*/ (v.t.) **1** macellare **2** (fig.) massacrare, fare strage di.

slave /sleɪv/ (sost.) schiavo (anche fig.).

sleazy /'sliːzɪ/ (agg.) squallido, sordido.

sleep /sliːp/ (sost.) **1** sonno **2** dormita. **sleep** ♦ (v.i.) dormire. ♣ **sleep in** FAM. dormire fino a tardi. ♣ **sleep on 1** continuare a dormire **2** FAM. dormirci sopra. **sleepwalk** /'sliːpwɔːk/ (v.i.) essere sonnambulo. **sleepy** /'sliːpɪ/ (agg.) **1** assonnato, sonnolento **2** (fig.) calmo, tranquillo.

sleeve /sliːv/ (sost.) **1** manica **2** (di disco) copertina, (di CD) custodia **3** MECC. manicotto.

sleigh /sleɪ/ (sost.) slitta.

slender /'slendə*/ (agg.) snello, sottile.

slept v. sleep.

slice /slaɪs/ (sost.) **1** fetta **2** (fig.) porzione, parte. **slice** (v.t.) **1** affettare,

fare a fette **2** (fig.) fendere, tagliare **3** SPORT tagliare (una palla) ‖ (v.i.) tagliare.

slick /slɪk/ (agg.) **1** lucido **2** liscio, levigato **3** scivoloso **4** FAM. scaltro.

slid v. slide.

slide /slaɪd/ (v.i.) scivolare (anche ECON.), scorrere ‖ (v.t.) far scivolare, far scorrere. **slide** (sost.) **1** scivolo, piano inclinato **2** scivolata (anche ECON.) **3** FOT. diapositiva **4** MECC. guida di scorrimento.

slight /slaɪt/ (agg.) **1** leggero, lieve, (al superl.) minimo **2** (persona) esile, delicato **3** insignificante, irrilevante. **slightly** /'slaɪtlɪ/ (avv.) leggermente, lievemente.

slim /slɪm/ (agg.) **1** sottile, snello **2** esiguo, scarso.

slimy /'slaɪmɪ/ (agg.) melmoso, (fig.) viscido.

slip¹ /slɪp/ (sost.) scontrino, tagliando.

slip² ◊ (v.i.) **1** scivolare, scivolare via (anche fig.) **2** peggiorare, essere in declino ‖ (v.t.) **1** far scivolare **2** dare furtivamente, infilare **3** sottrarsi a, sciogliersi da, liberarsi da. ♣ **slip away** svignarsela inosservati. ♣ **slip by 1** (tempo) trascorrere in fretta **2** sfuggire. ♣ **slip in** scivolar dentro inosservati. ♣ **slip off** sfilare, levare. ♣ **slip on** indossare in fretta.

slippery /'slɪpərɪ/ (agg.) **1** scivoloso, sdrucciolevole **2** sfuggente, infido.

slit /slɪt/ (sost.) fessura, lungo taglio, (di abiti) spacco.

slope /sləʊp/ (sost.) **1** pendenza, inclinazione **2** pendio, declivio **3** (pl.) pendici.

sloppy /'slɒpɪ/ (agg.) **1** troppo liquido **2** FAM. trascurato, sciatto **3** FAM. sdolcinato.

slot /slɒt/ *(sost.)* **1** fessura, scanalatura **2** spazio, fascia oraria.

slow /sləʊ/ *(agg.)* **1** lento **2** in ritardo, indietro **3** lento, monotono **4** tardo, ottuso **5** fiacco, stagnante. **slow** *(v.t. / v.i.)* (far) rallentare. ♣ **slow down 1** rallentare, ridurre la velocità **2** far rallentare.

slum /slʌm/ *(sost.)* **1** bassifondi, quartieri degradati **2** catapecchia, tugurio.

sly /slaɪ/ *(agg.)* **1** scaltro, astuto **2** malizioso, allusivo ❖ **on the s.** furtivamente, di nascosto.

smack /smæk/ *(v.t.)* **1** schiaffeggiare, colpire forte **2** *(labbra, frusta)* fare schioccare **3** schioccare baci.

small /smɔːl/ *(agg.)* piccolo.

smallpox /'smɔːlpɒks/ *(sost.)* MED. vaiolo.

smarmy /'smɑːmɪ/ *(agg.)* FAM. servile, untuoso.

smart /smɑːt/ *(agg.)* **1** elegante, alla moda **2** sveglio, intelligente **3** svelto, vivace II *(sost.)* dolore acuto, bruciore *(anche fig.)*.

smash /smæʃ/ *(v.t.)* **1** fracassare, sfasciare, frantumare *(anche fig.)* **2** schiantare **3** rovinare, annientare **4** SPORT schiacciare II *(v.i.)* **1** frantumarsi **2** schiantarsi. ♣ **smash down** abbattere.

smear /smɪə*/ *(v.t.)* **1** ungere, spalmare **2** macchiare, imbrattare **3** *(fig.)* calunniare, diffamare.

smell /smel/ *(sost.)* **1** olfatto, fiuto **2** odore **3** annusata, fiutata. **smell** ♦ *(v.t.)* sentire odore di *(anche fig.)*, annusare II *(v.i.)* **1** sentire gli odori **2** aver odore, profumo, puzzare *(anche fig.)*.

smelt v. **smell**.

smile /'smaɪəl/ *(sost.)* sorriso. **smile** *(v.i.)* sorridere II *(v.t.)* esprimere con

un sorriso. **smirk** /smɜːk/ *(sost.)* sorrisetto furbo, compiaciuto.

smoke /sməʊk/ *(sost.)* fumo. **smoke** *(v.t.)* **1** fumare **2** affumicare II *(v.i.)* **1** fumare, emettere fumo **2** *(sigarette ecc.)* fumare.

smooth /smuːð/ *(agg.)* **1** liscio, levigato **2** senza scosse *(anche fig.)* **3** ben amalgamato, omogeneo **4** piano, uniforme **5** *(suono)* armonioso, *(sapore)* gradevole **6** *(mare, lago)* calmo, tranquillo.

smuggle /'smʌgəl/ *(v.t.)* contrabbandare *(anche fig.)* II *(v.i.)* fare il contrabbando.

snail /'sneɪəl/ *(sost.)* ZOOL. chiocciola, lumaca *(anche fig.)*.

snake /sneɪk/ *(sost.)* *(anche fig.)* serpente.

snap /snæp/ *(v.i.)* **1** scattare, schioccare **2** *(fig.)* perdere improvvisamente la pazienza, scattare **3** spezzarsi di colpo **4** *(animali)* (tentare di) mordere **5** FOT. scattare (al volo) una foto II *(v.t.)* **1** schioccare, far scattare **2** spezzare con un colpo secco **3** riprendere in modo brusco. ♣ **snap at s.o.** rispondere seccati, aggredire verbalmente. ♣ **snap out of** darsi forza, riprendersi (da una brutta situazione). ♣ **snap up** comprare subito, appena ql.sa è disponibile. **snap** *(agg.)* **1** improvviso, inaspettato **2** *(chiusura, ecc.)* a scatto II *(sost.)* **1** morso (improvviso) **2** schiocco, colpo secco **3** BE FOT. istantanea **4** AE bottone automatico II *(inter.)* *(derivato da un gioco di carte)* esclam. fatta quando si nota che due cose sono uguali.

snapshot /'snæpʃɒt/ *(sost.)* FOT. istantanea.

snatch /snætʃ/ *(v.t.)* **1** afferrare *(anche fig.)*, portare via, strappare *(an-*

che fig.) **2** FAM. rubare, rapire ‖ *(v.i.) (at)* (cercare di) prendere, afferrare al volo *(anche fig.).*

sneak /sniːk/ *(v.i.)* **1** introdursi furtivamente, strisciare **2** agire in modo subdolo, nascosto **3** fare la spia ‖ *(v.t.)* FAM. rubacchiare.

sneeze /sniːz/ *(v.i.)* starnutire. **sneeze** *(sost.)* starnuto. **sniff** /snif/ *(v.i.)* **1** tirar su con il naso **2** annusare, fiutare **3** mostrare disprezzo, disapprovazione ‖ *(v.t.)* **1** annusare, fiutare *(anche fig.)* **2** aspirare con il naso.

snoop /snuːp/ *(sost.)* FAM. curiosone, ficcanaso.

snore /snɔːʳ/ *(v.i.)* russare.

snorkel /ˈsnɔːkəl/ *(sost.)* respiratore, boccaglio.

snort /snɔːt/ *(v.t. / v.i.)* sbuffare, dire sbuffando.

snout /snaut/ *(sost.)* (di animale) muso, grugno.

snow /snəu/ *(sost.)* **1** neve **2** SL. cocaina. **snow** *(v.i. impers.)* nevicare *(costruz. impers.)* ❖ *it's snowing* nevica. ♣ **snow in** restare bloccati, isolati per la neve. ♣ **snow under** sommergere *(anche fig.).* **snowfall** /ˈsnəufɔːl/ *(sost.)* nevicata. **snowflake** /ˈsnəufleɪk/ *(sost.)* fiocco di neve.

snuggle /ˈsnʌgəl/ *(v.i.)* rannicchiarsi, accoccolarsi ‖ *(v.t.)* tenere vicino, coccolare.

so /səu/ *(avv.)* **1** così ❖ *I think s.* credo di sì **2** anche, pure ❖ *s. am I, (s. do I)* anch'io ‖ *(cong.)* perciò, così. **so-so** /ˈsəusəu/ *(agg. pred. e avv.)* FAM. così così.

soak /səuk/ *(v.t.)* **1** inzuppare, bagnare **2** FAM. *(con le tasse)* spremere ‖ *(v.i.)* stare a bagno, immergersi.

soap /səup/ *(sost.)* sapone.

sob ◊ /sɒb/ *(v.i.)* singhiozzare, piangere a singhiozzi ‖ *(v.t.)* dire singhiozzando.

sober /ˈsəubəʳ*/ *(agg.)* **1** sobrio **2** assennato.

soccer /ˈsɒkəʳ*/ *(sost.)* AE, SPORT calcio.

social /ˈsəuʃəl/ *(agg.)* **1** sociale **2** socievole **3** mondano ‖ *(sost.)* FAM. riunione, festa.

socialism /ˈsəuʃəlɪzəm/ *(sost.)* socialismo.

society /səˈsaɪətɪ/ *(sost.)* **1** società **2** associazione, società, gruppo.

sock /sɒk/ *(sost.)* **1** calzino **2** FAM. pugno.

socket /ˈsɒkɪt/ *(sost.)* **1** cavità **2** presa elettrica (a muro) **3** portalampada.

sofa /ˈsəufə/ *(sost.)* divano.

soft /sɒft/ *(agg.)* **1** soffice, morbido **2** tenero, molle **3** leggero, delicato **4** *(colore, suono ecc.)* tenue, attenuato **5** *(clima, comportamento)* dolce, mite **6** calmo, tranquillo **7** debole, influenzabile **8** FAM. facile, agevole. **soften** /ˈsɒfən/ *(v.t.)* **1** ammorbidire **2** attutire, attenuare **3** alleviare, mitigare **4** addolcire, intenerire ‖ *(v.i.)* **1** ammorbidirsi **2** intenerirsi. **softener** /ˈsɒfənəʳ*/ *(sost.)* ammorbidente.

soil /ˈsɔɪəl/ *(sost.)* suolo, terra, terreno.

sold v. sell.

soldier /ˈsəuldʒəʳ*/ *(sost.)* soldato.

sole[1] /səul/ *(agg.)* unico, esclusivo.

sole[2] *(sost.)* **1** *(del piede)* pianta **2** *(di scarpa)* suola.

solid /ˈsɒlɪd/ *(agg.)* **1** solido, compatto, *(colore)* unito **2** pieno, massiccio **3** concreto, reale **4** fidato, sicuro II *(sost.)* **1** oggetto solido **2** GEOM. solido **3** *(pl.)* alimenti solidi.

solitude /'sɒlətjuːd/ *(sost.)* solitudine, isolamento.

solution /sə'luːʃən/ *(sost.)* **1** CHIM. soluzione **2** soluzione, risoluzione.

solve /sɒlv/ *(v.t.)* risolvere, chiarire.

sombre, AE **somber** /'sɒmbə*/ *(agg.)* **1** scuro **2** tetro.

some /sʌm/ *(agg.)* **1** alcuni, qualche **2** un po' di **3** un certo, qualche II *(pron. indef.)* **1** alcuni **2** un po', ne II *(avv.)* circa, pressappoco ❖ **s. ten minutes** circa dieci minuti.

somebody /'sʌmbədɪ/ *(pron. indef.)* qualcuno II *(sost.)* qualcuno, persona importante.

somehow /'sʌmhaʊ/ *(avv.)* **1** in qualche modo **2** per qualche motivo.

someone /'sʌmwʌn/ *(pron. indef.)* v. somebody.

somersault /'sʌməsɔːlt/ *(sost.)* capriola, salto mortale.

something /'sʌmθɪŋ/ *(pron. indef.)* qualche cosa II *(avv.)* pressappoco, un po' ❖ **s. like** circa.

sometime /'sʌmtaɪm/ *(agg.)* di un tempo, ex II *(avv.)* prima o poi, un giorno o l'altro.

sometimes /'sʌmtaɪmz/ *(avv.)* qualche volta, a volte.

somewhat /'sʌmwɒt/ *(avv.)* piuttosto.

somewhere /'sʌmweə*/ *(avv.)* da qualche parte, in qualche posto.

son /sʌn/ *(sost.)* figlio.

song /sɒŋ/ *(sost.)* canzone, canto *(anche di uccelli).*

son-in-law /'sʌnɪnlɔː/ *(sost.)* genero.

soon /suːn/ *(avv.)* presto, tra poco.

soothe /suːð/ *(v.t.)* calmare, lenire.

soppy /'sɒpɪ/ *(agg.)* **1** inzuppato **2** FAM. sdolcinato.

sore /sɔː*/ *(agg.)* dolorante, dolente ❖ *(fig.)* **s. point** punto dolente II *(sost.)* piaga, ferita *(anche fig.).*

sorrow /'sɒrəʊ/ *(sost.)* dispiacere, dolore.

sorry /'sɒrɪ/ *(agg.)* **1** addolorato, triste **2** spiacente, dispiaciuto ❖ **I'm s.** mi dispiace **3** meschino, pietoso II *(inter.)* ❖ **s.!** scusa!, scusi!, scusate!

sort /sɔːt/ *(sost.)* **1** tipo, genere **2** FAM. tipo, individuo. **sort** *(v.t.)* **1** separare, selezionare **2** INFORM. ordinare. ♣ **sort out 1** arrangiare, mettere a posto **2** selezionare **3** risolvere.

sought v. seek.

soul /səʊl/ *(sost.)* **1** anima *(anche fig.),* spirito **2** *(fig.)* persona **3** *(fig.)* essenza, personificazione.

sound¹ /saʊnd/ *(agg.)* **1** sano ❖ **safe and s.** sano e salvo **2** solido, sicuro, valido, affidabile **3** *(sonno)* profondo II *(avv.)* profondamente.

sound² /saʊnd/ *(sost.)* **1** suono, rumore **2** RAD., TV audio. **sound** *(v.i.)* **1** risuonare, suonare **2** *(fig.)* sembrare, dare l'impressione di II *(v.t.)* **1** suonare, far sentire, pronunciare **2** MED. auscultare.

soup /suːp/ *(sost.)* zuppa, minestra.

sour /'saʊə*/ *(agg.)* **1** agro, aspro **2** acido, inacidito **3** scontroso, permaloso, bisbetico.

source /sɔːs/ *(sost.)* sorgente, fonte *(anche fig.).*

south /saʊθ/ *(agg.)* del sud, meridionale II *(sost.)* sud, meridione II *(avv.)* a sud, verso sud. **southern** /'sʌðən/ *(agg.)* del sud, meridionale.

spa /spɑː/ *(sost.)* terme, località termale.

space /speɪs/ (sost.) 1 spazio, posto 2 (cosmo) (anche outer s.) spazio ‖ (agg) AER., ASTRON. spaziale. space (v.t.) spaziare, distanziare.

spade /speɪd/ (sost.) vanga, badile.

spades /speɪdz/ (sost. pl.) (nelle carte da gioco) picche.

span¹ /spæn/ (sost.) 1 spanna 2 distanza 3 arco di tempo 4 ARCH. campata, luce 5 AER. apertura alare.

span² v. spin.

Spanish /'spænɪʃ/ (agg. e sost.) spagnolo.

spare /speə*/ (agg.) 1 di riserva, di ricambio 2 libero, disponibile ❖ s. time tempo libero ‖ (sost.) (pezzo di) ricambio. spare (v.t.) 1 risparmiare 2 fare a meno di 3 prestare.

spark /spɑːk/ (sost.) 1 scintilla (anche fig.), favilla ❖ s. plug AUT. candela 2 (fig.) traccia, barlume.

sparkle /'spɑːkəl/ (v.i.) 1 scintillare, brillare (anche fig.) 2 (rif. a vino) spumeggiare.

sparkling /'spɑːklɪŋ/ (agg.) 1 scintillante, brillante (anche fig.) 2 (fig.) vivace, spumeggiante (bevanda) frizzante.

spat v. spit.

speak ♦ /spiːk/ (v.i.) parlare ‖ (v.t.) 1 dire, esprimere, pronunciare 2 parlare, conoscere una lingua. ❖ speak for 1 parlare a nome di 2 parlare a favore di. ❖ speak out dire ciò che si pensa, prendere posizione. ❖ speak up 1 parlare a voce alta 2 parlare chiaro. speaker /'spiːkə*/ (sost.) 1 chi parla 2 oratore, relatore 3 RAD., TV annunciatore 4 altoparlante 5 (di assemblea) presidente.

special /'speʃəl/ (agg.) speciale, particolare ‖ (sost.) 1 (di giornale) edizione straordinaria 2 RAD., TV special 3 CUC. piatto del giorno. specialist /'speʃəlɪst/ (sost.) specialista ‖ (agg.) specializzato. specially /'speʃəli/ (avv.) 1 specialmente 2 appositamente.

specific /spə'sɪfɪk/ (agg.) 1 specifico 2 preciso. specifically /spə'sɪfɪkəli/ (avv.) specificamente. specify /'spesɪfaɪ/ (v.t.) specificare, precisare.

spectre, AE specter /'spektə*/ (sost.) spettro.

sped v. speed.

speech /spiːtʃ/ (sost.) 1 parola, modo di parlare 2 discorso. speechless /'spiːtʃləs/ (agg.) senza parole, muto.

speed /spiːd/ (sost.) 1 velocità, rapidità 2 AUT. marcia 3 FOT. (rif. a pellicola) sensibilità. speed ♦ (v.i.) 1 andare in fretta, affrettarsi 2 AUT. guidare velocemente, superare i limiti di velocità. ❖ speed up accelerare, velocizzare.

spell¹ /spel/ (sost.) 1 formula magica, incantesimo 2 (fig.) fascino, incanto.

spell² ♦ (v.t.) 1 scrivere, dire una parola lettera per lettera, compitare 2 (fig.) FAM. significare, comportare ‖ (v.i.) scrivere correttamente, conoscere l'ortografia. ❖ spell out 1 compitare a voce alta 2 descrivere nei particolari. spelling /'spelɪŋ/ (sost.) 1 compitazione 2 ortografia.

spelt v. spell².

spend ♦ /spend/ (v.t.) 1 spendere 2 impiegare, utilizzare 3 (tempo) passare, trascorrere ‖ (v.i.) spendere.

spent v. spend.

sphere /sfɪə*/ (sost.) sfera (anche fig.).

spice /spaɪs/ (sost.) **1** spezia **2** (fig.) gusto, sapore. **spice** (v.t.) **1** insaporire con spezie, aromatizzare **2** (fig.) rendere gustoso, interessante. **spicy** /'spaɪsɪ/ (agg.) piccante (anche fig.).

spider /'spaɪdə*/ (sost.) ragno.

spike /spaɪk/ (sost.) **1** punta, chiodo **2** (pl.) scarpe chiodate.

spill ♦ /spɪl/ (v.t.) versare, rovesciare || (v.i.) versarsi, spandersi. ♣ **spill out 1** versarsi, rovesciarsi **2** (fig.) spifferare.

spilt v. spill.

spin ♦ /spɪn/ (v.t.) **1** far girare, far ruotare **2** (palla) imprimere l'effetto a **3** (lana) filare **4** (fig.) (di notizia, evento) ribaltare, dare una luce diversa a || (v.i.) **1** girare, ruotare **2** FAM. correre, sfrecciare.

spinach /'spɪnɪdʒ/ (sost.) BOT. spinacio.

spine /spaɪn/ (sost.) **1** ANAT. spina dorsale (anche fig.) **2** BOT. spina **3** ZOOL. aculeo **4** (di libro) dorso.

spire /'spaɪə*/ (sost.) guglia.

spirit /'spɪrɪt/ (sost.) **1** spirito **2** (pl.) umore, stato d'animo **3** energia, vigore, vivacità **4** spirito, alcol **5** (pl.) superalcolici. **spiritual** /'spɪrɪtljʊəl/ (agg.) spirituale || (sost.) (canto) spiritual.

spit ♦ /spɪt/ (v.t. / v.i.) **1** sputare **2** scoppiettare. **spit** (sost.) sputo.

spite /spaɪt/ (sost.) dispetto, ripicca ❖ **in s. of** nonostante. **spiteful** /'spaɪtfəl/ (agg.) **1** dispettoso **2** perfido.

splash /splæʃ/ (v.t.) **1** schizzare, spruzzare || (giornale) stampare a titoli cubitali || (v.i.) **1** schizzare **2** sguazzare.

splatter /'splætə*/ (v.t. / v.i.) schizzare, spruzzare.

splendid /'splendɪd/ (agg.) splendido, sfarzoso.

splinter /'splɪntə*/ (sost.) scheggia.

split ♦ /splɪt/ (v.t.) **1** spaccare, strappare **2** dividere, separare || (v.i.) **1** spaccarsi, strapparsi **2** dividersi, separarsi. ♣ **split up 1** dividere **2** separare, divorziare **3** (rif. a gruppo musicale) sciogliersi.

spoil ♦ /spɔɪl/ (v.t.) **1** rovinare, sciupare **2** viziare, coccolare || (v.i.) rovinarsi, guastarsi.

spoilt v. spoil.

spoke[1] /spəʊk/ (sost.) (di ruota) raggio.

spoke[2] v. speak.

spoken v. speak.

sponge /spʌndʒ/ (sost.) **1** spugna **2** CUC. (torta) (anche s. cake) pan di Spagna.

spooky /'spuːkɪ/ (agg.) spettrale, sinistro.

spoon /spuːn/ (sost.) cucchiaio.

sport /spɔːt/ (sost.) **1** sport **2** passatempo, divertimento **3** (pl.) gare atletiche, incontri sportivi.

spot /spɒt/ (sost.) **1** luogo, posto **2** macchia (anche fig.), puntino **3** brufolo **4** BE, FAM. piccola quantità, un po'. **spot** ♦ (v.t.) **1** individuare, distinguere, localizzare **2** macchiare, chiazzare, punteggiare || (v.i.) macchiarsi.

spotlight /'spɒtlaɪt/ (sost.) riflettore.

sprang v. spring[1].

sprawl /sprɔːl/ (v.i.) **1** sedersi, distendersi scompostamente **2** espandersi in modo disordinato.

spray /spreɪ/ (sost.) **1** spruzzo **2** (fig.) sventagliata, scarica **3** spray, liquido per vaporizzazioni **4** nebulizzatore, spruzzatore. **spray** (v.t.) spruzzare, irrorare.

spread ♦ /spred/ (v.t.) 1 stendere, spandere, spiegare 2 diffondere, propagare, divulgare 3 suddividere, scaglionare (nel tempo) 4 spalmare ‖ (v.i.) 1 estendersi 2 diffondersi, propagarsi 3 distribuirsi, scaglionarsi (nel tempo) 4 spalmarsi. ♣ spread out 1 sparpagliare, sparpagliarsi 2 allungare, allungarsi. spread (sost.) 1 diffusione, espansione, divulgazione 2 estensione, ampiezza 3 gamma, varietà 4 articolo di giornale a tutta pagina 5 CUC. formaggio, pasta spalmabile 6 FAM. pasto abbondante.

spring¹ ♦ /sprɪŋ/ (v.t.) 1 far scattare, far saltare 2 FAM. far evadere, liberare ‖ (v.i.) scattare, saltare. ♣ spring up apparire improvvisamente, spuntare. spring (sost.) 1 sorgente, fonte 2 molla 3 salto, balzo, slancio.

spring² (sost.) primavera (anche fig.).

sprinkle /'sprɪŋkəl/ (v.t.) 1 spruzzare 2 cospargere. sprinkler /'sprɪŋklə*/ (sost.) spruzzatore, innaffiatoio.

sprout /spraʊt/ (sost.) germoglio ♦ Brussels s. cavoletto di Bruxelles.

sprung v. spring¹.

spun v. spring¹.

spy /spaɪ/ (sost.) spia. spy (v.i.) spiare, fare la spia ‖ (v.t.) spiare.

squad /skwɒd/ (sost.) squadra (anche SPORT).

square /skweə*/ (agg.) 1 quadrato 2 ad angolo retto, perpendicolare 3 FAM. onesto, leale ‖ (avv.) 1 ad angolo retto 2 dritto, proprio 3 FAM. onestamente, lealmente ‖ (sost.) 1 GEOM. quadrato 2 piazza. square (v.t.) 1 quadrare, squadrare 2 MAT.

elevare al quadrato ‖ (v.i.) quadrare, coincidere. ♣ square up 1 saldare debiti 2 mettersi in guardia 3 fronteggiare (difficoltà).

squash¹ /skwɒʃ/ (sost.) BOT. zucca.

squash² (v.t.) 1 schiacciare, spremere 2 sopprimere.

squeak /skwiːk/ (v.i.) 1 strillare in modo stridulo 2 (animali) squittire, strillare 3 cigolare, scricchiolare.

squeeze /skwiːz/ (v.t.) 1 stringere, schiacciare 2 strizzare 3 spremere ‖ (v.i.) stringersi, entrare a fatica.

stab /stæb/ (sost.) 1 pugnalata (anche fig.) 2 ferita di arma da taglio 3 fitta, dolore acuto.

stable¹ /'steɪbəl/ (agg.) stabile, solido, permanente.

stable² (sost.) stalla, scuderia.

stack /stæk/ (sost.) 1 catasta, pila 2 ciminiera.

staff /stɑːf/ (sost.) personale, staff.

stage /steɪdʒ/ (sost.) 1 TEATR. palcoscenico 2 fase, stadio 3 tappa.

stain /steɪn/ (sost.) 1 macchia (anche fig.) 2 tintura, mordente.

stair /steə*/ (sost.) 1 scalino, gradino 2 (spec. pl.) scala. staircase /'steəkeɪs/ (sost.) scala, scalone. stairway /'steəweɪ/ (sost.) scala, scalone.

stalk /stɔːk/ (v.t. / v.i.) 1 cacciare in appostamento 2 (fig.) perseguitare (con telefonate, lettere ecc.).

stamp /stæmp/ (v.t.) 1 affrancare 2 timbrare 3 battere, pestare i piedi ‖ (v.i.) pestare i piedi. ♣ stamp down calpestare. ♣ stamp on 1 calpestare 2 (fig.) lasciare un'impronta. stamp (sost.) 1 francobollo 2 timbro 3 (fig.) impronta, segno 4 scalpitio, il battere di piede.

stand ♦ /stænd/ *(v.i.)* **1** stare, rimanere in piedi **2** stare (in una posizione) ❖ *to s. still* stare fermo **3** essere situato, trovarsi **4** durare, essere valido **5** essere, stare, rimanere **6** essere alto, avere un'altezza di **7** *(liquidi)* riposare, depositarsi ‖ *(v.t.)* **1** mettere in piedi, ritto **2** sopportare, resistere a, tollerare **3** FAM. PAGARE, OFFRIRE. ♣ **stand by 1** non farsi coinvolgere, stare in disparte **2** aspettare **3** stare vicino a, sostenere qu.no **4** *(di apparecchi elettrici ed elettronici)* essere in stato di attesa. ♣ **stand for 1** candidarsi **2** stare per, significare. ♣ **stand in** rimpiazzare, sostituire. ♣ **stand out** risaltare, spiccare, distinguersi. ♣ **stand up 1** alzarsi in piedi **2** essere valido **3** tener testa a, farsi valere. ♣ **stand up for** sostenere qu.no, parteggiare per una causa. ♣ **stand up to** affrontare, tener testa. **stand** *(sost.)* **1** pausa, sosta **2** *(fig.)* resistenza, opposizione **3** posto, posizione *(anche fig.)* **4** palco, tribuna **5** stand, bancarella, chiosco, edicola **6** sostegno, supporto ❖ *music s.* leggio.

standard /'stændəd/ *(sost.)* **1** standard, modello, campione **2** criterio, norma **3** livello, qualità **4** *(spec. pl.)* valori, princìpi morali **5** bandiera, insegna ‖ *(agg.)* **1** standard, tipico, normale **2** di base, fondamentale.

stank v. **stink**.

stapler /'steɪplə*/ *(sost.)* pinzatrice, graffettatrice.

star /stɑː*/ *(sost.)* **1** stella *(anche fig.)* **2** TIP. asterisco **3** divo, celebrità.

starch /stɑːtʃ/ *(sost.)* amido.

stare /steə*/ *(v.i.)* fissare, guardare fisso ‖ *(v.t.)* **1** fissare **2** *(fig.)* essere evidente.

start /stɑːt/ *(sost.)* **1** inizio **2** soprassalto. **start** *(v.i.)* **1** partire **2** iniziare, cominciare **3** trasalire, sobbalzare ‖ *(v.t.)* iniziare, avviare, far partire. ♣ **start off** cominciare. ♣ **start up 1** *(motore)* cominciare a funzionare **2** iniziare un'attività.

startle /'stɑːtəl/ *(v.t.)* far trasalire, spaventare.

starve /stɑːv/ *(v.t. / v.i.)* **1** affamare, (far) soffrire la fame ❖ *I'm starving* FAM. *(fig.)* sto morendo di fame **2** *(fig.)* soffrire per la mancanza.

stash /stæʃ/ *(v.t.)* FAM. mettere via, nascondere.

state /steɪt/ *(sost.)* **1** stato, condizione **2** stato, nazione ‖ *(agg.)* statale, dello stato. **state** *(v.t.)* dichiarare, affermare.

statement /'steɪtmənt/ *(sost.)* **1** affermazione, dichiarazione *(anche DIR.)* **2** COMM. *(banca)* estratto conto.

station /'steɪʃən/ *(sost.)* **1** *(per mezzi di trasporto)* stazione **2** base, posto operativo ❖ *police s.* posto di polizia **3** RAD. emittente, stazione.

stationery /'steɪʃənərɪ/ *(sost.)* articoli di cancelleria.

statue /'stætʃuː/ *(sost.)* statua.

status /'steɪtəs/ *(sost.)* stato, condizione.

stay /steɪ/ *(v.i.)* **1** stare, rimanere **2** alloggiare ‖ *(v.t.)* **1** resistere, reggere **2** rinviare, rimandare. ♣ **stay in** stare in casa, non uscire. ♣ **stay out** restare fuori, non tornare a casa. ♣ **stay up** restare alzato, non andare a letto. **stay** *(sost.)* soggiorno, permanenza.

steady /'stedɪ/ *(agg.)* **1** fermo, saldo **2** calmo, controllato **3** regolare, costante ‖ *(sost.)* FAM. ragazzo fisso, ragazza fissa ‖ *(avv.)* ❖ **to go s.** FAM. fare coppia fissa ‖ *(inter.)* **1** attenzione! **2** calma!, piano!

steady *(v.t.)* **1** rendere saldo, stabilizzare ❖ **to s. o. s.** ritrovare l'equilibrio **2** calmare, distendere ‖ *(v.i.)* **1** stabilizzarsi **2** calmarsi, distendersi.

steak /steɪk/ *(sost.)* **1** *(di carne, pesce)* fetta **2** bistecca.

steal ♦ /stiːəl/ *(v.t.)* **1** rubare, sottrarre **2** muoversi furtivamente.

stealth /stelθ/ *(sost.)* furtività, azione furtiva.

steam /stiːm/ *(sost.)* vapore. **steam** *(v.t.)* **1** CUC. cuocere a vapore **2** TECN. trattare con vapore ‖ *(v.i.)* **1** emettere vapore, fumare *(treni, navi ecc.)* andare a vapore. ❖ **steam up** coprirsi di vapore, appannarsi.

steel /stiːəl/ *(sost.)* acciaio.

steep /stiːp/ *(agg.)* **1** ripido, erto **2** *(fig.)* FAM. vertiginoso.

steer /stɪə*/ *(v.t.)* **1** guidare, manovrare **2** *(fig.)* dirigere, indirizzare.

steering /'stɪərɪŋ/ *(sost.)* MECC. sterzo ❖ **s. wheel** volante.

stem /stem/ *(sost.)* **1** BOT. stelo, gambo, fusto **2** LING. radice.

step /step/ *(sost.)* **1** passo, andatura **2** impronta, orma *(anche fig.)* **3** *(fig.)* mossa, iniziativa **4** *(di scala)* gradino, piolo. **step** ♦ *(v.i.)* fare un passo, andare, venire *(a piedi)*. ❖ **step in** entrare **2** *(fig.)* intervenire, intromettersi. ❖ **step on** mettere un piede (su), calpestare. ❖ **step up** accelerare, aumentare.

stepbrother /'stepbrʌðə*/ *(sost.)* fratellastro.

stepchild /'steptʃaɪld/ *(pl.* **stepchildren** /'steptʃɪldrən/*) (sost.)* figliastro, figliastra.

stepdaughter /'stepdɔːtə*/ *(sost.)* figliastra.

stepfather /'stepfɑːðə*/ *(sost.)* patrigno.

stepmother /'stepmʌðə*/ *(sost.)* matrigna.

stew /stjuː/, AE /stuː/ *(sost.)* CUC. stufato, spezzatino.

stick[1] /stɪk/ *(sost.)* **1** ramoscello **2** bastone **3** bastoncino.

stick[2]♦ *(v.t.)* **1** introdurre, conficcare **2** cacciare, infilare **3** incollare, appiccicare ‖ *(v.i.)* **1** introdursi, conficcarsi **2** incollarsi, appiccicarsi **3** restare bloccato, incastrarsi. ❖ **stick out** sporgere in fuori **2** tirar fuori. ❖ **stick to 1** aderire a **2** non arrendersi, restare fedele a **3** portare avanti fino alla fine. **sticky** /'stɪkɪ/ *(agg.)* **1** appiccicoso **2** *(auto)*adesivo **3** *(clima)* umido, afoso **4** FAM. difficile, complesso.

stiff /stɪf/ *(agg.)* **1** rigido, duro, *(fig.)* caparbio, ostinato **2** indolenzito, irrigidito **3** freddo, formale **4** che funziona male **5** impegnativo, faticoso **6** *(vento)* forte **7** *(bevanda)* alcolico **8** *(multa, prezzo)* salato ‖ *(avv.)* estremamente, completamente.

stifle /'staɪfəl/ *(v.t. / v.i.)* soffocare.

still /stɪl/ *(agg.)* **1** tranquillo, silenzioso **2** immobile, fermo **3** *(bevanda)* non frizzante, non gassata ‖ *(avv.)* **1** ancora, tuttora **2** tuttavia, nondimeno ‖ *(sost.)* CINEM. fotogramma.

sting ♦ /stɪŋ/ *(v.t.)* **1** pungere **2** spronare, incitare ‖ *(v.i.)* **1** pungere **2** *(occhi, ferita)* bruciare. **sting** *(sost.)* **1** pungiglione, aculeo **2** puntura *(di insetto)* **3** fitta, dolore acuto *(anche fig.)*.

stingy /'stɪndʒɪ/ *(agg.)* tirchio, spilorcio.

stink ♦ /stɪŋk/ (v.i.) 1 puzzare 2 (fig.) FAM. fare schifo, essere uno schifo ❖ the film stinks il film è una porcheria.

stir ◊ /stɜ:*/ (v.t.) 1 mescolare 2 muovere ❖ to stir o.s. muoversi, darsi da fare 3 risvegliare, provocare ‖ (v.i.) muoversi, agitarsi.

stitch /stɪtʃ/ (sost.) 1 (di cucitura, sutura) punto 2 fitta.

stock /stɒk/ (sost.) 1 provvista, scorta, COMM. giacenza, stock 2 (spec. pl.) FIN. azione, titolo 3 COMM. capitale sociale, partecipazione azionaria ‖ (agg.) 1 in magazzino, di scorta 2 standard, comune, consueto. stock (v.t.) 1 approvvigionare, rifornire 2 COMM. avere, tenere (in magazzino). ♠ stock up on fare scorta di.

stole v. steal.

stolen v. steal.

stomach /'stʌmək/ (sost.) 1 ANAT. stomaco 2 pancia, ventre. stomach (v.t.) 1 digerire 2 (fig.) sopportare.

stomp /stɒmp/ (v.i.) camminare con passo pesante.

stone /stəʊn/ (sost.) 1 pietra 2 sasso, pietra 3 pietra preziosa 4 BE (di frutta) nocciolo 5 MED. calcolo.

stoned /stəʊnd/ (agg.) 1 FAM. (molto) sbronzo 2 drogato, FAM. fatto.

stood v. stand.

stool /stu:l/ (sost.) sgabello.

stop /stɒp/ (v.t.) 1 mettere fine a, bloccare 2 fermare 3 smettere 4 impedire, trattenere 5 turare, otturare ‖ (v.i.) fermarsi, smettere. ♠ stop by visitare brevemente. ♠ stop off (treno, aereo) fare una breve fermata. stop (sost.) 1 sosta, fermata, AER., MAR. scalo 2 il fermare, arresto (anche MECC.) 3 ❖ GRAMM. full s. punto (fermo).

store /stɔ:*/ (sost.) 1 riserva, scorta 2 magazzino, deposito 3 (spec. AE) negozio 4 (pl.) scorte. store (v.t.) 1 immagazzinare, accumulare 2 mettere in magazzino 3 INFORM. memorizzare.

stork /stɔ:k/ (sost.) ZOOL. cicogna.

storm /stɔ:m/ (sost.) 1 temporale, tempesta (anche fig.) 2 (fig.) tumulto, subbuglio, clamore 3 MIL. assalto. storm (v.t.) 1 MIL. prendere d'assalto 2 aggredire ‖ (v.i.) 1 sbraitare, infuriarsi 2 precipitarsi (con rabbia).

story /'stɔ:rɪ/ (sost.) 1 racconto, storia ❖ short s. novella 2 trama, intreccio 3 (di giornale) articolo 4 FAM. bugia, storia.

stout /staʊt/ (agg.) 1 tozzo, corpulento 2 forte, robusto 3 risoluto 4 coraggioso.

stove /stəʊv/ (sost.) 1 stufa 2 fornello, cucina.

straight /streɪt/ (agg.) 1 diritto, dritto ❖ GEOM. s. line (linea) retta 2 liscio 3 (fig.) franco, onesto 4 in ordine, ordinato 5 semplice, diretto 6 FAM. etero(sessuale) ‖ (avv.) 1 diritto 2 direttamente. straightforward /streɪt'fɔ:wəd/ (agg.) 1 semplice 2 franco, onesto.

strain /streɪn/ (v.t.) 1 sforzare, affaticare (anche fig.) 2 MED. slogare, affaticare, (muscolo) stirare, strappare 3 (fig.) gravare su 4 filtrare, colare, passare ‖ (v.i.) sforzarsi, fare uno sforzo. strain (sost.) 1 sforzo (fisico), sollecitazione (anche MECC.) 2 tensione (mentale, nervosa), stress 3 preoccupazione 4 MED. strappo (muscolare).

strand¹ /strænd/ (sost.) **1** filo 2 (di capelli) ciocca.

strand² (v.t. / v.i.) arenare, arenarsi. **stranded** /'strændɪd/ (agg.) **1** arenato 2 (estens.) lasciato a piedi, senza mezzi di trasporto, (fig.) nei guai.

strange /streɪndʒ/ (agg.) **1** strano, insolito 2 sconosciuto, estraneo. **strangely** /'streɪndʒlɪ/ (avv.) stranamente.

stranger /'streɪndʒə*/ (sost.) **1** sconosciuto, estraneo 2 straniero, forestiero 3 ❖ s. to senza esperienza di.

strangle /'stræŋgəl/ (v.t.) strangolare, soffocare (anche fig.) ‖ (v.i.) sentirsi soffocare.

strap /stræp/ (sost.) cinghia ❖ shoulder s. spallina, tracolla. **strap** ♦ (v.t.) **1** legare, fissare 2 MED. fasciare. ❖ strap in mettere la cintura di sicurezza.

strategy /'strætədʒɪ/ (sost.) strategia.

straw¹ /strɔː/ (sost.) paglia.

straw² (sost.) cannuccia (per bibite).

strawberry /'strɔːbərɪ/ (sost.) BOT. fragola.

stray /streɪ/ (agg.) **1** (animale) randagio 2 perduto 3 isolato, sporadico.

stream /striːm/ (sost.) **1** corso d'acqua, ruscello 2 corrente 3 (fig.) flusso, fiume 4 INFORM., TEL. flusso di dati. **stream** (v.i.) **1** scorrere, fluire (anche fig.), riversarsi 2 ondeggiare, fluttuare 3 INFORM., TEL. trasmettere un (continuo) flusso di dati.

street /striːt/ (sost.) via, strada ‖ (agg.) della strada.

street lamp /'striːtlæmp/, **street light** /'striːtlaɪt/ (sost.) lampione.

strength /streŋθ/ (sost.) **1** forza, vigore 2 potenza, efficacia 3 solidità,

resistenza **4** punto di forza **5** quantità, numero.

stress /stres/ (sost.) **1** tensione, sforzo, stress 2 spinta, pressione 3 LING. accento, (fig.) enfasi, risalto. **stress** (v.t.) LING. accentare, (fig.) mettere in evidenza, sottolineare. **stressed** /strest/ (agg.) **1** stressato, sotto pressione 2 FIS. sotto sforzo 3 LING. accentato.

stretch /stretʃ/ (v.t.) **1** tendere, stendere, allungare 2 (fig.) forzare, fare uno strappo a 3 FAM. far bastare ‖ (v.i.) **1** tendersi, stirarsi, allungarsi 2 estendersi, protrarsi. ❖ stretch out stendere, allungare, allungarsi. **stretch** (sost.) **1** (di spazio) tratto, lunghezza, estensione 2 (di tempo) periodo ininterrotto 3 tensione 4 MED. stiramento ‖ (agg.) elastico, elasticizzato. **stretchy** /'stretʃɪ/ (agg.) elastico.

strict /strɪkt/ (agg.) **1** preciso, esatto 2 rigido, severo 3 assoluto, tassativo. **strictly** /'strɪktlɪ/ (avv.) **1** esattamente, precisamente 2 severamente, rigorosamente 3 strettamente, esclusivamente.

stride ♦ /straɪd/ (v.i.) procedere a grandi passi, marciare.

strike ♦ /straɪk/ (v.t.) **1** colpire, battere, percuotere, battere la testa contro ql.sa 2 (fenomeno atmosferico, calamità) colpire, abbattersi su ❖ the storm struck the town la tempesta si abbatté sulla città 3 (fig.) colpire, impressionare 4 conficcare, piantare 5 (idea, pensiero) venire in mente 6 sembrare, dare l'impressione 7 accendere (sfregando) 8 suonare, scoccare 9 MIL. attaccare ‖ (v.i.) **1** scioperare, fare sciopero 2 dare, sferrare un colpo

3 colpire **4** battere, picchiare **5** suonare, battere le ore **6** MIL. attaccare, sferrare un attacco. ♣ **strike back 1** replicare, reagire **2** contrattaccare. ♣ **strike down** abbattere. ♣ **strike out 1** cancellare, escludere **2** SPORT (rif. al baseball) eliminare un battitore. **striking** /'straɪkɪŋ/ (agg.) **1** marcato, evidente **2** sorprendente, impressionante. **strike** (sost.) **1** sciopero **2** (di un giacimento) scoperta ✧ lucky s. (fig.) colpo di fortuna **3** colpo, battuta **4** SPORT strike, palla buona **5** MIL. attacco **6** AE svantaggio, bocciatura.

string /strɪŋ/ (sost.) **1** spago, corda (fig.) fila, sequenza **2** BOT. fibra **3** MUS. strumenti a corda, archi. **string** ♦ (v.t.) **1** legare con una corda **2** appendere, stendere una corda **3** infilare (su una corda) **4** MUS. incordare (uno strumento).

strip¹ /strɪp/ (sost.) **1** striscia (di carta, terra).

strip² ♦ /strɪp/ (v.t.) **1** svestire, spogliare **2** (abiti) togliere, levare **3** staccare, strappare, rimuovere **4** (fig.) privare, svuotare II (v.i.) svestirsi, spogliarsi ✧ to s. naked spogliarsi completamente. ♣ **strip down 1** svestirsi **2** MECC. smontare. **strip** (sost.) spogliarello, stripteas.

stripe /straɪp/ (sost.) striscia, riga. **striped** /straɪpt/ (agg.) a strisce, a righe.

strive ♦ /straɪv/ (v.i.) sforzarsi, adoperarsi, battersi.

striven v. strive.

strode v. stride.

stroke /strəʊk/ (sost.) **1** colpo (anche fig.) **2** (orologio) rintocco **3** (penna, matita) tratto **4** MED. ictus **5** ARTE tocco, PITT. pennellata ✧ the s. of a master il tocco di un maestro **6** SPORT (nuoto) bracciata, (tennis) battuta, (golf) tiro.

stroll /strəʊl/ (v.i.) andare a zonzo, andare a spasso. **stroller** /'strəʊlə*/ (sost.) AE passeggino.

strong /strɒŋ/ (agg.) **1** forte, robusto, vigoroso **2** forte, solido, resistente **3** forte, energico **4** forte, potente **5** forte, intenso **6** forte, violento.

strove v. strive.

struck v. strike.

structure /'strʌktʃə*/ (sost.) **1** struttura, costruzione, fabbricato **2** struttura, organizzazione **3** struttura, composizione.

struggle /'strʌgəl/ (v.i.) **1** lottare, battersi **2** (fig.) lottare, combattere **3** sforzarsi. **struggle** (sost.) **1** combattimento, lotta (anche fig.) **2** grande sforzo.

strung v. string.

stub /stʌb/ (sost.) **1** troncone **2** (di sigaretta) mozzicone, (di candela) moccolo **3** (di assegno, biglietto) matrice.

stubborn /'stʌbən/ (agg.) testardo, cocciuto.

stuck v. stick².

student /'stju:dənt/, AE /'stu:dənt/ (sost.) studente.

studio /'stju:dɪəʊ/, AE /'stu:dɪəʊ/ (sost.) **1** studio (di artista, fotografo, TV ecc.) **2** (appartamento) monolocale.

study /'stʌdɪ/ (sost.) **1** studio, lo studiare **2** studio, ricerca, indagine, esame **3** studio, trattato, scritto. **study** (v.t. / v.i.) studiare, essere studente.

stuff /stʌf/ (sost.) **1** materia, sostanza, materiale, equipaggiamento **2** roba, cose **3** essenza. **stuff** *(v.t.)* **1** riempire, imbottire, CUC. farcire **2** FAM. rimpinzare.

stumble /'stʌmbəl/ *(v.i.)* **1** inciampare **2** camminare con passo malfermo ❖ *to s. over one's words* impappinarsi nel parlare. ♣ **stumble across** imbattersi in, trovare per caso. ♣ **stumble along** muoversi incespicando.

stun ◆ /stʌn/ *(v.t.)* **1** stordire, far perdere i sensi a **2** frastornare, stordire **3** sbalordire, stupire.

stung v. sting.

stunk v. stink.

stunning /'stʌnɪŋ/ *(agg.)* sbalorditivo, sorprendente.

stupid /'stjuːpɪd/, AE /'stuːpɪd/ *(agg.)* stupido, sciocco.

sturdy /'stɜːdɪ/ *(agg.)* **1** forte, robusto **2** solido, resistente **3** fermo, risoluto.

stutter /'stʌtə*/ *(v.t. / v.i.)* balbettare.

sty /staɪ/, **stye** /staɪ/ *(sost.)* MED. orzaiolo.

style /staɪl/ *(sost.)* **1** stile *(anche ARTE)* **2** modo, maniera **3** moda **4** eleganza, classe.

subdue /səb'djuː/, AE /səb'duː/ *(v.t.)* **1** sottomettere, soggiogare, domare **2** dominare, controllare.

subject /'sʌbdʒekt/ *(agg.)* soggetto, assoggettato || *(sost.)* **1** argomento, soggetto, tema **2** motivo, causa **3** materia di studio **4** GRAMM. soggetto **5** suddito, cittadino.

sublet /'sʌblet/ *(v.t.)* subaffittare.

submit ◇ /səb'mɪt/ *(v.i.)* sottomettersi, piegarsi || *(v.t.)* presentare.

subordinate /sə'bɔːdɪnət/ *(agg.)* **1** subordinato *(anche GRAMM.)*, subalterno **2** secondario || *(sost.)* subalterno.

subscribe /səb'skraɪb/ *(v.i.)* **1** contribuire con **2** condividere, sottoscrivere **3** abbonarsi || *(v.t.)* sottoscrivere, devolvere (denaro).

subside /səb'saɪd/ *(v.i.)* *(acqua)* decrescere, calare, *(terreno)* cedere, *(edificio)* sprofondare **2** *(fig.)* calmarsi, placarsi.

subsidiary /səb'sɪdjərɪ/ *(agg.)* **1** ausiliario, complementare **2** secondario || *(sost.)* ECON. società consociata.

substance /'sʌbstəns/ *(sost.)* **1** sostanza, essenza, materia **2** consistenza, solidità **3** sostanze, patrimonio **4** CHIM. sostanza.

substantial /səb'stænʃəl/ *(agg.)* **1** solido, resistente **2** consistente, notevole **3** sostanziale. **substantially** /səb'stænʃəlɪ/ *(avv.)* **1** considerevolmente **2** sostanzialmente.

substitute /'sʌbstɪtjuːt/ *(sost.)* **1** sostituto, supplente **2** alternativa **3** SPORT riserva.

subtitle /'sʌbtaɪtəl/ *(sost.)* sottotitolo.

subtract /səb'trækt/ *(v.t.)* sottrarre.

suburb /'sʌbɜːb/ *(sost.)* sobborgo, zona periferica.

succeed /sək'siːd/ *(v.i.)* **1** riuscire, avere successo **2** succedere, subentrare || *(v.t.)* succedere a.

success /sək'ses/ *(sost.)* successo. **successful** /sək'sesfʊl/ *(agg.)* che ha successo, riuscito, *(persona)* affermato.

such /sʌtʃ/ *(agg.)* **1** tale, simile, del genere ❖ *s. as* come **2** così, tanto **3** certo, tale || *(pron.)* questo, tale.

suck /sʌk/ *(v.t.)* **1** succhiare, poppare **2** aspirare || *(v.i.)* **1** succhiare **2** FAM. fare schifo. ♣ **suck up** aspirare, assorbire.

sudden /'sʌdən/ (agg.) improvviso, repentino. **suddenly** /'sʌdənlɪ/ (avv.) improvvisamente.

sue /sju:/ (v.t.) citare in giudizio, fare causa a.

suede /sweɪd/ (sost.) pelle scamosciata.

suffer /'sʌfə*/ (v.t.) 1 soffrire, patire 2 sopportare, tollerare ‖ (v.i.) 1 ✦ to s. from soffrire di, essere afflitto da 2 essere danneggiato, subire un danno.

suffice /sə'faɪs/ (v.i.) bastare, essere sufficiente. **sufficient** /sə'fɪʃənt/ (agg.) sufficiente, bastante.

suffix /'sʌfɪks/ (sost.) LING. suffisso.

sugar /'ʃʊgə*/ (sost.) 1 zucchero 2 (fig.) dolcezza, tesoro.

sugarcane /'ʃʊgəkeɪn/ (sost.) BOT. canna da zucchero.

suggest /sə'dʒest/ (v.t.) 1 suggerire, proporre 2 far capire, lasciare intendere 3 insinuare. **suggestion** /sə'dʒestʃən/ (sost.) 1 suggerimento, proposta 2 accenno, allusione.

suicide /'su:ɪsaɪd/ (sost.) 1 suicidio 2 suicida ‖ (agg.) suicida.

suit /su:t/ (sost.) 1 ABBIGL. completo, vestito (da uomo), tailleur (da donna) 2 (carte da gioco) seme, colore 3 DIR. (anche lawsuit) causa, azione legale. **suit** (v.t.) 1 andar bene a, essere adatto a, stare bene a ✦ s. yourself FAM. fai come ti pare 2 adattarsi a, accordarsi con, donare ✦ red doesn't s. her il rosso non le dona 3 adattare, adeguare. **suitable** /'su:təbl/ (agg.) adatto, adeguato. **suited** /'su:tɪd/ (agg.) 1 adatto, adeguato 2 che si accorda, che si armonizza.

suitcase /'su:tkeɪs/ (sost.) valigia.

suite /swi:t/ (sost.) 1 gruppo di stanze, appartamento 2 (di albergo) suite 3 serie di mobili coordinati 4 MUS. suite.

sullen /'sʌlən/ (agg.) 1 imbronciato, di cattivo umore 2 (tempo meteorologico) cupo, tetro.

sultry /'sʌltrɪ/ (agg.) 1 (clima) afoso, soffocante 2 (fig.) appassionato, focoso, sensuale.

sum /sʌm/ (sost.) 1 somma, totale 2 MAT. somma, addizione 3 (di denaro) somma. **sum** (v.t.) 1 MAT. sommare, addizionare. ✦ sum up 1 riassumere 2 fare il punto di una questione.

summary /'sʌmərɪ/ (agg.) sommario, sbrigativo ‖ (sost.) riassunto, sommario. **summarize** /'sʌməraɪz/ (v.t.) riassumere.

summer /'sʌmə*/ (sost.) estate ‖ (agg.) estivo, d'estate.

summon /'sʌmən/ (v.t.) 1 convocare, (mandare a) chiamare 2 adunare, radunare 3 DIR. citare (in giudizio). ✦ summon up raccogliere, fare appello a tutte le proprie forze.

sun /sʌn/ (sost.) sole (anche fig.). **sunny** /'sʌnɪ/ (agg.) 1 soleggiato, assolato, (pieno) di sole 2 (fig.) allegro, gioioso.

Sunday /'sʌndɪ/ (sost.) domenica.

sundries /'sʌndrɪz/ (sost. pl.) oggetti di vario genere, articoli vari.

sung v. sing.

sunk v. sink².

sunrise /'sʌnraɪz/ (sost.) alba.

sunset /'sʌnset/ (sost.) tramonto.

sunshine /'sʌnʃaɪn/ (sost.) (luce del) sole, sole.

super /'su:pə*/ (agg.) FAM. eccellente, super.

superior /su'pɪərɪə*/ (agg.) 1 superiore, di prim'ordine 2 altezzoso, che si dà arie di superiorità || (sost.) superiore.

superlative /su:'pɜːlətɪv/ (agg. e sost.) superlativo.

supervise /'su:pəvaɪz/ (v.t. / v.i.) soprintendere (a), sorvegliare, dirigere. supervisor /'su:pəvaɪzə*/ (sost.) sovrintendente, sorvegliante, ispettore.

supper /'sʌpə*/ (sost.) cena.

supplement /'sʌplɪmənt/ (sost.) 1 supplemento, integrazione, aggiunta 2 (di giornale) inserto 3 (di biglietto) sovrapprezzo.

supply /sə'plaɪ/ (v.t.) 1 fornire, rifornire, dotare 2 soddisfare, sopperire a, appagare. supply (sost.) 1 fornitura, approvvigionamento, (di acqua, gas ecc.) erogazione 2 rifornimento, scorta 3 disponibilità 4 ECON. offerta ✧ demand and s. domanda e offerta 5 (pl.) rifornimenti (anche MIL.). supplier /sə'plaɪə*/ (sost.) COMM. fornitore.

supply teacher /sə'plaɪtiːtʃə*/ (sost.) supplente.

support /sə'pɔːt/ (v.t.) 1 reggere, sorreggere, sostenere 2 sostenere, appoggiare, aiutare 3 mantenere, provvedere a. support (sost.) 1 (struttura) sostegno, supporto 2 sostegno, appoggio, aiuto 3 (mezzi di) sostentamento.

suppose /sə'pəʊz/ (v.t.) 1 supporre, presumere, ipotizzare 2 credere, immaginare, ritenere 3 ✧ to be supposed to do sthg. dover fare ql.sa 4 presupporre.

supposedly /sə'pəʊzɪdlɪ/ (avv.) 1 presumibilmente 2 apparentemente, stando alle apparenze.

suppress /sə'pres/ (v.t.) 1 reprimere, soffocare 2 trattenere, soffocare 3 tenere nascosto, tacere.

sure /ʃɔː*/ (agg.) 1 sicuro, certo 2 fidato, attendibile 3 saldo, fermo || (avv.) FAM. certamente, senza dubbio. surely /'ʃʊəlɪ/ (avv.) certamente, senza dubbio.

surface /'sɜːfɪs/ (sost.) superficie (anche fig.) || (agg.) superficiale (anche fig.).

surge /sɜːdʒ/ (sost.) 1 ondata (anche fig.) 2 impeto, impulso 3 ECON., POL. picco, impennata 4 ELETTR. sovratensione momentanea.

surgeon /'sɜːdʒən/ (sost.) chirurgo.

surgery /'sɜːdʒərɪ/ (sost.) 1 chirurgia 2 intervento chirurgico 3 ambulatorio, studio medico.

surly /'sɜːlɪ/ (agg.) scontroso, scorbutico.

surname /'sɜːneɪm/ (sost.) cognome.

surprise /sə'praɪz/ (sost.) 1 sorpresa 2 stupore, meraviglia || (agg.) inaspettato, a sorpresa. surprise (v.t.) 1 sorprendere, cogliere di sorpresa 2 meravigliare, stupire. surprised /sə'praɪzd/ (agg.) sorpreso, stupito. surprising /sə'praɪzɪŋ/ (agg.) sorprendente.

surrender /sə'rendə*/ (v.t.) consegnare, cedere, abbandonare (anche fig.) || (v.i.) arrendersi (anche fig.).

surreptitious /sʌrəp'tɪʃəs/ (agg.) 1 furtivo 2 clandestino.

surround /sə'raʊnd/ (v.t.) circondare, cingere. surrounding /sə'raʊndɪŋ/ (agg.) circostante. surroundings /sə'raʊndɪŋz/ (sost. pl.) 1 dintorni, paraggi 2 ambiente (anche fig.).

survey /sə'veɪ/ (v.t.) 1 osservare, esaminare 2 valutare, stimare 3 compiere una ricerca, un sondaggio

su **4** fare il rilievo topografico di.
survey /'sɜːveɪ/ *(sost.)* **1** quadro, veduta generale **2** studio, esame, ricerca, indagine, sondaggio **3** rilevamento topografico.

survive /sə'vaɪv/ *(v.i.)* sopravvivere a, vivere più a lungo di **ll** *(v.i.)* sopravvivere, restare in vita.

suspect /sə'spekt/ *(v.t.)* **1** sospettare, dubitare di **2** supporre, presumere. **suspect** /'sʌspekt/ *(agg.)* sospetto, che desta sospetto **ll** *(sost.)* persona sospetta.

suspicion /sə'spɪʃən/ *(sost.)* **1** sospetto, dubbio **2** traccia, pizzico, accenno. **suspicious** /sə'spɪʃəs/ *(agg.)* **1** sospettoso, diffidente **2** sospetto, che desta sospetto.

sustain /sə'steɪn/ *(v.t.)* **1** sostenere, essere di aiuto a, provvedere a **2** sostenere, affermare.

swallow[1] /'swɒləʊ/ *(sost.)* ZOOL. rondine.

swallow[2] *(v.t.)* **1** deglutire, inghiottire, mandar giù **2** *(fig.)* bere, credere **3** *(fig.)* soffocare, reprimere **4** ❖ *to s. up* inghiottire completamente *(anche fig.)*.

swam v. **swim.**

swamp /swɒmp/ *(sost.)* palude, acquitrino.

swanky /'swæŋkɪ/ *(agg.)* **1** elegante, FAM. sciccoso **2** FAM. pieno di arie.

swap /swɒp/ *(v.t. / v.i.)* scambiare *(anche INFORM.)*, scambiarsi.

swarm /swɔːm/ *(sost.)* sciame *(anche fig.)*, folla.

sway /sweɪ/ *(v.i.)* ondeggiare, oscillare, dondolare **ll** *(v.t.)* **1** far oscillare, far ondeggiare **2** *(fig.)* influenzare, dominare **3** *(fig.)* distogliere, sviare.

swear ♦ /sweə*/ *(v.t.)* **1** giurare, promettere solennemente **2** far giurare **ll** *(v.i.)* **1** giurare, prestare giuramento **2** bestemmiare, imprecare. ♣ **swear by 1** giurare su **2** FAM. credere ciecamente in. **swearword** /'sweəwɜːd/ *(sost.)* bestemmia, parolaccia, imprecazione.

sweat /swet/ *(sost.)* **1** sudore **2** *(fig.)* (stato di) agitazione **3** FAM. sfacchinata, sgobbata. **sweat** *(v.i.)* **1** sudare, traspirare **2** *(fig.)* soffrire, stare in ansia **3** FAM. faticare, sgobbare **ll** *(v.t.)* **1** sudare, trasudare **2** FAM. far lavorare sodo, far sgobbare, *(dipendenti)* sfruttare.

sweater /'swetə*/ *(sost.)* maglione.

sweatshirt /'swetʃɜːt/ *(sost.)* felpa.

sweatsuit /'swetsuːt/ *(sost.)* tuta da ginnastica.

sweep ♦ /swiːp/ *(v.t.)* **1** spazzare, *(fig.)* spazzare via, togliere di mezzo **2** percorrere rapidamente, diffondersi rapidamente *(anche fig.)* **3** percorrere con lo sguardo **4** sfiorare, toccare leggermente **ll** *(v.i.)* **1** spazzare **2** muoversi rapidamente, diffondersi. **sweep** *(sost.)* **1** spazzata, scopata **2** movimento circolare **3** *(di terra, acqua ecc.)* distesa **4** raggio, cerchio d'azione, *(fig.)* estensione, gamma **5** FAM. spazzacamino.

sweet /swiːt/ *(agg.)* **1** dolce **2** delicato, soave, melodioso **3** profumato, fragrante **4** piacevole, gradevole, attraente **5** gentile, cortese **ll** *(sost.)* **1** dolce, caramella, dessert, AE *(pl.)* dolciumi **2** *(di persona) (fig.)* dolcezza.

sweetener /'swiːtənə*/ *(sost.)* **1** dolcificante **2** BE, FAM. contentino, bustarella.

swell ♦ /swel/ *(v.i.)* **1** ingrossarsi, gonfiarsi *(anche fig.)* **2** crescere, aumentare **ll** *(v.t.)* **1** gonfiare, ingrossare **2** accrescere, aumentare. **swelling** /'swelɪŋ/ (sost.) rigonfiamento, gonfiore, MED. tumefazione.

swept v. sweep.

swift /swɪft/ (agg.) **1** rapido, veloce **2** (fig.) pronto, sollecito.

swig /swɪg/ (sost.) FAM. sorsata, bevuta.

swim ♦ /swɪm/ (v.i.) **1** nuotare, fare il bagno **2** essere immerso, galleggiare **3** essere inondato, traboccare (anche fig.) **4** ondeggiare, avere il capogiro **II** (v.t.) **1** nuotare **2** percorrere a nuoto. **swim** (sost.) nuotata. **swimming** /'swɪmɪŋ/ (sost.) nuoto ❖ s. pool piscina.

swindle /'swɪndəl/ (sost.) frode, truffa.

swing ♦ /swɪŋ/ (v.t.) **1** (far) dondolare, fare oscillare, (far) ruotare **2** curvare, far svoltare (bruscamente) (anche fig.) **3** sferrare (un colpo) **II** (v.i.) **1** oscillare, dondolare, penzolare **2** girarsi, voltarsi, voltare. **swing** (sost.) **1** oscillazione, dondolio **2** (fig.) mutamento, cambiamento **3** altalena **4** ritmo sostenuto.

swipe /swaɪp/ (v.t.) **1** dare un colpo a **2** strisciare, far passare una carta magnetica in un lettore **3** FAM. fregare, sgraffignare **II** (v.i.) cercare di colpire.

swirl /swɜːl/ (sost.) mulinello.

swish /swɪʃ/ (v.i.) **1** fischiare, sibilare **2** frusciare **II** (v.t.) **1** far frusciare, far sibilare **2** FAM. sferzare.

switch /swɪtʃ/ (sost.) **1** ELETTR. in-terruttore **2** AE, FERR. scambio **3** (fig.) cambiamento, mutamento improvviso. **switch** (v.t.) **1** cambiare, scambiare **2** spostare, trasferire **3** AE, FERR. smistare, deviare **II** (v.i.) **1** passare (a) **2** cambiare, FAM. fare cambio. ♣ **switch back** convertire, riconvertire. ♣ **switch off** ELETTR. spegnere. ♣ **switch on** ELETTR. accendere.

swollen v. swell.

sword /sɔːd/ (sost.) spada.

swore v. swear.

sworn v. swear.

swum v. swim.

swung v. swing.

syllable /'sɪləbəl/ (sost.) sillaba.

symbol /'sɪmbəl/ (sost.) simbolo, emblema.

sympathy /'sɪmpəθɪ/ (sost.) **1** comprensione, solidarietà **2** compassione, pietà **3** (pl.) condoglianze. **sympathetic** /sɪmpə'θetɪk/ (agg.) **1** comprensivo, indulgente **2** solidale, compassionevole **3** favorevole, ben disposto.

symptom /'sɪmptəm/ (sost.) sintomo (anche MED.), indizio.

synagogue /'sɪnəgɒg/ (sost.) RELIG. sinagoga.

synthetic /sɪn'θetɪk/ (agg.) **1** sintetico, di sintesi **2** (suono) prodotto elettronicamente **3** (fig.) artificiale, falso **II** (sost.) materiale sintetico.

system /'sɪstəm/ (sost.) **1** sistema, metodo **2** struttura, rete **3** impianto, apparato **4** INFORM. sistema.

T

tabby /'tæbɪ/ *(sost.)* gatto tigrato.
table /'teɪbəl/ *(sost.)* **1** tavolo, tavola **2** tabella, elenco ❖ *(di libro) t. of contents* indice. **tablecloth** /'teɪbəlklɒθ/ *(sost.)* tovaglia. **table tennis** /'teɪbəltenɪs/ *(sost.)* SPORT tennis tavolo, ping pong.
tablet /'tæblət/ *(sost.)* **1** tavoletta **2** AE blocchetto per appunti ❖ *t. (PC)* INFORM. piccolo computer portatile con schermo interattivo **3** targa, lapide **4** MED. pastiglia, compressa.
tabloid /'tæblɔɪd/ *(sost.)* quotidiano formato tabloid, SPREG. giornale popolare, scandalistico.
tackle /'tækəl/ *(v.t.)* **1** *(problema, difficoltà)* affrontare, prendere di petto, *(azione, compito)* intraprendere **2** *(questione delicata, spinosa)* affrontare con qu.no, confrontarsi su **3** *(lotta)* attaccare, affrontare ‖ *(v.t. / v.i.)* SPORT *(rugby)* placcare, *(calcio, hockey)* contrastare.
tacky /'tækɪ/ *(agg.)* **1** appiccicoso **2** FAM. di cattivo gusto.
tact /tækt/ *(sost.)* tatto, riguardo.
tactics /'tæktɪks/ *(sost. pl.)* tattica *(anche fig.)*.
tag /tæg/ *(sost.)* cartellino, etichetta *(anche INFORM.)*. **tag** ♦ *(v.t.)* etichettare, contrassegnare. ♣ **tag along** accodarsi, seguire qu.no. ♣ **tag on(to)** aggiungere, *(etichetta)* attaccare.

tail /'teɪəl/ *(sost.)* **1** coda **2** *(pl.) (di moneta)* rovescio ❖ *heads or tails?* testa o croce? **taillight** /'teɪəlaɪt/ *(sost.)* luce posteriore.
tailor /'teɪlə*/ *(sost.)* sarto ❖ *t.'s shop* sartoria.
taint /teɪnt/ *(v.t.)* inquinare, guastare *(anche fig.)*, infettare, contaminare ‖ *(v.i.)* guastarsi, contaminarsi. **tainted** /teɪntɪd/ *(agg.)* contaminato.
take ♦ /teɪk/ *(v.t.)* **1** prendere **2** accettare **3** *(medicine, droga)* prendere, assumere **4** portare (lontano da chi parla) ❖ *t. this book to John* porta questo libro a John **5** accompagnare, condurre **6** *(foto, bagno, esame ecc.)* fare **7** sopportare, resistere a **8** *(spec. rif. a tempo)* occorrere, richiedere, volerci ‖ *(v.i.)* prendere, attecchire. ♣ **take after** *(somiglianza)* prendere da. ♣ **take apart 1** smontare **2** redarguire. ♣ **take away from** *(successo)* diminuire, ridurre. ♣ **take back 1** riportare **2** riprendere **3** ritrattare. ♣ **take down 1** portare giù, far scendere **2** smontare **3** prendere appunti. ♣ **take in 1** portare in un luogo **2** accogliere **3** capire **4** includere. ♣ **take off 1** decollare **2** FAM. migliorare **3** partire **4** togliersi di dosso **5** prendersi una vacanza. ♣ **take on 1** FAM. prendersela a cuore, affliggersi **2** essere responsabile per **3** assu-

mere, dare impiego a **4** competere, affrontare, combattere con. ♣ **take out 1** rimuovere, portar fuori **2** (*denti*) estrarre **3** ritirare **4** portar fuori, accompagnare (a cena, al cinema ecc.) **5** ottenere, conseguire. ♣ **take over 1** assumere il controllo di **2** portare in giro. ♣ **take round** portare ql.sa o qu.no in un luogo. ♣ **take to 1** fare conoscenza, prendere in simpatia **2** prendere l'abitudine di. ♣ **take up 1** continuare, proseguire **2** (*passeggeri*) tirare su **3** portare di sopra **4** accorciare **5** (*tempo*) occupare, richiedere **6** discutere **7** (*sport*) intraprendere **8** (*lavoro*) accettare. ♣ **take upon** prendere su di sé, assumersi la responsabilità. ♣ **take up with** frequentare.

taken /'teɪkən/ v. take II (*agg.*) attratto, interessato.

takeoff /'teɪkɒf/ (*sost.*) decollo.

tale /'teɪəl/ (*sost.*) racconto, storia.

talent /'tælənt/ (*sost.*) talento, ingegno.

talk /tɔːk/ (*v.i.*) parlare, conversare II (*v.t.*) parlare di. ♣ **talk back** ribattere. ♣ **talk into** persuadere, convincere. ♣ **talk out of** dissuadere da. ♣ **talk over** discutere. **talk** (*sost.*) **1** conversazione **2** conferenza, discorso **3** parole, chiacchiere **4** (*pl.*) trattative, negoziati. **talkative** /'tɔːkətɪv/ (*agg.*) loquace.

tall /tɔːl/ (*agg.*) alto (di statura).

talon /'tælən/ (*sost.*) artiglio.

tame /teɪm/ (*v.t.*) addomesticare, domare.

tamper /'tæmpə*/ (*v.i.*) **1** manomettere, alterare **2** corrompere.

tan /tæn/ (*agg.*) (*colore*) bronzo II (*sost.*) abbronzatura. **tan** (*v.t.*) (*pelli*) conciare II (*v.i.*) abbronzarsi. **tanned** /tænd/ (*agg.*) abbronzato.

tangle /'tæŋɡəl/ (*sost.*) **1** nodo, groviglio **2** (*fig.*) pasticcio **3** FAM. litigio, rissa **4** MIL. schermaglia.

tangy /'tæŋɪ/ (*agg.*) (*sapore*) intenso, piccante, (*odore*) penetrante.

tank /tæŋk/ (*sost.*) **1** cisterna, tanica **2** vasca (per i pesci) **3** MIL. carro armato.

tantrum /'tæntrəm/ (*sost.*) bizza.

tap¹ /tæp/ (*sost.*) rubinetto (*se rif. a acqua, solo BE*) ◆ **beer on the t.** birra alla spina. **tap ♦** (*v.t.*) **1** (*liquidi*) spillare **2** (*una pianta ecc.*) incidere **3** TEL. intercettare.

tap² (*v.t.*) **1** colpire lievemente **2** tamburellare con le dita II (*v.i.*) battere leggermente, bussare.

tape /teɪp/ (*sost.*) **1** nastro **2** nastro magnetico, cassetta (per registrare audio o video).

tapestry /'tæpɪstrɪ/ (*sost.*) arazzo, tappezzeria.

target /'tɑːɡɪt/ (*sost.*) **1** MIL. bersaglio, obiettivo **2** (*fig.*) obiettivo, traguardo.

tarmac /'tɑːmæk/ (*sost.*) **1** asfalto **2** AER. pista di aeroporto.

tart¹ /tɑːt/ (*agg.*) **1** agro, aspro (*anche fig.*) **2** (*fig.*) acido, sarcastico.

tart² (*sost.*) CUC. crostata.

task /tɑːsk/ (*sost.*) incarico, compito.

taste /teɪst/ (*sost.*) **1** gusto, sapore **2** assaggio (*anche fig.*) **3** gusto, predilezione **4** buon gusto, raffinatezza. **taste** (*v.t.*) assaggiare, sentire il sapore di II (*v.i.*) sapere (di). **tasty** /'teɪstɪ/ (*agg.*) **1** saporito, gustoso **2** FAM. attraente.

tattered /'tætəd/ (*agg.*) stracciato, malridotto.

tattoo /tæ'tuː/ (*sost.*) tatuaggio.

Taurus /'tɔːrəs/ (*sost.*) ASTROL. Toro.

taut /tɔːt/ (agg.) **1** teso, tirato (anche fig.) **2** (libro ecc.) sintetico, conciso.

tax /tæks/ (sost.) tassa, imposta. **tax** (v.t.) **1** tassare **2** mettere alla prova.

tea /tiː/ (sost.) tè. **teacup** /'tiːkʌp/ (sost.) tazza da tè. **teapot** /'tiːpɒt/ (sost.) teiera.

teach ♦ /tiːtʃ/ (v.t.) insegnare || (v.i.) insegnare, fare l'insegnante. **teacher** /'tiːtʃə*/ (sost.) insegnante, maestro, professore. **teaching** /'tiːtʃɪŋ/ (agg.) che insegna || (sost.) **1** insegnamento **2** (pl.) insegnamenti, dottrina.

teak /'tiːk/ (sost.) (legno di) tek.

team /tiːm/ (sost.) **1** SPORT squadra **2** (estens.) team, équipe, gruppo. **team** (v.t.) abbinare, unire. ♣ **team up** collaborare (con).

tear¹ /tɪə*/ (sost.) lacrima.

tear²♦ /teə*/ (v.t.) stracciare, strappare, (fig.) demolire, fare a pezzi || (v.i.) **1** stracciarsi, strapparsi **2** FAM. correre, andare di corsa. ♣ **tear apart** distruggere. ♣ **tear away 1** strappar via **2** staccarsi, andar via con riluttanza. ♣ **tear down 1** strappare (edificio) abbattere. ♣ **tear up 1** tagliare, fare a pezzi **2** (foglio) strappare.

tear gas /'tɪəɡæs/ (sost.) lacrimogeno.

tease /tiːz/ (v.t.) **1** stuzzicare, far dispetti a **2** IND. (lana ecc.) cardare.

technical /'teknɪkəl/ (agg.) tecnico.

technique /tek'niːk/ (sost.) tecnica.

technology /tek'nɒlədʒɪ/ (sost.) tecnologia.

teddy bear /'tedɪbeə*/ (sost.) orsacchiotto (di pezza).

teenager /'tiːneɪdʒə*/ (sost.) adolescente, teenager.

teeny /'tiːnɪ/ (agg.) FAM. piccolissimo.

teeth /tiːθ/ v. tooth.

telephone /'telɪfəun/ (sost.) telefono.

teletext /'telɪtekst/ (sost.) TV televideo.

television /'telɪvɪʒən/ (sost.) televisione.

tell ♦ /tel/ (v.t.) **1** dire **2** riferire, raccontare **3** esprimere **4** dire, ordinare **5** sapere, prevedere **6** distinguere, riconoscere || (v.i.) avere effetto, incidere. ♣ **tell apart** distinguere. ♣ **tell off** rimproverare.

telly /'telɪ/ (sost.) BE, FAM. televisore.

temp /temp/ (sost.) impiegato interinale.

temper /'tempə*/ (sost.) **1** indole, carattere ❖ **to lose one's t.** andare in collera **2** umore **3** rabbia, collera.

temperature /'tempərətʃə*/ (sost.) **1** temperatura **2** febbre.

temple /'tempəl/ (sost.) tempio.

temporary /'tempərərɪ/ (agg.) temporaneo, provvisorio.

tempt /tempt/ (v.t.) **1** tentare, attrarre **2** ANTIQ. sfidare. **tempting** /'temptɪŋ/ (agg.) allettante, seducente ❖ **t. meal** pasto appetitoso, **t. smell** profumo invitante.

tenant /'tenənt/ (sost.) **1** inquilino, locatario **2** DIR. proprietario.

tend¹ /tend/ (v.t. / v.i.) curare, prendersi cura di.

tend² (v.i.) tendere a fare, avere la tendenza a. **tendency** /'tendənsɪ/ (sost.) tendenza, inclinazione.

tender¹ /'tendə*/ (agg.) **1** affettuoso, tenero **2** delicato **3** (cibo) tenero, morbido **4** MED. dolente.

tender² (sost.) **1** FERR. tender, carro scorta **2** MAR. barca di appoggio, lancia.

tenement /'tenəmənt/ (sost.) **1** casa popolare **2** DIR. podere, tenuta.

tenor /'tenə*/ (sost.) MUS. tenore.

tense[1] /tens/ (sost.) GRAMM. tempo.

tense[2] (agg.) teso, nervoso.

tension /'tenʃən/ (sost.) tensione.

tent /tent/ (sost.) tenda.

term /tɜːm/ (sost.) **1** termine, periodo di tempo **2** trimestre, quadrimestre, semestre scolastico **3** fine, scadenza **4** (pl.) termini, condizioni **5** (pl.) rapporti, relazioni **6** parola, termine.

terminal /'tɜːmɪnəl/ (agg.) terminale ‖ (sost.) **1** capolinea, terminal **2** ELETTR. morsetto **3** INFORM. terminale.

terrace /'terəs/ (sost.) **1** terrazza, terrazzo **2** case a schiera **3** (pl.) gradinate.

terrible /'terəbəl/ (agg.) **1** terribile, tremendo **2** pessimo. **terribly** /'terəblɪ/ (avv.) **1** terribilmente, malissimo **2** FAM. estremamente, molto.

terrific /tə'rɪfɪk/ (agg.) **1** FAM. magnifico, fantastico **2** enorme ANTIQ. terrificante.

terror /'terə*/ (sost.) **1** terrore **2** terrorismo.

terse /tɜːs/ (agg.) conciso, stringato.

test /test/ (sost.) prova, esame, test. **test** (v.t.) **1** esaminare, controllare, verificare **2** provare, sperimentare **3** mettere alla prova.

testify /'testɪfaɪ/ (v.i.) **1** DIR. testimoniare, deporre **2** FORM. attestare.

text /tekst/ (sost.) **1** testo **2** RELIG. versetto.

textile /'tekstaɪəl/ (agg.) tessile ‖ (sost.) **1** materiale tessile **2** tessuto.

texture /'tekstʃə*/ (sost.) **1** consistenza **2** struttura, composizione.

than /ðæn/ (cong.) di, che (introduce il secondo termine di paragone) ❖ she's taller th. you è più alta di te.

thank /θæŋk/ (v.t.) ringraziare, essere grato a. **thanks** /θæŋks/ (sost. pl.) ringraziamenti ❖ th. to grazie a ‖ (inter.) grazie. **thank you** (inter.) grazie.

thanksgiving /'θæŋksgɪvɪŋ/ (sost.) ringraziamento ❖ Th. (Day) AE giorno del Ringraziamento.

that /ðæt/ (pl. **those** /ðəʊz/) (agg. dimostr.) quello, quella ‖ (pron. dimostr.) **1** quello, quella, ciò **2** (enfatico) ❖ th.'s right proprio così ‖ (pron. rel.) **1** che, il quale, la quale, i quali, le quali **2** (con espressioni di tempo) in cui, nel quale ‖ (cong.) che ❖ I'm so glad th. you came sono così contento che tu sia venuto ‖ (avv.) così, tanto.

thaw /θɔː/ (v.t.) **1** disgelare, sciogliere **2** scongelare ‖ (v.i.) **1** disgelarsi **2** (fig.) sciogliersi, sgelarsi.

the /ðə/ (art. det.) **1** il, lo, la, i, gli, le **2** (enfatico) ❖ that's th. car for me è proprio l'auto che fa per me.

theatre, AE **theater** /'θɪətə*/ (sost.) teatro (anche fig.).

theft /θeft/ (sost.) furto.

their /ðeə*/ (agg. poss. 3a pers. pl.) il loro, la loro, i loro, le loro.

theirs /ðeəz/ (pron. poss. 3a pers. pl.) il loro, la loro, i loro, le loro.

them /ðem/ (pron. pers. compl. 3a pers. pl.) li, le, loro, sé.

themselves /ðəm'selvz/ (pron. 3a pers. pl.) **1** (rifl.) si, sé, se stessi, se stesse **2** (enfatico) loro stessi.

then /ðen/ (avv.) **1** allora, a quel tempo **2** poi, dopo **3** inoltre ‖ (agg.) di allora ‖ (cong.) in questo caso, dunque, allora.

theology /θɪˈɒlədʒɪ/ (sost.) teologia.

theoretically /θɪəˈretɪkəlɪ/ (avv.) teoricamente, in teoria.

theory /ˈθɪərɪ/ (sost.) teoria.

there /ðeəˈ/ (avv.) **1** lì, là ❖ down th. laggiù, up th. lassù **2** (con il v. essere) c'è, ci sono ❖ th. is a concert tonight c'è un concerto stasera.

therefore /ˈðeəfɔːˈ/ (avv.) quindi, pertanto.

thermometer /θəˈmɒmɪtəˈ/ (sost.) termometro.

thesaurus /θɪˈsɔːrəs/ (sost.) dizionario dei sinonimi, repertorio lessicale.

these /ðiːz/ v. this.

thesis /ˈθiːsɪs/ (pl. **theses** /ˈθiːsiːz/) (sost.) tesi.

they /ðeɪ/ (pron. pers. sogg. 3a pers. pl.) **1** essi, esse, loro **2** (impers.) si ❖ th. say that... si dice che...

thick /θɪk/ (agg.) **1** spesso **2** fitto, folto **3** denso **4** forte ❖ a th. accent un forte accento **5** FAM. ottuso, stupido || (sost.) il fitto, il folto || (avv.) **1** a strati spessi **2** fittamente. **thickly** /ˈθɪklɪ/ (avv.) fittamente, densamente. **thicken** /ˈθɪkən/ (v.t.) infittire, ispessire || (v.i.) infittirsi, ispessirsi.

thickness /ˈθɪknəs/ (sost.) **1** spessore **2** consistenza, densità.

thief /θiːf/ (pl. **thieves** /θiːvz/) (sost.) ladro.

thieves v. thief.

thigh /θaɪ/ (sost.) ANAT. coscia.

thimble /ˈθɪmbəl/ (sost.) ditale.

thin /θɪn/ (agg.) **1** sottile, fine **2** magro, esile **3** rado **4** diluito **5** esile, fievole **6** (fig.) debole, fiacco || (avv.) sottilmente, sottile. **thin** ◇ (v.t.) **1** (anche thin down) diluire, allungare **2** diradare, sfoltire, sfrondare || (v.i.) diradarsi, sfoltirsi.

thing /θɪŋ/ (sost.) **1** cosa **2** (pl.) FAM. roba, occorrente.

think ♦ /θɪŋk/ (v.i.) **1** pensare ❖ to th. of / about pensare a, pensare di **2** ritenere, credere **3** riflettere, ragionare || (v.t.) **1** pensare **2** credere, ritenere. ♣ **think back** riflettere su fatti passati, ricordare. ♣ **think over** riflettere su. ♣ **think through** analizzare a fondo. ♣ **think up** escogitare.

thinking /ˈθɪŋkɪŋ/ (agg.) ragionevole || (sost.) **1** pensiero, riflessione **2** opinione, parere.

thirst /θɜːst/ (sost.) sete (anche fig.).

thirsty /ˈθɜːstɪ/ (agg.) **1** assetato (anche fig.) ❖ to be th. avere sete **2** che provoca sete.

this /ðɪs/ (pl. **these** /ðiːz/) (agg. dimostr.) questo, questa || (pron. dimostr.) questo, questa || (avv.) così.

thong /θɒŋ/ (sost.) **1** correggia, cinghia **2** perizoma.

thorn /θɔːn/ (sost.) BOT. **1** spina **2** rovo.

thorough /ˈθʌrə/ (agg.) **1** completo, approfondito **2** preciso, meticoloso. **thoroughly** /ˈθʌrəlɪ/ (avv.) completamente, accuratamente.

those /ðəʊz/ v. that.

thou /ðaʊ/ (pron. pers. sogg. 2a pers. sing.) ANT., POET. tu.

though /ðəʊ/ (cong.) benché, quantunque ❖ as th. come se, even th. sebbene, anche se || (avv.) però, comunque, tuttavia.

thought /θɔːt/ v. think || (sost.) **1** pensiero, riflessione **2** idea, opinione **3** preoccupazione.

thread /θred/ (sost.) **1** filo (anche fig.) **2** MECC. filettatura, filetto.

thread ◇ (v.t.) **1** (anche thin down) diluire, allungare **2** diradare, sfoltire, sfrondare || (v.i.) diradarsi, sfoltirsi.

threat /θret/ (sost.) minaccia. **threaten** /ˈθretən/ (v.t.) minacciare || (v.i.) fare minacce, incombere.

threatening /'θretənɪŋ/ *(agg.)* minaccioso.

three-wheeler /θriː'wiːlə*/ *(sost.)* triciclo.

threshold /'θreʃhəuld/ *(sost.)* soglia *(anche fig.)*.

threw v. throw.

thrill /θrɪl/ *(sost.)* **1** brivido, fremito **2** fatto emozionante.

thrive ♦ /θraɪv/ *(v.i.)* **1** *(affari ecc.)* prosperare **2** *(piante ecc.)* crescere forti.

thriven v. thrive.

throat /θrəut/ *(sost.)* gola. **throaty** /'θrəuti/ *(agg.)* gutturale.

throb ◊ /θrɒb/ *(v.i.)* **1** battere, pulsare **2** *(fig.)* palpitare, fremere.

throng /θrɒŋ/ *(sost.)* LETTER. folla, ressa.

throttle /'θrɒtəl/ *(sost.)* AUTO **1** acceleratore **2** valvola a farfalla.

through /θruː/ *(avv.)* **1** attraverso, da una parte all'altra **2** completamente II *(prep.)* **1** *(spazio)* attraverso, per **2** *(tempo)* durante, per tutta la durata di **3** *(mezzo)* tramite, per mezzo di II *(agg.)* **1** diretto **2** FAM. finito, chiuso ♦ *she told him she was th. with him* gli disse che con lui aveva chiuso.

throughout /θruː'aut/ *(avv.)* da un capo all'altro, completamente II *(prep.)* in ogni parte di, dal principio alla fine di.

throve v. thrive.

throw ♦ /θrəu/ *(v.t.)* **1** gettare, lanciare *(anche fig.)* **2** atterrare, rovesciare II *(v.i.)* tirare, fare un lancio. ♣ **throw away 1** scartare **2** gettare via, sprecare. ♣ **throw back** ributtare, gettare all'indietro. ♣ **throw off** gettare via, togliere, togliersi (i vestiti). ♣ **throw open** spalancare. ♣ **throw**

out 1 scartare **2** buttar fuori. ♣ **throw together 1** mettere insieme **2** far incontrare. ♣ **throw up 1** FAM. vomitare **2** rinunciare. **throw** *(sost.)* lancio, tiro.

thrown v. throw.

thrust ♦ /θrʌst/ *(v.t.)* **1** spingere *(anche fig.)*, forzare **2** ficcare, conficcare II *(v.i.)* **1** spingersi, farsi largo **2** estendersi, spingersi. ♣ **thrust (up)on** imporre, affibbiare.

thug /θʌg/ *(sost.)* delinquente, teppista.

thumb /θʌm/ *(sost.)* pollice.

thump /θʌmp/ *(sost.)* **1** colpo, pugno **2** tonfo. **thump** *(v.t.)* battere, percuotere II *(v.i.)* **1** produrre un rumore sordo **2** cadere con un tonfo **3** battere, martellare.

thunder /'θʌndə*/ *(sost.)* **1** tuono **2** rombo, scoppio.

thunderstorm /'θʌndəstɔːm/ *(sost.)* temporale.

Thursday /'θɜːzdeɪ/ *(sost.)* giovedì.

thus /ðʌs/ *(avv.)* FORM. così, in questo modo.

thyme /taɪm/ *(sost.)* BOT. timo.

tick[1] /tɪk/ *(v.i.)* *(orologio ecc.)* ticchettare II *(v.i.)* *(segnare)* spuntare. ♣ **tick off** spuntare.

tick[2] *(sost.)* ZOOL. zecca.

ticket /'tɪkɪt/ *(sost.)* **1** biglietto **2** etichetta, *(del prezzo ecc.)* cartellino **3** multa.

tickle /'tɪkəl/ *(sost.)* solletico. **tickle** *(v.t.)* **1** solleticare, fare solletico a **2** *(fig.)* stuzzicare **3** divertire II *(v.i.)* fare solletico.

tide /taɪd/ *(sost.)* **1** marea **2** *(fig.)* ondata, corrente.

tidy /'taɪdɪ/ *(agg.)* ordinato, pulito II *(sost.)* astuccio, busta. **tidy (up)** *(v.t.)* riordinare, rassettare.

tie /taɪ/ (sost.) 1 laccio, stringa 2 cravatta 3 (fig.) legame, vincolo 4 SPORT pareggio. tie (v.t.) 1 legare 2 annodare 3 vincolare ‖ (v.i.) 1 allacciarsi 2 SPORT pareggiare. ♣ tie down certi termini. ♣ tie up 1 collegarsi, collimare 2 (denaro) vincolare 3 essere occupato, legato.

tiger /'taɪgə*/ (sost.) ZOOL. tigre.

tight /taɪt/ (agg.) 1 stretto 2 teso, tirato (anche fig.) 3 conciso, serrato 4 severo, difficile ‖ (avv.) 1 strettamente 2 ermeticamente 3 in maniera tesa 4 fermamente, saldamente. tighten /'taɪtən/ (v.t.) 1 serrare, stringere 2 tendere, tirare ‖ (v.i.) 1 serrarsi, stringersi 2 tendersi. ♣ tighten up 1 stringere, allacciare saldamente 2 intensificare il controllo.

tights /taɪts/ (sost. pl.) 1 calzamaglia 2 collant.

tile /'taɪl/ (sost.) 1 tegola 2 mattonella, piastrella.

till¹ /tɪl/ (prep.) fino a ‖ (cong.) finché, fintanto che.

till² (sost.) cassa.

timber /'tɪmbə*/ (sost.) 1 legname da costruzione 2 bosco, foresta 3 trave, asse.

time /taɪm/ (sost.) 1 tempo 2 (spec. pl.) tempo, epoca 3 ora, tempo ♦ in t. per tempo, on t. in orario 4 orario 5 volta, occasione ♦ next t. la prossima volta 6 MUS. tempo, ritmo.

time frame /'taɪmfreɪm/ (sost.) periodo di tempo.

timely /'taɪmlɪ/ (agg.) tempestivo.

timing /'taɪmɪŋ/ (sost.) 1 tempismo 2 momento di attuazione 3 SPORT cronometraggio.

tin /tɪn/ (sost.) 1 stagno, latta 2 scatola, barattolo (di latta) ♦ t. can lattina.

tinkle /'tɪŋkə*/ (v.i.) tintinnare.

tiny /'taɪnɪ/ (agg.) minuscolo.

tip¹ /tɪp/ (sost.) punta, cima.

tip² (sost.) 1 mancia 2 suggerimento, consiglio. tip (v.t. / v.i.) 1 dare la mancia (a) 2 ♦ FAM. t. off fare una soffiata.

tip³ ♦ (v.t.) 1 inclinare 2 rovesciare 3 versare.

tipsy /'tɪpsɪ/ (agg.) brillo, alticcio.

tiptoe /'tɪptəʊ/ (v.i.) camminare in punta di piedi.

tire /'taɪə*/ AE v. tyre.

tired /'taɪəd/ (agg.) 1 stanco, affaticato 2 annoiato. tiresome /'taɪəsəm/ (agg.) noioso, fastidioso. tiring /'taɪrɪŋ/ (agg.) stancante.

titbit /'tɪtbɪt/ (sost.) 1 leccornia 2 (fig.) notizia ghiotta.

title /'taɪtəl/ (sost.) titolo.

to /tu:/ (prep.) 1 (moto a luogo) a, in, da, verso 2 (termine) a, verso, per, con ♦ he wrote a letter t. his parents scrisse una lettera ai genitori 3 (spazio e tempo) fino a.

toad /təʊd/ (sost.) ZOOL. rospo (anche fig.).

toast /təʊst/ (v.t.) 1 abbrustolire, tostare 2 riscaldare (al fuoco) 3 bere alla salute di ‖ (v.i.) 1 diventare tostato 2 fare un brindisi. toast (sost.) 1 pane tostato 2 brindisi.

tobacco /təˈbækəʊ/ (pl. tobaccos /təˈbækəʊz/) (sost.) tabacco.

today /təˈdeɪ/ (sost.) oggi ‖ (avv.) 1 oggi 2 al giorno d'oggi.

toddle /'tɒdəl/ (v.i.) trotterellare, gattonare. toddler /'tɒdlə*/ (sost.) bambino ai primi passi.

toe /təʊ/ (sost.) 1 dito del piede ♦ big t. alluce, little t. mignolo (del piede) 2 (di scarpa, calza) punta.

together /təˈɡeðə*/ *(avv.)* **1** insieme **2** consecutivamente.

toggle /ˈtɒɡəl/ *(v.i.)* INFORM. attivare, disattivare.

toilet /ˈtɔɪlət/ *(sost.)* **1** gabinetto, bagno **2** water.

token /ˈtəʊkən/ *(sost.)* **1** gettone **2** buono acquisto **3** prova, pegno ‖ *(agg.)* simbolico, nominale.

told v. tell.

tolerant /ˈtɒlərənt/ *(agg.)* tollerante.

tolerate /ˈtɒləreɪt/ *(v.t.)* tollerare, sopportare.

toll¹ /təʊl/ *(sost.)* **1** pedaggio, dazio **2** *(fig.)* tributo, costo.

toll² /təʊl/ *(sost.)* rintocco (di campana).

toll-free /təʊlˈfriː/ *(agg.)* gratuito ❖ *t. number* numero verde.

tomato /təˈmɑːtəʊ/ *(pl.* **tomatoes** /təˈmɑːtəʊz/ *) (sost.)* pomodoro.

tomb /tuːm/ *(sost.)* tomba, sepolcro.

tomorrow /təˈmɒrəʊ/ *(sost. e avv.)* domani.

ton /tʌn/ *(sost.)* **1** tonnellata **2** FAM. gran quantità.

tone /təʊn/ *(sost.)* **1** tono **2** timbro, intonazione **3** *(di colore)* sfumatura **4** TEL. suono, segnale **5** MUS. intervallo (di seconda).

tongue /tʌŋ/ *(sost.)* **1** ANAT. lingua **2** *(di scarpa)* linguetta.

tongue-twister /ˈtʌŋtwɪstə*/ *(sost.)* scioglilingua.

tonight /təˈnaɪt/ *(sost.)* questa sera, questa notte ‖ *(avv.)* stasera, stanotte.

tonne /tʌn/ *(sost.)* tonnellata metrica.

too /tuː/ *(avv.)* **1** troppo **2** anche, pure **3** in più, inoltre.

took v. take.

tool /tuːl/ *(sost.)* **1** attrezzo, strumento **2** *(fig.)* strumento, burattino.

tooth /tuːθ/ *(pl.* **teeth** /tiːθ/ *) (sost.)* **1**

dente, zanna **2** *(di pettine, rastrello, sega ecc.)* dente.

toothbrush /ˈtuːθbrʌʃ/ *(sost.)* spazzolino da denti.

toothpaste /ˈtuːθpeɪst/ *(sost.)* dentifricio.

top /tɒp/ *(sost.)* **1** cima, sommità, (FIG.) apice **2** tappo, coperchio **3** ABBIGL. parte superiore di un completo ‖ *(agg.)* massimo, il più alto. **top** ◊ *(v.t.)* **1** superare (in quantità) **2** raggiungere la vetta, essere in cima a, *(fig.)* essere all'apice di **3** (ri)coprire, mettere sulla cima di. ♣ **top off** FAM. coronare, concludere (in bellezza). ♣ **top up** **1** aggiungere (fino a raggiungere un determinato livello), rabboccare **2** FAM. ❖ *t. s.o. up* riempire il bicchiere a qu.no. **top-up** /ˈtɒpʌp/ *(sost.)* aggiunta.

topic /ˈtɒpɪk/ *(sost.)* argomento, soggetto.

topography /təˈpɒɡrəfi/ *(sost.)* topografia.

tore v. tear².

torn v. tear².

torrid /ˈtɒrɪd/ *(agg.)* torrido, ardente *(anche fig.)* ❖ *t. affair* ardente relazione amorosa.

tortoise /ˈtɔːtəs/ *(sost.)* ZOOL. tartaruga, testuggine.

torture /ˈtɔːtʃə/ *(sost.)* tortura *(anche fig.).* **torture** *(v.t.)* torturare *(anche fig.).*

Tory /ˈtɔːri/ *(agg. e sost.)* POL. conservatore.

toss ◊ /tɒs/ *(v.t.)* **1** lanciare, gettare, buttare **2** scuotere, muovere **3** disarcionare **4** CUC. *(frittata ecc.)* saltare, far saltare ‖ *(v.i.)* **1** lanciare la moneta, tirare a sorte **2** agitarsi, dimenarsi ❖ *t. and turn* rigirarsi. ♣ **toss off** **1** bere d'un fiato **2** buttar giù, produrre rapidamente. ♣ **toss out** 1 buttar via 2 *(persone)* cacciare, buttare fuori.

total /'təʊtəl/ *(agg.)* totale, assoluto ‖ *(sost.)* totale. **totally** /'təʊtəlɪ/ *(avv.)* totalmente, completamente.

touch /tʌtʃ/ *(v.t.)* 1 toccare *(anche fig.)* 2 commuovere ‖ *(v.i.)* toccarsi. ♣ **touch down** AER. *(aereo, navicella spaziale ecc.)* atterrare, SPORT *(rugby)* fare meta. ♣ **touch on** accennare a, sfiorare (un argomento). ♣ **touch up** 1 ritoccare, fare un ritocco 2 FAM. palpeggiare. **touch** *(sost.)* 1 tocco 2 *(senso del)* tatto 3 contatto, rapporto 4 piccola quantità, pizzico. **touchy** /'tʌtʃɪ/ *(agg.)* 1 permaloso, suscettibile 2 delicato, che richiede tatto.

tough /tʌf/ *(agg.)* 1 duro *(anche fig.)* 2 forte, robusto 3 brutale, violento.

toughen /'tʌfən/ *(v.t. / v.i.)* indurire, indurirsi.

tour /tʊə*/ *(sost.)* 1 tour, giro, visita 2 tournée. **tour** *(v.i.)* viaggiare, fare un viaggio ‖ *(v.t.)* visitare.

tourism /'tʊərɪzəm/ *(sost.)* turismo.

tourist /'tʊərɪst/ *(sost.)* turista.

tow /təʊ/ *(v.t.)* rimorchiare, trainare. ♣ **tow away** portare via con il carro attrezzi.

towards /tə'wɔːdz/ *(prep.)* 1 *(spazio)* verso, in direzione di 2 verso, riguardo a 3 *(tempo)* verso, poco prima di.

tower /'taʊə*/ *(sost.)* torre. **tower** *(v.i.)* sovrastare, torreggiare.

town /taʊn/ *(sost.)* città, cittadina.

toxic /'tɒksɪk/ *(agg.)* tossico.

toy /tɔɪ/ *(sost.)* giocattolo.

trace /treɪs/ *(sost.)* traccia. **trace** *(v.t.)* 1 seguire le tracce, le orme di 2 rintracciare, ritrovare 3 tracciare (una linea).

track /træk/ *(sost.)* 1 traccia, impronta *(anche fig.)* 2 sentiero, strada *(anche fig.)* 3 FERR. binario 4 SPORT pista 5 traccia, pista (di nastro magnetico) 6 MUS. brano (di album). **track** *(v.t.)* seguire le tracce di, seguire i movimenti di. ♣ **track down** rintracciare.

track and field /trækən'fiːld/ *(sost.)* atletica leggera.

tracksuit /'træksuːt/ *(sost.)* tuta da ginnastica.

tractor /'træktə*/ *(sost.)* AGR. trattore.

trade /treɪd/ *(sost.)* 1 commercio 2 mestiere, occupazione ‖ *(agg.)* commerciale. **trade** *(v.i.)* commerciare, negoziare ‖ *(v.t.)* commerciare. ♣ **trade in** dare in permuta. **trading** /'treɪdɪŋ/ *(agg.)* commerciale ‖ *(sost.)* commercio. **trademark** /'treɪdmɑːk/ *(sost.)* marchio di fabbrica ✧ *registered t.* marchio di fabbrica depositato. **trader** /'treɪdə*/ *(sost.)* commerciante, mercante.

trade union /treɪd'juːnɪən/ *(sost.)* sindacato (dei lavoratori).

tradition /trə'dɪʃən/ *(sost.)* tradizione. **traditional** /trə'dɪʃənəl/ *(agg.)* tradizionale.

traffic /'træfɪk/ *(sost.)* 1 *(strade)* traffico, circolazione 2 traffico (illegale), commercio (illecito). **traffic lights** /'træfɪklaɪts/ *(sost.)* semaforo.

tragedy /'trædʒədɪ/ *(sost.)* tragedia.

tragic /'trædʒɪk/ *(agg.)* tragico.

trail /treɪəl/ *(sost.)* 1 traccia, orma 2 scia 3 sentiero. **trail** *(v.t.)* 1 trascinare 2 seguire le tracce di ‖ *(v.i.)* strisciare, *(rif. a piante)* arrampicarsi. ♣ **trail behind** rimanere indietro.

train¹ /treɪn/ (*sost.*) **1** treno, convoglio **2** serie, fila **3** seguito, corteo **4** (*di vestito*) strascico, coda.

train² (*v.t.*) allenare, addestrare, formare (professionalmente) ‖ (*v.i.*) esercitarsi, allenarsi, fare un tirocinio. **trainee** /treɪˈniː/ (*sost.*) tirocinante. **trainers** /ˈtreɪnəz/ (*sost. pl.*) BE scarpe da ginnastica.

training /ˈtreɪnɪŋ/ (*sost.*) **1** addestramento, allenamento **2** pratica, tirocinio ❖ *a t. course* un corso di formazione.

traitor /ˈtreɪtə*/ (*sost.*) traditore.

tramp /træmp/ (*sost.*) **1** vagabondo, barbone **2** scalpiccio **3** FAM. sgualdrina.

tramway /ˈtræmweɪ/ (*sost.*) linea tranviaria.

tranquil /ˈtræŋkwɪl/ (*agg.*) tranquillo, quieto.

transact /trænˈzækt/ (*v.t.*) negoziare, trattare (affari).

transfer ◊ /trænsˈfɜː*/ (*v.t.*) **1** trasferire **2** DIR. cedere, eseguire il trapasso di ‖ (*v.i.*) trasferirsi. **transfer** /ˈtrænsfɜː*/ (*sost.*) **1** trasferimento **2** DIR. cessione, trapasso.

transform /trænsˈfɔːm/ (*v.t.*) trasformare.

transitive /ˈtrænsətɪv/ (*agg. e sost.*) GRAMM. (verbo) transitivo.

translate /trænsˈleɪt/ (*v.t.*) **1** tradurre **2** convertire ‖ (*v.i.*) tradursi, essere traducibile. **translation** /trænsˈleɪʃən/ (*sost.*) traduzione.

transmit ◊ /trænzˈmɪt/ (*v.t.*) trasmettere.

transparent /trænsˈpærənt/ (*agg.*) **1** trasparente, limpido **2** (*fig.*) chiaro, evidente.

transplant /ˈtrænsplɑːnt/ (*sost.*) BOT., MED. trapianto.

transport /ˈtrænspɔːt/ (*sost.*) **1** trasporto **2** mezzo di trasporto ❖ *public t.* trasporti pubblici **3** (*fig.*) LETTER. trasporto, slancio. **transportation** /trænspɔːˈteɪʃən/ (*sost.*) **1** (*spec.* AE) trasporto **2** (*spec.* AE) mezzo di trasporto.

trap /træp/ (*sost.*) trappola, (*fig.*) tranello. **trap** ♦ (*v.t.*) intrappolare, (*estens.*) bloccare, imprigionare.

trapdoor /ˈtræpdɔː*/ (*sost.*) botola.

trash /træʃ/ (*sost.*) **1** AE rifiuti, immondizie (*pl.*) **2** robaccia, porcheria. **trash can** /ˈtræʃkæn/ (*sost.*) bidone della spazzatura.

traumatize /ˈtrɔːmətaɪz/ (*v.t.*) MED. traumatizzare (*anche fig.*).

travel ◊ /ˈtrævəl/ (*v.i.*) viaggiare ‖ (*v.t.*) attraversare, percorrere. **travel** (*sost.*) **1** il viaggiare, i viaggi **2** (uno specifico) viaggio **3** (*pl.*) viaggi. **traveller**, AE **traveler** /ˈtrævələ*/ (*sost.*) **1** viaggiatore **2** commesso viaggiatore.

tray /treɪ/ (*sost.*) **1** vassoio **2** teglia.

treacherous /ˈtretʃərəs/ (*agg.*) traditore, infido.

tread ♦ /tred/ (*v.t.*) calpestare, schiacciare con i piedi ‖ (*v.i.*) **1** camminare, procedere (*anche fig.*) **2** calpestare, schiacciare. **tread** (*sost.*) **1** passo, andatura **2** (*di pneumatico*) battistrada **3** (*di scalino*) pedata.

treasure /ˈtreʒə*/ (*sost.*) tesoro.

treat /triːt/ (*v.t.*) **1** trattare **2** MED. curare **3** CHIM. trattare **4** offrire, regalare ❖ *she treated me to dinner* mi ha offerto la cena. **treat** (*sost.*) **1** offerta speciale, festeggiamento **2** offerta (di pagare), regalo ❖ *my t.* offro io. **treatment** /ˈtriːtmənt/ (*sost.*) **1** trattamento **2** MED. cura.

treaty /ˈtriːtɪ/ (*sost.*) trattato, patto.

treble /'trebəl/ (sost.) MUS. **1** voce bianca **2** toni alti.

tree /tri:/ (sost.) albero.

trek ◊ /trek/ (v.i.) fare un viaggio (spec. a piedi), una escursione.

tremble /'trembəl/ (v.i.) tremare.

trench coat /trentʃkəʊt/ (sost.) impermeabile, trench.

trend /trend/ (sost.) tendenza, orientamento. **trendy** /'trendɪ/ (agg.) FAM. all'ultima moda ‖ (sost.) chi segue l'ultima moda.

trespass /'trespəs/ (v.i.) sconfinare ❖ no trespassing divieto di accesso.

trial /'traɪəl/ (sost.) **1** DIR. giudizio, processo **2** prova (anche fig.).

triangle /'traɪæŋgəl/ (sost.) **1** GEOM., MUS. triangolo **2** (fig.) triangolo.

tribe /traɪb/ (sost.) tribù.

tribunal /traɪ'bju:nəl/ (sost.) tribunale.

trick /trɪk/ (sost.) **1** trucco, stratagemma **2** tiro, imbroglio **3** gioco di abilità, di prestigio **4** abitudine **5** (a carte) mano. **trick** (v.t.) ingannare.

tricky /'trɪkɪ/ (agg.) **1** (compito ecc.) complicato, difficile **2** astuto, scaltro.

tricycle /'traɪsɪkəl/ (sost.) triciclo.

trifle /'traɪfəl/ (sost.) **1** sciocchezza, inezia **2** CUC. sorta di zuppa inglese.

trigger /'trɪgə*/ (sost.) **1** (di arma da fuoco) grilletto **2** MECC. scatto. **trigger** (v.t.) (fig.) dare l'avvio a, innescare.

trim ◊ /trɪm/ (v.t.) **1** ordinare **2** (capelli, piante) spuntare, potare **3** decorare. **trim** (agg.) in ordine ‖ (sost.) **1** l'essere in ordine **2** (di capelli, erba ecc.) spuntata **3** (di capelli, piante) finiture.

trinket /'trɪŋkɪt/ (sost.) gingillo, ciondolo.

trip ◊ /trɪp/ (v.i.) **1** inciampare **2** camminare con passo agile **3** (con droghe) FAM., SL. sballare ‖ (v.t.) **1** fare inciampare, fare lo sgambetto a **2** MECC. disinnestare, far scattare. **trip** (sost.) **1** gita, viaggio **2** l'inciampare **3** FAM. trip, effetto della droga.

tripod /'traɪpɒd/ (sost.) treppiedi.

trite /traɪt/ (agg.) trito, banale.

trivial /'trɪvɪəl/ (agg.) insignificante, banale.

trod v. tread.

trodden v. tread.

trolley /'trɒlɪ/ (sost.) carrello.

troop /tru:p/ (sost.) **1** gruppo, branco **2** (pl.) MIL. truppe, soldati **3** MIL. squadrone di cavalleria.

trophy /'trəʊfɪ/ (sost.) trofeo.

tropic /'trɒpɪk/ (sost.) **1** GEOGR. tropico **2** (pl.) tropici, zona tropicale.

tropical /'trɒpɪkəl/ (agg.) tropicale.

trouble /'trʌbəl/ (sost.) **1** guaio, difficoltà, problema **2** disturbo, fastidio **3** MED. disturbo **4** (pl.) disordini, conflitti. **trouble** (v.t.) **1** preoccupare **2** disturbare **3** affliggere ‖ (v.i.) disturbarsi, preoccuparsi.

troublesome /'trʌbəlsəm/ (agg.) fastidioso, seccante.

trousers /'traʊzəz/ (sost. pl.) (spec. BE) pantaloni.

truant /'tru:ənt/ (sost.) ❖ to play t. marinare la scuola.

truce /tru:s/ (sost.) tregua.

truck /trʌk/ (sost.) **1** (spec. AE) camion, autocarro **2** carro **3** FERR. carrello.

true /tru:/ (agg.) **1** vero, reale ❖ to come t. avverarsi, realizzarsi **2** fedele, leale ❖ to be t. to s.o. essere fedele a qu.no **3** MUS. intonato **4** centrato, allineato **||** (sost.) centratura, allineamento.

truffle /'trʌfəl/ (sost.) BOT., CUC. tartufo.

truly /'truːlɪ/ (avv.) **1** davvero, veramente **2** sinceramente ✤ (in una lettera) yours t. distinti saluti.

trumpet /'trʌmpɪt/ (sost.) **1** tromba **2** barrito.

trunk /trʌŋk/ (sost.) **1** ANAT. tronco, busto **2** BOT. tronco, fusto **3** proboscide **4** baule, cassa **5** (di auto) AE bagagliaio **||** (agg.) principale, primario.

trunks /trʌŋks/ (sost. pl.) calzoncini (da bagno).

trust /trʌst/ (sost.) **1** fiducia, fede **2** custodia **3** FIN. fondo fiduciario **4** cartello, monopolio **5** associazione. **trust** (v.t.) aver fiducia in, fidarsi di **2** FORM. sperare, confidare **||** (v.i.) aver fiducia, fidarsi. **trustworthy** /'trʌstwɜːðɪ/ (agg.) **1** leale, affidabile **2** degno di fede, attendibile.

truth /truːθ/ (sost.) verità, vero.

try /traɪ/ (v.t.) **1** provare, tentare **2** mettere alla prova **3** (cibo) assaggiare **4** DIR. processare **||** (v.i.) provare a, cercare di. ✤ **try for** cercare di ottenere ✤ **try on 1** (abiti ecc.) provare **2** BE, FAM. provarci. ✤ **try out** provare, sperimentare. **try** (sost.) prova, tentativo.

tub /tʌb/ (sost.) **1** tinozza FAM. vasca da bagno.

tube /tjuːb/, AE /tuːb/ (sost.) **1** tubo **2** (di dentifricio ecc.) tubetto **3** CHIM. provetta **4** MECC., RAD., TV tubo, valvola **5** BE metropolitana **6** ANAT. tuba.

tuck /tʌk/ (v.t.) **1** riporre **2** mettere a posto, infilare. ✤ **tuck out 1** mettere al sicuro, nascondere **2** FAM. sbafare.

Tuesday /'tjuːzdeɪ/, AE /'tuːsdeɪ/ (sost.) martedì.

tug ◊ /tʌg/ (v.t.) tirare, trascinare **||** (v.i.) dare strattoni ✤ the dog tugs at the leash il cane dà strattoni al guinzaglio. **tug** (sost.) strattone.

tug-of-war /tʌgɒv'wɔː*/ (sost.) tiro alla fune (anche fig.).

tuition /tjuː'ɪʃən/, AE /tuː'ɪʃən/ (sost.) **1** tassa scolastica, retta **2** insegnamento.

tumbler /'tʌmblə*/ (sost.) **1** bicchiere (senza stelo) **2** acrobata.

tummy /'tʌmɪ/ (sost.) FAM. stomaco, pancia.

tumour /'tjuːmə*/, AE **tumor** /'tuːmə*/ (sost.) MED. tumore (anche fig.).

tune /tjuːn/, AE /tuːn/ (sost.) **1** MUS. motivo, melodia **2** (fig.) sintonia, armonia **3** RAD., TV sintonia. **tune** (v.t.) **1** MUS. accordare **2** (fig.) armonizzare **3** RAD., TV sintonizzare **4** MECC. mettere a punto. ✤ **tune in(to)** (v.i.) RAD., TV sintonizzarsi (su). ✤ **tune up** MUS. accordare gli strumenti.

tunnel /'tʌnəl/ (sost.) tunnel, galleria.

turf /tɜːf/ (pl. **turfs** /tɜːfs/, **turves** /tɜːvz/) (sost.) **1** tappeto erboso, zolla **2** torba **3** ✤ the t. il mondo dell'ippica.

turkey /'tɜːkɪ/ (sost.) **1** ZOOL. tacchino **2** FAM. (fig.) fiasco.

Turkish /'tɜːkɪʃ/ (agg.) turco.

turn /tɜːn/ (v.t.) **1** girare, voltare **2** rivolgere **3** trasformare, convertire **||** (v.i.) **1** girare, girarsi, voltarsi **2** rivolgersi, ricorrere a ✤ he turned to her mother for help chiese aiuto a sua madre **3** diventare, trasformarsi, farsi. ✤ **turn against** rivoltarsi contro qu.no. ✤ **turn back 1** tornare indietro nella stessa direzione **2** rimandare indietro qu.no **3** ripiegare **4** rimettere indietro l'orologio. ♣ **turn down 1** *(riscaldamento, volume)* ridurre, abbassare **2** rifiutare. ♣ **turn in 1** restituire (ql.sa che si aveva in consegna) **2** *(dimissioni, compiti scolastici ecc.)* consegnare. ♣ **turn off 1** svoltare (in una strada) **2** *(luce, televisore ecc.)* spegnere **3** *(rubinetto)* chiudere. ♣ **turn on 1** accendere, mettere in funzione **2** *(rubinetto)* aprire **3** FAM. eccitare a sorpresa. ♣ **turn out 1** assistere **2** risultare **3** riuscire, andare a finire **4** spegnere. ♣ **turn over 1** cambiare posizione, girarsi **2** cedere, trasferire. ♣ **turn round 1** girarsi, voltarsi **2** cambiar partito, fare dietrofront **3** voltare, svoltare (l'angolo). ♣ **turn up 1** FAM. tornare, arrivare **2** saltar fuori, essere ritrovato **3** accadere **4** tirar su (il colletto) **5** *(riscaldamento, volume ecc.)* aumentare. **turn** *(sost.)* **1** giro, rotazione **2** curva, svolta *(anche fig.)* **3** turno, volta.

turnip /'tɜːnɪp/ *(sost.)* BOT. rapa.

turnover /'tɜːnəʊvə*/ *(sost.)* **1** COMM. giro d'affari, fatturato **2** AMM. ricambio del personale.

turntable /'tɜːnteɪbəl/ *(sost.)* **1** *(di giradischi)* piatto **2** FERR. piattaforma girevole.

turtle /'tɜːtəl/ *(sost.)* ZOOL. tartaruga marina.

turves v. turf.

tusk /tʌsk/ *(sost.)* zanna.

tutor /'tjuːtə*/, AE /'tuːtə*/ *(sost.)* **1** insegnante privato **2** *(nelle università)* docente di riferimento, tutor.

tux /tʌks/, **tuxedo** /tʌk'siːdəʊ/ *(sost.)* AE smoking.

tweet /twiːt/ *(sost.)* cinguettio. **tweet** *(v.i.)* cinguettare.

tweezers /'twiːzəz/ *(sost. pl.)* pinzette.

twice /twaɪs/ *(avv.)* due volte.

twin /twɪn/ *(agg. e sost.)* gemello.

twinkle /'twɪŋkəl/ *(v.i.)* scintillare, brillare.

twirl /'twɜːl/ *(sost.)* **1** giro, piroetta **2** svolazzo, ghirigoro.

twist /twɪst/ *(v.t.)* **1** attorcigliare, intrecciare **2** girare, torcere **3** *(fig.)* travisare, distorcere ‖ *(v.i.)* **1** intrecciarsi **2** torcersi, contorcersi, *(caviglia)* storcersi **3** serpeggiare. ♣ **twist off** togliere, aprire svitando. **twist** *(sost.)* **1** filo ritorto, treccia **2** curva, svolta **3** *(fig.)* svolta, cambiamento **4** *(a caviglia)* storta **5** *(ballo)* twist. **twisted** /'twɪstɪd/ *(agg.)* **1** attorcigliato **2** *(fig.)* contorto, perverso.

twister /'twɪstə*/ *(sost.)* AE tornado.

twitch /twɪtʃ/ *(v.t.)* contrarre, muovere di scatto **2** tirare, dare uno strattone a ‖ *(v.i.)* **1** contrarsi, contorcersi, muoversi di scatto **2** agitarsi.

tycoon /taɪ'kuːn/ *(sost.)* magnate.

type /taɪp/ *(sost.)* **1** tipo, genere **2** carattere tipografico. **type** *(v.t.)* battere a macchina, digitare.

typhoon /taɪ'fuːn/ *(sost.)* tifone.

typical /'tɪpɪkəl/ *(agg.)* tipico, caratteristico. **typically** /'tɪpɪkəlɪ/ *(avv.)* tipicamente.

tyrant /'taɪrənt/ *(sost.)* tiranno.

tyre, AE **tire** /'taɪə*/ *(sost.)* AUTO pneumatico, gomma, copertone.

U

u /juː/ *(pl.* **us, u's** /juːz/*) (sost.)* SL. *(sms e chat)* tu ❖ *do u go?* tu ci vai?

ugly /'ʌɡlɪ/ *(agg.)* brutto, sgradevole.

ulcer /'ʌlsə*/ *(sost.)* MED. ulcera, piaga *(anche fig.).*

ultimate /'ʌltɪmət/ *(agg.)* **1** finale, definitivo **2** fondamentale **3** ideale, perfetto **‖** *(sost.)* il massimo, il non plus ultra. **ultimately** /'ʌltɪmətlɪ/ *(avv.)* alla fine, in definitiva.

ultrasound /'ʌltrəsaʊnd/ *(sost.)* **1** ultrasuono **2** MED. ecografia.

umbrella /ʌm'brelə/ *(sost.)* ombrello, ombrellone.

umpire /'ʌmpaɪə*/*(sost.)* SPORT arbitro.

umpteenth /ʌmp'tiːnθ/ *(agg.)* ennesimo.

unabashed /ʌnə'bæʃt/ *(agg.)* sfacciato, sfrontato.

unable /ʌn'eɪbəl/ *(agg.)* incapace.

unabridged /ʌnə'brɪdʒd/ *(agg.)* integrale, completo.

unacceptable /ʌnək'septəbəl/ *(agg.)* inaccettabile.

unacknowledged /ʌnək'nɒlɪdʒd/ *(agg.)* **1** non riconosciuto, inconfessato **2** *(lettere ecc.)* ignorato, senza risposta.

unanimous /juː'nænɪməs/ *(agg.)* unanime. **unanimously** /juː'nænɪməslɪ/ *(avv.)* all'unanimità.

unappealing /ʌnə'piːlɪŋ/ *(agg.)* poco interessante, poco attraente.

unarmed /ʌn'ɑːmd/ *(agg.)* disarmato.

unattainable /ʌnə'teɪnəbəl/ *(agg.)* irraggiungibile.

unattended /ʌnə'tendɪd/ *(agg.)* **1** incustodito **2** trascurato.

unauthorized /ʌn'ɔːθəraɪzd/ *(agg.)* non autorizzato, abusivo.

unavoidable /ʌnə'vɔɪdəbəl/ *(agg.)* inevitabile.

unaware /ʌnə'weə*/ *(agg.)* inconsapevole.

unbalanced /ʌn'bælənst/ *(agg.)* **1** sbilanciato **2** PSIC. squilibrato.

unbearable /ʌn'beərəbəl/ *(agg.)* insopportabile.

unbeatable /ʌn'biːtəbəl/ *(agg.)* imbattibile, invincibile.

unbelievable /ʌnbɪ'liːvəbəl/ *(agg.)* incredibile, inconcepibile.

unbend ♦ /ʌn'bend/ *(v.i.)* **1** raddrizzare **2** rilassarsi, lasciarsi andare.

unbending /ʌn'bendɪŋ/ *(agg.)* **3 1** rigido **2** *(fig.)* austero, inflessibile.

unbent v. unbend.

unbiased /ʌn'baɪəst/ *(agg.)* imparziale, obiettivo.

unbind ♦ /ʌn'baɪnd/ *(v.t.)* slegare.

unblemished /ʌn'blemɪʃt/ *(agg.)* senza difetti, senza macchia.

unblock /ʌn'blɒk/ *(v.t.)* sbloccare.
unborn /ʌn'bɔːn/ *(agg.)* **1** non ancora nato **2** *(fig.)* futuro.
unbound v. unbind.
unbridled /ʌn'braɪdəld/ *(agg.)* *(fig.)* sfrenato.
unbutton /ʌn'bʌtən/ *(v.t.)* sbottonare, FAM. svelare.
uncanny /ʌn'kænɪ/ *(agg.)* **1** strano **2** inquietante.
unceasing /ʌn'siːsɪŋ/ *(agg.)* incessante.
uncertain /ʌn'sɜːtən/ *(agg.)* incerto, dubbio. **uncertainty** /ʌn'sɜːtəntɪ/ *(sost.)* incertezza.
uncle /'ʌŋkəl/ *(sost.)* zio.
uncoil /ʌn'kɔɪl/ *(v.t.)* srotolare ‖ *(v.i.)* srotolarsi.
uncombed /ʌn'kəʊmd/ *(agg.)* spettinato.
uncomfortable /ʌn'kʌmftəbəl/ *(agg.)* scomodo, a disagio.
uncommon /ʌn'kɒmən/ *(agg.)* insolito, raro. **uncommonly** /ʌn'kɒmənlɪ/ *(avv.)* **1** insolitamente **2** eccezionalmente.
unconditional /ʌnkən'dɪʃənəl/ *(agg.)* incondizionato.
unconscious /ʌn'kɒnʃəs/ *(agg.)* **1** inconscio, inconsapevole **2** MED. svenuto, privo di sensi ‖ *(sost.)* PSIC. ❖ *the u.* l'inconscio.
uncontrolled /ʌnkən'trəʊld/ *(agg.)* senza controllo, sfrenato.
uncork /ʌn'kɔːk/ *(v.t.)* stappare, sturare.
unctuous /'ʌŋktjʊəs/ *(agg.)* untuoso.
undefeated /ʌndɪ'fiːtɪd/ *(agg.)* imbattuto.
undeniable /ʌndɪ'naɪəbəl/ *(agg.)* innegabile.
under /'ʌndə*/ *(prep.)* **1** sotto, al di sotto di **2** in, in via di ‖ *(avv.)* sotto, al di sotto.

underclothes /'ʌndəkləʊðz/ *(sost.)* *(pl.)*, **underclothing** /'ʌndəkləʊðɪŋ/ *(sost.)* biancheria intima.
undercover /ʌndə'kʌvə*/ *(agg.)* segreto, *(agente)* sotto copertura.
underestimate /ʌndər'estɪmeɪt/ *(v.t.)* sottovalutare.
undergo ♦ /ʌndə'gəʊ/ *(v.t.)* subire, sottoporsi a.
undergone v. undergo.
undergraduate /ʌndə'grædʒuət/ *(sost.)* studente universitario.
underground /ʌndə'graʊnd/ *(agg.)* sotterraneo ‖ *(sost.)* BE metropolitana ‖ *(avv.)* **1** sottoterra **2** clandestinamente.
underline /ʌndə'laɪn/ *(v.t.)* sottolineare.
underneath /ʌndə'niːθ/ *(agg.)* inferiore ‖ *(sost.)* il fondo, la parte più bassa ‖ *(avv.)* (di) sotto, al di sotto ‖ *(prep.)* sotto, al di sotto da.
underpants /'ʌndəpænts/ *(sost. pl.)* mutande (da uomo).
underqualified /ʌndə'kwɒlɪfaɪd/ *(agg.)* senza le necessarie qualifiche.
underrate /ʌndə'reɪt/ *(v.t.)* sottovalutare.
undersell ♦ /ʌndə'sel/ *(v.t.)* vendere a meno (di altri), svendere *(anche fig.)*.
undershirt /'ʌndəʃɜːt/ *(sost.)* AE maglietta intima, canottiera.
understand ♦ /ʌndə'stænd/ *(v.t.)* **1** capire **2** avere comprensione per **3** *(v.i.)* capire, rendersi conto. **understanding** /ʌndə'stændɪŋ/ *(agg.)* comprensivo ‖ *(sost.)* **1** comprensione, conoscenza **2** accordo informale.
understate /ʌndə'steɪt/ *(v.t.)* minimizzare, attenuare. **understate-**

ment /ʌndə'steitmənt/ *(sost.)* minimizzazione, *(rif. a stile, condotta)* sobrietà.

understood /ʌndə'stud/ v. understand ‖ *(agg.)* sottinteso.

undertake ♦ /ʌndə'teik/ *(v.t.)* **1** intraprendere **2** impegnarsi a.

undertaken v. undertake.

undertook v. undertake.

underwater /ʌndə'wɔːtə*/ *(agg.)* subacqueo ‖ *(avv.)* sott'acqua.

underwear /'ʌndəweə*/ *(sost.)* biancheria intima.

underwent v. undergo.

underworld /'ʌndəwɜːld/ *(sost.)* **1** malavita **2** MIT. INFERI.

undetected /ʌndi'tektid/ *(agg.)* non visto.

undeterred /ʌndi't3ːd/ *(agg.)* determinato, non scoraggiato.

undid v. undo.

undisciplined /ʌn'disiplind/ *(agg.)* indisciplinato.

undivided /ʌndi'vaidid/ *(agg.)* **1** completo, unanime **2** assoluto, incondizionato.

undo ♦ /ʌn'duː/ *(v.t.)* **1** slacciare, sbottonare **2** disfare, annullare **3** inform. annullare (un comando).

undone /ʌn'dʌn/ v. **undo** ‖ *(agg.)* **1** disfatto, slacciato **2** non fatto.

undoubtedly /ʌn'dautidli/ *(avv.)* indubbiamente.

undress /ʌn'dres/ *(v.t.)* spogliare ‖ *(v.i.)* spogliarsi. **undressed** /ʌn'drest/ *(agg.)* svestito ❖ to get u. svestirsi.

undue /ʌn'djuː/ *(agg.)* eccessivo, esagerato. **unduly** /ʌn'djuːli/ *(avv.)* **1** ingiustamente **2** eccessivamente.

undying /ʌn'daiiŋ/ *(agg.)* eterno.

unearth /ʌn'ɜːθ/ *(v.t.)* **1** dissotterrare **2** *(fig.)* scovare, portare alla luce.

unease /ʌn'iːz/ *(sost.)* disagio, apprensione.

uneducated /ʌn'edjukeitid/ *(agg.)* senza istruzione.

unemployed /ʌnim'plɔid/ *(agg.)* **1** disoccupato **2** inutilizzato. **unemployment** /ʌnim'plɔimənt/ *(sost.)* disoccupazione.

unequal /ʌn'iːkwəl/ *(agg.)* **1** disuguale **2** inadeguato **3** non equo.

unethical /ʌn'eθikəl/ *(agg.)* immorale.

unexpected /ʌnik'spektid/ *(agg.)* inatteso. **unexpectedly** /ʌnik'spektidli/ *(avv.)* inaspettatamente.

unfair /ʌn'feə*/ *(agg.)* **1** ingiusto, non equo **2** sleale, disonesto.

unfaithful /ʌn'feiθfəl/ *(agg.)* infedele.

unfasten /ʌn'fɑːsən/ *(v.t.)* slacciare.

unfathomable /ʌn'fæðəməbəl/ *(agg.)* insondabile, incomprensibile.

unfit /ʌn'fit/ *(agg.)* **1** inadatto **2** fuori forma, malandato (in salute).

unfocus(s)ed /ʌn'fəukəst/ *(agg.)* **1** non focalizzato, indistinto **2** vago.

unfold /ʌn'fəuld/ *(v.t.)* **1** aprire, spiegare **2** rivelare, svelare ‖ *(v.i.)* aprirsi, schiudersi.

unforeseen /ʌnfɔː'siːn/ *(agg.)* imprevisto.

unforgettable /ʌnfə'getəbəl/ *(agg.)* indimenticabile.

unforgivable /ʌnfə'givəbəl/ *(agg.)* imperdonabile.

unfortunate /ʌn'fɔːtʃənət/ *(agg.)* **1** sfortunato **2** inopportuno ‖ *(sost.)* infelice. **unfortunately** /ʌn'fɔːtʃənətli/ *(avv.)* sfortunatamente, purtroppo.

unfriendly /ʌn'frendli/ *(agg.)* poco amichevole, ostile, difficile da usare.

unfurl /ʌnˈfɜːl/ *(v.t.)* spiegare *(vele, bandiere)* ‖ *(v.i.)* spiegarsi *(vele ecc.)*

unhappy /ʌnˈhæpɪ/ *(agg.)* infelice, triste. **unhappiness** /ʌnˈhæpɪnɪs/ *(sost.)* infelicità.

unhealthy /ʌnˈhelθɪ/ *(agg.)* 1 insalubre 2 *(fig.)* dannoso 3 malaticcio, poco sano *(anche fig.)*.

unhook /ʌnˈhʊk/ *(v.t.)* sganciare.

uniform /ˈjuːnɪfɔːm/ *(agg.)* uniforme, costante ‖ *(sost.)* uniforme, divisa. **uniformed** /ˈjuːnɪfɔːmd/ *(agg.)* in divisa. **uniformity** /juːnɪˈfɔːmɪtɪ/ *(sost.)* uniformità.

unify /ˈjuːnɪfaɪ/ *(v.t.)* unificare.

unilateral /juːnɪˈlætərəl/ *(sost.)* unilaterale.

unimaginable /ʌnɪˈmædʒɪnəbəl/ *(agg.)* inimmaginabile, inconcepibile.

unimportant /ʌnɪmˈpɔːtnt/ *(agg.)* trascurabile, non importante, irrilevante.

uninstall /ʌnɪnˈstɔːl/ *(v.t.)* INFORM. disinstallare.

unintentional /ʌnɪnˈtenʃənəl/ *(agg.)* involontario.

union /ˈjuːnjən/ *(sost.)* 1 unione 2 sindacato.

unique /juːˈniːk/ *(agg.)* 1 unico 2 caratteristico.

unit /ˈjuːnɪt/ *(sost.)* 1 unità, unità di misura 2 *(di macchina)* elemento 3 modulo componibile di mobile 4 ❖ *teaching u.* unità didattica 5 MIL. unità.

unite /juˈnaɪt/ *(v.t.)* unire, congiungere ‖ *(v.i.)* unirsi, congiungersi. **united** /juˈnaɪtɪd/ *(agg.)* unito.

unity /ˈjuːnətɪ/ *(sost.)* 1 unità 2 armonia.

universe /ˈjuːnɪvɜːs/ *(sost.)* universo, cosmo. **universal** /juːnɪˈvɜːsəl/ *(agg. e sost.)* universale.

university /juːnɪˈvɜːsətɪ/ *(sost.)* università.

unkempt /ʌnˈkempt/ *(agg.)* scarmigliato, trasandato.

unkind /ʌnˈkaɪnd/ *(agg.)* 1 sgarbato, scortese 2 cattivo, inclemente.

unknown /ʌnˈnəʊn/ *(agg.)* sconosciuto ‖ *(sost.)* 1 ignoto, *(persona)* sconosciuto 2 MAT. incognita.

unleaded /ʌnˈledɪd/ *(agg.)* CHIM. senza piombo.

unless /ənˈles/ *(cong.)* a meno che.

unlike /ʌnˈlaɪk/ *(prep.)* 1 diversamente da 2 *(non caratteristico)* ❖ *it is u. him* non è da lui ‖ *(agg.)* diverso. **unlikely** /ʌnˈlaɪklɪ/ *(agg.)* improbabile, inverosimile.

unload /ʌnˈləʊd/ *(v.t.)* 1 scaricare *(merci, armi ecc.)* 2 FAM. disfarsi di.

unlock /ʌnˈlɒk/ *(v.t.)* aprire (con la chiave), sbloccare.

unlucky /ʌnˈlʌkɪ/ *(agg.)* sfortunato.

unnatural /ʌnˈnætʃərəl/ *(agg.)* innaturale.

unnecessary /ʌnˈnesəsərɪ/ *(agg.)* inutile, superfluo.

unnerve /ʌnˈnɜːv/ *(v.t.)* 1 snervare, indebolire 2 spaventare, inquietare.

unofficial /ʌnəˈfɪʃəl/ *(agg.)* non ufficiale, ufficioso.

unpack /ʌnˈpæk/ *(v.t.)* 1 disfare (i bagagli) 2 disimballare 3 INFORM. scompattare ‖ *(v.i.)* disfare i bagagli.

unpleasant /ʌnˈplezənt/ *(agg.)* 1 sgradevole 2 antipatico.

unplug ◊ /ʌnˈplʌg/ *(v.t.)* 1 staccare la spina 2 rimuovere un'ostruzione.

unpredictable /ˌʌnprɪˈdɪktəbəl/ (agg.) imprevedibile.

unprofessional /ˌʌnprəˈfeʃənəl/ (agg.) poco professionale.

unprompted /ˌʌnˈprɒmptɪd/ (agg.) spontaneo, non sollecitato.

unravel /ˌʌnˈrævəl/ (v.t.) districare, (maglia, orlo) disfare || (v.i.) districarsi, (maglia, orlo) disfarsi.

unreal /ˌʌnˈrɪəl/ (agg.) irreale, illusorio.

unrelenting /ˌʌnrɪˈlentɪŋ/ (agg.) incessante, implacabile.

unreliable /ˌʌnrɪˈlaɪəbəl/ (agg.) inaffidabile.

unrepentant /ˌʌnrɪˈpentənt/ (agg.) impenitente, incorreggibile.

unrestrained /ˌʌnrɪˈstreɪnd/ (agg.) sfrenato.

unrestricted /ˌʌnrɪˈstrɪktɪd/ (agg.) illimitato, (accesso) libero.

unruly /ˌʌnˈruːlɪ/ (agg.) 1 sregolato 2 indisciplinato.

unsavoury, AE unsavory /ˌʌnˈseɪvərɪ/ (agg.) 1 sgradevole 2 (fig.) deplorevole.

unscrew /ˌʌnˈskruː/ (v.t.) svitare, allentare || (v.i.) svitarsi, allentarsi.

unsettle /ˌʌnˈsetəl/ (v.t.) turbare. unsettled /ˌʌnˈsetəld/ (agg.) 1 irrisolto 2 mutevole, instabile 3 irrequieto.

unsolicited /ˌʌnsəˈlɪsɪtɪd/ (agg.) non richiesto, indesiderato.

unstable /ˌʌnˈsteɪbəl/ (agg.) instabile.

unsteady /ˌʌnˈstedɪ/ (agg.) malsicuro, vacillante.

unstressed /ˌʌnˈstrest/ (agg.) 1 FON. non accentato 2 (fig.) non messo in evidenza.

unsuccessful /ˌʌnsəkˈsesfəl/ (agg.) di scarso successo.

unsuitable /ˌʌnˈsuːtəbəl/ (agg.) inadatto, inappropriato.

unsure /ˌʌnˈʃʊə*/ (agg.) incerto, insicuro.

untidy /ˌʌnˈtaɪdɪ/ (agg.) disordinato, trasandato.

until /ənˈtɪl/ (prep.) finché, fino a (quando).

untrustworthy /ˌʌnˈtrʌstwɜːðɪ/ (agg.) non degno di fiducia.

unused¹ /ˌʌnˈjuːzd/ (agg.) mai usato.

unused² /ˌʌnˈjuːst/ (agg.) non abituato.

unusual /ˌʌnˈjuːʒəl/ (agg.) insolito, eccezionale. unusually /ˌʌn↓ ˈjuːʒəlɪ/ (avv.) insolitamente.

unwilling /ˌʌnˈwɪlɪŋ/ (agg.) riluttante, non disposto. unwillingly /ˌʌnˈwɪlɪŋlɪ/ (avv.) malvolentieri.

unwrap ◊ /ˌʌnˈræp/ (v.t.) scartare, svolgere.

unzip ◊ /ˌʌnˈzɪp/ (v.t.) 1 aprire una cerniera lampo 2 INFORM. espandere (un file compresso).

up /ʌp/ (avv.) 1 su, in su, in alto 2 ❖ up to fino a || (prep.) 1 su, su per, in cima a 2 verso il fondo di || (agg.) 1 alzato, in alto, sorto 2 alzato (dal letto), in piedi 3 finito, terminato 4 in funzione.

update /ʌpˈdeɪt/ (v.t.) 1 aggiornare 2 ammodernare.

upgrade /ʌpˈgreɪd/ (v.t.) 1 promuovere 2 aggiornare, migliorare 3 INFORM. potenziare, aggiornare.

uphill /ʌpˈhɪl/ (agg.) in salita.

upholster /ʌpˈhəʊlstə*/ (v.t.) 1 tappezzare, ricoprire 2 imbottire. upholstery /ʌpˈhəʊlstərɪ/ (sost.) 1 tappezzeria, rivestimento 2 imbottitura.

upload /ʌp'ləʊd/ *(v.t.)* INFORM. caricare, trasferire un file da un computer a un altro.

upon /ə'pɒn/ *(prep.)* su, sopra.

upper /'ʌpə*/ *(agg.)* superiore, più elevato.

uppercase /ʌpə'keɪs/ *(sost.)* TIP. lettera maiuscola, maiuscolo.

upright /'ʌpraɪt/ *(agg.)* 1 ritto, verticale, eretto 2 onesto ‖ *(avv.)* dritto, ritto, in piedi, verticale.

uproar /'ʌprɔː*/ *(sost.)* 1 clamore 2 tumulto, protesta. **uproarious** /ʌp'rɔːrɪəs/ *(agg.)* 1 chiassoso 2 spassosissimo, divertentissimo.

upset ◆ *(v.t.)* 1 rovesciare, capovolgere 2 sconvolgere, scombussolare 3 innervosire, far arrabbiare. **upset** /ʌp'set/ *(agg.)* sconvolto, turbato ‖ *(sost.)* 1 turbamento, sconvolgimento 2 disturbo, indisposizione.

upside down /ʌpsaɪd'daʊn/ *(agg.)* capovolto, messo sottosopra ‖ *(avv.)* sottosopra.

upstairs /ʌp'steəz/ *(avv.)* al piano di sopra ‖ *(sost.)* piano superiore ‖ *(agg.)* al piano di sopra.

upstream /ʌp'striːm/ *(avv. e agg.)* 1 (che va) a monte 2 (che va) controcorrente.

up-to-date /ʌptə'deɪt/ *(agg.)* aggiornato, attuale.

uptown /ʌp'taʊn/ *(avv. e agg.)* AE (nei) quartieri alti.

upward /'ʌpwəd/ *(agg.)* ascendente, verso l'alto ‖ *(avv.)* *(anche* **upwards** /'ʌpwədz/*)* in su, verso l'alto.

uranium /ju'reɪnɪəm/ *(sost.)* chim. uranio ❖ *depleted u.* uranio impoverito.

urban /'ɜːbən/ *(agg.)* urbano, urbanistico.

urge /ɜːdʒ/ *(v.t.)* 1 spronare, esortare 2 raccomandare (caldamente). ♣ **urge on** incoraggiare, fare pressione su qu.no. **urge** *(sost.)* forte desiderio, impulso.

urgent /'ɜːdʒənt/ *(agg.)* 1 urgente 2 insistente. **urgency** /'ɜːdʒənsɪ/ *(sost.)* urgenza, necessità.

us /ʌs/ *(pron. pers. compl. 1ª pers. pl.)* noi, ci.

usage /'juːsɪdʒ/ *(sost.)* 1 uso, impiego 2 usanza.

use /juːz/ *(v.t.)* 1 usare, utilizzare 2 avere l'abitudine di. ♣ **use up** consumare. **use** /juːs/ *(sost.)* 1 uso 2 utilità.

useful /'juːsfʊl/ *(agg.)* utile, pratico.

useless /'juːsləs/ *(agg.)* 1 inutile 2 inutilizzabile, inservibile 3 FAM. incapace, incompetente.

user /'juːzə*/ *(sost.)* utente.

usher /'ʌʃə*/ *(sost.)* usciere.

usual /'juːʒʊəl/ *(agg.)* solito, abituale ❖ *as u.* come al solito ‖ *(sost.)* FAM. *(rif. a bevande ecc.)* il solito. **usually** /'juːʒʊəlɪ/ *(avv.)* di solito.

utensil /ju'tensəl/ *(sost.)* utensile.

utility /juː'tɪlətɪ/ *(sost.)* 1 utilità 2 *(spec. pl.)* servizi pubblici (gas, trasporti ecc.).

utmost /'ʌtməʊst/ *(agg.)* 1 estremo, ultimo 2 massimo ‖ *(sost.)* il massimo.

utterly /'ʌtə*/ *(agg.)* completo, totale. **utterly** /'ʌtəlɪ/ *(avv.)* totalmente.

utter² /'ʌtə*/ *(v.t.)* emettere (suono), proferire (parola). **utterance** /'ʌtərəns/ *(sost.)* 1 cosa detta, parola 2 dichiarazione 3 LING. enunciato.

V

vacancy /'veɪkənsɪ/ *(sost.)* **1** *(lavoro)* posto vacante **2** *(albergo)* posto libero.

vacant /'veɪkənt/ *(agg.)* **1** non occupato, libero **2** distratto, assente.

vacate /və'keɪt/ *(v.t.)* **1** lasciare libero, sgomberare **2** dare le dimissioni.

vacation /veɪ'keɪʃən/ *(sost.)* AE vacanze, ferie.

vaccine /'væksiːn/ *(agg.)* MED. vaccinico **II** *(sost.)* MED. vaccino. **vaccinate** /'væksɪneɪt/ *(v.t.)* MED. vaccinare. **vaccination** /væksɪ'neɪʃən/ *(sost.)* MED. vaccinazione.

vacillate /'væsɪleɪt/ *(v.i.)* vacillare.

vacuum /'vækjʊəm/ *(sost.)* vuoto. **vacuum** *(v.t.)* v. **vacuum-clean. vacuous** /'vækjʊəs/ *(agg.)* vacuo.

vacuum cleaner /'vækjʊəm 'kliːnə*/ *(sost.)* aspirapolvere. **vacuum-clean** /'vækjʊəmkliːn/ *(v.t.)* FAM. pulire con l'aspirapolvere.

vagabond /'vægəbɒnd/ *(sost.)* vagabondo.

vagina /və'dʒaɪnə/ *(sost.)* ANAT. vagina.

vagrant /'veɪgrənt/ *(sost)* vagabondo **II** *(agg.)* vagabondo, *(fig.)* incostante.

vague /veɪg/ *(agg.)* **1** vago, indeterminato **2** incerto, impreciso. **vaguely** /'veɪglɪ/ *(avv.)* vagamente.

vain /veɪn/ *(agg.)* **1** vanitoso **2** inutile ✧ *in v.* invano.

valet /'vælɪt/ *(sost.)* valletto, AE *(ristoranti, alberghi)* parcheggiatore.

valiant /'vælɪənt/ *(agg.)* valoroso.

valid /'vælɪd/ *(agg.)* valido. **validate** /'vælɪdeɪt/ *(v.t.)* convalidare, ratificare. **validity** /və'lɪdətɪ/ *(sost.)* validità.

valley /'vælɪ/ *(sost.)* valle, vallata.

valuable /'væljʊbəl/ *(agg.)* prezioso, di valore. **valuables** /'væljʊbəlz/ *(sost. pl.)* oggetti di valore, preziosi.

valuation /væljʊ'eɪʃən/ *(sost.)* valutazione, stima.

value /'væljuː/ *(sost.)* **1** valore **2** utilità, importanza. **value** *(v.t.)* **1** valutare, stimare **2** dare importanza a.

value-added tax /væljuː'ædɪdtæks/ *(sost.)* imposta sul valore aggiunto, IVA.

valve /vælv/ *(sost.)* valvola.

vampire /'væmpaɪə*/ *(sost.)* vampiro.

van /væn/ *(sost.)* furgone.

vandal /'vændəl/ *(sost.)* **1** ST. vandalo **2** *(fig.)* barbaro, vandalo. **vandalism** /'vændəlɪzəm/ *(sost.)* vandalismo.

vanish /'vænɪʃ/ *(v.i.)* svanire, sparire.

vanity /'vænətɪ/ *(sost.)* vanità ✧ *v. case* beauty-case.

vaporize /'veɪpəraɪz/ *(v.t.)* **1** far evaporare **2** vaporizzare **II** *(v.i.)* evaporare.

vapour, AE **vapor** /'veɪpə*/ *(sost.)* vapore.

variable /'veərɪəbəl/ *(agg.)* variabile, incostante ‖ *(sost.)* MAT. variabile.

variety /vəˈraɪətɪ/ *(sost.)* **1** *(spettacolo)* varietà **2** tipo, varietà.

various /'veərɪəs/ *(agg.)* vario, diverso.

varnish /'vɑːnɪʃ/ *(sost.)* vernice (trasparente), lacca ❖ *nail v.* smalto per unghie. **varnish** *(v.t.)* verniciare, laccare.

vary /'veərɪ/ *(v.i.)* **1** variare, cambiare **2** differire ‖ *(v.t.)* variare, modificare. **varying** /'veərɪŋ/ *(agg.)* variabile, vario.

vase /vɑːz/ *(sost.)* vaso (ornamentale).

vast /vɑːst/ *(agg.)* vasto, immenso.

vault¹ /vɔːlt/ *(sost.)* **1** ARCH. (soffitto a) volta **2** cantina **3** BANC. caveau. **vaulted** /'vɔːltɪd/ *(agg.)* ARCH. a volta.

vault² *(sost.)* SPORT volteggio, salto.

veal /viːəl/ *(sost.)* CUC. *(carne)* vitello.

vector /'vektə*/ *(sost.)* SCIENT. vettore.

veer /vɪə*/ *(v.i.)* cambiare direzione, virare.

vegetable /'vedʒtəbəl/ *(sost.)* verdura ❖ *v. garden* orto ‖ *(agg.)* vegetale.

vegetarian /vedʒtɪˈteərɪən/ *(agg. e sost.)* vegetariano.

vegetation /vedʒtɪˈteɪʃən/ *(sost.)* vegetazione.

vehement /'viːəmənt/ *(agg.)* veemente, impetuoso.

vehicle /'viːɪkəl/ *(sost.)* veicolo *(anche fig.,* MED.).

veil /veɪl/ *(sost.)* velo *(anche fig.).*

vein /veɪn/ *(sost.)* **1** ANAT. vena **2** *(fig.)* vena, umore **3** GEOL. filone.

velvet /'velvɪt/ *(agg.)* di velluto ‖ *(sost.)* velluto.

venal /'viːnəl/ *(agg.)* **1** venale **2** corruttibile.

vendor /'vendə*/ *(sost.)* venditore.

venerable /'venərəbəl/ *(agg.)* venerabile, venerando.

venerate /'venəreɪt/ *(v.t.)* venerare, riverire.

venereal /veˈnɪərɪəl/ *(agg.)* venereo.

vengeance /'vendʒəns/ *(sost.)* vendetta. **vengeful** /'vendʒfəl/ *(agg.)* vendicativo.

venom /'venəm/ *(sost.)* *(di animale)* veleno *(anche fig.).*

venous /'viːnəs/ *(agg.)* venoso.

vent /vent/ *(sost.)* **1** presa d'aria, sfiatatoio **2** GEOL. camino vulcanico **3** *(fig.)* sfogo. **vent** *(v.t.)* sfogare, dare sfogo a.

ventilate /'ventɪleɪt/ *(v.t.)* **1** ventilare, far circolare l'aria in **2** *(fig.)* discutere. **ventilation** /ventɪˈleɪʃən/ *(sost.)* ventilazione, aerazione.

ventricle /'ventrɪkəl/ *(sost.)* ANAT. ventricolo.

venture /'ventʃə*/ *(sost.)* **1** avventura, impresa rischiosa **2** attività imprenditoriale. **venture** *(v.t.)* arrischiare, azzardare ‖ *(v.i.)* arrischiarsi, azzardarsi. ❖ **venture on** avventurarsi in ql.sa di rischioso.

venue /'venjuː/ *(sost.)* sede, luogo, locale (per riunioni, concerti ecc.).

Venus /'viːnəs/ *(sost.)* ASTRON., MIT. Venere.

verb /vɜːb/ *(sost.)* GRAMM. verbo.

verbal /'vɜːbəl/ *(agg.)* orale, verbale. **verbally** /'vɜːbəlɪ/ *(avv.)* a parole, oralmente.

verdict /'vɜːdɪkt/ *(sost.)* **1** DIR. verdetto **2** giudizio.

verge /vɜːdʒ/ *(sost.)* bordo, limite.

verification /verɪfɪˈkeɪʃən/ *(sost.)* verifica, controllo.

verify /'verɪfaɪ/ (v.t.) verificare, controllare.

vermin /'vɜːmɪn/ (sost.) 1 animali nocivi 2 parassiti 3 (fig.) delinquenti.

versatile /'vɜːsətaɪl/ (agg.) 1 versatile 2 multiuso.

verse /vɜːs/ (sost.) 1 verso, poesia ❖ in v. in versi 2 strofa.

version /'vɜːʃən/ (sost.) versione.

versus /'vɜːsəs/ (prep.) SPORT, DIR. contro.

vertebra /'vɜːtɪbrə/ (pl. vertebrae /'vɜːtɪbriː/) (sost.) ANAT. vertebra.

vertebrate /'vɜːtɪbreɪt/ (agg. e sost.) vertebrato.

vertex /'vɜːteks/ (pl. vertices /'vɜːtɪsɪz/) (sost.) 1 vertice (anche MAT.) 2 culmine, sommità.

vertical /'vɜːtɪkəl/ (agg.) verticale.

vertigo /'vɜːtɪgəʊ/ (sost.) MED. vertigine, vertigini.

very /'verɪ/ (avv.) 1 molto 2 (enfatico) ❖ the v. best il meglio ‖ (agg.) proprio, esatto ❖ in this v. house proprio in questa casa.

vessel /'vesəl/ (sost.) 1 nave, vascello 2 recipiente 3 ANAT. vaso.

vest /vest/ (sost.) 1 ABBIGL. canottiera 2 ABBIGL. AE panciotto, gilet.

vestment /'vestmənt/ (sost.) paramento, veste liturgica.

vestry /'vestrɪ/ (sost.) sagrestia.

vet /vet/ (sost.) FAM. veterinario.

veteran /'vetərən/ (agg.) veterano, esperto ‖ (sost.) veterano (anche fig.), MIL. reduce, ex combattente.

veterinary /'vetərɪnərɪ/ (agg.) veterinario ❖ v. surgeon veterinario.

veto /'viːtəʊ/ (pl. vetoes /'viːtəʊz/) (sost.) veto ❖ power of v. diritto di veto.

vex /veks/ (v.t.) 1 irritare 2 preoccupare, tormentare. vexed /vekst/

(agg.) 1 irritato, infastidito 2 problematico.

via /'vaɪə/ (prep.) via, attraverso.

viable /'vaɪəbəl/ (agg.) fattibile, realizzabile. viability /vaɪə'bɪlətɪ/ (sost.) fattibilità.

viaduct /'vaɪədʌkt/ (sost.) viadotto.

vibrant /'vaɪbrənt/ (agg.) 1 pieno di vita 2 vibrante 3 (colore) vivace.

vibrate /vaɪ'breɪt/ (v.t.) far vibrare ‖ (v.i.) vibrare. vibration /vaɪ↓breɪʃən/ (sost.) 1 vibrazione 2 (pl.) FAM. emozione. vibrator /vaɪ↓breɪtə*/ (sost.) vibratore.

vicar /'vɪkə*/ (sost.) ECCL. 1 parroco anglicano 2 vicario cattolico.

vice /vaɪs/ (sost.) 1 immoralità 2 vizio, debolezza ❖ v. squad squadra buoncostume.

vice- /vaɪs/ (pref.) vice-.

vicinity /və'sɪnətɪ/ (sost.) vicinanze (pl.), dintorni (pl.).

vicious /'vɪʃəs/ (agg.) 1 maligno, crudele, cattivo 2 feroce, brutale. viciously /'vɪʃəslɪ/ (avv.) brutalmente.

vicious circle /vɪʃə'sɜːkəl/ (sost.) circolo vizioso.

vicissitudes /vɪ'sɪsɪtjuːds/ (sost. pl.) vicissitudini.

victim /'vɪktɪm/ (sost.) vittima.

victory /'vɪktərɪ/ (sost.) vittoria.

video /'vɪdɪəʊ/ (agg.) video ‖ (sost.) 1 video, filmato 2 FAM. videocassetta 3 BE, FAM. videoregistratore 4 AE, FAM. televisione. video camera /'vɪdɪəʊkæmərə/ (sost.) videocamera. videoconference /'vɪdɪəʊ 'kɒnfərəns/ (sost.) TEL. videoconferenza. video game /'vɪdɪəʊgeɪm/ (sost.) videogame, videogioco. video recorder /'vɪdɪəʊ rɪ'kɔːdə*/ (sost.) videoregistratore. videotape /'vɪdɪəʊteɪp/ (sost.) videocassetta.

view /vju:/ *(sost.)* **1** vista, sguardo **2** veduta, panorama **3** opinione. **view** *(v.t.)* **1** vedere, visionare **2** *(fig.)* considerare. **viewer** /'vju:ə*/ *(sost.)* **1** spettatore, telespettatore **2** FOT. visore.

viewfinder /'vju:faɪndə*/ *(sost.)* FOT. mirino.

viewpoint /'vju:pɔɪnt/ *(sost.)* **1** punto di vista **2** punto d'osservazione.

vigil /'vɪdʒɪl/ *(sost.)* veglia. **vigilant** /'vɪdʒələnt/ *(agg.)* vigile.

vigour, AE **vigor** /'vɪgə*/ *(sost.)* vigore, energia, forza.

Viking /'vaɪkɪŋ/ *(agg. e sost.)* vichingo.

vile /vaɪl/ *(agg.)* **1** disgustoso, orribile **2** moralmente spregevole, abietto.

villa /'vɪlə/ *(sost.)* **1** villa **2** villetta.

village /'vɪlɪdʒ/ *(sost.)* villaggio, paese. **villager** /'vɪlɪdʒə*/ *(sost.)* paesano.

villain /'vɪlən/ *(sost.)* **1** cattivo, personaggio negativo **2** criminale.

vindicate /'vɪndɪkeɪt/ *(v.t.)* **1** dare ragione a, confermare **2** scagionare (da un sospetto, da una accusa).

vine /vaɪn/ *(sost.)* **1** vite rampicante.

vinegar /'vɪnɪgə*/ *(sost.)* aceto.

vineyard /'vɪnjəd/ *(sost.)* vigna, vigneto.

vintage /'vɪntɪdʒ/ *(sost.)* **1** vendemmia **2** annata, raccolto **||** *(agg.)* d'annata, d'epoca.

vinyl /'vaɪnɪl/ *(sost.)* CHIM. vinile.

viola /vɪ'əʊlə/ *(sost.)* MUS. viola.

violate /'vaɪəleɪt/ *(v.t.)* **1** violare **2** violentare.

violation /vaɪə'leɪʃən/ *(sost.)* **1** violazione **2** profanazione.

violence /'vaɪələns/ *(sost.)* violenza.

violent /'vaɪələnt/ *(agg.)* violento.

violet /'vaɪələt/ *(agg.)* di color viola **||** *(sost.)* **1** BOT. viola **2** *(colore)* viola.

violin /vaɪə'lɪn/ *(sost.)* MUS. violino.

violinist /vaɪə'lɪnɪst/ *(sost.)* violinista.

viper /'vaɪpə*/ *(sost.)* ZOOL. vipera *(anche fig.)*.

virgin /'vɜːdʒɪn/ *(agg.)* vergine **||** *(sost.)* vergine. **virginal** /'vɜːdʒɪnəl/ *(agg.)* virginale, casto. **virginity** /vɜː'dʒɪnətɪ/ *(sost.)* verginità.

Virgo /'vɜːgəʊ/ *(sost.)* ASTROL. Vergine.

virile /'vɪraɪl/ *(agg.)* virile, maschio. **virility** /vɪ'rɪlɪtɪ/ *(sost.)* virilità.

virtual /'vɜːtʃuəl/ *(agg.)* **1** effettivo **2** INFORM. virtuale. **virtually** /'vɜːtʃuəlɪ/ *(avv.)* praticamente ❖ *to be v. certain* essere praticamente sicuro.

virtue /'vɜːtʃuː/ *(sost.)* virtù.

virus /'vaɪərəs/ *(sost.)* MED., INFORM. virus. **virulent** /'vɪrʊlənt/ *(agg.)* virulento *(anche fig.)*.

visa /'viːzə/ *(sost.)* *(passaporto)* visto.

visibility /vɪzə'bɪlətɪ/ *(sost.)* visibilità.

visible /'vɪzəbəl/ *(agg.)* visibile, *(palese)* evidente. **visibly** /'vɪzəblɪ/ *(avv.)* visibilmente.

vision /'vɪʒən/ *(sost.)* **1** vista, capacità visiva **2** lungimiranza, immaginativa **3** *(allucinazione)* visione. **visionary** /'vɪʒənərɪ/ *(agg.)* **1** relativo a una visione **2** ricco di immaginativa, lungimirante **||** *(sost.)* visionario.

visit /'vɪzɪt/ *(sost.)* visita. **visit** *(v.t.)* **1** visitare, andare a trovare **2** ispezionare, esaminare **||** *(v.i.)* fare una visita *(anche* MED.*)*. **visitor** /'vɪzɪtə*/ *(sost.)* visitatore, ospite.

visor /'vaɪzə*/ *(sost.)* visiera.

vista /'vɪstə/ (sost.) (fig.) prospettiva.

visual /'vɪʒjʊəl/ (agg.) visivo.

visualize /'vɪʒjʊəlaɪz/ (v.t.) immaginare, raffigurarsi.

vital /'vaɪtəl/ (agg.) vitale, essenziale. **vitality** /vaɪ'tæləti/ (sost.) vitalità.

vitamin /'vɪtəmɪn/ (sost.) vitamina.

viticulture /'vɪtɪkʌltʃə*/ (sost.) viticoltura.

vitreous /'vɪtrɪəs/ (agg.) vitreo.

vivacity /vɪ'væsəti/ (sost.) vivacità.

vivid /'vɪvɪd/ (agg.) vivido, nitido.

vivisection /vɪvɪ'sekʃən/ (sost.) vivisezione.

vocabulary /vəʊ'kæbjʊləri/ (sost.) vocabolario, lessico.

vocal /'vəʊkəl/ (agg.) 1 vocale, relativo alla voce 2 apertamente schietto.

vocalist /'vəʊkəlɪst/ (sost.) MUS. cantante (spec. jazz o pop).

vocation /vəʊ'keɪʃən/ (sost.) 1 vocazione 2 inclinazione 3 professione.

vocational /vəʊ'keɪʃənəl/ (agg.) professionale.

vogue /vəʊg/ (sost.) voga, moda.

voice /vɔɪs/ (sost.) 1 voce 2 parere, opinione 3 GRAMM. voce, forma. **voice** (v.t.) esprimere.

voicemail /'vɔɪsmeɪl/ (sost.) segreteria telefonica.

void /vɔɪd/ (agg.) 1 vuoto 2 privo di 3 DIR. nullo ‖ (sost.) vuoto.

volatile /'vɒlətaɪl/ (agg.) 1 volatile 2 volubile.

volcano /vɒl'keɪnəʊ/ (pl. **volcanoes** /vɒl'keɪnəʊz/) (sost.) vulcano.

volcanic /vɒl'kænɪk/ (agg.) vulcanico.

volley /'vɒli/ (sost.) 1 raffica (anche fig.) 2 SPORT (tiro) al volo.

volleyball /'vɒlibɔːl/ (sost.) SPORT pallavolo.

voltage /'vəʊltɪdʒ/ (sost.) ELETTR. voltaggio.

voluble /'vɒljʊbəl/ (agg.) loquace.

volume /'vɒljuːm/ (sost.) 1 volume, libro 2 (massa) volume 3 (suono) volume. **voluminous** /və'luːmɪnəs/ (agg.) 1 voluminoso 2 (abito) ampio, largo 3 (testo) copioso.

voluntary /'vɒləntəri/ (agg.) volontario ❖ v. work volontariato.

volunteer /vɒlən'tɪə*/ (sost.) volontario. **volunteer** (v.t.) offrire spontaneamente ‖ (v.i.) offrirsi volontario.

vomit /'vɒmɪt/ (v.t. / v.i.) vomitare (anche fig.). **vomit** (sost.) vomito.

vortex /'vɔːteks/ (pl. **vortices** /'vɔːtɪsiz/, **vortexes** /'vɔːteksɪz/) (sost.) vortice (anche fig.).

vote /vəʊt/ (sost.) voto, votazione. **vote** (v.t. / v.i.) votare, dare il voto (a). ❖ **vote in** eleggere. **voter** /'vəʊtə*/ (sost.) elettore.

vow /vaʊ/ (sost.) 1 giuramento, voto 2 (pl.) ECCL. voti. **vow** (v.t.) giurare.

vowel /'vaʊəl/ (sost.) vocale.

voyage /'vɔɪdʒ/ (sost.) viaggio. **voyage** (v.i.) viaggiare (per mare, spazio).

vulgar /'vʌlgə*/ (agg.) 1 rozzo, grossolano 2 volgare. **vulgarity** /vʌl'gærɪti/ (sost.) 1 cattivo gusto 2 volgarità.

vulnerable /'vʌlnərəbəl/ (agg.) vulnerabile.

vulture /'vʌltʃə*/ (sost.) ZOOL. avvoltoio (anche fig.).

W

wad /wɒd/ (sost.) **1** fagotto, tampone, (di cotone) batuffolo **2** (di fogli ecc.) fascio, mazzetta.

wag ◊ /wæg/ (v.t.) muovere avanti e indietro, (coda) dimenare, scodinzolare.

wage /weɪdʒ/ (sost.) (spec. pl.) ECON. salario, paga. **wage** (v.t.) (guerra) intraprendere.

wagon /'wægən/ (sost.) **1** carro **2** FERR. carro, vagone merci.

wail /'weɪəl/ (v.i.) **1** lamentarsi **2** vagire **3** (sirena) ululare ‖ (v.t.) lamentare.

waist /weɪst/ (sost.) cintola, vita.

wait /weɪt/ (v.i.) **1** aspettare, attendere **2** servire ‖ (v.t.) aspettare. ♣ **wait in** aspettare a casa. ♣ **wait on** servire, prendersi cura di **2** essere in attesa di. ♣ **wait up** restare alzato ad aspettare. **wait** (sost.) attesa.

waiter /'weɪtə*/ (sost.) cameriere. **waitress** /'weɪtrəs/ (sost.) cameriera.

wake¹♦ /weɪk/ (v.t.) svegliare, (fig.) risvegliare, ridestare ‖ (v.i.) svegliarsi, risvegliarsi (anche fig.). ♣ **wake up 1** svegliare / svegliarsi **2** far render conto / rendersi conto di ql.sa. **wake** (sost.) veglia (funebre).

wake² (sost.) scia (anche fig.).

walk /wɔːk/ (v.i.) andare a piedi, camminare, passeggiare ‖ (v.t.) **1** percorrere a piedi **2** accompagnare a piedi, portare a spasso. ♣ **walk all over s.o.** maltrattare, approfittarsi di qu.no ♣ **walk into 1** trovarsi, finire in **2** sbattere contro. ♣ **walk off 1** digerire, smaltire camminando **2** andarsene, andar via. ♣ **walk off with 1** FAM. rubare **2** vincere, portare a casa. ♣ **walk out 1** lasciare, andarsene improvvisamente **2** scioperare. **walk** (sost.) **1** camminata, passeggiata **2** sentiero **3** passo, andatura.

walking /'wɔːkɪŋ/ (agg.) **1** da escursione, vagare **2** che cammina, ambulante **3** a piedi ‖ (sost.) il camminare, escursionismo.

wall /wɔːl/ (sost.) **1** parete, muro (anche fig.) **2** (pl.) mura.

wallet /'wɒlɪt/ (sost.) portafogli.

wander /'wɒndə*/ (v.i.) **1** gironzolare, vagare **2** deviare, smarrirsi (anche fig.) ‖ (v.t.) percorrere senza meta. **wander** (sost.) giro, passeggiata.

wane /weɪn/ (v.i.) **1** ASTRON. (di luna) essere calante **2** calare, diminuire ♦ he plays football with waning enthusiasm gioca a calcio con sempre meno entusiasmo.

wanna /'wɒnə/ contraz. di **want to**.

wannabe /'wɒnəbɪ/ (agg. e sost.) FAM. aspirante.

want /wɒnt/ (v.t.) **1** volere, desiderare **2** aver bisogno di, richiedere **3** cercare **4** FAM. dovere ♦ you don't want to believe everything you hear non dovresti credere a tutto ciò che senti. **want** (*sost.*) **1** bisogno, necessità **2** mancanza.

war /wɔ:*/ (*sost.*) guerra (*anche fig.*).

ward /wɔ:d/ (*sost.*) **1** reparto, corsia di ospedale **2** DIR. minore sotto tutela.

wardrobe /'wɔ:drəʊb/ (*sost.*) **1** armadio, guardaroba **2** vestiti (*pl.*) **3** TEATR. abiti di scena, costumi (*pl.*).

warehouse /'weəhaʊs/ (*sost.*) magazzino, deposito.

warm /wɔ:m/ (*agg.*) **1** caldo, che tiene caldo **2** (*fig.*) cordiale, caloroso. **warm** (*v.t.*) **1** scaldare, riscaldare **2** (*fig.*) scaldare, emozionare ‖ (*v.i.*) **1** scaldarsi, riscaldarsi **2** appassionarsi. ♣ **warm up** (*prima di attività spec. fisica*) scaldare, scaldarsi, fare il riscaldamento. **warmth** /wɔ:mθ/ (*sost.*) calore (*anche fig.*).

warn /wɔ:n/ (*v.t.*) avvertire, mettere in guardia. **warning** /'wɔ:nɪŋ/ (*agg.*) **1** di avviso, di avvertimento **2** ammonitore ‖ (*sost.*) **1** avvertimento, avviso **2** ammonimento **3** preavviso.

warrant /'wɒrənt/ (*sost.*) **1** DIR. mandato, ordine **2** COMM. mandato di pagamento.

warranty /'wɒrəntɪ/ (*sost.*) COMM. garanzia.

warrior /'wɒrɪə*/ (*sost.*) guerriero.

was v. be.

wash /wɒʃ/ (*v.t.*) **1** lavare **2** bagnare, lambire **3** (*da parte di mare, fiume*) spazzar via, trascinare ‖ (*v.i.*) lavarsi. ♣ **wash away** lavare via, trascinare via. ♣ **wash off** lavare via, rimuovere con il lavaggio. ♣ **wash out 1** sciacquare **2** essere lavato via, andare via con il lavaggio. ♣ **wash up 1** lavare / lavarsi **2** lavare i piatti. **wash** (*sost.*) **1** lavaggio, lavata **2** (*panni*) bucato. **washing** /'wɒʃɪŋ/ (*sost.*) **1** lavaggio **2** bucato, biancheria da lavare.

washing machine /'wɒʃɪŋ mə'ʃi:n/ (*sost.*) lavatrice.

washing-powder /'wɒʃɪŋ 'paʊdə*/ (*sost.*) BE detersivo in polvere.

wasp /wɒsp/ (*sost.*) ZOOL. vespa.

waste /weɪst/ (*v.t.*) sprecare ‖ (*v.i.*) deperire, deteriorarsi. **waste** (*agg.*) **1** di scarto **2** (*terreno*) incolto, abbandonato ‖ (*sost.*) **1** spreco, spero **2** scarto, rifiuto **3** (*pl.*) vasta area improduttiva, desertica.

watch /wɒtʃ/ (*v.t.*) **1** guardare, osservare **2** fare attenzione a, tenere d'occhio ‖ (*v.i.*) stare a guardare, osservare. ♣ **watch out** stare attento a, fare attenzione a. ♣ **watch over** proteggere. **watch** (*sost.*) **1** orologio (da polso, da tasca) **2** vigilanza, MIL. guardia **3** sentinella. **watchful** /'wɒtʃfəl/ (*agg.*) vigile, attento.

water /'wɔ:tə*/ (*sost.*) acqua. **water** (*v.t.*) **1** annaffiare **2** abbeverare **3** rifornire d'acqua ‖ (*v.i.*) **1** abbeverarsi **2** rifornirsi d'acqua **3** salivare, lacrimare. ♣ **water down 1** diluire **2** (*fig.*) mitigare.

watercolour, AE **watercolor** /'wɔ:təkʌlə*/ (*sost.*) acquerello.

waterfall /'wɔ:təfɔ:l/ (*sost.*) cascata.

waterfront /'wɔ:təfrʌnt/ (sost.) lungomare.

watering can /'wɔ:tərɪŋ'kæn/ (*sost.*) annaffiatoio.

watermelon /'wɔ:təmelən/ (*sost.*) BOT. cocomero, anguria.

waterproof /'wɔ:təpru:f/ (*agg. e sost.*) impermeabile.

wave /weɪv/ (*v.i.*) **1** ondeggiare, fluttuare **2** far segno con la mano, salutare **3** (*di capelli*) essere ondulato ‖

(*v.t.*) **1** agitare, brandire **2** esprimere (un saluto o altro) con cenni della mano **3** (*di capelli*) ondulare. ♣ **wave aside** (*idea, proposta ecc.*) scartare, rifiutare. ♣ **wave down** far proseguire facendo segnali. **wave** (*sost.*) **1** onda, ondata (*anche fig.*) **2** FIS. onda **3** cenno, segnale con la mano, saluto **4** (*di capelli*) ondulazione.

waver /ˈweɪvə*/ (*v.i.*) **1** oscillare **2** (*fig.*) vacillare, esitare.

wax /wæks/ (*sost.*) **1** cera **2** ceretta depilatoria. **wax** (*v.t.*) **1** dare la cera a, incerare **2** fare la ceretta depilatoria (a).

way /weɪ/ (*sost.*) **1** modo, maniera ♦ *no w.* FAM. niente affatto, *by the w.* a proposito **2** via, strada, direzione (*anche fig.*) ‖ (*avv.*) (*enfatico*) molto, (*spec.* AE) estremamente (*anche fig.*) ♦ *my car is w. faster than yours* la mia macchina è molto più veloce della tua.

we /wiː/ (*pron. pers. sogg. 1a pers. pl.*) noi.

weak /wiːk/ (*agg.*) **1** debole (*anche fig.*), gracile, fievole **2** smidollato, influenzabile **3** (*bevande*) leggero, acquoso. **weaken** /ˈwiːkən/ (*v.t.*) indebolire, debilitare ‖ (*v.i.*) indebolirsi, debilitarsi. **weakness** /ˈwiːknəs/ (*sost.*) debolezza (*anche fig.*).

wealth /welθ/ (*sost.*) **1** ricchezza, ricchezze (*pl.*) **2** abbondanza.

weapon /ˈwepən/ (*sost.*) arma (*anche fig.*).

wear ♦ /weə*/ (*v.t.*) **1** portare, indossare **2** (*espressione*) avere, mostrare **3** logorare, consumare (*anche fig.*) ‖ (*v.i.*) **1** logorarsi, consumarsi (*anche fig.*) **2** durare, resistere all'uso (*anche fig.*). ♣ **wear down** fiaccare. ♣

wear off svanire. ♣ **wear out** consumare a forza di indossare, logorare. **wear** (*sost.*) **1** abbigliamento **2** consumo, logorio **3** resistenza all'uso. **wearing** /ˈweərɪŋ/ (*agg.*) stancante, estenuante. **weary** /ˈwɪərɪ/ (*agg.*) **1** stanco, esausto **2** stancante.

weather /ˈweðə*/ (*sost.*) tempo (atmosferico) ♦ *what's the w. like?* che tempo fa?, *w. forecast* previsioni del tempo (*pl.*).

weave ♦ /wiːv/ (*v.t.*) **1** tessere **2** intrecciare, ordire (*anche fig.*) ‖ (*v.i.*) muoversi a zig zag.

web /web/ (*sost.*) **1** ragnatela (*fig.*) trama, rete **3** ♦ *the W.* il web, Internet.

wedding /ˈwedɪŋ/ (*sost.*) matrimonio, nozze (*pl.*).

Wednesday /ˈwenzdeɪ/ (*sost.*) mercoledì.

wee /wiː/ (*sost.*) FAM. pipì. **wee** (*v.i.*) FAM. fare la pipì.

week /wiːk/ (*sost.*) settimana. **weekday** /ˈwiːkdeɪ/ (*sost.*) giorno feriale. **weekend** /wiːkˈend/ (*sost.*) weekend, fine settimana.

weep ♦ /wiːp/ (*v.i.*) piangere.

weigh /weɪ/ (*v.t.*) pesare (*anche fig.*) ‖ (*v.i.*) pesare, avere peso (*anche fig.*). ♣ **weigh down** pesare su, opprimere (*anche fig.*). ♣ **weigh in 1** pesare **2** portare argomenti importanti a una discussione. ♣ **weigh up** valutare, considerare.

weight /weɪt/ (*sost.*) **1** peso (*anche fig.*) **2** influenza, importanza. **weighted** /ˈweɪtɪd/ (*agg.*) **1** appesantito **2** volto a.

weird /wɪəd/ (*agg.*) strano, bizzarro.

welcome /ˈwelkəm/ (*agg.*) benvenuto, gradito ‖ (*inter.*) benvenuto. **wel-**

come *(v.t.)* dare il benvenuto a, accogliere.

weld /weld/ *(v.t.)* saldare ‖ *(v.i.)* saldarsi.

welfare /'welfeə*/ *(sost.)* **1** prosperità, benessere **2** assistenza sociale.

well¹ /wel/ *(compar.* **better** /'betə*/, *superl.* **best** /best/) *(avv.)* **1** bene **2** ❖ *as w. (as)* anche, oltre che ‖ *(agg. pred.)* in buona salute ‖ *(sost.)* bene ‖ *(inter.)* ebbene, allora.

well² *(sost.)* pozzo.

well-done /wel'dʌn/ *(agg.) (carne)* ben cotto.

well known /wel'nəʊn/ *(agg.)* **1** famoso **2** risaputo.

well-off /wel'ɒf/ *(agg.)* **1** benestante **2** ben fornito.

Welsh /welʃ/ *(agg.)* gallese ‖ *(sost.)* lingua gallese, ❖ *the W.* i gallesi.

went v. go.

wept v. weep.

were v. be.

west /west/ *(agg.)* dell'ovest, occidentale ‖ *(sost.)* ovest, occidente ‖ *(avv.)* a ovest, verso ovest. **western** /'westən/ *(agg.)* dell'ovest, occidentale ‖ *(sost.) (racconto, film)* western.

wet /wet/ *(agg.)* umido, bagnato ‖ *(sost.)* umidità, pioggia. **wet** ♦ *(v.t.)* bagnare, inumidire ❖ *to w. the bed* fare la pipì a letto ‖ *(v.i.)* bagnarsi, inumidirsi.

whale /'weɪəl/ *(sost.)* ZOOL. balena.

wharf /'wɔːf/ *(sost.)* banchina, molo.

what /wɒt/ *(agg.)* **1** *(interr.)* quale?, quali?, che? **2** *(esclam.)* che...! ‖ ❖ *w. fun!* FAM. che spasso! ‖ *(pron.)* **1** *(interr.)* che?, che cosa?, quale? **2** *(rel.)* ciò che, la cosa che.

whatever /wɒt'evə*/ *(agg.)* qualunque, qualsiasi ‖ *(avv. enfatico)* ❖ *they received no help w.* non ricevet-

tero aiuto alcuno ‖ *(pron. indef. rel.)* qualsiasi cosa, tutto quello che.

wheat /wiːt/ *(sost.)* grano, frumento.

wheel /wiːəl/ *(sost.)* **1** ruota **2** AUT. volante, MAR. ruota del timone. **wheel** *(v.t.)* spingere (un veicolo a ruote), portare, trasportare (su un veicolo a ruote) ‖ *(v.i.)* ruotare, roteare. **wheelchair** /'wiːəlʧeə*/ *(sost.)* sedia a rotelle.

when /wen/ *(avv.)* **1** *(interr.)* quando **2** *(rel.)* in cui ‖ *(cong.)* **1** quando **2** sebbene.

whenever /wen'evə*/ *(cong.)* ogni volta che, in qualsiasi momento ‖ *(avv. interr.)* quando mai?

where /weə*/ *(avv.) (interr.)* dove? ‖ *(pron. rel.)* dove, il luogo in cui ‖ *(cong.)* dove.

whereas /weər'æz/ *(cong.)* mentre.

wherever /weər'evə*/ *(avv.)* **1** *(interr.)* dove mai? **2** *(rel.)* dovunque, in qualsiasi posto.

whether /'weðə*/ *(cong.)* se.

which /wɪʧ/ *(agg. interr.)* quale ‖ *(pron.)* **1** *(interr.)* chi?, quale?, quali? **2** *(rel.)* che, il quale, la quale, i quali, le quali, il che, la qual cosa.

whichever /wɪʧ'evə*/ *(agg. indef.)* qualunque, qualsiasi ‖ *(pron. indef.)* chiunque, qualunque (cosa).

while /waɪl/ *(cong.)* **1** mentre **2** sebbene, anche se ‖ *(sost.)* tempo, momento.

whilst /waɪlst/ *(cong.)* mentre.

whim /wɪm/ *(sost.)* capriccio ❖ *on a w.* di slancio, senza pensarci.

whine /waɪn/ *(sost.)* **1** gemito, piagnucolio **2** lagna, lamento.

whip /wɪp/ *(sost.)* frusta. **whip** ♦ *(v.t.)* **1** frustare, battere, sferzare **2** *(uova, panna)* sbattere, montare. ❖ **whip away** FAM. portar via rapidamente, tirar via. ♣ **whip out** FAM. estrarre rapidamente. ♣ **whip up 1** causare forti emozioni **2** provocare l'apparizione di ql.sa **3** *(panna, uova)* montare sbattendo **4** *(pasto)* preparare rapidamente.

whirl /wɜːl/ *(v.i.)* girare rapidamente, turbinare *(anche fig.)* ‖ *(v.t.)* far girare rapidamente.

whirlpool /'wɜːlpuːl/ *(sost.)* **1** mulinello, vortice **2** vasca per idromassaggio.

whisk /wɪsk/ *(v.t.)* **1** muovere, spostare rapidamente **2** *(uova ecc.)* battere, frullare ‖ *(v.i.)* muoversi, spostarsi rapidamente. **whisk** *(sost.)* frusta, frullino.

whiskers /'wɪskəz/ *(sost. pl.)* **1** basette **2** baffi *(di animale)*.

whisper /'wɪspə*/ *(v.t. / v.i.)* **1** bisbigliare, sussurrare **2** mormorare. **whisper** *(sost.)* **1** bisbiglio, sussurro **2** diceria.

whistle /'wɪsəl/ *(sost.)* **1** fischio **2** fischietto. **whistle** *(v.t. / v.i.)* fischiare, fischiettare.

white /waɪt/ *(agg.)* **1** bianco **2** di razza bianca ‖ *(sost.)* **1** *(colore)* bianco **2** albume.

who /huː/ *(pron. sogg. e compl.)* **1** *(interr.)* chi? **2** *(rel.)* che, il quale, la quale, i quali, le quali.

whoever /huːˈevə*/ *(pron. sogg. e compl.)* **1** *(rel. indef.)* chiunque **2** *(interr.)* chi mai?

whole /həʊl/ *(agg.)* **1** intero, tutto, completo **2** intatto, integro, illeso ‖ *(sost.)* il tutto, l'intero, il totale.

wholesale /'həʊlseɪəl/ *(agg.)* **1** COMM. all'ingrosso **2** *(fig.)* su vasta scala, in massa ‖ *(sost.)* COMM. vendita all'ingrosso ‖ *(avv.)* all'ingrosso, su vasta scala.

wholesome /'həʊlsəm/ *(agg.)* salutare.

whom /huːm/ *(pron. compl. ogg.)* FORM. **1** *(interr.)* chi? **2** *(rel.)* che, il quale.

whore /hɔː*/ *(sost.)* VOLG. puttana.

whose /huːz/ *(agg. e pron. poss.)* **1** *(interr.)* di chi? **2** *(rel.)* di cui, del quale, della quale, dei quali, delle quali, il cui, la cui, i cui, le cui.

why /waɪ/ *(avv.)* **1** *(interr.)* perché?, per quale motivo?, per quale ragione? **2** *(rel.)* *(dopo* reason *o simili)* per cui, per la quale ‖ *(cong.)* perché, per la qual ragione ‖ *(sost.)* il perché, la ragione.

wicked /'wɪkɪd/ *(agg.)* **1** malvagio, crudele **2** immorale, vizioso **3** birichino, malizioso.

wide /waɪd/ *(agg.)* **1** largo, ampio, esteso **2** *(fig.)* ampio, vasto **3** spalancato.

widen /'waɪdən/ *(v.t.)* allargare, ampliare ‖ *(v.i.)* allargarsi, ampliarsi.

widow /'wɪdəʊ/ *(sost.)* vedova.

widowed /'wɪdəʊd/ *(agg.)* *(rimasto)* vedovo, vedova.

width /wɪdθ/ *(sost.)* larghezza, ampiezza, *(stoffa)* altezza.

wife /waɪf/ *(pl.* **wives** /waɪvz/*)* *(sost.)* moglie, sposa.

wild /waɪəld/ *(agg.)* **1** selvaggio, selvatico **2** desolato **3** sregolato **4** tempestoso, agitato **5** scatenato **6** sconclusionato ‖ *(sost.)* regione selvaggia ‖ *(avv.)* **1** all'impazzata **2** a casaccio. **wildly** /'waɪldlɪ/ *(avv.)* **1** selvaggiamente **2** FAM. totalmente, terribilmente.

will[1] ♦ /wɪl/ *(v. mod.)* **1** *(aus. per il futuro)* ♦ *I w. do it!* lo farò! **2** *(nel significato di* volere*)* ♣ *w. you do me a favour?* vuoi farmi un favore? **3** *(nel* *significato di* dovere) FORM. ❖ *w. you stop here, please* SI FERMI QUI, PER FAVORE **4** *(supposizioni)* ❖ *you'll have heard the news already* avrete già sentito la notizia.

will² *(sost.)* **1** volontà, desiderio **2** DIR. testamento.

willing /'wɪlɪŋ/ *(agg.)* volenteroso, disponibile ❖ *w. or not* volente o nolente.

win ♦ /wɪn/ *(v.i.)* vincere ‖ *(v.t.)* **1** vincere **2** guadagnare, conquistare. ♣ **win back** rivincere, riconquistare.

wind¹ /wɪnd/ *(sost.)* **1** vento **2** respiro, fiato. **wind** *(v.t.)* **1** lasciare senza fiato (con un colpo) **2** fiutare.

wind² ♦ /waɪnd/ *(v.t.)* **1** serpeggiare **2** avvolgere **3** *(molla, manopola ecc.)* far girare, girare, caricare. ♣ **wind back** *(un nastro, una cassetta)* riavvolgere. ♣ **wind up 1** *(orologio, molla, gi ocattolo)* caricare, dare la carica **2** *(fig.)* eccitare, infiammare **3** *(fig.)* finire, portare a termine, chiudere.

window /'wɪndəʊ/ *(sost.)* **1** finestra, finestrino **2** vetrina **3** *(banca ecc.)* sportello.

windscreen /'wɪndskriːn/, AE **windshield** /'wɪndʃiːld/ *(sost.)* AUT. parabrezza.

wine /waɪn/ *(sost.)* vino.

wing /wɪŋ/ *(sost.)* **1** ala *(anche fig.)* **2** *(pl.)* TEATR. quinte.

wink /wɪŋk/ *(v.i.)* **1** battere le palpebre **2** brillare, scintillare ‖ *(v.i.)* strizzare l'occhio, ammiccare a. **wink** *(sost.)* **1** lo sbattere delle palpebre **2** ammiccamento, occhiolino **3** *(fig.)* istante.

winner /'wɪnə*/ *(sost.)* vincitore.

winning /'wɪnɪŋ/ *(agg.)* **1** vincente **2** decisivo, della vittoria ‖ *(sost.)* *(pl.)* vincite (al gioco).

winter /'wɪntə*/ *(sost.)* inverno ‖ *(agg.)* d'inverno, invernale.

wipe /waɪp/ *(v.t.)* asciugare, pulire ❖ *to w. one's nose* pulirsi il naso.

wire /'waɪə*/ *(sost.)* **1** filo metallico **2** microfono spia. **wire** *(v.t.)* **1** installare un impianto elettrico **2** ELETTR. collegare elettricamente per mezzo di cavi **3** fissare con un filo metallico **4** AE inviare un telegramma.

wireless /'waɪələs/ *(agg.)* senza fili, wireless ‖ *(sost.)* radio.

wisdom /'wɪzdəm/ *(sost.)* saggezza, buon senso.

wise /waɪz/ *(agg.)* saggio, assennato.

wish /wɪʃ/ *(v.t.)* **1** volere, desiderare **2** desiderare, augurarsi **3** augurare **4** augurarsi, sperare (che) ‖ *(v.i.)* **1** desiderare, volere, augurare, augurarsi **2** esprimere un desiderio. **wish** *(sost.)* **1** desiderio **2** augurio.

wit /wɪt/ *(sost.)* **1** intelligenza, intuito **2** spirito, arguzia **3** *(pl.)* facoltà mentali.

witch /wɪtʃ/ *(sost.)* strega, maga.

with /wɪð/ *(prep.)* **1** *(compagnia, unione)* con, insieme a **2** *(mezzo)* con, per mezzo di **3** *(causa)* per, di **4** *(qualità, modo)* con, dotato di.

withdraw ♦ /wɪð'drɔː/ *(v.t.)* **1** ritirare **2** BANC. prelevare ‖ *(v.i.)* ritirarsi.

withdrawn v. **withdraw**.

withdrew v. **withdraw**.

wither /'wɪðə*/ *(v.i. / v.t.)* (far) appassire, (far) seccare *(anche fig.)*.

within /wɪð'ɪn/ *(prep.)* all'interno, dentro, entro.

without /wɪð'aʊt/ *(prep.)* senza (di).

witness /'wɪtnəs/ *(sost.)* **1** testimone, teste **2** testimonianza, prova. **witness** *(v.i.)* testimoniare ‖ *(v.t.)* **1** attestare **2** assistere a, essere testimone di.

wizard /'wɪzəd/ (sost.) mago.

wobble /'wɒbəl/ (v.i.) oscillare II (v.t.) (far) dondolare. **wobbly** /'wɒbli/ (agg.) traballante, vacillante.

woke v. **wake**[1].

woken v. **wake**[1].

wolf /wʊlf/ (sost.) ZOOL. lupo.

woman /'wʊmən/ (pl. **women** /'wɪ↓mɪn/) (sost.) donna, femmina.

womb /wuːm/ (sost.) 1 ANAT. utero 2 (fig.) ventre, grembo.

won v. **win**.

wonder /'wʌndə*/ (sost.) 1 meraviglia, miracolo 2 stupore, sorpresa. **wonder** (v.t./v.i.) 1 chiedersi, domandarsi 2 meravigliarsi (di), stupirsi (di). **wonderful** /'wʌndəfəl/ (agg.) meraviglioso, stupendo.

wood /wʊd/ (sost.) 1 bosco, foresta 2 legno. **wooden** /'wʊdən/ (agg.) 1 di legno 2 (fig.) rigido, impacciato.

wool /wʊl/ (sost.) lana.

word /wɜːd/ (sost.) 1 parola 2 parola (d'onore), promessa 3 parola d'ordine, ordine.

wore v. **wear**.

work /wɜːk/ (sost.) 1 lavoro, impiego, occupazione 2 opera 3 (pl.) lavori. **work** (v.i.) 1 lavorare 2 funzionare, avere effetto (anche fig.) II (v.t.) 1 far lavorare 2 lavorare 3 far funzionare, azionare. ♣ **work in** (in un testo, un discorso) farci rientrare. ♣ **work off** sanare un debito attraverso il lavoro. ♣ **work out** 1 funzionare, riuscire 2 risolvere 3 portare a termine 4 esercitarsi, fare esercizi. ♣ **work up** 1 sviluppare (interesse) 2 eccitare. **worker** /'wɜːkə*/ (sost.) lavoratore, operaio. **working** /'wɜːkɪŋ/ (agg.) 1 lavorativo, di / da lavoro 2 attivo, operante 3 che funziona, operativo.

workshop /'wɜːkʃɒp/ (sost.) officina, laboratorio.

world /wɜːld/ (sost.) mondo II (agg.) mondiale. **worldwide** /wɜːld'waɪd/ (agg.) mondiale, universale II (avv.) a livello mondiale, in tutto il mondo.

worm /wɜːm/ (sost.) 1 ZOOL. verme 2 INFORM. virus informatico, worm.

worn v. **wear**.

worry /'wʌrɪ/ (v.t.) 1 preoccupare, tormentare 2 infastidire, disturbare II (v.i.) preoccuparsi, essere in ansia. **worry** (sost.) 1 (stato di) ansia, inquietudine 2 (motivo di) preoccupazione, fastidio. **worried** /'wʌrɪd/ (agg.) preoccupato.

worse /wɜːs/ (agg.) (compar. di **bad**, **ill**) peggiore, peggio, peggiorato II (sost.) il peggio II (avv.) (compar. di **badly**, **ill**) peggio.

worship /'wɜːʃɪp/ (sost.) adorazione, culto. **worship** ◇ (v.t.) adorare, venerare II (v.i.) prender parte a servizi religiosi.

worst /wɜːst/ (agg.) (superl. di **bad**, **ill**) (il) peggiore, (il) peggio II (sost.) (il) peggio II (avv.) (superl. di **badly**, **ill**) peggio, nel modo peggiore.

worth /wɜːθ/ (agg.) 1 di valore, di valore pari a 2 degno II (sost.) valore. **worthwhile** /wɜːθ'waɪəl/ (agg.) utile, che vale la pena.

would /wʊd/ (v. mod.) (pass. di **will**) 1 (aus.) ✦ he w. do it if you only asked him lo farebbe se soltanto glielo chiedessi 2 (per esprimere un desiderio) ✦ w. you like a drink? desideri qualche cosa da bere? 3 (per esprimere un consiglio) ✦ I wouldn't drink that io non lo berrei 4 (per esprimere consuetudine) ✦ every night we w. hear that noise tutte le sere sentivamo quel rumore.

wound¹ /wuːnd/ *(sost.)* ferita.

wound² v. wind².

wounded /'wuːndɪd/ *(agg.)* ferito ‖ *(sost.)* ❖ the w. i feriti.

wove v. weave.

woven v. weave.

wrap ◊ /ræp/ *(v.t.)* avvolgere, imballare *(anche fig.)*, *(con carta, spec. da regalo)* incartare, impacchettare. ♣ **wrap up 1** impacchettare, coprire, avvolgere *(anche fig.)* ql.sa **2** FAM. concludere, terminare ‖ *(v.i.)* coprirsi, avvolgersi.

wreck /rek/ *(sost.)* **1** naufragio, rovina *(anche fig.)* **2** relitto, rottame.

wrench /rentʃ/ *(sost.)* **1** strappo, spinta **2** MECC. chiave inglese.

wrestle /'resəl/ *(v.i.)* **1** lottare *(anche fig.)* **2** SPORT praticare la lotta libera ‖ *(v.t.)* fare la lotta con, combattere contro *(anche fig.)*.

wrinkle /'rɪŋkəl/ *(sost.)* *(di pelle)* ruga, *(di tessuto)* grinza. **wrinkle** *(v.t.)* raggrinzire, stropicciare, *(fronte)*

corrugare ‖ *(v.i.)* raggrinzirsi, stropicciarsi.

wrist /rɪst/ *(sost.)* ANAT. polso.

write ♦ /raɪt/ *(v.i.)* scrivere ‖ *(v.t.)* scrivere. ♣ **write down** annotare. ♣ **write up** *(una relazione ecc.)* preparare per iscritto. **writer** /'raɪtə*/ *(sost.)* scrittore, autore. **writing** /'raɪtɪŋ/ *(sost.)* **1** lo scrivere **2** scrittura, calligrafia **3** *(pl.)* scritti, opere letterarie. **written** /'rɪtən/ *(agg.)* **1** scritto, messo per iscritto **2** iscritto, scolpito.

wrong /rɒŋ/ *(agg.)* **1** sbagliato, inesatto ❖ to be w. avere torto **2** difettoso, che non va ‖ *(sost.)* **1** torto, ingiustizia **2** male, peccato ‖ *(avv.)* male, in modo sbagliato. **wrongly** /'rɒŋlɪ/ *(avv.)* **1** a torto **2** erroneamente.

wrote v. write.

wrought /rɔːt/ *(agg.)* lavorato ❖ w. iron ferro battuto.

wry /raɪ/ *(agg.)* ironico, beffardo.

xenon /ˈzenɒn/ (sost.) CHIM. xeno.
xenophobia /zenəˈfəʊbjə/ (sost.) xenofobia. **xenophobe** /ˈzenəfəʊb/ (sost.) xenofobo.
xerox /ˈzɒrɒks/ (sost.) **1** fotocopiatrice **2** fotocopia. **xerox** (v.t.) fotocopiare.

Xmas/ ˈkrɪsməs/ FAM. v. **Christmas**.
x-rated /ˈeksreɪtɪd/ (agg.) (di film, spettacolo ecc.) vietato ai minori.
X-ray /ˈeksreɪ/ (agg.) ai raggi X ‖ (sost.) radiografia.
xylophone /ˈzaɪləfəʊn/ (sost.) MUS. xilofono.

Y

yacht /jɒt/ *(sost.)* MAR. yacht.

yahoo¹ /jə'huː/ *(sost.)* FAM. zoticone, rozzo.

yahoo² *(inter.)* FAM. urrà, evviva.

yak /jæk/ *(sost.)* ZOOL. yak.

yammer /'jæmə*/ *(v.i.)* FAM. piagnucolare.

yank¹ /'jæŋk/ *(sost.)* FAM. strattone. **yank** *(v.t. / v.i.)* FAM. dare uno strattone (a).

Yank², **Yankee** /'jæŋkɪ/ *(sost.)* 1 FAM. americano (degli Stati Uniti) 2 AE ST. nordista (durante la guerra di secessione americana).

yap /jæp/ *(sost.)* guaito. **yap** ◊ *(v.i.)* guaire.

yard¹ /jɑːd/ *(sost.)* 1 *(misura di lunghezza)* iarda 2 MAR. pennone.

yard² *(sost.)* 1 cortile, giardino di una abitazione 2 cantiere navale 3 deposito all'aperto.

yarn /jɑːn/ *(sost.)* 1 filo, filato 2 FAM. storia, racconto. **yarn** *(v.i.)* FAM. raccontare storie.

yawn /jɔːn/ *(sost.)* sbadiglio. **yawn** *(v.i.)* sbadigliare.

yea /jeɪ/ *(sost.)* FORM. sì, voto favorevole.

year /jɪə*/ *(sost.)* 1 anno, annata 2 *(pl.)* anni, età. **yearly** /'jɪəlɪ/ *(agg.)* annuale, annuo II *(avv.)* annualmente.

yearbook /'jɪəbʊk/ *(sost.)* annuario.

yearn /jɜːn/ *(anche ♣ yearn for)* *(v.i.)* bramare, anelare. **yearning** /'jɜːnɪŋ/ *(sost.)* desiderio struggente, brama.

yeast /jiːst/ *(sost.)* lievito (di birra).

yell /jel/ *(sost.)* urlo, strillo. **yell** *(v.t. / v.i.)* urlare, strillare.

yellow /'jeləʊ/ *(agg.)* 1 giallo 2 SPREG. di pelle, di razza gialla 3 FAM. vigliacco II *(sost.)* *(colore)* giallo.

yelp /jelp/ *(sost.)* guaito. **yelp** *(v.i.)* guaire.

yen /jen/ *(sost.)* *(pl. invar.)* FIN. *(valuta giapponese)* yen.

yes /jes/ *(avv.)* sì.

yes-man /'jesmæn/ *(pl. yes-men* /'jesmen/*)* *(sost.)* FAM. persona servile, yes man.

yesterday /'jestədeɪ/ *(avv. e sost.)* ieri.

yet /jet/ *(avv.)* 1 ancora, in più 2 ancora, finora 3 eppure, ciononondimeno II *(cong.)* ma, però, tuttavia.

yeti /'jetɪ/ *(sost.)* yeti.

yew /juː/ *(sost.)* BOT. tasso.

Yiddish /'jɪdɪʃ/ *(agg. e sost.)* LING. yiddish.

yield /jiːəld/ *(sost.)* 1 prodotto, raccolto, produzione 2 ECON. rendita, reddito. **yield** *(v.t.)* 1 produrre, rendere 2 cedere, concedere II *(v.i.)* 1 rendere, fruttare 2 cedere, arrendersi.

yielding /'jiːəldiŋ/ *(agg.)* **1** docile, arrendevole **2** pieghevole, flessibile.

yippee /'jipiː/ *(inter.)* FAM. urrà, evviva.

yob /jɒb/ *(sost.)* BE, FAM. teppista.

yoga /'jəʊə/ *(sost.)* yoga.

yoghurt /'jɒət/ *(sost.)* yogurt.

yogi /'jəʊɪ/ *(sost.)* yogin, chi pratica lo yoga.

yoke /jəʊk/ *(sost.)* **1** giogo (anche fig.) **2** *(pl. invar.)* coppia (di buoi).

yoke *(v.t.)* **1** aggiogare **2** *(fig.)* unire, appaiare.

yolk /jəʊk/ *(sost.)* tuorlo.

you /juː/ *(pron. pers. 2ª pers. sing. e pl. sogg. e compl.)* **1** tu, te, ti, voi, ve, vi, *(nelle formule di cortesia)* lei, loro **2** *(con valore impers.)* si ❖ *y. never know* non si sa mai.

young /jʌŋ/ *(agg.)* **1** giovane **2** giovanile **II** *(sost. pl.)* i giovani, la gioventù. **youngster** /'jʌŋstə*/ *(sost.)* ragazzo, giovanotto.

your /jɔː*/ *(agg. poss. 2ª pers. sing. e pl.)* **1** tuo, tua, tuoi, tue, vostro, vostra, vostri, vostre, *(nelle formule di cortesia)* suo, sua, suoi, sue, loro **2** *(con valore impers.)* proprio ❖ *you must defend y. fatherland* si deve difendere la propria patria.

yours /jɔːz/ *(pron. poss. 2ª pers. sing. pl.)* il tuo, la tua, i tuoi, le tue, il vostro, la vostra, i vostri, le vostre, *(nelle formule di cortesia)* il suo, la sua, i suoi, le sue, il loro, la loro, i loro, le loro. *yourself* /jɔː'self/ *(pl.* **yourselves** /jɔː'selvz/ *(pron. 2ª pers. sing.)* **1** *(rifl.)* ti, te, te stesso, *(nelle formule di cortesia)* si, lei stesso, lei stessa **2** *(enfatico)* tu stesso, tu stessa, *(nelle formule di cortesia)* lei stesso, lei stessa **II** *(sost.)* tu stesso, *(nelle formule di cortesia)* lei stesso.

youth /juːθ/ *(sost.)* **1** gioventù, adolescenza **2** giovanotto, ragazzo **3** i giovani, la gioventù.

youthful /'juːθfəl/ *(agg.)* giovane, giovanile.

yummy /'jʌmɪ/ *(agg.)* FAM. buonissimo, squisito.

yuppie, **yuppy** /'jʌpɪ/ *(sost.)* yuppie.

Z

zany /'zeɪnɪ/ (agg.) buffo, bizzarro.
zap ◊ /'zæp/ (v.t.) eliminare, annientare II (v.i.) **1** FAM. andare a tutta velocità **2** TV fare zapping.
zapper /'zæpə*/ (sost.) FAM. telecomando.
zeal /ziːəl/ (sost.) FORM. zelo.
zebra /'ziːbrə/ (pl. **zebra(s)** /'ziːbrəs/) (sost.) ZOOL. zebra ❖ z. crossing passaggio pedonale.
zed /zed/, AE **zee** /ziː/ (sost.) (lettera) zeta.
zenith /'zenɪθ/ (sost.) **1** ASTRON. zenit **2** (fig.) culmine.
zero /'zɪərəʊ/ (pl. **zero(e)s** /'zɪərəʊz/) (sost.) zero II (agg.) nullo, inesistente, zero.
zest /zest/ (sost.) **1** entusiasmo, energia vitale **2** buccia di agrume.
zinc /zɪŋk/ (sost.) CHIM. zinco.
Zionism /'zaɪənɪzəm/ (sost.) POL. sionismo.
zip /zɪp/ (sost.) **1** (cerniera) lampo **2** FAM. sibilo, fischio **3** FAM. energia. **zip** ◊ (anche ❖ **zip up**) (v.t.) **1** chiudere con una cerniera lampo **2** INFORM. comprimere, zippare.

zip code /'zɪpkəʊd/ (sost.) AE codice di avviamento postale, CAP.
zip (fastener) /'zɪpfɑːsnə*/ (sost.) (cerniera) lampo.
zipper /'zɪpə*/ (sost.) AE (cerniera) lampo.
zippy /'zɪpɪ/ (agg.) FAM. vivace, pieno di energia.
zircon /'zɜːkən/ (sost.) MIN. zircone.
zodiac /'zəʊdɪæk/ (sost.) zodiaco.
zombie /'zɒmbɪ/ (sost.) **1** zombi, morto vivente **2** FAM. persona apatica.
zone /zəʊn/ (sost.) zona, area.
zonked /zɒŋkt/ (agg.) FAM. **1** esausto **2** ubriaco, drogato.
zoo /zuː/ (sost.) zoo, giardino zoologico.
zoology /zuːˈɒlədʒɪ/ (sost.) zoologia.
zoom /zuːm/ (sost.) **1** lo sfrecciare **2** CINEM., FOT. zoomata, zumata ❖ z. lens zoom. **zoom** (v.i.) **1** sfrecciare **2** CINEM., FOT. zoomare, zumare.
zucchini /zuːˈkiːnɪ/ (pl. **zucchini(s)** /zuːˈkiːnɪ(z)/) (sost.) BOT. AE zucchina.

Italiano

Inglese

A

a (*prep.*) **1** (*stato in luogo*) at, in, on **2** (*moto a luogo*) to **3** (*termine*) to **4** (*tempo*) at, in, on **5** (*misura, quantità*) a, by, (*prezzo*) at **6** (*età*) at **7** (*distanza*) at (*spesso non si traduce*) **8** (*modo*) at, in **9** (*mezzo*) by, on **10** (*fine, scopo*) for **11** (*con v. all'inf. non si traduce*) ❖ *vai a studiare la lezione* go and study your lesson.

abate (*s.m.*) abbot.

abbagliante (*agg.*) dazzling ❖ *fari abbaglianti* AUT. BE full beams, AE high beams.

abbaiare (*v.i.*) to bark.

abbaino (*s.m.*) dormer (window).

abbandonare (*v.t.*) **1** to leave, to abandon **2** (*trascurare*) to neglect **3** (*non aiutare*) to desert **4** (*rinunciare a*) to give up. **abbandonarsi** (*v.pron.*) **1** (*lasciarsi andare*) to let o.s. go, to abandon o.s. (to) **2** (*rilassarsi*) to relax. **abbandonato** (*agg.*) **1** deserted, abandoned **2** (*trascurato*) neglected. **abbandono** (*s.m.*) **1** abandonment (*anche* DIR.) **2** (*trascuratezza*) neglect.

abbassare (*v.t.*) **1** to lower (*anche fig.*), to let down **2** (*intensità*) to turn down **3** (*diminuire*) to lower, to diminish. **abbassarsi** (*v.pron.*) **1** (*chinarsi*) to bend down **2** (*diminuire*) to lower, to diminish **3** (*prezzi*) to come down, (*temperatura*) to drop, to fall, (*luce*) to dim.

abbasso (*inter.*) down with ❖ *a. la scuola!* down with school!

abbastanza (*avv.*) **1** enough **2** (*alquanto, piuttosto*) fairly, quite, rather, FAM. pretty.

abbattere (*v.t.*) **1** to pull down, to knock down **2** (*animali*) to slaughter, to put down, (*a caccia*) to shoot **3** (*alberi*) to cut down **4** (*aerei*) to shoot down. **abbattersi** (*v.pron.*) **1** (*colpire*) to hit **2** (*fig.*) (*scoraggiarsi*) to be discouraged.

abbattuto (*agg.*) (*avvilito*) disheartened, dejected.

abbazia (*s.f.*) abbey.

abbellire (*v.t.*) to embellish.

abbigliamento (*s.m.*) clothes (*pl.*).

abbinare (*v.t.*) **1** to match **2** (*combinare*) to combine. **abbinamento** (*s.m.*) pairing, match.

abboccare (*v.i.*) **1** to bite **2** (*fig.*) (*cadere in un trappola*) to rise to bait, to swallow the bait.

abboccato (*agg.*) (*vino*) sweet.

abbonarsi (*v.pron.*) **1** (*a rivista, TV ecc.*) to subscribe **2** (*a bus, treno ecc.*) to get a season ticket, to get a pass **3** (*a cinema, teatro*) to get a season ticket (for). **abbonamento** (*s.m.*) **1** (*a rivista ecc.*) subscription **2** (*a bus, treno ecc.*) pass, season ticket **3** (*a cinema, teatro*) season ticket. **abbonato** (*s.m.*) **1** subscriber **2** (*a mezzi di trasporto,* *spettacoli ecc.*) season-ticket holder, pass-holder.

abbondante *(agg.)* **1** abundant, *(nevicata)* heavy **2** *(vestito)* loose. **abbondanza** *(s.f.)* plenty, abundance.

abbordare *(v.t.)* **1** *(rif. a persona)* to approach, FAM. to chat up **2** MAR. to board.

abbottonare *(v.t.)* to button (up). **abbottonarsi** *(v.pron.)* to button up. **abbottonato** *(agg.)* buttoned up *(anche fig.).*

abbracciare *(v.t.)* to hug, to embrace *(anche fig.).* **abbracciarsi** *(v. pron.)* to embrace (each other). **abbraccio** *(s.m.)* hug, embrace.

abbreviare *(v.t.)* to shorten. **abbreviazione** *(s.f.)* abbreviation.

abbronzarsi *(v.pron.) (al sole)* to get brown, to get tanned. **abbronzante** *(agg.)* suntan *(attr.)* ‖ *(s.m.)* suntan lotion. **abbronzatura** *(s.f.) (atto)* tanning, *(effetto)* tan.

abbrustolire *(v.t.)* to toast, to roast.

abbuffarsi *(v.pron.)* FAM. to stuff o.s. **abbuffata** *(s.f.)* FAM. blowout.

abdicare *(v.i.)* to abdicate (sthg.) *(anche fig.).*

abete *(s.m.)* BOT. fir (tree), spruce (tree).

abietto *(agg.)* despicable, depraved.

abile *(agg.)* **1** good, able, capable **2** *(esperto)* clever, skilful, AE skillful. **abilità** *(s.f.)* ability, cleverness, skill.

abilitazione *(s.f.)* qualification ✧ *esame di a.* qualifying examination.

abisso *(s.m.)* abyss, chasm.

abitacolo *(s.m.) (di auto)* passenger compartment, *(di camion)* cab, *(di aereo)* cockpit.

abitare *(v.i.)* to live (in, at) ‖ *(v.t.)* to live in, to inhabit. **abitante** *(s.m.)* inhabitant. **abitato** *(agg.)* inhabited,

(popolato) populated ‖ *(s.m.) (area urbana)* built-up area.

abito *(s.m.)* **1** *(da uomo)* suit, *(da donna)* dress, frock **2** *(talare)* cassock, frock **3** *(pl.)* clothes.

abituale *(agg.)* usual, *(cliente)* regular.

abituarsi *(v.pron.)* to get used (to), to get accustomed (to). **abitudine** *(s.f.)* habit, *(usanza)* custom, use.

abolire *(v.t.)* to abolish, *(una legge)* to repeal. **abolizione** *(s.f.)* abolition, *(di leggi ecc.)* repeal.

aborigeno *(s.m.) (d'Australia)* Aborigine.

aborto *(s.m.)* MED. miscarriage, *(volontario)* abortion *(anche fig.).* **abortire** *(v.i.)* MED. to miscarry, *(volontariamente)* to have an abortion.

abrasione *(s.f.)* abrasion, graze. **abrasivo** *(agg. e s.m.)* abrasive.

abrogare *(v.t.)* DIR. to repeal. **abrogazione** *(s.f.)* DIR. repeal.

abside *(s.f.)* ARCH. apse.

abuso *(s.m.)* **1** abuse, misuse ✧ *abuso di autorità* abuse of power **2** *(uso eccessivo)* overuse **3** *(sessuale)* abuse. **abusare** *(v.i.)* **1** to misuse, to abuse **2** *(approfittare)* to take advantage (of sthg, s.o.), to abuse **3** *(sessualmente)* to rape (s.o.).

abusivo *(agg.)* unauthorized, illegal.

acacia *(s.f.)* BOT. acacia.

acaro *(s.m.)* ZOOL. mite.

acca *(s.f.) (lettera)* aitch.

accademia *(s.f.)* academy, institute. **accademico** *(agg. e s.m.)* academic.

accadere *(v.i.)* to happen.

accalappiacani *(s.m.)* dog-catcher.

accaldarsi *(v.pron.)* **1** to get hot **2** *(fig.) (infervorarsi)* to get heated, to get hot. **accaldato** *(agg.)* hot.

accampamento (*s.m.*) camp.

accanirsi (*v.pron.*) **1** (*infierire*) to rage (against) **2** (*ostinarsi*) to persist (in, with). **accanito** (*agg.*) **1** (*spietato*) fierce **2** (*fig.*) (*ostinato*) obstinate.

accanto (*avv.*) near, nearby, beside ‖ (*prep.*) next to, near, close to.

accantonare (*v.t.*) **1** to set aside, to put aside **2** ECON. to appropriate.

accaparrare (*v.t.*) **1** (*viveri*) to hoard **2** ECON. to buy up. **accaparrarsi** (*v.pron.*) (*fig.*) to gain, to win, FAM. to bag.

accappatoio (*s.m.*) bathrobe.

accarezzare (*v.t.*) **1** to caress, (*un animale*) to stroke **2** (*fig.*) (*vagheggiare*) to cherish.

accasciarsi (*v.pron.*) **1** (*cadere*) to collapse, to crumple **2** (*fig.*) to lose heart.

accattivante (*agg.*) attractive, winning (*attr.*).

accattone (*s.m.*) beggar.

accavallare (*v.t.*) **1** (*incrociare*) to cross **2** (*sovrapporre*) to overlap.

accecare (*v.t.*) to blind (*anche fig.*).

accelerare (*v.t.*) to quicken, to speed up ‖ (*v.i.*) to accelerate. **acceleratore** (*s.m.*) AUT. accelerator, AE gas pedal. **accelerazione** (*s.f.*) acceleration.

accendere (*v.t.*) **1** to light **2** (*mediante interruttore*) to turn on, to switch on **3** (*fig.*) to inflame, to kindle. **accendersi** (*v.pron.*) to light (up). **accensione** (*s.f.*) ignition.

accendino (*s.m.*), **accendisigari** (*s.m.*) lighter.

accennare (*v.i.*) **1** (*fare cenno*) to beckon, (*con la testa*) to nod **2** (*alludere*) to allude, to hint (at), (*menzionare*) to mention (sthg.) **3** (*dare segno*) to show signs (of). **accenno** (*s.m.*) **1** sign, indication, (*con la testa*) nod **2** (*fig.*) (*allusione*) allusion, hint, (*menzione*) mention.

accento (*s.m.*) **1** (*grafico*) accent, (*tonico*) stress **2** (*inflessione*) accent. **accentare** (*v.t.*) **1** to accent **2** (*con la voce*) to stress.

accertare (*v.t.*) to verify, to ascertain, to assess, DIR. to establish. **accertarsi** (*v.pron.*) to check on, to make sure.

acceso (*agg.*) **1** lighted, lit up (*pred.*), (*fig.*) heated **2** (*funzionante*) (*luce, TV ecc.*) on (*pred.*), (*motore*) running **3** (*colore*) bright.

accesso (*s.m.*) **1** access, admission, FORM. admittance **2** (*crisi*) fit.

accetta (*s.f.*) hatchet.

accettare (*v.t.*) to accept, to agree (to).

acchiappare (*v.t.*) to catch, to seize.

acciacco (*s.m.*) ache, pain.

acciaio (*s.m.*) steel ❖ *a. inossidabile* stainless steel.

accidente (*s.m.*) **1** (*imprevisto*) accident **2** FAM. (*niente*) damn. **accidenti** (*inter.*) damn!

acciglarsi (*v.t.*) to frown.

acciuga (*s.f.*) anchovy.

acclamare (*v.t.*) **1** to cheer, to acclaim **2** (*proclamare*) to acclaim, to proclaim.

accogliere (*v.t.*) **1** to receive, to welcome **2** (*contenere*) to accomodate, to hold **3** (*accettare*) to agree (to, with). **accogliente** (*agg.*) cosy. **accoglienza** (*s.f.*) **1** welcome **2** reception.

accoltellare (*v.t.*) to stab.

accomodare (*v.t.*) **1** (*riparare*) to repair, to mend **2** (*fig.*) (*sistemare*) to settle. **accomodarsi** (*v.pron.*) **1** to make o.s. comfortable 2 *(entrare)* to come in, *(sedersi)* to sit down.

accompagnare *(v.t.)* 1 to take to, to accompany 2 MUS. to accompany.

acconsentire *(v.i.)* to consent, to agree.

accontentare *(v.t.)* to satisfy, to content, to please. **accontentarsi** *(v. pron.)* to be satisfied (with), to be content (with).

acconto *(s.m.)* down payment, advance, deposit payment on account.

accoppiare *(v.t.)* 1 to couple, *(unire)* to join 2 *(animali)* to mate. **accoppiarsi** *(v.pron.)* 1 to pair off 2 BIOL. to copulate, *(di animali)* to mate.

accorciare *(v.t.)* to shorten, to make shorter ❖ *a. i tempi* to speed things up. **accorciarsi** *(v.pron.)* to become shorter.

accordare *(v.t.)* 1 *(concedere)* to grant 2 MUS. to tune 3 GRAMM. to make agree (with sthg.). **accordarsi** *(v.pron.)* 1 *(mettersi d'accordo)* to agree (on sthg.), to reach an agreement (about sthg.) 2 *(intonarsi)* to match. **accordo** *(s.m.)* 1 agreement, arrangement ❖ *d'accordo!* alright!, *essere d'accordo* to agree 2 MUS. chord.

accorgersi *(v.pron.)* 1 *(notare)* to notice (sthg., s.o.) 2 *(rendersi conto)* to realize (sthg.).

accorrere *(v.i.)* to run, to rush.

accorto *(agg.)* 1 discerning 2 *(prudente)* cautious, wary.

accostare *(v.t.)* 1 *(avvicinare)* to draw near 2 *(persone)* to approach 3 *(porte, finestre)* to leave ajar ‖ *(v.i.)* 1 *(avvicinare)* to draw in, to approach (sthg.) 2 *(in automobile)* to pull in, to pull over. **accostarsi** *(v.pron.)* *(avvicinarsi)* to approach.

accreditare *(v.t.)* 1 to give credit (to s.o.) 2 COMM. to credit.

accrescere *(v.t.)* to increase.

accudire *(v.t. / v.i.)* to look after, to attend.

accumulare *(v.t.),* **accumularsi** *(v. pron.)* to accumulate, to pile up ‖ *(v.i.)* to save up. **accumulatore** *(s.m.)* accumulator, *(batteria)* battery.

accurato *(agg.)* careful, precise.

accusare *(v.t.)* to accuse, to charge *(anche DIR.)* ❖ *accusare ricevuta* COMM. to acknowledge receipt. **accusa** *(s.f.)* 1 accusation, charge 2 ❖ DIR. *(in processo)* *pubblica a.* prosecution.

acerbo *(agg.)* 1 unripe, green 2 *(aspro)* sour, bitter 3 *(fig.)* immature, *(critica ecc.)* harsh.

aceto *(s.m.)* vinegar.

acetone *(s.m.)* nail varnish remover.

acido *(agg.)* 1 acid, sour, sharp *(anche fig.)* 2 CHIM. acid ‖ *(s.m.)* CHIM. acid.

acino *(s.m.)* *(di uva)* grape.

acne *(s.f.)* MED. acne.

acqua *(s.f.)* 1 water ❖ *a. ossigenata* hydrogen peroxide 2 *(pioggia)* rain.

acquario *(s.m.)* 1 aquarium 2 ASTROL. Aquarius.

acquasantiera *(s.f.)* stoup.

acquazzone *(s.m.)* shower, downpour.

acquedotto *(s.m.)* 1 ARCH. aqueduct 2 *(condutture dell'acqua)* waterworks.

acquerello *(s.m.)* ARTE watercolour.

acquistare *(v.t.)* 1 to buy, to purchase 2 *(fig.)* *(guadagnarsi)* to gain, to obtain ‖ *(v.i.)* *(migliorare)* to improve. **acquisto** *(s.m.)* buy, purchase ❖ *andare a fare acquisti* to go shopping.

acquolina *(s.f.)* ❖ **ho l'a. in bocca** my mouth is watering.

acrobazia *(s.f.)* acrobatics *(pl.)*.

aculeo *(s.m.)* prickle, spine, *(di istrice)* quill, *(di vespa)* sting.

acustica *(s.f.)* FIS. acoustics.

acuto *(agg.)* **1** *(aguzzo)* pointed, sharp, acute *(anche GEOM. e FON.)* **2** *(intenso)* intense, strong, MED. acute **3** *(perspicace)* keen, acute, sharp ‖ *(s.m.)* MUS. high note. **acutizzare** *(v.t.)* to sharpen, to intensify *(anche fig.)*. **acutizzarsi** *(v.pron.)* *(peggiorare)* to worsen.

adagiare *(v.t.)* to lay down. **adagiarsi** *(v.pron.)* to lie down, *(sprofondare)* to sink (in).

adagio *(avv.)* **1** *(lentamente)* slowly, FAM. slow **2** *(con cautela)* cautiously, *(delicatamente)* gently. ‖ *(s.m.)* MUS. adagio.

adattare *(v.t.)* to adapt, to fit. **adattarsi** *(v.pron.)* **1** *(conformarsi)* to adapt (o.s.) **2** *(essere adatto)* to suit. **adatto** *(agg.)* right, suitable.

addebitare *(v.t.)* to debit, to charge.

addensare *(v.t.)* to thicken. **addensarsi** *(v.pron.)* **1** to thicken **2** *(ammassarsi)* to gather, *(affollarsi)* to crowd.

addentare *(v.t.)* *(mordere)* to bite into.

addestrare *(v.t.)* to train, MIL. to drill.

addetto *(agg.)* *(assegnato)* assigned (to), *(impiegato in)* employed (in) ‖ *(s.m.)* *(persona responsabile)* responsible person, *(in diplomazia)* attaché ❖ **addetti ai lavori** authorized persons, *a. stampa* press officer, *a. alla sicurezza* security officer.

addio *(s.m. e inter.)* goodbye, LETTER. farewell.

addirittura *(avv.)* *(perfino)* even.

additivo *(s.m.)* additive.

addizione *(s.f.)* addition.

addobbare *(v.t.)* to decorate.

addolcire *(v.t.)* **1** to sweeten **2** *(fig.)* to soften. **addolcirsi** *(v.pron.)* *(fig.)* to mellow, *(sguardo)* to soften.

addolorare *(v.t.)* to grieve. **addolorarsi** *(v.pron.)* to grieve for / over. **addolorato** *(agg.)* grieved, *(dispiaciuto)* sorry.

addome *(s.m.)* ANAT. abdomen.

addomesticare *(v.t.)* to domesticate, to tame *(anche fig.)*.

addormentare *(v.t.)* to put to sleep. **addormentarsi** *(v.pron.)* to go to sleep, to fall asleep. **addormentato** *(agg.)* asleep *(pred.)*, *(assonnato)* sleepy, FAM. *(parte del corpo)* numb.

addosso *(avv.)* *(sulla persona)* on ‖ *(prep.)* **1** *(vicino)* close to, next to **2** *(sopra, su)* ❖ **mettere le mani a. a qu.no** to lay hands on s.o.

adeguare *(v.t.)* to adapt, to fit, to adjust. **adeguarsi** *(v.pron.)* to conform, to adapt (to). **adeguato** *(agg.)* adequate, suitable, fit.

adempiere *(v.t. / v.i.)* to carry out, BE to fulfil, AE to fulfill.

aderire *(v.i.)* **1** to adhere to **2** *(a un invito)* to accept. **aderente** *(agg.)* **1** adherent, adhesive **2** *(abito)* tight. **adesione** *(s.f.)* **1** adhesion *(anche FIS.)* **2** *(fig.)* *(consenso)* agreement, *(sostegno)* support.

adesivo *(agg.)* adhesive ‖ *(s.m.)* **1** adhesive **2** *(autoadesivo)* sticker.

adesso *(avv.)* *(ora)* now, at present, *(poco fa)* just (now) ❖ **per a.** for the moment.

adolescente *(agg.)* adolescent, teen-age ‖ *(s.m. / s.f.)* adolescent, teenager. **adolescenza** *(s.f.)* adolescence.

adoperare *(v.t.)* to make use of, to use. **adoperarsi, adoprarsi** *(v.pron.) (impegnarsi)* to do one's best.

adorare *(v.t.)* **1** to worship, to be devoted to **2** *(piacere intensamente)* to adore. **adorabile** *(agg.)* adorable.

adottare *(v.t.)* to adopt *(anche fig.)*. **adottivo** *(agg.)* adoptive, adopted *(anche DIR.)*. **adozione** *(s.f.)* adoption *(anche DIR.)*.

adulto *(agg. e s.m.)* adult, grown-up.

aereo *(agg.)* air *(attr.)*, aerial.

aeroplano *(s.m.)* aircraft, BE (aero) plane, AE (air)plane.

aeroporto *(s.m.)* airport.

afa *(s.f.)* sultry weather, muggy weather.

affabile *(agg.)* affable.

affaccendarsi *(v.pron.)* to busy o.s.

affacciarsi *(v.pron.)* **1** *(finestra ecc.)* to overlook **2** *(mostrarsi)* to show o.s., to lean out.

affamato *(agg.)* **1** hungry, *(molto)* starving **2** *(fig.)* eager (for).

affannarsi *(v.pron.)* **1** *(angustiarsi)* to worry o.s. **2** *(darsi da fare)* to bustle (about). **affannato** *(agg.)* *(ansante)* breathless, panting.

affanno *(s.m.)* **1** *(respiro difficoltoso)* breathlessness **2** *(angoscia)* anxiety, anguish.

affare *(s.m.)* **1** *(faccenda)* matter, business **2** COMM. deal, business, bargain.

affascinante *(agg.)* charming, fascinating.

affaticare *(v.t.)* *(stancare)* to tire, *(sforzare)* to strain. **affaticarsi** *(v.pron.)* to tire (o.s.).

affatto *(avv.)* **1** *(del tutto)* completely, absolutely **2** *(nelle negazioni)* at all.

affermare *(v.t.)* to affirm, to state, to assert, *(proclamare)* to declare. **affermarsi** *(v.pron.)* **1** *(imporsi)* to assert o.s., to impose o.s. **2** *(farsi un nome)* to make a name for o.s. **affermazione** *(s.f.)* **1** affirmation, statement, assertion **2** *(successo)* success.

afferrare *(v.t.)* **1** to seize, to grasp **2** *(fig.)* to seize, to grasp, *(capire)* to get.

affettare *(v.t.)* to slice.

affetto *(s.m.)* affection. **affettuoso** *(agg.)* tender, loving, affectionate.

affezionarsi *(v.pron.)* to become fond (of), to grow attached (to).

affiancare *(v.t.)* **1** to place side by side **2** *(fig.) (sostenere)* to assist. **affiancarsi** *(v.pron.)* **1** to come alongside **2** *(collaborare)* to collaborate (with).

affiatarsi *(v.pron.)* to get on (well) (with each other, one another).

affidabile *(agg.)* **1** *(persona)* reliable, trustworthy **2** *(cosa)* reliable.

affidamento *(s.m.)* **1** *(fiducia)* trust, confidence ❖ *fare a. su qu.no* to rely on s.o. **2** DIR. *(di minore)* custody.

affidare *(v.t.)* to entrust. **affidarsi** *(v.pron.)* to rely (on, upon), to trust (in).

affinché *(cong.)* so that, in order that.

affittare *(v.t.)* **1** *(dare in affitto)* to rent, BE to let (out) **2** *(prendere in affitto)* to rent **3** *(prendere a noleggio)* BE to hire, AE to rent, *(dare a noleggio)* to rent out, BE to hire out, BE to let. **affitto** *(s.m.)* rent.

affliggere *(v.t.)* to afflict, to annoy. **affliggersi** *(v.pron.) (tormentarsi)* to distress o.s. (at, over).

affluente *(s.m.)* GEOGR. tributary.

affluenza *(s.f.)* attendance, turnout, *(al voto)* polling.

affogare *(v.t. / v.i.)* to drown *(anche fig.)*.

affollare *(v.t.)* to crowd, to throng.

affondare *(v.t.)* **1** to sink **2** *(far penetrare)* to plunge.

affresco *(s.m.)* PITT. fresco.

affrettare *(v.t.)* to hurry (along), to quicken. **affrettarsi** *(v.pron.)* to hurry (up), to hasten.

affrontare *(v.t.)* **1** to face, to confront **2** *(fig.)* to face up to (sthg.), to deal with (s.o., sthg.). **affrontarsi** *(v.pron.)* SPORT to meet.

affumicare *(v.t.)* to smoke.

agenda *(s.f.)* **1** diary **2** *(ordine del giorno)* agenda.

agente *(s.m.)* agent ✧ *a. immobiliare* estate agent, *a. di polizia* police officer.

agenzia *(s.f.)* **1** agency **2** *(filiale)* branch office.

agganciare *(v.t.)* **1** to hook, FERR. *(vagoni)* to couple **2** *(allacciare)* to fasten.

aggettivo *(s.m.)* adjective.

aggiornare *(v.t.)* **1** to update, to bring up to date **2** *(rinviare)* to adjourn, to postpone. **aggiornarsi** *(v.pron.)* **1** to keep o.s. up to date **2** *(assemblea)* to adjourn. **aggiornamento** *(s.m.)* **1** updating, revision **2** *(rinvio)* adjournment, postponement. **aggiornato** *(agg.)* up-to-date.

aggirare *(v.t.)* to go round, to avoid *(anche fig.)*. **aggirarsi** *(v.pron.)* to wander about.

aggiudicarsi *(v.pron.)* to win, to be awarded.

aggiungere *(v.t.)* to add. **aggiungersi** *(v.pron.)* *(di persona)* to join (s.o., sthg.), *(di cosa)* to be added. **aggiunta** *(s.f.)* addition.

aggiustare *(v.t.)* **1** *(riparare)* to mend, to repair **2** *(sistemare)* to adjust. **aggiustarsi** *(v.pron.)* FAM. *(adattarsi)* to make do.

aggrapparsi *(v.pron.)* to hold on (to).

aggravarsi *(v.pron.)* to get worse, to worsen.

aggredire *(v.t.)* to assault, to attack *(anche fig.)*. **aggressione** *(s.f.)* assault, attack, aggression. **aggressivo** *(agg.)* aggressive.

agguato *(s.m.)* ambush.

agguerrito *(agg.)* *(fig.)* hardened.

agiato *(agg.)* *(benestante)* well off, well-to-do.

agile *(agg.)* agile.

agio *(s.m.)* comfort, ease, leisure ✧ *a proprio a.* at ease.

agire *(v.i.)* **1** to act, to operate **2** DIR. to take legal action (against s.o.), to proceed (against s.o.).

agitare *(v.t.)* **1** *(scuotere)* to shake, to agitate, *(la coda)* to wag **2** *(rendere inquieto)* to agitate, to upset. **agitarsi** *(v.pron.)* to toss, *(nel letto)* to toss and turn **2** *(preoccuparsi)* to worry, to get upset **3** *(del mare)* to get rough. **agitato** *(agg.)* **1** *(mosso)* agitated, *(mare)* rough **2** *(inquieto)* troubled, *(eccitato)* excited.

aglio *(s.m.)* garlic.

agnello *(s.m.)* ZOOL. lamb.

ago *(s.m.)* **1** needle **2** *(di bilancia)* pointer, index **3** BOT. *(foglia)* needle.

agonia *(s.f.)* agony *(anche fig.)*.

agosto *(s.m.)* August.

agricolo *(agg.)* agricultural.

agricoltura *(s.f.)* agriculture. **agricoltore** *(s.m.)* farmer.

agriturismo *(s.m.)* farm holidays *(pl.)*.

agrume *(s.m.)* BOT. citrus.

aguzzare *(v.t.)* to sharpen *(anche fig.)*. **aguzzarsi** *(v.pron.)* *(divenire aguzzo)* to get sharper, to sharpen.

ahi *(inter.)* ouch!

aiuola *(s.f.)* (flower) bed.

aiutare *(v.t.)* to help. **aiutante** *(s.m.)* assistant, helper. **aiuto** *(s.m.)* **1** help, aid ✲ *a.!* help!, *chiedere a.* to call for help **2** *(aiutante)* assistant.

ala *(s.f.)* wing.

alba *(s.f.)* dawn *(anche fig.).*

albanese *(agg. e s.m.)* Albanian.

albergo *(s.m.)* hotel.

albero *(s.m.)* tree.

albicocca *(s.f.)* BOT. apricot.

alce *(s.m.)* ZOOL. moose.

alcol *(s.m.)* alcohol. **alcolismo** *(s.m.)* alcoholism. **alcolista** *(s.m. / s.f.)* alcoholic.

alcun, alcuno *(agg. indef.)* **1** *(in prop. afferm. o interr. che prevedono risposta afferm.)* (pl.) some, a few **2** *(in prop. interr. o neg.)* any, no **1** *(pron. indef.)* **1** *(in prop. afferm.)* (pl.) some, a few **2** *(in prop. neg. e interr. neg.)* any, anyone, anybody, no one, nobody, none.

aldilà *(s.m.)* world to come, afterlife.

alfabeto *(s.m.)* alphabet ✲ *a. Morse* Morse code.

alga *(s.f.)* seaweed, SCIENT. alga.

algerino *(agg. e s.m.)* Algerian.

alieno *(s.m.)* alien.

alimentare[1] *(agg.)* food *(attr.)* **||** *(s.m. pl.)* foodstuffs, *(negozio)* grocer's shop, grocery.

alimentare[2] *(v.t.)* **1** to feed, to nourish *(anche fig.)* **2** *(fornire)* to supply, to furnish **3** TECN. *(di energia elettrica)* to supply. **alimentarsi** *(v.pron.)* to feed (on), to feed o.s. (with). **alimentazione** *(s.f.)* **1** feeding, alimentation, *(regime alimentare)* diet **2** TECN. *(di energia elettrica)* (power) supply. **alimento** *(s.m.)* food.

alito *(s.m.)* breath.

allacciare *(v.t.)* **1** *(legare con lacci)* to lace, to tie (up) **2** to fasten **3** *(fig.)* to establish **4** TECN. to connect. **allacciarsi** *(v.pron.) (scarpe)* to lace (up), *(cintura di sicurezza)* to fasten, to buckle (up).

allagare *(v.t.)* to flood, to inundate. **allagarsi** *(v.pron.)* to be flooded.

allargare *(v.t.)* **1** to widen, to enlarge, to increase *(anche fig.)*. **allargarsi** *(v.pron.)* to widen (out), to extend.

allarme *(s.m.)* alarm, alert. **allarmare** *(v.t.)* to alarm. **allarmarsi** *(v.pron.)* to become alarmed, to get worried.

allattare *(v.t.)* to feed, *(al seno)* to breastfeed, to nurse. **allattamento** *(s.m.)* feeding ✲ *a. al seno* breastfeeding.

alleanza *(s.f.)* alliance.

allearsi *(v.pron.)* to form an alliance. **alleato** *(agg.)* allied (to) **||** *(s.m.)* ally.

allegare *(v.t.)* to enclose, to attach. **allegato** *(agg.)* enclosed **||** *(s.m.)* **1** COMM. enclosure **2** attachment *(anche INFORM.)*.

alleggerire *(v.t.)* **1** to lighten **2** *(fig.)* to relieve, to reduce. **alleggerirsi** *(v.pron.)* to become lighter.

allegro *(agg.)* **1** merry, cheerful **2** *(colore)* bright **||** *(s.m.)* MUS. allegro. **allegria** *(s.f.)* cheerfulness.

allenare *(v.t.)* to train, to coach, to exercise. **allenarsi** *(v.pron.)* to train, *(esercitarsi)* BE to practise, AE to practice. **allenamento** *(s.m.)* training. **allenatore** *(s.m.)* trainer, coach.

allentare *(v.t.)* **1** to loosen **2** *(fig.)* to weaken, *(tensione)* to ease. **allentarsi** *(v.pron.)* to loosen, to get slack, MECC. to come loose.

allergia *(s.f.)* MED. allergy. **allergico** *(agg.)* allergic.

allestire *(v.t.)* to organize, to set up *(mostra, spettacolo teatrale)* to mount.

allevamento *(s.m.)* **1** breeding, raising **2** *(luogo)* farm.

allevare *(v.t.)* **1** *(bambini)* to bring up, to raise **2** *(animali)* to raise, to breed. **allevatore** *(s.m.)* breeder, farmer.

allibito *(agg.)* astonished.

allievo *(s.m.)* **1** pupil, schoolboy, *(f.)* schoolgirl, AE student, MIL. cadet **2** *(apprendista)* apprentice.

allineare *(v.t.)* **1** to line, to align **2** ECON. to adjust, to align. **allinearsi** *(v.pron.)* **1** to fall into line, MIL. to dress **2** *(fig.) (adeguarsi)* to align o.s. (with).

alloggiare *(v.t.)* **1** to accommodate, to house **2** MIL. to quarter ‖ *(v.i.)* to stay. **alloggio** *(s.m.)* accomodation, lodgings *(pl.).*

allontanare *(v.t.)* **1** *(spostare)* to move away, *(separare)* to separate **2** *(mandare via)* to send away **3** *(licenziare)* to dismiss, AE to fire. **allontanarsi** *(v.pron.)* **1** to go away **2** *(deviare)* to deviate.

allora *(avv.)* **1** *(in quel momento)* then, at that time **2** *(nel caso)* then, in that case **3** *(quindi)* so, therefore ❖ *e a.?* so what?

alloro *(s.m.)* BOT. laurel, CUC. bay.

alluce *(s.m.)* big toe.

alludere *(v.i.)* to allude, to hint (at).

alluminio *(s.m.)* **1** BE aluminium, AE aluminum **2** CUC. tinfoil.

allungare *(v.t.)* **1** to lengthen, to extend **2** *(stendere)* to stretch (out) **3** *(porgere)* to pass, to hand **4** *(annacquare)* to water down, *(diluire)* to dilute. **allungarsi** *(v.pron.)* to lengthen, to get longer.

alluvione *(s.f.)* flood, inundation.

almeno *(avv.)* **1** at least **2** *(ottativo)* if only ❖ *a. la amasse!* if only he'd love her!

alpino *(agg.)* alpine, mountain *(attr.)* ❖ *sci a.* downhill skiing.

alquanto *(agg. indef.)* **1** *(una certa quantità di)* some, a certain amount of **2** *(pl.)* several, a few ‖ *(pron. indef.)* **1** some, a certain amount of **2** *(pl.)* some, several, a few ‖ *(avv.)* somewhat, a bit, rather.

alt *(inter.)* stop.

altalena *(s.f.)* swing.

altare *(s.m.)* altar.

alterare *(v.t.)* to alter, to change, *(lineamenti)* to distort. **alterarsi** *(v. pron.)* **1** *(mutarsi)* to alter, to change **2** *(deteriorarsi)* to deteriorate **3** *(arrabbiarsi)* to get upset. **alterazione** *(s.f.)* **1** *(cambiamento)* alteration, change **2** *(turbamento)* emotion.

alternativa *(s.f.)* alternative, choice.

alterno *(agg.)* alternate.

altezza *(s.f.)* **1** height **2** *(statura)* height **3** *(profondità)* depth **4** *(titolo)* Highness.

alticcio *(agg.)* tipsy.

altitudine *(s.f.)* GEOGR. altitude, height.

alto *(agg.)* **1** high, *(di statura)* tall **2** *(di classe, importanza)* high **3** *(profondo)* deep **4** *(elevato)* high **5** *(di spessore)* thick **6** *(rif. a tempo)* late ‖ *(s.m.)* height, top ‖ *(avv.)* high, above, up.

altoparlante *(s.m.)* loudspeaker.

altopiano *(s.m.)* GEOGR. plateau.

altrettanto *(agg. indef.)* as much, *(pl.)* as many ‖ *(pron. indef.)* **1** as much, *(pl.)* as many **2** *(la stessa cosa)* the same ‖ *(avv.)* **1** as **2** as much, *(rif. a tempo)* as long **3** *(parimenti)* likewise **4** *(in risposta a* *un augurio o saluto)* the same to you, FAM. likewise.

altrimenti *(avv.) (in modo diverso)* otherwise, differently ‖ *(cong.) (in caso contrario)* or else, otherwise.

altro *(agg. indef.)* **1** other, another **2** *(ancora di più)* more **3** *(diverso)* different **4** *(rafforzativo)* else ‖ *(pron. indef.)* **1** another (one), the other (one), *(pl.)* others, other people **2** *(correlativo)* other, another, *(pl.)* others **3** *(altra cosa)* something else, anything else, nothing else, some more.

altrove *(avv.)* elsewhere, somewhere else.

altrui *(agg. poss. invar.)* other people's, someone else's.

altruismo *(s.m.)* altruism. **altruista** *(s.m. / s.f.)* altruist.

alunno *(s.m.)* pupil, schoolboy, *(f.)* schoolgirl, AE student.

alveare *(s.m.)* (bee)hive.

alzare *(v.t.)* **1** to lift (up), to raise **2** *(prezzi)* to increase, to raise **3** *(volume)* to turn up, *(voce)* to raise. **alzarsi** *(v.pron.)* **1** *(in piedi)* to stand up **2** *(dal letto)* to get up **3** *(crescere)* to rise, to grow. **alzato** *(agg.)* **1** *(sveglio)* up **2** *(sollevato)* up.

amante *(agg.)* fond (of), keen (on) ‖ *(s.m.)* lover ‖ *(s.f.)* mistress, lover.

amare *(v.t.)* **1** *(essere innamorato)* to love, to be in love with (s.o.) **2** *(essere appassionato)* to like, to be fond of. **amarsi** *(v.pron.) (l'un l'altro)* to love each other, to be in love (with each other), *(se stesso)* to love o.s.

amaro *(agg.)* **1** bitter *(anche fig.)* **2** *(non zuccherato)* unsweetened ‖ *(s.m.)* **1** *(sapore amaro)* bitter taste **2** *(amarezza)* bitterness. **amarezza** *(s.f.)* **1** bitterness *(anche fig.)* **2** *(tri-*

stezza) sadness, *(contrarietà)* disappointments *(pl.)*. **amareggiato** *(agg.)* saddened, embittered.

ambasciata *(s.f.)* **1** embassy **2** *(messaggio)* message. **ambasciatore** *(s.m.)* ambassador.

ambiente *(s.m.)* **1** environment **2** *(stanza)* room ‖ *(agg.)* ambient *(attr.)* ❖ **temperatura** a. room temperature. **ambientalista** *(agg. e s.m. / s.f.)* ecologist, environmentalist.

ambientarsi *(v.pron.)* to settle in.

ambiguo *(agg.)* **1** ambiguous, FAM. shady **2** *(linguaggio)* equivocal.

ambire *(v.t.)* to aspire (to).

ambizione *(s.f.)* ambition. **ambizioso** *(agg.)* ambitious.

ambra *(s.f.)* amber.

ambulanza *(s.f.)* ambulance.

ambulatorio *(s.m.)* **1** *(in ospedale o clinica)* out-patient department **2** *(studio privato)* practice, clinic.

americano *(agg.)* American ‖ *(s.m.)* **1** American **2** *(lingua)* American English.

amica *(s.f.)* **1** friend **2** *(amante)* lover **3** *(innamorata)* girlfriend.

amicizia *(s.f.)* **1** friendship ❖ **fare** a. con qu.no to make friends with s.o. **2** *(pl.)* friends.

amico *(s.m.)* **1** friend **2** *(amante)* lover, *(innamorato)* boyfriend ‖ *(agg.)* friendly.

ammaccare *(v.t.)* to dent, *(di frutta)* to bruise. **ammaccarsi** *(v.pron.)* to get dented, *(di frutta)* to get bruised.

ammalarsi *(v.pron.)* to fall ill. **ammalato** *(agg.)* ill, sick ‖ *(s.m.)* **1** sick person **2** *(paziente)* patient.

ammanco *(s.m.)* deficit.

ammanettare *(v.t.)* to handcuff.

ammassare *(v.t.)* to assemble, to amass, *(accumulare)* to accumulate. **ammassarsi** (v.pron.) **1** (affollarsi) to crowd, to mass **2** (accumularsi) to accumulate. **ammasso** (s.m.) heap, pile.

ammazzare (v.t.) to kill (anche fig.), (assassinare) to murder. **ammazzarsi** (v.pron.) **1** (suicidarsi) to kill o.s. **2** (rimanere ucciso) to get killed.

ammesso che (loc. cong.) supposing (that), even if, provided (that).

ammettere (v.t.) **1** to admit (riconoscere) to admit, to acknowledge **3** (supporre) to suppose, to assume **4** (permettere) to allow, to tolerate.

ammiccare (v.i.) to wink (at s.o.).

amministrare (v.t.) to manage, to run, to administer. **amministrativo** (agg.) administrative ❖ elezioni amministrative local elections. **amministratore** (s.m.) manager, director. **amministrazione** (s.f.) **1** administration, management **2** (di affari) business **3** (luogo) administrative headquarters (pl.), administration.

ammirare (v.t.) to admire. **ammiratore** (s.m.) admirer, (di personaggio celebre ecc.) fan. **ammirazione** (s.f.) admiration.

ammissione (s.f.) **1** admission, entry, (a scuola ecc.) admittance, entrance **2** (riconoscimento) acknowledgement, admission.

ammobiliare (v.t.) to furnish. **ammobiliato** (agg.) furnished.

ammonire (v.t.) **1** (rimproverare) to admonish, to reprimand **2** SPORT, BE to book.

ammorbidire (v.t.) to soften, (fig.) to mellow. **ammorbidirsi** (v.pron.) to soften, (fig.) to mellow. **ammorbidente** (s.m.) (fabric) conditioner.

ammortizzatore (s.m.) **1** AUT. shock absorber, damper **2** (fig.) ❖ a. sociale social security cushion.

ammucchiare (v.t.) to heap, to pile up. **ammucchiarsi** (v.pron.) (di cose) to pile up, (di persone) to crowd (together), to mass.

ammuffire (v.i.) to grow mouldy.

amnesia (s.f.) amnesia.

amnistia (s.f.) DIR. amnesty.

amo (s.m.) (fish) hook.

amore (s.m.) love ❖ per a. out of love, fare l'a. con qu.no to make love to s.o.

amoreggiare (v.i.) to flirt.

amoroso (agg.) loving, affectionate.

ampio (agg.) wide, broad, large (anche fig.).

amplificatore (s.m.) FIS., TECN. amplifier.

amputare (v.t.) to amputate.

anabbagliante (s.m.) AUT., BE dipped headlight, AE dimmed headlight.

analcolico (agg.) non-alcoholic.

analfabeta (agg.) illiterate, (estens.) ignorant ll (s.m. / s.f.) illiterate, (estens.) ignoramus.

analgesico (agg. e s m) FARM. analgesic.

analisi (s.f.) analysis, test.

analogo (agg.) analogous, similar. **analogamente** (avv.) likewise.

ananas (s.m.) BOT. pineapple.

anarchia (s.f.) anarchy.

anatomia (s.f.) anatomy.

anatra (s.f.) ZOOL. duck. **anatroccolo** (s.m.) duckling.

anca (s.f.) ANAT. hip.

anche (cong.) **1** (pure) also, too, as well **2** (davanti a compar.) even, still **3** (persino) even ❖ a. se even if.

ancora *(avv.)* **1** *(tuttora)* still, *(in frasi neg.)* yet **2** *(di nuovo)* again **3** *(davanti a compar.)* still, even, yet **4** *(con pron. e agg. quantitativi)* more **5** *(di più)* *(in prop. afferm.)* some more, *(in prop. neg. o interr.)* any more **6** *(più a lungo)* longer.

àncora *(s.f.)* MAR. anchor.

andamento *(s.m.)* trend, course.

andare *(v.i.)* **1** to go, *(in auto)* to drive, *(a piedi)* to walk **2** *(funzionare)* to work **3** *(procedere)* to go, to get on **4** *(andar bene)* to fit **5** *(piacere)* to like **6** *(sentirsi di)* to feel like (doing) **7** *(con p. pass.: dover essere)* va fatto it must be done. **andarsene** *(v.pron.)* to go (away), to leave ❖ *vattene!* go away!

andata *(s.f.)* ❖ *viaggio di a. e ritorno* round trip, *biglietto di a.* BE single ticket, AE one-way ticket.

aneddoto *(s.m.)* anecdote.

anello *(s.m.)* ring, *(di catena)* link.

anestesia *(s.f.)* MED. BE anaesthesia, AE anesthesia. **anestesista** *(s.m. / s.f.)* MED. BE anaesthetist, AE anesthetist.

anfiteatro *(s.m.)* BE amphitheatre, AE amphitheater.

angelo *(s.m.)* angel.

angolo *(s.m.)* **1** corner **2** GEOM. angle.

angoscia *(s.f.)* anguish, distress *(anche* MED.). **angoscioso** *(agg.)* **1** *(che dà angoscia)* distressing **2** *(pieno di angoscia)* distressed.

anguilla *(s.f.)* ZOOL. eel.

anima *(s.f.)* **1** soul **2** *(sentimento)* feeling, heart **3** *(persona)* soul **4** *(parte interna)* core.

animale *(agg.)* animal *(anche fig.)* ‖ *(s.m.)* animal ❖ *a. domestico* pet.

animare *(v.t.)* **1** to enliven, to give life to (s.o., sthg.), to liven up *(anche fig.)* **2** *(incoraggiare)* to encourage. **animarsi** *(v.pron.)* *(vivacizzarsi)* to grow heated, *(di luogo, festa)* to liven up.

animo *(s.m.)* **1** mind, inclination, mood ❖ *forza d'a.* willpower, *grandezza d'a.* magnanimity, *bontà d'a.* goodness of heart **2** *(di persona)* soul **3** *(coraggio)* heart.

annaffiare *(v.t.)* to water.

annaffiatoio *(s.m.)* watering can, *(meccanico)* sprinkler.

annata *(s.f.)* **1** year **2** *(raccolto)* crop, *(di vino)* year, vintage **3** *(di periodici)* volume.

annebbiare *(v.t.)* **1** to fog, to cloud **2** *(offuscare)* to dim, to obscure **3** *(fig.)* to dull, to cloud. **annebbiarsi** *(v.pron.)* **1** *(diventare nebbioso)* to become cloudy, to grow dim **2** *(offuscarsi)* to grow dim.

annegare *(v.t.)* to drown *(anche fig.)* ‖ *(v.i.)* to drown, to be drowned.

annesso *(agg.)* **1** of, belonging (to), part of **2** *(documenti ecc.)* attached, enclosed **3** POL. annexed.

anniversario *(s.m.)* anniversary.

anno *(s.m.)* **1** year **2** *(pl.)* *(lungo periodo di tempo)* ages *(pl.)*.

annodare *(v.t.)* to knot, to tie. **annodarsi** *(v.pron.)* *(di filo ecc.)* to get tangled up.

annoiare *(v.t.)* to bore, to irritate. **annoiarsi** *(v.pron.)* to get (to be) bored.

annotare *(v.t.)* **1** *(corredare di note)* to annotate **2** *(prender nota di)* to note down.

annuale *(agg.)* **1** *(che dura un anno)* one-year, yearly **2** *(che si verifica ogni anno)* annual, yearly.

annullare (v.t.) **1** to cancel, to annul **2** (vanificare) to ruin **3** DIR. to annul **4** COMM. to cancel **5** INFORM. (un comando) to undo, (una procedura) to cancel. **annullarsi** (v.pron.) **1** (umiliarsi) to humble o.s. **2** (escludersi) to cancel each other out.

annunciare (v.t.) to announce ❖ a. un volo to call a flight. **annunciarsi** (v.pron.) **1** to give one's name in **2** (prepararsi) to be in store.

annusare (v.t.) **1** to smell, to sniff **2** (fig.) to smell out.

anonimo (agg.) anonymous.

ansia (s.f.) **1** anxiety, anxiousness **2** PSIC. anxiety **3** (desiderio) eagerness, longing. **ansioso** (agg.) **1** (preoccupato) anxious **2** (impaziente, desideroso) eager, longing ‖ (s.m.) PSIC. anxious person.

ansimare (v.i.) to pant, to gasp.

anta (s.f.) door.

antenato (s.m.) ancestor, forefather.

antenna (s.f.) RAD. aerial, antenna.

anteriore (agg.) **1** (nello spazio) front, fore **2** (nel tempo) previous, preceding.

anticipare (v.t.) **1** to bring forward **2** (pagare prima) to pay in advance **3** (comunicare) to disclose **4** (prevenire) to anticipate ‖ (v.i.) to come early, to arrive early. **anticipo** (s.m.) **1** advance **2** (di denaro) advance, (caparra) down payment, deposit.

antico (agg.) **1** ancient, (vecchio) old **2** (di antiquariato) antique ‖ (s.m.) ❖ in antico in ancient times. **antichità** (s.f.) **1** antiquity, ancientness **2** (tempo antico) ancient times (pl.), (antichità classica) antiquity **3** (pl.) (oggetti antichi) antiques, (oggetti dell'antichità classica) antiquities ❖ negozio di a. antique shop.

anticoncezionale (s.m.) FARM., MED. contraceptive.

anticorpo (s.m.) BIOL. antibody.

antidoto (s.m.) FARM. antidote (anche fig.).

antifebbrile (agg.) FARM. antipyretic ‖ (s.m.) FARM. antipyretic, febrifuge.

antincendio (agg.) fire-proof.

antipatia (s.f.) dislike, antipathy. **antipatico** (agg.) unpleasant, nasty.

antiquario (agg.) antiquarian, antique ‖ (s.m.) antique dealer.

antisismico (agg.) earthquake proof.

anulare (agg.) annular, ring-like ‖ (s.m.) ring finger.

anzi (cong.) **1** (al contrario) on the contrary, in fact **2** (o piuttosto) or better still, even better.

anziano (agg.) **1** (avanti negli anni) elderly, (vecchio) old **2** (senior) senior ‖ (s.m.) senior citizen, old person ❖ gli anziani the elderly.

anziché (cong.) **1** (piuttosto che) rather than **2** (invece di) instead of.

anzitutto (avv.) first of all.

ape (s.f.) ZOOL. bee, (maschio) drone.

aperitivo (s.m.) aperitif.

aperto (agg.) **1** open (anche fig.) **2** (fig.) (franco) open, frank **3** (fig.) (di ampie vedute) open-minded, broad-minded ‖ (s.m.) open ❖ all'a. open air, outdoors. **apertura** (s.f.) **1** opening **2** (foro) opening, aperture, (in una siepe) gap, break **3** (fig.) (di mente) broadmindedness.

apice (s.m.) **1** peak, summit **2** (fig.) height, peak.

appagare (v.t.) to satisfy. **appagarsi** (v.pron.) to be satisfied (with), to be content with.

appalto (s.m.) contract. **appaltatore** (s.m.) contractor ‖ (agg.) contracting.

appannare *(v.t.)* **1** *(vetri ecc.)* to cloud, to mist (up), to dim **2** *(offuscare)* to blur, to dim *(anche fig.)*. **appannarsi** *(v.pron.)* **1** *(di vetri ecc.)* to mist up **2** *(offuscarsi)* to grow dim *(anche fig.)*, to blur **3** *(fig.) (perdere la lucidità)* to be dulled.

apparecchiare *(v.t.) (preparare)* to prepare, *(approntare)* to make ready, *(la tavola)* to lay the table.

apparecchiatura *(s.f.)* equipment.

apparecchio *(s.m.)* **1** device, appliance **2** *(aeroplano)* aircraft.

apparire *(v.i.)* **1** *(mostrarsi)* to appear, to become visible **2** *(sembrare)* to look, to seem **3** *(mettersi in mostra)* to show off. **apparente** *(agg.)* **1** *(evidente)* apparent, evident, obvious **2** *(non reale)* apparent, seeming. **apparentemente** *(avv.)* apparently, seemingly. **apparenza** *(s.f.)* appearance. **appariscente** *(agg.)* **1** *(che colpisce)* striking, remarkable **2** *(vistoso)* showy, flashy, *(colore)* loud. **apparizione** *(s.f.)* **1** *(rif. a fenomeni soprannaturali, celesti)* apparition **2** *(comparsa)* appearance.

appartamento *(s.m.)* BE flat, AE apartment.

appartarsi *(v.pron.)* to withdraw, to retire *(anche fig.)*, *(stare in disparte)* to keep to o.s.

appartenere *(v.i.)* **1** to belong **2** *(far parte)* to belong, to come (from), to be a member of.

appassionare *(v.t.)* to thrill, to excite passion in, to move, to involve. **appassionarsi** *(v.pron.)* to become keen (on), to develop a passion for.

appello *(s.m.)* **1** *(controllo presenze)* roll call **2** *(invocazione)* appeal, call **3** DIR. appeal.

appassire *(v.i.)* **1** to wither **2** *(fig.)* to fade.

appena *(avv.)* **1** *(a stento)* scarcely, hardly **2** *(soltanto)* only (just), hardly **3** *(da poco tempo)* just ‖ *(cong.)* as soon as.

appendere *(v.t.)* to hang (up) *(anche fig.)*.

appendiabiti *(s.m.) (attaccapanni)* hat stand, *(gruccia)* hanger.

appendice *(s.f.)* **1** *(aggiunta)* appendage, *(di libro ecc.)* appendix **2** *(aggiornamento)* addendum **3** ANAT. appendix.

appendicite *(s.f.)* MED. appendicitis.

appesantire *(v.t.)* to weigh down, to make heavy. **appesantirsi** *(v.pron.)* **1** to get heavier **2** *(ingrassare)* to gain weight, to put on weight.

appetito *(s.m.)* **1** appetite ❖ *buon a.!* enjoy your meal! **2** *(desiderio)* appetite, desire. **appetitoso** *(agg.)* **1** inviting, tempting **2** *(fig.)* tempting, desirable.

appiattire *(v.t.)* **1** to flatten, to level **2** *(fig.)* to level out.

appiccicare *(v.t.)* to stick, *(attaccare)* to attach, to glue, to paste ‖ *(v.i.) (essere appiccicoso)* to be sticky. **appiccicarsi** *(v.pron.)* to stick, to adhere, *(fig.)* to stick, to cling.

appiglio *(s.m.)* **1** *(per la mano)* handhold, *(per il piede)* foothold **2** *(fig.)* pretext, excuse.

applaudire *(v.t. / v.i.)* to applaud *(anche fig.)*, *(battere le mani)* to clap. **applauso** *(s.m.)* **1** applause, *(a gran voce)* cheers *(pl.)* **2** *(fig.)* praise, approval.

applicare *(v.t.)* **1** to apply, to put on, *(con la colla)* to stick on, *(cucendo)* to sew on **2** *(mettere in atto)* to carry out, to enforce, to apply. **applicarsi** (v.pron.) to apply o.s. **applicazione** (s.f.) **1** application, (di legge ecc.) enforcement ❖ in a. della legge in pursuance of the law **2** (impegno) application, concentration.

appoggiare (v.t.) **1** (accostare) to lean, (posare) to put (down) **2** (aiutare) to support, (sostenere) to back, to second || (v.i.) to rest, to stand. **appoggiarsi** (v.pron.) **1** to lean (on) **2** (fig.) to rely (on), to depend (on). **appoggio** (s.m.) support (anche fig.).

apposito (agg.) **1** (fatto apposta) special **2** (adatto) appropriate, proper.

apposta (avv.) **1** (di proposito) on purpose, deliberately, intentionally **2** (espressamente) specially, expressly || (agg. invar.) (adatto) special.

apprendere (v.t.) **1** (imparare) to learn **2** (venire a sapere) to hear, to learn.

apprendista (s.m. / s.f.) apprentice, beginner, trainee.

appresso (prep.) close (to), near || (avv.) (accanto) near, close by, (con sé) with.

apprezzare (v.t.) to appreciate.

approccio (s.m.) approach (anche fig.), (amoroso) advances (pl.).

approfittare (v.i.) (avvantaggiarsi) to take advantage (of), to make the most (of). **approfittarsi** (v.pron.) to take advantage (of), (abusare) to impose on.

approfondire (v.t.) **1** (rendere più profondo) to deepen, to make deeper **2** (fig.) (studiare a fondo) to go (into) thoroughly, to study (sthg.) in depth.

appropriato (agg.) appropriate, suitable (for).

approvare (v.t.) to approve (of). **approvazione** (s.f.) approval.

appuntamento (s.m.) appointment, engagement, (amoroso) date.

appunto[1] (s.m.) **1** (nota) note **2** (osservazione) remark, comment.

appunto[2] (avv.) exactly, precisely, (proprio) just.

aprile (s.m.) April ❖ pesce d'a.! April fool!

aprire (v.t.) **1** to open, (usando la chiave) to unlock **2** (mettere in funzione) to turn on **3** (incominciare) to begin, to open || (v.i.) to open. **aprirsi** (v.pron.) **1** to open **2** (confidarsi) to open up.

apriscatole (s.m.) can opener, BE tin opener.

aquila (s.f.) ZOOL. eagle.

aquilone (s.m.) kite.

arabo (agg.) **1** (rif. a persone, cavalli) Arab **2** (rif. a tradizioni ecc.) Arabian || (s.m.) **1** Arab **2** (lingua) Arabic ❖ questo è a. per me it's Greek to me.

arachide (s.f.) peanut.

aragosta (s.f.) lobster.

arancia (s.f.) orange ❖ succo d'a. orange juice.

aranciata (s.f.) orange drink, BE orangeade.

arancio (s.m.) **1** BOT. orange (tree) **2** (colore) orange.

arancione (agg. e s.m.) orange.

arare (v.t.) BE to plough, AE to plow.

aratro (s.m.) BE plough, AE plow.

arbitro (s.m.) **1** DIR. arbitrator **2** SPORT umpire, referee **3** (fig.) arbiter.

arca (s.f.) **1** ark **2** (sarcofago) tomb, sarcophagus.

arcata (s.f.) **1** ARCH. arch, arcade, arches (pl.), (passaggio ad arco) archway **2** ANAT. arch.

archeologia *(s.f.)* archaeology.

architetto *(s.m.)* architect.

architettura *(s.f.)* **1** architecture **2** *(fig.)* structure.

archivio *(s.m.)* **1** archives *(pl.)*, COMM. files *(pl.)*, *(mobile)* filing cabinet **2** INFORM. file **3** *(luogo)* record office, archives *(pl.)*.

arco *(s.m.)* **1** *(arma)* bow **2** ARCH. arch **3** *(fig.)* *(di tempo)* space **4** ANAT. arch.

arcobaleno *(s.m.)* rainbow.

ardente *(agg.)* **1** burning, red-hot, scorching **2** *(fig.)* ardent, fervent.

ardere *(v.t.)* to burn ‖ *(v.i.)* to burn, to be on fire.

ardore *(s.m.)* **1** *(calore intenso)* scorching heat **2** *(fig.)* *(passione)* ardour, passion, *(fervore)* fervour, *(entusiasmo)* zeal, zest.

area *(s.f.)* area.

arena *(s.f.)* **1** arena *(anche fig.)* **2** *(teatro)* open-air theatre.

arenarsi *(v.pron.)* **1** *(imbarcazione)* to run aground **2** *(fig.)* to get stuck.

argano *(s.m.)* winch.

argentino *(agg. e s.m.)* Argentinian.

argento *(s.m.)* **1** CHIM. silver **2** *(pl.)* *(argenteria)* silver *(sing.)*, silverware *(sing.)*.

argilla *(s.f.)* clay.

argine *(s.m.)* embankment, bank, *(diga)* dyke, dike.

arguto *(agg.)* witty.

argomento *(s.m.)* subject, topic.

aria *(s.f.)* **1** air **2** *(clima)* air, climate **3** *(aspetto, atteggiamento)* appearance, look, air.

arido *(agg.)* **1** arid, dry **2** *(fig.)* dry, cold, unfeeling.

ariete *(s.m.)* **1** ZOOL. ram **2** MIL. battering ram **3** ASTROL. Aries.

aristocratico *(agg.)* aristocratic ‖ *(s.m.)* aristocrat.

aritmetica *(s.f.)* arithmetic.

arma *(s.f.)* **1** weapon, arm *(anche fig.)* ❖ *a. da fuoco* firearm **2** MIL. force, corps.

armadio *(s.m.)* wardrobe, closet ❖*a. a muro* built-in wardrobe.

armare *(v.t.)* **1** *(fornire di armi)* to arm, to provide with arms **2** MAR. *(una nave)* to equip, to rig **3** *(armi)* to load **4** EDIL. to reinforce. **armarsi** *(v.pron.)* to arm o.s. (with sthg.).

armonia *(s.f.)* **1** MUS. harmony **2** *(concordia)* harmony, accord, agreement.

arnese *(s.m.)* **1** tool, implement **2** FAM. *(aggeggio)* thing, gadget.

aroma *(s.m.)* **1** *(buon odore)* aroma, fragrance **2** *(pl.)* *(spezie)* spices, herbs **3** *(additivo)* BE flavour, AE flavor.

arrabbiarsi *(v.pron.)* to get angry, to get cross, *(perdere le staffe)* to lose one's temper.

arrampicarsi *(v.pron.)* to climb (up).

arrangiare *(v.t.)* **1** to arrange, to settle **2** MUS. to arrange. **arrangiarsi** *(v.pron.)* *(cavarsela)* to get by, to manage.

arredare *(v.t.)* to furnish. **arredamento** *(s.m.)* **1** *(l'arredare)* furnishing **2** *(mobili ecc.)* furnishings *(pl.)*, furniture *(sing.)*.

arrendersi *(v.pron.)* **1** to surrender, to give o.s. up **2** *(fig.)* to give in, to give up.

arrestare *(v.t.)* **1** *(fermare)* to stop, to halt **2** *(trarre in arresto)* to arrest. **arrestarsi** *(v.pron.)* to stop.

arretrato *(agg.)* **1** *(rimasto indietro)* behind **2** COMM. outstanding **3** *(di mentalità)* backward **4** *(anti-*

quato) outdated **5** *(sottosviluppato)* underdeveloped **6** *(di rivista)* ❖ *numero a.* back number ‖ *(s.m. pl.)* arrears, *(di stipendio)* backpay *(sing.).*

arricchire *(v.t.)* to enrich, to make rich. **arricchirsi** *(v.pron.)* **1** to become rich, to get rich **2** *(fig.)* to be enriched.

arrivare *(v.i.)* **1** to arrive, to come, *(raggiungere)* to reach **2** *(fig.)* to arrive (at), to get (to, at), to reach *(sthg.)* **3** *(riuscire)* to manage (to do), to succeed (in doing) **4** *(avere successo)* to attain success, to be a success *(giungere al punto di)* to go so far as (to do), *(essere ridotto a)* to be reduced to (doing sthg.).

arrivederci *(inter.)* goodbye, FAM. so long, see you (soon), good-bye.

arrivista *(s.m. / s.f.)* social climber.

arrivo *(s.m.)* arrival.

arrogante *(agg.)* arrogant, presumptuous.

arrossire *(v.i.)* to blush, to turn red.

arrostire *(v.t.)* to roast, to broil, *(sulla griglia)* to grill. **arrosto** *(agg.)* CUC. roast, *(sulla griglia)* grilled ‖ *(s.m.)* CUC. roast.

arrotondare *(v.t.)* to round, *(fig.) (una cifra)* to round off, *(per eccesso / difetto)* to round up / down.

arrugginire *(v.t. / v.i.)* to rust. **arrugginirsi** *(v.pron.)* **1** to rust, to get rusty **2** *(fig.)* to become rusty.

arruolare *(v.t.)* to recruit, to enlist, to enrol. **arruolarsi** *(v.pron.)* MIL. to join *(sthg.)*, to enlist (in), *(come volontario)* to volunteer.

arsenale *(s.m.)* **1** *(di armi)* arsenal **2** *(cantiere navale)* dockyard **3** FAM. *(accozzaglia di cose)* mass, heap.

arte *(s.f.)* **1** art ❖ *belle arti* fine arts **2** *(mestiere)* skill, craft **3** *(abilità)* skill, talent, art.

arteria *(s.f.)* artery *(anche* ANAT.).

artico *(agg.)* GEOGR. arctic.

articolare *(v.t.)* **1** *(arti)* to articulate **2** *(pronunciare)* to articulate **3** *(fig.) (suddividere)* to subdivide, to split up. **articolarsi** *(v.pron.)* **1** to be articulated **2** *(suddividersi)* to be divided (into). **articolazione** *(s.f.)* ANAT. articulation, *(giuntura)* joint.

articolo *(s.m.)* **1** GRAMM. article **2** *(di giornale)* article **3** COMM. article, item, *(pl.)* goods.

artificiale *(agg.)* artificial.

artigiano *(agg.)* artisan ‖ *(s.m.)* craftsman, artisan. **artigianale** *(agg.)* craftmade, homemade.

artiglieria *(s.f.)* artillery.

artiglio *(s.m.)* claw.

artista *(s.m. / s.f.)* artist. **artistico** *(agg.)* artistic(al).

arto *(s.m.)* ANAT. limb.

artrite *(s.f.)* MED. arthritis.

artrosi *(s.f.)* MED. arthrosis.

ascendente *(agg.)* ascending, rising ‖ *(s.m.)* **1** *(influenza)* ascendancy, influence **2** ASTROL. ascendant.

ascella *(s.f.)* ANAT. armpit.

ascensore *(s.m.)* BE lift, AE elevator.

ascesso *(s.m.)* MED. abscess.

ascia *(s.f.)* axe, *(accetta)* hatchet.

asciugacapelli *(s.m.)* hairdryer.

asciugamano *(s.m.)* towel.

asciugare *(v.t.)* to wipe, to dry. **asciugarsi** *(v.pron.)* **1** *(diventare asciutto)* to dry, to get dry **2** to wipe o.s. (dry), to dry o.s. **3** *(estens.) (dimagrire)* to become lean. **asciutto** *(agg.)* **1** dry **2** *(fig.)* dry, plain **3** *(magro)* thin, lean.

ascoltare (v.t.) 1 to listen to (s.o., sthg.) 2 (assistere a) to attend 3 (esaudire) to hear, to grant.

asfalto (s.m.) asphalt.

asfissiante (agg.) 1 suffocating, asphyxiating, stifling 2 (fig.) annoying.

asiatico (agg. e s.m.) Asian.

asilo (s.m.) 1 (rifugio) refuge, shelter ❖ DIR. a. politico political asylum 2 (scuola) kindergarten, nursery school ❖ a. nido AE day care, BE crèche.

asino (s.m.) ZOOL. ass, donkey.

asma (s.f.) MED. asthma.

asparago (s.m.) BOT. asparagus.

aspettare (v.t.) 1 to wait for 2 (prevedere) to expect ❖ a. un bambino to be expecting. aspettarsi (v.pron.) to expect.

aspetto (s.m.) 1 appearance, look 2 (di persona) appearance, (del volto) looks (pl.) 3 (punto di vista) side, aspect.

aspirapolvere (s.m.) vacuum cleaner.

aspirare (v.t.) (inspirare) to breathe in, to inhale ‖ (v.i.) (desiderare vivamente) to aspire, to aim (at).

aspirazione (s.f.) 1 inhalation, breathing in 2 (fig.) (vivo desiderio) aspiration (after, for).

aspirina® (s.f.) FARM. aspirin®.

asportare (v.t.) to take away, to remove (anche MED.). asporto (s.m.) ❖ da a. takeaway, AE takeout.

aspro (agg.) 1 (sapore) sour, acid, (odore) pungent, acrid 2 (clima) harsh, hard 3 (fig.) harsh, sharp.

assaggiare (v.t.) to taste, to try. assaggio (s.m.) 1 (l'assaggiare) tasting, taste 2 (piccola quantità) small quantity, taste.

assalire (v.t.) 1 to attack, to assail 2 (fig.) to seize, to assail.

assaltare (v.t.) 1 (di soldati ecc.) to attack 2 (rapinare) to hold up, to raid. assalto (s.m.) assault, attack ❖ truppe d'a. storm troops.

assaporare (v.t.) to savour, to taste.

assassinare (v.t.) 1 to murder, to assassinate 2 (fig.) to murder, to ruin.

assassino (agg.) murderous, killer (attr.) ‖ (s.m.) murderer, assassin.

asse (s.f.) 1 plank, board 2 MAT. axis 3 MECC. axle.

assecondare (v.t.) 1 (una richiesta) to second 2 (una persona) to pander to.

assediare (v.t.) 1 MIL. to besiege 2 (fig.) (assillare) to trouble, to pester 3 (attorniare) to surround. assedio (s.m.) MIL. siege, (fig.) state of emergency.

assegnare (v.t.) 1 (dare) to assign, to allot 2 (affidare) to assign, to entrust 3 (destinare) to assign.

assegno (s.m.) 1 BANC., BE cheque, AE check ❖ a. circolare bank draft 2 (sussidio) allowance, benefit.

assemblea (s.f.) meeting.

assente (agg.) 1 away from, absent 2 (fig.) absent, distracted ‖ (s.m. / s.f.) absentee. assenza (s.f.) 1 absence 2 (mancanza) lack, absence.

assestarsi (v.pron.) to settle (down).

assetato (agg.) 1 thirsty, parched 2 (fig.) eager, thirsty.

assicurare (v.t.) 1 (fissare) to fasten, to secure 2 (garantire) to ensure, to make sure (of) 3 (rassicurare) to assure 4 DIR. to insure, to assure. assicurarsi (v.pron.) 1 (legarsi) to fasten o.s. 2 (accertarsi) to make sure 3 DIR. to insure o.s.

assicurazione (s.f.) 1 (garanzia) assurance 2 DIR. insurance.

assiduo *(agg.)* **1** *(diligente)* assiduous, diligent **2** *(regolare)* regular.

assillare *(v.t.)* to pester, to torment.

assistente *(s.m. / s.f.)* assistant.

assistenza *(s.f.)* **1** *(aiuto)* assistance, aid, help ❖ *a. medica* medical care, *a. sociale* social services **2** *(beneficenza)* welfare ❖ *opera di a.* welfare institution.

assistere *(v.t.)* **1** *(aiutare)* to assist, to help, to aid **2** *(curare)* to nurse, to look after ‖ *(v.i.)* *(essere presente)* to be present (at), to attend (sthg.), *(essere testimone)* to witness (sthg.).

asso *(s.m.)* **1** *(a carte)* ace **2** SPORT ace, champion.

associare *(v.t.)* **1** *(correlare)* to associate **2** *(riunire)* to join, to pool **3** *(prendere come socio)* to affiliate.

associarsi *(v.pron.)* **1** *(divenire membro)* to become a member (of), to join **2** *(abbonarsi)* to subscribe (to) **3** COMM. to enter into partnership (with s.o.) **4** *(condividere un'opinione, un'idea)* to second.

associazione *(s.f.)* association.

assolvere *(v.t.)* **1** DIR. to acquit, to discharge **2** *(da obbligo ecc.)* to release, to free **3** *(adempiere)* to perform, to carry out **4** RELIG. to absolve.

assomigliare v. somigliare.

assorbente *(agg.)* absorbing, absorbent ❖ *carta a.* blotting paper ‖ *(s.m.)* *(igienico)* sanitary pad, BE sanitary towel, AE sanitary napkin.

assordare *(v.t.)* to deafen.

assortimento *(s.m.)* assortment, range, *(di merce)* stock.

assorto *(agg.)* engrossed.

assumere *(v.t.)* **1** to take on, to assume **2** *(addossarsi)* to undertake, to engage **3** *(prendere alle dipendenze)* to engage, to hire, to employ **4** *(ingerire)* to take **5** *(ipotizzare)* to assume.

assunzione *(s.f.)* **1** *(l'assumere)* assumption, *(accettazione)* acceptance **2** *(l'ingerire)* taking **3** *(di personale)* engagement, employment, hiring.

assurdo *(agg.)* absurd, ridiculous. **assurdità** *(s.f.)* absurdity.

asta *(s.f.)* **1** staff, pole ❖ SPORT *salto con l'a.* pole vault **2** *(segno verticale)* stroke, *(di lettera, nota)* stem **3** COMM. auction.

astemio *(agg.)* teetotal *(pred.)* ‖ *(s.m.)* teetotaller, AE teetotaler.

astenersi *(v.pron.)* to refrain, to abstain. **astinenza** *(s.f.)* abstinence ❖ MED. *crisi d'a.* withdrawal symptoms.

astratto *(agg. e s.m.)* abstract.

astrologia *(s.f.)* astrology.

astronave *(s.f.)* spaceship, spacecraft.

astuccio *(s.m.)* case, *(per penne, matite)* pencil case.

astuto *(agg.)* astute, shrewd, sly, cunning. **astuzia** *(s.f.)* **1** *(qualità)* astuteness, shrewdness **2** *(atto)* trick, stratagem.

ateneo *(s.m.)* university.

ateo *(agg.)* atheistic ‖ *(s.m.)* atheist.

atlante *(s.m.)* atlas.

atlantico *(agg.)* GEOGR. Atlantic.

atleta *(s.m. / s.f.)* athlete.

atmosfera *(s.f.)* atmosphere *(anche fig.)*.

atomico *(agg.)* atomic. **atomica** *(s.f.)* atomic bomb.

atono *(agg.)* unstressed, LING. atonic.

atrio *(s.m.)* **1** lobby, hall **2** ARCH. atrium **3** ANAT. auricle, atrium.

atroce *(agg.)* atrocious, dreadful, awful, terrible.

attaccabrighe (*s.m. / s.f.*) trouble-maker.

attaccapanni (*s.m.*) (*a muro*) coat rack, (*a piantana*) hat stand, BE hall-stand, AE hall tree.

attaccare (*v.t.*) **1** (*unire*) to attach, to fasten, (*legare*) to tie **2** (*cucire*) to sew on **3** (*appiccicare*) to stick, to glue, to paste **4** (*appendere*) to hang **5** (*aggredire*) to attack (*anche fig.*) **6** (*iniziare*) to begin, to start, MUS. to strike up ‖ (*v.i.*) **1** (*aderire*) to stick, to adhere **2** (*attecchire*) to take root. **attaccarsi** (*v.pron.*) **1** to stick (together), (*appigliarsi*) to cling **2** (*affezionarsi*) to become fond (of), to become attached (to) **3** (*aggredirsi*) to attack each other (one another).

attacco (*s.m.*) **1** MIL. attack, assault **2** (*fig.*) attack **3** MED. attack, fit **4** (*avvio, inizio*) opening, beginning, MUS. entry.

atteggiamento (*s.m.*) attitude, pose.

attendere (*v.t.*) v. **aspettare** ‖ (*v.i.*) to wait for.

attentato (*s.m.*) attack, assassination, (*atto terroristico*) act of terrorism.

attento (*agg.*) attentive, careful ❖ *a.!* look out!, *attenti al cane* beware of the dog, *a. al gradino!* mind the step!, *state attenti!* be careful!

attenuare (*v.t.*) to mitigate, to attenuate.

attenzione (*s.f.*) **1** attention, care **2** (*pl.*) (*gentilezze*) attentions, kindness.

atterraggio (*s.m.*) AER. landing.

atterrare (*v.t.*) **1** (*far cadere a terra*) to knock down, to fell **2** (*fig.*) to humiliate, to crush ‖ (*v.i.*) AER. to land.

attesa (*s.f.*) **1** (*periodo*) wait, (*l'attendere*) waiting **2** (*spec. pl.*) (*aspettativa*) expectation.

attestato (*s.m.*) **1** certificate **2** (*prova*) proof, demonstration.

attico (*s.m.*) ARCH. penthouse.

attillato (*agg.*) close-fitting, tight.

attimo (*s.m.*) moment, second, instant.

attirare (*v.t.*) to attract (*anche fig.*).

attitudine (*s.f.*) aptitude, ability, bent.

attività (*s.f.*) **1** activity (*lavoro*) occupation, work, job **3** (*pl.*) COMM. assets.

attivo (*agg.*) active, working ‖ (*s.m.*) **1** COMM. assets (*pl.*) **2** GRAMM. active form, (*verbo*) active voice.

atto (*s.m.*) **1** act, action **2** (*atteggiamento*) attitude, (*gesto*) gesture **3** TEATR. act **4** (*attestato*) certificate **5** DIR. act, (*il documento*) deed **6** (*pl.*) records, (*di assemblea ecc.*) proceedings.

attore (*s.m.*) actor.

attorno (*avv.*) about, around, round.

attraente (*agg.*) attractive, charming, fascinating, (*allettante*) alluring, seductive.

attraversare (*v.t.*) **1** to cross, to go across **2** (*percorrere*) to pass through, (*camminando*) to walk through, (*con un veicolo*) to drive through **3** (*rif. a tempo*) to go through, to pass through.

attraverso (*avv.*) through ‖ (*prep.*) **1** (*in mezzo a*) through **2** (*di traverso*) across **3** (*in seguito a*) through.

attrezzare (*v.t.*) **1** to equip, to supply with tools **2** MAR. to rig. **attrezzarsi** (*v.pron.*) to equip o.s.

attrezzatura (*s.f.*) **1** (*l'attrezzare*) equipping, fitting out **2** (*impianto*) equipment, facilities (*pl.*) **3** (*equi-*

paggiamento) equipment, gear **4** MAR. rigging.

attrezzo *(s.m.)* **1** tool, implement **2** SPORT apparatus.

attribuire *(v.t.)* **1** to attribute, to ascribe **2** *(assegnare)* to assign, to award.

attrice *(s.f.)* actress.

attuale *(agg.)* **1** *(del momento)* present, current **2** *(aggiornato)* up-to-date.

attualità *(s.f.)* **1** *(l'essere attuale)* actuality, reality, up-to-dateness **2** *(pl.)* *(fatti recenti)* news, current affairs.

attualmente *(avv.)* at present, at the moment.

attutire *(v.t.)* *(rumore)* to soften, to deaden, *(suono)* to muffle, *(colpo)* to cushion, *(sentimenti)* to soothe.

audace *(agg.)* **1** daring, bold **2** *(provocante)* daring.

audio *(s.m.)* RAD., TV audio, sound ‖ *(agg.)* sound *(attr.)*.

augurare *(v.t.)* to wish. **augurarsi** *(v.pron.)* *(sperare)* to hope. **augurio** *(s.m.)* **1** wish, greeting **2** *(auspicio)* omen, presage.

aula *(s.f.)* room, hall.

aumentare *(v.t.)* to increase, *(i prezzi)* to raise ‖ *(v.i.)* to increase, to grow. **aumento** *(s.m.)* **1** increase **2** *(rialzo)* rise.

aureola *(s.f.)* halo, aureole.

auricolare *(agg.)* auricular ❖ *padiglione a.* MED. auricle ‖ *(s.m.)* RAD. earphone.

australiano *(agg. e s.m.)* Australian.

austriaco *(agg. e s.m.)* Austrian.

autentico *(agg.)* authentic.

autista *(s.m. / s.f.)* driver.

autoambulanza *(s.f.)* ambulance.

autobus *(s.m.)* bus ❖ *a. a due piani* double-decker (bus).

autogol *(s.m.)* SPORT own goal *(anche fig.)*.

autografo *(agg. e s.m.)* autograph.

automatico *(agg.)* **1** automatic ❖ *distributore a.* vending machine **2** *(fig.)* automatic, mechanical.

automobile *(s.f.)* car, AE automobile. **automobilista** *(s.m. / s.f.)* motorist.

autonomo *(agg.)* autonomous, independent. **autonomia** *(s.f.)* **1** autonomy, independence **2** *(fig.)* independence **3** AER., AUT. range, fuel distance, ELETTR. battery life.

autore *(s.m.)* author ❖ *diritto d'a.* copyright. **autrice** *(s.f.)* authoress.

autorevole *(agg.)* authoritative.

autorità *(s.f.)* authority.

autoritratto *(s.m.)* self-portrait.

autorizzare *(v.t.)* **1** to authorize **2** *(giustificare)* to entitle, to justify. **autorizzazione** *(s.f.)* **1** authorization, *(permesso)* permission, consent **2** *(documento)* permit, licence.

autoscatto *(s.m.)* FOT. automatic shutter release.

autostop *(s.m.)* hitchhiking.

autostrada *(s.f.)* BE motorway, AE highway.

autovelox® *(s.m.)* speed trap, radar trap, BE speed camera.

autunno *(s.m.)* BE autumn, AE fall. **autunnale** *(agg.)* autumnal, autumn *(attr.)*.

avanti *(avv.)* **1** *(nello spazio)* ahead, forward, *(stato in luogo)* in front ❖ *vieni a.! (entra!)* come in! **2** *(nel tempo)* before, forward, on, *(orologio)* (to be) fast ❖ *d'ora in a.* from now on, *più a.* later ‖ *(prep.)* before ❖ *a. Cristo* before Christ *(abbr.* B.C.).

avanzare¹ *(v.t.)* **1** *(superare)* to overtake, *(fig.)* to outdo **2** *(presentare)* to advance, to put forward ‖ *(v.i.)* **1** *(procedere)* to move forward, to advance *(anche fig.)*, *(venire avanti)* to approach **2** *(fig.) (progredire)* to make progress.

avanzare² *(v.i.) (rimanere)* to be left (over) ❖ *non è avanzato niente per me* there's nothing left for me. **avanzo** *(s.m.)* **1** *(residuo)* remainder **2** *(pl.) (cibo)* leftovers *(pl.)* **3** ECON. surplus.

avariato *(agg.)* **1** damaged **2** *(deteriorato)* rotten, gone bad.

avaro *(agg.)* miserly, FAM. stingy, BE mean, *(parco)* sparing ❖ *(fig.) essere avaro di ql.sa* to be grudging in (sthg.) ‖ *(s.m.)* miser. **avarizia** *(s.f.)* miserliness, BE meanness.

avena *(s.f.)* oats *(pl.)*.

avere *(v. ausiliare)* to have ‖ *(v.t.)* **1** *(possedere)* to have (got), to own **2** *(rif. a malattie)* to have, *(rif. a sentimenti)* to feel, to have **3** *(indossare)* to have on, to wear **4** *(ottenere, ricevere)* to get ‖ *(s.m.)* **1** *(patrimonio)* property, possessions *(pl.)*, estate **2** COMM. *(pl.)* assets.

aviatore *(s.m.)* pilot, FAM. flyer, ANTIQ. aviator. **aviazione** *(s.f.)* aviation, MIL. air force.

avido *(agg.)* avid, greedy, eager. **avidità** *(s.f.)* avidity, greed, avarice.

avorio *(s.m.)* ivory.

avvantaggiare *(v.t.)* to benefit, to favour. **avvantaggiarsi** *(v.pron.)* **1** to take advantage (of), to profit (from) **2** *(prendere vantaggio)* to get ahead (of).

avvelenare *(v.t.)* **1** to poison *(anche fig.)*, to make (sthg.) poisonous **2** *(fig.) (amareggiare)* to embitter, to poison. **avvelenarsi** *(v.pron.)* to poison o.s.

avvenimento *(s.m.)* event, happening.

avvenire¹ *(v.i.)* to happen, to occur.

avvenire² *(s.m.)* future.

avvento *(s.m.)* **1** RELIG. Advent **2** *(arrivo)* arrival, advent.

avventura *(s.f.)* **1** adventure **2** *(relazione amorosa)* love affair. **avventuroso** *(agg.)* adventurous.

avverarsi *(v.pron.)* to come true.

avverbio *(s.m.)* GRAMM. adverb.

avversario *(agg.)* opposing ‖ *(s.m.)* opponent, adversary.

avversità *(s.f.)* adversity, misfortune.

avvertire *(v.t.)* **1** *(avvisare)* to inform, to notify, to point out **2** *(mettere in guardia)* to warn, to caution **3** *(percepire)* to notice, to feel, to hear. **avvertimento** *(s.m.)* warning.

avviamento *(s.m.)* **1** *(inizio)* starting, start **2** MECC. *(azione)* starting, *(dispositivo)* starter.

avviare *(v.t.)* **1** *(mettere in moto)* to start (up) *(anche MECC.)*, to set going **2** *(iniziare)* to begin, to open, to start (up), *(allestire)* to set up **3** *(indirizzare)* to direct, to show. **avviarsi** *(v.pron.)* to set out, to set off.

avvicinare *(v.t.)* **1** to draw up, to draw near **2** *(contattare)* to approach. **avvicinarsi** *(v.pron.)* to approach (s.o.), to draw near (s.o.), sthg.).

avvilire *(v.t.)* **1** *(scoraggiare)* to dishearten, to discourage **2** *(degradare)* to degrade **3** *(umiliare)* to humiliate, to demoralize. **avvilirsi** *(v.pron.)* **1** *(scoraggiarsi)* to grow disheartened, to lose heart **2** *(umiliarsi)* to humble o.s.

avvincente *(agg.)* engaging, engrossing.

avvio *(s.m.)* **1** start, beginning **2** INFORM. start.

avvisare *(v.t.)* **1** to inform, to let (s.o.) know **2** *(mettere in guardia)* to warn.

avviso *(s.m.)* **1** *(avvertimento)* warning **2** *(annuncio)* notice, announcement, *(pubblicitario)* advertisement **3** *(manifesto)* notice, placard **4** *(opinione)* opinion, judgement.

avvitare *(v.t.)* to screw.

avvistare *(v.t.)* to sight, to spot.

avvocato *(s.m.)* **1** lawyer, counsel, BE solicitor, BE barrister, AE lawyer, AE attorney **2** *(fig.)* advocate.

avvolgere *(v.t.)* **1** to wrap (up), to envelop **2** *(volgere intorno a)* to wind, *(arrotolare)* to roll up **3** *(fig.)* *(avviluppare)* to shroud. **avvolgersi** *(v.pron.)* **1** to wrap o.s. (up) **2** *(attorcigliarsi)* to wind (round).

azienda *(s.f.)* business, firm.

azionare *(v.t.)* to operate, to work, *(macchina ecc.)* to start up, *(pulsante)* to press, *(interruttore)* to push.

azione *(s.f.)* **1** *(l'agire)* action **2** *(atto)* action, act, LETTER. deed ❖ *una buona a.* a good deed **3** MIL. action **4** DIR. action, lawsuit **5** FIN. share.

azionista *(s.m. / s.f.)* FIN. shareholder.

azzardare *(v.t.)* *(fig.)* *(proporre)* to hazard, to venture. **azzardarsi** *(v.pron.)* to risk (doing), to venture, to dare.

azzardo *(s.m.)* hazard, risk, *(pericolo)* peril, danger ❖ *giocatore d'a.* gambler, *gioco d'a.* gambling.

azzerare *(v.t.)* **1** to set (reset) (sthg.) to zero **2** INFORM. to reset.

azzurro *(agg.)* blue, light blue, azure ❖ *Principe A.* Prince Charming ‖ *(s.m.) (colore)* azure, light blue.

B

babau (*s.m.*) FAM. bogeyman.
babbo (*s.m.*) daddy, FAM. dad ❖ *B. Natale* Santa Claus, BE Father Christmas.
babbuino (*s.m.*) ZOOL. baboon.
bacca (*s.f.*) BOT. berry.
baccano (*s.m.*) din, uproar, noise.
bacchetta (*s.f.*) **1** stick, rod, (*magica*) wand **2** (*di batteria*) drumstick, (*di direttore d'orchestra*) baton. **bacchettare** (*v.t.*) (*fig.*) (*rimproverare*) to tell off.
bacheca (*s.f.*) **1** (*vetrina*) show-case **2** (*a muro*) notice board.
baciare (*v.t.*) to kiss. **baciarsi** (*v.pron.*) to kiss each other.
bacinella (*s.f.*) small basin, bowl.
bacino (*s.m.*) **1** basin **2** ANAT. pelvis.
bacio (*s.m.*) kiss.
baco (*s.m.*) ZOOL. worm, maggot.
badare (*v.i.*) **1** (*prendersi cura*) to look after **2** (*fare attenzione*) to mind.
badile (*s.m.*) shovel.
baffo (*s.m.*) **1** moustache, AE mustache **2** (*di animale*) whiskers (*pl.*).
bagagliaio (*s.m.*) **1** AUT. BE boot, AE trunk **2** luggage compartment.
bagaglio (*s.m.*) (*anche fig.*) luggage (*solo sing.*), (*spec.* AE) baggage.
bagarino (*s.m.*) BE tout, AE scalper.
bagliore (*s.m.*) flash, (*fig.*) glimmer.
bagnare (*v.t.*) to wet, (*immergere*) to dip. **bagnarsi** (*v.pron.*) to get wet,

(*molto*) to get soaked, (*in mare*) to bathe.
bagnino (*s.m.*) lifeguard.
bagno (*s.m.*) **1** bath ❖ *fare il b.* to take a bath, (*in mare*) to bathe **2** bathroom.
baia (*s.f.*) GEOGR. bay.
balbettare (*v.i.*) **1** to stammer, to stutter **2** (*di bambini*) to babble.
balbuziente (*s.m.* / *s.f.*) stutterer.
balcone (*s.m.*) balcony.
baldacchino (*s.m.*) canopy ❖ *letto a b.* four-poster bed.
baldoria (*s.f.*) spree, revelry.
balena (*s.f.*) ZOOL. whale.
balenare (*v.i.*) **1** to lighten, to flash **2** (*fig.*) to flash. **baleno** (*s.m.*) **1** (*lampo*) lightning **2** ❖ *in un b.* in a flash.
balestra (*s.f.*) (*arma*) crossbow.
balla (*s.f.*) **1** (*di fieno ecc.*) bale **2** FAM. (*fig.*) (*frottola*) fib, lie.
ballare (*v.i.*) **1** to dance **2** (*traballare*) to wobble **II** (*v.t.*) to dance.
ballata (*s.f.*) MUS. ballad.
ballerino/a (*s.m.* / *s.f.*) **1** dancer **2** (*di balletto*) ballet dancer, (*s.f.*) ballerina.
balletto (*s.m.*) ballet.
ballo (*s.m.*) **1** dance **2** (*festa*) ball.
ballottaggio (*s.m.*) **1** second ballot, run-off **2** SPORT play-off.
balordo (*agg.*) **1** stupid, foolish **2** (*rif. al tempo*) uncertain **II** (*s.m.*) **1** (*sciocco*) fool **2** (*malvivente*) crook.

balsamo *(s.m.)* **1** balm, ointment **2** *(fig.)* balm, comfort. **balsamico** *(agg.)* **1** balsamic **2** *(estens.)* *(salubre)* wholesome.

balzare *(v.i.)* to spring, to jump, to leap. **balzo** *(s.m.)* bounce, leap.

bambino/a *(s.m. / s.f.)* **1** child *(pl. children)*, FAM. kid **2** *(neonato/a)* baby, infant **II** *(agg.)* **1** child *(attr.)* **2** *(fig.)* immature. **bambinaia** *(s.f.)* FAM. nanny.

bambola *(s.f.) (anche fig.)* doll.

bambù *(s.m.)* BOT. bamboo.

banale *(agg.)* banal, trivial. **banalità** *(s.f.)* **1** banality, triviality **2** *(luogo comune)* commonplace.

banana *(s.f.)* BOT. banana.

banca *(s.f.)* ECON. bank *(anche estens.)*. **bancario** *(agg.)* bank *(attr.)*, banking **II** *(s.m.)* *(impiegato)* clerk.

bancarella *(s.f.)* stall, stand.

bancarotta *(s.f.)* bankruptcy.

banchetto *(s.m.)* banquet.

banchina *(s.f.)* **1** *(porto)* wharf, quay **2** *(stazione)* platform **3** *(bordo di strada)* shoulder.

banchisa *(s.f.)* GEOL. ice pack.

banco *(s.m.)* **1** bench **2** *(di scuola)* desk, *(di negozio)* counter, *(di bar)* bar, *(di chiesa)* pew **3** *(di nebbia)* bank, *(di coralli)* reef, *(di pesci)* shoal, *(di delfini)* school.

bancomat® *(s.m.)* **1** *(distributore)* cash machine, BE cash dispenser, AE ATM (Automated Teller Machine) **2** *(tessera)* cash card.

bancone *(s.m.)* counter, *(di bar)* bar.

banconota *(s.f.)* (bank)note, AE bill.

banda¹ *(s.f.)* **1** *(gruppo)* band, *(di delinquenti)* gang **2** *(di musicisti)* band.

banda² *(s.f.)* INFORM., TEL. band.

bandiera *(s.f.)* flag.

bandire *(v.t.)* **1** *(annunciare)* to pub-

lish, to proclaim **2** *(esiliare)* to banish **3** *(proibire)* to ban, to banish.

bandito *(s.m.)* bandit, outlaw.

bando *(s.m.)* **1** *(avviso pubblico)* announcement, notice **2** *(divieto)* ban, *(esilio)* banishment.

bar *(s.m.)* *(locale)* (coffee) bar, café.

bara *(s.f.)* coffin.

baracca *(s.f.)* **1** *(catapecchia)* shanty, shack, hovel **2** *(casotto)* hut, shed.

baraonda *(s.f.)* hubbub.

barare *(v.i.)* to cheat *(anche fig.)*.

baratro *(s.m.)* *(anche fig.)* chasm, abyss.

barattare *(v.t.)* **1** to barter, to trade, FAM. *(scambiarsi)* to swap. **baratto** *(s.m.)* barter, trade, FAM. swap.

barattolo *(s.m.)* jar, pot, *(di metallo)* tin.

barba *(s.f.)* **1** beard **2** *(fig.) (noia)* drag.

barbabietola *(s.f.)* BOT. beet(root).

barbaro *(agg.)* **1** ST. barbarian **2** *(incivile)* uncouth, barbarous **3** *(fig.) (crudele)* barbaric **II** *(s.m.)* ST. barbarian.

barbiere *(s.m.)* barber, *(negozio)* barber's shop.

barboncino *(s.m.)* ZOOL. poodle.

barbone *(s.m.)* **1** *(vagabondo)* tramp, AE hobo **2** ZOOL. poodle.

barca *(s.f.)* boat.

barcamenarsi *(v.pron.)* to get by.

barcollare *(v.i.)* to stagger, to reel.

barella *(s.f.)* *(lettiga)* stretcher.

baricentro *(s.m.)* FIS., BE barycentre, AE barycenter.

barile *(s.m.)* barrel, cask.

barilotto *(s.m.)* keg, small cask.

barista *(s.m.)* barman, AE bartender **II** *(s.f.)* barmaid.

baritono *(s.m.)* MUS. baritone.

barlume *(s.m.) (anche fig.)* glimmer.

baro (*s.m.*) cheater.

barocco (*agg. e s.m.*) baroque.

barometro (*s.m.*) barometer.

barone (*s.m.*) baron. **baronessa** (*s.f.*) baroness. **baronetto** (*s.m.*) baronet.

barra (*s.f.*) **1** bar (*anche* INFORM.) **2** (*nei tribunali*) bar **3** MAR. tiller, helm **4** (*segno grafico*) stroke, slash **5** MAT. (*segno di frazione*) over.

barricata (*s.f.*) (*anche fig.*) barricade.

barriera (*s.f.*) **1** barrier **2** SPORT (*calcio*) wall **3** (*fig.*) obstacle, difficulty.

barzelletta (*s.f.*) joke, (funny) story.

basare (*v.t.*) to base. **basarsi** (*v.pron.*) to be based (on), to be grounded (in).

basco (*agg.*) GEOGR. Basque ‖ (*s.m.*) **1** GEOGR. Basque **2** (*berretto*) beret.

base (*s.f.*) **1** base **2** (*fig.*) basis, foundation **3** MIL. station, base.

basetta (*s.f.*) (*gener. al pl.*) sideburns.

basilare (*agg.*) basic, fundamental.

basilica (*s.f.*) ARCH. basilica.

basilico (*s.m.*) BOT. basil.

basso (*agg.*) **1** low **2** (*di statura*) short, small **3** (*di luce*) dim, faint **4** (*di mare, lago ecc.*) shallow **5** (*più giù rispetto ad altri*) lower, bottom (*attr.*) **6** (*fig.*) (*vile*) mean, low ‖ (*s.m.*) **1** bottom, the lower part **2** MUS. bass ‖ (*avv.*) low.

bassofondo (*s.m.*) **1** (*di mare*) shallows (*pl.*) **2** (*fig.*) (*quartiere*) slums (*pl.*).

bassorilievo (*s.m.*) ARTE bas-relief.

bassotto (*s.m.*) ZOOL. dachshund.

basta (*interiez.*) ❖ *b.!* enough! stop it!

bastardo (*agg.*) (*persona*) SPREG. bastard, illegitimate, (*animale*) crossbred ‖ (*s.m.*) **1** (*persona*) SPREG. bastard (*anche fig.*), illegitimate son **2** BOT., ZOOL. crossbred, (*cane*) mongrel.

bastare (*v.i.*) **1** (*essere sufficiente*) to be enough, to be sufficient, to suffice **2** (*durare*) to last **3** (*accontentarsi*) to be satisfied (with).

bastimento (*s.m.*) MAR. ship, vessel.

bastione (*s.m.*) bastion, rampart (*anche fig.*).

bastone (*s.m.*) **1** stick, rod **2** (*da passeggio*) cane, walking stick **3** (*randello*) cudgel, club **4** SPORT stick, (*golf*) club.

battaglia (*s.f.*) (*anche fig.*) battle, fight.

battagliero (*agg.*) fighting, combative.

battello (*s.m.*) boat.

battente (*s.m.*) **1** (*imposta*) leaf, (*stipite*) jamb **2** (*batacchio*) (*di campana*) clapper, (*di porta*) (door) knocker.

battere (*v.t.*) **1** to beat, to hit **2** (*sconfiggere*) to beat **3** (*dattiloscrivere*) to type **4** (*suonare le ore*) to strike **5** (*moneta*) to coin ‖ (*v.i.*) **1** (*colpire*) to beat, to hit **2** (*pulsare*) to beat **3** (*bussare*) to knock **4** SPORT to serve, to take **5** FAM. (*prostituirsi*) to walk the street. **battersi** (*v.pron.*) (*combattere*) to fight.

batteria (*s.f.*) **1** battery **2** MUS. percussion, drums (*pl.*) **3** MIL. battery **4** ❖ *b. da cucina* set of saucepans.

batterio (*s.m.*) BIOL. bacterium (*pl. bacteria*). **batterico** (*agg.*) bacterial.

batterista (*s.m. / s.f.*) MUS. drummer.

battesimo (*s.m.*) RELIG. baptism (*anche fig.*), (*cerimonia*) christening ❖ *nome di b.* Christian name.

battezzare (*v.t.*) **1** RELIG. to baptize,

to christen **2** *(fig.)* to name, to christen.

battibecco *(s.m.)* squabble, bickering.

batticuore *(s.m.)* palpitations *(pl.)*.

battiscopa *(s.m.)* skirting (board).

battistero *(s.m.)* ARCH. baptistry.

battistrada *(s.m.)* **1** *(fig.) (capo)* leader, guide **2** AUT. tread.

battito *(s.m.)* pulsation, beat.

battitore *(s.m.)* SPORT batsman.

battuta *(s.f.)* **1** *(il battere)* beating, *(colpo)* blow **2** *(motto di spirito)* witty remark, quip **3** *(di caccia)* hunt, shoot **4** TEAT. cue, *(comica)* gag **5** MUS. bar, AE measure **6** *(dattilografia)* stroke **7** SPORT *(tennis)* service.

battuto *(agg.)* **1** *(strada)* beaten **2** *(ferro)* wrought **3** *(fig.) (sconfitto)* beaten.

batuffolo *(s.m.)* wad, flock, *(cotone)* ball.

baule *(s.m.)* **1** trunk **2** *(di auto)* boot.

bava *(s.f.)* **1** slobber, slaver, dribble **2** *(di lumache)* slime.

bavaglino *(s.m.)* bib.

bavaglio *(s.m.)* gag *(anche fig.)*.

bazar *(s.m.)* bazaar.

bazzecola *(s.f.)* trifle.

beatificare *(v.t.)* RELIG. to beatify.

beatitudine *(s.f.)* **1** RELIG. beatitude **2** *(estens.) (grande felicità)* bliss.

beato *(agg.)* **1** RELIG. blessed **2** *(felice)* happy, blissful ❖ *b. te!* lucky you! *(tranquillo)* peaceful II *(s.m.)* blessed one ❖ *i beati* the blessed. **beatamente** *(avv.)* blissfully.

bebè *(s.m.)* baby.

beccare *(v.t.)* **1** to peck **2** *(ricevere)* to get, to receive **3** *(acchiappare)* to catch ❖ *beccato!* got you! **beccarsi** *(v.pron.)* FAM. *(rif. a malattie)* to catch, to get.

becchino *(s.m.)* **1** gravedigger **2** *(impresario di pompe funebri)* undertaker.

becco *(s.m.)* beak, bill.

befana *(s.f.)* **1** *(epifania)* Epiphany **2** POP. *(estens)* old bag, crone.

beffa *(s.f.)* *(scherzo)* hoax, prank.

beffare *(v.t.)* to hoax, to trick. **beffarsi** *(v.pron.)* to mock, to scoff (at).

belare *(v.i.)* to bleat *(anche fig.)*.

belga *(agg. e s.m. / s.f)* Belgian.

bella *(s.f.)* **1** *(bella copia)* fair copy **2** SPORT decider.

bellezza *(s.f.)* beauty, *(di uomo)* handsomeness ❖ *che b.!* how lovely!

bellicoso *(agg.)* bellicose, warlike.

bello *(agg.)* **1** beautiful, pretty, nice, lovely, *(uomo)* handsome **2** *(piacevole)* nice, good **3** *(rif. a tempo atmosferico)* fine, lovely II *(s.m.)* **1** *(bellezza)* beauty **2** *(bel tempo)* fine weather.

belva *(s.f.)* *(anche fig.)* wild beast.

belvedere *(s.m.)* viewpoint.

bemolle *(s.m.)* MUS. flat.

benché *(cong.)* though, although.

benda *(s.f.)* **1** MED. bandage **2** *(per gli occhi)* blindfold. **bendare** *(v.t.)* **1** MED. to bandage, to dress **2** *(gli occhi)* to blindfold.

bene *(avv.)* **1** well **2** *(intercalare)* well **3** *(rafforzativo)* quite, really II *(interiez.)* well, good, fine II *(s.m.)* **1** good **2** *(amore)* love **3** *(interesse)* good, sake.

benedetto *(agg.)* **1** blessed *(anche fig.)*, *(santo)* holy.

benedire *(v.t.)* **1** to bless **2** *(consacrare)* to consecrate.

benedizione *(s.f.)* **1** blessing *(anche fig.)* **2** *(consacrazione)* consecration **3** RELIG. benediction.

benefattore *(s.m.)* benefactor.

beneficenza *(s.f.)* charity ❖ *cena di b.* benefit dinner.

beneficiare *(v.i.)* to benefit (from, by), to profit. **beneficiario** *(s.m.)* **1** beneficiary **2** ECON. payee.

beneficio *(s.m.)* advantage, benefit.

benessere *(s.m.)* well-being, *(economico)* welfare.

benestante *(agg.)* well-to-do, well off ‖ *(s.m.)* ❖ *i benestanti* the well-off.

benestare *(s.m.)* approval.

benevolo *(agg.)* kind, benevolent.

benigno *(agg.)* **1** kind, kindly **2** *(clima)* mild **3** MED. benign.

bensì *(cong.)* but rather.

bentornato *(agg.)* welcome back.

benvenuto *(agg. e s.m.)* welcome.

benvoluto *(agg.)* well-liked.

benzina *(s.f.)* BE petrol, AE gas(oline). **benzinaio** *(s.m.)* **1** *(distributore)* petrol (AE gas) station **2** *(persona)* (petrol, gas station) attendant.

bere *(v.t.)* **1** to drink **2** *(fig.) (credere)* to swallow, to buy.

berlina *(s.f.)* AUT. BE saloon, AE sedan.

bernoccolo *(s.m.)* **1** bump, lump, swelling **2** *(fig.) (disposizione)* bent.

berretto *(s.m.)* cap, beret.

bersaglio *(s.m.)* target, mark. **bersagliare** *(v.t.)* to bombard *(anche fig.).*

bestemmiare *(v.i.)* to swear, to blaspheme ‖ *(v.t.)* to curse. **bestemmia** *(s.f.)* swearword, curse, oath.

bestia *(s.f.)* **1** animal, beast **2** *(pl.) (bestiame)* cattle *(solo sing.)* **3** *(fig.) (persona sciocca)* blockhead, oaf, *(persona brutale)* brute. **bestiale** *(agg.) (brutale)* brutish, brutal.

bestiame *(s.m.)* livestock, *(bovini)* cattle.

betulla *(s.f.)* BOT. birch-tree.

bevanda *(s.f.)* drink, beverage.

bevitore/trice *(s.m. / s.f.)* drinker.

bevuta *(s.f.)* drinking, drink.

biada *(s.f.)* fodder.

biancheria *(s.f.)* **1** linen **2** *(intima)* underwear, underclothing, *(da donna)* lingerie **3** *(da lavare)* laundry.

bianco *(agg.)* **1** white **2** *(non scritto)* blank ‖ *(s.m.)* **1** white **2** *(uomo bianco)* white, white man, *(spec. AE)* Caucasian.

biancospino *(s.m.)* BOT. hawthorn.

biasimare *(v.t.)* to blame. **biasimo** *(s.m.)* blame, *(critica)* reproach.

Bibbia *(s.f.)* Bible.

biberon *(s.m.)* (feeding) bottle.

bibita *(s.f.)* drink, beverage, AE soda.

biblico *(agg.)* biblical.

bibliografia *(s.f.)* bibliography.

biblioteca *(s.f.)* **1** library **2** *(mobile)* bookcase. **bibliotecario** *(s.m.)* librarian.

bicarbonato *(s.m.)* ❖ *b. di soda* sodium bicarbonate, baking soda.

bicchiere *(s.m.)* glass.

bicicletta *(s.f.)* bicycle, FAM. bike.

bicipite *(s.m.)* ANAT. biceps *(pl.).*

bidello *(s.m.)* BE caretaker, AE janitor.

bidone *(s.m.)* **1** drum, *(del latte)* can **2** *(per spazzatura)* dustbin, AE garbage can **3** FAM. *(imbroglio)* swindle, trick.

bietola *(s.f.)* BOT. beet.

bifora *(s.f.)* ARCH. mullioned window.

biforcarsi *(v.pron.)* to fork (off), to split. **biforcazione** *(s.f.)* fork.

bigamo *(agg.)* bigamous ‖ *(s.m.)* bigamist. **bigamia** *(s.f.)* bigamy.

bighellonare *(v.i.)* to loiter, to dawdle. **bighellone** *(s.m.)* loiterer.

bigiotteria (s.f.) costume jewellery.

biglietto (s.m.) **1** ticket ❖ *b. di sola andata* single ticket (AE one-way), *b. di andata e ritorno* return ticket (AE round-trip) **2** (*breve nota*) note, (*stampato*) card ❖ *b. da visita* business card **3** (bank)note, AE bill. **biglietttaio** (s.m.) **1** (*cinema, teatro*) box-office attendant **2** (*stazione*) booking clerk. **biglietteria** (s.f.) **1** (*teatri ecc.*) box-office **2** (*stazioni*) booking office.

bigotto (agg.) bigoted || (s.m.) bigot.

bilancia (s.f.) **1** scales (pl.), balance **2** ASTROL. Libra.

bilanciare (v.t.) to balance.

bilancio (s.m.) COMM. balance (sheet), budget.

bile (s.f.) bile, gall (*anche fig.*).

bilia (s.f.) **1** (*biliardo*) billiard ball **2** (*pallina di vetro*) marble.

biliardo (s.m.) billiards (pl.).

bilico (s.m.) (unstable) balance.

bilingue (agg.) bilingual.

bimbo/a (s.m. / s.f.) **1** (*in fasce*) baby **2** (*ai primi passi*) toddler **3** child.

bimestrale (agg.) (*durata*) two-month (attr.), (*cadenza*) bimonthly.

binario (s.m.) FERR. track, line, (*rotaie*) rails, (*marciapiede*) platform.

binocolo (s.m.) binoculars (pl.).

bio- (pref.) bio-.

biodegradabile (agg.) biodegradable.

biografia (s.f.) biography.

biologia (s.f.) biology.

biologico (agg.) **1** biologic(al) **2** (*senza pesticidi*) organic.

bionda (s.f.) **1** fair-haired girl /woman, blonde, AE blond **2** (*birra*) lager.

biondo (agg.) blonde, fair, (*capelli*) fair-haired || (s.m.) **1** fair colour **2** (*uomo biondo*) fair-haired man.

biopsia (s.f.) MED. biopsy.

birbante (s.m.) scamp, rascal.

birichino (agg.) cheeky || (s.m.) rascal.

birillo (s.m.) pin.

biro® (s.f.) ballpoint (pen), biro®.

birra (s.f.) beer, ale ❖ *b. scura* stout, *b. rossa* bitter, *b. chiara* lager, pale ale, *b. alla spina* draught beer.

birreria (s.f.) **1** brewery **2** (*locale*) pub.

bis (s.m.) MUS., TEATR. encore.

bisbigliare (v.i. / v.t.) to whisper. **bisbiglio** (s.m.) whisper.

biscia (s.f.) grass snake.

biscotto (s.m.) biscuit, AE cookie.

bisestile (agg.) ❖ *anno b.* leap year.

bisnonna/o (s.f. / s.m.) great-grand-mother / grandfather.

bisognare (v.i.) **1** (*essere necessario*) to be necessary (*costruz. impers.*), (*al pres.*) must, (*al futuro*) to have to **2** (*convenire*) should, ought to **3** (*aver bisogno di*) to need.

bisogno (s.m.) need. **bisognoso** (agg.) **1** needy, in need **2** (*povero*) poor.

bisonte (s.m.) ZOOL. bison.

bistecca (s.f.) steak. **bistecchiera** (s.f.) grill.

bisticciare (v.i.) to quarrel. **bisticcio** (s.m.) **1** quarrel **2** (*gioco di parole*) pun.

bisturi (s.m.) lancet, scalpel.

bivio (s.m.) (*anche fig.*) crossroads.

bizzarro (agg.) odd, strange, bizarre.

blando (agg.) mild, gentle, soft.

blasfemo (agg.) blasphemous.

blatta (s.f.) ZOOL. cockroach.

blindare (v.t.) to armour(-plate).

blindato (agg.) armour-plated, armoured, (*antiproiettile*) bulletproof.

bloccare (*v.t.*) **1** to block, to stop **2** (*otturare*) to block up, to clog, to jam.

bloc-notes (*s.m.*) notepad.

blocco (*s.m.*) **1** (*il bloccare*) block **2** MECC. lock **3** COMM. bulk.

blu (*agg. e s.m.*) blue.

bluffare (*v.i.*) to bluff.

boa[1] (*s.m.*) **1** ZOOL. boa **2** ABBIGL. boa.

boa[2] (*s.f.*) MAR. buoy.

boato (*s.m.*) rumble.

bobina (*s.f.*) **1** ELETTR. coil **2** CINEM. reel **3** (*nastro magnetico*) tape **4** (*rocchetto*) reel.

bocca (*s.f.*) (*anche fig.*) mouth.

boccaccia (*s.f.*) (*smorfia*) grimace ✦ *fare le boccacce* to pull faces, to mug.

boccaglio (*s.m.*) (*per nuotare*) snorkel, (*imboccatura*) mouthpiece.

boccale (*s.m.*) jug.

boccata (*s.f.*) mouthful ✦ *una b. d'aria* a breath of air.

bocchino (*s.m.*) **1** (*per sigarette*) cigarette holder **2** MUS. mouthpiece.

boccia (*s.f.*) **1** (*recipiente*) carafe, jug **2** SPORT bowl.

bocciare (*v.t.*) **1** (*respingere*) to reject **2** (*a scuola*) to fail.

bocciolo (*s.m.*) BOT. bud.

boccone (*s.m.*) **1** mouthful **2** (*piccola quantità di cibo*) morsel, bite.

bocconi (*avv.*) prone, face down.

boia (*s.m.*) executioner, hangman.

boicottare (*v.t.*) to boycott.

bolgia (*s.f.*) (*fig.*) bedlam.

bolide (*s.m.*) **1** ASTRON. meteor **2** (*auto sportiva*) racing car.

bolla[1] (*s.f.*) **1** bubble **2** (*vescica*) blister.

bolla[2] (*s.f.*) ECCL. bull **2** COMM. bill.

bollare (*v.t.*) **1** to stamp **2** (*fig.*) to brand.

bollente (*agg.*) **1** boiling **2** (*rovente*) (burning) hot, (*liquido*) steaming hot.

bolletta (*s.f.*) **1** bill **2** COMM. note, bill.

bollettino (*s.m.*) bulletin, gazette.

bollire (*v.i.*) to boil, to seethe (*anche fig.*) || (*v.t.*) to boil. **bollito** (*agg.*) boiled || (*s.m.*) CUC. boiled meat.

bollitore (*s.m.*) kettle, boiler.

bollo (*s.m.*) **1** (*marchio, timbro*) stamp, (*sigillo*) seal **2** (*tassa*) tax.

bollore (*s.m.*) **1** boil **2** (*fig.*) (*ardore*) BE ardour, AE ardor.

bomba (*s.f.*) bomb. **bombardare** (*v.t.*) to bomb, to bombard (*anche fig.*). **bombardamento** (*s.m.*) MIL. bombing, bombardment (*anche fig.*).

bombetta (*s.f.*) ABBIGL. bowler hat.

bombola (*s.f.*) cylinder, bottle, tank.

bomboniera (*s.f.*) wedding favour.

bonaccia (*s.f.*) (*anche fig.*) calm, lull.

bonificare (*v.t.*) (*terreno*) to reclaim.

bonifico (*s.m.*) **1** COMM. (*sconto*) allowance **2** BANC. transfer.

bontà (*s.f.*) **1** goodness **2** (*gentilezza*) kindness **3** (*qualità*) excellence.

borbottare (*v.i.*) **1** to mutter, to mumble **2** (*fare un rumore sordo*) to rumble || (*v.t.*) (*biascicare*) to mumble.

bordello (*s.m.*) **1** brothel **2** (*fig.*) (*disordine*) mess.

bordo (*s.m.*) **1** (*orlo*) edge **2** ✦ *a b.* aboard, on board.

borgata (*s.f.*) (*sobborgo*) suburb.

borghese (*agg.*) **1** middle-class (*attr.*) **2** (*civile*) civilian ✦ (*poliziotto*) *in b.* in plain clothes || (*s.m.*) **1** middle class person, SPREG. bourgeois **2** (*civile*) civilian. **borghesia** (*s.f.*) middle class.

borgo (*s.m.*) **1** village **2** v. borgata.

borraccia *(s.f.)* flask, canteen.

borsa¹ *(s.f.)* **1** bag **2** *(per documenti)* briefcase **3** ❖ **b. di studio** scholarship.

borsa² *(s.f.)* ECON. stock exchange.

borseggiare *(v.t.)* to pick (s.o.'s) pockets. **borseggiatore** *(s.m.)* pickpocket.

borsellino *(s.m.)* (coin) purse.

borsetta *(s.f.)* handbag, AE purse.

boscaiolo *(s.m.)* woodcutter, AE lumberjack.

bosco *(s.m.)* wood, forest.

botanica *(s.f.)* botany.

botola *(s.f.)* trap door.

botta *(s.f.)* **1** blow, bang **2** *(livido)* bruise **3** *(urto)* crash.

botte *(s.f.)* **1** barrel, cask **2** ARCH. barrel.

bottega *(s.f.)* **1** shop **2** *(laboratorio)* workshop.

botteghino *(s.m.)* *(biglietteria)* ticket-office, *(di teatro)* box-office.

bottiglia *(s.f.)* bottle.

bottino *(s.m.)* booty, loot.

botto *(s.m.)* bang ❖ **di b.** suddenly.

bottone *(s.m.)* **1** button **2** *(automatico)* BE press stud, AE snap.

bovino *(agg.)* bovine *(anche fig.)* ‖ *(s.m.)* cattle *(pl.)*.

box *(s.m.)* **1** *(auto)* garage **2** *(cavalli)* (horse-)box **3** *(nelle corse automobilistiche)* pit **4** *(per bambini)* playpen.

boxe *(s.f.)* SPORT boxing.

bozza *(s.f.)* **1** draft **2** TIP. proof.

bozzolo *(s.m.)* *(di insetto)* cocoon.

braccialetto *(s.m.)* bracelet.

bracciata *(s.f.)* *(nel nuoto)* stroke.

braccio *(s.m.)* **1** arm **2** *(di bilancia)* beam **3** *(di edificio)* wing **4** *(di mare)* sound **5** MAR. *(misura)* fathom.

bracciolo *(s.m.)* arm rest.

bracconiere *(s.m.)* poacher.

brace *(s.f.)* embers *(pl.)* ❖ **alla b.** grilled.

branchia *(s.f.)* ZOOL. gill.

branco *(s.m.)* **1** herd, *(di lupi)* pack, *(di pecore)* flock, *(di pesci)* shoal, *(delfini)* school **2** *(fig.)* *(di persone)* pack, gang.

brandello *(s.m.)* **1** shred **2** *(stoffa)* rag.

brano *(s.m.)*. **1** MUS. piece, *(su CD)* track **2** *(testo)* passage.

bravo *(agg.)* **1** *(buono)* good **2** *(abile)* good (at sthg.), skilled, clever.

bretelle *(s.f. pl.)* ABBIGL. BE braces *(pl.)*, AE suspenders *(pl.)*.

breve *(agg.)* brief, short ‖ *(s.f.)* MUS. breve. **brevità** *(s.f.)* **1** brevity, shortness **2** *(concisione)* concision.

brevetto *(s.m.)* **1** patent **2** *(patente)* licence.

brezza *(s.f.)* breeze.

bricco *(s.m.)* jug, pot.

briciola *(s.f.)* crumb *(anche fig.)*.

brigata *(s.f.)* **1** MIL. brigade **2** party.

briglia *(s.f.)* bridle.

brillare *(v.i.)* to shine *(anche fig.)*, to sparkle, to glitter ‖ *(v.t.)* *(far esplodere)* to explode. **brillante** *(agg.)* **1** bright, brilliant *(anche fig.)* **2** *(spiritoso)* witty ‖ *(s.m.)* diamond, brilliant.

brillo *(agg.)* FAM. tipsy.

brina *(s.f.)* frost.

brindare *(v.i.)* to toast. **brindisi** *(s.m.)* toast.

britannico *(agg.)* British.

brivido *(s.m.)* shiver, *(di paura)* shudder, *(di emozione)* thrill.

brizzolato *(agg.)* grizzled, grey-haired.

brocca *(s.f.)* jug.

broccolo *(s.m.)* BOT. broccoli *(pl.)*.

brodo *(s.m.)* CUC. broth, stock.

broglio *(s.m.) (elettorale)* poll rigging.

bronchite *(s.f.)* MED. bronchitis.

broncio *(s.m.)* pout, sulk.

brontolare *(v.i.)* **1** to grumble **2** *(borbottare)* to mutter ‖ *(v.t.)* to mutter.

bronzo *(s.m.)* bronze.

bruciare *(v.t.)* **1** to burn **2** *(incendiare)* to burn down, to set fire to ‖ *(v.i.)* **1** *(ardere)* to burn *(anche fig.)* **2** *(essere in fiamme)* to be on fire. **bruciarsi** *(v.pron.)* to burn o.s. **bruciato** *(agg.)* **1** burnt **2** *(dal sole)* sunburnt.

bruciore *(s.m.)* burning ❖ *b. di stomaco* heartburn.

bruco *(s.m.)* ZOOL. grub, caterpillar.

brufolo *(s.m.)* spot, pimple.

bruno *(agg.)* brown, *(pelle, capelli)* dark ‖ *(s.m.) (colore)* brown.

brusco *(agg.)* **1** *(scortese)* brusque **2** *(nei modi)* curt **3** *(improvviso)* sudden.

brusio *(s.m.)* buzz, hum.

brutale *(agg.)* brutish, brutal.

brutta *(s.f.) (bozza)* rough copy.

bruttezza *(s.f.)* ugliness.

brutto *(agg.)* **1** ugly **2** *(cattivo)* bad ‖ *(s.m.) (uomo brutto)* ugly man.

buca *(s.f.)* hole, *(stradale)* pothole ❖ *b. delle lettere* BE letterbox, AE mail box.

bucare *(v.t.)* **1** to puncture, *(forare)* to pierce **2** *(biglietto)* to punch **3** *(pungere)* to prick ‖ *(v.i.) (di pneumatico)* to puncture, FAM. to get a flat (tyre, AE tire). **bucarsi** *(v.pron.)* to prick o.s., *(drogarsi)* FAM. to shoot up.

bucato *(s.m.)* washing, laundry.

buccia *(s.f.) (di frutto)* skin, peel.

buco *(s.m.)* hole *(anche fig.)*.

buddismo *(s.m.)* RELIG. Buddhism.

budino *(s.m.)* CUC. pudding.

bue *(s.m.)* **1** ZOOL. ox **2** *(carne)* beef.

bufalo *(s.m.)* ZOOL. buffalo.

bufera *(s.f.)* storm.

buffo *(agg.)* funny.

buffone *(s.m.)* clown, *(fig.)* fool.

bugia *(s.f.)* lie. **bugiardo** *(agg.)* false, lying ‖ *(s.m.)* liar.

buio *(agg.)* **1** dark **2** *(fig.)* gloomy ‖ *(s.m.)* dark, darkness.

bulbo *(s.m.)* BOT. bulb.

bulgaro *(agg. e s.m.)* Bulgarian.

bulimia *(s.f.)* MED. bulimia.

bullo *(s.m.)* bully.

bullone *(s.m.)* bolt.

buono¹ *(agg.)* **1** good **2** *(abile)* skilful **3** *(cibo)* good, delicious **4** *(tempo atmosferico)* fair, fine ‖ *(s.m.) (cosa)* good, *(persona)* good person.

buono² *(s.m.)* **1** FIN. bond **3** *(tagliando)* voucher, coupon.

buonsenso *(s.m.)* common sense.

burattino *(s.m.)* puppet *(anche fig.)*.

burocrazia *(s.f.)* bureaucracy, FAM. SPREG. red tape.

burro *(s.m.)* CUC. butter.

burrone *(s.m.)* ravine.

bussare *(v.i.)* to knock (at).

bussola *(s.f.)* compass.

busta *(s.f.)* envelope.

bustarella *(s.f.)* FAM. bribe.

busto *(s.m.)* **1** bust **2** *(corsetto)* corset.

buttafuori *(s.m.)* bouncer.

buttare *(v.t.)* **1** to throw **2** *(fig.) (sprecare)* to waste. **buttarsi** *(v.pron.)* to throw o.s., *(fig.) (tentare)* to have a try.

C

cabina (s.f.) 1 cabin, cab ❖ c. telefonica telephone box 2 (aereo) cockpit.

cacao (s.m.) BOT. cocoa.

caccia (s.f.) hunting, (di uccelli) shooting. cacciagione (s.f.) game.

cacciare (v.t.) 1 to hunt, (con fucile) to shoot, (dare la caccia) to chase 2 (da casa) to turn out, (buttar fuori) to throw out. cacciarsi (v.pron.) to get (in)to.

cacciatore (s.m.) hunter.

cacciavite (s.m.) screwdriver.

cadavere (s.m.) corpse, MED. cadaver.

cadere (v.i.) 1 to fall (down) ❖ lasciare, fare c. to drop (anche fig.) 2 (di aereo) to crash. caduta (s.f.) 1 fall, falling, (crollo) collapse, (di capelli o denti) loss 2 (capitombolo) fall, tumble 3 (fig.) fall, downfall.

caffè (s.m.) 1 coffee (anche BOT.) 2 (locale) coffee bar, café, coffee shop.

cafone (s.m.) boor || (agg.) boorish.

cagna (s.f.) bitch (anche SPREG., rif. a persona).

calabrone (s.m.) ZOOL. hornet.

calamaro (s.m.) ZOOL. squid.

calamita (s.f.) magnet (anche fig.).

calare (v.t.) to lower, (reti, àncora) to cast || (v.i.) 1 (discendere) to descend (on), to go down 2 (di sole) to set, (di luna) to wane, (di vento, temperatura) to drop, (di notte) to fall, (di marea) to ebb 3 (diminuire) to go down, to fall, (di prezzi) to reduce 4 (di peso) to lose weight. calarsi (v.pron.) to let o.s. down (from).

calcagno (s.m.) heel.

calcare (s.m.) MIN. limestone, (incrostazione) scale, BE limescale.

calcetto (s.m.) SPORT five-a-side football, (calcio-balilla) table football.

calciare (v.t.) to kick. calciatore (s.m.) SPORT, BE football player, footballer, AE soccer player.

calcinaccio (s.m.) (pl., estens.) rubble (solo sing.), debris (solo sing.).

calcio¹ (s.m.) 1 kick 2 SPORT BE football, AE soccer.

calcio² (s.m.) CHIM. calcium.

calcolare (v.t.) 1 to calculate 2 (mettere in conto) to take into account, to allow 3 (considerare) to consider.

calcolatore (agg.) calculating || (s.m.) 1 INFORM. computer 2 (fig.) calculating person.

calcolatrice (s.f.) calculator.

calcolo¹ (s.m.) calculation, MAT. calculus, (fig.) (pl.) sums.

calcolo² (s.m.) MED. calculus, stone.

caldaia (s.f.) TECN. boiler.

caldo (agg.) warm (anche fig.), (molto caldo) hot (anche fig.) || (s.m.) heat, warmth ❖ avere c. to be hot, far c. to feel warm / hot (costruz. impers.).

calendario *(s.m.)* calendar.

calibro *(s.m.)* **1** BE calibre, AE caliber, bore, gauge **2** TECN. *(strumento)* callipers *(pl.)* **3** *(fig.)* calibre.

calligrafia *(s.f.)* **1** calligraphy **2** *(grafia)* handwriting.

callo *(s.m.)* callus, *(dei piedi)* corn.

calma *(s.f.)* *(quiete)* calm, peace ❖ **perdere la c.** to lose one's temper.

calmare *(v.t.)* **1** to calm (down) **2** *(lenire)* to soothe, to relieve. **calmarsi** *(v.pron.)* **1** to calm down, to ease (off) **2** *(di vento)* to drop.

calmo *(agg.)* **1** calm, quiet **2** *(mare)* calm, smooth.

calo *(s.m.)* **1** *(di prezzi)* drop, fall, *(di peso, potenza)* loss, *(di volume)* shrinkage **2** ECON. decrease, drop.

calore *(s.m.)* **1** heat **2** *(fig.) (cordialità)* warmth, friendliness.

calpestare *(v.t.)* to trample on *(anche fig.)*.

calunnia *(s.f.)* slander *(anche DIR.)*, calumny.

calvario *(s.m.)* calvary, ordeal.

calvo *(agg.)* bald ‖ *(s.m.)* bald man.

calza *(s.f.)* **1** *(da uomo)* sock, *(da donna)* stocking **2** ❖ **fare la c.** to knit.

calzamaglia *(s.f.)* ABBIGL. leotard, *(collant)* tights *(pl.)*.

calzare *(v.t.) (indossare)* to put on, to wear ‖ *(v.i.) (andar bene)* to fit.

calzatura *(s.f.)* footwear, *(scarpa)* shoe.

calzino *(s.m.)* sock.

calzolaio *(s.m.)* shoemaker, *(negozio)* shoemaker's shop.

calzoncini *(s.m. pl.)* shorts.

calzoni *(s.m. pl.)* BE trousers, AE pants.

cambiale *(s.f.)* ECON. bill (of exchange).

cambiare *(v.t.)* to change. **cambiarsi** *(v.pron.)* **1** to change **2** *(mutarsi)* to turn into. **cambiamento** *(s.m.)* change. **cambio** *(s.m.)* **1** change, *(scambio)* exchange **2** ECON. change, exchange **3** AUT. gear.

camera *(s.f.)* **1** *(stanza)* room, *(stanza da letto)* bedroom **2** POL. Chamber, House **3** TECN. chamber ❖ **c. d'aria** *(di pneumatico)* inner tube **4** MUS. ❖ **musica da c.** chamber music.

cameriera *(s.f.)* **1** *(domestica)* (house)maid **2** *(in albergo)* (chamber)maid **3** *(al ristorante)* waitress.

cameriere *(s.m.)* **1** *(domestico)* servant, manservant, *(personale)* valet **2** *(al ristorante)* waiter.

camice *(s.m.)* *(di medici)* (white) coat.

camicetta *(s.f.)* blouse.

camicia *(s.f.)* **1** *(da uomo)* shirt, *(da donna)* blouse **2** TECN. jacket.

caminetto *(s.m.)* fireplace.

camino *(s.m.)* **1** fireplace **2** *(comignolo)* chimney **3** *(ciminiera)* chimney stack.

camion *(s.m.)* BE lorry, AE truck.

camioncino *(s.m.)* van. **camionista** *(s.m. / s.f.)* BE lorry (AE truck) driver.

cammello *(s.m.)* **1** ZOOL. camel **2** *(tessuto)* camelhair ‖ *(agg.) (colore)* camel *(attr.)*.

camminare *(v.i.)* to walk.

cammino *(s.m.)* **1** *(il camminare)* walk **2** *(il percorso)* way, path, course **3** *(fig.) (progresso)* progress.

camomilla *(s.f.)* BOT. camomile, *(infuso)* camomile tea.

camoscio *(s.m.)* **1** ZOOL. chamois **2** *(pelle)* chamois leather, suede.

campagna (*s.f.*) **1** country, countryside **2** MIL. campaign **3** (*propaganda*) campaign. **campagnolo** (*agg.*) rural, country (*attr.*) || (*s.m.*) peasant, countryman.

campana (*s.f.*) bell.

campanello (*s.m.*) bell, (*della porta*) doorbell.

campanile (*s.m.*) bell tower, belfry.

campare (*v.i.*) to live.

campeggio (*s.m.*) **1** (*luogo*) campsite, camping ground **2** (*soggiorno*) camping.

campionato (*s.m.*) championship.

campione (*s.m.*) **1** sample, (*esemplare*) specimen **2** SPORT champion || (*agg.*) **1** sample (*attr.*) **2** SPORT champion (*attr.*).

campo (*s.m.*) **1** field **2** MIL. field, (*accampamento*) camp **3** SPORT (*calcio*) field, BE pitch, (*tennis*) court, (*golf*) course **4** FIS. field **5** (*fig.*) (*àmbito*) field, sector .

camuffare (*v.t.*) to disguise, (*mimetizzare*) to camouflage, (*mascherare*) to mask.

canadese (*agg. e s.m. / s.f.*) Canadian ❖ *tenda c.* ridge tent.

canaglia (*s.f.*) scoundrel, rogue.

canale (*s.m.*) **1** canal, (*di mare*) channel **2** (*condotta*) pipe, tube **3** RAD., TV channel.

canapa (*s.f.*) BOT. hemp.

canarino (*s.m.*) **1** ZOOL. canary **2** (*colore*) canary yellow.

cancellare (*v.t.*) **1** to delete, (*con una gomma*) BE to rub out, AE to erase **2** (*fig.*) to wipe out **3** (*disdire*) to cancel **4** INFORM. to delete, to erase. **cancellarsi** (*v.pron.*) to fade (away).

cancelliere (*s.m.*) **1** (*di tribunale*) registrar, (*di pretura*) magistrate's clerk **2** POL. Chancellor.

cancello (*s.m.*) gate.

cancro[1] (*s.m.*) ASTROL. Cancer ❖ *sono del Cancro* I'm Cancer.

cancro[2] (*s.m.*) MED. cancer.

candela (*s.f.*) **1** candle **2** AUT. spark plug.

candidato (*s.m.*) candidate. **candidare** (*v.t.*) **1** to nominate **2** (*per un posto di lavoro*) to apply (for). **candidarsi** (*v.pron.*) POL. to run (for), to stand (as a candidate).

candido (*agg.*) **1** pure white, snow-white (*attr.*) **2** (*sincero*) frank **3** (*ingenuo*) naive.

cane (*s.m.*) **1** ZOOL. dog **2** (*di arma da fuoco*) cock, hammer.

canestro (*s.m.*) basket (*anche* SPORT).

canguro (*s.m.*) ZOOL. kangaroo.

canile (*s.m.*) **1** (*cuccia*) kennel **2** (*luogo di custodia*) kennels (*pl.*) ❖ *c. municipale* dog pound.

canino (*agg.*) **1** (*dente*) canine **2** (*di cane*) dog (*attr.*) **3** BOT. ❖ *rosa canina* wild rose || (*s.m.*) (*dente*) canine (tooth).

canna (*s.f.*) **1** BOT. reed, cane **2** (*bastone*) cane **3** (*da pesca*) fishing rod **4** (*di fucile*) (gun) barrel **5** (*tubo*) pipe, hose.

cannella (*s.f.*) BOT., CUC. cinnamon.

cannibale (*s.m.*) cannibal.

cannocchiale (*s.m.*) telescope.

cannone (*s.m.*) MIL. cannon, gun.

cannuccia (*s.f.*) (*per bibite*) straw.

canotto (*s.m.*) **1** (*gommone*) rubber dinghy **2** (*di salvataggio*) lifeboat.

cantare (*v.t. / v.i.*) to sing, (*del gallo*) to crow **2** SL. (*fare la spia*) to sing, to squeal. **cantante** (*s.m. / s.f.*) singer.

cantiere (*s.m.*) yard.

cantilena (*s.f.*) **1** chant, (*ninnananna*) lullaby **2** sing-song.

cantina (*s.f.*) **1** cellar **2** (*rivendita di vino*) wineshop.

canto (*s.m.*) **1** singing **2** (*canzone*) song, tune **3** (*poesia*) poem, (*parte di poema*) canto.

canzone (*s.f.*) song.

caos (*s.m.*) **1** chaos **2** (*fig.*) FAM. mess. **caotico** (*agg.*) chaotic, confused.

capace (*agg.*) **1** (*in grado di*) able, capable, (*abile*) skilful, good **2** (*spazioso*) large, roomy, (*capiente*) capacious. **capacità** (*s.f.*) **1** (*abilità*) ability, capability **2** (*capienza*) capacity.

capanna (*s.f.*) hut, cabin.

capanno (*s.m.*) **1** (*da caccia*) shooting box **2** (*per attrezzi*) shed.

caparra (*s.f.*) deposit, down payment.

capello (*s.m.*) hair.

capezzolo (*s.m.*) ANAT. (*umano*) nipple, (*di animale*) teat.

capire (*v.t.*) to understand, (*rendersi conto di*) to realize. **capirsi** (*v.pron.*) to understand each other.

capitale¹ (*agg.*) **1** (*rel. a morte*) capital **2** (*principale*) main (*attr.*), chief (*attr.*), (*cruciale*) crucial.

capitale² (*s.f.*) (*città*) capital (city).

capitale³ (*s.m.*) FIN. capital. **capitalismo** (*s.m.*) capitalism.

capitano (*s.m.*) MAR., MIL. captain.

capitare (*v.i.*) **1** (*venire*) to come, to arrive, FAM. to turn up **2** (*accadere*) to happen.

capitello (*s.m.*) ARCH. capital.

capitolo (*s.m.*) **1** chapter **2** ECON. (*voce di bilancio*) item.

capo (*s.m.*) **1** (*testa*) head **2** (*estremità*) head, end ❖ *da c.* over again,

cominciare da *c.* to begin anew **3** (*chi comanda*) head, chief, boss, POL. leader **4** (*elemento*) item, article **5** GEOGR. cape.

capodanno (*s.m.*) New Year's Day.

capogiro (*s.m.*) dizziness.

capolavoro (*s.m.*) masterpiece.

capoluogo (*s.m.*) chief town.

caporale (*s.m.*) MIL. corporal.

caporeparto (*s.m.*) supervisor, manager, (*di fabbrica*) foreman, (*f.*) forewoman.

caposaldo (*s.m.*) **1** (*topografia*) bench mark **2** MIL. stronghold **3** (*fig.*) (*fondamento*) cornerstone.

capostazione (*s.m.* / *s.f.*) FERR. stationmaster.

capostipite (*s.m.* / *s.f.*) progenitor.

capoufficio (*s.m.*) office manager, head.

capovolgere (*v.t.*) **1** to overturn, to turn upside down, (*di imbarcazione*) to capsize **2** (*fig.*) to reverse, to transform. **capovolgersi** (*v.pron.*) **1** to turn over, to overturn, (*di imbarcazione*) to capsize **2** (*fig.*) to be reversed.

cappa (*s.f.*) **1** (*mantello*) cape, cloak **2** (*di camino, cucina*) hood.

cappella (*s.f.*) chapel.

cappello (*s.m.*) hat, (*con visiera*) cap.

cappero (*s.m.*) BOT. caper.

cappotto (*s.m.*) (over)coat.

cappuccino (*s.m.*) **1** ECCL. Capuchine **2** (*bevanda*) cappuccino.

cappuccio (*s.m.*) hood.

capra (*s.f.*) ZOOL. goat. **capretto** (*s.m.*) ZOOL. kid.

capriccio (*s.m.*) **1** whim, caprice ❖ *fare i capricci* to throw a tantrum **2** (*infatuazione*) fancy.

capricorno (*s.m.*) ASTROL. Capricorn.

capriola *(s.f.)* somersault.

carabiniere *(s.m.)* policeman.

caraffa *(s.f.)* jug.

caramella *(s.f.)* BE sweet, AE candy.

carattere *(s.m.)* **1** *(indole)* character, *(volontà)* character, backbone, *(natura)* nature **2** TIP. typeface, *(scrittura)* character, INFORM. font.

caratteristica *(s.f.)* characteristic, feature. **caratteristico** *(agg.)* characteristic, distinctive, *(tipico)* typical.

carbone *(s.m.)* coal. **carbonella** *(s.f.)* charcoal.

carburante *(s.m.)* fuel.

carcerato *(s.m.)* convict.

carcere *(s.m.)* prison, jail.

carciofo *(s.m.)* BOT. artichoke.

cardinale[1] *(agg.)* cardinal.

cardinale[2] *(s.m.)* ECCL. cardinal.

carestia *(s.f.)* famine.

carezza *(s.f.)* caress. **carezzare** *(v.t.)* to caress.

cariare *(v.i.)*, **cariarsi** *(v.pron.)* MED. to decay. **cariato** *(agg.)* MED. decayed.

carica *(s.f.)* **1** *(pubblico ufficio)* office, *(incarico)* position **2** MIL. charge **3** SPORT tackle, charge **4** *(esplosivo)* charge **5** ELETTR. charge **6** *(di orologio)* winding up **7** *(fig.)* *(energia, entusiasmo)* charge. **caricare** *(v.t.)* **1** to load (up) **2** *(fig.)* to burden **3** *(armi)* to load **4** MIL. to charge **5** *(un orologio)* to wind up. **caricarsi** *(v.pron.)* **1** to overburden o.s. (with) **2** *(fig.)* *(darsi la carica)* to work o.s. up.

carico *(agg.)* **1** loaded (with), laden (with) **2** *(fig.)* burdened (with) **3** *(colore)* deep, dark ‖ *(s.m.)* **1** *(il caricare)* loading **2** COMM. *(merce caricata)* cargo, load, freight.

carie *(s.f.)* MED. (tooth) decay, caries, cavity.

carino *(agg.)* **1** lovely, cute **2** *(gentile)* nice, kind.

carità *(s.f.)* **1** charity **2** *(elemosina)* alms *(pl.)*, charity.

carnagione *(s.f.)* complexion.

carne *(s.f.)* **1** flesh **2** *(alimento)* meat.

carnevale *(s.m.)* carnival.

caro *(agg.)* **1** *(amato)* dear, (be)loved **2** *(costoso)* expensive, dear ‖ *(s.m.)* **1** dear, darling **2** *(pl.)* *(parenti)* family ‖ *(avv.)* *(a caro prezzo)* dearly.

carogna *(s.f.)* **1** carrion, carcass **2** *(fig.)* bastard.

carosello *(s.m.)* *(giostra)* BE merry-go-round, AE carousel.

carota *(s.f.)* BOT. carrot.

carovana *(s.f.)* **1** caravan **2** *(estens.)* group.

carreggiata *(s.f.)* **1** roadway, BE carriageway **2** *(fig.)* track.

carrello *(s.m.)* **1** BE trolley, AE cart **2** AER. BE undercarriage, AE landing gear.

carriera *(s.f.)* career.

carriola *(s.f.)* (wheel)barrow.

carro *(s.m.)* **1** *(a due ruote)* cart, *(a quattro ruote)* wagon **2** FERR. BE wagon, AE railcar. **carro armato** *(loc. sost.)* MIL. tank. **carro attrezzi** *(loc. sost.)* AUT. BE breakdown lorry, AE tow truck, wrecker.

carrozza *(s.f.)* **1** carriage, coach **2** FERR. car, BE coach, AE railroad-car.

carrozzeria *(s.f.)* AUT. **1** BE bodywork, AE coachwork **2** *(officina)* body shop.

carrozzina *(s.f.)* *(per bambini)* BE pram, AE baby carriage, AE buggy.

carta (*s.f.*) **1** paper **2** (*documento*) paper, document, (*tessera*) card **3** (*carta geografica*) map **4** (*carta da gioco*) (playing) card.

cartella (*s.f.*) **1** (*di cuoio*) briefcase **2** (*da scuola*) satchel, schoolbag **3** (*pagina dattiloscritta*) sheet, page ◆ *c. clinica* MED. medical record **4** (*custodia per fogli*) folder, file **5** INFORM. folder.

cartellino (*s.m.*) **1** (*etichetta*) label, tag **2** (*targhetta*) nameplate **3** SPORT (*calcio*) card **4** (*di presenza*) time card.

cartello (*s.m.*) **1** (*avviso*) notice ◆ *c. stradale* (road) sign **2** (*insegna*) shop-sign.

cartellone (*s.m.*) **1** (*pubblicitario*) poster, BE hoarding, AE billboard **2** TEATR. playbill.

cartina (*s.f.*) **1** (*per sigarette*) cigarette paper **2** (*geografica*) map.

cartoleria (*s.f.*) stationery shop ◆ *articoli di c.* stationery.

cartolina (*s.f.*) (post)card.

cartone (*s.m.*) cardboard.

cartone animato (*loc. sost.*) CINEM. animated cartoon, (*pl.*) cartoons.

cartuccia (*s.f.*) MIL., TECN., INFORM. cartridge.

casa (*s.f.*) (*edificio*) house, (*abitazione*) home. **casalinga** (*s.f.*) housewife. **casalingo** (*agg.*) **1** (*di casa*) home (*attr.*), domestic **2** (*semplice*) plain, homely **3** (*fatto in casa*) home-made || (*s.m.*) (*pl.*) (*oggetti per la casa*) BE household articles, AE housewares.

cascare (*v.i.*) to fall (down), to tumble (down).

cascata (*s.f.*) (*d'acqua*) waterfall, falls (*pl.*).

casco (*s.m.*) **1** helmet ◆ *caschi blu* blue berets **2** (*del parrucchiere*) hair dryer.

casella (*s.f.*) **1** (*di schedario*) pigeon-hole ◆ *c. postale* Post Office box, P.O. Box **2** (*quadratino*) square.

casello (*s.m.*) (*di autostrada*) toll booth.

caserma (*s.f.*) MIL. barracks (*pl.*).

caso (*s.m.*) **1** (*evento fortuito*) chance ◆ *a c.* at random **2** (*fatto, avvenimento*) case, event **3** (*eventualità*) instance, case.

cassa (*s.f.*) **1** case, crate ◆ *c. da morto* coffin **2** (*registratore di cassa*) till, AE cash-register, (*zona di negozio*) checkout, (*denaro*) cash **3** (*banca*) bank ◆ *c. continua* night safe.

cassaforte (*s.f.*) safe, strongbox.

cassapanca (*s.f.*) chest.

cassetta (*s.f.*) box, case ◆ *c. delle lettere* BE letterbox, AE mail box, *c. di pronto soccorso* first-aid kit.

cassetto (*s.m.*) drawer.

cassettone (*s.m.*) **1** chest of drawers **2** ARCH. lacunar.

cassiere (*s.m.*) cashier, (*di banca*) teller, (*di supermercato*) checkout assistant.

cassonetto (*s.m.*) (*per rifiuti*) garbage bin, BE dustbin, AE trash can.

castagna (*s.f.*) BOT. chestnut.

castano (*agg.*) chestnut (brown), brown.

castello (*s.m.*) castle.

castigo (*s.m.*) punishment.

castoro (*s.m.*) ZOOL. beaver.

casuale (*agg.*) chance (*attr.*), casual, fortuitous. **casualità** (*s.f.*) (*fatto casuale*) chance, accident.

catalogo (*s.m.*) BE catalogue, AE catalog, list.

catarro (s.m.) MED. catarrh, phlegm.

catasta (s.f.) pile, heap, stack.

catasto (s.m.) land register, cadastre.

catastrofe (s.f.) catastrophe, disaster.

categoria (s.f.) category, class.

categorico (agg.) (assoluto) categoric(al), unconditional.

catena (s.f.) 1 chain ❖ c. di montaggio production line 2 GEOGR. (di montagne) chain, range.

catenaccio (s.m.) bolt, padlock.

catino (s.m.) basin.

catrame (s.m.) tar.

cattedra (s.f.) 1 (scuola) desk 2 (incarico di insegnamento) teaching post, (nelle università) chair, professorship.

cattedrale (s.f.) cathedral.

cattiveria (s.f.) 1 wickedness, malice, meanness 2 (azione malvagia) wicked action, naughtiness.

cattivo (agg.) bad, (rif. a bambino) naughty || (s.m.) 1 (cosa cattiva) bad 2 (persona) bad person, wicked person, (nei film ecc.) villain.

cattolicesimo (s.m.) (Roman) Catholicism. **cattolico** (agg. e s.m.) (Roman) Catholic.

catturare (v.t.) to capture, to catch, (arrestare) to arrest. **cattura** (s.f.) capture, (arresto) arrest.

causa (s.f.) 1 cause, (motivo) reason ❖ a c. di because of 2 (ideale) cause 3 DIR. lawsuit, case ❖ fare c. to sue. **causale** (s.f.) cause, reason. **causare** (v.t.) to cause.

cauto (agg.) cautious, prudent.

cauzione (s.f.) 1 security, guarantee, (deposito) deposit 2 DIR. (per la libertà provvisoria) bail.

cava (s.f.) quarry.

cavalcare (v.t.) to ride || (v.i.) (andare a cavallo) to ride.

cavaliere (s.m.) 1 (chi cavalca) rider, (soldato a cavallo) cavalryman, mounted soldier 2 ST. knight 3 (accompagnatore) escort, (al ballo) (dance) partner 4 (gentiluomo) gentleman.

cavalleria (s.f.) 1 chivalry (anche fig.) 2 MIL. cavalry.

cavalletta (s.f.) ZOOL. grasshopper.

cavalletto (s.m.) trestle, (per macchina fotografica) tripod, (da pittore) easel 2 (di bicicletta, moto) kickstand.

cavallo (s.m.) 1 ZOOL. horse 2 (a scacchi) knight 3 (dei pantaloni) crotch.

cavare (v.t.) (estrarre) to dig out, to extract. **cavarsela** (v.pron.) to come through (sthg.), to come out (of sthg.).

cavatappi (s.m. invar.) corkscrew.

caverna (s.f.) 1 cave 2 MED. cavity.

cavernoso (agg.) 1 cavernous (anche MED.) 2 (fig.) (cupo) deep, hollow.

cavia (s.f.) ZOOL. guinea pig (anche fig.).

caviglia (s.f.) ANAT. ankle.

cavo¹ (agg.) (vuoto) hollow, empty.

cavo² (s.m.) 1 (fune) cable, rope 2 ELETTR. cable.

cavolfiore (s.m.) BOT. cauliflower.

cavolo (s.m.) BOT. cabbage.

cazzo (s.m.) VOLG. dick, cock, prick ❖ cazzo! shit!

cazzotto (s.m.) FAM. punch.

ce (pron. pers. 1a pers. pl.) (a noi) to us, us || (avv.) there ❖ c. ne sono quattro there are four.

cedere (v.t.) 1 (dare) to give 2 (vendere) to sell || (v.i.) 1 (arrendersi) to give in, to yield **2** *(piegarsi, rompersi)* to give way.

cedimento *(s.m.)* **1** *(di struttura)* collapse **2** *(di terreno)* subsidence **3** *(fig.) (nervoso)* breakdown, *(rinuncia)* giving in.

celare *(v.t.)* to conceal, to hide. **celarsi** *(v.pron.)* to conceal o.s., to hide o.s., *(essere nascosto)* to be hidden.

celebrare *(v.t.)* to celebrate.

celebre *(agg.)* famous, renowned.

celebrità *(s.f.)* **1** *(notorietà)* fame **2** *(persona celebre)* celebrity.

celeste *(agg.) (del cielo)* celestial, heavenly ‖ *(agg. e s.m.) (azzurro)* sky blue, baby blue.

celibe *(agg.)* single, unmarried, ECCL. celibate ‖ *(s.m.)* bachelor.

cella *(s.f.)* **1** cell **2** ELETTR., INFORM. cell.

cellula *(s.f.)* cell.

cellulare *(agg.)* cellular, cell *(attr.)* ‖ *(s.m.)* **1** *(furgone di polizia)* police van **2** *(telefono)* BE mobile (phone), AE cellular phone, cell phone.

cellulite *(s.f.)* MED. cellulitis, *(tessuto adiposo)* cellulite.

cemento *(s.m.)* EDIL. *(materiale)* cement ❖ c. armato reinforced concrete **2** *(fig.)* bond, link.

cena *(s.f.)* dinner, supper.

cenare *(v.i.)* to have dinner, supper.

cenere *(s.f.)* **1** ash *(spec. pl.)* **2** *(pl.) (resti mortali)* ashes.

cenno *(s.m.)* **1** *(segno)* sign, signal, *(con il capo)* nod, *(con gli occhi)* wink, *(con la mano)* wave **2** *(accenno, allusione)* mention, hint **3** *(indizio)* sign, hint.

censura *(s.f.)* **1** censorship **2** *(fig.)* censure.

centesimo *(s.m.)* ECON. *(di euro, dollaro ecc.)* cent.

centigrado *(agg.)* FIS. centigrade, Celsius.

centimetro *(s.m.)* BE centimetre, AE centimeter.

centrale *(agg.)* **1** central, *(mediano)* middle **2** *(principale)* main, head *(attr.)* ❖ sede c. head / main office **3** *(più importante)* central, key ‖ *(s.f.) (impianto)* plant, station ❖ c. elettrica power plant (station).

centralino *(s.m.)* **1** BE (telephone) exchange, AE (telephone) central, *(di albergo, azienda ecc.)* switchboard **2** *(servizio)* ❖ c.! operator!

centrare *(v.t.)* **1** TECN., BE to centre, AE to center, to balance **2** *(colpire in centro)* to hit (the centre).

centro *(s.m.)* **1** BE centre, AE center, *(punto centrale)* middle **2** *(di città)* BE (town) centre, AE downtown **3** *(impianto, istituto)* BE centre, AE center, institute ❖ c. commerciale BE shopping centre, AE shopping center, mall.

cera *(s.f.)* wax.

ceramica *(s.f.)* **1** *(arte)* ceramics, pottery **2** *(oggetto in ceramica)* piece of pottery **3** *(materiale)* baked clay **4** *(pl.)* pottery.

cercare *(v.t.)* **1** to look for, to search (for), *(per ottenere)* to seek **2** *(provare)* to try.

cerchio *(s.m.)* **1** circle, ring **2** *(di ruota)* rim.

cerimonia *(s.f.)* ceremony.

cerino *(s.m.)* match.

cerniera *(s.f.)* **1** hinge **2** ❖ c. lampo BE zip fastener, AE zipper.

cero *(s.m.)* candle.

cerotto *(s.m.)* BE (sticking) plaster, AE band-aid.

certamente *(avv.)* certainly ❖ c.! of course!, AE sure!

certezza *(s.f.)* certainty.

certificato *(s.m.)* certificate, *(medico)* FAM. doctor's note.

certo¹ *(agg. indef.)* **1** *(alcuno, qualche)* certain, some, *(alquanto)* some ❖ un c. *numero di persone* a certain number of people, *dopo un c. periodo* after some time **2** *(simile)* such ❖ *non dovresti fare certe cose!* you should not do such things! **3** *(tale)* certain ❖ *ha chiamato un c. Luca* a (certain) Luca called ‖ *(pron. indef. pl.)* *(alcuni)* some (people).

certo² *(agg.)* **1** *(indubbio, sicuro)* certain, sure **2** *(preciso)* definite ‖ *(avv.)* certainly, surely ❖ *sì, c.!* sure!, *ma c.!* of course!

cervello *(s.m.)* ANAT. brain *(anche fig.)*.

cervo *(s.m.)* ZOOL. deer *(pl. anche* deer).

cespuglio *(s.m.)* bush, shrub.

cessare *(v.i. e v.i.)* to cease, to stop.

cessione *(s.f.)* transfer, handing over.

cesso *(s.m.)* POP. bog, BE loo, AE can.

cesta *(s.f.)* basket.

cestino *(s.m.)* small basket, *(per la carta)* wastepaper basket ❖ c. *da viaggio* packed meal.

cesto *(s.m.)* basket.

cetriolo *(s.m.)* BOT. cucumber.

chattare *(v.i.)* INFORM. to chat.

che¹ *(cong.)* **1** *(dichiarativa)* that ❖ *so ch. verrai* I know that you will come **2** *(causale)* that ❖ *mi dispiace ch. tu non ti senta bene* I'm sorry that you don't feel well **3** *(consecutiva)* that ❖ *eravamo così in ritardo ch....* we were so late that... **4** *(compar.)* than ❖ *è più bello ch. bravo* he's more handsome than skilful **5** *(temporale)* when **6** *(esortativa)* that ❖ *ch. vadano pure!* let them go!

che² *(pron. rel.)* **1** *(sogg.)* *(rif. a persone)* who, that, *(rif. a cose o animali)* which, that ❖ *il tizio ch. vende i giornali* the guy who / that sells the newspapers **2** *(compl. ogg.)* *(rif. a persone)* who, that, FORM. whom, *(rif. a cose o animali)* which, that ❖ *le rose sono i fiori ch. amo di più* roses are the flowers which / that I love most **3** *(cosa che)* ❖ *non ha di ch. vivere* he has nothing to live on, *non c'è di ch.* don't mention it ‖ *(agg. interr.)* *(quale)* what, *(tra alcuni)* which ❖ *ch. ora è?* what time is it? *ch. colore hai scelto?* which color did you choose? ‖ *(pron. interr.)* what ❖ *ch. volete?* what do you want? ‖ *(agg. esclam.)* what, a, *(come è...)* how ❖ *ch. ragazza simpatica!* what a nice girl!, *ch. strano!* how strange! ‖ *(pron. esclam.)* what ‖ *(pron. indef.)* something.

chemioterapia *(s.f.)* MED. chemotherapy, FAM. chemo.

chi¹ *(pron. interr.)* **1** *(sogg.)* who, *(tra alcuni)* which ❖ *ch. siete?* who are you? *ch. di voi è pronto?* which of you is ready? **2** *(compl.)* who, FORM. whom ❖ *ch. ha sposato?* who / whom did she marry? **3** *(poss.)* *(di chi)* whose ❖ *di ch. è questa auto?* whose car is this?

chi² *(pron. rel. dimostr.)* *(colui / colei che)* the one (who), the person (who), whoever ❖ *ch. entra per ultimo chiuda la porta* the one who comes in last should close the door ‖ *(pron. rel. indef.)* **1** *(chiunque)* whoever, anyone who, anybody who, (all) those who ❖ *ch. ha qualcosa da dire lo dica* whoever has anything to say should speak up **2** *(uno che)* someone who, somebody who, one who.

chiacchierare *(v.i.)* to chat, to talk.
chiacchiera *(s.f.)* **1** chat, talk **2** *(diceria)* rumour, *(pettegolezzo)* gossip.

chiamare *(v.t.)* **1** to call ❖ *mi hai chiamato?* did you call (me)? **2** *(al telefono)* to call (up), to ring (up) **3** *(dare il nome)* to name, to call.
chiamarsi *(v.pron.)* to be called ❖ *come ti chiami?* what's your name?
chiamata *(s.f.)* **1** call *(anche TEL.)* **2** *(appello)* roll call **3** RELIG. *(vocazione)* calling **4** TEATR. curtain call.

chiaramente *(avv.)* **1** *(distintamente)* clearly, distinctly **2** *(francamente)* openly, frankly.

chiarezza *(s.f.)* **1** *(luminosità)* brightness **2** *(comprensibilità)* clearness, clarity **3** *(franchezza)* frankness.

chiarire *(v.t.)* *(spiegare)* to make clear, to explain. **chiarirsi** *(v.pron.)* to become clear, *(spiegarsi)* to clear things up.

chiaro *(agg.)* **1** *(luminoso)* clear *(anche fig.)*, bright, *(limpido)* clear **2** *(evidente)* clear, evident **3** *(colore)* light, pale ‖ *(avv.)* clearly.

chiasso *(s.m.)* *(rumore)* noise, hubbub.

chiave *(s.f.)* **1** key *(anche fig.)* ❖ *chiudere a ch.* to lock **2** MUS. clef **3** MECC. *(attrezzo)* BE spanner, AE wrench.

chicco *(s.m.)* *(di granaglie)* corn, kernel, grain, *(di caffè)* coffeebean, *(d'uva)* grape, *(di grandine)* (hail)stone.

chiedere *(v.t.)* **1** *(per sapere)* to ask ❖ *mi ha chiesto l'ora* he asked me the time **2** *(per avere)* to ask for ❖ *mi ha chiesto del denaro* he asked me for some money. **chiedersi** *(v.pron.)* *(domandarsi)* to wonder

❖ *mi chiedo se verrà* I wonder whether she will come.

chiesa *(s.f.)* **1** *(edificio)* church **2** *(comunità)* Church ❖ *la Chiesa Cattolica* the Catholic Church.

chilo *(s.m.)* kilo.

chilogrammo *(s.m.)* kilogram.

chilometro *(s.m.)* BE kilometre, AE kilometer.

chimica *(s.f.)* chemistry.

chimico *(agg.)* chemic(al) ❖ *sostanze chimiche* chemicals ‖ *(s.m.)* chemist.

china[1] *(s.f.)* **1** *(discesa)* slope, descent **2** *(fig.)* turn.

china[2] *(s.f.)* *(inchiostro)* Indian ink.

chinare *(v.t.)* to bend, *(inchinare)* to bow. **chinarsi** *(v.pron.)* to stoop, to bend down.

chiocciola *(s.f.)* **1** ZOOL. snail **2** INFORM. at.

chiodo *(s.m.)* nail.

chiostro *(s.m.)* cloister.

chirurgia *(s.f.)* surgery.

chirurgo *(s.m.)* surgeon.

chissà *(avv.)* who knows, *(forse)* maybe, perhaps.

chitarra *(s.f.)* MUS. guitar.

chiudere *(v.t.)* **1** to close, to shut, *(a chiave)* to lock, *(allacciare)* to fasten **2** *(spegnere) (gas, acqua)* to turn off, *(luce)* to switch off **3** *(tappare)* to close up, to stop **4** COMM. to close ❖ *ch. il bilancio* to balance the accounts **5** *(un negozio ecc.)* to close, *(permanentemente)* to shut down, to close down ‖ *(v.i.)* **1** to close **2** *(teatro, negozio ecc.)* to close, to shut, *(per sempre)* to shut down, to close down ❖ *il pub chiude alle undici* the pub closes at eleven. **chiudersi** *(v.pron.)* **1** *(serrarsi)* to close, to shut **2** *(concluder-*

si) to end, to finish **3** *(rinchiudersi)* to shut o.s. up, *(in se stesso)* to withdraw into o.s.

chiunque *(pron. indef.)* anyone, anybody ❖ *ch. può provare* anyone / anybody can try || *(pron. rel. indef.)* **1** *(sogg.)* whoever, anyone who, *(tra pochi)* whichever ❖ *ch. rimanga* whoever / anyone who stays here **2** *(compl.)* whoever, anyone ❖ *ch. vediate* whoever / anyone you see.

chiuso *(agg.)* **1** closed, shut, *(a chiave)* locked ❖ *ho il naso ch.* my nose is stuffed **2** *(carattere)* reserved || *(s.m.)* ❖ *al ch.* indoor.

chiusura *(s.f.)* **1** *(il chiudere)* closing, shutting **2** *(allacciatura)* fastening ❖ *ch. lampo* BE zip (fastener), AE zipper.

ci *(pron. pers. 1a pers. pl.)* **1** *(compl. ogg.)* us ❖ *c. hanno visti* they saw us **2** *(compl. di termine)* (to) us **3** *(con v.pron.)* ourselves, *(l'un l'altro)* one another, each other ❖ *c. siamo baciati* we kissed each other || *(avv.)* **1** *(là)* there, *(qui)* here ❖ *c. vado domani* I'll go there tomorrow, *c. sei!* you're here! **2** *(con il v. essere)* there ❖ *c'è, c. sono* there is, there are || *(pron. dimostr.)* **1** *(a ciò, su ciò ecc.)* it, that **2** FAM. *(con lei, con lui, con loro)* ❖ *c. ho parlato ieri* I spoke with him yesterday.

ciao *(inter.)* **1** *(incontrandosi)* hello!, hallo!, AE, FAM. hi! **2** *(congedandosi)* goodbye, FAM. bye, bye-bye.

ciascuno *(agg. indef.)* every, each || *(pron. indef.)* everyone, everybody, each (one) ❖ *c. di noi* each (one) of us.

cicala *(s.f.)* ZOOL. cicada.

cicatrice *(s.f.)* scar *(anche fig.)*.

ciclismo *(s.m.)* SPORT cycling.

cicogna *(s.f.)* ZOOL. stork.

cieco *(agg.)* blind *(anche fig.)* || *(s.m.)* blind man ❖ *i ciechi* the blind.

cielo *(s.m.)* **1** sky **2** *(paradiso)* heaven, paradise ❖ *settimo c.* seventh heaven.

cifra *(s.f.)* **1** digit, figure, number **2** *(somma di denaro)* amount of money, sum.

ciglio *(s.m.)* **1** *(pl. f. ciglia)* ANAT. eyelash **2** *(pl. m. cigli) (bordo)* edge, border, brink.

cigno *(s.m.)* ZOOL. swan.

ciliegia *(s.f.)* BOT. cherry.

cilindro *(s.m.)* **1** cylinder **2** *(cappello)* top hat.

cima *(s.f.)* **1** *(sommità)* top, summit, *(punta)* tip ❖ *da c. a fondo* from top to bottom **2** SCHERZ. genius **3** MAR. rope. *(fig.) (genio)*

cimice *(s.f.)* ZOOL. (bed) bug.

ciminiera *(s.f.)* smokestack.

cimitero *(s.m.)* cemetery, graveyard, *(annesso a chiesa)* churchyard.

cin cin *(inter.)* FAM. cheers!

cinema *(s.m.)* BE cinema, pictures *(pl.)*, AE movies *(pl.)*.

cinese *(agg. e s.m. / s.f.)* Chinese ❖ *ombre cinesi* shadow theatre.

cinghiale *(s.m.)* ZOOL. wild boar.

cinico *(agg.)* cynical || *(s.m.)* cynic.

cinta *(s.f.) (cerchia di mura)* city walls, town walls, *(pl.), (di città)*, *(steccato)* fence.

cintura *(s.f.)* belt, girdle ❖ *cinture di sicurezza* (safety) belts.

ciò *(pron. dimostr.)* this, that, *(ciò che)* what ❖ *malgrado c.* in spite of this.

ciocca *(s.f.) (di capelli)* lock.

cioccolata *(s.f.)* **1** v. cioccolato **2** *(bevanda)* chocolate || *(agg.)* chocolate *(attr.)*.

cioccolato (*s.m.*) chocolate ❖ *c. fondente* dark (BE plain) chocolate, *c. al latte* milk chocolate. **cioccolatino** (*s.m.*) chocolate.

cioè (*avv.*) **1** that is (to say), i.e. ❖ *è suo nipote, c. il figlio di suo fratello* he's her nephew, that's to say her brother's son **2** (*anzi*) better, or rather ❖ *ci andrò oggi, c. domani* I'll go there today, or rather tomorrow.

cipolla (*s.f.*) **1** BOT. onion **2** (*orologio*) turnip.

cipresso (*s.m.*) BOT. cypress.

cipria (*s.f.*) (face) powder.

circa (*avv.*) about, nearly, approximately ❖ *alle quattro c.* at about four o'clock.

circo (*s.m.*) circus.

circolare (*agg.*) circular ‖ (*s.f.*) **1** (*comunicazione*) circular (letter) **2** (*autobus ecc.*) circle line ‖ (*v.i.*) to circulate.

circolazione (*s.f.*) **1** circulation (*anche* MED.) **2** (*di veicoli*) circulation, traffic.

circolo (*s.m.*) **1** (*cerchio*) circle ❖ *Circolo Polare Artico* GEOGR. Polar Arctic Circle **2** (*gruppo di persone*) circle, group **3** (*associazione*) club ❖ *c. sportivo* sports club.

circoncisione (*s.f.*) circumcision.

circondare (*v.t.*) to surround (*anche fig.*). **circondarsi** (*v.pron.*) to surround o.s.

circonferenza (*s.f.*) GEOM. circumference.

circostanza (*s.f.*) circumstance, (*occasione*) occasion.

circuito (*s.m.*) **1** ELETTR. circuit **2** SPORT circuit, track.

cisterna (*s.f.*) tank.

citare (*v.t.*) **1** (*nominare*) to cite, to mention **2** (*riportare brani o parole altrui*) to quote **3** DIR. (*convocare*) to summon, (*intentare causa a*) to sue.

citofono (*s.m.*) **1** entryphone **2** (*in uffici*) intercom, interphone.

città (*s.f.*) **1** (*piccola*) town **2** (*metropoli*) city ❖ *c. capitale* capital city. **cittadina** (*s.f.*) (*piccola città*) small town, country town.

cittadino (*agg.*) town (*attr.*), civic ‖ (*s.m.*) **1** DIR. citizen **2** (*abitante di città*) city-dweller, town-dweller.

ciuffo (*s.m.*) tuft.

civetta (*s.f.*) ZOOL. owl **2** (*fig.*) flirt, coquette.

civile (*agg.*) **1** civil **2** (*civilizzato*) civilized **3** (*cortese*) polite **4** (*in opposizione a* militare) civilian ‖ (*s.m.*) civilian. **civiltà** (*s.f.*) **1** civilization **2** (*cortesia*) politeness.

clacson (*s.m.*) AUT. horn ❖ *suonare il c.* to hoot, to honk the horn.

clandestino (*agg.*) clandestine, (*illegale*) illegal ‖ (*s.m.*) stowaway, (*immigrato illegale*) illegal immigrant.

classe (*s.f.*) **1** (*condizione sociale*) class **2** (*qualità, stile*) class **3** (*a scuola*) (*aula*) class, (*studenti*) class, (*anno di corso*) BE form, AE grade **4** (*sui mezzi di trasporto*) class.

classico (*agg.*) **1** classic(al) **2** (*tipico*) classic ‖ (*s.m.*) classic.

classifica (*s.f.*) (*di gara*) results (*pl.*), (*musicale*) charts (*pl.*).

classificare (*v.t.*) **1** to classify **2** (*valutare*) to assess, (*a scuola*) BE to mark, AE to grade. **classificarsi** (*v.pron.*) BE to come, AE to come in.

clavicola (*s.f.*) ANAT. clavicle, collar-bone.

clero (*s.m.*) clergy.

clessidra *(s.f.)* hourglass, sand-glass.

cliente *(s.m. / s.f.) (di negozio)* customer, *(di albergo)* guest.

clima *(s.m.)* **1** climate **2** *(fig.)* climate, atmosphere.

clinica *(s.f.)* clinic.

clistere *(s.m.)* MED. enema.

club *(s.m.)* club *(anche* SPORT*)*.

coalizione *(s.f.)* coalition *(anche* POL.*)*, alliance.

cobra *(s.m.)* ZOOL. cobra.

cocaina *(s.f.)* cocaine, FAM. coke.

coccio *(s.m.)* **1** *(una terracotta)* earthenwork **2** *(frammento)* fragment.

cocciuto *(agg.)* stubborn, obstinate.

cocco *(s.m.)* BOT. *(frutto)* coconut.

coccodrillo *(s.m.)* ZOOL. crocodile.

coccolare *(v.t.)* to cuddle.

cocomero *(s.m.)* BOT. watermelon.

coda *(s.f.)* **1** ZOOL. tail **2** *(estens.) (parte terminale)* tail **3** *(fila)* BE queue, AE line **4** *(estens.) (di capelli)* ponytail.

codardo *(agg.)* cowardly ‖ *(s.m.)* coward.

codice *(s.m.)* **1** DIR. code **2** *(manoscritto)* codex **3** *(combinazione di lettere, cifrario)* code ❖ *c. postale* BE postcode, AE zip code.

coetaneo *(agg. e s.m.)* the same age, contemporary.

cofanetto *(s.m.) (custodia)* box, case.

cofano *(s.m.)* AUT. BE bonnet, AE hood.

cogliere *(v.t.)* **1** to pick, *(raccogliere)* to pick up, to gather **2** *(sorprendere)* to catch **3** *(colpire)* to hit **4** *(approfittare)* to seize, to take **5** *(capire)* to understand, to catch.

cognata *(s.f.)* sister-in-law.

cognato *(s.m.)* brother-in-law.

cognome *(s.m.)* BE surname, family name, AE last name.

coincidenza *(s.f.)* **1** *(caso, combinazione)* coincidence **2** *(di mezzi di trasporto)* connection, connexion.

coincidere *(v.i.)* **1** *(accadere nello stesso tempo)* to coincide **2** *(fig.) (corrispondere)* to coincide, to agree.

coinvolgere *(v.t.)* to involve.

colare *(v.t.)* **1** *(filtrare)* to filter, *(scolare)* to strain, to drain **2** METALL. *(fondere)* to cast, to pour ‖ *(v.i.) (gocciolare)* to drip. **colapasta** *(s.m.)* colander.

colata *(s.f.)* **1** METALL. *(azione)* pouring, *(quantità di metallo fuso)* tap, melt, cast **2** GEOL. flow.

colazione *(s.f.)* **1** *(del mattino)* breakfast **2** *(pranzo)* lunch.

colera *(s.m.)* MED. cholera.

colica *(s.f.)* MED. colic.

colla *(s.f.) (adesivo)* glue.

collaborare *(v.i.)* to collaborate, to cooperate. **collaboratore** *(s.m.)* collaborator, *(di giornali)* contributor. **collaborazione** *(s.f.)* collaboration, *(a un giornale)* contribution.

collana *(s.f.)* **1** necklace **2** *(editoriale)* series.

collant *(s.m.)* ABBIGL. tights *(pl.)*.

collare *(s.m.)* **1** ABBIGL. collar **2** ECCL. neckband, clerical collar **3** *(di animale)* collar.

collasso *(s.m.)* collapse *(anche* MED. *e fig.)* ❖ *c. cardiaco* heart failure.

colle *(s.m.)* hill.

collega *(s.m. / s.f.)* colleague.

collegamento *(s.m.)* connection, link *(anche* ELETTR.*)*.

collegare *(v.t.)* **1** to connect, to link

(up) *(anche fig.)* **2** ELETTR. to connect, to plug in. **collegarsi** *(v.pron.)* INFORM. *(a Internet)* to connect.

collegio *(s.m.)* **1** *(istituzione)* body, board **2** *(convitto)* boarding school.

collera *(s.f.)* anger, *(furia)* fury, rage.

colletta *(s.f.)* collection (of money).

collettivo *(agg. e s.m.)* collective.

colletto *(s.m.)* ABBIGL. collar.

collezionare *(v.t.)* to collect. **collezione** *(s.f.)* collection.

collina *(s.f.)* hill.

collo[1] *(s.m.)* ANAT. neck *(anche fig.)*.

collo[2] *(s.m.)* *(pacco)* package, parcel.

collocamento *(s.m.)* **1** placement **2** ❖ *ufficio di c.* employment bureau, BE jobcentre.

collocare *(v.t.)* to place, *(vendere)* to sell, *(investire)* to invest.

colloquio *(s.m.)* **1** *(incontro)* meeting **2** *(conversazione)* talk, *(di lavoro)* interview **3** *(pl.)* *(trattative)* talks.

colmare *(v.t.)* **1** to fill **2** *(fig.)* to fill, to load (with).

colmo *(s.m.)* **1** *(punto più alto)* top, summit **2** *(fig.)* *(culmine)* height, peak **3** ❖ *questo è il c.!* this beats all!

colomba *(s.f.)* ZOOL. dove.

colon *(s.m.)* ANAT. colon.

colonna *(s.f.)* **1** ARCH. column *(anche estens.)*, pillar **2** *(fila)* column, line.

colonnello *(s.m.)* MIL. colonel.

colorante *(s.m.)* dye, BE colouring matter, AE coloring matter.

colorare *(v.t.)* **1** BE to colour, AE to color **2** *(fig.)* *(animare)* to enliven. **colorarsi** *(v.pron.)* BE to colour, AE to color *(anche fig.)*.

colore *(s.m.)* BE colour, AE color ❖ *colori ad acquerello* watercolo(u)rs.

colossale *(agg.)* colossal, gigantic.

colpa *(s.f.)* **1** *(peccato)* sin **2** *(colpe-*

volezza) guilt, *(responsabilità)* fault **3** *(biasimo)* blame. **colpevole** *(agg.)* guilty ‖ *(s.m. / s.f.)* culprit, offender.

colpo *(s.m.)* **1** blow *(anche fig.)*, stroke *(anche* SPORT*)* **2** *(di arma da fuoco)* shot **3** *(rumore)* bang, *(sordo)* thump **4** *(apoplettico)* stroke **5** *(rapina)* robbery. **colpire** *(v.t.)* **1** *(percuotere)* to hit, to strike, *(a pugni)* to punch **2** *(fig.)* *(impressionare)* to strike **3** *(fig.)* *(affliggere)* *(di calamità)* to strike, *(di malattia)* to affect.

coltello *(s.m.)* knife. **coltellata** *(s.f.)* stab, *(ferita)* stab wound.

coltivare *(v.t.)* to cultivate *(anche fig.)*.

coltivazione *(s.f.)* **1** *(il coltivare)* cultivation, growing **2** *(coltura)* crop.

colto *(agg.)* *(istruito)* cultured, cultivated, well-educated, *(dotto)* learned.

coltura *(s.f.)* growing, *(di piante)* crop.

comandante *(s.m.)* MIL. commander, commanding officer, AER., MAR. captain.

comandare *(v.t.)* **1** *(ordinare, imporre)* to order, to command **2** *(essere al comando di)* to be in charge of, MIL., MAR. to command, to be in command of.

comando *(s.m.)* **1** order, command ❖ *prendere il c.* to take the lead **2** *(sede)* headquarters *(pl.)* **3** *(dispositivo)* control.

combaciare *(v.i.)* **1** *(congiungersi)* to tally, *(aderire)* to fit together **2** MECC. to match **3** *(fig.)* to coincide.

combattere *(v.i. / v.t.)* to fight *(anche fig.)*. **combattimento** *(s.m.)* **1** fight, MIL. action **2** BOXE match ❖ *fuori c.* knocked out.

combinare *(v.t.)* **1** *(mettere insieme)* to combine, *(colori)* to match **2** *(organizzare)* to arrange **3** *(estens.)* *(fare)* to do.

combinazione *(s.f.)* **1** *(coincidenza)* coincidence, *(caso)* chance **2** *(di cassaforte)* combination.

come *(avv.)* **1** *(interrogativo)* how, what... like ❖ **com'è il tempo?** what's the weather like? **2** *(modo)* how, the way ❖ **ecco c. mi piace** this is how I like it **3** *(comparativo)* as... as, so... as, *(più... di come)* than ❖ **tua sorella è alta c. te** your sister is as tall as you, **bianco c. la neve** as white as snow **4** *(in qualità di)* as **5** *(nel modo in cui)* as **6** *(similmente a)* like ❖ **guidava c. un pazzo** he was driving like a madman **7** FAM. ❖ **c. mai... ?** how come... ? ‖ *(cong.)* **1** *(temporale)* as, as soon as ❖ **c. arrivammo, lei partì** as soon as we arrived, she left **2** ❖ **c. se** as if, as though.

cometa *(s.f.)* ASTRON. comet.

comico *(agg.)* **1** *(che fa ridere)* comic(al), funny, amusing **2** *(di commedia)* comic(al) ‖ *(s.m.)* *(attore)* comic actor, *(cabarettista)* comedian, (stand-up) comic.

cominciare *(v.t. / v.i.)* to begin, to start.

comizio *(s.m.)* meeting, assembly.

commedia *(s.f.)* TEATR. comedy, *(rappresentazione)* play ❖ **c. musicale** musical.

commentare *(v.t.)* to comment (on, upon). **commento** *(s.m.)* **1** *(di testo)* commentary **2** *(giudizio)* comment, remark.

commercio *(s.m.)* commerce, trade, *(affari)* business. **commerciale** *(agg.)* commercial, trade *(attr.)*, trading *(attr.)*, business *(attr.)*. **commerciante** *(s.m.)* dealer, trader, *(negoziante)* shopkeeper.

commesso *(s.m.)* **1** *(di negozio)* shop assistant *(anche f.)*, AE salesclerk **2** *(di ufficio)* clerk.

commestibile *(agg.)* edible, eatable.

commettere *(v.t.)* to commit ❖ **c. un errore** to make a mistake.

commissariato *(s.m.)* **1** *(carica)* commissaryship **2** *(ufficio)* commissary's office ❖ **c. di polizia** police station.

commissario *(s.m.)* commissioner, *(di polizia)* police chief.

commissione *(s.f.)* **1** *(cosa da fare)* errand **2** *(incarico)* commission **3** COMM. *(compenso)* commission, fee, charge **4** *(comitato)* committee, board, commission ❖ **c. d'esame** Examining Board.

commuovere *(v.t.)* to move, to touch. **commuoversi** *(v.pron.)* to be moved, to be touched. **commosso** *(agg.)* moved, touched. **commovente** *(agg.)* moving, touching.

commozione *(s.f.)* **1** *(emozione)* emotion **2** MED. *(commozione cerebrale)* concussion.

comodino *(s.m.)* BE bedside table, AE nightstand.

comodità *(s.f.)* comfort.

comodo *(agg.)* comfortable.

compagnia *(s.f.)* **1** company, companionship **2** *(gruppo di persone)* company, party **3** TEATR. company, troupe **4** COMM. company **5** MIL. company.

compagno *(s.m.)* **1** companion, mate, ANTIQ. pal, AE buddy **2** *(marito)* husband, *(convivente)* partner.

comparativo *(agg. e s.m.)* comparative *(anche GRAMM.)*.

comparire *(v.i.)* to appear.

compassione *(s.f.)* compassion, sympathy.

compasso *(s.m.)* compasses *(pl.)*.

compatire *(v.t.)* **1** *(compiangere)* to pity, to sympathize with, commiserate (with) **2** *(essere indulgente)* to forgive, to excuse **3** *(considerare con disprezzo)* to be sorry for.

compatriota *(s.m. / s.f.)* fellow countryman *(m.)*, fellow countrywoman *(f.)*, compatriot *(m. e f.)*.

compatto *(agg.)* compact, solid.

compensare *(v.t.)* **1** *(controbilanciare)* to compensate (for), to counterbalance **2** *(pagare)* to pay, *(risarcire)* to pay compensation to **3** *(ricompensare)* to reward.

compensato *(s.m.)(legno)* plywood.

compenso *(s.m.)* **1** *(retribuzione)* pay, *(onorario)* fee **2** *(ricompensa)* reward **3** *(indennizzo)* compensation, indemnity.

competente *(agg.)* competent, qualified.

competere *(v.i.)* **1** *(gareggiare)* to compete **2** *(spettare)* to be due (to), to belong (to).

compiacere *(v.t.)* *(soddisfare)* to please, to satisfy. **compiacersi** *(v.pron.)* **1** *(provare piacere)* to be pleased (with) **2** *(congratularsi)* to congratulate. **compiacente** *(agg.)* obliging, willing.

compiangere *(v.t.)* **1** to pity, to sympathize with **2** *(compatire)* to be sorry for. **compiangersi** *(v.pron.)* to feel sorry for o.s. **compianto** *(agg.)* late (lamented) || *(s.m.)(cordoglio)* grief, sorrow, mourning.

compiere *(v.t.)* **1** *(fare, eseguire)* to do, to perform, *(portare avanti)* to conduct, *(commettere)* to commit **2** *(completare)* to finish, to complete **3** ❖ *ha compiuto sei anni ieri* he turned six yesterday. **compiersi** *(v.pron.)* **1** *(concludersi)* to come to an end, to end **2** *(avverarsi)* to be fulfilled **3** *(avere luogo)* to take place.

compito *(s.m.)* **1** task, *(lavoro)* job **2** *(scolastico)* exercise ❖ *compiti a casa* homework.

compleanno *(s.m.)* birthday.

complessivo *(agg.)* overall, comprehensive. **complessivamente** *(avv.)* altogether, in all, all in all.

complesso *(agg.)* complex, complicated || *(s.m.)* **1** *(totalità)* whole, *(combinazione)* combination **2** *(serie)* set, collection **3** *(gruppo di edifici)* complex **4** MUS. band, group **5** PSIC. complex.

completamente *(avv.)* completely, totally, entirely.

completare *(v.t.)* to complete, to finish.

completo *(agg.)* **1** complete, *(intero)* whole, *(pieno)* full, *(esauriente)* comprehensive ❖ *un resoconto c.* a full account **2** *(esaurito)* full (up), sold out ❖ *il teatro era c.* the theatre was full **3** *(sotto tutti gli aspetti)* all-round ❖ *un artista c.* an all-round artist || *(s.m.)* ABBIGL. suit, outfit.

complicare *(v.t.)* to complicate. **complicarsi** *(v.pron.)* **1** to become complicated, to get complicated **2** *(di malattia)* to become worse. **complicazione** *(s.f.)* complication.

complice *(s.m. / s.f.)* **1** accomplice *(anche* DIR.*)* **2** *(fig.)* ally, help || *(agg.)* conspiratorial.

complimentare *(v.t.)* to compliment, to pay a compliment to. **complimentarsi** *(v.pron.)* to congratulate.

complimento *(s.m.)* **1** *(apprezzamento)* compliment **2** *(pl.) (congratulazioni)* congratulations **3** *(pl.) (atteggiamento cerimonioso)* ceremony ❖ **fare i complimenti** to stand on ceremony.

complotto *(s.m.)* plot, conspiracy.

componente *(agg.)* component *(attr.)* ‖ *(s.m.) (rif. a persone)* member, *(rif. a cose)* component (part) ‖ *(s.f.)* FIS. component, *(fig.)* element.

componibile *(agg.)* modular, unit *(attr.)*.

comporre *(v.t.)* **1** to compose, *(scrivere)* to write **2** *(costituire, formare)* to form, to make up **3** TEL. *(digitare)* to dial ❖ **c. un numero** to dial a number. **comporsi** *(v.pron.) (consistere di)* to consist (of), to be composed (of).

comportare *(v.t.)* to involve, to imply, *(richiedere)* to require. **comportarsi** *(v.pron.)* to behave (o.s.). **comportamento** *(s.m.)* BE behaviour, AE behavior.

composizione *(s.f.)* **1** composition **2** *(tema)* composition, essay.

comprare *(v.t.)* **1** to buy, FORM. to purchase **2** *(corrompere)* to bribe, to buy, FAM. to pay (s.o.) off.

comprendere *(v.t.)* **1** *(includere)* to include **2** *(capire)* to understand, *(rendersi conto)* to realize.

comprensione *(s.f.)* **1** comprehension, understanding **2** *(compassione)* sympathy.

comprensivo *(agg.)* **1** *(che include)* comprehensive, inclusive **2** *(che prova compassione)* sympathetic, understanding.

compreso *(agg.)* **1** *(incluso)* included *(pred.)*, including, inclusive **2** *(fig.) (assorbito) (pensiero, emozione ecc.)* engrossed, *(attività)* involved (in) **3** *(capito)* understood.

comprimere *(v.t.)* to compress.

compromettere *(v.t.)* to compromise. **compromettersi** *(v.pron.)* to compromise o.s. **compromesso** *(agg.)* compromised ‖ *(s.m.)* compromise.

computer *(s.m.)* computer ❖ **c. portatile** laptop, notebook.

comunale *(agg.)* municipal, town *(attr.)*, city *(attr.)* ❖ **consiglio c.** town / city council.

comune¹ *(agg.)* **1** *(di tutti)* common, *(reciproco)* mutual ❖ **luogo c.** commonplace **2** *(ordinario)* ordinary.

comune² *(s.m.)* **1** *(città)* town, city **2** *(suddivisione amministrativa)* municipality **3** *(autorità)* town (city) council.

comune³ *(s.f.) (comunità)* commune.

comunicare *(v.t.)* to communicate, *(trasmettere)* to transmit ❖ **c. la notizia a qu.no** to break the news to s.o. ‖ *(v.i.)* to communicate. **comunicarsi** *(v.pron.) (diffondersi)* to spread.

comunicato *(s.m.)* statement, bulletin ❖ **c. stampa** press release.

comunicazione *(s.f.)* communication.

comunione *(s.f.)* **1** *(comunanza)* communion, sharing, community *(anche DIR.)* **2** RELIG. (Holy) Communion.

comunismo *(s.m.)* POL. Communism. **comunista** *(s.m. / s.f.)* POL. Communist.

comunità *(s.f.)* community.

comunque *(cong.)* **1** however, whatever, no matter (how) **2** *(tuttavia)* however, but, though *(posposto)* ‖

(avv.) *(in ogni caso)* anyhow, anyway, in any case, FAM. though *(posposto)*, FORM. nevertheless.

con *(prep.)* **1** *(compagnia, unione)* with **2** *(qualità)* with **3** *(modo)* with **4** *(mezzo)* by, with.

concedere *(v.t.)* **1** to grant **2** *(permettere)* to allow.

concentrare *(v.t.)* to concentrate. **concentrarsi** *(v.pron.)* to concentrate, to focus. **concentramento** *(s.m.)* concentration. **concentrazione** *(s.f.)* concentration.

concepire *(v.t.)* **1** *(generare)* to conceive **2** *(immaginare)* to conceive, to imagine.

concerto *(s.m.)* MUS. concert.

concessione *(s.f.)* concession, grant, *(autorizzazione)* authorization.

concetto *(s.m.)* **1** *(idea)* idea, concept, conception **2** *(opinione)* opinion, idea.

conchiglia *(s.f.)* **1** ZOOL. shell **2** SPORT cup protector, box.

conciliare *(v.t.)* **1** *(mettere d'accordo)* to reconcile, to conciliate **2** *(favorire)* to bring on.

concime *(s.m.)* *(letame)* manure, *(chimico)* fertilizer.

concludere *(v.t.)* **1** *(portare a termine)* to conclude, to achieve, *(terminare)* to finish, to end ❖ *c. un affare* FAM. to clinch a deal **2** *(dedurre)* to conclude **3** *(fare)* to get done. **concludersi** *(v.pron.)* to conclude, to finish.

conclusione *(s.f.)* **1** *(il concludere)* conclusion, *(risultato finale)* result ❖ *in c.* to conclude, finally **2** *(deduzione)* conclusion, deduction.

concordare *(v.t.)* to agree (up)on, *(stabilire)* to fix, to arrange ‖ *(v.i.)*

(accordarsi) to agree, to be in agreement.

concorrere *(v.i.)* **1** *(contribuire)* to contribute, *(partecipare)* to take part (in) **2** *(competere)* to compete (in / for sthg.). **concorrente** *(agg.)* **1** *(convergente)* concurrent **2** *(rivale)* competing, rival ‖ *(s.m. / s.f.)* **1** competitor *(anche COMM.)* **2** *(candidato)* candidate, applicant **3** *(di un gioco o quiz)* contestant. **concorrenza** *(s.f.)* **1** COMM. competition **2** *(i concorrenti)* competitors *(pl.)*.

concorso *(s.m.)* **1** COMPETITION, *(gara)* contest **2** *(amministrazioni, enti)* competitive examination.

concreto *(agg.)* **1** concrete, solid, actual **2** *(rif. a persona)* practical ‖ *(s.m.)* concrete.

condannare *(v.t.)* **1** DIR. to sentence, to condemn, to convict **2** *(disapprovare)* to censure, to blame. **condanna** *(s.f.)* **1** DIR. sentence, conviction **2** *(fig.)* *(riprovazione)* condemnation, censure. **condannato** *(agg.)* **1** sentenced, condemned **2** *(destinato)* doomed ‖ *(s.m.)* offender, *(carcerato)* prisoner, convict.

condensare *(v.t.)* to condense. **condensarsi** *(v.pron.)* to condense.

condire *(v.t.)* **1** CUC. to season, *(insalata)* to dress **2** *(fig.)* *(rendere più gradevole)* to spice, to sweeten. **condimento** *(s.m.)* **1** CUC. seasoning, *(di insalata)* dressing, *(salsa)* sauce **2** *(fig.)* sauce, spice.

condividere *(v.t.)* to share *(anche fig.)*.

condizionale *(agg.)* conditional ‖ *(s.m.)* GRAMM. conditional ‖ *(s.f.)* DIR. suspended sentence.

condizionatore (*s.m.*) TECN. (*d'aria*) air-conditioner ‖ (*agg.*) conditioning.

condizione (*s.f.*) **1** (*stato*) condition, state **2** (*modalità*) condition, terms (*pl.*) ❖ *a c. che* providing that.

condoglianza (*s.f.*) condolence ❖ *fare le condoglianze* to give one's sympathy.

condominio (*s.m.*) **1** BE block of flats, AE condo(minium) **2** (*l'insieme dei condomini*) residents (*pl.*).

condotta (*s.f.*) conduct, BE behaviour, AE behavior.

conducente (*s.m.*) driver.

condurre (*v.t.*) **1** (*accompagnare*) to accompany, to take **2** (*veicoli*) to drive **3** (*essere in testa*) to lead **4** (*amministrare, gestire*) to run **5** (*portare avanti*) to conduct, to carry out **6** TV (*programma*) to host, (*telegiornale*) to anchor **7** (*fig.*) to bring, to drive.

conduttore (*s.m.*) **1** (*di veicoli*) driver **2** RAD., TV host, anchorperson **3** ELETTR. conductor.

conduttura (*s.f.*) pipe.

conferenza (*s.f.*) **1** lecture **2** (*convegno*) conference, convention.

conferire (*v.t.*) to confer, to give, to grant ‖ (*v.i.*) (*avere un colloquio*) to confer (with s.o.).

conferma (*s.f.*) confirmation.

confermare (*v.t.*) to confirm. **confermarsi** (*v.pron.*) to prove o.s.

confessare (*v.t.*) **1** to confess, to admit **2** ECCL. to confess. **confessarsi** (*v.pron.*) ECCL. to confess.

confessione (*s.f.*) confession (*anche* ECCL.).

confettura (*s.f.*) CUC. jam.

confezionare (*v.t.*) (*impacchettare*) to wrap up, (*imballare*) to package **2** (*abiti*) to make, to manufacture.

confezione (*s.f.*) **1** (*involucro*) wrap, packet **2** (*il confezionare abiti*) manufacture, tailoring **3** (*pl.*) (*abiti*) clothes, garments.

confidare (*v.i.*) (*avere fiducia*) to trust, to confide (in) ‖ (*v.t.*) **1** (*rivelare*) to confide **2** (*sperare*) to feel confident, to expect. **confidarsi** (*v.pron.*) to confide (in s.o.).

confidenza (*s.f.*) **1** (*fiducia*) confidence **2** (*segreto confidato*) secret, confidence **3** (*familiarità*) familiarity, intimacy.

confinare (*v.i.*) (*essere confinante*) to border (on, with) ‖ (*v.t.*) **1** (*mandare al confino*) to confine, to intern **2** (*fig.*) to relegate, to confine. **confinarsi** (*v.pron.*) (*fig.*) to shut o.s. up.

confine (*s.m.*) border, boundary, (*frontiera*) frontier.

conflitto (*s.m.*) conflict.

confondere (*v.t.*) **1** (*scambiare*) to mistake, to confuse **2** (*mescolare*) to mix up, to muddle up **3** (*turbare*) to confuse, to fluster. **confondersi** (*v.pron.*) **1** (*sbagliarsi*) to get mixed up, to get confused **2** (*mescolarsi*) to mix, to blend into **3** (*essere turbati*) to get flustered, to get confuse.

confortare (*v.t.*) **1** to comfort, to console, (*incoraggiare*) to encourage **2** (*sostenere*) to support, to corroborate.

conforto (*s.m.*) **1** comfort, encouragement **2** (*sostegno*) support.

confrontare (*v.t.*) to compare, DIR. to confront. **confrontarsi** (*v.pron.*) to confront each other, to have a confrontation.

confronto (*s.m.*) comparison.

confusione (*s.f.*) **1** (*disordine*) confusion, FAM. mess **2** (*trambusto*) bustle, *(baccano)* noise, din **3** *(imbarazzo)* confusion, embarrassment.

confuso *(agg.)* **1** *(disordinato)* untidy, FAM. messed up, *(mischiato)* jumbled **2** *(poco chiaro)* confused, muddled, woolly **3** *(imbarazzato)* embarrassed.

congedare *(v.t.)* **1** to dismiss **2** MIL. to discharge. **congedarsi** *(v.pron.)* to take one's leave of (s.o.).

congedo *(s.m.)* **1** *(commiato)* leave **2** *(permesso)* leave **3** MIL. *(temporaneo)* leave, *(illimitato)* discharge.

congelare *(v.t.)* to freeze *(anche fig.).* **congelarsi** *(v.pron.)* to freeze, MED. to be frostbitten.

congelatore *(s.m.)* TECN. freezer.

congestione *(s.f.)* MED. congestion *(anche fig.).*

congiuntivo *(s.m.)* GRAMM. subjunctive.

congiunto *(agg.)* *(unito)* joined, combined, *(collegato)* connected, linked ‖ *(s.m.)* *(parente)* relative, relation.

congiunzione *(s.f.)* **1** junction, joint **2** GRAMM. conjunction.

congiura *(s.f.)* conspiracy, plot.

congratularsi *(v.pron.)* to congratulate (s.o. on sthg.).

congratulazioni *(s.f. pl.)* congratulations.

congresso *(s.m.)* congress, convention.

coniglio *(s.m.)* **1** ZOOL. rabbit **2** *(fig.)* *(persona paurosa)* coward, FAM. chicken.

coniugale *(agg.)* conjugal.

coniugare *(v.t.)* **1** GRAMM. to conjugate **2** *(fig.)* *(unire)* to unite. **coniugarsi** *(v.pron.)* **1** *(sposarsi)* to marry **2** GRAMM. to be conjugated **3** *(fig.)* *(unirsi)* to unite. **coniugato**

(agg.) **1** *(sposato)* married **2** MAT., GEOM. conjugate ‖ *(s.m.)* married person.

coniugazione *(s.f.)* GRAMM. conjugation.

coniuge *(s.m. / s.f.)* spouse.

connazionale *(s.m. / s.f.)* compatriot, fellow countryman *(m.)*, fellow countrywoman *(f.).*

cono *(s.m.)* cone *(anche GEOM.).*

conoscere *(v.t.)* **1** to know **2** *(provare)* to experience **3** *(fare la conoscenza)* to meet. **conoscersi** *(v.pron.)* *(se stesso)* to know o.s., *(l'un l'altro)* to know each other (one another). **conoscente** *(s.m. / s.f.)* acquaintance. **conoscenza** *(s.f.)* **1** *(il sapere)* knowledge **2** *(il conoscere qu.no)* acquaintance **3** *(persona conosciuta)* acquaintance **4** *(l'essere cosciente)* consciousness. **conosciuto** *(agg.)* known, *(famoso)* well-known, renowned.

conquista *(s.f.)* **1** conquest **2** *(fig.)* conquest, achievement.

conquistare *(v.t.)* **1** to conquer **2** *(fig.)* to win, to gain.

consacrare *(v.t.)* **1** to consecrate **2** *(dedicare)* to devote, to dedicate. **consacrarsi** *(v.pron.)* to devote o.s., to dedicate o.s.

consapevole *(agg.)* aware *(pred.),* conscious.

consecutivo *(agg.)* **1** *(di seguito)* consecutive, in a row *(pred.)* **2** *(seguente)* following.

consegnare *(v.t.)* **1** to consign, *(a mano)* to hand in, *(merci)* to deliver, *(regalo, premio)* to present **2** MIL. to confine to barracks. **consegnarsi** *(v.pron.)* to give o.s. up. **consegna** *(s.f.)* **1** *(merci, giornali)* delivery, *(premio, diploma)* presentation **2**

COMM. consignment **3** MIL. *(ordine)* orders *(pl.)*.

conseguenza *(s.f.)* consequence.

conseguire *(v.t.)* to attain, *(ottenere)* to achieve || *(v.i.)* to follow ❖ *ne consegue che…* it follows that…

consentire *(v.i.) (acconsentire)* to consent, to assent || *(v.t.)* **1** *(permettere)* to allow **2** *(rendere possibile)* to enable. **consenso** *(s.m.)* consent, assent, *(permesso)* permission.

conserva *(s.f.) (di cibo)* preserve.

conservante *(agg. e s.m.)* CHIM. preservative.

conservare *(v.t.)* to preserve, to keep *(anche fig.)*. **conservarsi** *(v.pron.)* to keep.

conservazione *(s.f.)* preservation.

considerare *(v.t.)* **1** *(esaminare)* to consider, *(tenere in considerazione)* to take into consideration **2** *(ritenere)* to consider, to regard. **considerarsi** *(v.pron.)* to consider o.s., to regard o.s. as. **considerazione** *(s.f.)* **1** *(il considerare)* consideration **2** *(stima)* esteem, regard **3** *(osservazione)* remarks *(pl.)*, reflections *(pl.)*.

considerevole *(agg.)* considerable.

consigliare *(v.t.) (dare consigli)* to advise, to suggest, *(raccomandare)* to recommend. **consigliarsi** *(v.pron.) (chiedere consiglio)* to ask (s.o.'s) advice, *(consultarsi)* to consult (s.o.).

consigliere *(s.m.)* **1** advisor, counsellor **2** *(membro di un consiglio)* councillor.

consiglio *(s.m.)* **1** advice, counsel, *(suggerimento)* suggestion ❖ *dammi un c.* give me some advice **2** *(organo collegiale)* council.

consistenza *(s.f.)* **1** consistency, *(densità)* thickness, *(ammontare)* amount ❖ *la c. di un patrimonio* the amount of an estate **2** *(fig.) (fondatezza)* foundation, grounds *(pl.)*.

consistere *(v.i.)* to consist *(of prima di sost.,* in *prima di v. al gerundio)*.

consolare *(v.t.)* to console, to comfort. **consolarsi** *(v.pron.)* **1** to console o.s. **2** *(rallegrarsi)* to cheer up.

consolato *(s.m.) (sede)* consulate, *(carica)* consulship.

console *(s.m.)* consul.

consolidare *(v.t.)* **1** *(rendere solido)* to solidify, to harden **2** *(rinforzare)* to strengthen, to consolidate, to reinforce. **consolidarsi** *(v.pron.)* **1** to solidify, to harden **2** *(fig.)* to become consolidated, to become established.

consonante *(s.f.)* LING. consonant.

consorte *(s.m. / s.f.)* spouse.

constatare *(v.t.)* **1** *(accertare)* to ascertain, to establish **2** *(notare)* to notice.

consueto *(agg.)* usual, habitual, customary || *(s.m.)* habit, custom ❖ *come di c.* as usual.

consuetudine *(s.f.)* **1** custom, *(abitudine)* habit **2** *(tradizione)* custom, tradition, usage.

consulente *(s.m.)* consultant, advisor, *(spec.* AE) adviser.

consultare *(v.t.)* **1** to consult, to ask s.o.'s advice **2** *(un testo ecc.)* to look sth. up.

consumare *(v.t.)* **1** to consume *(anche fig.)*, *(esaurire)* to use up, *(logorare)* to wear out **2** *(mangiare)* to eat, *(bere)* to drink. **consumarsi** *(v.pron.)* to be consumed, to run out, *(di vestiti)* to wear out.

consumato[1] *(agg.)* **1** *(logoro)* worn, worn-out **2** *(fig.)* consumed (with).

consumato[2] *(agg.) (abile, esperto)* accomplished, consummate.

consumatore *(s.m.)* COMM. consumer.

consumazione *(s.f.) (da bere)* drink, *(da mangiare)* snack.

consumo *(s.m.)* consumption.

contabilità *(s.f.)* COMM. bookkeeping, accounting.

contachilometri *(s.m.)* AUT. odometer.

contadino *(agg.)* rustic, rural || *(s.m.)* countryman, peasant.

contagiare *(v.t.)* **1** to infect, to contaminate **2** *(fig.)* to infect, to affect.

contagio *(s.m.)* contagion, infection *(anche fig.)*. **contagioso** *(agg.)* contagious, infectious *(anche fig.)*.

contante *(agg.) (di denaro)* cash *(attr.)* || *(s.m.)* cash, ready money.

contare *(v.t.)* to count **2** *(avere in progetto)* to expect, BE, FAM. to reckon **3** *(annoverare)* to have || *(v.i.)* **1** *(valere)* to count, *(importare)* to matter **2** *(fare assegnamento)* to count, to depend, to rely on.

contatto *(s.m.)* **1** contact, touch, connection *(anche fig.)* **2** ELETTR. contact.

conte *(s.m.)* count.

contea *(s.f.)* county.

contemporaneo *(agg. e s.m.)* contemporary.

contenere *(v.t.)* to contain, to hold. **contenersi** *(v.pron.) (dominarsi)* to control o.s., to restrain o.s.

contenitore *(s.m.)* container.

contento *(agg.)* happy, glad.

contenuto *(agg.)* **1** *(controllato)* contained, restrained **2** *(limitato)* limited || *(s.m.)* **1** contents *(pl.)* **2** *(argomento)* content, subject matter.

contestare *(v.t.)* **1** to challenge, to contest **2** DIR. to notify.

contestazione *(s.f.)* **1** objection,

challenge **2** DIR. *(notifica)* notification **3** POL. protest, dissent.

contesto *(s.m.)* context.

continente *(s.m.)* **1** GEOGR. continent **2** *(terraferma)* mainland.

continuare *(v.t.)* **1** to continue, to keep on **2** *(riprendere)* to resume || *(v.i.)* to continue, to go on, to keep on.

continuazione *(s.f.)* continuation, *(rif. a romanzi, film)* sequel.

continuo *(agg.)* **1** *(ininterrotto)* continuous **2** *(ripetuto)* continual.

conto *(s.m.)* **1** *(calcolo)* sum, calculation **2** *(bancario)* (bank) account **3** *(al ristorante)* bill, AE check.

contorno *(s.m.)* **1** *(linea esterna)* contour, outline **2** CUC. vegetables *(pl.)*, side dish.

contrabbandare *(v.t.)* **1** to smuggle **2** *(fig.)* to pass off, to palm off.

contrabbasso *(s.m.)* MUS. double bass.

contraccezione *(s.f.)* contraception.

contraddire *(v.t. / v.i.)* to contradict. **contraddirsi** *(v.pron.)* to contradict o.s. **contraddizione** *(s.f.)* contradiction.

contraffatto *(agg.) (denaro)* counterfeit, *(di quadri ecc.)* forged, *(merci)* fake.

contrario *(agg.)* **1** contrary, opposite **2** *(sfavorevole)* unfavourable, adverse || *(s.m.)* opposite, contrary.

contrastare *(v.i.)* to jar, to contrast || *(v.t.)* **1** *(impedire)* to hinder **2** *(ostacolare)* to oppose, to cross **3** SPORT *(calcio)* to tackle. **contrastato** *(agg.)* **1** *(ostacolato)* opposed, thwarted **2** *(combattuto)* hard-fought.

contrasto *(s.m.)* **1** contrast *(anche fig.)* **2** *(scontro)* clash **3** FOT., TV contrast.

contrattare (v.t.) to negotiate, to bargain. **contratto** (s.m.) contract.

contravvenzione (s.f.) **1** (il contravvenire) contravention, infringement **2** (multa) fine.

contributo (s.m.) **1** contribution (anche fig.) **2** AMM. contribution **3** (sovvenzione) aid, grant.

contro (prep.) against || (avv.) against || (s.m.) con ❖ il pro e il c. the pros and cons.

controllare (v.t.) **1** (verificare) to check, to verify **2** (sorvegliare) to control **3** (dominare) to control. **controllarsi** (v.pron.) to control o.s. **controllato** (agg.) **1** controlled **2** (dotato di autocontrollo) self-controlled, restrained.

controllo (s.m.) **1** (verifica) control, (ispezione) inspection, (contabile) audit **2** MED. (visita) checkup.

controllore (s.m.) (treno ecc.) ticket inspector ❖ c. di volo air traffic controller.

convalescenza (s.f.) convalescence.

convalidare (v.t.) **1** to validate, to confirm **2** (rafforzare) to corroborate, to support **3** DIR. to ratify.

convegno (s.m.) convention, congress.

convenire (v.i.) **1** (impers.) (essere utile, necessario) to suit (s.o.), had better (costruz. pers.) ❖ ti conviene andartene you had better go **2** (essere vantaggioso) to be worthwhile **3** (concordare) to agree || (v.t.) **1** (pattuire) to agree on, to settle **2** (ammettere) to admit.

convento (s.m.) monastery (spec. di frati), convent (spec. di monache).

convergenza (s.f.) **1** convergence (anche fig.) **2** AUT. wheel alignment.

conversazione (s.f.) **1** conversation **2** (colloquio, discorso) talk.

convertire (v.t.) **1** to convert **2** (trasformare) to turn, to change. **convertirsi** (v.pron.) **1** POL., RELIG. to be converted **2** (trasformarsi) to be converted, to turn, to change.

convesso (agg.) convex.

convincere (v.t.) to convince, to persuade. **convincersi** (v.pron.) to convince o.s., to be persuaded.

convinzione (s.f.) **1** conviction, persuasion **2** (pl.) opinion, belief.

convivere (v.i.) **1** (coppia) to live together **2** (fig.) (coesistere) to coexist.

convulsione (s.f.) MED. convulsion.

cooperazione (s.f.) cooperation.

coperchio (s.m.) lid, cover.

coperta (s.f.) (da letto) blanket.

copertina (s.f.) cover, (di disco) sleeve.

coperto (agg.) **1** covered, (riparato) sheltered, (interno) indoor **2** (rif. a cielo) overcast, cloudy.

copertura (s.f.) **1** (il coprire) covering, (ciò che serve a coprire) cover **2** (fig.) (occultamento) cover-up **3** ECON. cover, coverage **4** TEL. (roaming) coverage.

copia (s.f.) copy ❖ bella / brutta c. fair / rough copy. **copiare** (v.t.) **1** to copy **2** (ricopiare) to copy (out).

copione (s.m.) TEATR., CINEM. script.

coppa (s.f.) **1** (bicchiere) glass **2** (recipiente) bowl **3** (trofeo) cup, trophy.

coppia (s.f.) **1** (di persone) couple, pair **2** (di animali) pair, (di cose)couple.

coprire (v.t.) **1** to cover (anche fig.) **2** (fig.) (occultamento) to cover up **3** COMM. (far fronte) to meet, (ga-

rantire) to cover **4** *(una distanza)* to cover, to do. **coprirsi** *(v.pron.)* **1** to cover o.s. (up) **2** *(garantirsi)* to cover o.s. **3** *(ricoprirsi)* to be covered, to get covered **4** *(rif. a cielo)* to become overcast.

coraggio *(s.m.)* courage, bravery. **coraggioso** *(agg.)* courageous, brave.

corallo *(s.m.)* coral.

corazza *(s.f.)* **1** BE armour, AE armor **2** ZOOL. *(guscio)* shell.

corda *(s.f.)* **1** *(fune)* rope, *(spago)* string **2** *(di strumenti musicali)* string.

cordiale *(agg.)* *(affettuoso)* cordial, hearty ✧ *cordiali saluti* best wishes.

coriandolo *(s.m.)* **1** BOT. coriander **2** *(pl.)* confetti.

cornea *(s.f.)* ANAT. cornea.

cornice *(s.f.)* frame.

corno *(s.m.)* ZOOL., MUS. horn.

coro *(s.m.)* **1** choir **2** ARCH. choir, chancel.

corona *(s.f.)* **1** crown **2** *(ghirlanda)* garland **3** *(rosario)* rosary.

corpo *(s.m.)* **1** body **2** MIL. corps *(pl.)*.

corporatura *(s.f.)* build, physique.

corredo *(s.m.)* **1** *(di sposa)* trousseau **2** *(attrezzatura)* kit, set.

correggere *(v.t.)* **1** to correct, *(migliorare)* to improve **2** *(caffè ecc.)* to lace. **correggersi** *(v.pron.)* to correct o.s.

corrente *(s.f.)* **1** current, stream **2** ARTE current **3** *(d'aria)* draught **4** ELETTR. current, FAM. power.

correre *(v.i.)* **1** to run, *(affrettarsi)* to rush **2** *(gareggiare)* to race **3** *(di orologio)* to be fast ‖ *(v.t.)* **1** SPORT to run **2** *(affrontare)* to run.

correzione *(s.f.)* **1** correction, *(di testi letterari)* emendation **2** *(di caffè ecc.)* lacing.

corridoio *(s.m.)* corridor, passageway, *(di teatro)* aisle, *(di treno)* (side) corridor.

corridore *(s.m.)* SPORT runner.

corriere *(s.m.)* carrier, shipper.

corrispondenza *(s.f.)* **1** *(carteggio)* correspondence, letters *(pl.)*, *(posta)* post, mail **2** *(di affetti)* correspondence.

corrispondere *(v.i.)* **1** to correspond **2** *(equivalere)* to be the equivalent **3** *(per cuore)* to correspond ‖ *(v.t.)* **1** *(pagare)* to pay **2** *(ricambiare)* to reciprocate, to return.

corrisposto *(agg.)* **1** *(contraccambiato)* returned, reciprocal **2** *(pagato)* paid.

corrompere *(v.t.)* **1** *(moralmente)* to corrupt **2** *(con denaro)* to bribe, to corrupt **3** *(guastare)* to spoil. **corrompersi** *(v.pron.)* **1** *(moralmente)* to become corrupted **2** *(guastarsi)* to rot, to spoil.

corruzione *(s.f.)* **1** corruption *(anche fig.)* **2** *(con denaro)* bribery.

corsa *(s.f.)* **1** run, running **2** SPORT race, racing **3** *(di autobus ecc.)* trip, journey.

corsia *(s.f.)* **1** *(di strada)* lane **2** *(di ospedale)* ward **3** *(di supermercato)* aisle **4** SPORT lane.

corsivo *(s.m.)* TIP. italics *(pl.)*.

corso *(s.m.)* **1** *(svolgimento)* course *(anche fig.)* **2** *(lezioni)* course.

corte *(s.f.)* **1** court **2** DIR. (law) court **3** *(corteggiamento)* courtship, court.

corteccia *(s.f.)* BOT. bark.

corteggiare *(v.t.)* to court.

corteo *(s.m.)* train, procession ✧ *c. funebre* funeral procession.

cortese *(agg.)* polite, kind.

cortesia *(s.f.)* **1** *(gentilezza)* politeness, kindness, courtesy 2 *(favore)* BE favour, AE favor.

cortile *(s.m.)* courtyard, court, yard.

corto *(agg.)* short.

corvo *(s.m.)* ZOOL. crow, raven.

cosa *(s.f.)* 1 thing 2 *(interr.)* what?

coscia *(s.f.)* ANAT. thigh, *(di animale)* leg, haunch.

cosciente *(agg.)* 1 *(consapevole)* aware *(pred.)*, conscious *(pred.)* 2 *(malato)* conscious *(pred.)*.

coscienza *(s.f.)* conscience.

così *(avv.)* 1 *(in questo modo)* like this, this way, so, *(come segue)* as follows 2 *(talmente)* so, such ‖ *(cong.)* *(perciò)* so ❖ *e c. è finita* and so it's over ‖ *(agg.)* *(tale)* such, like that.

cosiddetto *(agg.)* so called.

costa *(s.f.)* 1 coast, coastline 2 *(pendici)* slope.

costante *(agg.)* constant, consistent ‖ *(s.f.)* 1 MAT. constant 2 *(caratteristica)* feature.

costanza *(s.f.)* steadiness, consistency.

costare *(v.i. / v.t.)* to cost *(anche fig.)*.

costernazione *(s.f.)* dismay.

costituire *(v.t.)* 1 *(essere)* to constitute 2 *(fondare)* to constitute, to form. **costituirsi** *(v.pron.)* 1 *(alla polizia)* to give o.s. up 2 *(formarsi)* to be formed (as).

costituzione *(s.f.)* 1 DIR., POL. constitution 2 *(creazione)* setting up, forming, *(di società)* incorporation 3 *(fisica)* constitution, structure.

costo *(s.m.)* cost ❖ *a ogni c.* at all costs.

costola *(s.f.)* ANAT. rib.

costoso *(agg.)* expensive, dear, costly.

costringere *(v.t.)* to force, to compel.

costruire *(v.t.)* to build, to construct.

costruzione *(s.f.)* 1 *(il costruire)* construction, building 2 *(edificio)* building.

costume *(s.m.)* 1 *(usanza)* custom, usage, *(abitudine)* habit 2 ABBIGL. costume ❖ *c. da bagno* swimsuit, bathing suit, *(da uomo)* trunks *(pl.)*.

cotone *(s.m.)* cotton.

cotto *(agg.)* cooked, *(in forno)* baked.

cottura *(s.f.)* cooking, *(in forno)* baking.

covare *(v.t.)* 1 *(le uova)* to hatch, to sit on eggs 2 *(fig.)* *(alimentare segretamente)* to nurse, to harbour.

covo *(s.m.)* den *(anche fig.)*.

cozza *(s.f.)* ZOOL. mussel.

cranio *(s.m.)* ANAT. skull.

cratere *(s.m.)* GEOL. crater.

cravatta *(s.f.)* tie.

creare *(v.t.)* 1 to create 2 *(causare)* to produce, to cause. **crearsi** *(v.pron.)* to be created, to be set up.

creatura *(s.f.)* 1 creature 2 *(bambino)* child.

creazione *(s.f.)* creation.

credenza[1] *(s.f.)* belief, credence.

credenza[2] *(s.f.)* *(mobile)* sideboard.

credere *(v.i.)* to believe ‖ *(v.t.)* to believe, *(immaginare)* to think. **credersi** *(v.pron.)* *(ritenersi)* to consider o.s.

credito *(s.m.)* credit *(anche COMM., ECON.)*. **creditore** *(agg.)* credit *(attr.)*, creditor *(attr.)* ‖ *(s.m.)* creditor.

crema *(s.f.)* 1 cream 2 *(fig.)* *(élite)* cream, élite.

crescere *(v.i.)* 1 to grow, *(diventare adulto)* to grow up 2 *(aumentare)* to increase, to rise, to grow || (v.t.) (allevare) to bring up, to raise.

crescita (s.f.) growth, (aumento) increase, rise.

crespo (agg.) 1 (capelli) curly, frizzy 2 (tessuto) crimped.

cresta (s.f.) 1 (di animale) crest, comb 2 GEOGR. ridge.

cretino (s.m.) idiot, moron || (agg.) stupid.

criminale (agg. e s.m. / s.f.) criminal.

crimine (s.m.) crime.

crisi (s.f.) 1 crisis (pl. crises) 2 (attacco) fit, attack.

cristallo (s.m.) crystal.

Cristo (s.m.) Christ. **cristiano** (agg. e s.m.) Christian.

critica (s.f.) 1 criticism 2 (recensione) review 3 (i critici) the critics (pl.).

criticare (v.t.) to criticize, (biasimare) to censure, to blame.

critico (agg.) critical || (s.m.) critic, (recensore) reviewer.

croce (s.f.) cross.

crociera[1] (s.f.) 1 ARCH. cross 2 MECC. cross, spider.

crociera[2] (s.f.) MAR., AER. cruise, cruising.

crocifiggere (v.t.) to crucify (anche fig.).

crocifisso (s.m.) ARTE crucifix.

crollare (v.i.) 1 to collapse, to fall down 2 (fig.) to break down, to collapse 3 (lasciarsi cadere) to flop down, to sink 4 ECON. to fall down, (di prezzi) to slump, (di titoli) to crash.

crollo (s.m.) 1 collapse, fall (anche fig.) 2 ECON. collapse, crash.

cronaca (s.f.) 1 (di giornale) news 2 (resoconto) account, description.

cronista (s.m. / s.f.) reporter.

cronometro (s.m.) chronometer, SPORT stopwatch.

crosta (s.f.) crust, (di formaggio) rind.

cruciverba (s.m.) crossword (puzzle).

crudele (agg.) cruel.

crudo (agg.) 1 raw 2 (fig.) crude, harsh.

cubetto (s.m.) cube.

cubo (s.m.) MAT., GEOM. cube.

cucchiaio (s.m.) 1 spoon (da tavola) tablespoon 2 (il contenuto) spoonful. **cucchiaino** (s.m.) 1 (da tè) teaspoon, (da caffè) coffeespoon 2 (il contenuto) teaspoonful.

cucciolo (s.m.) (di cane) puppy, (di gatto) kitty, (di felini, orso, lupo) cub.

cucina (s.f.) 1 (stanza) kitchen 2 (arte del cucinare) cookery, cuisine.

cucinare (v.t.) to cook.

cucire (v.t.) to sew, to stitch (anche MED.) ❖ macchina per c. sewing machine. **cucitura** (s.f.) (parte cucita) seam, seaming.

cugina (s.f.) (female) cousin.

cugino (s.m.) (male) cousin.

cui (pron. rel.) 1 (di solito non si traduce) (rif. a persone) who(m), (rif. a cose o animali) which, that 2 (possesso) (rif. a persone) whose, (rif. a cose o animali) whose, of which ❖ la donna la c. sorella è scomparsa the woman whose sister is missing.

culla (s.f.) cradle. **cullare** (v.t.) to rock, to cradle.

culmine (s.m.) 1 (cima) summit, top 2 (fig.) height, peak, climax.

culo (s.m.) VOLG. BE arse, AE ass.

culto (s.m.) 1 cult, worship 2 (religione) faith, religion.

cultura *(s.f.)* culture. **culturale** *(agg.)* cultural.

cumulo *(s.m.)* 1 *(mucchio)* heap, pile 2 *(fig.)* load, mass.

cuocere *(v.t. / v.i.)* to cook, *(al forno)* to bake. **cuoco** *(s.m. / s.f.)* cook, chef.

cuoio *(s.m.)* leather.

cuore *(s.m.)* 1 ANAT. heart 2 *(fig.)* *(centro)* centre, heart, core.

cupo *(agg.)* 1 dark, obscure 2 *(fig.)* gloomy, sullen.

cura *(s.f.)* 1 *(attenzione)* care 2 MED. treatment, cure. **curare** *(v.t.)* 1 *(aver cura di)* to take care of, to look after 2 MED. to treat, to cure. **curarsi** *(v.pron.)* 1 to treat o.s 2 *(aver cura di sé)* to take care of o.s. 3 *(occuparsi)* to take care of, to attend to.

curiosità *(s.f.)* curiosity.

curioso *(agg.)* 1 curious 2 *(strano)* curious, strange, odd.

curva *(s.f.)* curve, *(di strada, fiume)* bend, curve, *(svolta)* turn.

curvare *(v.t.)* to bend, to curve ‖ *(v.i.)* to bend, to curve, *(girare)* to turn.

cuscinetto *(s.m.)* TECN. bearing.

cuscino *(s.m.)* *(guanciale)* pillow.

custode *(s.m. / s.f.)* caretaker.

custodire *(v.t.)* to keep.

D

da *(prep.)* **1** *(moto da luogo)* from **2** *(moto a luogo)* to ❖ *vieni d. me!* come to me! **3** *(stato in luogo)* at ❖ *è dal dentista* she is at the dentist **4** *(moto per luogo)* through, by **5** *(tempo, durata)* for, *(decorrenza)* since, *(a partire da)* as of ❖ *la conosco d. vent'anni* I have known her for twenty years, *è dalle dieci che aspetto* I've been waiting since ten o'clock, *dalle tre (in poi)* as of three o'clock **6** *(agente, causa efficiente)* by ❖ *scritto d. un grande romanziere* written by a great novelist **7** *(prezzo, qualità)* ❖ *un francobollo d. un euro* a one euro stamp, *una ragazza dai capelli biondi* a fair-haired girl **8** *(a somiglianza di, in qualità di)* like, as ❖ *te lo dico d. amico* I'm telling you as a friend **9** *(conseguenza)* from ❖ *dal suo sguardo capimmo che...* from his look we realized that... **10** *(limitazione)* in ❖ *sordo d. un orecchio* deaf in one ear **11** *(uso, scopo)* ❖ *moto d. corsa* race motorbike **12** *(con l'infinito)* to ❖ *qualcosa d. mangiare* something to eat.

dado *(s.m.)* **1** die, dice *(sing. e pl.)* **2** MECC. *(screw)* nut **3** CUC. stock cube.

daltonico *(agg.)* MED. colour-blind.

dama *(s.f.)* **1** *(gentildonna)* lady **2** *(nel ballo)* partner **3** *(gioco)* BE draughts *(pl.)*, AE checkers *(pl.)*.

danese *(agg.)* Danish ‖ *(s.m. e s.f.)* *(abitante)* Dane ‖ *(s.m.)* **1** *(lingua)* Danish **2** ZOOL. *(cane)* *(great)* Dane.

dannato *(agg.)* **1** RELIG. damned **2** FAM. *(maledetto)* damn(ed) ‖ *(s.m.)* lost soul.

dannazione *(s.f.)* RELIG. damnation ‖ *(inter.)* damn!, dammit!

danneggiare *(v.t.)* **1** to damage **2** *(nuocere)* to harm.

danno *(s.m.)* **1** damage **2** *(a persona)* injury, harm. **dannoso** *(agg.)* harmful, noxious, damaging *(anche fig.)*.

danzare *(v.i.)* to dance. **danza** *(s.f.)* dance, dancing ❖ *d. classica* ballet.

dappertutto, **da per tutto** *(avv.)* everywhere.

dapprima *(avv.)* at first.

dare *(v.t.)* **1** to give **2** *(concedere)* FORM. to grant **3** *(produrre)* to yield, *(emettere)* to give (off) **4** *(trasmettere in TV, cinema ecc.)* to be on ❖ *danno ancora quel film?* is that film still on? **5** ECON. *(rendere)* to give, to bring in **6** *(organizzare)* to give, FAM. to throw ❖ *who's throwing the party?* chi dà la festa? **7** *(colore, vernice)* to apply ❖ *d. la seconda mano di lacca* to apply the second layer of varnish **8** *(con epiteti)* to call ❖ *dare del fesso a qu.no* to call s.o. an idiot ‖ *(v.i.)* *(affacciarsi)* to look on (to sthg.), *(tendere)* to verge (on) ‖ *(s.m.)* ECON. debt, amount due. **darsi** *(v.pron.)* **1** to give o.s., *(dedicarsi)* to devote o.s., *(darsi a, intraprendere)* to enter on, to go into **2** *(l'un l'altro)* to give each other, to exchange.

data *(s.f.)* date. **datato** *(agg.)* dated.

dativo *(agg. e s.m.)* GRAMM. dative.

dato *(agg.)* **1** given **2** *(con valore causale o ipotetico)* considering, under ♦ *date le circostanze* under the circumstances ‖ *(s.m.)* piece of data *(pl.* data).

dattero *(s.m.)* BOT. *(frutto)* date.

davanti *(avv.)* in front, *(dirimpetto)* opposite ‖ *(prep.)* in front of, *(dirimpetto)* opposite ‖ *(agg.)* front *(attr.)* ♦ *le ruote d.* the front wheels ‖ *(s.m.)* front.

davanzale *(s.m.)* window sill.

davvero *(avv.)* really, indeed.

dazio *(s.m.)* **1** *(tassa)* duty **2** *(ufficio)* customs.

debito[1] *(agg.)* due, proper ♦ *a tempo d.* in due course.

debito[2] *(s.m.)* debt ♦ *d. pubblico* national debt. **debitore** *(s.m.)* debtor ♦ *essere d.* to owe.

debole *(agg.)* weak *(anche fig.)*, feeble *(anche fig.)*, *(luce, suono)* faint ‖ *(s.m.)* **1** weakling, weak person **2** *(fig.)* ♦ *avere un d. per qu.no* to have a soft spot for s.o. **debolezza** *(s.f.)* **1** weakness, feebleness, *(di luce, suono)* faintness **2** *(fig.)* weak point, failing.

debuttare *(v.i.)* **1** TEATR. to make one's debut **2** *(in società)* to come out **3** *(estens.) (iniziare)* to begin, to start off.

decadere *(v.i.)* to decline, to decay.

decaffeinato *(agg.)* decaffeinated, FAM. decaf ‖ *(s.m.)* decaffeinated coffee, FAM. decaf.

decapitare *(v.t.)* to behead, to decapitate.

deceduto *(agg.)* dead, deceased ‖ *(s.m.)* dead person.

decelerare *(v.t. / v.i.)* to decelerate, to slow down.

decente *(agg.)* decent, *(adatto)* proper.

decidere *(v.t. / v.i.)* to decide. **decidersi** *(v.pron.)* to make up one's mind. **decisione** *(s.f.)* decision. **decisivo** *(agg.)* decisive, conclusive. **deciso** *(agg.)* **1** *(stabilito)* fixed, *(definito)* settled **2** *(risoluto)* determined, resolute. **decisamente** *(avv.)* **1** *(senza dubbio)* definitely **2** *(con decisione)* resolutely.

decifrare *(v.t.)* to decipher, to decode.

declinare *(v.t.)* **1** GRAMM. to decline **2** *(rifiutare)* to decline, to refuse ‖ *(v.i.)* **1** *(digradare)* to slope (down) **2** *(scemare)* to decline, to wane. **declino** *(s.m.)* *(decadenza)* decline.

décolleté *(s.m.)* **1** *(scollatura)* (low-cut) neckline, *(parte scoperta)* cleavage **2** *(abito)* low-cut dress, *(scarpa)* BE court shoe, AE pump.

decolorare *(v.t.) (capelli)* to bleach.

decomporre *(v.t.)* to decompose. **decomporsi** *(v.pron.)* to decompose, *(putrefarsi)* to rot.

decorare *(v.t.)* **1** to decorate, to dress **2** *(insignire)* to decorate.

decoroso *(agg.)* decent, proper.

decorso *(s.m.)* MED. course.

decrescente *(agg.)* decreasing.

decreto *(s.m.)* DIR. decree.

dedica *(s.f.)* dedication, *(su libro ecc.)* inscription.

dedicare *(v.t.)* **1** to dedicate, *(rif. a chiesa)* to consecrate **2** *(intitolare)* to name after **3** *(riservare)* to devote. **dedicarsi** *(v.pron.)* *(occuparsi di)* to devote o.s.

dedurre *(v.t.)* **1** *(desumere)* to deduce, to gather **2** *(da tasse)* to deduct.

deficiente *(agg.)* *(mancante)* deficient ‖ *(s.m. / s.f.)* FAM. *(stupido)* idiot, moron.

definire *(v.t.)* **1** to define **2** *(risolvere)* to settle.

definitivo *(agg.)* definitive, final. **definitivamente** *(avv.)* definitively, finally.

definizione *(s.f.)* **1** definition *(anche* INFORM., FOT., TV*)* **2** DIR. settlement.

deformare *(v.t.)* **1** to deform, *(legno, metallo)* to buckle, to warp *(anche fig.)* **2** *(fig.)* to distort. **deformarsi** *(v.pron.)* **1** to become deformed, to get twisted, *(legno, metallo)* to warp, to buckle **2** *(fig.)* to be distorted, to be warped. **deformazione** *(s.f.)* deformation *(anche fig.)*, *(legno, metallo)* warping, buckling.

defunto *(agg.)* dead, late *(attr.)* ❖ *il mio d. marito* my late husband ‖ *(s.m.)* dead person, DIR. deceased.

degenerare *(v.i.)* to degenerate *(anche fig.)*.

degente *(agg.)* bedridden ‖ *(s.m. / s.f.)* patient, *(in ospedale)* inpatient.

degnare *(v.t.)*, **degnarsi** *(v.pron.)* to deign.

degno *(agg.)* **1** *(meritevole)* worthy, deserving ❖ *d. di fiducia* trustworthy **2** *(adeguato)* suitable, fit.

degrado *(s.m.)* deterioration.

degustare *(v.t.)* to taste. **degustazione** *(s.f.)* tasting.

delegare *(v.t.)* **1** to delegate **2** *(dare procura)* to make (s.o.) one's proxy.

delegato *(agg.)* delegated, deputed ❖ *amministratore d.* BE managing director, MD, AE chief executive officer, CEO ‖ *(s.m.)* **1** delegate **2** DIR. deputy, proxy. **delegazione** *(s.f.)* delegation.

delfino *(s.m.)* **1** ZOOL. dolphin **2** SPORT *(nuoto)* dolphin (stroke).

deliberare *(v.t.)* **1** to resolve, to decide **2** *(approvare con delibera)* to deliberate (on) ‖ *(v.i.)* to deliberate, DIR. to decree.

delicato *(agg.)* delicate, *(fragile)* fragile, *(sensibile)* sensitive. **delicatezza** *(s.f.)* **1** delicacy **2** *(fragilità)* fragility **3** *(sensibilità)* delicacy, sensitivity, *(discrezione)* tact.

delinquente *(s.m. / s.f.)* delinquent, criminal, FAM. crook.

delirio *(s.m.)* **1** MED. delirium **2** *(fig.)* *(entusiasmo)* frenzy. **delirare** *(v.i.)* **1** to be delirious **2** *(fig.)* to rave.

delitto *(s.m.)* DIR. crime, FAM. murder.

delizia *(s.f.)* delight. **delizioso** *(agg.)* **1** delightful, charming, lovely **2** *(cibo ecc.)* delicious.

deludere *(v.t.)* to disappoint. **delusione** *(s.f.)* disappointment. **deluso** *(agg.)* disappointed.

demenza *(s.f.)* **1** PSIC. dementia ❖ *d. senile* senile dementia **2** *(estens.)* craziness, madness.

democratico *(agg.)* democratic ‖ *(s.m.)* democrat.

democrazia *(s.f.)* democracy.

demolire *(v.t.)* to demolish *(anche fig.)*, to pull down.

demone *(s.m.)* demon *(anche fig.)*.

demonio *(s.m.)* devil.

demoralizzare *(v.t.)* to demoralize, to discourage, to dishearten. **demo-**

ralizzarsi *(v.pron.)* to become demoralized.

demotivato *(agg.)* demotivated.

denaro *(s.m.)* money, *(contante)* cash.

denigrare *(v.t.)* to denigrate, to defame.

denominatore *(s.m.)* MAT. denominator.

denso *(agg.)* dense, thick.

dente *(s.m.)* **1** ANAT. tooth **2** *(di ruota)* cog, *(di forchetta)* prong, *(di sega)* tooth.

dentiera *(s.f.)* MED. dentures *(pl.)*.

dentifricio *(s.m.)* toothpaste.

dentista *(s.m. / s.f.)* dentist.

dentro *(avv.)* **1** in, inside, *(al coperto)* indoors ❖ **qui d.** in here **2** FAM. *(in prigione)* inside **3** *(nell'animo)* inwardly ‖ *(prep.)* in, inside, into ‖ *(s.m.)* inside.

denunciare *(v.t.)* **1** to report, to denounce **2** *(dichiarare)* to declare **3** *(manifestare)* to show. **denuncia** *(s.f.)* **1** DIR. accusation, charge, complaint **2** *(dichiarazione)* declaration, statement, *(fiscale)* return ❖ **la d. dei redditi** income tax return **3** *(notifica)* report.

deodorante *(agg.)* deodorant ‖ *(s.m.)* deodorant, *(per ambienti)* air-freshener.

deperire *(v.i.)* **1** *(in salute)* to lose strength, to decline **2** *(di cose)* to perish, to deteriorate.

depilarsi *(v.pron.)* *(ceretta)* to wax, *(rasoio)* to shave, *(pinzette)* to pluck.

deporre *(v.t.)* **1** to put down, to lay (down) ❖ **d. uova** to lay eggs ‖ *(v.i.)* DIR. *(testimoniare)* to give evidence, to testify.

deposito *(s.m.)* **1** *(magazzino)* storage room, warehouse, MIL. depot ❖ **d. bagagli** BE left luggage (office), AE baggage room **2** *(versamento, pegno)* deposit **3** *(sedimento)* deposit, sediment.

depravato *(agg.)* depraved ‖ *(s.m.)* depraved person.

depressione *(s.f.)* depression *(anche PSIC., GEOGR.)*.

depresso *(agg.)* depressed ‖ *(s.m.)* PSIC. depressive.

deprimere *(v.t.)* to depress *(anche fig.)*. **deprimersi** *(v.pron.)* to get depressed.

depurare *(v.t.)* to purify, to clean. **depuratore** *(agg.)* purifying, cleansing ‖ *(s.m.)* **1** *(apparecchio)* purifier, cleaner **2** *(impianto)* purification plant.

deputato *(agg.)* *(designato)* deputed, appointed ‖ *(s.m.)* POL., BE Member of Parliament, AE Congressman, *(f.)* Congresswoman.

derivare *(v.i.)* to derive, to come. **derivato** *(agg.)* derived ‖ *(s.m.)* **1** LING. derivative **2** *(sottoprodotto)* by-product.

dermatologo *(s.m.)* MED. dermatologist.

derubare *(v.t.)* to rob.

descrivere *(v.t.)* to describe.

deserto *(agg.)* *(vuoto)* deserted, *(disabitato)* desert ‖ *(s.m.)* desert.

desiderare *(v.t.)* **1** to want, *(intensamente)* to long for **2** *(sessualmente)* to desire, to lust after s.o.

desiderio *(s.m.)* **1** wish, desire **2** *(sessuale)* desire, lust **3** *(desiderio intenso)* longing.

desolante *(agg.)* distressing.

desolato *(agg.)* **1** *(luogo)* desolate, deserted **2** *(persona)* disconsolate, distressed **3** *(spiacente)* sorry.

destare (v.t.) **1** to wake (up) **2** (fig.) to wake up, to rouse. **destarsi** (v.pron.) to wake up (anche fig.).

destinare (v.t.) to destine **2** (assegnare) to assign, (risorse, compiti) to allocate **3** (a un incarico) to appoint **4** (indirizzare) to address. **destinato** (agg.) **1** (concepito per) intended **2** (predestinato) destined, bound **3** (indirizzato) addressed. **destinatario** (s.m.) COMM. consignee, (di lettera) addressee, recipient, (di denaro) payee ❖ TEL. chiamata a carico del d. BE reverse-charge call, AE collect call. **destinazione** (s.f.) **1** destination **2** FIN., ECON. allocation.

destino (s.m.) destiny, fate.

destra (s.f.) **1** (mano destra) right hand **2** (parte destra) right (side) **3** POL. right (wing).

destro (agg.) **1** right, right-hand **2** (abile) able, AE skillful, dexterous ‖ (s.m.) SPORT (nel pugilato) right.

detenuto (agg.) imprisoned ‖ (s.m.) convict.

deteriorare (v.t.) to deteriorate, to damage. **deteriorarsi** (v.pron.) **1** to deteriorate **2** (cibi) to perish, to go bad **3** (merci, macchine) to be damaged, to suffer wear and tear.

determinare (v.t.) **1** to determine **2** (causare) to cause.

determinativo (agg.) GRAMM. definite.

detersivo (agg. e s.m.) detergent.

detestare (v.t.) to detest, to hate.

detrito (s.m.) **1** debris **2** GEOL. detritus.

dettaglio (s.m.) **1** detail, particular **2** COMM. retail ❖ commerciante al d. retailer.

detto (agg.) **1** (soprannominato) called, known as (pred.) **2** (citato) above-mentioned ‖ (s.m.) saying.

deviare (v.i.) to deviate (anche fig.) ‖ (v.t.) to divert (anche fig.). **deviazione** (s.f.) **1** deviation (anche fig.) **2** (stradale) detour, diversion.

devoto (agg.) **1** (religioso) devout **2** (affezionato) devoted.

di (prep.) **1** (specificazione) of (spesso si rende con un sostantivo aggettivato o composto) ❖ il suono delle campane the sound of the bells, un libro d. geografia a geography book **2** (specificazione, rif. a persone) ❖ l'auto d. mio fratello my brother's car **3** (specificazione, per indicare l'autore di un'opera) by **4** (origine, provenienza) from, of **5** (partitivo) some, any ❖ c'è del latte? is there any milk? **6** (tempo) in, on, at, by ❖ d. giorno, d. notte by day, at night, d. luglio in July, d. mercoledì on Wednesday **7** (età) of (spesso si traduce con un aggettivo) ❖ un bambino d. 4 anni a 4-year-old child **8** (argomento) about, of **9** (con il compar.) than ❖ più carina d. Anna prettier than Anna **10** (con l'infinito) ❖ gli ordinai d. partire I ordered him to leave, piantala d. frignare! stop whining!

diabete (s.m.) MED. diabetes.

diagonale (agg.) diagonal ‖ (s.f.) GEOM. diagonal.

dialetto (s.m.) dialect.

dialisi (s.f.) MED., CHIM. dialysis.

dialogo (s.m.) BE dialogue, AE (anche) dialog. **dialogare** (v.i.) **1** (conversare) to converse, to talk **2** (estens.) to communicate.

diamante (s.m.) diamond.

diametro (s.m.) diameter.

diario (*s.m.*) diary, journal, (*registro*) book ❖ d. di bordo MAR. log(book).

diarrea (*s.f.*) MED. BE diarrhoea, AE diarrhea.

diavolo (*s.m.*) devil (*anche fig.*).

dicembre (*s.m.*) December.

dichiarare (*v.t.*) **1** to declare ❖ d. qu.no marito e moglie to pronounce s.o. man and wife **2** (*a carte*) to bid. **dichiararsi** (*v.pron.*) to declare o.s.

dichiarazione (*s.f.*) declaration, (*affermazione*) statement ❖ d. dei redditi tax return.

didascalia (*s.f.*) **1** caption **2** CINEM. (*sottotitolo*) subtitle.

didattica (*s.f.*) didactics.

dieta (*s.f.*) (*regime alimentare*) diet ❖ essere a d. to be on a diet.

dietro (*prep.*) **1** behind **2** (*rif. a tempo*) after **3** COMM. (*a fronte di*) against, on ‖ (*avv.*) behind, (*in fondo*) at the back ‖ (*agg.*) back (*attr.*) ‖ (*s.m.*) back, rear.

difatti (*cong.*) in fact.

difendere (*v.t.*) to defend, to protect. **difendersi** (*v.pron.*) to defend o.s. (against, from).

difesa (*s.f.*) **1** BE defence, AE defense **2** SPORT defence.

difetto (*s.m.*) **1** (*fisico*) defect, (*morale*) fault, flaw **2** (*errore*) fault **3** (*mancanza*) lack, want.

differente (*agg.*) different. **differenza** (*s.f.*) difference.

difficile (*agg.*) **1** difficult, hard **2** (*poco probabile*) unlikely.

difficoltà (*s.f.*) **1** (*l'essere difficile*) difficulty **2** (*ostacolo*) trouble, problem.

diffidente (*agg.*) wary, mistrustful.

diffondere (*v.t.*) to spread, (*emanare*) to diffuse (*anche fig.*). **diffondersi** (*v.pron.*) to spread, (*fig.*) (*attecchire*) to catch on. **diffusione** (*s.f.*) **1** diffusion, spread **2** (*il diffondersi*) spreading, circulation **3** FIS., CHIM. diffusion. **diffuso** (*agg.*) **1** (*comune*) widespread **2** (*luce ecc.*) diffused.

diga (*s.f.*) dam, (*argine*) dike.

digerire (*v.t.*) to digest.

digestione (*s.f.*) digestion.

digiunare (*v.i.*) to fast. **digiuno** (*s.m.*) fast, fasting.

dignità (*s.f.*) dignity.

dilagare (*v.i.*) to spread (*anche fig.*).

dilatare (*v.t.*), **dilatarsi** (*v.pron.*) **1** to enlarge, to dilate, (*gonfiare*) to swell **2** FIS. to expand (*anche fig.*).

dilettante (*agg. e s.m. / s.f.*) amateur (*anche* SPORT), SPREG. dilettante.

diligenza (*s.f.*) diligence, (*cura*) care.

diluvio (*s.m.*) deluge (*anche fig.*).

dimagrire (*v.i.*) (*smagrire*) to slim ‖ (*v.i.*) to lose weight, to slim.

dimensione (*s.f.*) dimension.

dimenticare (*v.t.*) **1** to forget **2** (*lasciare*) to leave (behind). **dimenticarsi** (*v.pron.*) to forget (about).

dimezzare (*v.t.*), **dimezzarsi** (*v.pron.*) to halve.

diminuire (*v.t.*) to reduce, to diminish, (*rif. a prezzi*) to lower ‖ (*v.i.*) to decrease, (*rif. a prezzi*) to fall, to go down.

dimostrare (*v.t.*) **1** to show, (*rif. all'età*) to look **2** (*provare*) to demonstrate, to prove **3** (*protestare*) to demonstrate, to protest. **dimostrarsi** (*v.pron.*) to show o.s., (*rivelarsi*) to prove (to be).

dimostrativo (*agg.*) demonstrative (*anche* GRAMM.).

dimostrazione (*s.f.*) **1** demonstration **2** (*prova*) proof **3** (*manifestazione*) demonstration.

dinanzi *(prep.)* before.

dinastia *(s.f.)* dynasty.

dinosauro *(s.m.)* dinosaur.

dintorni *(s.m. pl.)* surroundings, neighbourhood *(sing.)*.

dio *(s.m.) (anche fig.)* god, *(f.)* goddess.

Dio *(s.m.)* God.

dipendere *(v.i.)* **1** to depend (on) *(anche* GRAMM.*)* **2** *(essere causato)* to derive (from) **3** *(essere alle dipendenze)* to be (to come) under (s.o.). **dipendente** *(agg.)* **1** dependent **2** *(lavoratore)* employed **3** *(da sostanza, droga)* addicted (to) || *(s.m. / s.f.) (impiegato)* employee. **dipendenza** *(s.f.)* **1** dependence **2** *(da sostanza, droga)* addiction.

dipingere *(v.t.)* **1** to paint **2** *(fig.) (descrivere)* to depict, to describe. **dipingersi** *(v.pron.) (apparire)* to show, to appear. **dipinto** *(agg.)* **1** painted **2** *(rappresentato)* portrayed, depicted || *(s.m.)* painting.

diploma *(s.m.)* diploma. **diplomarsi** *(v.pron.)* to award (to obtain) a diploma.

diplomatico *(agg.)* diplomatic || *(s.m.)* diplomat.

diplomazia *(s.f.)* diplomacy.

dire *(v.t.)* **1** *(affermare)* to say, *(raccontare)* to tell **2** *(significare)* to mean, *(dimostrare)* to show. **dirsi** *(v.pron.) (spacciarsi)* to claim to be.

diretto *(agg.)* **1** *(senza deviazioni)* direct **2** *(con destinazione)* going (to), bound (for) **3** *(indirizzato)* addressed (to) **4** *(gestito, condotto)* managed, run **5** MUS. conducted || *(s.m.)* **1** SPORT *(pugilato)* straight **2** FERR. through train || *(avv.) (senza indugi)* straight.

direttore *(s.m.)* **1** manager, director ❖ **d. d'orchestra** conductor, **d. di giornale** editor (in chief), **d. di gara** referee **2** *(di scuola)* BE headmaster, AE principal. **direttrice** *(s.f.)* **1** manageress, directress **2** *(di scuola)* headmistress.

direzione *(s.f.)* **1** direction, way **2** *(di società)* management, *(di scuola)* headship, *(di partito)* leadership **3** *(sede)* head office, *(ufficio del direttore)* manager's office.

dirigente *(agg.)* **1** ruling, leading **2** COMM. managerial, executive || *(s.m. / s.f.)* **1** manager, executive, director **2** POL. leader.

dirigere *(v.t.)* **1** *(direzionare)* to direct *(anche fig.)* **2** *(una società ecc.)* to manage, to run **3** MUS. to conduct **4** TEATR., CINEM. to direct. **dirigersi** *(v.pron.) (andare)* to head for, to head towards.

diritto[1] v. **dritto**.

diritto[2] *(s.m.)* **1** *(facoltà garantita)* right **2** *(legge)* law **3** *(tassa)* duty, toll.

dirottare *(v.t.)* **1** to divert, to reroute **2** *(in modo criminale)* to hijack || *(v.i.)* to change route, MAR. to change course *(anche fig.)*.

disabile *(agg.)* disabled, handicapped || *(s.m. / s.f.)* disabled person, handicapped person.

disaccordo *(s.m.)* disagreement, conflict ❖ **essere in d.** to disagree.

disagio *(s.m.)* **1** *(mancanza di agi)* discomfort **2** *(malessere)* uneasiness ❖ **sentirsi a d.** to feel uneasy **3** *(disturbo)* inconvenience.

disarmare *(v.t.)* **1** to disarm *(anche fig.)*, to unarm **2** *(smantellare)* to dismantle || *(v.i.)* **1** *(ridurre l'armamento)* to disarm **2** *(fig.) (cedere)* to surrender.

disastro (*s.m.*) **1** disaster, (*grave incidente*) crash **2** FAM. (*fallimento*) (complete) failure, fiasco **3** FAM. (*disordine*) mess.

disattento (*agg.*) absent-minded.

disattenzione (*s.f.*) **1** (*distrazione*) absent-mindedness **2** (*errore*) slip, (*svista*) oversight.

discarica (*s.f.*) **1** dumping **2** (*luogo*) dump, dumping ground, tip.

discendere (*v.i.*) **1** to go down, to descend **2** (*avere origine*) to be descended (from), to come (from).

discepolo (*s.m.*) disciple.

discesa (*s.f.*) slope, descent.

disciplina (*s.f.*) **1** discipline **2** (*regolamentazione*) regulation, control **3** (*materia di studio*) subject.

disco (*s.m.*) **1** disk, disc ❖ *d. volante* flying saucer **2** MUS. record **3** SPORT discus, (*hockey*) puck **4** ANAT. disc **5** INFORM. disk, disc **6** MECC. disk, plate.

discolparsi (*v.pron.*) to clear o.s., to justify o.s.

discontinuo (*agg.*) **1** discontinuous **2** (*fig.*) (*incostante*) erratic, inconstant.

discordia (*s.f.*) discord, dissention, (*divergenza*) disagreement.

discorso (*s.m.*) **1** (*di fronte a un pubblico*) speech, address **2** (*conversazione*) speech, talk ❖ *d. diretto, indiretto* GRAMM. direct, indirect speech, *che discorsi!* what rubbish!

discreto (*agg.*) **1** (*non importuno*) discreet, tactful **2** (*abbastanza buono*) decent, (*sufficiente*) fair **3** (*non appariscente*) sobre.

discrezione (*s.f.*) discretion.

discussione (*s.f.*) **1** discussion, FORM. debat **2** (*litigio*) argument.

discutere (*v.t.*) **1** to discuss, FORM. to debate **2** (*obiettare*) to question || (*v.i.*) **1** to discuss (sth.), (*parlare*) to talk (about) (sth.) **2** (*litigare*) to argue.

disdetta (*s.f.*) **1** DIR. notice, COMM. cancellation **2** (*sfortuna*) bad luck, misfortune.

disegnare (*v.t.*) **1** to draw **2** (*progettare*) to plan, to design.

disegno (*s.m.*) **1** drawing, (*schizzo*) sketch **2** (*progetto*) plan (*anche fig.*), design ❖ *d. di legge* POL. bill.

diseredare (*v.t.*) to disinherit.

disfare (*v.t.*) to undo ❖ *d. le valigie* to unpack. **disfarsi** (*v.pron.*) **1** (*sbarazzarsi*) to get rid (of s.o., sth.) **2** (*sciogliersi*) to melt.

disgrazia (*s.f.*) **1** (*incidente*) accident **2** (*sfortuna*) bad luck, misfortune **3** (*sfavore*) disgrace.

disgraziato (*agg.*) **1** (*sfortunato*) unlucky, unfortunate **2** (*infelice*) miserable || (*s.m.*) **1** (*persona sfortunata*) poor soul **2** (*farabutto*) rascal, scoundrel.

disgustoso (*agg.*) disgusting, FAM. gross.

disinfettare (*v.t.*) to disinfect, to sanitize. **disinfettante** (*agg. e s.m.*) disinfectant, antiseptic.

disinteressato (*agg.*) disinterested, (*altruistico*) unselfish.

disinteresse (*s.m.*) **1** (*altruismo*) disinterestedness, unselfishness **2** (*indifferenza*) indifference.

disinvolto (*agg.*) **1** (*sicuro*) confident, self-assured **2** (*senza formalità*) relaxed, easy **3** (*sfacciato*) shameless. **disinvoltura** (*s.f.*) **1** confidence, self-possession **2** (*superficialità*) carelessness **3** (*sfacciataggine*) shamelessness, impudence.

disoccupato *(agg.)* unemployed, jobless, out of work || *(s.m.)* unemployed person.

disoccupazione *(s.f.)* unemployment ❖ *sussidio di d.* unemployment benefit (AE compensation), BE, FAM. dole.

disonesto *(agg.)* dishonest. **disonestà** *(s.f.)* dishonesty.

disopra, di sopra *(avv. e agg.)* upstairs || *(s.m.) (la parte superiore)* top.

disopra di, al disopra di *(prep.)* above, over.

disordine *(s.m.)* **1** disorder, untidiness, FAM. mess **2** *(sregolatezza)* wildness, excess **3** *(spec. pl.) (tumulto)* disorder, riot. **disordinato** *(agg.)* **1** untidy, messy **2** *(fig.) (confuso)* confused **3** *(sregolato)* wild, irregular.

disotto, di sotto *(avv. e agg.)* downstairs || *(s.m.) (la parte inferiore)* underside.

disotto di, al disotto di *(loc. prep.)* under, below.

dispari *(agg.)* odd.

dispensa *(s.f.)* **1** *(stanza)* larder, pantry, *(mobile)* cupboard **2** *(pubblicazione)* number, BE instalment, AE installment **3** *(esonero)* exemption **4** *(università)* lecture notes.

disperare *(v.i.)*, **disperarsi** *(v.pron.)* to despair. **disperazione** *(s.f.)* despair, desperation.

disperdere *(v.t.)* **1** to disperse, to scatter, *(rif. a energie)* to squander **2** *(sprecare)* to waste, to dissipate. **disperdersi** *(v.pron.)* **1** to disperse, to scatter **2** *(dissiparsi)* to dissipate **3** *(rif. a calore)* to be dissipated.

dispetto *(s.m.)* spite ❖ *per d.* out of spite, *a d. di* in spite of. **dispettoso** *(agg.)* spiteful.

dispiacere *(v.i.)* **1** *(essere dispiaciuto)* to be sorry *(costruz. pers.)* **2** *(in espressioni di cortesia)* to mind *(costruz. pers.)* **3** *(non piacere)* to dislike *(costruz. pers.)* || *(s.m.)* **1** *(rammarico)* regret, sorrow **2** *(dolore)* grief, sadness **3** *(pl.) (preoccupazioni)* troubles, worries. **dispiacersi** *(v.pron.)* to be sorry (for sthg.), to regret (sthg.).

disponibile *(agg.)* **1** *(che si può avere)* available **2** *(libero)* free, vacant ❖ *posto d.* vacancy **3** *(cortese)* helpful, willing. **disponibilità** *(s.f.)* **1** availability **2** *(di persona)* helpfulness.

disporre *(v.t.)* **1** *(collocare)* to place, to arrange **2** *(ordinare)* to order, DIR. to provide **3** *(preparare)* to arrange, to prepare, to set *(anche fig.)* || *(v.i.)* **1** *(stabilire)* to make arrangements, to dispose **2** *(avere)* to have (at one's disposal).

disporsi *(v.pron.)* **1** *(collocarsi)* to arrange o.s., to place o.s. **2** *(prepararsi)* to prepare (for), to get ready (for). **disposto** *(agg.)* **1** *(collocato)* arranged **2** *(propenso)* ready, willing **3** *(stabilito)* set out, established.

dispositivo *(s.m.)* TECN. device.

disposizione *(s.f.)* **1** *(collocazione)* arrangement **2** *(facoltà di disporre)* disposal **3** *(ordine)* order, instruction **4** *(inclinazione)* inclination, bent.

disprezzare *(v.t.)* **1** to despise, to scorn **2** *(non considerare)* to disregard. **disprezzo** *(s.m.)* **1** contempt, scorn **2** *(noncuranza)* disregard.

disseminare *(v.t.)* **1** *(spargere)* to scatter, to disseminate **2** *(fig.) (diffondere)* to spread.

dissenso *(s.m.)* **1** dissent, disagreement **2** *(dissapore)* disagreement.

dissenteria *(s.f.)* MED. dysentery.

dissolvere *(v.t.)* to dissolve, *(disperdere)* to disperse, to dispel *(anche fig.)*.

distaccare *(v.t.)* **1** v. **staccare 2** *(trasferire)* to detach **3** SPORT to leave behind, to outdistance. **distaccarsi** *(v.pron.)* **1** *(staccarsi)* to come off **2** *(fig.)* *(allontanarsi)* to withdraw, *(non avere coinvolgimento)* to detach o.s. **3** *(fig.)* *(distinguersi)* to stand out. **distacco** *(s.m.)* **1** detachment, *(indifferenza)* aloofness **2** SPORT gap, *(vantaggio)* lead.

distante *(agg.)* **1** distant, remote, far-off **2** *(fig.)* *(distaccato)* distant, aloof ‖ *(avv.)* far, far-off. **distanza** *(s.f.)* distance.

distendere *(v.t.)* **1** *(allungare)* to extend, to stretch (out) **2** *(adagiare)* to lay **3** *(rilassare)* to relax. **distendersi** *(v.pron.)* **1** *(sdraiarsi)* to lie down **2** *(rilassarsi)* to relax. **disteso** *(agg.)* **1** *(allungato)* extended, stretched out **2** *(sdraiato)* lying **3** *(rilassato)* relaxed.

distinguere *(v.t.)* to distinguish. **distinguersi** *(v.pron.)* *(farsi notare)* to stand out (because of sthg.), to distinguish o.s. (by sthg.). **distinto** *(agg.)* **1** *(diverso)* different, distinct **2** *(chiaro)* distinct, clear **3** *(raffinato)* distinguished, refined.

distintivo *(agg.)* distinctive, distinguishing ‖ *(s.m.)* badge.

distinzione *(s.f.)* **1** distinction, *(differenza)* difference **2** *(raffinatezza)* distinction, refinement.

distrarre *(v.t.)* **1** to distract, to divert **2** *(divertire)* to entertain. **distrarsi** *(v.pron.)* **1** to get distracted, to be absent-minded **2** *(svagarsi)* to amuse o.s. **distratto** *(agg.)* **1** *(assente)* ab-

sent-minded **2** *(disattento)* inattentive **3** *(sbadato)* careless. **distrattamente** *(avv.)* **1** absent-mindedly, absently **2** *(inavvertitamente)* unintentionally.

distribuire *(v.t.)* **1** *(dividere)* to distribute **2** *(assegnare)* to assign **3** *(consegnare)* to deliver, to hand out. **distributore** *(s.m.)* distributor, dispenser ❖ *d.* automatico vending machine, *d.* di benzina *(stazione di servizio)* BE petrol station, AE gas(oline) station.

distribuzione *(s.f.)* **1** distribution **2** *(assegnazione)* assignment.

distruggere *(v.t.)* **1** to destroy **2** *(fig.)* to shatter. **distruggersi** *(v.pron.)* to destroy o.s. **distruzione** *(s.f.)* destruction.

disturbare *(v.t.)* **1** to disturb, *(seccare)* to bother, to annoy **2** *(incomodare)* to bother, to trouble **3** *(sconvolgere)* to upset. **disturbarsi** *(v.pron.)* to bother.

disturbo *(s.m.)* **1** trouble, *(seccatura)* annoyance **2** MED. trouble, disorder.

disubbidire *(v.i.)* to disobey (s.o.). **disubbidienza** *(s.f.)* disobedience.

ditale *(s.m.)* *(da sarto)* thimble.

dito *(s.m.)* *(mano)* finger, *(piede)* toe.

ditta *(s.f.)* firm, business, company.

dittatore *(s.m.)* **1** dictator **2** *(fig.)* tyrant.

dittongo *(s.m.)* LING. diphtong.

diurno *(agg.)* day *(attr.)*.

diva *(s.f.)* *(attrice)* star, *(cantante lirica)* diva.

divano *(s.m.)* sofa, couch ❖ *d.* letto sofa bed.

divenire, diventare *(v.i.)* **1** to become **2** *(farsi)* to grow (into), to turn into.

diverso *(agg.) (distinto)* different, *(dissimile)* dissimilar, unlike ‖ *(pron. indef.) (spec. pl.) (parecchi)* several.

divertire *(v.t.)* to amuse, to entertain. **divertirsi** *(v.pron.)* to have fun, to amuse o.s., to enjoy o.s., to have a good time ❖ *divertiti!* enjoy yourself! **divertente** *(agg.)* funny, amusing, entertaining. **divertimento** *(s.m.)* fun, amusement, entertainment.

dividere *(v.t.)* **1** to divide (up), to split **2** *(separare)* to separate, to divide. **dividersi** *(v.pron.)* **1** to divide, to split, *(di coppia)* to split up **2** *(separarsi)* to part, to separate.

divieto *(s.m.)* prohibition.

divino *(agg.)* **1** divine, godlike **2** *(fig.)* heavenly, divine.

divisa[1] *(s.f.) (uniforme)* uniform.

divisa[2] *(s.f.)* FIN. *(valuta)* currency.

divisione *(s.f.)* **1** division *(anche* MAT.*)* **2** AMM., BE department, AE division.

divorzio *(s.m.)* divorce *(anche fig.)*. **divorziare** *(v.i.)* to divorce (s.o.), to be divorced.

dizionario *(s.m.)* dictionary.

do *(s.m. invar.)* MUS. *(nota)* C.

doccia *(s.f.)* shower ❖ *fare la d.* to take (to have) a shower.

docente *(agg.)* teaching ❖ *corpo d.* teaching staff ‖ *(s.m. / s.f.)* teacher.

docile *(agg.)* docile, meek.

documento *(s.m.)* **1** document, paper **2** *(testimonianza)* evidence.

dogana *(s.f.)* **1** customs *(pl.)*, *(dazio)* duty *(uffici)* customs.

dolce *(agg.)* **1** sweet *(anche fig.)* **2** *(fig.) (mite, lieve)* mild, gentle ‖ *(s.m.)* **1** *(portata)* sweet, dessert, *(torta)* cake **2** *(sapore)* sweetness.

dolcezza *(s.f.)* **1** sweetness *(anche fig.)* **2** *(gentilezza)* kindness, gentleness **3** *(di clima)* mildness.

dolcificante *(s.m.)* sweetener.

dolere *(v.i.)* **1** *(dare dolore)* to ache **2** *(fig.) (rincrescere)* to be sorry (for, about), to regret. **dolersi** *(v.pron.)* *(rammaricarsi)* to regret, to be sorry (for, about).

dolore *(s.m.)* **1** *(fisico)* pain, ache **2** *(morale)* sorrow, regret. **doloroso** *(agg.)* **1** painful *(anche fig.)* **2** *(triste)* sorrowful.

domanda *(s.f.)* **1** question **2** *(richiesta)* request, *(scritta)* application **3** ECON. demand.

domandare *(v.t.) (per sapere)* to ask, *(per avere)* to ask for ‖ *(v.i.) (chiedere notizie)* to inquire (after), to ask (about). **domandarsi** *(v.pron.)* to wonder, to ask o.s.

domani *(avv.)* tomorrow ‖ *(s.m.) (il futuro)* future.

domare *(v.t.)* **1** to tame **2** *(fig.)* to control **3** *(una rivolta)* to put down.

domattina *(avv.)* tomorrow morning.

domenica *(s.f.)* Sunday.

domestico *(agg.)* **1** *(della casa)* domestic, home *(attr.)* ❖ *lavori domestici* housework, household chores **2** *(animali)* ❖ *animale d.* pet **3** *(familiare)* homelike ‖ *(s.m.)* servant ❖ *i domestici* household staff.

domicilio *(s.m.)* residence, DIR. domicile ❖ *servizio a d.* home delivery.

dominare *(v.t.)* **1** to dominate, to rule **2** *(tenere sotto controllo)* to control, to master **3** *(sovrastare)* to command ‖ *(v.i.)* **1** *(regnare)* to rule (over) **2** *(fig.) (prevalere)* to stand out.

dominio *(s.m.)* **1** dominion, rule **2** *(padronanza)* control, mastery **3** *(territorio)* dominion, possession **4** INFORM. domain.

don *(s.m.)* *(rif. a sacerdoti)* Father.

donare *(v.t.)* to give, to donate ❖ *d. il sangue* to donate blood ‖ *(v.i.)* *(addirsi)* to suit (s.o.).

dondolare *(v.t.)* **1** to swing, to dangle **2** *(cullare)* to rock ‖ *(v.i.)* to swing, *(oscillare)* to shake. **dondolarsi** *(v.pron.)* to swing, to rock (o.s.).

dondolo *(s.m.)* swing ❖ *sedia a d.* rocking chair.

donna *(s.f.)* **1** woman **2** *(di servizio)* (home) help, maid **3** *(a carte)* queen.

dono *(s.m.)* **1** gift, present **2** *(dote)* gift, talent.

dopo *(avv.)* **1** *(tempo)* *(più tardi)* after, *(poi)* then, *(in seguito)* afterwards, later, *(successivamente)* next **2** *(luogo)* after, next ‖ *(prep.)* **1** *(tempo)* after, *(oltre)* past **2** *(luogo)* after, *(oltre)* past, *(dietro)* behind ‖ *(cong.)* after ‖ *(agg.)* next, after *(pred.)*.

dopodiché, dopo di che *(avv.)* and then, after which.

dopodomani *(avv.)* the day after tomorrow.

dopoguerra *(s.m.)* post-war period.

dopotutto *(avv.)* after all.

doppio *(agg.)* **1** double **2** *(fig.)* *(ambiguo)* two-faced **3** MECC. dual ‖ *(s.m.)* **1** double, twice **2** TENNIS doubles *(pl.)* ‖ *(avv.)* double.

dorato *(agg.)* **1** *(rivestito d'oro)* gilded, gilt, gold-plated **2** *(color oro)* golden **3** CUC. *(rosolato)* golden-brown.

dormire *(v.i. / v.t.)* to sleep, to be asleep.

dorsale *(agg.)* ANAT. dorsal ‖ *(s.f.)* GEOGR. ridge.

dorso *(s.m.)* **1** back *(anche fig.)* **2** SPORT *(nuoto)* backstroke.

dose *(s.f.)* amount, quantity, FARM., CHIM. dose.

dosso *(s.m.)* **1** *(altura)* rise *(di strada)* *(naturale)* bump, *(artificiale)* hump.

dote *(s.f.)* **1** dowry **2** *(fig.)* *(dono naturale)* gift, talent, *(qualità)* quality.

dotare *(v.t.)* **1** *(dare una dote)* to endow **2** *(equipaggiare)* to provide, to equip.

dottore *(s.m.)* **1** *(medico)* doctor *(of medicine)* **2** *(laureato)* graduate, *(chi ha un dottorato)* doctor.

dottoressa *(s.f.)* **1** *(medico)* (woman, lady) doctor *(of medicine)* **2** *(laureata)* (woman) graduate, *(chi ha un dottorato)* doctor.

dove *(avv.)* where ‖ *(s.m.)* ❖ *il d. e il quando* where and when.

dovere[1] *(s.m.)* duty.

dovere[2] *(v. servile)* **1** *(obbligo)* must, to have to **2** *(necessità)* to have to, to need **3** *(rif. a evento stabilito)* to be to, to be due **4** *(possibilità)* must **5** *(richiesta)* shall **6** *(suggerimento)* should, ought to ‖ *(v.t.)* *(essere debitore)* to owe.

dovunque *(avv.)* *(dappertutto)* everywhere, *(in qualsiasi luogo)* anywhere ‖ *(cong.)* wherever.

dozzina *(s.f.)* dozen.

drago *(s.m.)* MIT. dragon.

dramma *(s.m.)* **1** TEATR. drama **2** *(fig.)* *(vicenda tragica)* drama, tragedy.

drammatico *(agg.)* TEATR. dramatic *(anche fig.)*.

dritto *(agg.)* **1** straight **2** FAM. *(furbo)* smart ‖ *(s.m.)* **1** right side **2** *(lavoro a maglia)* plain **3** TENNIS forehand **4** FAM. *(furbo)* smart person ‖ *(avv.)* straight, straight ahead.

droga *(s.f.)* **1** *(spezia)* spice **2** *(stupefacente)* drug. **drogare** *(v.t.)* to drug, to dope. **drogarsi** *(v.pron.)* to take drugs. **drogato** *(agg.)* *(persona)* addicted ‖ *(s.m.)* drug addict.

dubbio *(s.m.)* doubt ‖ *(agg.)* **1** *(incerto)* doubtful, uncertain, in doubt **2** *(ambiguo)* ambiguous.

dubitare *(v.i.)* **1** to doubt **2** *(temere)* to be afraid **3** *(esitare)* to hesitate.

duello *(s.m.)* duel.

dunque *(cong.)* **1** *(perciò)* so, FORM. therefore **2** *(riprendendo il discorso)* then, well (then), so ❖ *d.?* well? ‖

(s.m.) point ❖ *venire al d.* to get to the point.

durante *(prep.)* during.

durare *(v.i.)* **1** to last **2** *(rif. a cibi)* to keep, to last. **durata** *(s.f.)* **1** duration, length (of time) **2** *(periodo)* period **3** *(longevità)* life **4** MUS. *(di nota)* value.

duro *(agg.)* hard *(anche fig.)* ‖ *(s.m.)* **1** hardness **2** *(fig.)* hard part **3** FAM. *(persona insensibile)* bully, tough person, *(persona che non si piega)* diehard ‖ *(avv.)* hard, harshly. **duramente** *(avv.)* hard *(anche fig.)*.

E

e *(cong.)* and.

ebano *(s.m.)* BOT. **1** *(legno)* ebony **2** *(colore)* jet-black.

ebbene *(cong.)* well.

ebbrezza *(s.f.)* drunkenness *(fig.)*, thrill.

ebreo *(s.m.)* Jew ‖ *(agg.)* Jewish. **ebraico** *(agg.)* Jewish ‖ *(agg. e s.m.) (lingua)* Hebrew.

eccedere *(v.t.)* to exceed ‖ *(v.i.) (esagerare)* to go too far. **eccedenza** *(s.f.)* excess, surplus.

eccellere *(v.i.)* to excel. **eccellente** *(agg.)* excellent. **eccelso** *(agg.)* lofty, *(eccellente)* excellent, exceptional.

eccentrico *(agg.)* eccentric, odd.

eccesso *(s.m.)* excess. **eccessivo** *(agg.)* excessive.

eccetto *(prep.)* except.

eccezione *(s.f.)* exception. **eccezionale** *(agg.)* extraordinary, exceptional.

ecchimosi *(s.f.)* MED. bruise.

eccitare *(v.t.)* **1** to excite, to stimulate **2** *(sessualmente)* to arouse, FAM. to turn on **3** *(provocare)* to provoke, to (a)rouse. **eccitarsi** *(v.pron.)* **1** to get excited **2** *(sessualmente)* to be aroused, FAM. to be turned on. **eccitante** *(agg.)* exciting. **eccitazione** *(s.f.)* excitement, *(sfera sessuale)* arousal.

ecclesiastico *(agg.)* ecclesiastical.

ecco *(avv.)* **1** *(qui)* here, *(là)* there ❖ **eccoli là** there they are **2** *(conclusivo)* that's ❖ **e. tutto** that's all.

eccome *(avv. e inter.)* certainly, yes indeed, rather.

eclisse, eclissi *(s.f.)* ASTRON. eclipse *(anche fig.)*, *(fig.)* decline.

eco *(s.f. / s.m.)* echo.

ecografia *(s.f.)* MED. ultrasound (scan).

ecologia *(s.f.)* ecology. **ecologico** *(agg.)* **1** ecological **2** *(estens.)* eco-friendly, green.

economia *(s.f.)* **1** economy **2** *(scienza)* economics *(sing.)* **3** *(risparmio)* saving.

economico *(agg.)* **1** ECON. economical **2** *(non caro)* cheap, inexpensive.

economizzare *(v.t.)* to save.

ecosistema *(s.m.)* ecosystem.

eczema *(s.m.)* MED. eczema.

ed *(cong.)* and.

edera *(s.f.)* BOT. ivy.

edicola *(s.f.)* **1** newsstand, kiosk **2** ARCH. aedicule.

edificare *(v.t.) (costruire)* to build.

edificio *(s.m.)* building.

edile *(agg.)* building *(attr.)*, construction *(attr.)*. **edilizia** *(s.f.)* **1** *(l'industria)* building (trade) **2** *(il costruire case)* housing.

editore *(s.m.)* publisher. **editoria** *(s.f.)* publishing. **editoriale** *(agg.)*

publishing || (*s.m.*) (*articolo di giornale*) editorial.

edizione (*s.f.*) **1** (*libro, giornale*) edition **2** (*il pubblicare*) publication.

educare (*v.t.*) **1** (*formare*) to bring up **2** (*istruire*) to educate **3** (*abituare, addestrare*) to educate, to train. **educativo** (*agg.*) educational. **educato** (*agg.*) **1** well-bred, (*cortese*) polite **2** (*istruito*) educated **3** (*allenato*) trained.

educazione (*s.f.*) **1** (*formazione*) upbringing **2** (*istruzione*) education **3** (*allenamento*) training **4** (*cortesia*) politeness, (*buone maniere*) manners.

effervescente (*agg.*) effervescent (*anche fig.*), fizzy, sparkling (*anche fig.*).

effettivamente (*avv.*) actually, really (*anche rafforzativo*).

effetto (*s.m.*) **1** effect, result, consequence **2** (*impressione*) impression **3** (*validità*) effect **4** FIS. effect **5** (*pl.*) (*cose*) effects, belongings. **effettivo** (*agg.*) (*vero*) actual.

effettuare (*v.t.*) to make.

efficace (*agg.*) effective. **efficacia** (*s.f.*) efficacy.

efficiente (*agg.*) efficient.

efficienza (*s.f.*) efficiency.

effigie (*s.f.*) effigy.

effimero (*agg.*) transitory, fleeting.

effusione (*s.f.*) effusion (*anche fig.*).

egemonia (*s.f.*) hegemony.

egli (*pron. pers. m. 3a pers. sing.*) he.

egoismo (*s.m.*) selfishness, egoism.

egoista (*agg.*) egoistic, selfish || (*s.m.*) egoist.

egregio (*agg.*) **1** excellent **2** (*apertura lettera*) dear ❖ *e. signore* Dear Sir. **egregiamente** (*avv.*) pretty well, quite well.

eguale v. uguale.

eiaculazione (*s.f.*) ejaculation.

elaborare (*v.t.*) **1** to elaborate **2** INFORM. (*dati*) to process. **elaborato** (*agg.*) (*sofisticato*) elaborate. **elaborazione** (*s.f.*) **1** elaboration **2** INFORM. (*di dati ecc.*) processing.

elasticità (*s.f.*) elasticity (*anche fig.*), (*di corpo o di mente*) agility.

elastico (*agg.*) (*anche fig.*) elastic, flexible || (*s.m.*) rubber band, (*nastro*) elastic band.

elefante (*s.m.*) ZOOL. elephant.

elegante (*agg.*) elegant, smart. **eleganza** (*s.f.*) elegance.

eleggere (*v.t.*) to elect. **eletto** (*agg.*) **1** elected **2** (*prescelto*) chosen. **elettorale** (*agg.*) electoral, election (*attr.*). **elettore** (*s.m.*) elector.

elementare (*agg.*) **1** elementary, simple, (*fondamentale*) basic **2** (*scuola*) primary **3** (*rif. agli elementi naturali*) elemental || (*s.f.*) (*pl.*) primary school.

elemento (*s.m.*) **1** element (*anche CHIM.*) **2** (*parte*) part, component.

elemosina (*s.f.*) charity, ANT. alms (*pl.*). **elemosinare** (*v.t.*) to beg (for) (*anche fig.*) || (*v.i.*) to beg.

elenco (*s.m.*) list, roll ❖ *e. telefonico* directory, telephone book. **elencare** (*v.t.*) to list, to enumerate.

elettrauto (*s.m*) (*tecnico*) car electrician.

elettricista (*s.m.*) electrician.

elettricità (*s.f.*) electricity. **elettrico** (*agg.*) electric, electrical.

elettrocardiogramma (*s.m.*) MED. electrocardiogram, (*abbr.*) ECG.

elettrodomestico (*s.m.*) household appliance.

elettromagnetico (*agg.*) FIS. electro-magnetic.

elettrone (*s.m.*) FIS. electron.
elettronica (*s.f.*) electronics (*sing.*).
elettronico (*agg.*) electronic.
elevare (*v.t.*) **1** (*innalzare*) to raise, to elevate (*anche fig.*) **2** MAT. to raise **3** (*contravvenzione*) to impose. **elevarsi** (*v.pron.*) (*innalzarsi*) to raise o.s., (*fig.*) (*dominare dall'alto*) to tower (over). **elevato** (*agg.*) high, elevated, (*fig.*) noble.
elezione (*s.f.*) election.
elica (*s.f.*) MAR., AER. propeller, (*di elicottero*) rotor.
elicottero (*s.m.*) AER. helicopter.
eliminare (*v.t.*) **1** (*escludere*) to eliminate, to remove **2** (*liberarsi*) to get rid of **3** SPORT to eliminate, FAM. to knock out. **eliminatoria** (*s.f.*) SPORT preliminary heat. **eliminazione** (*s.f.*) elimination (*anche* SPORT), removal.
elio (*s.m.*) CHIM. helium.
ellenico (*agg.*) Hellenic, Greek.
ellisse (*s.f.*) GEOM. ellipse.
elmo (*s.m.*), **elmetto** (*s.m.*) helmet.
elogiare (*v.t.*) to praise.
eloquente (*agg.*) eloquent.
e-mail (*s.f.*) INFORM. e-mail.
emanare (*v.t.*) **1** to give off, (*rif. a luce*) to shed **2** (*leggi ecc.*) to issue, to enact ‖ (*v.i.*) **1** to emanate, (*rif. a luce*) to shine **2** (*fig.*) (*derivare*) to derive.
emancipare (*v.t.*) to emancipate, (*fig.*) to set free. **emanciparsi** (*v.pron.*) to free o.s., to become emancipated.
emarginare (*v.t.*) to marginalize, to alienate.
ematoma (*s.m.*) MED., BE haematoma, AE hematoma.
embargo (*s.m.*) DIR., POL. embargo.
emblema (*s.m.*) emblem, symbol. **emblematico** (*agg.*) emblematic.

embrione (*s.m.*) BIOL., MED. embryo (*anche fig.*). **embrionale** (*agg.*) embryo (*attr.*) (*anche fig.*).
emendare (*v.t.*) **1** (*rif. a legge ecc.*) to amend **2** (*rif. a un testo*) to emend. **emendamento** (*s.m.*) DIR. amendment.
emergere (*v.i.*) **1** (*venire a galla*) to rise to the surface **2** (*fig.*) (*distinguersi*) to distinguish o.s., to stand out. **emergente** (*agg.*) **1** emerging, rising **2** (*conseguente*) resulting. **emergenza** (*s.f.*) emergency.
emettere (*v.t.*) **1** (*luce, calore ecc.*) to emit, to give off **2** (*suoni*) to emit, to let out, to utter **3** COMM., ECON. (*assegni ecc.*) to issue **4** DIR. (*una sentenza*) to pass. **emissione** (*s.f.*) **1** (*di luce, calore ecc.*) emission **2** (*di suoni*) utterance, emission **3** ECON. (*di denaro ecc.*) issue **4** DIR. (*di una sentenza*) passing **5** RAD., TV broadcasting, broadcast. **emittente** (*s.f.*) RAD., TV broadcasting station.
emigrare (*v.i.*) **1** (*rif. a persone*) to emigrate **2** (*rif. a uccelli*) to migrate. **emigrazione** (*s.f.*) emigration.
emisfero (*s.m.*) hemisphere (*anche* GEOGR., ANAT.).
emotivo (*agg.*) **1** emotional, emotive **2** (*che si commuove facilmente*) sensitive.
emozionarsi (*v.pron.*) **1** (*commuoversi*) to get emotional **2** (*eccitarsi*) to get excited, (*agitarsi*) to get (to be) nervous, (*confondersi*) to get flustered. **emozionato** (*agg.*) **1** (*commosso*) moved, touched **2** (*eccitato*) excited, (*agitato*) nervous.
emozione (*s.f.*) (*sentimento*) emotion, (*eccitazione*) excitement, thrill.

enciclopedia *(s.f.)* BE encyclopaedia, AE encyclopedia.

energia *(s.f.)* **1** *(vigore)* energy, vigour, *(forza)* strength **2** FIS. energy.

enfasi *(s.f.)* *(importanza)* emphasis, stress.

enigma *(s.m.)* enigma, riddle, puzzle.

ennesimo *(agg.)* MAT. nth *(anche fig.)*, *(fig.)* umpteenth.

enorme *(agg.)* huge, enormous, *(fig.)* *(assurdo)* outrageous.

ente *(s.m.)* **1** FIL. *(essere)* being **2** *(istituzione)* institution, *(organizzazione)* organization, *(di tipo tecnico)* agency, *(di controllo)* authority.

entrambi *(agg. e pron.)* both.

entrare *(v.i.)* **1** *(andare dentro)* to go in, to enter **2** *(venire dentro)* to come in, to enter **3** *(penetrare)* to get into, to get in **4** *(fare entrare)* to let in, to admit **5** *(poter essere contenuto)* to fit, to get into **6** *(immischiarsi)* to interfere. **entrarci** *(v.pron.)* *(avere a che fare)* to have to do with.

entrata *(s.f.)* **1** *(l'entrare)* entry **2** *(ingresso)* entrance, way in **3** *(permesso)* admittance **4** *(reddito)* income.

entro *(prep.)* **1** *(rif. a luogo)* inside **2** *(rif. a tempo)* within, *(con le ore)* by ❖ *e. l'una* by one o'clock.

entusiasmare *(v.t.)* to thrill, to fill with enthusiasm. **entusiasmarsi** *(v.pron.)* to be thrilled, to become enthusiastic. **entusiasmo** *(s.m.)* enthusiasm. **entusiasta** *(agg.)* enthusiastic ‖ *(s.m. / s.f.)* enthusiast.

enunciato *(s.m.)* **1** MAT. enunciation **2** LING. utterance.

epicentro *(s.m.)* GEOL. BE epicentre, AE epicenter.

epidemia *(s.f.)* MED. epidemic *(anche fig.)*.

Epifania *(s.f.)* **1** RELIG. Epiphany, Twelfth Night **2** LETT. epiphany.

epilessia *(s.f.)* MED. epilepsy.

epilogo *(s.m.)* epilogue *(anche fig.)*.

episodio *(s.m.)* **1** episode **2** *(vicenda)* event.

epoca *(s.f.)* **1** *(periodo)* epoch, age, era **2** *(tempo)* time, period.

eppure *(cong.)* and still, and yet.

equatore *(s.m.)* GEOGR. equator.

equilibrio *(s.m.)* balance, equilibrium *(anche fig. e PSIC.)*.

equipaggio *(s.m.)* MAR. crew, AER. (air)crew.

equitazione *(s.f.)* riding.

equivalere *(v.i.)* **1** to be equivalent **2** *(valere)* to be tantamount. **equivalersi** *(v.pron.)* to be equivalent, to be much the same. **equivalenza** *(s.f.)* equivalence *(anche MAT.)*.

equivoco *(agg.)* **1** *(ambiguo)* ambiguous, *(volutamente ambiguo)* equivocal **2** SPREG. dubious ‖ *(s.m.)* **1** *(malinteso)* misunderstanding, equivocation **2** *(ambiguità)* ambiguity.

era *(s.f.)* **1** *(epoca)* age, era **2** GEOL. era.

erba *(s.f.)* **1** grass, *(infestante)* weed, *(pl.)* CUC. herb **2** SL. *(marijuana)* pot, grass.

erede *(s.m. / s.f.)* heir.

eredità *(s.f.)* **1** inheritance, DIR. legacy **2** *(fig.)* *(retaggio)* heritage **3** BIOL. heredity.

ereditare *(v.t.)* to inherit.

eresia *(s.f.)* RELIG. heresy.

erezione *(s.f.)* **1** *(costruzione)* building **2** *(del pene)* erection.

ergastolo *(s.m.)* life imprisonment.

ergere *(v.t.)* *(innalzare)* to raise. **ergersi** *(v.pron.)* to rise.

ermetico *(agg.)* **1** hermetic, airtight **2** *(fig.) (difficile, oscuro)* obscure, enigmatic.

ernia *(s.f.)* MED. hernia ❖ *e. del disco* slipped disc.

eroe *(s.m.)* hero. **eroico** *(agg.)* heroic.

eroina¹ *(s.f.) (f. di eroe)* heroine

eroina² *(s.f.)* CHIM. heroin.

erosione *(s.f.)* GEOL. erosion *(anche fig.)*.

erotico *(agg.)* erotic. **erotismo** *(s.m.)* eroticism.

errore *(s.m.)* mistake, error.

esagerare *(v.t.)* to exaggerate ‖ *(v.i.)* **1** to exaggerate **2** *(strafare)* to overdo. **esagerazione** *(s.f.)* exaggeration.

esagono *(s.m.)* GEOM. hexagon.

esaltare *(v.t.)* **1** *(magnificare)* to exalt, to praise **2** *(entusiasmare)* to thrill **3** *(valorizzare)* to enhance. **esaltarsi** *(v.pron.)* **1** *(vantarsi)* to boast **2** *(entusiasmarsi)* to be thrilled.

esame *(s.m.)* **1** examination **2** *(prova scolastica)* examination, FAM. exam **3** *(prova pratica)* test **4** MED. visit, check (up). **esaminare** *(v.t.)* **1** to examine **2** *(testare)* to test.

esasperare *(v.t.)* to exasperate, toirritate. **esasperarsi** *(v.pron.)* to become exasperated.

esatto *(agg.)* **1** *(preciso)* exact, precise **2** *(corretto)* correct, right **3** *(puntuale)* punctual **4** *(orario)* sharp ‖ *(avv.)* that's so, right. **esattamente** *(avv.)* **1** *(precisamente)* exactly **2** *(correttamente)* correctly **3** *(puntualmente)* punctually, sharp. **esattezza** *(s.f.)* **1** *(precisione)* exactness **2** *(accuratezza)* accuracy **3** *(correttezza)* correctness **4** *(puntualità)* punctuality.

esaurire *(v.t.)* **1** *(finire)* to run out of **2** *(fig.) (fiaccare)* to exhaust, to expend. **esaurirsi** *(v.pron.)* **1** *(finire)* to run out **2** *(stancarsi)* to wear o.s. out **3** COMM. to be sold out.

esca *(s.f.)* **1** *(per i pesci)* bait **2** *(fig.) (inganno)* bait, lure **3** *(materia infiammabile)* tinder.

eschimese *(agg. e s.m. / s.f.)* GEOGR. Eskimo.

esclamare *(v.i.)* to exclaim. **esclamativo** *(agg.)* exclamatory ❖ *punto e.* exclamation mark. **esclamazione** *(s.f.)* **1** exclamation **2** GRAMM. interjection.

escludere *(v.t.)* to exclude. **escluso** *(agg.)* **1** excluded **2** *(eccettuato)* except.

esclusivo *(agg.)* **1** *(unico)* exclusive, sole ❖ *agente e.* COMM. sole agent **2** *(raffinato)* exclusive, high-class **3** *(protetto da esclusiva)* proprietary. **esclusiva** *(s.f.)* **1** *(monopolio)* exclusive right, monopoly **2** *(notizia)* exclusive, scoop.

escremento *(s.m.)* excrement.

escursione *(s.f.)* **1** *(gita)* trip, outing, excursion, *(a piedi)* hike **2** MIL. excursion **3** SCIENT. range ❖ *e. termica* temperature range.

eseguire *(v.t.)* **1** to do, to carry out **2** MUS. to perform **3** *(rif. a pagamento)* to effect, to make **4** INFORM. to execute. **esecuzione** *(s.f.)* **1** *(realizzazione)* execution **2** DIR. execution **3** MUS. performance.

esempio *(s.m.)* **1** example ❖ *per e.* for instance, for example **2** *(modello)* model **3** *(ammonimento)* warning, example.

esercitare *(v.t.)* **1** *(tenere in esercizio)* to exercise **2** SPORT, MIL. *(allenare, addestrare)* to train, to drill

3 *(una funzione)* to act (as) **4** *(una professione)* BE to practise, AE to practice. **esercitarsi** *(v.pron.)* BE to practise, AE to practice. **esercitazione** *(s.f.)* **1** MIL. training, drill **2** *(scolastica)* test.

esercito *(s.m.)* army *(anche fig.)*.

esercizio *(s.m.)* **1** exercise **2** *(pratica)* practice **3** *(gestione di un'azienda)* management, running **4** *(attività commerciale)* shop, business **5** FIN. financial year.

esibire *(v.t.)* **1** to show, *(mettere in mostra)* to show off **2** *(rif. a documenti)* to produce. **esibirsi** *(v.pron.)* **1** *(in uno spettacolo)* to perform **2** *(mettersi in mostra)* to show off.

esigenza *(s.f.)* **1** *(necessità)* need, exigency **2** *(pretesa)* requirement, demand. **esigere** *(v.t.)* **1** *(pretendere)* to demand **2** *(richiedere)* to require **3** *(riscuotere)* to collect.

esile *(agg.)* **1** *(sottile)* slender, slight, *(snello)* slim **2** *(debole)* weak, *(rif. a voce)* feeble.

esilio *(s.m)* **1** exile, banishment **2** *(luogo)* (place of) exile **3** *(isolamento)* seclusion.

esistere *(v.i.)* **1** to exist, to be **2** *(essere in vita)* to exist. **esistenza** *(s.f.)* existence.

esitare *(v.i.)* **1** to hesitate **2** *(rif. a voce)* to falter. **esitazione** *(s.f.)* hesitation.

esito *(s.m.)* outcome, result.

esodo *(s.m.)* exodus *(anche fig.)*.

esorbitante *(agg.)* exorbitant.

esorcizzare *(v.t.)* RELIG. to exorcize. **esorcismo** *(s.m.)* RELIG. exorcism.

esordiente *(s.m. / s.f.)* person making his/her appearance, beginner.

esordio *(s.m.)* **1** *(inizio)* beginning, start **2** *(debutto)* début.

espansione *(s.f.)* **1** expansion **2** *(effusione di affetto)* effusiveness.

espediente *(s.m.)* expedient, trick, FAM. gimmick.

esperienza *(s.f.)* **1** experience **2** *(esperimento)* experiment.

esperimento *(s.m.)* **1** SCIENT. experiment **2** *(prova)* trial, test.

esperto *(agg.)* **1** experienced **2** *(competente)* skilled **3** *(specialista)* expert ‖ *(s.m.)* expert.

esplicito *(agg.)* **1** explicit, definite **2** *(chiaro)* clear, unequivocal.

esplodere *(v.t.) (colpi)* to fire ‖ *(v.i.)* **1** *(saltare in aria)* to explode, to blow up **2** *(fig.) (manifestarsi all'improvviso)* to burst, to break out.

esplosione *(s.f.)* **1** explosion **2** *(fig.)* explosion, outburst. **esplosivo** *(agg. e s.m.)* explosive.

esporre *(v.t.)* **1** *(mostrare)* to display *(mettere in mostra)* to exhibit **2** *(mettere in pericolo)* to expose **3** *(spiegare)* to expound, to explain **4** *(mettere all'esterno)* to put out. **esporsi** *(v.pron.)* to expose o.s. *(anche fig.)*.

esportare *(v.t.)* to export. **esportazione** *(s.f.)* export, exportation.

esposizione *(s.f.)* **1** display **2** *(mostra)* exhibition, *(fiera)* fair **3** *(spiegazione)* exposition **4** *(posizione)* exposure **5** FOT. exposure.

espresso *(agg.)* **1** *(esplicito)* express **2** *(veloce, rapido)* express, fast ‖ *(s.m.)* **1** *(lettera)* express letter **2** *(treno)* express train **3** *(caffè)* expresso (coffee).

esprimere *(v.t.)* **1** *(manifestare)* to express **2** *(pronunciare)* to express, *(dar voce a)* to voice. **esprimersi** *(v.pron.)* to express o.s.

espulsione (*s.f.*) **1** (*di persone*) expulsion **2** (*di oggetti*) ejection **3** SPORT expulsion, sending-off.

essa (*pron. pers. f. 3a pers. sing.*) **1** (*sogg.*) she, (*cosa o animale*) it **2** (*compl.*) her, (*cosa o animale*) it.

esse v. **essi**.

essenza (*s.f.*) essence. **essenziale** (*agg.*) essential || (*s.m.*) essential thing.

essere (*v.aus.*) **1** (*copula*) to be **2** (*nei tempi composti di v.i. e pron.*) to have || (*v.i.*) **1** (*esistere*) to exist, to be **2** (*essere originario di*) to come from **3** (*appartenere*) to belong, to be || (*s.m.*) **1** (*esistenza*) being **2** (*persona*) being, SPREG. fellow, (*creatura*) creature.

essi (*pron. pers. 3a pers. pl.*) **1** (*sogg.*) they **2** (*compl.*) them.

esso (*pron. pers. m. 3a pers. sing.*) **1** (*sogg.*) he, (*cosa o animale*) it **2** (*compl.*) him, (*cosa o animale*) it.

est (*s.m.*) east ✧ *verso e.* eastwards.

estasi (*s.f.*) ecstasy, rapture.

estate (*s.f.*) summer, (*periodo estivo*) summertime.

estendere (*v.t.*) to expand **2** (*fig.*) to extend. **estendersi** (*v.pron.*) **1** (*ampliarsi*) to spread (*anche fig.*) **2** (*avere una estensione*) to extend, to stretch (for). **estensione** (*s.f.*) **1** (*ampiezza di superficie*) extension, (*area*) area **2** (*dimensione*) extent **3** MUS. range **4** INFORM. extension.

esteriore (*agg.*) exterior, outer, outside (*attr.*), outward (*attr.*).

esterno (*agg.*) external, outside (*attr.*) || (*s.m.*) (*parte esterna*) outside.

estero (*agg.*) foreign || (*s.m.*) ✧ *all'e.* abroad.

esteso (*agg.*) **1** (*ampio*) wide, broad **2** (*diffuso*) widespread, (*prodotti commerciali ecc.*) popular **3** (*dettagliato*) extensive, vast.

estinguere (*v.t.*) **1** (*un incendio ecc.*) to put out, to extinguish **2** (*la sete*) to quench **3** (*saldare, pagare*) to pay off, to discharge. **estinguersi** (*v.pron.*) **1** (*esaurirsi*) to die (out) **2** (*di incendio ecc.*) to burn out **3** (*rif. a specie*) to become extinct, to die out. **estinto** (*agg.*) **1** (*incendio*) extinguished **2** (*specie*) extinct **3** (*sete*) quenched **4** (*debito*) paid off, dicharged **5** (*morto*) dead, deceased || (*s.m.*) dead person.

estintore (*s.m.*) fire extinguisher.

estivo (*agg.*) summer (*attr.*), summery.

estorsione (*s.f.*) extortion.

estraneo (*agg.*) **1** outside, extraneous, (*persona*) from outside **2** (*alieno*) alien **3** (*che non ha relazione*) unrelated (to), unconnected (with) || (*s.m.*) **1** (*forestiero*) stranger **2** (*a un gruppo*) outsider.

estrarre (*v.t.*) to extract, (*tirare fuori*) to pull (out), to draw **2** MIN. to mine **3** MED. (*un dente*) to extract. **estratto** (*s.m.*) **1** (*di una sostanza*) extract **2** (*riassunto*) summary **3** (*brano di testo*) excerpt **4** (*numero di lotteria*) number drawn **5** COMM. (*estratto conto*) statement.

estremo (*agg.*) **1** (*più lontano nello spazio*) far, extreme **2** (*ultimo nel tempo*) last **3** (*sommo*) utmost, greatest **4** (*non moderato*) extreme || (*s.m.*) **1** (*parte estrema*) extremity, end **2** (*eccesso*) extreme **3** (*pl.*) (*particolari*) details, particulars **4** COMM. (*pl.*) terms. **estremità** (*s.f.*) **1** end **2** (*punta*) tip **3** (*cima*) top **4** (*arti*) (*pl.*) extremities, limbs. **estremista** (*s.m. / s.f.*) extremist.

estuario *(s.m.)* GEOGR. estuary.

esuberante *(agg.) (vivace)* exuberant.

età *(s.f.)* **1** age **2** *(epoca)* age.

eterno *(agg.)* eternal, everlasting ‖ *(s.m.)* eternity.

eterosessuale *(agg.)* heterosexual, FAM. straight ‖ *(s.m.)* heterosexual person, FAM. straight person.

etica *(s.f.)* ethics.

etichetta¹ *(s.f.)* label *(anche fig.)*, *(cartellino)* tag.

etichetta² *(s.f.) (norme di comportamento)* etiquette.

etimologia *(s.f.)* etymology.

etnico *(agg.)* ethnic.

etrusco *(agg. e s.m.)* Etruscan.

etto *(s.m.)*, ettogrammo *(s.m.)* hectogram.

eufemismo *(s.m.)* euphemism.

euro *(s.m. inv.)* ECON. euro.

europeo *(agg. e s.m.)* European.

evadere *(v.t.)* **1** AMM. *(sbrigare)* to deal with, to dispatch, to clear **2** *(sottrarsi a)* to evade ‖ *(v.i.)* **1** *(fuggire)* to escape, to run away **2** *(rif. al fisco)* to evade, to dodge **3** *(fig.) (svagarsi)* to get away. **evasione** *(s.f.)* **1** *(fuga)* escape **2** *(di un obbligo)* evasion ❖ e. *fiscale* tax evasion **3** AMM. *(disbrigo)* dispatch, carrying out **4** *(fig.) (distrazione)* diversion, distraction.

evaporare *(v.t. / v.i.)* to evaporate.

eventuale *(agg.)* possible. **eventualmente** *(avv.)* **1** *(forse)* possibly **2** *(nel caso)* in case.

evidente *(agg.)* obvious, evident. **evidenza** *(s.f.)* obviousness, evidence ❖ *mettersi in e.* to draw attention to o.s.

evitare *(v.t.)* **1** to avoid **2** *(sottrarsi a)* to avoid, to evade **3** *(schivare)* to dodge, to avoid.

evoluzione *(s.f.)* **1** BIOL. evolution **2** *(sviluppo)* development, *(progresso)* progress.

ex *(pref.)* ex, former.

extra *(agg.)* **1** *(di prima qualità)* first-rate, best quality **2** *(fuori del previsto)* extra, additional ‖ *(s.m.)* **1** *(spesa)* extra **2** *(optional)* optional extra.

F

fa¹ *(avv.)* ago.

fa² *(s.m. invar.)* MUS. *(nota)* F.

fabbrica *(s.f.)* factory, *(di auto, macchinari)* plant.

fabbricare *(v.t.)* **1** *(produrre)* to manufacture, to produce, *(costruire)* to build **2** *(fig.) (falsificare)* to fabricate. **fabbricazione** *(s.f.)* manufacture, make.

fabbro *(s.m.)* (black)smith, *(di serrature)* locksmith.

faccenda *(s.f.)* **1** matter, business **2** *(pl.) (lavori domestici)* housework, (household) chores.

facchino *(s.m.)* porter.

faccia *(s.f.)* face.

facciata *(s.f.)* **1** ARCH. front, façade **2** *(pagina)* page **3** *(fig.)* front, façade.

facile *(agg.)* **1** easy **2** *(probabile)* likely, probable. **facilità** *(s.f.)* facility. **facilitare** *(v.t.)* to facilitate, to make easier. **facilitazione** *(s.f.)* facility.

facoltà *(s.f.)* **1** *(capacità)* faculty **2** *(autorità)* authority, *(potere)* power, *(diritto)* right **3** *(universitaria)* faculty.

fagiano *(s.m.)* ZOOL. pheasant.

fagiolo *(s.m.)* BOT. bean.

fagotto¹ *(s.m.)* bundle ❖ *far f.* FAM. to pack up.

fagotto² *(s.m.)* MUS. bassoon.

fai da te *(loc.)* do-it-yourself, DIY.

falce *(s.f.)* **1** sickle **2** *(di luna)* crescent.

falco *(s.m.)* ZOOL. hawk.

falegname *(s.m.)* joiner, carpenter.

fallire *(v.i.)* **1** COMM., DIR. to go bankrupt, FAM. to go broke **2** *(fig.)* to fail, to be unsuccessful || *(v.t.)* *(un colpo ecc.)* to miss. **fallimento** *(s.m.)* **1** COMM., DIR. bankruptcy **2** *(fig.)* failure, FAM. flop. **fallito** *(agg.)* **1** COMM., DIR. insolvent, bankrupt **2** *(fig.)* failed, unsuccessful || *(s.m.)* **1** COMM., DIR. bankrupt **2** *(fig.)* failure, FAM. loser.

fallo¹ *(s.m.)* **1** error, mistake **2** SPORT foul, *(tennis)* fault.

fallo² *(s.m.)* ANAT. *(pene)* phallus.

falso *(agg.)* **1** false, *(erroneo)* wrong, *(ingannevole)* deceptive **2** *(falsificato)* falsified, fake, forged, phoney, *(moneta)* counterfeit || *(s.m.)* **1** *(falsità)* falsehood **2** *(opera d'arte)* fake, *(gioielli)* imitation **3** DIR. forgery.

fama *(s.f.)* fame, reputation.

fame *(s.f.)* hunger *(anche fig.)* ❖ *morire di f.* FAM. to starve.

famiglia *(s.f.)* family ❖ *la Sacra Famiglia* the Holy Family, *formato f.* family pack.

familiare *(agg.)* **1** family *(attr.)*, domestic, homely **2** *(conosciuto)* familiar, (well-)known, *(consueto)* usual, normal **3** *(alla buona)* informal, friendly ‖ *(s.m.) (parente)* relative ‖ *(s.f.)* AUT. BE estate (car), AE station wagon.

famoso *(agg.)* famous, well-known.

fanale *(s.m.)* light, lamp, *(di auto)* headlight, headlamp, BE rear light, AE taillight.

fanatico *(agg.)* fanatical ‖ *(s.m.)* fanatic, FAM. fan.

fanciullesco *(agg.)* **1** childish, childlike, *(di fanciullo)* boyish, *(di fanciulla)* girlish **2** *(puerile)* childish, puerile.

fango *(s.m.)* **1** mud, *(palude)* mire **2** *(spec. pl.)* MED. mud bath.

fangoso *(agg.)* muddy, *(fiume)* slimy, miry.

fannullone *(s.m.)* idler, loafer, FAM. lazy-bones.

fantasia *(s.f.)* **1** *(immaginazione)* imagination, fancy **2** *(fantasticheria)* fantasy, daydream, reverie **3** *(capriccio)* fancy, whim **4** MUS. fantasia **5** *(disegno)* pattern ‖ *(agg.) (stoffa)* patterned.

fantasma *(s.m.)* **1** *(spettro) (anche fig.)* ghost, BE spectre, AE specter **2** *(prodotto della fantasia)* fancy, illusion ‖ *(agg.)* phantom, ghost, dream *(attr.)*.

fantasticare *(v.i.)* to daydream.

fantastico *(agg.)* **1** *(frutto di fantasia)* imaginary, fanciful **2** FAM. *(straordinario)* fantastic, fabulous.

fante *(s.m.)* **1** MIL. infantryman, STOR. foot soldier **2** *(a carte)* jack.

fanteria *(s.f.)* MIL. infantry.

fantino *(s.m.)* SPORT jockey.

fantoccio *(s.m.)* puppet *(anche fig.)*.

farabutto *(s.m.)* rascal, rogue.

faraone *(s.m.)* ST. Pharaoh.

farcire *(v.t.)* **1** CUC. to stuff *(anche fig.)*, to fill **2** *(fig.)* to cram.

fardello *(s.m.)* **1** bundle **2** *(carico)* burden *(anche fig.)*, load *(anche fig.)*.

fare *(v.t.)* **1** *(in senso generico)* to do **2** *(creare, produrre)* to make, *(rif. a edifici)* to build **3** *(rif. a professione)* to be **4** *(comportarsi)* to act, to play **5** *(avere in numero)* to have **6** *(benzina)* to get, *(biglietto)* to buy **7** *(segnare)* ❖ *il mio orologio fa le dieci* it is ten o' clock by my watch **8** *(praticare)* to go in for **9** *(percorrere)* to do, to go **10** *(trascorrere)* to spend **11** *(dare come risultato)* to make, to be **12** *(seguito da infinito) (costringere)* to make, *(convincere)* to get, *(lasciare)* to let ❖ *falla parlare* let her speak, *mi ha fatto cambiare scuola* she made me change schools **13** *(seguito da infinito, in senso passivo)* to have, to get ❖ *devo f. riparare la macchina* I must have (get) my car repaired ‖ *(v.i.)* **1** *(impers.)* to be **2** *(essere adatto)* to suit. **farsi** *(v.pron.)* **1** *(seguito da infinito)* to make o.s. **2** *(diventare)* to grow (into), to get, to become **3** *(fare in modo che)* to get o.s., to have o.s. **4** *(procurarsi)* to get, to acquire, *(comprarsi)* to buy, to get **5** *(impers.) (di tempo)* to get ❖ *si fa tardi* it's getting late **6** SL. *(drogarsi)* to shoot up, to take drugs.

farfalla *(s.f.)* ZOOL. butterfly.

farina *(s.f.)* flour, *(grossa)* meal.

farmacia *(s.f.)* **1** *(scienza)* pharmacy **2** *(negozio)* pharmacy, BE chemist's (shop), AE drugstore.

faro *(s.m.)* **1** MAR. lighthouse, AER. beacon **2** AUT. headlight, headlamp **3** *(riflettore)* floodlight **4** *(fig.)* beacon, (guiding) light.

fascia (s.f.) **1** band, stripe **2** MED. bandage **3** (zona, territorio) zone, strip **4** (fig.) band, sector.

fascicolo (s.m.) **1** (opuscolo) booklet, pamphlet, (promozionale) brochure **2** (di rivista) number, issue, (dispensa) BE instalment, AE installment **3** AMM. dossier, file.

fascina (s.f.) faggot.

fascino (s.m.) charm, fascination.

fascio (s.m.) **1** bundle, bunch, sheaf **2** (di luce) beam.

fascismo (s.m.) POL. Fascism. **fascista** (agg. e s.m. / s.f.) Fascist.

fase (s.f.) **1** stage, phase, (periodo) period **2** FIS., ELETTR. phase.

fastidio (s.m.) **1** (cosa fastidiosa) nuisance, bother **2** (seccatura) trouble **3** (disturbo fisico) pain. **fastidioso** (agg.) **1** (seccante) annoying, bothering, irritating **2** (noioso) tiresome.

fata (s.f.) fairy.

fatale (agg.) **1** deadly, fatal **2** (inevitabile) inevitable, fated.

fatato (agg.) enchanted, magic, (di fata) fairy (attr.).

fatica (s.f.) **1** (sforzo) effort **2** (lavoro pesante) toil, labour, hard work **3** (stanchezza) fatigue, tiredness, weariness **4** (fig.) (difficoltà) difficulty. **faticare** (v.i.) **1** to work hard, to toil, to labour **2** (fig.) (stentare) to find it difficult. **faticoso** (agg.) **1** (che affatica) hard, exhausting, tiring **2** (difficile) difficult, heavy.

fatto (agg.) **1** done, made ♦ *f. in casa* home-made, *ben f.!* well done! **2** (adatto) fit **3** FAM. (drogato) stoned ‖ (s.m.) **1** (realtà) fact **2** (azione) action, deed **3** (avvenimento) event **4** (faccenda) business, matter.

fattore (s.m.) (elemento) factor.

fattoria (s.f.) **1** farm **2** (fabbricato) farmhouse.

fattura (s.f.) **1** (fabbricazione) making, manufacture, (lavorazione) workmanship, (prodotto) COMM. invoice **3** (maleficio) spell.

fauna (s.f.) fauna, wildlife.

fava (s.f.) BOT. broad bean.

favola (s.f.) (fiaba) tale, fable.

favoloso (agg.) fabulous.

favore (s.m.) BE favour, AE favor, (cortesia) kindness.

favorevole (agg.) **1** (a favore) BE in favour, AE in favor **2** (propizio) BE favourable, AE favorable.

favorire (v.t.) **1** BE to favour, AE to favor, (sostenere) to support, to assist **2** (aiutare) to aid, to help **3** (promuovere) to promote, to foster **4** (in formule di cortesia) ♦ *favorisca il biglietto!* ticket please!, *vuoi f.?* would you like some?

fazzoletto (s.m.) handkerchief, FAM. hanky, (foulard) scarf.

febbraio (s.m.) February.

febbre (s.f.) **1** fever, temperature **2** (fig.) (passione) fever, thirst.

fecondare (v.t.) (uovo) to fertilize, (donna, femmina) to fecundate.

fede (s.f.) **1** (credenza religiosa) faith **2** (fiducia) trust, faith **3** (convinzione, opinione) belief, creed. **fedele** (agg.) faithful ‖ (s.m. / s.f.) **1** (credente) believer **2** (seguace) follower. **fedeltà** (s.f.) **1** fidelity, faithfulness **2** (esattezza) accuracy **3** RAD. fidelity.

federa (s.f.) pillowcase.

federale (agg.) federal.

federalismo (s.m.) POL. federalism.

fedina (s.f.) DIR. criminal record, police record.

fegato (s.m.) **1** ANAT., CUC. liver **2** (fig.) FAM. guts (pl.).

felice *(agg.)* **1** happy, glad **2** *(ben riuscito)* successful. **felicità** *(s.f.)* happiness, gladness.

felino *(agg.)* **1** ZOOL. feline **2** *(fig.)* feline, catlike ‖ *(s.m.)* ZOOL. feline.

felpa *(s.f.)* **1** *(tessuto)* brushed fabric **2** *(indumento)* sweatshirt.

femmina *(s.f.)* **1** *(persona)* female, woman, girl **2** *(animale)* female ‖ *(agg.)* ZOOL. she *(attr.)*, female *(attr.)*. **femminile** *(agg.)* **1** female **2** *(per donne)* women's, woman's **3** GRAMM. feminine ‖ *(s.m.)* GRAMM. feminine (gender).

fenomeno *(s.m.)* phenomenon.

feriale *(agg.)* *(non festivo)* working, weekday *(attr.)* ❖ **giorno f.** weekday, working day.

ferie *(s.f. pl.)* BE holiday, holidays, AE vacation *(sing.)*.

ferire *(v.t.)* to wound, to injure, to hurt *(anche fig.)*. **ferirsi** *(v.pron.)* to hurt o.s. **ferita** *(s.f.)* wound, injury, hurt.

fermare *(v.t.)* **1** to stop, to halt, *(interrompere)* to interrupt, to discontinue **2** *(fissare)* to fix, to fasten **3** DIR. to hold, to detain ‖ *(v.i.)* to stop. **fermarsi** *(v.pron.)* **1** to stop **2** *(restare)* to stay, to remain. **fermata** *(s.f.)* **1** stop, halt **2** *(luogo di sosta)* stop.

fermentare *(v.i.)* to ferment.

fermo *(agg.)* **1** still, motionless, *(auto, traffico)* stationary **2** *(stabile)* steady, firm *(anche fig.)* ‖ *(s.m.)* **1** *(congegno per fermare)* lock, stop **2** DIR. arrest, detention. **fermezza** *(s.f.)* firmness *(anche fig.)*.

feroce *(agg.)* *(anche fig.)* fierce, ferocious, wild.

ferragosto *(s.m.)* feast of the Assumption.

ferramenta *(s.f. pl.)* hardware, *(negozio)* hardware shop.

ferro *(s.m.)* **1** iron **2** *(attrezzo)* tool **3** *(pl.)* *(ceppi)* irons, chains.

ferrovia *(s.f.)* BE railway, AE railroad. **ferroviario** *(agg.)* BE railway *(attr.)*, AE railroad *(attr.)*. **ferroviere** *(s.m.)* railway worker.

fertile *(agg.)* fertile *(anche fig.)*, rich. **fertilizzante** *(agg.)* fertilizing ‖ *(s.m.)* AGR. fertilizer, FAM. plant food. **fertilizzare** *(v.t.)* to fertilize.

fervore *(s.m.)* BE fervour, AE fervor.

fesso *(agg.)* fool, idiot.

fessura *(s.f.)* crack, *(per gettoni, monete)* slot.

festa *(s.f.)* **1** *(giorno non lavorativo)* holiday, *(religiosa)* feast, *(festività)* festivity **2** *(ricevimento)* party ❖ **f. da ballo** dance, FORM. ball **3** *(di paese ecc.)* festival. **festeggiare** *(v.t.)* **1** to celebrate **2** *(accogliere)* to welcome. **festoso** *(agg.)* joyful, cheerful.

fetta *(s.f.)* slice *(anche fig.)*.

fiaba *(s.f.)* *(fairy)* tale, fable.

fiacco *(agg.)* *(debole)* weak, feeble.

fiamma *(s.f.)* flame *(anche fig.)*, blaze.

fiammifero *(s.m.)* match.

fianco *(s.m.)* side, hip *(anche fig.)*.

fiasco *(s.m.)* **1** flask **2** *(fig.)* *(insuccesso)* flop, failure, fiasco.

fiato *(s.m.)* breath.

fibbia *(s.f.)* buckle.

fibra *(s.f.)* **1** BIOL., BOT., IND. BE fibre, AE fiber **2** *(fig.)* *(costituzione)* BE fiber, AE fiber, physique.

ficcanaso *(s.m. / s.f.)* FAM. busybody.

ficcare *(v.t.)* **1** *(mettere)* to put, *(mettere dentro)* to stuff **2** *(conficcare)* to drive, to thrust. **ficcarsi** *(v.pron.)*

1 FAM. *(infilarsi)* to stick, to stuff **2** *(fig.) (cacciarsi)* to get (into).

fico[1] *(s.m.)* BOT. fig ❖ *f. d'India* prickly pear.

fico[2] *(agg.)* FAM. cool ‖ *(s.m.)* cool guy.

fidanzarsi *(v.pron.)* to become engaged (to), to get engaged. **fidanzamento** *(s.m.)* engagement. **fidanzata** *(s.f.)* girlfriend, fiancée. **fidanzato** *(s.m.)* boyfriend, fiancé.

fidarsi *(v.pron.)* to trust, to rely (on).

fidato *(agg.)* trustworthy, reliable.

fiducia *(s.f.)* confidence, trust.

fiducioso *(agg.)* trusting, hopeful.

fieno *(s.m.)* hay.

fiera *(s.f.) (mostra)* exhibition, fair.

fiero *(agg.)* proud.

fifa *(s.f.)* FAM. *(paura)* (the) jitters *(pl.)*. **fifone** *(s.m.)* FAM. coward.

figlia *(s.f.)* daughter, FAM. girl.

figliastra *(s.f.)* stepdaughter.

figliastro *(s.m.)* stepson.

figlio *(s.m.)* son, FAM. boy, *(pl.) (figli)* children, *(adulti)* adult, grown children.

figlioccia *(s.f.)* goddaughter.

figlioccio *(s.m.)* godson.

figura *(s.f.)* **1** *(forma)* shape, *(aspetto esteriore)* figure **2** *(illustrazione)* picture, figure **3** *(personaggio)* figure, character **4** *(nelle carte da gioco)* BE court card, AE face card **5** FAM. *(impressione)* figure, impression ❖ *fare bella, cattiva f.* to cut a fine, a poor figure. **figuraccia** *(s.f.)* poor figure, sorry sight.

figurare *(v.i.)* **1** *(far figura)* to make a good impression **2** *(apparire)* to appear. **figurarsi** *(v.pron.)* **1** *(immaginarsi)* to imagine, to fancy **2** *(risposta cortese)* ❖ *(di niente) si figuri!* not at all!, *(prego) figurati!* please!

fila *(s.f.)* **1** row, line, *(coda)* BE queue, AE line ❖ *f. indiana* single file **2** *(serie)* stream, string.

filare *(v.t.) (lana ecc.)* to spin ‖ *(v.i.)* **1** *(correre)* to run, to go **2** *(rif. a discorso)* to make sense, to follow on **3** FAM. *(andarsene)* to make off, to clear off ❖ *fila via!* off with you!

filastrocca *(s.f.)* nursery rhyme.

filiale *(s.f.)* COMM. branch (office).

film *(s.m.)* **1** CINEM. film, picture, AE movie **2** TECN. *(pellicola)* film.

filo *(s.m.)* **1** thread, yarn **2** TECN. *(elettrico, di ferro)* wire ❖ *f. spinato* barbed wire **3** *(di lama)* edge.

filosofia *(s.f.)* philosophy.

filtrare *(v.t.)* to filter, to strain.

filtro[1] *(s.m.)* **1** filter *(anche TECN.)*, *(di sigaretta)* filter tip ❖ *f. solare* sun filter **2** *(colino)* strainer.

filtro[2] *(s.m.)* *(bevanda magica)* BE philtre, AE philter.

finale *(agg.)* final, *(ultimo)* last ‖ *(s.m.)* conclusion, end, ending ‖ *(s.f.)* **1** SPORT final **2** GRAMM. final clause.

finanza *(s.f.)* **1** finance **2** *(pl.) (entrate)* finances. **finanziario** *(agg.)* financial, finance *(attr.)*. **finanziatore** *(s.m.)* financier, sponsor.

finché *(cong.)* **1** *(fino a quando)* till, until **2** *(per tutto il tempo che)* as long as.

fine[1] *(s.f.)* end ‖ *(s.m.)* **1** *(scopo)* purpose, aim **2** *(conclusione)* result, conclusion, end, ending. **fine settimana** *(loc. sost.)* week-end.

fine[2] *(agg.)* **1** *(sottile)* fine, thin **2** *(delicato)* fine, delicate **3** *(acuto)* sharp, keen, subtle **4** *(raffinato)* refined.

finestra *(s.f.)* window. **finestrino** *(s.m.)* AUT. window.

fingere *(v.t. / v.i.)* to pretend. **fingersi** *(v.pron.)* to pretend to be.

finire *(v.t.)* **1** to finish, to end **2** *(smettere)* to stop **3** *(esaurire)* to run out of ‖ *(v.i.)* **1** *(terminare)* to finish, to end **2** *(cessare)* to stop **3** *(capitare)* to end up. **finito** *(agg.)* **1** *(terminato)* finished, ended, over **2** *(rifinito)* finished **3** *(venduto, esaurito)* sold out, out of stock.

finlandese *(agg.)* Finnish ‖ *(s.m. / s.f.) (abitante)* Finn ‖ *(s.f.) (lingua)* Finnish.

fino a *(prep.)* **1** *(tempo)* till, until, up to **2** *(spazio)* as far as, (up) to.

finocchio *(s.m.)* **1** BOT. fennel **2** *(fig.) (omosessuale)* POP., SPREG. queer, AE faggot.

fino da *(loc. prep.)* (ever) since, from.

finora *(avv.)* so far, till now, up to now.

finta *(s.f.)* **1** pretence, feint ❖ *far f. di...* to pretend to... **2** SPORT feint.

finto *(agg.)* **1** fake, mock, *(artificiale)* artificial, *(falso)* false **2** *(simulato)* feigned.

fiocco *(s.m.)* **1** *(nodo di nastro)* bow **2** *(di neve)* flake **3** *(pl.)* CUC. flakes.

fioraio *(s.m.)* florist.

fiore *(s.m.)* **1** flower *(anche fig.)* ❖ *a fiori* a floral **2** *(pl.) (nelle carte da gioco)* clubs.

fiorentina *(s.f.)* CUC. *(bistecca)* T-bone steak.

fiorire *(v.i.)* **1** to flower, to bloom, *(di albero)* to blossom **2** *(fig.)* to flourish, to thrive.

fioritura *(s.f.)* **1** flowering, blooming **2** *(fig.)* flourishing.

firmare *(v.t.)* to sign. **firma** *(s.f.)* signature ❖ *f. falsa* forged signature.

fiscale *(agg.)* **1** fiscal, tax *(attr.)* **2** *(fig.) (rigido)* rigorous, strict.

fischiare *(v.i.)* to whistle, *(rif. a orec-*

chie) to buzz, *(rif. a proiettile)* to whizz ‖ *(v.t.)* to whistle, *(per disapprovare)* to hoot, to boo. **fischio** *(s.m.)* whistle, *(di disapprovazione)* hoot, boo, *(nelle orecchie)* buzzing, *(di proiettile)* whizz.

fisco *(s.m.)* **1** *(erario)* revenue, treasury **2** *(le imposte)* taxation, taxes *(pl.)* **3** *(ufficio)* BE Inland Revenue, AE the Internal Revenue Service.

fisico *(agg.)* physical, *(del corpo)* bodily ‖ *(s.m.)* **1** *(scienziato)* physicist **2** *(costituzione)* physique.

fisioterapia *(s.f.)* MED. physiotherapy.

fissare *(v.t.)* **1** to fix, to fasten, to secure **2** *(guardare fisso)* to gaze, to stare *(at)* **3** *(stabilire)* to fix (up), to arrange **4** *(prenotare)* to book, to reserve. **fissarsi** *(v.pron.)* **1** to be fixed **2** *(fig.) (ostinarsi)* to insist, to set one's heart, *(avere una fissazione)* to be obsessed.

fisso *(agg.)* **1** fixed, *(stabile)* steady **2** *(rif. a persona)* permanent, regular ‖ *(avv.)* fixedly.

fitto *(agg.) (denso, folto)* thick, dense *(anche fig.)* ❖ *buio f.* pitch dark ‖ *(s.m.)* thick ‖ *(avv.)* ❖ *nevica f.* it is snowing hard.

fiume *(s.m.)* **1** river **2** *(fig.)* flood, stream, torrent ‖ *(agg.)* never-ending, interminable.

fiutare *(v.t.)* **1** *(annusare)* to smell, to sniff **2** *(fig.) (intuire)* to scent, to smell. **fiuto** *(s.m.)* **1** (sense of) smell, *(rif. ad animali)* scent, nose **2** *(fig.)* nose.

flanella *(s.f.) (tessuto)* flannel.

flash *(s.m.)* **1** FOT. flash **2** *(notizia)* newsflash.

flauto *(s.m.)* MUS. flute.

flessibile *(agg.)* **1** flexible, *(ramo)* pliable *(fig.)* *(versatile)* versatile ‖ *(s.m.)* TECN. flexible hose. **flettere** *(v.t.)* **1** to bend, to bow **2** GRAMM. *(rif. a verbi)* to conjugate. **flettersi** *(v.pron.)* to bend, to bow.

flirtare *(v.i.)* to flirt.

flora *(s.f.)* SCIENT. flora.

flotta *(s.f.)* **1** *(navale)* fleet, MIL. navy **2** *(aerea)* fleet, MIL. airforce.

fluido *(agg.)* **1** fluid, flowing **2** *(fig.)* *(scorrevole)* fluent **3** *(fig.)* *(instabile)* unsettled.

fluire *(v.i.)* to flow.

flusso *(s.m.)* **1** flow ❖ *f. e riflusso* ebb and flow *(anche fig.)* **2** FIS. flux.

fluttuare *(v.i.)* **1** *(rif. al mare)* to rise and fall **2** *(nell'aria)* to float **3** *(fig.)* *(oscillare)* to fluctuate, to float *(anche ECON.)*. **fluttuazione** *(s.f.)* *(fig.)* *(oscillazione)* fluctuation.

fluviale *(agg.)* river *(attr.)*.

fobia *(s.f.)* PSIC. phobia.

foca *(s.f.)* ZOOL. seal ❖ *f. monaca* monk seal, *pellicia di f.* sealskin fur.

foce *(s.f.)* mouth.

fodera *(s.f.)* **1** *(interna)* lining **2** *(copertura)* cover. **foderare** *(v.t.)* **1** *(internamente)* to line **2** *(esternamente)* to cover.

foga *(s.f.)* impetuosity, passion, heat.

foglia *(s.f.)* BOT. leaf.

foglio *(s.m.)* sheet.

fogna *(s.f.)* **1** sewer, *(scarico)* drain **2** *(fig.)* *(luogo sudicio)* pigsty, *(luogo disgustoso o corrotto)* cesspit.

folgorare *(v.t.)* **1** *(rif. a fulmine)* to strike **2** *(rif. a elettricità)* to electrocute **3** *(fig.)* *(con lo sguardo)* to glare (at). **folgorante** *(agg.)* **1** *(abbagliante)* dazzling **2** *(sguardo)* glaring, flashing **3** *(fig.)* *(meraviglioso)* striking, brilliant.

folla *(s.f.)* **1** crowd, throng, SPREG. mob **2** *(fig.)* *(gran quantità)* host.

folle *(agg.)* **1** mad, insane, crazy **2** AUT. neutral ‖ *(s.m. / s.f.)* lunatic, *(uomo)* madman, *(donna)* madwoman. **follemente** *(avv.)* madly, insanely, crazily. **follia** *(s.f.)* **1** *(pazzia)* madness, insanity **2** *(atto folle)* folly.

folto *(agg.)* **1** thick, dense **2** *(estens.)* *(numeroso)* large, numerous ‖ *(s.m.)* thick.

fondamento *(s.m.)* foundation *(anche fig.)*. **fondamentale** *(agg.)* fundamental, basic.

fondare *(v.t.)* **1** to found, to establish, to set up **2** *(fig.)* *(basare)* to found, to base. **fondarsi** *(v.pron.)* *(basarsi)* to be based, to be founded.

fondato *(agg.)* **1** founded, established **2** *(fig.)* *(che ha solido fondamento)* well-grounded, well-founded.

fondere *(v.t.)* **1** METALL. to melt, *(in uno stampo)* to cast, BE to mould, AE to mold **2** *(sciogliere)* to melt, *(di ghiaccio, neve)* to thaw **3** *(fig.)* *(unire)* to unite, to merge *(anche COMM.)* ‖ *(v.i.)* to melt. **fondersi** *(v.pron.)* **1** to melt **2** *(fig.)* *(unirsi)* to unite, to merge **3** ELETTR. to fuse, to blow. **fondente** *(agg.)* melting ‖ *(s.m.)* *(cioccolato)* fondant.

fondo[1] *(agg.)* *(profondo)* deep ❖ *piatto f.* soup plate.

fondo[2] *(s.m.)* **1** bottom, end **2** *(pl.)* *(resti)* dregs *(pl.)*, *(di caffè)* grounds *(pl.)* **3** *(sfondo)* background **4** ECON. fund **5** *(terreno)* land, estate **6** SPORT ❖ *gare di f.* long-distance races.

fontana *(s.f.)* fountain.

fonte *(s.f.)* spring, source *(anche fig.)*.

foraggio (*s.m.*) AGR. fodder, forage.

forare (*v.t.*) **1** to perforate, to pierce, (*rif. a biglietti*) to punch, (*una gomma*) to puncture, to get a flat tyre (AE tire) **2** MECC. to drill. **forarsi** (*v. pron.*) (*di pneumatico*) to (have a) puncture.

forbice (*s.f.*), **forbici** (*s.f. pl.*) scissors (*pl.*).

forchetta (*s.f.*) fork. **forchettata** (*s.f.*) (*quantità di cibo*) forkful.

forcina (*s.f.*) (*per capelli*) hairpin.

foresta (*s.f.*) forest.

forestiero (*agg.*) foreign || (*s.m.*) (*straniero*) foreigner, (*estraneo*) stranger.

forfora (*s.f.*) dandruff, FAM. scurf.

forma (*s.f.*) **1** shape, form **2** (*stile*) style **3** (*stampo*) mould.

formaggio (*s.m.*) CUC. cheese.

formale (*agg.*) **1** formal **2** (*solenne*) solemn.

formare (*v.t.*) **1** to form **2** (*modellare*) to shape, to model, (*forgiare*) to mould. **formarsi** (*v.pron.*) **1** to form **2** (*svilupparsi*) to grow (up), to develop. **formato** (*s.m.*) format, (*misura*) size. **formazione** (*s.f.*) **1** formation, forming **2** (*addestramento*) training **3** SPORT (*di una squadra*) line-up.

formica (*s.f.*) ZOOL. ant.

formula (*s.f.*) formula (*anche* CHIM., MAT., *fig.*) ❖ f. **magica** magic spell.

fornaio (*s.m.*) **1** baker **2** (*negozio*) baker's (shop), bakery.

fornello (*s.m.*) stove, BE cooker.

fornire (*v.t.*) to supply, to provide. **fornitore** (*s.m.*) COMM. supplier, INFORM. provider.

fornitura (*s.f.*) COMM. **1** (*merce fornita*) supply **2** (*il fornire*) supplying.

forno (*s.m.*) **1** (*da cucina*) oven **2** (*da fornaio*) oven, (*edificio*) bakery **3** (*fornace*) METALL. furnace **4** EDIL. kiln.

foro (*s.m.*) (*buco*) hole.

forse (*avv.*) **1** perhaps, maybe **2** (*circa*) about, some.

forte (*agg.*) **1** strong (*anche fig.*), (*potente*) powerful, (*resistente*) stout **2** (*grande*) great, large, heavy **3** (*abile*) good **4** (*sentimenti*) strong, deep || (*s.m.*) **1** (*specialità*) strong point **2** MIL. fort, fortress || (*avv.*) **1** (*con forza*) strongly, tightly, hard **2** (*ad alta voce*) aloud, loud, loudly **3** (*velocemente*) fast **4** (*con violenza*) hard, heavily **5** (*molto*) a lot.

fortuna (*s.f.*) **1** (*sorte*) fortune, luck **2** (*successo*) success **3** (*patrimonio*) fortune, riches. **fortunato** (*agg.*) **1** lucky, fortunate **2** (*che ha buon esito*) successful.

forza (*s.f.*) **1** strength, force, (*potenza*) power ❖ f. **di volontà** willpower **2** FIS. force **3** MIL. force. **forzare** (*v.t.*) **1** to force, (*fig.*) to strain **2** (*costringere*) to force, to compel **3** (*accelerare*) to quicken, to accelerate. **forzarsi** (*v.pron.*) to force o.s.

fossa (*s.f.*) **1** ditch, hole, pit ❖ f. **biologica** cesspool, f. **oceanica** trench, f. **tettonica** graben **2** (*tomba*) grave.

fossato (*s.m.*) ditch, (*di castello*) moat.

fossetta (*s.f.*) dimple.

fossile (*agg. e s.m.*) fossil (*anche fig.*).

fosso (*s.m.*) ditch.

fotocopia (*s.f.*) **1** photocopy **2** (*fig.*) double, spitting image. **fotocopiare** (*v.t.*) to photocopy. **fotocopiatrice** (*s.f.*) photocopier.

fotografia (s.f.) **1** (tecnica) photography **2** (immagine) photograph, picture, FAM. photo ✦ f. istantanea snap shot. **fotografare** (v.t.) to photograph (anche fig.), to take a picture (of). **fotografo** (s.m.) photographer.

fotomontaggio (s.m.) FOT. photomontage.

fotosintesi (s.f.) BIOL., BOT. photosynthesis.

fottere (v.t.) VOLG. **1** to fuck, to screw ✦ va' a farti f.! fuck off! **2** (imbrogliare) to trick, to cheat. **fottuto** (agg.) VOLG. **1** (terribile) fucking, bloody **2** (spacciato) screwed, done.

fra (prep.) **1** (fra due) between, (fra più di due) among, amongst **2** (in mezzo a) amid(st) **3** (tempo) in, within ✦ f. un mese in (within) a month **4** (partitivo) of ✦ il migliore f. tutti the best of all.

fragile (agg.) **1** fragile **2** (fig.) fragile, (debole) weak.

fragola (s.f.) BOT. strawberry.

frammento (s.m.) fragment (anche fig.).

frana (s.f.) landslide. **franare** (v.i.) **1** to slide down, (crollare) to fall in, to collapse **2** (fig.) to collapse.

francese (agg. e s m / s f) French.

franco (agg.) **1** (schietto) frank, open **2** (libero) free ✦ porto f. free port ‖ (avv.) (francamente) frankly, openly.

francobollo (s.m.) stamp.

frangente (s.m.) **1** (ondata) breaker **2** (fig.) (difficult) situation.

frangia (s.f.) fringe, (di capelli) BE fringe, AE bangs.

frase (s.f.) **1** sentence (anche GRAMM.), (espressione) expression ✦ f. fatta idiom.

frastuono (s.m.) din, uproar.

frate (s.m.) RELIG. friar, monk, (appellativo) Brother.

fratello (s.m.) brother, (quando rif. ai fratelli di entrambi i sessi) siblings (pl.).

fraterno (agg.) brotherly, fraternal ✦ amico f. close friend.

frattanto (avv.) meanwhile, in the meantime.

frattura (s.f.) **1** MED. fracture **2** (fig.) rift, split. **fratturare** (v.t.) MED. to fracture. **fratturarsi** (v.pron.) MED. to fracture, to break.

frazione (s.f.) **1** fraction (anche MAT.) ✦ una f. di secondo a split second **2** (di Comune) hamlet.

freccia (s.f.) **1** arrow **2** AUT. BE indicator, AE turn sign, (pl.) FAM. blinkers, (di emergenza) (pl.) hazard lights.

freddo (agg.) **1** cold, (fresco) chilly, cool **2** (fig.) (indifferente) cold, cool **3** (fig.) (calmo) calm, cool ‖ (s.m.) cold. **freddezza** (s.f.) coldness, coolness (anche fig.).

fregare (v.t.) **1** (strofinare) to rub, (per pulire) to scrub **2** FAM. (rubare) to swipe, BE to pinch, to nick, (imbrogliare) to rip off. **fregarsene** (v.pron.) FAM. to not care. **fregatura** (s.f.) FAM. rip-off.

frenare (v.t.) **1** to brake, to slow down **2** (fig.) to restrain, to control ‖ (v.i.) to brake. **frenarsi** (v.pron.) to restrain o.s., to check o.s.

frenetico (agg.) frenetic, frantic, frenzied.

freno (s.m.) brake ✦ f. a mano AUT. BE handbrake, AE emergency brake.

frequente (agg.) frequent. **frequentare** (v.t.) **1** (scuola, lezioni ecc.) to attend, to go to **2** (persone) to see, to hang around with **3** *(ambiente)* to move in. **frequentarsi** *(v.pron.)* to see each other. **frequenza** *(s.f.)* **1** frequency *(anche* FIS.*)* **2** *(rif. a scuola, lezioni ecc.)* attendance.

fresco *(agg.)* **1** *(leggermente freddo)* cool **2** *(fatto da poco)* fresh ❖ *vernice fresca* wet paint || *(s.m.)* cool, coolness.

fretta *(s.f.)* hurry ❖ *in f.!* hurry up!

friggere *(v.t. / v.i.)* CUC. to fry.

frigorifero *(s.m.)* refrigerator, FAM. fridge.

fringuello *(s.m.)* ZOOL. chaffinch.

frittata *(s.f.)* **1** CUC. omelette, AE omelet **2** *(fig.)* damage.

frittella *(s.f.)* CUC. pancake, *(di frutta)* fritter.

frizzante *(agg.)* **1** *(bevanda)* sparkling, fizzy **2** *(aria)* brisk, crisp **3** *(fig.) (vivace)* sparkling, lively.

fronte *(s.f.)* **1** forehead **2** ARCH. front, frontage || *(s.m.)* front ❖ *di f.a* in front of, *di f.* opposite.

fronteggiare *(v.t.)* **1** *(opporsi a)* to face up, to confront **2** *(stare di fronte)* to face, to front. **fronteggiarsi** *(v.pron.)* **1** *(stare di fronte)* to face each other **2** *(affrontarsi)* to confront each other.

frontiera *(s.f.)* **1** frontier, border **2** *(fig.)* (boundary) line, borderline.

frugare *(v.t. / v.i.)* to rummage, to search.

frullare *(v.t.)* to whip, to beat || *(v.i.) (di ali)* to flap, to flutter.

frullatore *(s.m.)* mixer, blender.

frumento *(s.m.)* wheat.

fruscio *(s.m.)* rustle, rustling.

frusta *(s.f.)* **1** whip, lash **2** *(arnese da cucina)* whisk.

frutto *(s.m.)* fruit *(anche fig.)*. **frutta** *(s.f.)* fruit. **fruttare** *(v.t. / v.i.) (rende-* re) to bring in, to yield, to give. **frutteto** *(s.m.)* orchard.

fucile *(s.m.)* gun, *(carabina)* rifle. **fucilare** *(v.t.)* to shoot.

fuga *(s.f.)* **1** flight, escape *(anche fig.)* **2** SPORT *(ciclismo)* sprint, spurt **3** *(perdita)* leak **4** MUS. fugue.

fuggire *(v.i.)* to run away, to escape, to flee || *(v.t.) (evitare)* to avoid, to shun.

fulcro *(s.m.)* **1** FIS. fulcrum **2** *(fig.) (punto fondamentale)* hub, heart.

fulmine *(s.m.)* lightning.

fumare *(v.t.)* to smoke || *(v.i.)* **1** to smoke **2** *(emettere vapore)* to steam.

fumetto *(s.m.)* **1** *(vignetta)* cartoon, *(a strisce)* comic strip **2** *(giornale)* comic (book) **3** *(pl.)* comics **4** *(nuvoletta)* balloon.

fumo *(s.m.)* **1** smoke **2** *(il fumare)* smoking.

fune *(s.f.)* rope, *(cavo)* cable.

funebre *(agg.)* **1** funeral *(attr.)* **2** *(lugubre)* funereal, gloomy.

funerale *(s.m.)* funeral.

fungo *(s.m.)* **1** mushroom **2** MED. fungus.

funivia *(s.f.)* cable railway, cableway.

funzione *(s.f.)* **1** *(ruolo)* function, role **2** *(carica)* office **3** *(funzionamento)* operation, functioning **4** ECCL. ceremony, service **5** MAT. function. **funzionare** *(v.i.)* to work, to function. **funzionamento** *(s.m.)* working, operation, functioning ❖ *difetto di f.* malfunction. **funzionario** *(s.m.)* official, functionary.

fuoco *(s.m.)* **1** fire *(anche fig.)* ❖ *fuochi d'artificio* fireworks **2** MIL. fire *(anche fig.)* **3** SCIENT. focus ❖ *messa a f.* FOT. focusing.

fuorché *(cong. e prep.)* except, but.

fuori *(avv.)* out, outside, *(all'aperto)* outdoors ‖ *(s.m.)* outside ‖ *(prep.)* out of, outside.

fuorigioco *(s.m.)* SPORT offside.

fuorilegge *(s.m. / s.f.)* outlaw ‖ *(agg.)* illegal.

furbo *(agg.) (connotazione positiva)* smart, clever, *(connotazione negativa)* sly, cunning.

furfante *(s.m. / s.f.)* rascal, scoundrel.

furgone *(s.m.)* AUT. van.

furia *(s.f.)* **1** *(furore)* fury *(anche fig.)*, rage **2** *(fretta)* hurry, haste ❖ *di f.* hurriedly **3** ❖ *a f. di* by dint of.

furioso *(agg.)* furious, enraged.

furto *(s.m.)* theft, *(con scasso)* burglary.

fusa *(s.f. pl.)* ❖ *fare le f.* to purr.

fusione *(s.f.)* **1** METALL. fusion, *(getto)* casting **2** *(liquefazione)* melting **3** *(fig.)* merging, blending **4** FIS. fusion.

fusto *(s.m.)* **1** BOT. *(gambo)* stalk, stem, *(tronco)* trunk **2** ARCH. *(di colonna)* shaft **3** *(recipiente)* drum.

futile *(agg.)* trifling, petty.

futuro *(agg. e s.m.)* **1** future **2** GRAMM. future (tense).

G

gabbia *(s.f.)* cage.

gabbiano *(s.m.)* ZOOL. (sea)gull.

gabinetto *(s.m.)* **1** toilet, BE lavatory, AE restroom, FAM., BE loo **2** POL. cabinet.

gaffe *(s.f.)* blunder, gaffe.

galassia *(s.f.)* ASTRON. galaxy.

galeotto *(s.m.)* **1** *(schiavo)* galley slave **2** *(estens.) (carcerato)* convict.

galera *(s.f.)* **1** MAR. *(tipo di nave)* galley **2** *(carcere)* prison, jail.

galla ❖ *(locuz. avv.) a g.* afloat, floating, *tornare a g.* to come to the surface.

galleggiare *(v.i.)* to stay afloat.

galleria *(s.f.)* **1** *(traforo)* tunnel, *(passaggio)* subway **2** *(d'arte)* gallery **3** *(teatro, cinema)* circle, balcony, gallery **4** *(con negozi)* (shopping) arcade.

gallese *(agg.)* Welsh ‖ *(s.m.)* **1** *(cittadino)* Welshman ❖ *i gallesi* the Welsh (people) **2** *(lingua)* Welsh ‖ *(s.f.)* Welshwoman.

gallina *(s.f.)* ZOOL. hen.

gallo *(s.m.)* ZOOL. cock, AE rooster.

gallone *(s.m.) (misura)* gallon.

galoppare *(v.i.)* to gallop.

gamba *(s.f.)* **1** ANAT. leg *(anche estens.)* ❖ *in g. (fig.) (abile)* smart, *(in salute)* healthy.

gambero *(s.m.)* ZOOL. BE crayfish, AE crawfish, *(gamberone)* prawn. **gamberetto** *(s.m.)* ZOOL. shrimp.

gambo *(s.m.)* stem, stalk *(anche BOT.)*.

gancio *(s.m.)* hook *(anche SPORT)*.

gara *(s.f.)* **1** competition, contest, *(di velocità)* race **2** *(d'appalto)* tender.

garage *(s.m.)* garage.

garantire *(v.t.)* **1** to guarantee *(anche COMM.)*, *(fig.)* to vouch for **2** *(assicurare)* to assure, to warrant ‖ *(v.i.)* to stand surety. **garanzia** *(s.f.)* guarantee *(anche COMM.)*, warranty.

garbo *(s.m.)* kindness, courtesy.

gareggiare *(v.i.)* to compete.

garofano *(s.m.)* BOT. **1** carnation, *(garofanino)* pink **2** ❖ *chiodo di g.* clove.

garza *(s.f.)* gauze *(anche MED.)*.

garzone *(s.m.) (fattorino)* errand boy.

gas *(s.m.)* gas ❖ *g. di scarico* exhaust.

gasolio *(s.m.)* gas oil, diesel (oil), *(per riscaldamento)* fuel oil.

gassato *(agg.) (bevanda)* sparkling, fizzy.

gastrite *(s.f.)* MED. gastritis.

gatto *(s.m.)* **1** cat, *(maschio)* tom-cat, FAM. pussycat ❖ *g. soriano* tabby **2** AUT. *g. delle nevi* snowcat.

gavetta *(s.f.)* ❖ *venire dalla g. (fig.)* to come up from the ranks.

gazza *(s.f.)* ZOOL. magpie.

gel *(s.m.)* CHIM. gel.

gelare (*v.t. / v.i.*) to freeze. **gelarsi** (*v.pron.*) to freeze, (*piante*) to frost.

gelata (*s.f.*) frost.

gelato (*agg.*) ice-cold, icy ‖ (*s.m.*) ice cream. **gelataio** (*s.m.*) ice cream seller.

gelo (*s.m.*) 1 freeze 2 (*fig.*) chill.

geloso (*agg.*) jealous, (*invidioso*) envious. **gelosia** (*s.f.*) jealousy, (*invidia*) envy.

gelsomino (*s.m.*) BOT. jasmine.

Gemelli (*s.m. pl.*) ASTROL. Gemini.

gemello (*agg.*) twin ‖ (*s.m.*) 1 twin 2 (*pl.*) ABBIGL. cuff-link.

gene (*s.m.*) BIOL. gene. **genetico** (*agg.*) BIOL. genetic.

generale (*agg.*) general, (*comune*) common ‖ (*s.m.*) general (*anche* MIL.).

generare (*v.t.*) 1 to generate (*anche* TECN.), to give birth to 2 (*fig.*) (*provocare*) to cause, to arouse. **generazione** (*s.f.*) 1 (*il generare*) generation (*anche* TECN.) 2 (*individui della stessa età*) generation.

genere (*s.m.*) 1 (*tipo, specie*) kind, type, sort ❖ il g. umano humankind 2 GRAMM. gender 3 ARTE, LETT. genre 4 (*prodotto*) product. **generico** (*agg.*) general, generic (*anche* FARM.).

genero (*s.m.*) son-in-law.

generoso (*agg.*) generous.

gengiva (*s.f.*) ANAT. gum.

genio (*s.m.*) 1 genius 2 (*talento*) talent, gift 3 (*divinità*) genius. **geniale** (*agg.*) ingenious, clever, brilliant ❖ una donna g. a woman of genius.

genitivo (*s.m.*) GRAMM. genitive ❖ g. sassone possessive case.

genitore (*s.m.*) parent.

gennaio (*s.m.*) January.

gente (*s.f.*) 1 people (*costr. pl.*), FAM. folks (*pl.*) 2 (*popolo*) people, nation.

gentile (*agg.*) (*cortese*) kind, polite.

gentilezza (*s.f.*) 1 (*l'essere gentile*) kindness, politeness 2 (*atto gentile*) kindness, BE favour, AE favor.

gentiluomo (*s.m.*) gentleman.

genuino (*agg.*) genuine, (*non sofisticato*) natural, (*autentico*) authentic.

geografia (*s.f.*) geography. **geografico** (*agg.*) geographic(al) ❖ carta geografica map, atlante g. atlas.

geometria (*s.f.*) geometry. **geometrico** (*agg.*) geometric(al).

geranio (*s.m.*) BOT. geranium.

gerarchia (*s.f.*) hierarchy.

gergo (*s.m.*) slang, LING. jargon.

germanico (*agg.*) Germanic.

germe (*s.m.*) BIOL. germ (*anche fig.*).

germogliare (*v.i.*) 1 BOT. (*semi*) to sprout, (*gemme*) to bud 2 (*fig.*) to germinate, to spring up.

gesso (*s.m.*) 1 MIN. gypsum, chalk 2 (*gessetto*) chalk 3 (*impasto*) plaster 4 MED. (*ingessatura*) plaster.

gesto (*s.m.*) 1 gesture, gesticulation, (*del capo*) nod, (*della mano*) wave 2 (*estens.*) (*azione*) gesture, act.

Gesù (*s.m.*) RELIG. Jesus.

gettare (*v.t.*) 1 (*buttare*) to throw, to cast, (*lanciare*) to toss, (*dall'alto*) to drop 2 (*porre*) to lay (*anche fig.*). **gettarsi** (*v.pron.*) 1 to throw o.s., (*dall'alto*) to jump 2 (*di fiume, confluire*) to flow.

gettone (*s.m.*) 1 token, (*per giochi*) counter, (*per giochi d'azzardo*) chip 2 (*di presenza*) attendance fee.

ghiaccio (*s.m.*) ice. **ghiacciaio** (*s.m.*) GEOGR. glacier. **ghiacciare** (*v.i.*) to freeze, to ice up. **ghiacciarsi** (*v.pron.*) to freeze (over).

ghiaia (*s.f.*) gravel.

ghianda (*s.f.*) BOT. acorn.

ghiandola (*s.f.*) ANAT. gland.

ghiro (*s.m.*) ZOOL. dormouse ✦ *dormire come un gh.* (*fig.*) to sleep like a log.

già (*avv.*) **1** already **2** (*prima di*) before, already, (*nelle prop. interr.*) yet **3** (*ormai*) by now, already **4** (*una volta*) formerly **5** (*fin da*) ever since, from **6** (*esclamazione*) of course, yes, indeed.

giacca (*s.f.*) ABBIGL. jacket ✦ *g. a vento* BE windcheater, AE windbreaker.

giacché (*cong.*) as, since.

giacere (*v.i.*) to lie.

giacimento (*s.m.*) GEOL., MIN. deposit, seam ✦ *g. petrolifero* oilfield.

giaguaro (*s.m.*) ZOOL. jaguar.

giallo (*agg. e s.m.*) yellow ✦ *film g.* thriller.

giapponese (*agg. e s.m. / s.f.*) Japanese.

giardino (*s.m.*) garden ✦ *g. pubblico* park, gardens (*pl.*), (*area giochi*) playground. **giardiniere** (*s.m.*) gardener.

gigante (*agg.*) gigantic, giant (*attr.*) ‖ (*s.m.*) giant (*anche fig.*). **gigantesco** (*agg.*) gigantic, huge (*anche fig.*).

giglio (*s.m.*) BOT. lily.

gilè (*s.m.*) ABBIGL. waistcoat, AE vest.

ginecologo (*s.m.*) MED. BE gynaecologist, AE gynecologist, ob-gyn.

ginestra (*s.f.*) BOT. broom.

ginnasio (*s.m.*) BE grammar school, AE high school.

ginnastica (*s.f.*) **1** (*attività fisica*) exercise ✦ *scarpe da g.* BE trainers, AE sneakers **2** (*disciplina*) gymnastics.

ginocchio (*s.m.*) ANAT. knee.

giocare (*v.i.*) **1** to play, (*giocherellare*) to toy **2** (*d'azzardo*) to gamble, (*scommettere*) to bet **3** (*in Borsa*) to speculate **4** (*un ruolo*) to play a part ‖ (*v.t.*) **1** to play **2** (*rischiare*) to risk. **giocatore** (*s.m.*) **1** player **2** (*d'azzardo*) gambler. **giocattolo** (*s.m.*) **1** toy **2** (*fig.*) toy, plaything.

gioco (*s.m.*) **1** game, (*il giocare*) play ✦ *g. di prestigio* conjuring trick **2** (*passatempo*) pastime **3** (*d'azzardo*) gambling **4** (*giocattolo*) toy.

gioia (*s.f.*) **1** joy, delight **2** (*fig.*) (*persona cara*) darling.

gioiello (*s.m.*) **1** jewel, piece of jewellery, (AE jewelry) **2** (*pl.*) BE jewellery, AE jewelry.

giornale (*s.m.*) newspaper, (*rivista*) magazine ✦ *g. di bordo* MAR., AER. log(book). **giornalista** (*s.m. / s.f.*) journalist, reporter.

giornaliero (*agg.*) daily, (*di un giorno*) day (*attr.*) ‖ (*s.m.*) FAM. (*biglietto*) day pass.

giorno (*s.m.*), **giornata** (*s.f.*) day.

giostra (*s.f.*) merry-go-round, AE carousel, BE roundabout.

giovane (*agg.*) **1** young **2** (*giovanile*) youthful, young ‖ (*s.m.*) young man, youth ✦ *i giovani* young people (*pl.*), the young (*costr. pl.*) ‖ (*s.f.*) young woman, girl. **giovanotto** (*s.m.*) young man, youth, youngster.

gioventù (*s.f.*) **1** youth ✦ *in g.* when I was young **2** (*i giovani*) youth, young people (*pl.*). **giovinezza** (*s.f.*) youth.

giovare (*v.i.*) **1** (*essere utile*) to be useful **2** (*fare bene*) to be good (for), to do good. **giovarsi** (*v.pron.*) to take advantage (of), to profit (by).

Giove (*s.m.*) MIT., ASTRON. Jupiter.

giovedì (s.m.) Thursday.

giraffa (s.f.) 1 ZOOL. giraffe 2 TV boom.

girare (v.t.) 1 to turn, (rivoltare) to flip 2 (mescolare) to stir 3 (trasferire) to pass on 4 BANC. (assegno, cambiale) to endorse 5 CINEM. to film, to shoot || (v.i.) 1 (curvare) to turn 2 (ruotare) to go round, to turn round, (su se stessi) to spin, to revolve 3 (andare in giro) to go round, to stroll, to wander, (andare da un posto all'altro) to go around. **girarsi** (v.pron.) to turn, (completamente) to turn round.

girasole (s.m.) BOT. sunflower.

giro (s.m.) 1 (rotazione) turn, turning, MECC. revolution 2 (percorso circolare) round ❖ g. di pista SPORT lap 3 (viaggio) tour 4 (passeggiata) stroll, walk, (in moto, bici) ride, (in auto) drive 5 (turno) turn 6 (fig.) (ambiente) circle ❖ fuori dal g. out.

girotondo (s.m.) ring-a-ring o' roses.

gita (s.f.) trip, excursion, (di un giorno) outing, (scolastica) field trip.

giù (avv.) down, (al piano di sotto) downstairs, ❖ in giù downwards.

giubbotto (s.m.) 1 jacket 2 (antiproiettile) bullet-proof vest 3 (di salvataggio) life jacket.

giudicare (v.t.) 1 to judge 2 (pensare) to consider, to think.

giudice (s.m.) 1 DIR. judge (anche fig.) 2 SPORT umpire, referee.

giudizio (s.m.) 1 DIR. (processo) trial, (sentenza) verdict, sentence 2 (opinione) judgement, opinion 3 (saggezza) wisdom, (buon senso) good sense, common sense 4 (a scuola) evaluation.

giugno (s.m.) June.

giungere (v.i.) 1 (arrivare) to arrive, to come, (raggiungere) to reach (sthg.), to come to 2 (spingersi) to go as far as || (v.t.) (congiungere) to join.

giunta[1] (s.f.) (aggiunta) addition, (in un tessuto) insert ❖ per g. what's more.

giunta[2] (s.f.) (comitato) council, committee ❖ g. comunale municipality.

giuramento (s.m.) oath.

giurare (v.i.) to swear, to take an oath || (v.t.) to swear.

giuria (s.f.) 1 DIR. jury 2 (di concorso) panel of judges.

giustificare (v.t.) to justify. **giustificarsi** (v.pron.) to justify o.s. **giustificazione** (s.f.) 1 justification, (scusa) excuse 2 (a scuola) absence note.

giustizia (s.f.) justice (anche DIR.).

giusto (agg.) 1 right, (onesto) just, (equo) fair 2 (esatto) right, correct 3 (legittimo) legitimate || (avv.) 1 (esattamente) exactly, precisely 2 (proprio) just, very || (s.m.) 1 (persona) just man 2 (ciò che è giusto) (what is) right.

glaciazione (s.f.) GEOL. glaciation, (periodo) Ice Age.

glassa (s.f.) CUC. icing.

gli[1] (art. det. m. pl.) the.

gli[2] (pron. pers. m. 3a pers. sing.) (compl. di termine) (persona) (to) him, (cosa o animale) (to) it.

glicine (s.m.) BOT. wisteria.

globo (s.m.) globe, sphere ❖ il g. terrestre the globe. **globale** (agg.) 1 comprehensive, overall 2 global.

globulo (s.m.) 1 globule 2 BIOL. corpuscle.

gloria (s.f.) glory, BE honour, AE honor. **glorioso** (agg.) glorious, illustrious.

gluteo (*s.m.*) ANAT. gluteus.

goal (*s.m.*) SPORT goal ❖ *fare g.* to score a goal.

gobba (*s.f.*) **1** hump, hunch **2** (*irregolarità del terreno*) bump, hump.

goccia (*s.f.*) drop. **gocciolare** (*v.t. / v.i.*) to drip.

godere (*v.t.*) (*gustare*) to enjoy, to take pleasure in || (*v.i.*) **1** (*rallegrarsi*) to be delighted (at, by), to be glad (about) **2** (*ottenere godimento da*) to enjoy (sthg.). **godersi** (*v.pron.*) to enjoy, (*godersela*) to have a good time.

goffo (*agg.*) awkward, clumsy.

gola (*s.f.*) **1** ANAT. throat **2** (*vizio*) gluttony **3** GEOGR. gorge, ravine.

golf[1] (*s.m.*) ABBIGL. pullover, sweater, BE jumper, (*aperto*) cardigan.

golf[2] (*s.m.*) SPORT golf.

golfo (*s.m.*) GEOGR. gulf.

goloso (*agg.*) greedy || (*s.m.*) glutton.

golpe (*s.f.*) POL. coup.

gomito (*s.m.*) **1** ANAT. elbow (*anche estens.*) ❖ *alzare il g.* to hit the bottle **2** MECC. (*di tubazioni*) elbow, (*di albero*) crank.

gomitolo (*s.m.*) ball.

gomma (*s.f.*) **1** rubber, gum **2** AUT. (*pneumatico*) BE tyre, AE tire **3** (*per cancellare*) BE rubber, AE eraser.

gommone (*s.m.*) MAR. rubber dinghy.

gonfiare (*v.t.*) **1** (*con aria*) to inflate, to blow up, (*con la pompa*) to pump up **2** (*ingrossare, dilatare*) to swell **3** (*fig.*) (*esagerare*) to exaggerate, to puff up, ECON. to inflate. **gonfiarsi** (*v.pron.*) to swell (*anche fig.*), (*di acqua*) to rise. **gonfio** (*agg.*) swollen, (*di aria*) inflated.

gonna (*s.f.*) skirt.

gorilla (*s.m.*) **1** ZOOL. gorilla **2** (*fig.*) (*guardia del corpo*) bodyguard.

governare (*v.t.*) to govern, to rule. **governante** (*s.m. / s.f.*) POL. ruler || (*s.f.*) (*della casa*) housekeeper || (*agg.*) governing, ruling.

governo (*s.m.*) POL. government.

gracchiare (*v.i.*) **1** (*corvo*) to caw **2** (*fig.*) (*persona*) to croak, to cackle, (*apparecchio*) to crackle.

gracidare (*v.i.*) to croak.

gracile (*agg.*) delicate, frail.

gradevole (*agg.*) agreeable, pleasant, (*di sapore*) palatable.

gradino (*s.m.*) step (*anche fig.*).

gradire (*v.t.*) **1** to enjoy, to appreciate **2** (*desiderare*) to like.

grado (*s.m.*) **1** (*stadio*) degree, level **2** (*posizione gerarchica*) rank, grade, step **3** SCIENT. degree **4** ❖ (*vino, liquore*) *12 gradi* 12% alcohol **5** MIL. rank.

graffiare (*v.t.*) **1** to scratch **2** (*fig.*) to bite. **graffio** (*s.m.*) scratch.

grafico (*agg.*) graphic || (*s.m.*) **1** (*diagramma*) graph, chart **2** (*disegnatore*) designer.

grammatica (*s.f.*) grammar.

grammo (*s.m.*) gram, (*spec.* BE) gramme.

grana[1] (*s.f.*) (*consistenza*) grain.

grana[2] (*s.f.*) FAM. (*seccatura*) trouble.

grana[3] (*s.f.*) FAM. (*denaro*) money, dough, bread, BE lolly, AE cabbage.

granaio (*s.m.*) barn, granary.

granchio (*s.m.*) ZOOL. crab.

grande (*agg.*) (*grosso*) big, (*ampio*) large, (*largo*) wide, broad, (*fig.*) great || (*s.m.*) **1** (*adulto*) grown-up **2** (*persona importante*) great man. **grandezza** (*s.f.*) **1** (*dimensione*) size **2** (*ampiezza*) largeness, (*lar-*

ghezza) width, breadth, *(altezza)* height, *(profondità)* depth **3** *(fig.)* greatness **4** ASTRON. magnitude.

grandioso *(agg.)* grand, grandiose.

grandine *(s.f.)* hail *(anche fig.)*.

grano *(s.m.)* **1** BOT. *(frumento)* wheat, *(cereale in genere)* corn **2** *(granello)* grain *(anche fig.)* **3** *(perlina di collana, di rosario)* bead.

granturco *(s.m.)* BOT. BE maize, AE corn.

grappolo *(s.m.)* bunch, cluster.

grassetto *(s.m.)* TIP. bold, boldface.

grasso *(agg.)* **1** fat, *(untuoso)* greasy **2** *(pianta)* succulent **‖** *(s.m.)* fat, *(unto)* grease *(anche CUC.)*.

gratis *(agg. e avv.)* free (of charge).

grato *(agg.)* **1** *(riconoscente)* grateful, thankful **2** *(gradito)* welcome.

grattacielo *(s.m.)* skyscraper.

gratta e vinci *(s.m.)* scratch card.

grattare *(v.t.)* **1** to scratch, *(raschiare)* to scrape **2** FAM. *(grattugiare)* to grate **3** FAM. *(rubare)* to pinch, BE to nick.

grave *(agg.)* **1** *(serio)* serious, important **2** *(duro, difficile)* hard, heavy **3** *(severo)* severe, harsh **4** *(solenne)* grave, solemn.

gravidanza *(s.f.)* pregnancy.

gravità *(s.f.)* **1** gravity, seriousness, *(solennità)* solemnity **2** *(severità)* severity, harshness **3** FIS. gravity.

grazia *(s.f.)* **1** grace, charm **2** *(benevolenza)* BE favour, AE favor, grace **3** *(favore)* BE favour, AE favor, *(condono di una pena)* pardon, mercy **4** TEOL. grace. **grazioso** *(agg.)* **1** *(carino)* pretty, cute **2** *(aggraziato)* charming, delightful.

grazie *(inter.)* thank you!, thanks!

greco *(agg. e s.m.)* Greek.

grembiule *(s.m.)* **1** *(da cucina, di protezione)* apron **2** *(camice)* smock, overall **3** *(da scuola)* pinafore, smock.

grembo *(s.m.)* **1** lap **2** *(ventre)* womb **3** *(fig.)* bosom.

grezzo *(agg.)* **1** *(di materiale)* raw, *(di minerale)* crude, *(non lavorato)* rough **2** *(fig.)* coarse, rough.

gridare *(v.t. / v.i.)* to shout, to cry (out). **grido** *(s.m.)* **1** shout, cry, *(strillo)* scream **✧** *grida di gioia* cheers **2** *(di animale)* cry, call.

grigio *(agg.)* **1** grey, AE gray **2** *(fig.)* *(monotono)* dull **‖** *(s.m.)* grey, AE gray.

griglia *(s.f.)* **1** grill **✧** *alla g.* grilled, AE broiled **2** *(grata)* grille, grid **3** SPORT **✧** *g. di partenza* starting grid.

grilletto *(s.m.)* trigger.

grillo *(s.m.)* ZOOL. cricket.

grinta *(s.f.)* *(risolutezza)* pluck, grit.

grinza *(s.f.)* **1** *(di stoffa)* crease **2** *(ruga)* wrinkle.

grissino *(s.m.)* CUC. breadstick.

grondaia *(s.f.)* gutter.

groppa *(s.f.)* back **✧** *in g.* on the back.

grossista *(s.m. / s.f.)* COMM. wholesaler, wholesale dealer.

grosso *(agg.)* **1** big, large **2** *(importante)* important, great.

grotta *(s.f.)* cave, *(artificiale)* grotto.

grottesco *(agg. e s.m.)* grotesque.

gruccia *(s.f.)* **1** *(strumento ortopedico)* crutch **2** *(per abiti)* hanger.

grumo *(s.m.)* clot, *(di cibo)* lump.

gruppo *(s.m.)* **1** group **2** TECN. set, unit **✧** *g. elettrogeno* generating set.

guadagnare *(v.t.)*, **guadagnarsi** *(v.pron.)* to earn, *(ottenere)* to gain, to win **‖** *(fig.)* to earn, to make money. **guadagno** *(s.m.)* **1** earnings *(pl.)*, profits *(pl.)* **2** *(vantaggio)* gain.

guaio *(s.m.)* trouble, mess ❖ *essere (mettersi) nei guai* to be (to get into) trouble.

guancia *(s.f.)* cheek.

guanciale *(s.m.)* pillow.

guanto *(s.m.)* glove, *(da lavoro)* gauntlet, *(muffole)* mittens.

guardare *(v.t.)* **1** to look at, *(osservare)* to watch **2** *(cercare)* to search **3** *(badare)* to look after, to mind ‖ *(v.i.)* **1** *(affacciarsi)* to face, to look out on **2** *(sforzarsi)* to try **3** *(fare attenzione)* to take care, to mind. **guardarsi** *(v.pron.)* **1** to look at o.s., *(reciprocamente)* to look at each other **2** *(stare in guardia)* to beware of **3** *(evitare)* to take good care not to.

guardaroba *(s.m.)* **1** *(di locale pubblico)* BE cloakroom, AE checkroom **2** *(armadio)* wardrobe, AE closet.

guardia *(s.f.)* **1** *(custodia, vigilanza)* watch, guard **2** *(persona)* guard, *(sentinella)* sentinel **3** SPORT guard.

guardiano *(s.m.)* **1** *(portiere)* caretaker, *(custode)* warden ❖ *g. notturno* night watchman **2** *(di bestiame)* stockman.

guarire *(v.i.)* *(rif. a malato)* to recover, *(rif. a ferita)* to heal ‖ *(v.t.)* to cure, to heal *(anche fig.)*.

guastare *(v.t.)* to spoil *(anche fig.)*, *(rovinare)* to ruin *(anche fig.)*, to damage. **guastarsi** *(v. pron.)* **1** *(alimenti)* to go bad **2** *(apparecchio)* to break (down) **3** *(tempo atmosferico)* to change for the worse **4** *(fig.) (corrompersi)* to be spoiled, to be ruined.

guasto *(agg.)* **1** *(di alimenti)* bad, *(marcio)* rotten **2** *(di apparecchi)* broken (down), out of order ‖ *(s.m.)* **1** MECC., ELETTR. fault, failure, breakdown **2** *(danno)* damage.

guerra *(s.f.)* war ❖ *in g.* at war.

guerriero *(s.m.)* warrior.

gufo *(s.m.)* ZOOL. owl.

guidare *(v.t.)* **1** to guide *(anche fig.)* **2** *(comandare)* to lead **3** *(veicoli)* to drive. **guida** *(s.f.)* **1** guide *(anche fig.)*, *(comando)* leadership **2** *(libro)* guide (book) **3** AUT. driving. **guidatore** *(s.m.)* driver.

guinzaglio *(s.m.)* leash.

guscio *(s.m.)* shell, *(di legumi)* pod.

gustare *(v.t.)* **1** to enjoy, to relish **2** *(assaggiare)* to taste, to try **3** *(fig.)* to enjoy, to appreciate.

gusto *(s.m.)* **1** taste **2** *(sapore)* taste, BE flavour, AE flavor **3** *(piacere)* pleasure, relish ❖ *di g.* heartily, *prenderci g.* to get a taste for it **4** *(senso estetico)* (good) taste.

H

habitat *(s.m.)* BIOL. habitat *(anche estens.)*.

habitué *(s.m. / s.f.) (pub, negozio)* regular (customer), *(teatro, eventi)* regular (goer).

hall *(s.f.)* (entrance) hall, lobby.

handicap *(s.m.)* **1** MED. handicap, disability **2** *(fig.) (svantaggio)* disadvantage, handicap *(anche SPORT)*.

handicappato *(agg.)* MED. disabled, SPREG. handicapped ‖ *(s.m.)* disabled person, SPREG. handicapped person.

hard *(agg.) (pornografia)* hard-core *(attr.)* ❖ *film* h. hard-core film.

hard discount *(s.m.)* FAM. discounter.

henné *(s.f.)* BOT. henna.

herpes *(s.m.)* MED. herpes, *(labbra, bocca)* FAM. cold sore.

hit parade *(s.f.)* charts *(pl.)*, ANTIQ. hit parade.

holding *(s.f.)* FIN. holding company.

hostess *(s.f.)* **1** AER. flight attendant, stewardess, (air) hostess ❖ *h. di terra* ground hostess **2** *(congressi, fiere)* (congress, fair) hostess.

humus *(s.m.)* **1** GEOL. humus **2** *(fig.)* fertile ground.

i *(art. det. m. pl.)* the.
idea *(s.f.)* **1** idea **2** *(opinione)* opinion, mind ❖ **cambiare i.** to change one's mind **3** *(ideale)* ideal. **ideale** *(agg. e s.m.)* ideal. **ideare** *(v.t.)* **1** to conceive **2** *(inventare)* to invent, to devise **3** *(progettare)* to plan.
idem *(avv.)* ditto.
identico *(agg.)* identical.
idiota *(agg.)* idiotic, foolish ‖ *(s.m. / s.f.)* idiot, fool.
idolo *(s.m.)* idol *(anche fig.)*.
idratante *(agg.)* *(cosmetico)* moisturizing.
idraulico *(agg.)* FIS., TECN. hydraulic ‖ *(s.m.)* plumber.
iella *(s.f.)* bad luck. **iellato** *(agg.)* jinxed.
ieri *(avv. e s.m.)* yesterday ❖ **l'altro i.** the day before yesterday.
igiene *(s.f.)* **1** hygiene, sanitation **2** *(salute)* health ❖ **ufficio di i.** public health office. **igienico** *(agg.)* **1** hygienic, sanitary **2** *(salubre)* healthy.
ignobile *(agg.)* ignoble, despicable.
ignorare *(v.t.)* **1** *(non sapere)* not to know, to be unaware of **2** *(non considerare)* to ignore, to overlook. **ignorarsi** *(v.pron.)* to ignore each other (one another). **ignorante** *(agg.)* **1** ignorant **2** *(maleducato)* rude ‖ *(s.m. / s.f.)* **1** *(incolto)* ignorant person, ignoramus **2** *(maleducato)* rude person. **ignoranza** *(s.f.)* ignorance.

ignoto *(agg.)* unknown ‖ *(s.m.)* **1** unknown person **2** *(persona sconosciuta)* unknown person, stranger.
il *(art. det. m. sing.)* the.
illegale *(agg.)* illegal, unlawful.
illegittimo *(agg.)* illegitimate.
illeso *(agg.)* unhurt, unharmed.
illimitato *(agg.)* unlimited, boundless.
illudere *(v.t.)* to deceive, to delude. **illudersi** *(v.pron.)* to deceive o.s., to delude o.s.
illuminare *(v.t.)* **1** to light (up) *(anche fig.)*, to illuminate **2** *(fig.)* *(far comprendere)* to enlighten. **illuminarsi** *(v.pron.)* **1** to light up, to lighten **2** *(fig.)* *(diventare luminoso)* to brighten. **illuminazione** *(s.f.)* **1** lighting **2** *(fig.)* *(intuizione)* (flash of) inspiration.
illusione *(s.f.)* illusion.
illustrare *(v.t.)* to illustrate *(anche fig.)*. **illustrazione** *(s.f.)* illustration.
illustre *(agg.)* illustrious, renowned.
imballare *(v.t.)* to pack, *(avvolgere)* to wrap up.
imbarazzare *(v.t.)* to embarrass. **imbarazzo** *(s.m.)* embarrassment.
imbarcare *(v.t.)* MAR., AER. to board, to embark. **imbarcarsi** *(v.pron.)* **1** MAR., AER. to board, to embark **2** *(partire)* to sail **3** *(arruolarsi)* to sign on **4** *(fig.)* to embark (on).
imbarcazione *(s.f.)* MAR. boat.

imbecille *(agg.)* fool, stupid ‖ *(s.m. / s.f.)* stupid.

imbiancare *(v.t.)* **1** *(rendere bianco)* to whiten **2** *(tinteggiare)* to paint **3** *(candeggiare tessuti)* to bleach.

imbianchino *(s.m.)* painter, decorator.

imboccare *(v.t.)* **1** to feed **2** *(entrare in)* to turn into, to enter.

imboscata *(s.f.)* ambush *(anche fig.)*.

imbottire *(v.t.)* **1** to stuff, to fill, to pad **2** *(fig.)* to cram, to stuff, to pack **3** CUC. *(farcire)* to fill. **imbottirsi** *(v.pron.)* **1** *(vestirsi pesantemente)* to cover up **2** *(fig.)* *(riempirsi eccessivamente)* to stuff o.s. **imbottito** *(agg.)* **1** stuffed, filled, padded **2** CUC. *(farcito)* filled **3** *(fig.)* stuffed.

imbranato *(agg.)* FAM. clumsy.

imbrogliare *(v.t.)* to cheat, *(truffare)* to swindle. **imbrogliarsi** *(v.pron.)* *(confondersi)* to get confused.

imbroglio *(s.m.)* **1** cheat, swindle **2** *(guaio)* mess.

imbroglione *(s.m.)* cheat, swindler.

imbronciarsi *(v.pron.)* to sulk. **imbronciato** *(agg.)* sulky.

imbucare *(v.t.)* **1** to post, AE to mail **2** *(a biliardo)* to pot.

imbuto *(s.m.)* funnel.

imitare *(v.t.)* **1** to imitate **2** *(riprodurre)* to reproduce, to copy **3** *(contraffare)* to forge, to fake.

immagine *(s.f.)* **1** image **2** *(illustrazione, disegno)* picture, illustration.

immaginare *(v.t.)* to imagine.

immatricolare *(v.t.)* *(veicolo)* to register, *(persona)* BE to enrol, AE to enroll.

immaturo *(agg.)* **1** unripe **2** *(fig.)* immature.

immediatamente *(avv.)* immediately, at once, right away.

immediato *(agg.)* immediate.

immenso *(agg.)* immense.

immergere *(v.t.)* to immerse, *(inzuppare, intingere)* to dip, *(tuffare)* to plunge. **immergersi** *(v.pron.)* **1** to plunge, *(rif. a sottomarino)* to submerge **2** *(tuffarsi)* to dive **3** *(fig.)* to immerse o.s.

immigrare *(v.i.)* to immigrate. **immigrato** *(agg. e s.m.)* immigrant. **immigrazione** *(s.f.)* immigration.

imminente *(agg.)* *(prossimo)* imminent, forthcoming.

immobile *(agg.)* motionless, still ‖ *(s.m.)* **1** *(bene immobile)* real estate **2** *(edificio)* building.

immobiliare *(agg.)* real estate *(attr.)* ❖ *agenzia i.* (AE real) estate agency.

immondizia *(s.f.)* BE rubbish, AE garbage.

immorale *(agg.)* immoral.

immortale *(agg.)* immortal.

immune *(agg.)* immune *(anche* MED.), *(libero)* free. **immunità** *(s.f.)* immunity.

immutato *(agg.)* unchanged.

impacchettare *(v.t.)* to package, *(avvolgere con carta)* to wrap (up).

impacciato *(agg.)* **1** *(ostacolato)* hampered **2** *(maldestro)* awkward, clumsy.

impacco *(s.m.)* MED. compress.

impadronirsi *(v.pron.)* **1** *(impossessarsi)* to take possession, to seize **2** *(fig.)* *(imparare bene)* to master.

impallidire *(v.i.)* **1** to turn pale, to grow pale **2** *(di luce)* to grow dim **3** *(di colori)* to fade.

imparare *(v.t.)* to learn.

impastare *(v.t.)* CUC. to knead.

impasto *(s.m.)* **1** mixture **2** CUC. *(l'impastare)* kneading, *(pasta)* dough, *(miscuglio)* mixture.

impatto (s.m.) impact (anche fig.).

impaurire (v.t.) to frighten. **impaurirsi** (v.pron.) to get frightened.

impaziente (agg.) impatient.

impazzire (v.i.) to go mad, to go crazy.

impedire (v.t.) 1 to prevent 2 (ostacolare) to hinder.

impegnare (v.t.) 1 (dare in pegno) to pawn, to pledge (anche fig.) 2 (vincolare) to constrain, to bind, (obbligare) to oblige 3 (tenere occupato) to engage, to keep busy. **impegnarsi** (v.pron.) 1 (assumere un impegno) to commit o.s., to engage o.s. 2 (metterci impegno) to apply o.s., to commit o.s., (dedicarsi) to devote o.s. (to). **impegnativo** (agg.) 1 (lavoro) demanding, (competizione) challenging 2 (promessa) binding. **impegnato** (agg.) 1 (dato in pegno) pawned 2 (occupato) engaged, busy 3 (di intellettuale) committed. **impegno** (s.m.) 1 (incombenza) engagement, (obbligo) commitment 2 (promessa) pledge, promise 3 (zelo) diligence, enthusiasm.

imperativo (agg. e s.m.) imperative (anche GRAMM.).

imperatore (s.m.) emperor. **imperatrice** (s.f.) empress.

imperdonabile (agg.) unforgivable.

imperfetto (agg.) imperfect, (difettoso) faulty, flawed ‖ (s.m.) GRAMM. imperfect (tense).

impermeabile (agg.) 1 impermeable, SCIENT. (terreno) impervious (anche fig.) 2 (all'acqua) waterproof ‖ (s.m.) raincoat, BE mac(k)intosh, FAM. mac, AE slicker.

impersonale (agg.) impersonal.

imperterrito (agg.) unperturbed, (impassibile) impassive.

impertinente (agg.) impertinent ‖ (s.m. / s.f.) impertinent person.

impeto (s.m.) 1 force, impetus 2 (fig.) (slancio) impulse, transport 3 (fig.) (accesso) outburst, fit. **impetuoso** (agg.) 1 furious, raging, (di acqua) rushing 2 (fig.) (di carattere ecc.) impetuous, impulsive.

impianto (s.m.) 1 (insieme di attrezzature) plant, system 2 (installazione) installation 3 (struttura) structure, framework 4 MED. implant, (l'impiantare) implantation.

impiccare (v.t.) to hang. **impiccarsi** (v.pron.) to hang o.s.

impicciare (v.t.) 1 (rif. a cose) to encumber 2 (rif. a persone) to be in the way, to be a nuisance. **impicciarsi** (v.pron.) to meddle (in).

impiegare (v.t.) 1 to use, to employ 2 (spendere) to spend (anche fig.) 3 (metterci) to take 4 (assumere) to employ. **impiegato** (s.m.) employee, (contabile) clerk. **impiego** (s.m.) 1 (uso) use, employment 2 (lavoro) job, position, (occupazione) employment.

impigliarsi (v.pron.) to catch, (fig.) to get entangled.

implicito (agg.) implicit.

implorare (v.t.) to implore, to beg.

imponente (agg.) grand, imposing.

imporre (v.t.) 1 to impose, (costringere) to force 2 (ordinare) to command, to order. **imporsi** (v.pron.) 1 to impose o.s. (on), (dominare) to dominate 2 (farsi rispettare) to assert one's authority 3 (avere successo) to become popular, to be successful 4 (essere necessario) to become necessary.

importante (agg.) important. **importanza** (s.f.) importance.

importare *(v.t.)* ECON. to import ‖ *(v.i.)* **1** *(avere importanza)* to care, to matter, to be of importance **2** *(essere necessario)* to be necessary.

importo *(s.m.)* amount, sum.

impossessarsi *(v.pron.)* **1** to seize (sthg.), to take possession (of) **2** *(fig.)* to master ❖ *i. di una lingua* to master a language.

impossibile *(agg.)* impossible.

imposta[1] *(s.f.)* ECON. tax, duty, levy.

imposta[2] *(s.f.) (di finestra)* shutter.

impostare *(v.t.) (definire)* to set up, to define, *(progettare)* to plan (out).

impostazione *(s.f.)* definition, setup, layout, structuring.

impostore *(s.m.)* impostor.

impotente *(agg.)* **1** helpless, powerless **2** MED. impotent.

impreciso *(agg.)* **1** *(inesatto)* inaccurate **2** *(indeterminato)* imprecise.

imprenditore *(s.m.)* entrepreneur.

impresa *(s.f.)* **1** *(iniziativa)* undertaking, enterprise, venture **2** *(azione)* deed, exploit **3** *(azienda)* business, firm.

impressione *(s.f.)* **1** *(sensazione)* impression, feeling, *(fisica)* sensation **2** *(turbamento)* upset, shock **3** TIP. impression, printing. **impressionare** *(v.t.)* **1** *(turbare)* to move, to upset **2** *(spaventare)* to frighten **3** *(fare colpo)* to strike, to impress. **impressionarsi** *(v.pron.)* **1** *(turbarsi)* to get upset, to be shocked **2** *(spaventarsi)* to be frightened, to be scared **3** *(rimanere colpito)* to be struck, to be impressed. **impressionante** *(agg.)* impressive.

Impressionismo *(s.m.)* PITT., MUS. Impressionism.

imprevisto *(agg.)* unforeseen, unexpected.

imprigionare *(v.t.)* **1** to imprison, to put in prison **2** *(fig.) (intrappolare)* to trap, to block.

imprimere *(v.t.)* **1** to impress, to imprint, to stamp **2** *(fig.)* to impress, to engrave.

improbabile *(agg.)* unlikely, improbable.

impronta *(s.f.)* **1** impression, mark, print ❖ *i. digitale* fingerprint **2** *(fig.)* mark, hallmark **3** *(calco)* cast, BE mould, AE mold **4** *(di animale)* track, pad.

improprio *(agg.)* **1** *(scorretto)* improper, inappropriate **2** *(sconveniente)* unbecoming.

improvviso *(agg.)* **1** sudden **2** *(inaspettato)* unexpected **3** *(imprevisto)* unforeseen. **improvvisare** *(v.t. / v.i.)* to improvise.

imprudente *(agg.)* careless, imprudent, *(avventato)* rash, *(poco saggio)* unwise ‖ *(s.m. / s.f.)* imprudent person.

impugnare[1] *(v.t.)* **1** *(afferrare)* to grasp, to seize **2** *(tenere nel pugno)* to hold, to grip.

impugnare[2] *(v.t.)* DIR. to contest.

impulso *(s.m.)* **1** impulse *(anche fig.)* **2** FIS., ELETTR. pulse. **impulsivo** *(agg.)* impulsive, rash.

imputato *(s.m.)* DIR. defendant, accused ‖ *(agg.)* accused (of), charged (with).

in *(prep.)* **1** *(stato in luogo)* in, at ❖ *i. Spagna* in Spain, *i. casa* at home **2** *(moto a luogo)* to, in, into ❖ *andare i. Spagna* to go to Spain, *salire i. auto* to get in(to) a car **3** *(trasformazione)* into **4** *(tempo)* in, on, at ❖ *i. aprile* in April, *i. una serata di primavera* on a spring evening, *i. questo istante* at this moment **5** *(materia)* ❖ *pantaloni* *i. puro cotone* a pair of cotton trousers **6** (*mezzo*) by, in, on.

inaccessibile (*agg.*) inaccessible, unapproachable (*anche fig.*).

inaccettabile (*agg.*) **1** unacceptable **2** (*ingiustificabile*) unjustifiable.

inadatto (*agg.*) **1** unsuitable (for), unsuited (to), unfit (for) **2** (*incapace*) unable, incapable.

inadeguato (*agg.*) **1** inadequate **2** (*insufficiente*) insufficient **3** (*non all'altezza*) unsuited (to).

inammissibile (*agg.*) **1** inadmissible (*anche* DIR.), not admissible **2** (*inaccettabile*) unacceptable.

inanimato (*agg.*) inanimate, lifeless (*anche fig.*).

inarcare (*v.t.*) to bend, to arch ❖ *i. le sopracciglia* to arch (to raise) one's brows.

inaspettato (*agg.*) unexpected, (*improvviso*) sudden, (*imprevisto*) unforeseen.

inatteso (*agg.*) unexpected, (*improvviso*) sudden.

inaudito (*agg.*) **1** unheard-of, unprecedented **2** (*incredibile*) incredible.

inaugurare (*v.t.*) to inaugurate (*anche fig.*), (*aprire al pubblico*) to open ❖ *i. un ristorante* to open a restaurant. **inaugurazione** (*s.f.*) inauguration, (*apertura*) opening.

inavvertitamente (*avv.*) inadvertently, unintentionally.

incallito (*agg.*) (*fig.*) (*accanito*) inveterate, (*impenitente*) hardened.

incamminarsi (*v.pron.*) to set out, to set off.

incantare (*v.t.*) to bewitch, to enchant, to charm (*anche fig.*). **incantarsi** (*v.pron.*) **1** to be enchanted, to be charmed **2** (*incepparsi*) to get

stuck, to jam. **incantato** (*agg.*) **1** enchanted **2** (*confuso*) entranced, dazed.

incantesimo (*s.m.*) spell, charm.

incantevole (*agg.*) enchanting, charming, (*piacevole*) delightful, lovely.

incapace (*agg.*) **1** incapable, unable **2** (*inetto*) incompetent, inefficient ‖ (*s.m. / s.f.*) (*inetto*) incompetent person.

incarico (*s.m.*) **1** task, job, assignment **2** (*nomina*) appointment **3** (*carica*) office. **incaricare** (*v.t.*) to charge, to entrust. **incaricarsi** (*v.pron.*) to take upon oneself, to take charge over, to see to. **incaricato** (*agg.*) in charge ‖ (*s.m.*) (*persona incaricata*) person in charge.

incasinato (*agg.*) FAM. messy.

incasso (*s.m.*) **1** (*riscossione*) collection, cashing **2** (*somma incassata*) takings (*pl.*).

incastrare (*v.t.*) **1** to drive in, to fit in, to wedge (*fig.*) FAM. (*fare apparire colpevole*) to frame, to set (s.o.) up. **incastrarsi** (*v.pron.*) (*restare incastrato*) to get stuck.

incatenare (*v.t.*) **1** to chain (up), (*ai piedi*) to fetter **2** (*fig.*) to tie.

incavolarsi (*v.pron.*) FAM. to lose one's temper.

incazzarsi (*v.pron.*) VOLG. to get pissed off.

incendiare (*v.t.*) **1** to set on fire, to set fire to **2** (*fig.*) (*infiammare*) to inflame, to fire. **incendiarsi** (*v.pron.*) to catch fire.

incendio (*s.m.*) fire (*anche fig.*).

incerto (*agg.*) **1** uncertain, doubtful **2** (*indeciso*) doubtful, undecided. **incertezza** (*s.f.*) **1** uncertainty, doubt **2** (*indecisione*) indecision.

incessante (*agg.*) unceasing.

inchiesta (*s.f.*) **1** inquiry, investigation **2** (*articolo giornalistico*) report.

inchino (*s.m.*) bow, (*di donna*) curtsey.

incidente (*s.m.*) **1** (*disgrazia*) accident, (*scontro*) crash **2** (*disputa*) argument, dispute.

incidere[1] (*v.t.*) **1** (*intagliare*) to carve, to engrave (*anche fig.*) **2** (*registrare un suono*) to record.

incidere[2] (*v.i.*) **1** (*gravare*) to weigh upon **2** (*influenzare*) to affect (sthg.), to influence (sthg.).

incinta (*agg.*) pregnant.

incivile (*agg.*) **1** uncivilized, barbaric **2** (*maleducato*) rude ‖ (*s.m. / s.f.*) rude person.

inclinare (*v.t.*) **1** to incline, to tilt **2** (*fig.*) (*rendere incline*) to dispose, to incline ‖ (*v.i.*) **1** to lean, to slope **2** (*fig.*) (*propendere*) to be inclined, to tend.

includere (*v.t.*) **1** to include **2** (*allegare*) to enclose.

incoerente (*agg.*) **1** (*materiali*) incoherent (*anche* GEOL.) **2** (*fig.*) (*incongruente*) inconsistent.

incollare (*v.t.*) to stick, to paste, to glue. **incollarsi** (*v.pron.*) to stick (*anche fig.*).

incolpare (*v.t.*) to charge, to accuse.

incombenza (*s.f.*) commission, task, duty.

incompiuto (*agg.*) unfinished.

incompleto (*agg.*) incomplete.

incomprensibile (*agg.*) incomprehensible.

inconsapevole (*agg.*) unaware, ignorant.

inconscio (*agg. e s.m.*) unconscious.

inconsueto (*agg.*) unusual.

incontentabile (*agg.*) hard to please.

incontrare (*v.t.*) **1** to meet, (*per caso*) to run into (*anche fig.*) **2** (*fig.*) to come up against. **incontrarsi** (*v.pron.*) to meet.

incontro (*s.m.*) **1** meeting **2** SPORT match, (*di atletica*) meeting.

incontro a (*loc. prep.*) **1** toward(s) **2** (*contro*) against.

inconveniente (*s.m.*) disadvantage, (*contrattempo*) mishap, hitch.

incoraggiare (*v.t.*) to encourage.

incorreggibile (*agg.*) incorrigible.

incosciente (*agg.*) **1** unconscious **2** (*fig.*) (*irresponsabile*) reckless.

incredibile (*agg.*) incredible, unbelievable.

incrementare (*v.t.*) to increase. **incremento** (*s.m.*) increase.

incrociare (*v.t.*) **1** to cross **2** BOT., ZOOL. to cross, to interbreed.

incrociarsi (*v.pron.*) **1** to cross (each other) **2** (*di strade ecc.*) to intersect **3** (*incontrarsi*) to meet **4** BOT., ZOOL. to intercross, to interbreed.

incrocio (*s.m.*) **1** crossing **2** (*crocevia*) crossroads, intersection **3** BOT., ZOOL. cross.

incubo (*s.m.*) nightmare.

incurabile (*agg. e s.m.*) incurable.

incuria (*s.f.*) negligence.

incustodito (*agg.*) unguarded, unattended.

indagare (*v.t.*) to investigate, to inquire. **indagato** (*s.m.*) DIR. person under investigation.

indagine (*s.f.*) **1** inquiry, investigation ❖ *fare indagini su ql.sa* to investigate sthg. **2** (*studio*) survey.

indebolire (*v.t.*) to weaken (*anche fig.*).

indebolirsi (*v.pron.*) to weaken, to grow weak(er).

indecenza *(s.f.)* indecency. **indecente** *(agg.)* indecent.

indeciso *(agg.)* undecided.

indegno *(agg.)* 1 *(persona)* unworthy 2 *(cosa)* base.

indenne *(agg.)* uninjured, unharmed.

indennizzo *(s.m.)* indemnity.

indescrivibile *(agg.)* indescribable.

indesiderato *(agg.)* unwanted, unwelcome.

indiano *(agg. e s.m)* Indian.

indicare *(v.t.)* 1 to indicate, to show, to point at 2 *(consigliare)* to suggest, to recommend. **indicativo** *(agg.)* 1 *(sintomatico)* indicative 2 *(approssimativo)* approximate ‖ *(s.m.)* GRAMM. indicative.

indice *(s.m.)* 1 ANAT. forefinger, index finger 2 *(di libro)* (index of) contents *(pl.)*, *(analitico)* index 3 *(fig.)* *(segno)* sign.

indietro *(avv.)* 1 *(per indicare posizione)* back, behind 2 *(per indicare direzione)* back, backwards ✦ *all'i.* backwards 3 *(nel tempo)* behind 4 *(di ritorno)* back. **indietreggiare** *(v.i.)* 1 to draw back 2 *(fig.)* to back down, to retreat 3 *(camminare all'indietro)* to step back 4 MIL. to fall back.

indifeso *(agg.)* 1 undefended 2 *(fig.)* defenceless.

indifferente *(agg.)* indifferent.

indigestione *(s.f.)* MED. indigestion. **indignare** *(v.t.)* to fill with indignation. **indignarsi** *(v.pron.)* to be filled with indignation. **indignato** *(agg.)* indignant (at).

indimenticabile *(agg.)* unforgettable.

indipendente *(agg.)* 1 independent 2 *(non in relazione)* unrelated. **indipendentemente** *(avv.)* 1 independently 2 *(a prescindere)* apart from, regardless of.

indipendenza *(s.f.)* independence.

indiretto *(agg.)* indirect *(anche GRAMM.)*.

indirizzare *(v.t.)* 1 *(discorso, lettera)* to address 2 *(una persona)* to direct. **indirizzarsi** *(v.pron.)* 1 *(dirigersi)* to direct one's steps 2 *(rivolgersi)* to address o.s. **indirizzo** *(s.m.)* address.

indisciplinato *(agg.)* undisciplined, unruly.

indiscreto *(agg.)* indiscreet, tactless.

indispensabile *(agg.)* indispensable (to, for), *(essenziale)* essential.

indistintamente *(avv.)* 1 *(senza eccezioni)* without exception 2 *(in modo vago)* indistinctly, vaguely.

indistruttibile *(agg.)* indestructible, *(fig.)* undying.

indisturbato *(agg.)* undisturbed.

individuare *(v.t.)* 1 *(riconoscere)* to recognize 2 *(localizzare)* to locate 3 *(scoprire)* to discover, to find out.

individuo *(s.m.)* 1 individual 2 *(persona)* fellow, character, AE guy.

indivisibile *(agg.)* indivisible *(anche MAT.)*, inseparable.

indizio *(s.m.)* 1 *(segno)* indication, sign, *(traccia)* clue 2 DIR. (circumstantial) evidence.

indole *(s.f.)* temperament, nature.

indolenzito *(agg.)* aching, sore.

indossare *(v.t.)* to wear, *(mettersi indosso)* to put on.

indovinare *(v.t.)* to guess, *(prevedere)* to foresee.

indovinello *(s.m.)* puzzle, riddle.

indugiare *(v.i.)* 1 *(esitare)* to delay, to take one's time 2 *(dilungarsi)* to linger (over), to dwell (on).

induismo *(s.m.)* Hinduism.

indulgente *(agg.)* indulgent.

indumento *(s.m.)* 1 garment, piece of clothing 2 *(pl.)* clothes.

indurire *(v.t.)* to harden *(anche fig.)*. **indurirsi** *(v.pron.)* to harden *(anche fig.)*.

indurre *(v.t.)* to lead.

industria *(s.f.)* industry. **industriale** *(agg.)* industrial || *(s.m. / s.f.)* industrialist ❖ grosso i. tycoon.

inedito *(agg.)* unpublished || *(s.m.)* unpublished work.

inefficace *(agg.)* ineffective, ineffectual.

inefficiente *(agg.)* inefficient.

inerente *(agg.)* inherent, concerning.

inerme *(agg.)* **1** *(disarmato)* unarmed **2** *(indifeso)* defenceless, helpless *(anche fig.)*.

inerte *(agg.)* **1** *(immobile)* motionless, still **2** CHIM., FIS. inert.

inesatto *(agg.)* **1** *(impreciso)* inaccurate **2** *(errato)* mistaken, incorrect. **inesattezza** *(s.f.)* **1** *(imprecisione)* imprecision, inaccuracy **2** *(errore)* mistake.

inesistente *(agg.)* **1** non-existent **2** *(immaginario)* unreal, imaginary.

inesperto *(agg.)* **1** inexperienced **2** *(poco pratico)* unskilled, inexpert.

inestimabile *(agg.)* invaluable, priceless.

inevitabile *(agg. e s.m.)* inevitable.

infallibile *(agg.)* infallible.

infame *(agg.)* **1** infamous, disgraceful **2** FAM. *(pessimo)* vile, awful, dreadful.

infangare *(v.t.)* **1** to muddy **2** *(fig.)* to disgrace. **infangarsi** *(v.pron.)* to get muddy.

infanzia *(s.f.)* childhood. **infantile** *(agg.)* **1** children's *(attr.)*, infantile, *(da bambino)* childlike **2** *(puerile)* childish.

infarinatura *(s.f.)* **1** flouring **2** *(fig.)* smattering.

infarto *(s.m.)* MED. infarct, FAM. heart attack.

infastidire *(v.t.)* to annoy, to trouble, to bother. **infastidirsi** *(v.pron.)* to get annoyed.

infatti *(cong.)* in fact, as a matter of fact, *(veramente)* actually.

infedele *(agg.)* unfaithful *(anche fig.)* || *(s.m. / s.f.)* ST., RELIG. infidel.

infelice *(agg.)* **1** unhappy, *(sventurato)* wretched, miserable **2** *(inopportuno)* inappropriate || *(s.m. / s.f.)* unhappy person, *(sventurato)* wretch.

inferiore *(agg.)* **1** lower **2** *(meno buono)* inferior **3** *(di grado inferiore)* junior || *(s.m.)* inferior, *(subalterno)* subordinate.

infermiera *(s.f.)* nurse. **infermiere** *(s.m.)* (male) nurse.

infermo *(agg.)* invalid, ill || *(s.m.)* invalid.

inferno *(s.m.)* hell *(anche fig.)*. **infernale** *(agg.)* **1** infernal, *(diabolico)* diabolic(al) **2** *(fig.)* *(terribile)* terrible.

infestare *(v.t.)* to infest *(anche fig.)*.

infettare *(v.t.)* **1** MED. to infect **2** *(estens.)* *(contaminare)* to pollute, to contaminate. **infettarsi** *(v.pron.)* to become infected. **infezione** *(s.f.)* MED. infection.

infiammazione *(s.f.)* MED. inflammation.

infilare *(v.t.)* **1** *(passare dentro ql.sa)* to thread, to run ❖ i. un ago to thread a needle **2** *(introdurre)* to insert, to slip, *(con forza)* to thrust **3** *(indossare)* to put on. **infilarsi** *(v.pron.)* **1** *(indumenti)* to put on, to slip on **2** *(conficcarsi)* to stick **3** *(introdursi scivolando)* to slip in(to).

infine *(avv.)* **1** *(alla fine)* at last **2** *(da ultimo)* finally **3** *(in conclusione)* at short **4** *(in fondo)* after all.

infinito (agg.) **1** infinite **2** (senza fine) endless, never-ending || (s.m.) **1** infinite **2** GRAMM. infinitive **3** MAT. infinity.

inflazione (s.f.) ECON. inflation.

inflessibile (agg.) inflexible, rigid.

influenza (s.f.) **1** influence **2** MED. influenza, FAM. flu.

influire (v.i.) to influence, to affect.

influsso (s.m.) influence.

informare (v.t.) to inform. **informarsi** (v.pron.) to inquire, to make inquiries. **informato** (agg.) informed ❖ *male i.* ill-informed.

informatica (s.f.) information technology, computer science. **informatico** (agg.) INFORM. computer (attr.), information (attr.) || (s.m.) computer scientist.

informazioni (s.f.pl.) information, (sing.) piece of information.

infortunio (s.m.) accident.

infrangere (v.t.) to break, to shatter (anche fig.), (la legge) to infringe. **infrangersi** (v.pron.) **1** to break **2** (fig.) to be shattered. **infrangibile** (agg.) unbreakable, (vetro) shatterproof.

infuocato (agg.) **1** red hot **2** (estens.) (caldissimo) scorching **3** (fig.) fiery, (over)heated.

infuriare (v.i.) (imperversare) to rage. **infuriarsi** (v.pron.) (adirarsi) to fly into a rage.

ingannare (v.t.) **1** to deceive, to fool **2** (imbrogliare) to swindle, to cheat. **ingannarsi** (v. pron.) to be wrong. **inganno** (s.m.) deceit, deception.

ingegnere (s.m.) engineer.

ingegno (s.m.) intelligence, talent.

ingelosire (v.t.) to make jealous. **ingelosirsi** (v.pron.) to become jealous.

ingenuo (agg.) naive, ingenuous || (s.m.) naive person.

ingessare (v.t.) MED. to put (sthg.) in plaster, AE to put (sthg.) in a cast.

inghiottire (v.t.) to swallow (up) (anche fig.).

inginocchiarsi (v.pron.) to kneel (down).

ingiusto (agg.) unjust, unfair.

inglese (agg.) English || (s.m.) **1** (abitante) Englishman ❖ *gli inglesi* the English (people) **2** (lingua) English || (s.f.) Englishwoman.

ingoiare (v.t.) to swallow, (fig.) to swallow (up).

ingombrare (v.t.) to encumber, to obstruct, to block. **ingombrante** (agg.) cumbersome.

ingorgo (s.m.) **1** obstruction, blockage **2** (di traffico) jam.

ingranaggio (s.m.) **1** MECC. gear **2** (fig.) (meccanismo) mechanism, clockwork, works (pl.).

ingranare (v.t.) **1** MECC. to engage **2** (fig.) to work out.

ingrandire (v.t.) **1** to enlarge (anche FOT.), (espandere) to expand **2** (fig.) (esagerare) to exaggerate.

ingrassare (v.t.) **1** to fatten **2** MECC. (lubrificare) to oil, to lubricate || (v.i.) to get fat, to put on weight.

ingratitudine (s.f.) ingratitude.

ingrato (agg.) **1** ungrateful (to) **2** (sgradevole) unrewarding || (s.m.) ungrateful person.

ingrediente (s.m.) ingredient (anche fig.).

ingresso (s.m.) **1** (l'entrare) entry **2** (entrata) entrance **3** (accesso) admittance.

ingrosso (loc. avv.) wholesale.

inguaribile (agg.) incurable.

inguine (s.m.) ANAT. groin.

iniettare (*v.t.*) MED., TECN. to inject.

iniezione (*s.f.*) MED., TECN. injection, FAM. shot, FAM. jab.

inizio (*s.m.*) beginning ❖ *dall'i. alla fine* from beginning to end, *dall'i.* from the beginning, *all'i. dell'inverno* at the beginning of winter. **iniziale** (*agg. e s.f.*) initial. **iniziare** (*v.t.*) **1** to begin, to start **2** (*avviare*) to initiate ‖ (*v.i.*) to begin, to start. **iniziativa** (*s.f.*) initiative.

innaffiare (*v.t.*) to water. **innaffiatoio** (*s.m.*) watering can.

innalzare (*v.t.*) **1** to raise (*anche fig.*), to elevate (*anche fig.*) **2** (*erigere*) to erect, to put up. **innalzarsi** (*v.pron.*) to rise (*anche fig.*).

innamorarsi (*v.pron.*) to fall in love (with s.o., sthg., each other). **innamorato** (*agg.*) in love (with).

innanzi (*avv.*) **1** (*prima*) before **2** (*in avanti*) on, onward(s) ❖ *d'ora i.* from now on ‖ (*agg.*) previous ‖ (*prep.*) v. **davanti**.

innanzi tutto (*loc. avv.*) first of all.

innaturale (*agg.*) unnatural.

innegabile (*agg.*) undeniable.

innervosire (*v.t.*) to get on s.o.'s nerves, to irritate. **innervosirsi** (*v.pron.*) to get irritated (at), (*agitarsi*) to become nervous.

inno (*s.m.*) hymn (*anche fig.*), anthem.

innocente (*agg. e s.m. / s.f.*) innocent. **innocenza** (*s.f.*) innocence.

innocuo (*agg.*) innocuous, harmless.

innovativo (*agg.*) innovative.

innumerevole (*agg.*) innumerable, countless.

inodore (*agg.*) BE odourless, AE odorless.

inoffensivo (*agg.*) harmless.

inoltrare (*v.t.*) **1** (*inviare*) to forward (*anche* INFORM.), to send **2** (*presentare*) to submit, to present. **inoltrarsi** (*v.pron.*) to advance. **inoltrato** (*agg.*) **1** (*inviato*) forwarded, sent on **2** (*avanzato*) advanced, late.

inoltre (*avv.*) besides, moreover.

inopportuno (*agg.*) inopportune, out of place.

inorridire (*v.t.*) to horrify ‖ (*v.i.*) to be horrified.

inosservato (*agg.*) unobserved, unnoticed.

inossidabile (*agg.*) METALL. stainless.

inquadratura (*s.f.*) FOT., CINEM. frame, framing.

inqualificabile (*agg.*) **1** (*non valutabile*) unmarkable **2** (*fig.*) (*deplorevole*) unspeakable.

inquietante (*agg.*) disturbing.

inquieto (*agg.*) **1** (*agitato*) restless, troubled **2** (*preoccupato*) worried.

inquilino (*s.m.*) tenant.

inquinare (*v.t.*) **1** to pollute **2** (*fig.*) to spoil. **inquinamento** (*s.m.*) pollution. **inquinato** (*agg.*) polluted.

inquisire (*v.t.*) DIR. to investigate ‖ (*v.i.*) to inquire.

inquisizione (*s.f.*) ST., ECCL. inquisition.

insalata (*s.f.*) CUC. salad.

insapore (*agg.*) tasteless, flavourless.

insaporire (*v.t.*) BE to flavour, AE to flavor, to season.

insediamento (*s.m.*) **1** (*l'insediare*) installation **2** (*zona di stanziamento*) settlement.

insegna (*s.f.*) **1** (*emblema*) insignia (*pl.*) **2** (*bandiera*) flag, MIL. BE colours, AE colors (*pl.*) **3** (*di negozio*) shop sign.

insegnare *(v.t.)* **1** to teach *(anche fig.)* **2** *(indicare)* to show. **insegnante** *(s.m. / s.f.)* teacher.

inseguire *(v.t.)* **1** to chase, to pursue, to run after **2** *(fig.) (vagheggiare)* to pursue, to cherish. **inseguimento** *(s.m.)* pursuit, chase.

insenatura *(s.f.)* GEOGR. cove, inlet.

insensato *(agg.)* senseless, foolish.

insensibile *(agg.)* **1** insensitive **2** *(indifferente)* indifferent **3** *(impercettibile)* imperceptible, slight ‖ *(s.m. / s.f.)* insensitive person.

inserire *(v.t.)* **1** *(introdurre)* to insert, to put in **2** *(includere)* to include. **inserirsi** *(v.pron.)* **1** *(introdursi)* to get into (sthg.), to introduce o.s. into (sthg.) **2** *(integrarsi)* to integrate o.s.

inserito *(agg.)* **1** *(integrato)* integrated **2** ELETTR. *(attivato)* on, turned on.

insetticida *(agg.)* CHIM. insecticide, insect *(attr.)* ‖ *(s.m.)* CHIM. insecticide, pesticide.

insetto *(s.m.)* ZOOL. insect.

insicuro *(agg.)* **1** insecure **2** *(incerto)* uncertain. **insicurezza** *(s.f.)* **1** insecurity **2** *(incertezza)* uncertainty.

insidia *(s.f.)* **1** *(tranello)* snare, trap, *(inganno)* deceit, trick **2** *(pericolo)* danger, peril. **insidioso** *(agg.)* **1** insidious, treacherous **2** *(ingannevole)* tricky.

insieme *(avv.)* **1** together **2** *(allo stesso tempo)* at the same time ‖ *(s.m.)* **1** whole **2** MAT. set.

insignificante *(agg.)* **1** *(senza importanza)* insignificant, unimportant **2** *(di poco valore)* trivial, trifling **3** *(di persona)* insignificant, dull.

insinuare *(v.t.)* **1** *(introdurre)* to slip, to introduce **2** *(fig.) (far credere)* to insinuate. **insinuarsi**

(v.pron.) **1** to creep **2** *(fig.)* to insinuate o.s. **insinuazione** *(s.f.)* insinuation, innuendo.

insipido *(agg.)* **1** *(senza sapore)* insipid, tasteless **2** *(fig.)* insipid, dull.

insistere *(v.i.)* to insist (on).

insoddisfatto *(agg.)* **1** unsatisfied (with) **2** *(scontento)* dissatisfied, discontented **3** *(non appagato)* unfulfilled. **insoddisfazione** *(s.f.)* dissatisfaction, discontent.

insolente *(agg.)* insolent, impudent.

insolito *(agg.)* unusual, strange.

insomma *(avv.)* **1** *(in breve)* in short **2** *(così così)* so-so **3** *(allora)* so ‖ *(inter.) (dunque)* well.

insonnia *(s.f.)* sleeplessness, MED. insomnia.

insopportabile *(agg.)* unbearable, intolerable.

insorgere *(v.i.)* **1** *(ribellarsi)* to revolt, to rise (up), to rebel **2** *(protestare)* to protest **3** *(manifestarsi)* to arise.

insospettabile *(agg.)* **1** above suspicion, beyond suspicion **2** *(impensato)* unsuspected, unexpected.

insospettire *(v.t.)* to make suspicious, to rouse s.o.'s suspicions. **insospettirsi** *(v.pron.)* to become suspicious.

insostenibile *(agg.)* **1** unsustainable **2** *(insopportabile)* unbearable.

inspiegabile *(agg.)* inexplicable, unexplainable, unfathomable.

instabile *(agg.)* **1** unstable *(anche FIS.)*, unsteady **2** *(variabile)* changeable, variable.

insuccesso *(s.m.)* failure.

insufficiente *(agg.)* insufficient, inadequate. **insufficienza** *(s.f.)* **1** insufficiency, *(mancanza)* shortage, want, lack **2** *(a scuola)* low mark.

insultare (*v.t.*) to insult, to abuse.

insulto (*s.m.*) insult, abuse.

intanto (*avv.*) **1** *(nel frattempo)* meanwhile, in the meantime **2** *(allo stesso tempo)* at the same time **3** *(per ora)* for the moment, for the present.

intasare (*v.t.*) to block, to obstruct, *(tubo)* clog. **intasarsi** (*v.pron.*) to get blocked, *(tubo)* to clog up. **intasato** (*agg.*) blocked, *(tubo)* clogged.

integrale (*agg.*) complete, integral ❖ CINEM. versione i. uncut version, pane i. wholemeal bread.

integro (*agg.*) **1** *(intero)* complete **2** *(fig.) (onesto)* honest, upright.

intelletto (*s.m.*) intellect, *(mente)* mind.

intellettuale (*agg. e s.m. / s.f.*) intellectual.

intelligente (*agg.*) intelligent. **intelligenza** (*s.f.*) intelligence.

intendere (*v.t.*) **1** *(sentire)* to hear **2** *(capire)* to understand **3** *(significare)* to mean **4** *(avere intenzione)* to intend, to mean. **intendersi** (*v.pron.*) **1** *(essere esperto)* to be an expert (in) **2** *(accordarsi)* to come to an agreement, to agree **3** *(capirsi)* to understand each other.

intenso (*agg.*) intense, *(colore)* deep, *(luce)* strong.

intenzionato (*agg.*) disposed.

intenzione (*s.f.*) intention.

interattivo (*agg.*) interactive *(anche* INFORM.*)*.

intercettare (*v.t.*) **1** to intercept **2** TEL. to tap. **intercettazione** (*s.f.*) **1** interception **2** TEL. tapping, FAM. bugging.

intercorrere (*v.i.*) **1** *(tempo)* to elapse, to pass **2** *(spazio)* to be, to lie.

interessare (*v.t.*) **1** to interest *(ri-*

guardare) to concern **3** *(implicare)* to affect ‖ *(v.i.)* **1** to interest, to be of interest **2** *(stare a cuore)* to matter, to care about. **interessarsi** (*v.pron.*) **1** to take an interest (in) **2** *(prendersi cura)* to care (for, about), to take care (of). **interessante** (*agg.*) **1** interesting **2** ❖ essere in stato i. to be expecting (a baby). **interesse** (*s.m.*) **1** interest **2** *(tornaconto)* interest, advantage **3** ECON. interest.

interfaccia (*s.f.*) INFORM. interface.

interferenza (*s.f.*) interference.

interiezione (*s.f.*) GRAMM. interjection.

interinale (*agg.*) *(lavoro)* temping.

interiore (*agg.*) inner *(attr.)*, interior *(attr.)*.

intermedio (*agg.*) intermediate.

interminabile (*agg.*) endless, never-ending.

internamente (*avv.*) **1** *(all'interno)* inside, internally **2** *(fig.) (nell'intimo)* inwardly, innerly.

internazionale (*agg.*) international.

Internet (*s.m. / s.f.*) Internet.

interno (*agg.*) **1** internal, inside *(attr.)*, inner **2** *(fig.) (interiore)* inner, inward ‖ *(s.m.)* **1** *(parte interna)* inside, interior **2** CINEM., TV interior, studio shot.

intero (*agg.*) **1** whole **2** *(integro)* intact **3** *(non ridotto)* full ‖ *(s.m.)* whole.

interpretare (*v.t.*) **1** to interpret **2** CINEM., TEATR., MUS. to play, to interpret, to perform. **interpretazione** (*s.f.*) **1** interpretation **2** CINEM., TEATR. acting, interpretation, performance, MUS. interpretation. **interprete** (*s.m. / s.f.*) **1** interpreter **2** CINEM., TEATR. actor *(m.)*, actress *(f.)*, MUS. interpreter.

interpunzione *(s.f.)* GRAMM. punctuation.

interrogare *(v.t.)* **1** to question, to interrogate, to examine **2** *(a scuola)* to examine, to test. **interrogativo** *(agg.)* **1** questioning, inquiring **2** GRAMM. interrogative ❖ *punto i.* question mark || *(s.m.)* *(domanda)* question. **interrogatorio** *(agg.)* questioning, interrogatory || *(s.m.)* questioning, interrogation, DIR. examination. **interrogazione** *(s.f.)* **1** interrogation, *(domanda)* question, query **2** *(scolastica)* oral test **3** POL. question.

interrompere *(v.t.)* **1** *(sospendere)* to interrupt, *(troncare)* to break off, to stop **2** *(bloccare)* to block. **interruttore** *(s.m.)* ELETTR. switch. **interruzione** *(s.f.)* interruption, break.

interurbana *(s.f.)* TEL. long-distance call.

intervallo *(s.m.)* **1** *(di tempo)* interval **2** *(di spazio)* gap **3** *(pausa)* break, pause **4** *(a scuola)* BE break, AE recession **5** CINEM., TEATR. interval, intermission.

intervenire *(v.i.)* **1** to intervene **2** *(intromettersi)* to interfere, to meddle **3** *(essere presente)* to attend, to be present (at), *(partecipare)* to take part (in) **4** *(parlare)* to speak **5** MED. to operate.

intervento *(s.m.)* **1** intervention **2** *(partecipazione)* presence **3** *(discorso)* speech **4** MED. operation.

intervista *(s.f.)* interview.

intesa *(s.f.)* **1** *(l'intendersi)* (mutual) understanding **2** *(patto)* agreement.

intestare *(v.t.)* COMM., DIR. to register. **intestazione** *(s.f.)* **1** *(registrazione)* registration **2** *(titolo)* heading, *(sulle lettere)* letterhead **3** INFORM. header.

intestino *(s.m.)* ANAT. intestine.

intimidire *(v.t.)* **1** to make shy **2** *(minacciare)* to intimidate.

intimo *(agg.)* **1** *(confidenziale)* intimate **2** *(stretto)* close **3** *(privato)* private **4** *(segreto)* intimate, inner || *(s.m.)* **1** *(la parte più interna, segreta)* heart, depths *(pl.)* **2** *(amico stretto)* close friend, intimate (friend) **3** *(biancheria intima)* underwear. **intimità** *(s.f.)* **1** intimacy, privacy **2** *(familiarità)* familiarity.

intimorire *(v.t.)* to intimidate.

intingere *(v.t.)* to dip.

intitolare *(v.t.)* **1** to entitle, to name **2** *(dedicare)* to name after, *(rif. a chiese)* to dedicate. **intitolarsi** *(v.pron.)* *(avere per nome)* to be called.

intollerante *(agg.)* intolerant *(anche* MED.*)*. **intolleranza** *(s.f.)* intolerance *(anche* MED.*)*.

intonaco *(s.m.)* plaster. **intonacare** *(v.t.)* to plaster.

intonare *(v.t.)* **1** *(accordare)* to tune **2** *(cantare)* to sing **3** *(abbinare)* to match. **intonarsi** *(v.pron.)* *(armonizzarsi)* to be in tune (with), to match. **intonato** *(agg.)* **1** in tune, in harmony **2** *(colori)* matching. **intonazione** *(s.f.)* **1** *(tonalità)* pitch **2** *(di strumenti)* tuning **3** LING. intonation **4** *(di colori)* matching.

intorno *(avv.)* around, about || *(agg.)* *(circostante)* surrounding.

intossicare *(v.t.)* to poison, MED. to intoxicate. **intossicarsi** *(v.pron.)* to be poisoned, MED. to be intoxicated.

intralciare *(v.t.)* **1** to hamper, to hold up **2** *(fig.)* to hinder.

intransigente *(agg.)* intransigent, strict.

intransitivo *(agg.)* GRAMM. intransitive.

intrappolare *(v.t.)* to trap *(anche fig.)*.
intraprendere *(v.t.)* to undertake, to embark on ❖ *i. un lavoro* to undertake a job, *i. una carriera* to embark on a career. **intraprendente** *(agg.)* enterprising.

intrattenere *(v.t.)* to entertain. **intrattenersi** *(v.pron.)* 1 to stay (on), to linger 2 *(indugiare su un argomento)* to dwell (on, upon).

intrattenimento *(s.m.)* entertainment, entertaining.

intravedere *(v.t.)* 1 to glimpse, to catch a glimpse of 2 *(fig.) (intuire)* to sense.

intrecciare *(v.t.)* 1 to interlace, to intertwine 2 *(capelli, nastri)* to braid, to plait 3 *(fig.)* to weave together, to link. **intrecciarsi** *(v.pron.)* to interlace, to intertwine, *(di capelli, annodarsi)* to tangle.

intreccio *(s.m.)* 1 interlacement, plaiting, weaving 2 *(fig.) (trama)* plot.

intrigo *(s.m.)* 1 intrigue, plot 2 *(situazione complicata)* complicated situation.

introdurre *(v.t.)* 1 to introduce, *(inserire)* to insert, *(con forza)* to thrust 2 *(fare entrare)* to show in, to let in 3 INFORM. *(dati)* to key in. **introdursi** *(v.pron.) (penetrare)* to get in, *(furtivamente)* to slip in, *(con la forza)* to break in.

introduzione *(s.f.)* 1 introduction 2 *(inserimento)* insertion 3 *(prefazione)* introduction 4 INFORM. input, entry.

intromettersi *(v.pron.)* to interfere, to meddle.

intrufolarsi *(v.pron.)* FAM. to sneak in.

intruso *(agg.)* intrusive, intruding ‖ *(s.m.)* intruder.

intuire *(v.t.)* to sense, to guess, to intuit. **intuito** *(s.m.)* intuition, instinct.

inumano *(agg.)* 1 *(non umano)* inhuman 2 *(crudele)* cruel, inhuman.

inutile *(agg.)* 1 useless, (of) no use 2 *(non necessario)* unnecessary 3 *(inutilizzabile)* unusable.

invadente *(agg.)* intrusive, interfering ‖ *(s.m. / s.f.)* FAM. busybody.

invadere *(v.t.)* to invade *(anche fig.)*.

invalido *(agg.)* 1 DIR. invalid 2 MED. invalid, disabled ‖ *(s.m.)* invalid, disabled person.

invano *(avv.)* in vain.

invasione *(s.f.)* invasion. **invasore** *(agg.)* invading ‖ *(s.m.)* invader.

invecchiare *(v.i.)* 1 *(di cose)* to age, *(di persone)* to grow old 2 *(fig.) (passare di moda)* to go out of date ‖ *(v.t.)* 1 to age 2 *(far sembrare vecchio)* to make look older. **invecchiamento** *(s.m.)* ageing, aging *(anche TECN.)*. **invecchiato** *(agg.)* 1 aged 2 *(antiquato)* out-of-date, obsolete.

invece *(avv.)* instead, *(al contrario)* on the contrary.

inventare *(v.t.)* to invent 2 *(escogitare)* to think up. **inventato** *(agg.)* 1 invented 2 *(immaginario)* fictitious, imaginary.

inverno *(s.m.)* winter. **invernale** *(agg.)* wintry, winter *(attr.)*.

inverosimile *(agg.)* unlikely, improbable ‖ *(s.m.)* the improbable.

inversione *(s.f.)* inversion, reversal, *(di marcia)* AUT. U-turn.

inverso *(agg. e s.m.) (contrario)* opposite.

investigare *(v.t. / v.i.)* to investigate. **investigatore** *(agg.)* investigating, investigatory ‖ *(s.m.)* investigator, detective.

investire (v.t.) **1** ECON., FIN. to invest **2** (urtare) to crash into, (una persona) to run over **3** (conferire) to invest **4** (fig.) to ply, to url. **investimento** (s.m.) **1** ECON., FIN. investment **2** AUT. running over ❖ subire un i. to be run over.

inviare (v.t.) to send, to dispatch, to ship. **inviato** (s.m.) (giornalista) correspondent.

invidia (s.f.) envy ❖ per i. out of envy. **invidiare** (v.t.) to envy. **invidioso** (agg.) envious.

invincibile (agg.) invincible.

invio (s.m.) **1** sending, (per posta) mailing **2** (di merci) dispatch, shipment **3** (di denaro) remittance **4** INFORM. (tasto) enter (key).

invisibile (agg.) invisible.

invitare (v.t.) to invite ❖ i. qu.no a cena to invite s.o. to dinner. **invitante** (agg.) inviting, attractive, (cibo) appetizing. **invitato** (s.m.) guest. **invito** (s.m.) invitation.

inzuppare (v.t.) **1** (infradiciare) to soak, to drench **2** (intingere) to dip. **inzupparsi** (v.pron.) (infradiciarsi) to get soaked through, to get drenched. **inzuppato** (agg.) (fradicio) soaked (with), drenched (with), wet through.

io (pron. pers. 1a pers. sing.) I, (esclam.) FAM. me ❖ sono i.! it's me!

iodio (s.m.) CHIM. iodine.

ipnotizzare (v.t.) to hypnotize (anche fig.).

ipocrita (agg.) hypocritical ‖ (s.m./s.f.) hypocrite.

ipotesi (s.f.) hypothesis, (supposizione) supposition. **ipotetico** (agg.) hypothetical.

ippica (s.f.) SPORT horse racing.

ippopotamo (s.m.) ZOOL. hippopotamus, FAM. hippo.

ira (s.f.) rage, fury.

iracheno (agg. e s.m.) Iraqi.

iraniano (agg. e s.m.) Iranian.

irascibile (agg.) irascible, quick-tempered.

irato (agg.) angry, irate.

irlandese (agg.) Irish ‖ (s.m.) **1** (abitante) Irishman ❖ gli Irlandesi the Irish (people) **2** (lingua) Irish ‖ (s.f.) Irishwoman.

ironia (s.f.) irony. **ironico** (agg.) ironic(al). **ironizzare** (v.i.) to be ironic, to speak ironically.

irraggiungibile (agg.) **1** unreachable **2** (fig.) (irrealizzabile) unattainable.

irragionevole (agg.) **1** unreasonable **2** (irrazionale) irrational.

irrazionale (agg.) irrational.

irreale (agg.) **1** unreal **2** (fantastico) dream (attr.), fantastic.

irrealizzabile (agg.) unfeasible, impracticable.

irrecuperabile (agg.) irrecoverable, irretrievable.

irrefrenabile (agg.) uncontrollable, irrepressible.

irregolare (agg.) **1** irregular **2** (non uniforme) uneven, (superficie) rough.

irreperibile (agg.) untraceable, impossible to find ❖ rendersi i. FAM. to make o.s. scarce.

irrequieto (agg.) restless, troubled.

irresistibile (agg.) irresistible.

irresponsabile (agg.) irresponsible ‖ (s.m./s.f.) irresponsible person.

irreversibile (agg.) irreversible (anche MED.).

irriducibile (agg.) **1** irreducible, indomitable **2** (fig.) (ostinato) diehard ‖ (s.m./s.f.) diehard, hard-liner.

irrigazione *(s.f.)* irrigation.
irrigidirsi *(v.pron.)* to stiffen.
irrigidito *(agg.)* stiff.
irrilevante *(agg.)* insignificant.
irripetibile *(agg.)* **1** unrepeatable **2** *(unico)* unique.
irrisorio *(agg.)* **1** *(che irride)* derisive **2** *(minimo)* trifling, insignificant.
irritare *(v.t.)* **1** to irritate, to annoy **2** MED. to inflame. **irritarsi** *(v.pron.)* **1** to get irritated (about) **2** MED. to become irritated. **irritabile** *(agg.)* irritable. **irritante** *(agg.)* **1** irritating **2** MED. irritant. **irritato** *(agg.)* **1** irritated, annoyed **2** MED. inflamed. **irritazione** *(s.f.)* **1** irritation, annoyance **2** MED. inflammation, irritation.
irruzione *(s.f.)* bursting in, rush, *(di militari, forze dell'ordine ecc.)* raid.
iscrivere *(v.t.)* to enter, BE to enrol, AE to enroll, *(registrare)* to register. **iscriversi** *(v.pron.)* BE to enrol (for), AE to enroll, to enter. **iscritto** *(agg.)* enrolled, *(registrato)* registered ‖ *(s.m.)* member, *(a concorso, gara)* entrant. **iscrizione** *(s.f.)* **1** BE enrolment, AE enrollment, registration, *(a gara, concorso ecc.)* entry **2** *(epigrafe)* inscription.
Islam *(s.m.)* Islam.
islamico *(agg.)* Islamic ‖ *(s.m.)* Muslim, Moslem.
islandese *(agg.)* Icelandic ‖ *(s.m / s.f.)* Icelander.
isola *(s.f.)* island *(anche fig.)*.
isolare *(v.t.)* **1** to isolate **2** *(fig.)* to cut off **3** FIS. to insulate. **isolarsi** *(v.pron.)* to isolate o.s., to cut o.s. off.

isolato *(agg.)* **1** *(appartato)* isolated **2** *(fig.)* *(tagliato fuori)* cut off **3** FIS. insulated ‖ *(s.m.)* block.
ispettore *(s.m.)* inspector, AMM. surveyor.
ispezione *(s.f.)* inspection, *(controllo)* check-up.
ispirare *(v.t.)* to inspire. **ispirarsi** *(v.pron.)* to be inspired (by). **ispirazione** *(s.f.)* inspiration.
israeliano *(agg. e s.m.)* Israeli.
istantanea *(s.f.)* FOT. snap(shot).
istantaneo *(agg.)* instantaneous, instant *(attr.)*, immediate.
istante *(s.m.)* instant, moment.
istinto *(s.m.)* instinc. **istintivo** *(agg.)* instinctive.
istituire *(v.t.)* **1** *(fondare)* to found, to institute, to establish **2** DIR. to appoint.
istituto *(s.m.)* **1** *(ente)* institute **2** *(scuola)* school, *(universitario)* department **3** *(istituzione)* institution.
istituzione *(s.f.)* institution.
istruire *(v.t.)* **1** to teach, to instruct **2** DIR. to institute. **istruirsi** *(v.pron.)* **1** *(formarsi una cultura)* to educate o.s. **2** *(informarsi)* to learn. **istruito** *(agg.)* educated, cultured, *(dotto)* learned. **istruttivo** *(agg.)* instructive, educational. **istruzione** *(s.f.)* **1** education, *(insegnamento)* teaching **2** *(addestramento)* training **3** *(direttiva)* instruction, direction **4** INFORM. instruction.
italiano *(agg. e s.m.)* Italian.
itinerario *(s.m.)* itinerary, route.
ittico *(agg.)* fish *(attr.)*, fishing.

J

jazz *(agg. e s.m.)* MUS. jazz ❖ *complesso, orchestra* j. jazz band.

jazzista *(s.m. / s.f.)* jazz musician, jazz player, *(m.)* jazzman, *(f.)* jazzwoman.

jeans *(s.m. pl.)* **1** *(blue-jeans)* jeans **2** *(tessuto)* jean, denim.

jeanseria *(s.f.)* jeans shop.

jodler *(s.m.)* MUS. *(canto tirolese)* yodel.

jolly *(s.m.)* **1** *(a carte)* joker **2** *(estens.)* *(tuttofare)* BE, FAM. all-rounder.

K

kapò *(s.m. e s.f.)* kapo.
karakiri *(s.m.)* hara-kiri.
kermesse *(s.f.) (evento, manifestazione)* event, show.
kitsch *(s.m. e agg.)* kitsch.
kiwi *(s.m.)* ZOOL., BOT. kiwi.
koala *(s.m.)* ZOOL. koala.

kolossal *(s.m.)* CINEM., TV spectacular.
krapfen *(s.m.)* CUC. doughnut.
k-way *(s.m.)* ABBIGL. *(tipo di impermeabile)* BE cagoule, AE windbreaker.

L

la¹ (*art. det. f. sing.*) the (v. *anche* **il**).

la² (*pron. pers. f. sing. compl. ogg.*) (*rif. a persona*) her, (*rif. a cose o animali*) it, (*in formula di cortesia*) you.

la³ (*s.m. invar.*) MUS. (*nota*) A.

là (*avv.*) there ❖ **eccolo l.** there he is.

labbro (*s.m.*) ANAT. lip.

labirinto (*s.m.*) labyrinth, maze.

laboratorio (*s.m.*) **1** laboratory, FAM. lab **2** (*officina*) workshop.

laburismo (*s.m.*) POL. labourism. **laburista** (*agg.*) POL. Labour (*attr.*).

lacca (*s.f.*) **1** lacquer, lake **2** (*per capelli*) hairspray, (*per unghie*) BE (nail) varnish, AE (nail) polish.

laccio (*s.m.*) lace, string, shoelace.

lacerare (*v.t.*) to tear, to rip, to rend (*anche fig.*). **lacerarsi** (*v.pron.*) to tear, to rip, (*fig.*) to be rent. **lacerante** (*agg.*) (*fig.*) lacerating, (*suono*) piercing.

lacrima (*s.f.*) tear. **lacrimare** (*v.i.*) to water, (*piangere*) to weep. **lacrimogeno** (*agg. e s.m.*) ❖ **gas l.** tear gas.

lacuna (*s.f.*) gap (*anche fig.*).

ladro (*s.m.*) thief (*anche estens.*).

lager (*s.m.*) concentration camp.

laggiù (*avv.*) down there, over there.

lagna (*s.f.*) **1** (*lamento*) whine, whining **2** (*persona*) whiner **3** (*noia*) bore.

lago (*s.m.*) **1** lake **2** (*fig.*) pool.

laico (*agg.*) **1** lay (*attr.*), laic **2** (*non confessionale*) secular || (*s.m.*) layman.

lama (*s.f.*) blade.

lamentare (*v.t.*) (*compiangere*) to mourn. **lamentarsi** (*v.pron.*) **1** to complain **2** (*gemere*) to moan, to groan.

lamento (*s.m.*) **1** lament, (*gemito*) moan, whine **2** (*lamentela*) complaint.

lametta (*s.f.*) (*da barba*) razor blade.

lampada (*s.f.*) lamp.

lampadario (*s.m.*) chandelier.

lampadina (*s.f.*) (light) bulb, lamp.

lampeggiare (*v.i.*) to flash, to blink.

lampione (*s.m.*) street lamp, street light.

lampo¹ (*s.m.*) **1** lightning **2** (*bagliore*) flash **3** (*fig.*) (*tempo brevissimo*) flash || (*agg.*) (*istantaneo*) lightning (*attr.*).

lampo² (*s.f.*) FAM. (*cerniera*) BE zip (fastener), AE zipper.

lampone (*s.m.*) raspberry.

lana (*s.f.*) wool.

lancetta (*s.f.*) pointer, (*orologio*) hand.

lancia (*s.f.*) spear, lance.

lanciare (*v.t.*) **1** to throw (*anche fig.*), to toss, (*con forza*) to fling, (*dall'alto*) to drop **2** (*missile, attacco*) to launch **3** (*presentare al pubblico*) to launch. **lanciarsi** (*v.pron.*) **1** to throw o.s. **2** (*dall'alto*) to jump, (*con paracadute*) to parachute **3** (*fig.*) (*in un'impresa*) to embark (on). **lanciatore** (s.m.) (atletica) thrower, (baseball) pitcher. **lancio** (s.m.) **1** throw, (il lanciare) throwing, launching (anche fig. e MIL.), (di bombe) dropping, (con paracadute) parachuting **2** SPORT throwing, (baseball) pitching.

languire (v.i.) to languish.

lanterna (s.f.) lantern, (faro) lighthouse.

lapidare (v.t.) to stone to death.

lapide (s.f.) **1** tombstone, gravestone **2** (commemorativa) memorial stone.

lapsus (s.m.) slip (of the tongue).

largo (agg.) **1** wide, (spec. di parti del corpo) broad **2** ABBIGL. (troppo ampio) loose **3** (liberale) liberal **4** (abbondante) generous ‖ (s.m.) **1** (larghezza) breadth, width **2** MAR. open sea ❖ al l. offshore **3** MUS. largo. **larghezza** (s.f.) **1** width, breadth **2** (fig.) (liberalità) liberality, generosity, (abbondanza) abundance.

laringe (s.f.) ANAT. larynx. **laringite** (s.f.) MED. laryngitis.

larva (s.f.) ZOOL. larva, (di insetto) grub, maggot.

lasciare (v.t.) **1** to leave **2** (non tenere più) to let go **3** (permettere) to let **4** (rinunciare) to give up **5** (rimetterci) to lose. **lasciarsi** (v.pron.) (separarsi) to part, (coppia) to split up, to break up.

lassativo (agg. e s.m.) laxative.

lassù (avv.) up there.

lastra (s.f.) **1** (di pietra) slab, (di metallo) plate, (di vetro) pane, (di ghiaccio) sheet **2** (radiografia) X-ray.

laterale (agg.) lateral, side (attr.). **lateralmente** (avv.) sideways, laterally.

latino (agg. e s.m.) Latin.

latino-americano (agg. e s.m.) Latin American ‖ (s.m./s.f.) AE Latino.

latitante (agg.) in hiding ‖ (s.m./s.f.) fugitive (from justice).

latitudine (s.f.) latitude.

lato (s.m.) side (anche fig.).

latte (s.m.) **1** milk ❖ l. intero whole milk, l. (parzialmente) scremato (semi-) skimmed milk **2** ❖ l. solare sun lotion, l. detergente cleansing milk. **latteria** (s.f.) dairy. **latticino** (s.m.) dairy product.

latteo (agg.) ❖ Via Lattea Milky Way.

lattice (s.m.) latex (anche BOT.).

lattina (s.f.) tin, AE can.

lattosio (s.m.) lactose.

lattuga (s.f.) lettuce.

laurea (s.f.) (university) degree. **laureare** (v.t.) to confer a degree (on s.o.). **laurearsi** (v.pron.) to graduate, to get a degree. **laureato** (agg.) graduate (attr.) ‖ (s.m.) graduate.

lava (s.f.) lava.

lavabo (s.m.) washbasin.

lavaggio (s.m.) washing ❖ l. a secco dry cleaning.

lavagna (s.f.) **1** blackboard ❖ l. luminosa overhead projector **2** MIN. slate.

lavanda (s.f.) BOT. lavender.

lavanderia (s.f.) laundry, (lavasecco) dry cleaner's, (l. a gettone) BE laund(e)rette, AE Laundromat.

lavandino (s.m.) (bagno) washbasin.

lavare (v.t.) to wash (anche fig.). **lavarsi** (v.pron.) to wash (o.s.), to have a wash ❖ l. i denti to clean, to brush one's teeth.

lavastoviglie (s.f.) dishwasher.

lavatrice (s.f.) washing machine.

lavello (s.m.) (in cucina) (kitchen) sink.

lavorare *(v.i.)* **1** to work **2** *(essere in funzione)* to operate, to work, to be running ‖ *(v.t.)* to work, *(materie prime)* to process, *(la terra)* to cultivate. **lavorativo** *(agg.)* working. **lavoratore** *(s.m.)* worker ❖ *l. dipendente* employee. **lavoro** *(s.m.)* **1** work, *(faticoso)* BE labour, AE labor **2** *(occupazione)* job, work **3** *(opera)* work **4** FIS. work.

le[1] *(art. det. f. pl.)* the (v. i).

le[2] *(pron. pers. f. sing. compl. di termine)* **1** *(rif. a persona)* (to) her, *(rif. a cose o animali)* (to) it **2** *(formula di cortesia)* (to) you ‖ *(pron. pers. f. pl. compl. ogg.)* them.

leader *(agg. invar.)* leading ❖ *azienda l.* leading firm ‖ *(s.m.)* *(capo)* leader.

leale *(agg.)* **1** *(fedele)* loyal, faithful **2** *(corretto, onesto)* fair. **lealtà** *(s.f.)* *(fedeltà)* loyalty, *(correttezza)* fairness.

lebbra *(s.f.)* leprosy.

leccare *(v.t.)* to lick, *(animali)* to lap.

lecito *(agg.)* **1** *(permesso)* allowed **2** DIR. lawful, licit ‖ *(s.m.)* right.

lega *(s.f.)* **1** league *(anche SPORT)*, association **2** METALL. alloy.

legale *(agg.)* legal, *(giudiziario)* forensic ‖ *(s.m.)* *(avvocato)* lawyer, counsel, AE attorney. **legalmente** *(avv.)* legally. **legalizzare** *(v.t.)* **1** *(autenticare)* to authenticate **2** *(rendere legale)* to legalize.

legame *(s.m.)* **1** *(vincolo)* link, tie, bond **2** *(fig.)* *(relazione)* relationship, *(nesso)* connection, link **3** CHIM. bond.

legamento *(s.m.)* ANAT. ligament.

legare *(v.t.)* **1** to tie (up), to bind *(anche fig.)*, *(a ql.sa)* to fasten **2** *(fig.)* *(collegare)* to link, to connect ‖ *(v.i.)*

(andare d'accordo) to hit it off (with). **legarsi** *(v.pron.)* to bind o.s., to tie o.s. **legato** *(agg.)* tied, *(vincolato)* bound, *(affezionato)* close, *(collegato)* linked, connected.

legge *(s.f.)* law, *(del parlamento)* act ❖ *disegno, progetto di l.* bill.

leggenda *(s.f.)* **1** legend **2** *(diceria)* tale, story.

leggere *(v.t. / v.i)* to read *(anche estens.)*.

leggero *(agg.)* **1** light **2** *(bevanda)* light, *(non intenso)* mild **3** *(non spesso)* thin **4** *(lieve)* slight **5** *(fig.)* *(frivolo)* frivolous, *(superficiale)* thoughtless, *(incostante)* fickle.

leggio *(s.m.)* ECCL. lectern, MUS. music stand.

legione *(s.f.)* legion.

legislatura *(s.f.)* legislature, *(periodo)* term.

legislazione *(s.f.)* legislation, law(s). **legittimo** *(agg.)* **1** legitimate **2** *(conforme alle leggi)* legitimate, lawful ❖ *l. legittima difesa* BE self-defence, AE self-defense.

legno *(s.m.)* wood. **legna** *(s.f.)* *(da ardere)* (fire)wood. **legname** *(s.m.)* wood, *(da costruzione)* BE timber, AE lumber. **legnoso** *(agg.)* **1** wooden **2** *(fig.)* *(rigido)* stiff, *(duro)* hard.

legume *(s.m.)* *(pianta)* legume **2** *(pl.)* *(semi edibili)* pulses.

lei *(pron. pers. f. sing.)* **1** *(sogg.)* she **2** *(compl.)* her ❖ *è l.!* it's her! **3** *(formula di cortesia)* you.

lente *(s.f.)* **1** FOT. lens **2** *(pl.)* *(occhiali)* glasses, spectacles.

lenticchia *(s.f.)* BOT. lentil.

lentiggine *(s.f.)* *(spec. pl.)* freckle.

lento *(agg.)* **1** slow **2** *(allentato)* slack, loose ‖ *(s.m.)* *(ballo)* slow dance. **lentamente** *(avv.)* slowly.

lenza *(s.f.)* fishing line.
lenzuolo *(s.m.)* sheet.
leone *(s.m.)* **1** ZOOL. lion **2** ASTROL. Leo. **leonessa** *(s.f.)* ZOOL. lioness.
leopardo *(s.m.)* ZOOL. leopard.
lepre *(s.f.)* ZOOL. hare.
lesbica *(s.f.)* lesbian.
lesione *(s.f.)* **1** MED. lesion, injury **2** *(danno)* damage, *(offesa)* offence.
lessico *(s.m.)* vocabulary, *(dizionario)* dictionary. **lessicale** *(agg.)* lexical.
lessare *(v.t.)* to boil. **lesso** *(agg.)* boiled **II** *(s.m.)* *(carne)* boiled meat.
letale *(agg.)* lethal, deadly.
letame *(s.m.)* manure, dung.
letargo *(s.m.)* **1** *(di animali)* hibernation **2** *(fig.)* lethargy, apathy.
lettera *(s.f.)* **1** *(di alfabeto)* letter **2** *(messaggio scritto)* letter **3** *(pl.)* *(letteratura)* literature, *(studi umanistici)* Arts. **letteralmente** *(avv.)* literally. **letteratura** *(s.f.)* literature.
letto *(s.m.)* **1** bed **2** GEOL. *(di fiume)* riverbed. **lettino** *(s.m.)* *(per bambini)* BE cot, AE crib.
lettore *(s.m.)* **1** reader **2** *(universitario)* (foreign language) assistant **3** TECN. reader, INFORM. reader, drive, *(CD, DVD, MP3)* player.
lettura *(s.f.)* **1** reading **2** *(interpretazione)* reading, interpretation.
leva *(s.f.)* lever, *(del cambio)* gear lever, BE (gear) stick, AE gear shift.
levare *(v.t.)* **1** *(togliere)* to take away, *(rimuovere)* to take off, *(estrarre)* to take out, to pull out **2** *(sollevare)* to raise, to lift *(anche fig.)*. **levarsi** *(v.pron.)* **1** *(spostarsi)* to move, to get out **2** *(sorgere)* to rise **3** *(indumenti)* to take off.
levigato *(agg.)* smooth, polished.

levriere *(s.m.)* ZOOL. greyhound.
lezione *(s.f.)* lesson *(anche fig.)*, *(all'università)* lecture.
li *(pron. pers. m. pl. compl. ogg.)* them.
lì *(avv.)* there ❖ *lì dentro* in there.
libbra *(s.f.)* pound.
libellula *(s.f.)* ZOOL. dragonfly.
liberale *(agg. e s.m.)* liberal, POL. Liberal. **liberalismo** *(s.m.)* POL., ECON. liberalism.
libero *(agg.)* **1** free **2** *(stanza, abitazione)* vacant, *(taxi)* for hire **3** *(sgombro)* clear, open **4** DIR. *(esente)* free, exempt **II** *(s.m.)* SPORT *(nel calcio)* sweeper. **liberamente** *(avv.)* freely.
liberare *(v.t.)* **1** to free, to set free **2** *(rilasciare)* to release **3** *(sgombrare)* to clear, to leave empty, *(stanza, abitazione)* to vacate **4** *(salvare)* to save, to rescue. **liberarsi** *(v.pron.)* **1** to free o.s., to break free *(anche fig.)* **2** *(disfarsi di)* to get rid of **3** *(di stanza, abitazione)* to become vacant.
liberazione *(s.f.)* **1** liberation, *(rilascio)* release **2** *(fig.)* *(sollievo)* relief.
libertà *(s.f.)* liberty, freedom ❖ *l. provvisoria* bail, *l. vigilata* probation.
liberty *(agg. e s.m.)* *(stile)* art nouveau.
libidine *(s.f.)* *(brama)* lust.
libraio *(s.m.)* bookseller.
libreria *(s.f.)* **1** *(negozio)* bookshop, AE bookstore **2** *(mobile)* bookcase **3** *(raccolta)* library *(anche INFORM.)*.
libretto *(s.m.)* booklet, MUS. libretto ❖ *l. degli assegni* BE chequebook, AE checkbook, *l. di circolazione* AUT. registration (document).
libro *(s.m.)* book.
liceale *(agg.)* secondary school *(attr.)*, AE high school *(attr.)* **II** *(s.m / s.f.)* secondary school student, AE high school student.

licenza *(s.f.)* **1** *(permesso)* permission, leave *(anche MIL.)* **2** *(patente, documento)* BE licence, AE license, permit **3** *(libertà)* licence.

licenziare *(v.t.)* to dismiss, to lay off, to fire, FAM., BE to sack. **licenziarsi** *(v.pron.)* to resign. **licenziamento** *(s.m.)* dismissal, lay-off, firing.

liceo *(s.m.)* secondary school, AE high school.

lido *(s.m.)* beach.

lieto *(agg.)* happy, glad.

lieve *(agg.)* light, *(non grave)* slight, *(rumore)* faint. **lievemente** *(avv.)* **1** lightly, slightly **2** *(con delicatezza)* gently, softly.

lievito *(s.m.)* leaven, yeast, *(in polvere)* baking powder. **lievitare** *(v.i.)* to rise *(anche fig.)*.

lifting *(s.m.)* MED. face-lift.

lilla *(agg. e s.m.)* *(colore)* lilac.

lillà *(s.m.)* BOT. lilac, syringa.

lima *(s.f.)* file, *(raspa)* rasp. **limetta** *(s.f.)* *(da unghie)* NAIL FILE. **limare** *(v.t.)* **1** to file, to rasp **2** *(fig.)* *(perfezionare)* to polish, to perfect.

limbo *(s.m.)* limbo *(anche fig.)*.

limitare *(v.t.)* to limit, to restrict ‖ *(s.m.)* *(soglia)* threshold *(anche fig.)*. **limitarsi** *(v.pron.)* to limit o.s.

limite *(s.m.)* limit *(anche fig.)*, *(confine)* boundary.

limitrofo *(agg.)* BE neighbouring, AE neighboring.

limo *(s.m.)* **1** slime **2** GEOL. silt.

limone *(s.m.)* lemon, *(albero)* lemon (tree). **limonata** *(s.f.)* lemonade.

limpido *(agg.)* clear *(anche fig.)*, crystal clear, *(acqua)* limpid.

lince *(s.f.)* ZOOL. lynx.

linciare *(v.t.)* to lynch.

linea *(s.f.)* **1** line *(anche fig.)*, *(confine)* **2** *(autobus, aereo)* route, *(ferrovia, me-* tropolitana) line **3** *(di abito)* cut **4** *(snellezza)* figure. **linearità** *(s.f.)* *(fig.)* steadfastness, *(coerenza)* consistency.

lineamenti *(s.m. pl.)* **1** *(fisionomia)* features **2** *(fig.)* *(elementi essenziali)* main features, outlines.

lineetta *(s.f.)* dash, *(trattino d'unione)* hyphen.

linfa *(s.f.)* **1** BIOL. lymph **2** BOT. sap. **linfatico** *(agg.)* ANAT. lymphatic.

lingotto *(s.m.)* ingot, bar.

lingua *(s.f.)* **1** ANAT. tongue **2** *(idioma)* language, tongue. **linguaggio** *(s.m.)* language ❖ *l. infantile* baby talk.

linguista *(s.m / s.f.)* linguist. **linguistica** *(s.f.)* linguistics.

lino *(s.m.)* **1** BOT. flax **2** *(tessuto)* linen.

liofilizzato *(agg.)* freeze-dried.

liquame *(s.m.)* sewage.

liquefare *(v.t.)*, **liquefarsi** *(v.pron.)* to melt, FIS. to liquefy.

liquidare *(v.t.)* **1** *(pagare)* to pay, *(risolvere)* to settle *(anche fig.)* **2** *(azienda)* to wind up, to liquidate, *(dipendente)* to pay off **3** *(svendere)* to sell off, to clear **4** *(fig.)* *(sbarazzarsi)* to get rid of.

liquidazione *(s.f.)* **1** *(conti, debiti)* payment, settlement, *(azienda)* winding-up, liquidation **2** *(buonuscita)* severance pay, BE gratuity **3** *(svendita)* sale.

liquido *(agg.)* **1** liquid, fluid **2** COMM. ready, available ‖ *(s.m.)* **1** liquid, fluid **2** ECON. ready money, FAM. cash.

liquirizia *(s.f.)* BE liquorice, AE licorice.

liquore *(s.m.)* liqueur, liquor, *(pl.)* *(superalcolici)* spirits.

lirica *(s.f.)* **1** lyric poetry **2** *(componimento)* lyric (poem) **3** MUS. opera.

lisca *(s.f.)* (fish) bone.

liscio *(agg.)* **1** smooth *(anche fig.)*, *(levigato)* polished **2** *(bevande alcoliche)* straight, neat.

lista *(s.f.) (elenco)* list ❖ l. elettorale POL. electoral roll.

lite *(s.f.)* **1** argument, row, fight **2** DIR. lawsuit, suit. **litigare** *(v.i.)* to quarrel, to argue, to fight.

litoranea *(s.f.) (strada)* coast road.

litro *(s.m.)* BE litre, AE liter.

liturgia *(s.f.)* liturgy, *(estens.)* ceremony.

liuto *(s.m.)* MUS. lute.

livella *(s.f.)* level. **livellare** *(v.t.)* to level *(anche fig.)*. **livellarsi** *(v.pron.)* **1** to level **2** *(fig.)* to level, to even out. **livello** *(s.m.)* **1** level *(anche fig.)* **2** *(grado)* standard, level.

livido *(agg.)* livid *(anche estens.)*, *(per il freddo)* blue ‖ *(s.m.)* bruise.

lo[1] *(art. det. m. sing.)* the *(v. il)*.

lo[2] *(pron. pers. m. sing. compl. ogg.)* **1** *(rif. a persona)* him, *(rif. a cose o animali)* it **2** *(ciò, questo)* it, that.

lobo *(s.m.)* ANAT. lobe.

locale[1] *(agg.)* local ‖ *(s.m.) (treno)* local train. **localmente** *(avv.)* locally.

locale[2] *(s.m.)* **1** *(stanza)* room, *(di uso specifico) (pl.)* premises **2** *(esercizio pubblico)* bar, pub, club, restaurant.

locanda *(s.f.)* inn.

locandina *(s.f.)* bill, poster.

locomotiva *(s.f.)* locomotive.

locuzione *(s.f.)* expression, phrase, *(frase idiomatica)* idiom.

lode *(s.f.)* praise ❖ laurea con l. be first-class honours degree, ae degree with honors. **lodare** *(v.t.)* to praise.

logaritmo *(s.m.)* MAT. logarithm.

loggione *(s.m.)* TEATR. gallery.

logica *(s.f.)* logic. **logico** *(agg.)* logical.

logistica *(s.f.)* logistics *(anche MIL.)*.

logorare *(v.t.)*, **logorarsi** *(v.pron.)* to wear out *(anche fig.)*, to wear down. **logorio** *(s.m.)* wear and tear, *(fig.)* strain.

lombare *(agg.)* ANAT. lumbar.

lombo *(s.m.)* loin.

lombrico *(s.m.)* ZOOL. earthworm.

longitudine *(s.f.)* GEOGR. longitude.

lontano *(agg.)* **1** *(nello spazio)* distant, far-off, far away, *(di difficile accesso)* remote **2** *(nel tempo)* far-off, distant, remote **3** *(assente)* absent **4** *(parentela)* distant **5** *(fig.)* far, away, *(vago)* vague ‖ *(avv.)* far, far away, a long way (off), *(con indicazione della distanza)* away, off. **lontanamente** *(avv.)* remotely, *(vagamente)* vaguely. **lontananza** *(s.f.)* distance, *(tra persone)* separation ❖ sentire la l. to miss.

lontra *(s.f.)* ZOOL. otter.

loquace *(agg.)* talkative.

lordo *(agg.) (peso ecc.)* gross.

loro *(agg. poss. m. e f. pl.)* **1** their, *(loro proprio)* their own **2** *(pred.)* theirs **3** *(formula di cortesia)* your, *(pred.)* yours ‖ *(pron. poss. m. e f. pl.)* **1** theirs **2** *(formula di cortesia)* yours ‖ *(pron. pers. m. e f. pl.)* **1** *(sogg.)* they **2** *(compl.)* them **3** *(formula di cortesia)* you.

losco *(agg.) (persona, affari)* shady.

lotta *(s.f.)* **1** struggle, fight *(anche fig.)* **2** SPORT wrestling. **lottare** *(v.i.)* **1** to struggle, to fight *(anche fig.)* **2** SPORT to wrestle.

lotteria (*s.f.*) lottery (*anche fig.*).
lotto (*s.m.*) **1** (*gioco*) lotto, lottery **2** (*di terreno*) plot, AE lot **3** COMM. lot.
lozione (*s.f.*) lotion.
lubrificare (*v.t.*) to lubricate. **lubrificante** (*s.m.*) lubricant.
lucchetto (*s.m.*) padlock.
luccicare (*v.i.*) to sparkle, to glitter, (*di stella*) to twinkle.
lucciola (*s.f.*) **1** ZOOL. glow-worm, firefly **2** (*fig.*) (*prostituta*) prostitute.
luce (*s.f.*) **1** light **2** AUT. (*pl.*) BE headlights, (*posteriori*) BE rear lights, AE taillights **3** (*lucentezza*) (*fig.*) brightness, gleam **4** (*energia elettrica*) electricity. **lucentezza** (*s.f.*) brightness, gloss, (*di cosa che è lucida*) shine, polish.
lucertola (*s.f.*) ZOOL. lizard.
lucido (*agg.*) **1** shining, bright, (*lucidato*) polished, FOT. (*fig.*) glossy **2** (*fig.*) (*chiaro*) lucid, clear ‖ (*s.m.*) **1** (*lucentezza*) shine **2** (*prodotto che dà lucentezza*) polish **3** (*per proiettore*) transparency. **lucidare** (*v.t.*) to polish, to shine, (*con cera*) to wax.
lucro (*s.m.*) gain, profit, SPREG. lucre ❖ *senza scopo di l.* non-profit.
luglio (*s.m.*) July.
lui (*pron. pers. m. sing.*) **1** (*sogg.*) he **2** (*compl.*) him.
lumaca (*s.f.*) ZOOL. slug, (*chiocciola*) snail (*anche fig.*).
lume (*s.m.*) **1** (*lampada*) lamp **2** (*luce*) light, (*fig.*) enlightenment ❖ *il secolo*

dei Lumi the Age of Enlightenment.
luminoso (*agg.*) **1** bright (*anche fig.*), (*ambiente*) well-lit **2** (*fig.*) radiant, (*sorriso*) dazzling, (*idea*) brilliant. **luminosità** (*s.f.*) brightness.
luna (*s.f.*) moon ❖ *l. di miele* honeymoon.
luna park (*loc. sost.*) BE funfair, AE amusement park.
lunedì (*s.m.*) Monday.
lunghezza (*s.f.*) length.
lungo (*agg.*) **1** long **2** (*diluito*) thin, watery ‖ (*prep.*) **1** (*per la lunghezza di*) along, by the side of **2** (*durante*) during, throughout.
lungomare (*s.m.*) seafront, (*passeggiata*) BE promenade, AE boardwalk.
luogo (*s.m.*) place, spot, (*posto dove si svolge un certo evento*) venue ❖ *l. comune* commonplace.
lupo (*s.m.*) ZOOL. wolf.
luppolo (*s.m.*) BOT. hop.
lusingare (*v.t.*) to flatter. **lusinghiero** (*agg.*) flattering.
lussare (*v.t.*) MED. to dislocate. **lussarsi** (*v.pron.*) MED. to dislocate.
lusso (*s.m.*) luxury. **lussuoso** (*agg.*) luxurious, luxury (*attr.*).
lussuria (*s.f.*) lust.
lustro (*s.m.*) (*fig.*) (*prestigio*) BE lustre, AE luster, prestige.
lutto (*s.m.*) **1** (*perdita*) bereavement, loss **2** (*cordoglio*) mourning. **luttuoso** (*agg.*) mournful, sorrowful, doleful.

M

ma *(cong.)* but, *(tuttavia)* but, and yet.

macabro *(agg.)* macabre, gruesome.

macché *(inter.)* of course not!

macchia[1] *(s.f.)* stain, spot, blot *(anche fig.)*, *(della pelle)* blemish.

macchia[2] *(s.f.)* *(boscaglia)* bush, scrub ❖ *m. mediterranea* maquis.

macchiare *(v.t.)* to stain *(anche fig.)*, to spot, to blot, *(fig.)* to blemish. **macchiarsi** *(v.pron.)* to stain o.s. *(anche fig.)*, to get dirty.

macchina *(s.f.)* 1 *(congegno)* machine, *(motore)* engine ❖ *m. per cucire* sewing machine, *m. fotografica* camera 2 *(automobile)* car.

macchinista *(s.m.)* FERR. (train) driver, CINEM. grip, TEATR. stagehand.

macedonia *(s.f.)* fruit salad.

macellaio *(s.m.)* butcher *(anche fig.)*. **macelleria** *(s.f.)* butcher's.

macello *(s.m.)* 1 *(mattatoio)* slaughterhouse 2 *(fig.)* *(carneficina)* slaughter, *(disastro)* FAM. disaster.

macerie *(s.f. pl.)* rubble, debris.

macinacaffè *(s.m.)* coffee grinder.

macinapepe *(s.m.)* pepper mill.

macinare *(v.t.)* to grind, to mill. **macinato** *(agg.)* ground, milled ❖ *carne macinata* minced meat.

Madonna *(s.f.)* 1 RELIG. the Virgin Mary 2 PITT. Madonna.

madre *(s.f.)* 1 mother 2 RELIG. *(Ma-*
donna) Mother 3 *(matrice)* stub ‖ *(agg.)* mother *(attr.)*.

madrelingua *(s.f.)* *(lingua madre)* mother tongue ‖ *(s.m. / s.f.)* *(persona)* native speaker.

madreperla *(s.f.)* mother-of-pearl.

maestà *(s.f.)* *(grandiosità)* majesty, *(titolo)* Majesty.

maestro/a *(s.m. / s.f.)* 1 *(persona esperta)* master, *(insegnante)* teacher, *(istruttore)* instructor 2 MUS. maestro 3 ARTE master ‖ *(agg.)* 1 *(principale)* main 2 *(magistrale)* masterly, skilful.

mafia *(s.f.)* Mafia.

magari *(inter.)* *(volentieri)* of course! ‖ *(cong.)* if only ‖ *(avv.)* *(forse)* maybe.

magazzino *(s.m.)* 1 *(edificio)* warehouse, storehouse, *(stanza)* storeroom, store ❖ *grandi magazzini* department stores 2 *(scorte)* stocks.

maggio *(s.m.)* May.

maggioranza *(s.f.)* majority *(anche POL.)*, *(seguito da partitivo)* most (of).

maggiore *(agg. compar.)* 1 greater, *(più grosso)* bigger 2 *(di età)* older, *(tra consanguinei)* elder 3 *(ulteriore)* more, further 4 MUS. major ‖ *(agg. superl.)* 1 the greatest, *(il più grosso)* the biggest 2 *(di età)* oldest, *(tra consanguinei)* eldest 3 *(il principale)* main, chief ‖ *(s.m.)* MIL. major.

maggiorenne *(agg.)* of age, BE of full age ‖ *(s.m. / s.f.)* major, adult.

magia *(s.f.)* magic *(anche fig.)*, *(incantesimo)* spell. **magico** *(agg.)* magic, magical *(anche fig.)*.

magistrato *(s.m.)* magistrate, *(giudice)* judge.

maglia *(s.f.)* **1** *(punto)* stitch, *(tessuto)* jersey, *(lavoro ai ferri)* knitting, *(lavoro all'uncinetto)* crochet **2** *(di rete)* mesh **3** *(di catena)* link **4** SPORT shirt, *(nel ciclismo)* jersey. **maglietta** *(s.f.)* T-shirt, *(intima)* vest. **maglione** *(s.m.)* sweater, pullover, BE jumper.

magnete *(s.m.)* FIS. magnet. **magnetico** *(agg.)* magnetic *(anche fig.)*.

magnifico *(agg.)* wonderful, magnificent, *(tempo)* glorious.

mago *(s.m.)* wizard *(anche fig.)*, magician, sorcerer, *(fig.)* whiz(z).

magro *(agg.)* **1** thin, slim, *(snello)* lean ❖ *molto m.* skinny **2** *(cibo)* low-fat *(attr.)*, *(carne)* lean **3** *(fig.)* *(scarso)* scanty, meagre, *(misero)* poor, bad.

mai *(avv.)* **1** never, *(con altra negazione o in frasi interr.)* ever **2** *(talvolta)* ever.

maiale *(s.m.)* **1** pig **2** *(carne)* pork.

maionese *(s.f.)* CUC. mayonnaise.

mais *(s.m.)* BOT. maize, AE corn.

maiuscolo *(agg.)* capital ‖ *(s.m.)* capitals *(pl.)*. **maiuscola** *(s.f.)* capital *(letter)*.

malanno *(s.m.)* **1** *(disgrazia)* misfortune **2** *(malattia)* illness.

malaria *(s.f.)* MED. malaria.

malato *(agg.)* **1** ill, sick **2** *(piante)* diseased ‖ *(s.m.)* patient, sick person. **malattia** *(s.f.)* *(malessere)* illness, sickness, *(specifica, infettiva)* disease.

malaugurio *(s.m.)* ill omen.

malavita *(s.f.)* underworld.

malcontento *(s.m.)* discontent, displeasure.

maldestro *(agg.)* awkward, clumsy.

male *(s.m.)* **1** evil, ill ❖ *il bene e il m.* good and evil **2** *(dolore fisico)* pain, ache, *(malattia)* illness, sickness **3** *(danno)* damage, harm, *(torto)* wrong ‖ *(avv.)* **1** badly **2** *(non correttamente)* not properly, wrongly.

maledire *(v.t.)* to curse, to damn. **maledetto** *(agg.)* damned, cursed. **maledizione** *(s.f.)* curse ❖ *m.!* damn!

maleducato *(agg.)* rude, ill-bred, ill-mannered ‖ *(s.m.)* ill-mannered person. **maleducazione** *(s.f.)* rudeness.

malgrado *(prep.)* in spite of, despite, notwithstanding ❖ *m. ciò* nevertheless ‖ *(cong.)* (al)though, even though.

maligno *(agg.)* **1** *(cosa)* malicious, spiteful **2** *(persona)* evil-minded, wicked **3** MED. malignant.

malinconia *(s.f.)* melancholy, gloom.

malinteso *(agg.)* misunderstood ‖ *(s.m.)* misunderstanding.

malizia *(s.f.)* **1** malice **2** *(astuzia)* artfulness, cunning, *(trucco)* trick. **malizioso** *(agg.)* **1** mischievous, malicious **2** *(astuto)* artful, cunning.

maltempo *(s.m.)* bad weather.

maltrattare *(v.t.)* *(persone, animali)* to ill-treat, to maltreat, *(cose)* to mistreat.

malvagio *(agg.)* wicked, evil.

mamma *(s.f.)* BE, FAM. mum, BE, FAM. mummy, AE, FAM. mom, AE, FAM. mommy, BE mother ❖ *m. mia!* oh dear!

mammella *(s.f.)* breast, *(di animali)* udder.

mammifero *(s.m.)* mammal.

mancanza *(s.f.)* **1** lack, *(scarsità)* shortage, *(di persona)* absence ♦ *sentire la m. di qu.no, ql.sa* to miss s.o., sthg. **2** *(errore)* fault, shortcoming.

mancare *(v.i.)* **1** to be lacking, *(essere privo)* to lack, *(essere sprovvisto)* to be short of **2** *(essere assente)* to be absent, *(essere irreperibile)* to be missing **3** *(sentire la mancanza)* to miss *(costruz. pers.)* **4** *(venir meno)* to fail **5** *(omettere)* to fail, to forget, *(non mantenere)* to fail to keep **6** *(nelle indicazioni di ora)* it's... to **7** *(morire)* to pass away ‖ *(v.t.)* to miss.

mancia *(s.f.)* tip.

mancino *(agg.)* **1** left-handed **2** *(fig.)* ♦ *tiro m.* dirty trick ‖ *(s.m.)* left-hander.

mandare *(v.t.)* to send ♦ *m. in onda* RAD., TV to air, *m. qu.no a quel paese* to tell s.o. to get lost.

mandarino *(s.m.)* BOT. mandarin (orange), tangerine.

mandorla *(s.f.)* BOT. almond.

mandria *(s.f.)* herd.

maneggiare *(v.t.)* to handle *(anche fig.)*.

maneggio *(s.m.)* **1** manège, *(scuola)* riding school **2** *(intrigo)* scheming.

manette *(s.f. pl.)* handcuffs, manacles.

mangiare *(v.t. / v.i.)* **1** to eat **2** *(fig.) (consumare)* to eat away, to corrode **3** *(fig.) (dissipare)* to squander **4** *(scacchi ecc.)* to take. **mangiarsi** *(v.pron.)* ♦ *m. le unghie* to bite one's nails. **mangiare** *(s.m.)* **1** eating **2** *(cibo)* food, *(di animali)* feed.

mangime *(s.m.)* feed, *(foraggio)* fodder, *(per uccelli)* bird seed.

mania *(s.f.)* **1** mania *(anche MED.)* *(fissazione fanatica)* FAM. bug,

craze. **maniaco** *(agg.)* **1** maniac **2** *(fig.)* mad (about) ‖ *(s.m.)* maniac *(anche fig.)*.

manica *(s.f.)* sleeve.

Manica *(s.f.)* GEOGR. *la Manica* the Channel.

manico *(s.m.)* handle, *(di coltello, spada ecc.)* hilt, *(di borsa)* grip, *(di chitarra, violino ecc.)* neck.

manicomio *(s.m.)* mental hospital, psychiatric hospital, ANTIQ. asylum.

maniera *(s.f.)* **1** *(modo)* way, fashion, manner **2** *(pl.)* *(modi)* manners **3** *(stile artistico)* style.

manifestare *(v.t.)* *(mostrare)* to show, to manifest, *(esprimere)* to express, *(rivelare)* to reveal ‖ *(v.i.)* to demonstrate. **manifestarsi** *(v.pron.)* to show (o.s.), to appear. **manifestazione** *(s.f.)* **1** *(cosa che si rende visibile)* manifestation, *(apparizione, inizio)* appearance, onset **2** *(marcia, ritrovo)* demonstration, FAM., BE demo **3** *(spettacolo)* show, meeting, event **4** *(espressione)* expression.

manifesto *(s.m.)* **1** poster, bill, billboard, *(teatro)* playbill **2** *(programma politico, artistico)* manifesto.

maniglia *(s.f.)* handle, *(autobus)* strap.

mano *(s.f.)* **1** hand **2** *(fig.) (tocco, impronta)* touch, style **3** *(fig.) (controllo, potere)* hands *(pl.)* **4** *(lato, direzione)* side **5** *(di vernice ecc.)* coat, coating.

manodopera *(s.f.)* manpower, BE labour, AE labor.

manoscritto *(s.m.)* manuscript.

manovale *(s.m.)* BE labourer, AE laborer.

manovrare *(v.t.)* **1** *(far funzionare)* to operate, to drive **2** *(fig.)* to manipulate ‖ *(v.i.)* **1** *(fare manovra)* BE to manoeuvre, AE to maneuver **2** *(fig.)* *(tramare)* to scheme, to plot. **manovra** *(s.f.)* BE manoeuvre, AE maneuver *(anche fig.)*.

mansueto *(agg.)* *(animale)* tame, docile, *(persona)* gentle, meek.

mantello *(s.m.)* **1** cloak, mantle *(anche fig.)* **2** *(di animali)* coat, fur **3** GEOL. mantle.

mantenere *(v.t.)* **1** *(conservare)* to keep, to maintain **2** *(fornire sostentamento)* to support, to maintain **3** *(rispettare)* to keep **4** *(persistere)* to maintain, to uphold. **mantenersi** *(v.pron.)* **1** *(conservarsi)* to keep **2** *(sostentarsi)* to earn one's living.

manuale *(s.m.)* manual, handbook.

manutenzione *(s.f.)* maintenance, *(di macchinari)* servicing.

manzo *(s.m.)* **1** steer, bullock **2** *(carne)* beef.

Maometto *(s.m.)* Muhammad, Mohammed.

mappa *(s.f.)* map.

maratona *(s.f.)* SPORT marathon.

marca *(s.f.)* **1** brand, make, *(marchio)* trade mark **2** *(da bollo)* revenue stamp. **marcare** *(v.t.)* **1** to mark, *(a fuoco)* to brand **2** SPORT to score, *(controllare)* to mark.

marchiare *(v.t.)* to stamp, *(bestiame)* to brand.

marcia *(s.f.)* **1** march ❖ *mettersi in m.* to set off **2** SPORT walk **3** AUT. gear.

marciapiede *(s.m.)* pavement, AE sidewalk, FERR. platform.

marciare *(v.i.)* **1** to march **2** *(fig.)* *(funzionare)* to run.

marcire *(v.i.)* to rot *(anche fig.)*, to go bad.

mare *(s.m.)* **1** sea **2** *(località di mare)* seaside **3** *(fig.)* *(grande estensione)* sea, ocean, *(grande quantità)* sea, flood, *(moltitudine)* crowd.

marea *(s.f.)* tide ❖ *m. nera* oil slick, *una m. di (fig.)* loads of.

margherita *(s.f.)* BOT. daisy.

margine *(s.m.)* margin *(anche fig.)*, *(ciglio)* edge, brink, *(di ferita)* lips *(pl.)*.

marina *(s.f.)* **1** navy **2** PITT. seascape.

marinaio *(s.m.)* sailor, seaman.

marinare *(v.t.)* **1** CUC. to pickle **2** *(fig.)* *(la scuola)* FAM. to play truant.

marino *(agg.)* sea *(attr.)*, marine.

marionetta *(s.f.)* marionette, puppet *(anche fig.)*.

marito *(s.m.)* husband.

marmellata *(s.f.)* jam, *(di agrumi)* marmalade.

marmo *(s.m.)* marble.

marmotta *(s.f.)* ZOOL. marmot, *(americana)* woodchuck, AE goundhog.

marrone *(agg.)* brown ‖ *(s.m.)* BOT. chestnut.

Marte *(s.m.)* ASTRON., MIT. Mars.

martedì *(s.m.)* Tuesday ❖ *m. grasso* Shrove Tuesday, FAM. Pancake Tuesday.

martello *(s.m.)* hammer ❖ *m. pneumatico* pneumatic drill.

martire *(s.m. / s.f.)* martyr *(anche fig.)*.

marzo *(s.m.)* March.

mascalzone *(s.m.)* rogue, rascal.

mascella *(s.f.)* ANAT. jaw, jow bone.

maschera *(s.f.)* **1** mask *(anche fig.)* ❖ *gettare la m.* to show one's true colours **2** *(abito)* fancy dress, *(persona)* masquerader, masker **3** *(di cinema, teatro)* usher, *(donna)* usherette **4** *(cosmetica)* mask, pack **5** INFORM. *(modello)* template, form.

maschio *(agg.)* **1** male **2** *(virile)* virile, manly, masculine ‖ *(s.m.)* male. **maschile** *(agg.)* **1** male, man's **2** *(per uomini)* MEN'S, MAN'S ❖ *abbigliamento m.* MENSWEAR ‖ GRAMM. masculine ‖ *(s.m.)* GRAMM. masculine.

massa *(s.f.)* **1** mass, *(gran quantità)* heap, lot, *(folla)* mass, crowd **2** ELETTR. BE earth, AE ground.

massacro *(s.m.)* massacre, slaughter.

massaggio *(s.m.)* massage.

massaia *(s.f.)* housewife.

massiccio *(agg.)* **1** solid, massive **2** *(imponente)* massive, bulky **3** *(di corporatura)* stout, FAM. big-boned ‖ *(s.m.)* GEOGR. massif.

massimo *(agg. superl.)* maximum, greatest, utmost *(s.m.)* most, maximum, *(il meglio)* the best, *(limite)* limit.

masticare *(v.t.)* to chew.

matematica *(s.f.)* mathematics, FAM., BE maths, AE math. **matematico** *(agg.)* mathematical ‖ *(s.m.)* mathematician.

materasso *(s.m.)* mattress.

materia *(s.f.)* **1** matter, *(materiale)* material **2** *(argomento)* subject, matter, topic. **materiale** *(agg.)* **1** material **2** *(rozzo)* rough ‖ *(s.m.)* material.

maternità *(s.f.)* **1** motherhood, maternity **2** *(permesso)* maternity leave **3** *(reparto ospedaliero)* maternity ward.

materno *(agg.)* maternal, motherly, mother *(attr.)* ❖ *scuola materna* nursery school.

matita *(s.f.)* pencil.

matrigna *(s.f.)* stepmother.

matrimonio *(s.m.)* **1** marriage **2** *(rito)* wedding ❖ *m. civile* civile wedding.

mattina/o *(s.f. / s.m.)* morning. **mattiniero** *(agg.)* early-rising ‖ *(s.m.)* early riser, FAM. early bird.

matto *(agg.)* mad, crazy, *(fig.)* *(svitato)* FAM. crazy, nuts ‖ *(s.m.)* madman, lunatic ❖ *mi piace da matti* I'm mad about it.

mattone *(s.m.)* brick.

maturare *(v.t. / v.i.)* **1** *(di frutto)* to ripen **2** *(fig.)* to mature **3** *(fig.)* *(raggiungere)* to reach, to complete **4** COMM. to mature, to accrue, *(giungere a scadenza)* to become due.

maturo *(agg.)* **1** *(frutto)* ripe, mature, *(stagionato)* seasoned, matured, *(vino)* mellow **2** *(fig.)* *(adulto, saggio)* mature, *(di mezza età)* middle-aged **3** COMM. mature, accrued, *(giunto a scadenza)* due. **maturazione** *(s.f.)* **1** ripening, maturing *(anche fig.)* **2** COMM. maturity.

mazzo *(s.m.)* bunch, bundle, *(di carte)* BE pack, AE deck.

me *(pron. pers.)* **1** *(compl.)* me **2** *(sogg.)* I, me.

meccanico *(agg.)* mechanic(al) *(anche fig.)* ‖ *(s.m.)* mechanic.

meccanismo *(s.m.)* **1** TECN. mechanism *(anche fig.)*, works *(pl.)* **2** *(congegno)* device.

medaglia *(s.f.)* medal ❖ *il rovescio della m.* the other side of the coin *(anche fig.)*.

medesimo *(agg.)* same.

media *(s.f.)* **1** average **2** MAT. mean.

mediante *(prep.)* by, by means of.

medicina *(s.f.)* **1** medicine **2** *(fig.)* *(rimedio)* healer, remedy.

medico *(agg.)* medical ‖ *(s.m.)* doctor, physician ❖ *m. generico* general practitioner, GP. **medicare** *(v.t.)* to treat, to medicate, *(ferita)* to dress. **medicazione** *(s.f.)* *(di ferita)* dressing.

medio (*agg.*) middle, (*conforme alla media*) average, medium, (*di media difficoltà*) intermediate ‖ (*s.m.*) (*dito*) middle finger.

mediocre (*agg.*) mediocre, unexceptional, (*scadente*) second-rate, poor ‖ (*s.m.*) (*persona mediocre*) mediocre person.

medioevo (*s.m.*) Middle Ages (*pl.*). **medievale** (*agg.*) medieval.

meditare (*v.t / v.i.*) to meditate, to ponder, (*progettare*) to plan, (*avere in mente*) to think of.

mediterraneo (*agg.*) Mediterranean ‖ (*s.m.*) GEOG. the Mediterranean (sea).

medusa (*s.f.*) ZOOL. jellyfish.

meglio (*avv. compar.*) better, (*più facilmente*) better, easier ‖ (*avv. superl. rel.*) best, (*tra due*) better ‖ (*agg. compar.*) **1** (*migliore*) better **2** (*preferibile*) better, preferable ‖ (*agg. superl. rel.*) (the) best ‖ (*s.m.*) the best.

mela (*s.f.*) BOT. apple.

melanzana (*s.f.*) BOT. BE aubergine, AE eggplant.

melodia (*s.f.*) melody, tune.

melone (*s.m.*) BOT. melon.

membro (*s.m.*) **1** (*componente*) member **2** ANAT. limb ✣ *m. virile* penis.

memoria (*s.f.*) **1** memory ✣ *imparare a m.* to learn by heart **2** (*ricordo*) memory, recollection **3** INFORM. memory, (*memorizzazione*) storage.

mendicare (*v.t.*) to beg (for). **mendicante** (*agg.*) begging ‖ (*s.m. / s.f.*) beggar.

meno (*avv. compar.*) **1** less, not so... (as), not as... (as) **2** MAT. minus **3** (*rif. a temperatura*) minus, below zero **4** (*rif. all'ora*) to ✣ *sono le dieci m. un quarto* it's a quarter to ten ‖

(*avv. superl.*) the least, (*fra due*) the less ‖ (*prep.*) (*tranne*) except (for), but (for), apart from ‖ (*agg. compar.*) less, not so much, not as much, (*con s. pl.*) fewer, not so many, not as many ‖ (*agg. superl.*) the least, (*con s. pl.*) the fewest ‖ (*s.m.*) **1** the least **2** MAT. minus, (*segno grafico*) minus sign.

mensile (*agg.*) monthly.

mensa (*s.f.*) **1** (*di scuola*) BE refectory, AE cafeteria, (*di fabbrica*) canteen, MIL. mess hall **2** (*tavola*) table.

menta (*s.f.*) BOT. mint.

mente (*s.f.*) **1** mind ✣ *tenere a m.* to bear in mind **2** (*estens.*) (*persona*) mind, brain. **mentale** (*agg.*) mental.

mentire (*v.i.*) to lie.

mento (*s.m.*) ANAT. chin.

mentre (*cong.*) **1** while, as, when **2** (*invece*) whereas, while, whilst **3** (*finché*) while, as long as.

menu (*s.m.*) menu (*anche* INFORM.).

menzogna (*s.f.*) lie.

meraviglia (*s.f.*) **1** wonder, amazement, astonishment **2** (*cosa meravigliosa*) wonder, marvel. **meravigliare** (*v.t.*) to amaze, to astonish. **meravigliarsi** (*v.pron.*) to be amazed, to be astonished. **meraviglioso** (*agg.*) wonderful, BE marvellous, AE marvelous.

mercato (*s.m.*) market (*anche* ECON.), (*luogo*) market (place).

merce (*s.f.*) goods (*pl.*), commodities (*pl.*). **merceria** (*s.f.*) (*negozio*) BE haberdashery.

mercoledì (*s.m.*) Wednesday.

mercurio[1] (*s.m.*) CHIM. mercury. **Mercurio**[2] (*s.m.*) ASTRON., MIT. Mercury.

merda (*s.f.*) VOLG. shit.

merenda (*s.f.*) (*afternoon*) snack.

meridiano *(s.m.)* GEOGR. meridian.

meridionale *(agg.)* southern ‖ *(s.m./s.f.)* southerner.

meritare *(v.t.)* **1** to deserve, to merit **2** *(valere)* to be worth **3** *(procurare)* to procure, to earn ‖ *(v.i.)* *(valere la pena)* to be worth. **merito** *(s.m.)* **1** merit, credit **2** *(aspetto sostanziale)* merits *(pl.)*, substance ❖ *in m. a* as regards.

merlo[1] *(s.m.)* ZOOL. blackbird.

merlo[2] *(s.m.)* ARCH. merlon.

merluzzo *(s.m.)* ZOOL. cod *(pl. invar.)*.

meschino *(agg.)* mean, petty.

mescolare *(v.t.)* **1** *(miscelare)* to mix, to blend, *(colori)* to merge **2** *(rimestare)* to stir, *(insalata)* to toss **3** *(fig.)* *(confondere)* to mix up, to mingle. **mescolarsi** *(v.pron.)* **1** to mix, to blend *(finire insieme)* to get mixed up, to get jumbled up, *(confondersi)* to mingle.

mese *(s.m.)* **1** month **2** *(paga mensile)* month's pay, *(affitto)* month's rent.

messa *(s.f.)* ECCL. mass.

messaggio *(s.m.)* **1** message *(anche fig.)* **2** *(discorso solenne)* address **3** INFORM., TEL. message, (SMS) text (message) ❖ *m. di posta elettronica* e-mail (message).

mestiere *(s.m.)* **1** trade, *(arte manuale)* craft, *(professione)* profession, *(impiego)* job **2** *(perizia)* skill, experience, craftsmanship **3** *(pl.)* *(faccende di casa)* housework *(sing.)*, chores *(pl.)*.

mestolo *(s.m.)* ladle, dipper.

mestruazione *(s.f.)* menstruation, FAM. period.

meta *(s.f.)* **1** *(destinazione)* destination **2** *(fig.)* *(scopo)* goal, aim, end **3** SPORT goal, *(nel rugby)* try.

metà *(s.f.)* **1** half **2** *(punto centrale)* middle.

metafora *(s.f.)* metaphor.

metallo *(s.m.)* metal. **metallico** *(agg.)* metallic, metal *(attr.)*.

metano *(s.m.)* CHIM. methane.

meteorologico *(agg.)* meteorological, weather *(attr.)* ❖ *previsioni meteorologiche* weather forecast.

metodo *(s.m.)* method.

metro *(s.m.)* **1** BE metre, AE meter ❖ *m. quadrato* square metre, *m. cubo* cubic metre **2** *(strumento)* *(ad asta)* rule(r), *(a nastro)* tape-measure.

metropoli *(s.f.)* metropolis.

metropolitana *(s.f.)* BE underground, AE subway, *(a Londra)* FAM. the Tube.

mettere *(v.t.)* **1** to put **2** *(collocare)* to put, to place **3** *(indossare)* to put on, to slip on, *(portare)* to wear ‖ *(v.i.)* *(supporre)* to suppose. **metterci** *(v.pron.)* *(fig.)* *(impiegare)* to take *(costruz. impers.)*. **mettersi** *(v.pron.)* **1** *(collocarsi)* to put o.s., to place o.s. **2** *(indossare)* to put on, to wear **3** *(iniziare)* to begin, to start, to set to **4** *(diventare)* to turn.

mezzanotte *(s.f.)* midnight.

mezzo[1] *(agg.)* **1** *(metà)* half, half a(n) **2** *(medio)* middle, medium *(attr.)* ‖ *(avv.)* half ‖ *(s.m.)* **1** *(metà)* half **2** *(parte centrale)* middle, centre ❖ *in m. a (fra molti)* among, *(fra due)* between **3** *(per indicare l'ora)* half.

mezzo[2] *(s.m.)* **1** *(strumento)* means *(pl.)*, *(apparato)* equipmen **2** *(modo)* way **3** *(pl.)* *(mezzi di trasporto)* means of transport ❖ *mezzi pubblici* public transport **4** *(pl.)* *(mezzi finanziari)* means, money, funds **5** FIS. medium.

mezzogiorno (*s.m.*) **1** midday, noon **2** (*sud*) South ✣ *il Mezzogiorno d'Italia*) southern Italy.

mi[1] (*pron. pers.*) **1** (*compl. ogg.*) me **2** (*compl. di termine*) (to) me **3** (*con v. pron.*) myself.

mi[2] (*s.m. invar.*) MUS. (*nota*) E.

miagolare (*v.i.*) to mew, to miaow.

microfono (*s.m.*) microphone, FAM. mike.

miele (*s.m.*) honey.

mietere (*v.t.*) to reap, to harvest (*anche fig.*).

migliaio (*s.m.*) (about a) thousand.

miglio (*s.m.*) mile.

migliorare (*v.t.*) to improve, to better || (*v.i.*) to improve, to get better. **migliorarsi** (*v.pron.*) to improve, to get better.

migliore (*agg. compar.*) better || (*agg. superl. rel.*) the best, (*tra due*) the better || (*s.m. / s.f.*) the best, (*tra due*) the better.

mignolo (*agg. e s.m.*) (*dito*) little finger, (*del piede*) little toe.

migrare (*v.i.*) to migrate.

miliardo (*s.m.*) billion. **miliardario** (*agg. e s.m.*) billionaire.

milione (*s.m.*) million. **milionario** (*agg. e s.m.*) millionaire.

militare[1] (*agg.*) military || (*s.m.*) soldier, military man.

militare[2] (*v.i.*) **1** (*fare il militare*) to serve in the army **2** (*aderire a*) to support, to militate ✣ *m. in un partito* to be a member of a party **3** SPORT to play.

mille (*agg. num. card. e s.m.*) a thousand, one thousand.

millennio (*s.m.*) millennium.

millimetro (*s.m.*) BE millimetre, AE millimeter.

mimetizzare (*v.t.*) to camouflage.

mimetizzarsi (*v.pron.*) to camouflage o.s.

mimosa (*s.f.*) BOT. mimosa.

minaccia (*s.f.*) threat, menace. **minacciare** (*v.t.*) to threaten, to menace (*anche fig.*). **minaccioso** (*agg.*) threatening.

minerale (*agg.*) mineral || (*s.m.*) mineral, MIN. (*metallifero*) ore.

minestra (*s.f.*) soup.

miniera (*s.f.*) mine (*anche fig.*).

minimo (*agg. superl.*) **1** (*il più piccolo*) minimum, least, smallest **2** (*piccolissimo*) very small || (*s.m.*) **1** minimum, the least **2** AUT. idling (speed).

ministro (*s.m.*) **1** minister, (*Regno Unito, USA*) Secretary ✣ *Primo M.* Prime Minister, Premier **2** ECCL. (*protestante*) minister, clergyman, (*cattolico*) priest. **ministero** (*s.m.*) **1** Ministry, Office, (*Stati Uniti*) Department **2** (*ufficio, funzione*) office, function, ECCL. ministry **3** (*edificio*) ministry.

minoranza (*s.f.*) minority.

minore (*agg. compar.*) **1** smaller, less, minor **2** (*di età*) younger || (*agg. superl.*) **1** (*il più piccolo*) the smallest, the least, (*fra due*) the smaller, the minor **2** (*di età*) the youngest, (*fra due*) the younger, the junior || (*s.m. / s.f.*) (*minorenne*) minor, person under age.

minuscola (*s.f.*) small letter, lower case letter.

minuscolo (*agg.*) **1** (*piccolissimo*) tiny, minute **2** (*di lettere*) small, lower-case || (*s.m.*) small letters (*pl.*).

minuto (*s.m.*) minute.

mio (*agg. poss.*) **1** my, (*mio proprio*) my own ✣ *un m. amico* a friend of mine **2** (*pred.*) mine || (*pron. poss.*)

mine || *(s.m. pl.)* ❖ *i miei (genitori)* my parents.

miracolo *(s.m.)* miracle, wonder *(anche fig.)*.

mirtillo *(s.m.)* BOT. blueberry.

miscela *(s.f.)* mixture *(anche fig.)*, *(caffè, tabacco)* blend, AUT. fuel mixture.

miscuglio *(s.m.)* mixture.

miserabile *(agg.)* **1** miserable, wretched **2** *(di scarso valore)* worthless, paltry **3** *(spregevole)* despicable || *(s.m. - s.f.)* (poor) wretch, wretched person.

miseria *(s.f.)* **1** poverty, indigence **2** *(infelicità)* misery **3** *(penuria)* shortage **4** *(pl.)* *(disgrazie)* misfortunes, troubles.

misericordia *(s.f.)* mercy.

misero *(agg.)* **1** poor, wretched **2** *(infelice)* miserable, sad **3** *(scarso)* poor, paltry.

missile *(s.m.)* missile.

missione *(s.f.)* mission, *(estens.)* *(compito)* mission, duty, task.

mistero *(s.m.)* mystery. **misterioso** *(agg.)* mysterious.

mistico *(agg. e s.m.)* mystic.

misto *(agg.)* mixed || *(s.m.)* mixture.

misura *(s.f.)* **1** measure, *(misurazione)* measurement ❖ *unità di m.* unit of measurement **2** *(taglia)* size **3** *(fig.)* *(moderazione)* moderation, restraint **4** *(fig.)* *(limite)* limit, proportion **5** *(provvedimento)* measure, step. **misurare** *(v.t.)* **1** to measure, *(pesare)* to weigh, TECN. to measure, to gauge **2** *(fig.)* *(valutare)* to estimate, to weigh up, to judge **3** *(fig.)* *(ponderare)* to weigh, *(limitare)* to limit || *(v.i.)* to measure. **misurarsi** *(v.pron.)* **1** *(fig.)* *(contenersi)* to limit o.s., to restrain o.s. **2**

(fig.) *(cimentarsi)* to measure o.s., *(competere)* to compete **3** *(fig.)* *(affrontare)* to tackle.

misurazione *(s.f.)* measurement, TECN. gauging.

mite *(agg.)* **1** mild, gentle, meek **2** *(clima)* mild, temperate **3** *(leggero)* light, *(moderato)* moderate.

mitragliatrice *(s.f.)* machine gun.

mittente *(s.m. - s.f.)* sender.

mobile *(agg.)* *(che si muove)* mobile, moving, *(che si può muovere)* movable || *(s.m.)* **1** *(arredamento)* piece of furniture, *(pl.)* furniture **2** DIR. *(bene mobile)* personal property, movable.

moda *(s.f.)* fashion, style, *(modelli)* fashions *(pl.)* ❖ *di m.* fashionable, *fuori m.* out of fashion.

modella *(s.f.)* model.

modellare *(v.t.)* to model, BE to mould, AE to mold *(anche fig.)*.

modello *(s.m.)* **1** model, pattern **2** *(riproduzione in scala)* (scale) model **3** *(facsimile)* sample, specimen **4** *(indossatore)* male model || *(agg.)* model *(attr.)*.

moderato *(agg. e s.m.)* moderate.

moderno *(agg.)* modern, *(attuale)* up-to-date *(attr.)* || *(s.m.)* modern.

modesto *(agg.)* modest, unpretentious. **modestia** *(s.f.)* modesty.

modificare *(v.t.)* to alter, to modify. **modifica** *(s.f.)* alteration, modification.

modo *(s.m.)* **1** *(maniera)* way, manner, *(metodo)* method ❖ *ad ogni m.* in any case, *in qualche m.* somehow **2** *(occasione)* chance **3** *(pl.)* *(comportamento)* manners *(pl.)* **4** *(misura)* measure **5** GRAMM. mood.

modulo *(s.m.)* **1** form **2** TECN. *(elemento)* module.

moglie (s.f.) wife.

molare (s.m.) ANAT. (dente) molar.

mole (s.f.) **1** bulk **2** (dimensione) size **3** (fig.) volume, amount.

molestare (v.t.) to bother, to annoy, (sessualmente) to harass.

molla (s.f.) **1** spring **2** (pl.) (utensile) tongs (pl.).

mollare (v.t.) **1** (lasciar andare) to let go, (allentare) to slacken **2** FAM. (scuola, lavoro ecc.) to quit, to leave, (fidanzato) to dump, to drop, (ceffone) to slap || (v.i.) FAM. (cedere) to give in.

molle (agg.) **1** (morbido) soft **2** (fig.) (debole) weak, feeble **3** (inzuppato d'acqua) soaked, wet.

molletta (s.f.) **1** (per il bucato) BE (clothes) peg, AE clothespin, (per capelli) hair clip, hair pin **2** (pl.) (per zucchero, ghiaccio) tongs (pl.).

molo (s.m.) pier, AE dock, (banchina) wharf.

moltiplicare (v.t.) to multiply. **moltiplicarsi** (v.pron.) to multiply.

molto (agg. indef.) **1** (in frasi afferm.) a lot of, lots of, a great deal of **2** (in frasi neg. e interr.) much, (pl.) many ❖ non ho m. denaro I don't have much money **3** (tempo) long ❖ m. tempo a long time || (pron. indef.) **1** (in frasi afferm.) a lot, lots, a great deal **2** (in frasi neg. e interr.) much, (pl.) many || (avv.) **1** much, very much, a lot **2** (con agg.) very **3** (con agg. e avv. compar.) much, far ❖ m. di più much more, m. meglio far better **4** (con p.pass.) much, greatly.

momento (s.m.) **1** moment ❖ in un primo m. at first, per il m. for the time being **2** (periodo di tempo) time, moment **3** (occasione) chance, opportunity, (situazione) situation.

monaco (s.m.) monk.

monarchico (agg.) monarchical || (s.m.) monarchist.

monastero (s.m.) monastery, (di monache) convent.

mondo (s.m.) **1** world **2** (vita) world, life **3** (umanità) world, mankind.

mondiale (agg.) **1** world (attr.) **2** (di diffusione) worldwide, global || (s.m. pl.) i mondiali world championship ❖ i mondiali di calcio the World Cup.

moneta (s.f.) **1** coin, (specificando il valore) piece **2** (denaro) money, (valuta) currency **3** (spiccioli) change.

montagna (s.f.) mountain (anche fig.), (zona di montagna) mountains (pl.).

montare (v.i.) **1** (andare su) to climb, to get up, to mount, (su un veicolo) to get in(to), (in bicicletta, a cavallo) to get on **2** (cavalcare) to ride **3** (aumentare di livello) to rise, to mount (anche fig.) || (v.t.) **1** (salire) to climb, to go up, to ascend **2** (cavalcare) to ride **3** (assemblare) TECN. to assemble, to set up, CINEM. to edit **4** (di animale, nell'accoppiamento) to cover, to mount **5** CUC. to whip, to beat up.

monte (s.m.) **1** mountain, (davanti a nome proprio) mount ❖ a m. upstream **2** (fig.) (gran quantità) mountain, heap, pile.

monumento (s.m.) monument, (commemorativo) memorial.

morale (agg.) moral || (s.f.) **1** FIL. ethics (pl.) **2** morality, morals (pl.) **3** (insegnamento) moral, lesson || (s.m.) morale, spirits (pl.) ❖ essere giù di m. FAM. to feel blue.

morbido (agg.) soft, (liscio) smooth.

morbillo (s.m.) MED. measles.

morboso *(agg.)* **1** morbid *(anche fig.)* **2** MED. morbid, pathological.

mordere *(v.t.)* **1** to bite *(anche fig.)* **2** *(far presa)* to grip **3** *(intaccare, corrodere)* to eat into. **mordersi** *(v.pron.)* to bite o.s. ❖ *m. le mani* to kick o.s.

morire *(v.i.)* to die *(anche fig.)* ❖ *m. di fame* to starve *(anche fig.)*.

mormorare *(v.i.)* **1** *(di acqua, di vento)* to murmur, *(di persona)* to murmur, to mutter, *(bisbigliare)* to whisper **2** *(brontolare)* to grumble **3** *(parlar male)* to gossip, to speak ill ‖ *(v.t.)* to murmur, to mutter, *(bisbigliare)* to whisper.

moro *(agg.)* *(di capelli)* dark-haired.

morso *(s.m.)* **1** bite, FAM. *(di insetto)* sting **2** *(fig.)* sting, pang **3** *(boccone)* morsel, bit, scrap **4** *(di cavallo)* bit.

morte *(s.f.)* **1** death **2** *(fig.)* death, end. **mortale** *(agg.)* **1** mortal *(anche fig.)*, deadly *(anche fig.)*, lethal, fatal **2** *(simile a morte)* deathlike, deathly ‖ *(s.m. / s.f.)* mortal.

mortificare *(v.t.)* to mortify. **mortificarsi** *(v.pron.)* to mortify o.s. **mortificazione** *(s.f.)* mortification.

morto *(agg.)* dead *(anche fig.)* ‖ *(s.m.)* **1** dead person, DIR. deceased **2** *(cadavere)* corpse ❖ *i morti* the dead.

mosca *(s.f.)* ZOOL. fly.

moschea *(s.f.)* mosque.

mossa *(s.f.)* **1** movement **2** *(al gioco)* move, *(fig.)* move.

mostra *(s.f.)* show, display *(anche fig.)*, ARTE exhibition.

mostrare *(v.t.)* **1** *(far vedere)* to show, to display **2** *(indicare)* to show, to point out **3** *(spiegare)* to show, to explain. **mostrarsi** *(v.pron.)* **1** *(apparire)* to appear **2** *(dimo-*strarsi)* to show o.s. **3** *(sembrare)* to seem.

mostro *(s.m.)* monster *(anche fig.)*. **mostruoso** *(agg.)* monstrous *(anche fig.)*.

motel *(s.m.)* motel.

motivo *(s.m.)* **1** reason, grounds *(pl.)* **2** MUS. theme, motif, *(melodia)* tune **3** *(decorazione)* motif.

moto *(s.m.)* **1** FIS., MECC. motion, movement, *(di fluidi)* flow ❖ *mettere in m.* AUT. to start **2** *(esercizio fisico)* exercise **3** *(gesto)* movement, gesture **4** *(fig.)* *(impulso)* impulse, *(scatto)* outburst **5** *(tumulto)* rebellion, rising **6** MUS. moto.

motocicletta *(s.f.)* motorcycle, FAM., BE motorbike. **moto** *(s.f.)* FAM. bike. **motociclista** *(s.m. / s.f.)* motorcyclist. **motociclo** *(s.m.)* motorcycle, FAM. motorbike, *(motorino)* moped.

motore *(agg.)* motor *(attr.)*, driving, power *(attr.)* ‖ *(s.m.)* engine *(anche* INFORM.*)*, motor.

motoscafo *(s.m.)* motorboat.

motto *(s.m.)* **1** motto, *(proverbio)* saying **2** *(facezia)* witticism, quip.

movimento *(s.m.)* **1** movement, motion **2** *(esercizio fisico)* exercise **3** *(traffico)* traffic **4** *(animazione)* activity, life, bustle **5** *(corrente politica, letteraria)* movement **6** MECC. movement.

mucca *(s.f.)* ZOOL. cow.

mucchio *(s.m.)* **1** heap, pile **2** *(fig.)* lot, heap.

muffa *(s.f.)* BE mould, AE mold *(su piante, stoffa)* mildew.

muggire *(v.i.)* to moo.

mugnaio *(s.m.)* miller.

mulino *(s.m.)* mill.

multa *(s.f.)* fine, AE ticket.

mummia *(s.f.)* mummy.

mungere *(v.t.)* to milk *(anche fig.)*.

municipio *(s.m.)* **1** *(comune)* municipality **2** *(palazzo)* townhall.

munizioni *(s.f. pl.)* ammunition.

muovere *(v.t.)* **1** to move, *(far muovere)* to move, to drive, *(agitare)* to stir, *(pedina)* advance **2** *(fig.)* *(sollevare dubbi ecc.)* to raise, to bring up **3** *(fig.)* *(indurre)* to move, to drive, to induce, to prompt || *(v.i.)* to move.

muoversi *(v.pron.)* **1** to move **2** *(mettersi in moto)* to start, to move off **3** *(adoperarsi)* to make a move **4** *(smuoversi)* to budge *(anche fig.)* **5** FAM. *(sbrigarsi)* to hurry up, FAM. to get a move on.

muratore *(s.m.)* bricklayer, mason.

muro *(s.m.)* **1** wall **2** *(fig.)* barrier.

muschio *(s.m.)* BOT. moss.

muscolo *(s.m.)* ANAT. muscle.

museo *(s.m.)* museum.

musica *(s.f.)* music *(anche fig.)*. **musicale** *(agg.)* musical, music *(attr.)*.

musicista *(s.m. / s.f.)* musician.

muso *(s.m.)* **1** *(di animale)* muzzle, snout **2** FAM. *(di persona)* face, nose **3** FAM. *(broncio)* long face, sulky face ❖ tenere il m. to sulk.

musulmano *(agg. e s.m.)* Muslim, Moslem.

mutande *(s.f. pl.)* **1** briefs, *(da donna)* FAM. panties, BE knickers, AE underpants **2** *(da uomo)* underpants, BE pants.

mutare *(v.t.)* **1** to change **2** *(trasformare)* to turn (into) **3** BIOL. *(penne, pelo)* BE to moult, AE to molt, *(pelle, corna)* to shed || *(v.i.)* to change.

mutilare *(v.t.)* to mutilate *(anche fig.)*, to maim. **mutilato** *(agg.)* mutilated *(anche fig.)*, maimed.

muto *(agg.)* mute, *(silenzioso)* silent, *(senza parole)* speechless || *(s.m.)* mute.

mutuo *(s.m.)* ECON. loan.

N

n, N *(abbr.)* **1** *(Nord)* N **2** *(numero)* no., AE # ❖ *il n. 7* no. 7, AE #7.

'ndrangheta *(s.f.)* Calabrian Mafia.

nacchere *(s.f. pl.)* MUS. castanets *(pl.)*.

nafta *(s.f.)* CHIM. naphtha, *(per motori)* diesel (oil), *(olio combustibile)* (fuel) oil. **naftalina** *(s.f.)* **1** naphthalene **2** *(antitarme)* moth-balls *(pl.)*.

nanna *(s.f.)* FAM. bye-byes.

nano *(agg. e s.m.)* dwarf.

nappa *(s.f.)* **1** tassel **2** *(pelle)* na(p)pa.

narcisismo *(s.m.)* narcissism.

narciso *(s.m.)* BOT. narcissus.

narcotico *(agg. e s.m.)* narcotic ❖ *squadra narcotici* drug squad. **narcotizzare** *(v.t.)* to drug, MED. to narcotize. **narcotrafficante** *(s.m. / s.f.)* drug trafficker.

narice *(s.f.)* ANAT. nostril.

narrare *(v.t. / v.i.)* to tell, to narrate. **narrativa** *(s.f.)* fiction. **narrativo** *(agg.)* narrative. **narratore** *(s.m.)* narrator, storyteller, *(scrittore)* novelist. **narrazione** *(s.f.)* **1** narration **2** *(racconto)* story, tale.

nascere *(v.i.)* **1** to be born **2** *(germogliare)* to sprout, to come up **3** *(astro, fiume)* to rise **4** *(fig.) (originare)* to arise, to originate. **nascita** *(s.f.)* birth.

nascondere *(v.t.)* to hide (from), to conceal *(anche fig.)*. **nascondersi** *(v.pron.)* to hide. **nascondiglio** *(s.m.)* hiding-place. **nascondino** *(s.m.)* hide-and-seek. **nascosto** *(agg.)* hidden, concealed ❖ *di n.* in secret.

nasello *(s.m.)* ZOOL. hake.

naso *(s.m.)* nose ❖ *n. all'insù* snub nose. **nasale** *(agg.)* nasal.

nastro *(s.m.)* **1** ribbon **2** TECN. tape, band ❖ *n. trasportatore* conveyor belt.

natale¹ *(agg.)* native, birth *(attr.)* ❖ *città n.* home town. **natalità** *(s.f.)* birthrate, *(number of births)*.

Natale² *(s.m.)* Christmas *(abbr.* Xmas)* ❖ *buon N.!* merry Christmas!, *Babbo N.* Santa Claus, BE Father Christmas.

natante *(agg.)* floating || *(s.m.)* boat.

natica *(s.f.)* ANAT. buttock.

nato *(agg.)* **1** born **2** *(da uovo)* hatched, *(piante)* sprouting **3** *(fig.)* natural, born ❖ *un attore n.* a born actor || *(s.m.)* person born.

natura *(s.f.)* nature ❖ *n. morta* still life. **naturale** *(agg.)* natural. **naturalistico** *(agg.)* naturalistic.

naturalizzare *(v.t.)* DIR. to naturalize. **naturalizzarsi** *(v.pron.)* **1** DIR. to become naturalized **2** BIOL. to naturalize, to establish itself. **naturalizzazione** *(s.f.)* DIR. naturalization.

naturalmente *(avv.)* **1** naturally **2** *(certamente)* naturally, of course.

naturismo *(s.m.)* naturism, nudism.
naufragare *(v.i.)* **1** *(di nave)* to be wrecked, to sink, *(di persona)* to be shipwrecked **2** *(fig.)* to fail, to be ruined. **naufragio** *(s.m.)* **1** (ship) wreck, sinking **2** *(fig.)* failure, ruin. **naufrago** *(s.m.)* shipwrecked person, *(in luogo remoto o isola)* castaway.

nausea *(s.f.)* nausea *(anche fig.)* ❖ *avere la n.* to feel sick, to feel queasy. **nauseante** *(agg.)* nauseating, nauseous *(anche fig.)*. **nauseare** *(v.t.)* to nauseate, to sicken *(anche fig.)*.

nautica *(s.f.)* **1** *(scienza)* navigation **2** SPORT boating, sailing. **nautico** *(agg.)* nautical.

navata *(s.f.)* ARCH. *(centrale)* nave, *(laterale)* aisle.

nave *(s.f.)* ship, vessel ❖ *n. da carico* cargo ship, freighter, *n. cisterna* tanker. **navale** *(agg.)* naval ❖ *cantiere n.* shipyard. **navetta** *(s.f.)* shuttle.

navigare *(v.t. / v.i.)* **1** to sail, to navigate **2** INFORM. to navigate, to surf. **navigante** *(s.m. / s.f.)* sailor, seafarer. **navigato** *(agg.)* *(esperto)* experienced, expert. **navigatore** *(s.m.)* navigator *(anche INFORM.)*, *(su Internet)* surfer ❖ *n. satellitare* AUT. satellite navigator, GPS.

nazionale *(agg.)* national, home *(attr.)* || *(s.f.)* *(squadra)* national team. **nazionalismo** *(s.m.)* nationalism. **nazionalista** *(agg. e s.m. / s.f.)* nationalist.

nazionalità *(s.f.)* nationality. **nazione** *(s.f.)* nation, country. **nazionalizzare** *(v.t.)* to nationalize.

nazismo *(s.m.)* Nazism. **nazista** *(agg. e s.m. / s.f.)* Nazi.

ne *(pron.)* **1** *(di lui, di lei, di loro)* of, about him, her, them, *(di ciò)* of, about it, this, that ❖ *n. sono contento* I'm happy about it, *non n. conosco nessuno* I don't know any of them, *n. voglio tre* I want three of them **2** *(possessivo)* his, her, its, their ❖ *n. divenne la moglie* she became his wife || *(avv.)* from there ❖ *n. vengo ora* I've just come from there.

né *(cong.)* **1** *(e neppure)* nor, *(con negazione)* or ❖ *non voglio n. posso* I don't want, nor can I **2** *né ... né*, neither ... nor, *(con altra negazione)* either ... or ❖ *non è n. grasso n. fuori forma* he is neither fat nor unfit.

neanche *(avv.)* **1** neither, nor, *(con altra negazione)* either, or ❖ *io non vado. N. io* I'm not going. Neither am I **2** *(rafforzativo)* even ❖ *non l'ho n. visto* I didn't even see him.

nebbia *(s.f.)* fog, *(leggera)* mist.

nebuloso *(agg.)* **1** nebulous **2** *(fig.)* vague, hazy, nebulous, woolly.

necessario *(agg.)* necessary || *(s.m.)* *(il necessario)* the necessary ❖ *il n. per vivere* the basic necessities. **necessariamente** *(avv.)* necessarily. **necessità** *(s.f.)* necessity, *(bisogno)* need ❖ *di prima n.* essential. **necessitare** **1** *(v.i.)* to need **2** *(impers.)* *(essere necessario)* to be necessary.

necrologio *(s.m.)* **1** obituary (notice), necrology *(registro)* necrology.

nefandezza *(s.f.)* *(azione)* atrocity.

nefasto *(agg.)* ill-omened, unlucky.

negare *(v.t.)* **1** to deny **2** *(rifiutare)* to refuse. **negarsi** *(v.pron.)* **1** *(privarsi di)* to deny o.s. **2** *(fingersi assente)* to pretend to be out.

negativo *(agg. e s.m.)* negative. **negativamente** *(avv.)* negatively ❖ *rispondere n.* to answer in the negative.

negato (agg.) hopeless (at).

negazione (s.f.) 1 negation, (diniego) denial 2 GRAMM. negative.

negligenza (s.f.) 1 negligence, carelessness 2 (atto di negligenza) negligence, oversight ❖ n. professionale malpractice. **negligente** (agg.) negligent, careless.

negoziante (s.m. / s.f.) 1 shopkeeper 2 (commerciante) trader, dealer.

negoziare (v.t. / v.i.) 1 (trattare) to negotiate 2 FIN. to trade in, to deal in. **negoziato** (s.m.) negotiation. **negoziatore** (s.m.) negotiator, COMM. transactor.

negozio (s.m.) shop, AE store ❖ DIR. n. giuridico (legal) transaction.

negriero (s.m.) ST. slave trader, (fig.) slave-driver.

negro (agg. e s.m. / s.f.) SPREG. negro.

nemico (agg.) 1 hostile, adverse 2 enemy (attr.) ‖ (s.m.) 1 enemy 2 (avversario) adversary, opponent.

nemmeno (avv.) 1 neither 2 (rafforzativo) even.

neo (s.m.) 1 mole, (artificiale) beauty spot 2 (fig.) flaw, drawback.

neoclassicismo (s.m.) neoclassicism. **neoclassico** (agg.) neoclassical.

neolitico (agg. e s.m.) GEOL. Neolithic.

neologismo (s.m.) neologism.

neon (s.m.) neon.

neonato (agg.) newborn ‖ (s.m.) newborn baby.

neorealismo (s.m.) neorealism. **neorealista** (agg. e s.m. / s.f.) neorealist.

neppure (avv.) 1 v. **neanche** 2 (rafforzativo) not even.

nerbo (s.m.) 1 (frusta) whip 2 (forza) strength, (fig.) backbone.

neretto (s.m.) TIP. bold (face).

nero (agg.) 1 black, (scuro) dark, (umore) bad, gloomy ❖ bestia n. bugbear 2 (relativo a persone di colore) black, Black ❖ musica nera black music ‖ (s.m.) 1 black 2 (persona) black, Black.

nervino (agg.) ❖ gas n. nerve gas.

nervo (s.m.) nerve ❖ dare ai/sui nervi a qu.no to get on s.o.'s nerves.

nervoso (agg.) 1 nervous ❖ esaurimento n. (nervous) breakdown 2 (irritabile) irritable, edgy, short-tempered, FAM. nervy ‖ (s.m.) FAM. irritability. **nervosismo** (s.m.) annoyance, irritation, (tensione) edginess, tension, (apprensione) nervousness.

nesso (s.m.) link, connection, nexus.

nessuno (agg. indef.) 1 no, (con una negazione) any ❖ per nessun motivo for no reason, da nessuna parte nowhere 2 (qualche) any ❖ nessuna notizia? any news? ‖ (pron. indef.) 1 (rif. a persone) nobody, no one, (rif. a cose) none, (con partitivo) none, (con altra negazione) anybody, anyone, any, (con partitivo) any ❖ n. di voi none of you 2 (qualcuno) anybody, anyone, (con partitivo) any ❖ c'è n.? is anybody there?

nèttare (s.m.) nectar.

nettezza (s.f.) 1 (pulizia) cleanliness (anche fig.) ❖ n. urbana BE Cleansing Department, AE Department of Sanitation 2 (precisione) clarity, precision.

netto (agg.) 1 (pulito) clean, spotless 2 (preciso) clean, (non vago) clear (nitido) sharp 3 (notevole) marked 4 COMM. net ❖ peso n. net weight.

netturbino (s.m.) waste collector, BE dustman, AE garbage collector.

neurologia (s.f.) neurology. **neurologo** (s.m.) neurologist.

neutrale (agg.) neutral. **neutralizzare** (v.t.) to neutralize.

neutro (agg.) **1** neutral ✣ *sapone n.* mild soap **2** GRAMM. neuter.

neve (s.f.) snow. **nevischio** (s.m.) sleet. **nevicare** (v.i. impers.) to snow. **nevicata** (s.f.) snowfall.

nevralgia (s.f.) MED. neuralgia.

nevrastenico (agg. e s.m.) MED. neurasthenic, FAM. irritable.

nevrosi (s.f.) MED. neurosis.

nevrotico (agg. e s.m.) neurotic.

nibbio (s.m.) ZOOL. kite.

nicchia (s.f.) niche (anche fig.).

nicchiare (v.i.) to niche.

nichel (s.m.) MIN. nickel.

nicotina (s.f.) nicotine.

nido (s.m.) **1** nest **2** (asilo) day nursery, BE crèche, AE day care. **nidiata** (s.f.) nestful, brood (anche fig.). **nidificare** (v.i.) to nest.

niente (pron. indef.) **1** nothing, (con altra negazione) anything ✣ *non fa n.* never mind **2** (in frasi interr.) anything ✣ *nient'altro?* anything else? **||** (s.m.) nothing **||** (avv.) ✣ *n. affatto* not at all, *n. male* not bad at all **||** (agg.) FAM. (nessuno) no, (con altra negazione) any ✣ *n. TV oggi* no TV today.

ninfa (s.f.) MIT., ZOOL. nymph.

ninfea (s.f.) BOT. water-lily.

ninnananna (s.f.) lullaby.

ninnolo (s.m.) **1** knick-knack, trinket.

nipote (s.m. / s.f.) (di zii) (m.) nephew, (f.) niece, (di nonni) grandchild, (m.) grandson, (f.) granddaughter.

nitido (agg.) clear, FOT. sharp. **nitidezza** (s.f.) clarity, FOT. sharpness.

no (avv.) no, (con valore ellittico) not ✣ *n., grazie* no thank you, *vieni o n.?* are you coming or not? **||** (s.m.) **1** no, refusal **2** (voto negativo) no, nay.

nobile (agg.) noble **||** (s.m.) nobleman, noble **||** (s.f.) noblewoman, noble. **nobiltà** (s.f.) nobility.

nocca (s.f.) knuckle.

nocciola (s.f.) BOT. hazelnut **||** (agg.) (colore) nut-brown.

nocciolo[1] (s.m.) BOT. hazel (tree).

nòcciolo[2] (s.m.) **1** (di frutto) BE stone, AE pit **2** (punto essenziale) heart, core, kernel **3** FIS. core.

noce (s.m.) **1** (albero) BOT. walnut (tree) **2** (legno) walnut **||** (s.f.) (frutto) walnut ✣ *n. moscata* nutmeg.

nocivo (agg.) harmful, noxious ✣ *insetto n.* pest.

nodo (s.m.) **1** knot (anche fig.) **2** (punto cruciale) crux **3** INFORM. node **4** BOT. node **5** FERR. junction. **nodoso** (agg.) knotty, gnarled.

nodulo (s.m.) lump, MED. nodule.

noi (pron. pers.) **1** (sogg.) we **2** (compl.) us ✣ *siamo n.!* it's us!

noia (s.f.) **1** boredom ✣ *che n.!* what a bore! **2** (fastidio) nuisance, trouble. **noioso** (agg.) **1** (che provoca noia) boring **2** (fastidioso) annoying, tiresome **||** (s.m.) bore, boring person.

noleggiare (v.t.) **1** to rent, BE to hire, (navi, aerei) to charter **2** (dare a noleggio) to rent out, BE to hire out, to let. **noleggio** (s.m.) **1** renting, BE hire, (di navi, aerei) charter **2** (prezzo del noleggio) rental, BE hire (charge).

nomade (s.m. / s.f.) nomad **||** (agg.) nomadic.

nome (s.m.) **1** name ✣ *n. e cognome* full name **2** GRAMM. noun.

nomina (s.f.) appointment.

nominale (agg.) nominal.

nominare (v.t.) **1** to name **2** (menzionare) to name, to mention **3** (eleggere) to appoint, to nominate.

nominativo (agg.) ECON. nominative, COMM. registered ‖ (s.m.) **1** name **2** GRAMM. nominative.

non (avv.) not ❖ n. ancora not yet, n. appena as soon as **2** (come prefisso) non- (attr.) ❖ n. fumatore non-smoker.

noncurante (agg.) careless, indifferent, heedless, (negligente) negligent ❖ n. di mindless of.

nondimeno (cong.) nevertheless.

nonno (s.m.) grandfather, FAM. grandpa, grandad ❖ nonni grandparents. **nonna** (s.f.) grandmother, FAM. grandma, granny.

nonostante (prep.) despite, in spite of, notwithstanding ❖ ciò nonostante NEVERTHELESS ‖ (cong.) although.

non udente (s.m. / s.f.) deaf person.

non vedente (s.m. / s.f.) blind person.

nord (s.m.) north ❖ a n. di (to the) north of, verso, a n. northward (agg.), northwards (avv.). **nordico** (agg.) **1** northern **2** (dell'Europa del Nord) Nordic ‖ (s.m.) **1** Northerner **2** (dell'Europa del Nord) Nordic.

norma (s.f.) **1** (regola) rule, norm **2** TECN. standard (consuetudine) custom, practice, norm **4** DIR. rule, (legge) law.

normale (agg.) normal, standard (attr.). **normalità** (s.f.) normality. **normalizzare** (v.t.) to normalize, (uniformare) to standardize. **normalizzazione** (s.f.) normalization.

normalmente (avv.) **1** normally **2** (di solito) normally, usually, as a rule.

normativa (s.f.) regulations (pl.).

norvegese (agg e s.m. / s.f.) Norwegian.

nostalgia (s.f.) (di casa, patria) homesickness, (del passato) nostalgia. **nostalgico** (agg.) nostalgic, homesick.

nostrano (agg.) local, home (attr.).

nostro (agg. poss.) **1** our, our own ❖ il n. ufficio our office **2** (pred.) ours ❖ questo libro è n. this book is ours ‖ (pron. poss.) ours ❖ arriva un autobus, è il n. a bus is coming, it's ours.

nota (s.f.) **1** (appunto, annotazione) note ❖ n. a piè di pagina footnote **2** MUS. note **3** (conto) bill **4** (elenco) list.

notaio (s.m.) notary.

notare (v.t.) **1** (accorgersi di) to notice, to note **2** (annotare) to make a note of, to note down **3** (segnare) to mark.

notevole (agg.) **1** (degno di nota) remarkable, notable **2** (considerevole) considerable, substantial. **notevolmente** (avv.) remarkably, considerably, greatly, significantly.

notifica (s.f.) **1** notification **2** DIR. service.

notizia (s.f.) news (costruz. sing.), piece of news.

notiziario (s.m.) **1** RAD., TV news.

noto (agg.) **1** known, well-known **2** (famigerato) notorious.

notorio (agg.) well-known, (in senso neg.) notorious. **notoriamente** (avv.) as everybody knows, (in senso neg.) notoriously. **notorietà** (s.f.) fame, renown, (in senso neg.) notoriety.

notte (s.f.) night ❖ di n. at night. **nottambulo** (s.m.) night owl. **nottata** (s.f.) night. **notturno** (agg.) nocturnal, night (attr.) ‖ (s.m.) MUS. nocturne.

novella (*s.f.*) (*racconto*) short story.

novello (*agg.*) **1** (*nuovo*) new, (*vino*) new **2** (*primaticcio*) early, new **3** second ✧ *un n. Napoleone* a second Napoleon. **novellino** (*s.m.*) novice.

novembre (*s.m.*) November.

novità (*s.f.*) novelty, (*notizie*) news.

nozione (*s.f.*) notion, idea.

nozze (*s.f. pl.*) wedding (*sing.*).

nubifragio (*s.m.*) cloudburst, downpour, rainstorm.

nubile (*agg.*) unmarried, single.

nuca (*s.f.*) nape (of the neck).

nucleare (*agg.*) FIS., BIOL. nuclear.

nucleo (*s.m.*) **1** FIS., BIOL., ASTR. nucleus (*pl.* nuclei), GEOL., TECN. core **2** (*centro*) core, nucleus **3** (*gruppo*) group, unit ✧ *n. familiare* family unit **4** (*squadra*) team, squad.

nudo (*agg.*) naked, bare (*anche fig.*), nude ✧ *a piedi nudi* barefoot, *mettere a n.* to lay bare ‖ (*s.m.*) (*in arte*) nude. **nudismo** (*s.m.*) nudism. **nudità** (*s.f.*) nakedness, nudity.

nulla v. **niente**.

nullaosta (*s.m.*) authorization, DIR. permit, (*fig.*) go-ahead.

nullità (*s.f.*) **1** nullity, nothingness, (*persone*) nonentity **2** DIR. nullity.

nullo (*agg.*) **1** invalid, DIR., MAT. null, DIR. void **2** (*voto*) spoiled.

numero (*s.m.*) **1** number ✧ *n. pari, dispari* even, odd number **2** (*di pubblicazione*) number, issue **3** (*misura*) size **4** (*esibizione*) number, act **5** GRAMM. number. **numerale** (*agg.*

e *s.m.*) GRAMM. numeral. **numerare** (*v.t.*) to number. **numeratore** (*s.m.*) MAT. numerator. **numerazione** (*s.f.*) numbering, MAT. numeration. **numerico** (*agg.*) numerical. **numeroso** (*agg.*) numerous, large.

nuocere (*v.i.*) to harm, to hurt, to be harmful, to damage (*anche fig.*).

nuora (*s.f.*) daughter-in-law.

nuotare (*v.i.*) to swim. **nuotata** (*s.f.*) swim ✧ *fare una n.* to go for a swim. **nuotatore** (*s.m.*) swimmer. **nuoto** (*s.m.*) swimming.

nuovo (*agg.*) **1** new ✧ *n. di zecca* brand new **2** (*altro*) another, (*ulteriore*) further ‖ (*s.m.*) new ✧ *niente di n.* nothing new. **nuovamente** (*avv.*) again.

nutrire (*v.t.*) **1** to feed, to nourish (*anche fig.*) **2** (*sentimenti*) to nourish, to foster, to nurture, (*dubbi, paure*) BE to harbour, AE to harbor ‖ (*v.i.*) (*essere nutriente*) to be nourishing. **nutrirsi** (*v.pron.*) **1** to eat **2** (*fig.*) (*nutrirsi di*) to live on. **nutriente** (*agg.*) nourishing, nutritious. **nutrimento** (*s.m.*) nourishment (*anche fig.*), food. **nutritivo** (*agg.*) nourishing, nutritional. **nutrizione** (*s.f.*) nutrition. **nutrizionista** (*s.m.*) nutritionist. **nutrito** (*agg.*) **1** fed, nourished **2** (*fig.*) (*numeroso*) large.

nuvola (*s.f.*) cloud. **nuvoloso** (*agg.*) cloudy, (*coperto*) overcast.

nuziale (*agg.*) wedding (*attr.*).

nylon (*s.m.*) nylon.

O

o *(cong.)* **1** or, *(o ... o)* either ... or **2** *(altrimenti)* otherwise, or else.

oasi *(s.f.)* oasis *(anche fig.)*.

obbedire v. ubbidire.

obbligare *(v.t.)* to compel, to oblige, to force, DIR. to bind. **obbligarsi** *(v.pron.) (impegnarsi)* to undertake (to do sthg.). **obbligato** *(agg.)* **1** obliged, compelled **2** *(imposto)* forced **3** *(non modificabile)* fixed, set **4** *(riconoscente)* obliged. **obbligatorio** *(agg.)* compulsory, obligatory, mandatory. **obbligazione** *(s.f.)* **1** obligation **2** FIN. *(titolo)* bond. **obbligo** *(s.m.)* **1** obligation, *(dovere)* duty **2** *(condizione)* condition.

obeso *(agg.)* obese. **obesità** *(s.f.)* MED. obesity.

obiettare *(v.t. / v.i.)* to object.

obiettivo *(agg.)* objective, unbiased ‖ *(s.m.)* **1** MIL. target **2** *(fig.)* goal, target **3** FOT. lens.

obiezione *(s.f.)* objection.

obitorio *(s.m.)* mortuary, morgue.

obliquo *(agg.)* oblique, slanting.

oblò *(s.m.)* MAR. porthole.

oca *(s.f.)* ZOOL. goose *(pl. geese)* ✧ **pelle d'o.** goose pimples (bumps).

occasione *(s.f.)* **1** occasion, *(opportunità)* chance, *(circostanza)* circumstance **2** *(estens.) (affare)* bargain. **occasionale** *(agg.)* **1** *(fortuito)* casual, chance *(attr.)* **2** *(saltuario)* occasional, odd, temporary.

occhiali *(s.m. pl.)* glasses, spectacles.

occhio *(s.m.)* eye. **occhiata** *(s.f.)* look, glance. **occhiolino** *(s.m.)* wink.

occidente *(s.m.)* west ✧ **l'O.** the West. **occidentale** *(agg.)* western ‖ *(s.m. / s.f.)* Westerner, Occidental.

occorrere *(v.i.)* **1** to need *(costruz. pers.), (di tempo)* to take *(costruz. impers.)* **2** *(accadere)* to happen, to occurr. **occorrente** *(agg.)* necessary, needed ‖ *(s.m.)* the necessary.

occulto *(agg.)* **1** hidden, concealed **2** *(misterioso)* occult ‖ *(s.m.)* the occult. **occultismo** *(s.m.)* occultism.

occupare *(v.t.)* **1** to occupy *(anche MIL.)* **2** *(prendere spazio)* to take up **3** *(dare lavoro)* to employ **4** *(cariche, uffici)* to hold. **occuparsi** *(v.pron.)* **1** *(avere come occupazione)* to deal in **2** *(prendersi cura)* to look after **3** *(tenersi occupato)* to busy o.s. **occupato** *(agg.)* **1** *(posto)* taken, *(bagno)* BE engaged, AE occupied, *(telefono)* BE engaged, AE busy **2** *(indaffarato)* busy **3** *(che ha lavoro)* employed **4** MIL. occupied. **occupazione** *(s.f.)* **1** *(lavoro)* job, occupation, employment **2** *(passatempo)* pastime **3** *(di edificio ecc.)* occupation, *(abusiva)* squatting **4** MIL. occupation.

oceano *(s.m.)* ocean. **oceanico** *(agg.)* **1** oceanic, ocean *(attr.)* **2** *(fig.)* huge.

oculista *(s.m. / s.f.)* MED. ophtalmologist, eye specialist.

odiare *(v.t.)* to hate. **odiarsi** *(v.pron.)* **1** to hate o.s. **2** *(l'un l'altro)* to hate each other (one another).

odierno *(agg.)* **1** *(di oggi)* today's *(attr.)* **2** *(dei nostri giorni)* current, present(-day) *(attr.)*, *(moderno)* modern.

odio *(s.m.)* hatred, hate. **odioso** *(agg.)* hateful, loathsome, obnoxious.

odore *(s.m.)* **1** smell, scent, BE odour, AE odor **2** *(pl.)* CUC. herbs.

odorato *(s.m.)* (sense of) smell.

offendere *(v.t.)* **1** to offend, to hurt **2** *(insultare)* to insult, to outrage. **offendersi** *(v.pron.)* **1** to be offended, BE to take offence (AE offense) **2** *(insultarsi l'un l'altro)* to exchange insults.

offensiva *(s.f.)* MIL., SPORT offensive.

offensivo *(agg.)* **1** offensive, insulting, *(linguaggio)* foul **2** MIL. offensive.

offerta *(s.f.)* **1** offer **2** *(donazione)* offering, donation **3** ECON. supply **4** COMM. offer, *(nelle aste)* bid.

offesa *(s.f.)* BE offence, AE offense, *(insulto)* insult.

offeso *(agg.)* **1** offended, hurt **2** *(leso, ferito)* injured, damaged.

officina *(s.f.)* workshop, *(auto)* garage.

offrire *(v.t.)* **1** to offer **2** *(presentare)* to present **3** COMM. to offer. **offrirsi** *(v.pron.)* **1** to offer (o.s.), *(come volontario)* to volunteer **2** *(mostrarsi)* to present itself.

offuscare *(v.t.)* to darken, to dim, to obscure *(anche fig.)*. **offuscarsi** *(v.pron.)* *(di vista)* to become blurred.

oggettivo *(agg.)* objective.

oggetto *(s.m.)* **1** object, thing, *(arti-*colo)* item, product **2** *(argomento)* subject, topic **3** *(motivo, scopo)* object, purpose **4** GRAMM. object.

oggi *(avv. e s.m.)* today. **oggigiorno** *(avv.)* nowadays.

ogni *(agg. indef.)* **1** every, *(ciascuno)* each, *(tutti)* all **2** *(qualsiasi)* any, *(con il pl.)* all.

ognuno *(pron. indef.)* everyone, everybody, *(ciascuno)* each, each one, *(tutti)* all, *(con partitivo)* all of, each of.

o.k. *(inter.)*, **okay** *(s.m.)* OK, okay.

olandese *(agg.)* Dutch ‖ *(s.m.)* **1** Dutchman, *(f.)* Dutchwoman ❖ **gli Olandesi** the Dutch **2** *(lingua)* Dutch.

oleodotto *(s.m.)* (oil) pipeline.

olfatto *(s.m.)* sense of smell.

oliare *(v.t.)* to oil, to lubricate.

olimpiadi *(s.f. pl.)* SPORT Olympic games, Olympics.

olio *(s.m.)* **1** oil **2** *(dipinto)* oil painting.

oliva *(s.f.)* BOT. olive. **olivo** *(s.m.)* BOT. olive (tree). **oliveto** *(s.m.)* olive grove.

olocausto *(s.m.)* holocaust.

oltraggio *(s.m.)* BE offence, AE offense *(anche DIR.)*, outrage, *(insulto)* insult. **oltraggioso** *(agg.)* offensive, outrageous, insulting.

oltre *(prep.)* **1** *(rif. a spazio)* beyond, over, across, past **2** *(rif. a tempo)* after, beyond, over **3** *(più di)* over, more than, above **4** *(eccetto)* apart from, except **5** *(in aggiunta a)* besides, as well as ‖ *(avv.)* **1** *(nello spazio)* further (on), farther (on), past, beyond **2** *(nel tempo)* longer, more, *(più tardi)* later.

oltrepassare *(v.t.)* to cross, to go beyond, *(eccedere)* to exceed.

oltretomba (*s.m.*) hereafter, afterlife.

omaggio (*s.m.*) 1 homage, tribute 2 (*dono*) present, gift, (*unito a un altro prodotto*) giveaway, FAM. freebie 3 (*pl.*) (*saluti*) respects, regards ‖ (*agg.*) complimentary, free, gift (*attr.*).

ombelico (*s.m.*) ANAT. navel, FAM. belly button. **ombelicale** (*agg.*) ANAT. umbilical.

ombra (*s.f.*) 1 (*zona non illuminata*) shade 2 (*immagine proiettata*) shadow 3 (*fig.*) hint, trace, touch, shadow.

ombrello (*s.m.*) umbrella. **ombrellone** (*s.m.*) (*da spiaggia*) beach umbrella.

ombretto (*s.m.*) (*cosmesi*) eye shadow.

omertà (*s.f.*) code of silence.

omettere (*v.t.*) to omit, to leave out.

omicidio (*s.m.*) murder, AE homicide. **omicida** (*agg.*) murderous ‖ (*s.m.*) murderer ‖ (*s.f.*) murderess.

omissione (*s.f.*) omission.

omogeneizzato (*agg.*) homogenized ‖ (*s.m.*) (*processed*) baby food, homogenized food.

omogeneo (*agg.*) homogeneous.

omologare (*v.t.*) 1 to approve, to homologate 2 (*ratificare*) to ratify. **omologazione** (*s.f.*) 1 approval, homologation 2 (*ratifica*) ratification.

omonimo (*agg.*) homonymous (*anche* LING.) ‖ (*s.m.*) namesake, LING. homonym.

omosessuale (*agg. e s.m. / s.f.*) homosexual. **omosessualità** (*s.f.*) homosexuality.

oncia (*s.f.*) 1 ounce 2 (*fig.*) ounce, scrap.

oncologia (*s.f.*) MED. oncology.

onda (*s.f.*) wave (*anche fig.*). **ondata** (*s.f.*) 1 wave, (*di fumo, vapore*) billow 2 (*fig.*) wave, surge. **ondeggiare** (*v.i.*) 1 to wave, to sway, (*di imbarcazione*) to rock, to roll, (*di fiamma*) to flicker 2 (*fig.*) (*indugiare*) to waver, to hesitate.

ondulato (*agg.*) wavy, (*terreno*) uneven, (*lamiera, cartone*) corrugated.

onere (*s.m.*) 1 burden (*anche DIR.*), responsibility 2 ECON. (*pl.*) charges.

onestà (*s.f.*) honesty, integrity.

onesto (*agg.*) 1 honest 2 (*sincero*) fair, frank 3 (*ragionevole*) reasonable, fair. **onestamente** (*avv.*) 1 honestly 2 (*francamente*) frankly, sincerely.

onirico (*agg.*) oneiric, (*fig.*) dreamlike.

onnipotente (*agg.*) omnipotent, (*rif. alla divinità*) Almighty.

onomastico (*s.m.*) name day.

onorare (*v.t.*) 1 BE to honour, AE to honor, to celebrate 2 (*rispettare*) to respect. **onorarsi** (*v.pron.*) BE to be honoured, AE to be honored. **onorato** (*agg.*) BE honoured, AE honored.

onorario (*agg.*) honorary ‖ (*s.m.*) fee.

onore (*s.m.*) BE honour, AE honor.

onorevole (*agg.*) BE honourable, AE honorable ‖ (*s.m. / s.f.*) BE MEMBER OF PARLIAMENT, MP.

onorificenza (*s.f.*) 1 BE (sign of) honour (AE honor) 2 decoration.

onta (*s.f.*) 1 (*disonore*) shame, disgrace 2 (*offesa*) insult, offence, AE offense.

opaco (*agg.*) 1 opaque, (*non riflettente*) dull (*anche fig.*) 2 (*non lucido*) matt. **opacità** (*s.f.*) opacity, opaqueness.

opera (*s.f.*) 1 (*lavoro*) work 2 (*azione*) deed 3 MUS. opera 4 (*ente*) institution.

operaio (*s.m.*) worker, workman, (*f.*) workwoman ‖ (*agg.*) working.

operare (*v.t.*) **1** (*compiere*) to operate, to work, to do, to perform **2** MED. to operate on ‖ (*v.i.*) **1** (*agire*) to operate, to act **2** (*lavorare*) to work, (*avere un effetto*) to produce **3** MED. to operate. **operarsi** (*v.pron.*) FAM. (*farsi operare*) to undergo an operation, to have a surgery.

operativo (*agg.*) **1** operational, operating **2** (*in vigore*) operative, in force.

operato (*agg.*) MED. operated (on) ‖ (*s.m.*) **1** (*azioni*) actions (*pl.*) **2** (*condotta*) BE behaviour, AE behavior.

operatore (*s.m.*) operator, worker ❖ *o. ecologico* BE refuse (AE garbage) collector, *o. sanitario* health worker.

operazione (*s.f.*) **1** operation (*anche* MED., MAT.) **2** COMM. transaction.

operatorio (*agg.*) operating ❖ *sala operatoria* BE (operating) theatre, AE operating room.

operoso (*agg.*) industrious, active.

opinione (*s.f.*) opinion, (*convinzione*) view, belief.

oppio (*s.m.*) opium.

opporre (*v.t.*) to oppose, (*resistenza*) to offer, (*obiettare*) to object to. **opporsi** (*v.pron.*) to oppose, to withstand. **oppositore** (*s.m.*) opponent. **opposizione** (*s.f.*) opposition (*anche* POL.). **opposto** (*agg.*) **1** (*di fronte*) opposite, facing **2** (*contrario*) opposite, contrary.

opportunità (*s.f.*) **1** opportunity (*anche* DIR.), chance **2** (*l'essere opportuno*) opportuneness, timeliness.

opportuno (*agg.*) suitable, appropriate, opportune. **opportunamente** (*avv.*) (*in modo opportuno*) duly, (*al momento giusto*) opportunely. **opportunista** (*s.m. / s.f.*) opportunist.

oppressione (*s.f.*) oppression.

opprimere (*v.t.*) to oppress (*anche fig.*). **opprimente** (*agg.*) oppressive.

oppure (*cong.*) **1** or **2** (*altrimenti*) otherwise, or else.

optare (*v.i.*) to choose, to opt.

optional (*s.m.*) optional, extra.

opulento (*agg.*) opulent, lavish.

opuscolo (*s.m.*) brochure, leaflet.

opzione (*s.f.*) option.

ora¹ (*s.f.*) time, (*unità di tempo*) hour ❖ *mezz'o.* half an hour, *o. legale* daylight saving time, *o. di punta* rush hour.

ora² (*avv.*) **1** (*adesso*) now **2** (*appena, poco fa*) just ‖ (*cong.*) **1** (*allora, dunque*) now **2** (*ma*) but.

orafo (*s.m.*) goldsmith.

orale (*agg. e s.m.*) oral.

orario (*s.m.*) **1** (*ora*) time, hours (*pl.*) **2** (*tabella*) timetable, AE schedule ‖ (*agg.*) hourly, time (*attr.*), (*rif. a velocità*) per hour ❖ *in senso o.,* antiorario clockwise, counterclockwise.

oratore (*s.m.*) speaker, (*di conferenza*) lecturer.

oratorio (*s.m.*) **1** ARCH. oratory **2** MUS. oratorio.

orbita (*s.f.*) **1** orbit (*anche fig.*) **2** ANAT. (eye) socket. **orbitare** (*v.i.*) to orbit (*anche fig.*).

orbo (*agg.*) blind ‖ (*s.m.*) blind man.

orca (*s.f.*) ZOOL. killer whale.

orchestra (*s.f.*) orchestra. **orchestrale** (*agg.*) orchestral ‖ (*s.m. / s.f.*) member of an orchestra. **orchestrare** (*v.t.*) to orchestrate (*anche fig.*).

orchidea (*s.f.*) BOT. orchid.

orco (*s.m.*) ogre, (*estens.*) bogeyman.

ordigno (*s.m.*) device, contrivance.

ordinale (*agg. e s.m.*) ordinal.

ordinamento (s.m.) **1** (regolamento) regulations (pl.), rules (pl.) **2** (organizzazione) order, system ❖ o. giuridico legal system.

ordinanza (s.f.) DIR. order, ordinance, (decreto) decree.

ordinare (v.t.) **1** to order, to command, (prescrivere) to prescribe **2** (disporre) to arrange, (riordinare) to put in order, to tidy up **3** ECCL. to ordain. **ordinarsi** (v.pron.) (disporsi) to arrange o.s.

ordinario (agg.) **1** ordinary, usual **1** (di bassa qualità) common, coarse || (s.m.) **1** ordinary, usual **2** (professore di università) BE professor, AE full professor.

ordine (s.m.) **1** order **2** (categoria) class, category. **ordinato** (agg.) neat, tidy, in order. **ordinazione** (s.f.) **1** order **2** ECCL. ordination.

orecchino (agg.) earring.

orecchio (s.m.) ANAT. ear, (udito) ear, hearing ❖ a o. by ear.

orecchioni (s.m. pl.) MED. mumps.

orefice (s.m. / s.f.) (gioielliere) BE jeweller, AE jeweler, (orafo) goldsmith.

oreficeria (s.f.) **1** (gioielleria) jeweller's (shop), AE jeweler's (store) **2** (arte) goldsmith's art.

orfano (agg. e s.m.) orphan, parentless ❖ o. di padre, madre fatherless, motherless **2** (fig.) bereft. **orfanotrofio** (s.m.) orphanage.

organico (agg.) organic || (s.m.) personnel, staff.

organismo (s.m.) **1** organism, living body **2** (ente) organization, body.

organizzare (v.t.) to organize. **organizzarsi** (v.pron.) to organize o.s. **organizzato** (agg.) organized ❖ viaggio o. package tour, BE

package holiday. **organizzatore** (agg.) organizing || (s.m.) organizer. **organizzazione** (s.f.) organization.

organo (s.m.) **1** ANAT., BIOL. organ **2** AMM. (ente) body, organ **3** MUS. organ.

orgasmo (s.m.) orgasm.

orgia (s.f.) **1** orgy **2** (fig.) orgy, riot.

orgoglio (s.m.) pride. **orgoglioso** (agg.) proud.

orientale (agg.) eastern, (asiatico) oriental || (s.m.) Oriental.

orientamento (s.m.) **1** orientation, direction **2** (tendenza) trend **3** (guida, indirizzamento) guidance, counselling.

orientare (v.t.) **1** (indirizzare) to orientate, to steer, to direct **2** (posizionare) to turn, to point. **orientarsi** (v.pron.) **1** (orizzontarsi) to orient o.s. **2** (raccapezzarsi) to find one's way **3** (indirizzarsi) to take up, to opt. **orientato** (agg.) **1** oriented, facing **2** (indirizzato) directed, turned, oriented.

oriente (s.m.) east ❖ verso o. eastwards, l'O. the Orient, the East, il Medio, l'Estremo O. the Middle, the Far East.

origano (s.m.) BOT. oregano.

originale (agg.) **1** original, (nuovo) new, creative, (autentico) authentic **2** (strano) eccentric, odd || (s.m.) **1** original **2** (persona strana) odd person. **originalità** (s.f.) **1** originality **2** (stranezza) oddness.

originare (v.t.) to originate, to give rise to, to cause || (v.i.) to arise.

originario (agg.) **1** native ❖ essere o. di to come from **2** (primitivo) original, former.

origine (s.f.) **1** origin, (causa) cause,

(fonte) source, *(provenienza)* provenance **2** *(discendenza)* origin, birth.

orizzontale *(agg.)* horizontal, *(nei cruciverba)* across.

orizzonte *(s.m.)* horizon *(anche fig.)*.

orizzontarsi *(v.pron.)* **1** to orient o.s. **2** *(raccapezzarsi)* to find one's way.

orlo *(s.m.)* **1** *(limite estremo)* edge, border, *(fig.)* brink, verge **2** *(di recipiente)* rim, brim **3** *(di abiti, tessuti)* hem.

orma *(s.f.)* *(di persona)* footprint, *(fig.)* footstep, *(di animale)* track.

ormai *(avv.)* by now, *(rif. al passato)* by then.

ormeggio *(s.m.)* MAR. mooring.

ormone *(s.m.)* BIOL. hormone.

ornamento *(s.m.)* ornament, decoration. **ornamentale** *(agg.)* ornamental.

oro *(s.m.)* gold.

orologio *(s.m.)* *(portatile)* watch, *(da muro)* clock. **orologeria** *(s.f.)* **1** watchmaking **2** *(negozio)* watchmaker's (shop) **3** ❖ *bomba a o.* time bomb.

oroscopo *(s.m.)* horoscope.

orribile *(agg.)* dreadful, horrible.

orrore *(s.m.)* horror, *(ribrezzo)* disgust.

orso *(s.m.)* ZOOL. bear *(anche fig.)*.

ortaggio *(s.m.)* vegetable.

orto *(s.m.)* vegetable garden.

ortodosso *(agg. e s.m.)* orthodox *(anche fig.)*. **ortodossia** *(s.f.)* orthodoxy.

ortografia *(s.f.)* orthography, spelling.

ortolano *(s.m.)* BE greengrocer.

ortopedico *(agg.)* MED. BE orthopaedic, AE orthopedic ‖ *(s.m.)* BE orthopaedist, AE orthopedist.

orzo *(s.m.)* BOT. barley.

osare *(v.t.)* to dare, to venture.

osceno *(agg.)* **1** obscene, indecent, *(linguaggio)* filthy **2** *(di pessimo gusto)* horrible. **oscenità** *(s.f.)* **1** indecency, obscenity **2** *(cosa di pessimo gusto)* rubbish, trash.

oscillare *(v.i.)* **1** to swing, to oscillate, *(di barca)* to rock **2** *(fig.)* *(variare)* to fluctuate, *(tentennare)* to waver. **oscillazione** *(s.f.)* **1** swing(ing), oscillation **2** *(fig.)* *(variazione)* fluctuation.

oscurare *(v.t.)* **1** to darken, to obscure, to dim *(anche fig.)* **2** *(fig.)* to overshadow **3** MIL., TV to black out. **oscurarsi** *(v.pron.)* to darken *(anche fig.)*.

oscuro *(agg.)* **1** dark, *(fig.)* obscure ❖ FOT. *camera oscura* darkroom **2** *(misterioso)* mysterious. **oscurità** *(s.f.)* darkness, *(fig.)* obscurity.

ospedale *(s.m.)* hospital. **ospedaliero** *(agg.)* hospital *(attr.)*.

ospitare *(v.t.)* **1** to give hospitality to, to lodge, FAM. to put up **2** *(fig.)* *(contenere)* to house, to contain.

ospite *(s.m. / s.f.)* **1** *(chi ospita)* (m.) host, *(f.)* hostess **2** *(chi è ospitato)* guest, visitor ‖ *(agg.)* **1** *(chi ospita)* host *(attr.)* **2** *(chi è ospitato)* visiting. **ospitale** *(agg.)* hospitable.

ospizio *(s.m.)* *(anziani)* nursing home.

ossatura *(s.f.)* **1** bone structure, *(scheletro)* skeleton **2** *(fig.)* framing, framework.

ossequioso *(agg.)* **1** ceremonious **2** *(rispettoso)* respectful, obsequious.

osservare *(v.t.)* **1** to observe, *(guardare)* to watch, *(esaminare)* to examine **2** *(rispettare)* to observe, to respect, *(seguire)* to keep (to), to follow **3** *(rilevare)* to notice, to remark. **osservante** *(agg.)* observant, observing, *(un culto)* practising. **osservanza** *(s.f.)* observance, compliance. **osservatore** *(s.m.)* observer.

osservatorio *(s.m.)* observatory ❖ *o. meteorologico* weather station.

osservazione *(s.f.)* **1** observation **2** *(considerazione)* remark **3** *(rimprovero)* reproach, *(critica)* criticism.

ossessionare *(v.t.)* to obsess, to haunt. **ossessionato** *(agg.)* obsessed, haunted. **ossessione** *(s.f.)* obsession, *(assillo)* FAM. pain in the neck.

ossidare *(v.t.)*, **ossidarsi** *(v.pron.)* to tarnish, CHIM. to oxidize.

ossigeno *(s.m.)* oxygen. **ossigenato** *(agg.)* **1** CHIM. oxygenated **2** *(capelli)* peroxided.

osso *(s.m.)* bone. **ossuto** *(agg.)* bony.

ostacolare *(v.t.)* **1** to obstruct, to impede **2** *(fig.)* to hinder, to hamper.

ostacolo *(s.m.)* **1** obstacle, hindrance, *(fig.)* hurdle **2** SPORT hurdle.

ostaggio *(s.m.)* hostage.

ostello *(s.m.)* hostel.

ostentare *(v.t.)* **1** *(esibire)* to flaunt, FAM. to show off **2** *(fingere)* to feign.

osteria *(s.m.)* inn.

ostetrica *(s.f.)* MED. ostetrician, midwife.

ostile *(agg.)* hostile. **ostilità** *(s.f.)* **1** hostility, enmity, *(estens.)* opposition **2** *(pl.)* MIL. hostilities.

ostinarsi *(v.pron.)* to persist, to keep on, to insist. **ostinato** *(agg.)* **1** obstinate, stubborn **2** *(fig.) (insistente)* continuous, persistent. **ostinatamente** *(avv.)* obstinately, stubbornly. **ostinazione** *(s.f.)* stubbornness.

ostruire *(v.t.)* to obstruct, to block. **ostruirsi** *(v.pron.)* to become obstructed, to clog up. **ostruzione** *(s.f.)* obstruction, blockage.

ottemperare *(v.i.)* to comply with. **ottemperanza** *(s.f.)* compliance.

ottenere *(v.t.)* to obtain, *(un risultato)* to achieve, *(guadagnare)* to gain.

ottico *(agg.)* optical ‖ *(s.m.)* optician.

ottimista *(s.m. / s.f.)* optimist ‖ *(agg.)* optimistic.

ottimo *(agg. superl.)* very good, excellent ‖ *(s.m.)* the best.

ottobre *(s.m.)* October.

ottone *(s.m.)* brass *(anche MUS.)*.

otturare *(v.t.)* **1** to stop (up), to clog, to plug **2** MED. *(un dente)* to fill. **otturarsi** *(v.pron.)* to clog.

otturazione *(s.f.)* **1** *(ostruzione)* stopping **2** MED. *(di dente)* filling.

ottuso *(agg.)* obtuse *(anche GEOM.)*.

ovaia *(s.f.)* ANAT. ovary.

ovale *(agg.)* oval.

ovatta *(s.f.)* BE cotton wool, AE cotton. **ovattato** *(agg.) (suono)* muffled.

ovazione *(s.f.)* ovation.

overdose *(s.f.)* overdose.

ovest *(s.m.)* west ❖ *verso, a o.* westward *(agg.)*, westwards *(avv.)*.

ovile *(s.m.)* (sheep)fold *(anche fig.)*.

ovino *(agg.)* sheep *(attr.)*, ovine ‖ *(s.m.)* ZOOL. sheep.

ovunque *(avv.)* everywhere.

ovvero *(cong.)* or (rather), *(cioè)* that is.

ovvio *(agg.)* obvious. **ovviamente** *(avv.)* obviously.

ozio *(s.m.)* idleness. **ozioso** *(agg.)* **1** idle **2** *(inutile)* idle, pointless.

ozono *(s.m.)* CHIM. ozone.

P

pacco (s.m.) parcel, (collo) package.

pace (s.f.) peace. **pacifico** (agg.) (tranquillo) peaceful, calm.

padella (s.f.) frying pan.

padre (s.m.) father (anche fig.).

padrino (s.m.) godfather.

padrona (s.f.) 1 (proprietaria) owner, (di animale) mistress 2 (di albergo, casa ecc.) landlady 3 (quando riceve) ❖ p. di casa hostess 4 (fig.) (in controllo) mistress ❖ p. della situazione mistress of the situation.

padrone (s.m.) 1 (proprietario) owner, (di animale) master 2 (di albergo, casa ecc.) landlord 3 (quando riceve) ❖ p. di casa host 4 (datore di lavoro) employer, FAM. boss 5 (fig.) (perfetto conoscitore) master.

padroneggiare (v.t.) to master.

paesaggio (s.m.) landscape (anche PITT.), (panorama) view, panorama.

paesano (agg.) (rustico) country (attr.), rustic, rural ll (s.m.) 1 (contadino) countryman, (f.) countrywoman 2 (abitante di villaggio) villager.

paese (s.m.) 1 (nazione) country, (patria) homeland 2 (villaggio) village, (luogo natio) hometown.

paga (s.f.) pay, (stipendio) salary, AE paycheck, (salario) wage, wages (pl.) ❖ busta p. BE pay packet.

pagamento (s.m.) payment.

pagano (agg.) pagan.

pagare (v.t.) 1 to pay (anche fig.) 2 (offrire) to pay, to buy, to treat.

pagella (s.f.) BE (school) report, AE report card.

pagina (s.f.) page, (foglio) leaf, INFORM. page.

paglia (s.f.) straw. **pagliaio** (s.m.) haystack.

pagliaccio (s.m.) clown.

paio (s.m.) 1 pair 2 (due, circa due) couple ❖ un p. di volte a couple of times.

pala (s.f.) 1 (badile) shovel 2 (di elica, remo) blade, (di mulino a vento) sail, vane 3 PITT. ❖ p. d'altare altarpiece.

palato (s.m.) ANAT. palate (anche fig.).

palazzo (s.m.) 1 (edificio) building, (complesso residenziale) BE block (of flats), AE apartment building 2 (palazzo nobiliare) palace, mansion 3 (uffici pubblici) hall, building.

palco (s.m.) 1 (pedana) stand, platform 2 v. **palcoscenico** 3 TEATR. box.

palcoscenico (s.m.) stage.

palestra (s.f.) gym(nasium).

paletta (s.f.) 1 (giocattolo) spade, (da cucina) spatula, (per servire) slice, (per la spazzatura) dustpan 2 (polizia, capostazione) signal paddle.

palla *(s.f.)* **1** ball **2** FAM. *(bugia)* balls *(pl.)*, bullshit **3** FAM. *(persona, cosa noiosa)* drag **4** *(pl.)* VOLG. *(testicoli)* balls *(anche fig.)*.

pallacanestro *(s.f.)* SPORT basketball.

pallanuoto *(s.f.)* SPORT water polo.

pallavolo *(s.f.)* SPORT volleyball.

pallido *(agg.)* **1** pale, wan, *(colore)* light **2** *(fig.)* *(debole)* dim, faint.

pallone *(s.m.)* **1** ball **2** *(aerostato)* balloon. **palloncino** *(s.m.)* balloon.

pallottola *(s.f.)* **1** *(piccola palla)* pellet **2** *(di arma)* bullet.

palma¹ *(s.f.)* ANAT. *(della mano)* palm.

palma² *(s.f.)* BOT. *(albero)* palm (tree).

palmo *(s.m.)* **1** FAM. v. palma¹ **2** *(spanna)* span.

palo *(s.m.)* pole, post, *(paletto)* stake, SPORT *(calcio)* goalpost.

palpebra *(s.f.)* ANAT. eyelid.

palude *(s.f.)* marsh, swamp, *(pantano)* quagmire *(anche fig.)*.

panca *(s.f.)* bench, *(di chiesa)* pew.

panchina *(s.f.)* bench, seat.

pancia *(s.f.)* **1** stomach, FAM. belly, FAM. tummy **2** *(ventre grosso)* paunch.

pane *(s.m.)* bread, *(pagnotta)* loaf.

panetteria *(s.f.)* bakery, baker's.

panico *(s.m.)* panic.

panino *(s.m.)* (bread) roll ❖ *p. imbottito* sandwich.

panna *(s.f.)* cream.

panno *(s.m.)* **1** cloth **2** *(pl.)* *(abiti)* clothes, *(biancheria)* linen *(sing.)*.

pannocchia *(s.f.)* BOT. *(di mais)* cob.

pannolino *(s.m.)* **1** *(per bambini)* BE, FAM. nappy, AE diaper **2** v. **assorbente**.

panorama *(s.m.)* **1** view, panorama *(anche* FOT.*)* **2** *(rassegna)* overview, survey.

pantaloni *(s.m. pl.)* BE trousers, AE pants.

pantera *(s.f.)* ZOOL. panther.

pantofola *(s.f.)* slipper.

papa *(s.m.)* Pope.

papà *(s.m.)* FAM. dad, daddy, pa.

papavero *(s.m.)* BOT. poppy.

papera *(s.f.)* ZOOL. gosling.

pappa *(s.f.)* *(per bambini)* baby food.

pappagallo *(s.m.)* ZOOL. parrot.

parabola *(s.f.)* **1** MAT. parabola **2** TV *(antenna parabolica)* satellite dish.

parabrezza *(s.m.)* AUT., BE windscreen, AE windshield.

paracadute *(s.m.)* parachute. **paracadutista** *(s.m. / s.f.)* parachutist, MIL. paratrooper.

paradiso *(s.m.)* paradise, heaven *(anche fig.)*.

paradosso *(s.m.)* paradox.

parafango *(s.m.)* AE fender, BE *(bicicletta)* mudguard, BE *(auto)* wing.

parafulmine *(s.m.)* BE lightning conductor, AE lightning rod *(anche fig.)*.

paragonare *(v.t.)* to compare. **paragone** *(s.m.)* comparison.

paragrafo *(s.m.)* paragraph.

paralisi *(s.f.)* MED. paralysis *(anche fig.)*. **paralizzato** *(agg.)* BE paralysed, AE paralyzed.

parallelo *(agg. e s.m.)* parallel *(anche* GEOGR.*)*.

paraocchi *(s.m.)* BE blinkers *(pl.)*, AE blinders *(pl.)*.

parare *(v.t.)* **1** *(scansare)* to ward off, to parry **2** *(schermare)* to screen, *(proteggere)* to shield **3** SPORT *(calcio)* to save, *(pugilato, scherma)* to parry **4** *(adornare)* to adorn, to deck

‖ *(v.i.) (fig.)* ❖ **andare a p.** to lead up to, to get at. **pararsi** *(v.pron.)* **1** *(comparire)* to appear **2** *(ripararsi)* to shield o.s.

paraurti *(s.m.)* AUT. bumper, FERR. buffer.

parcella *(s.f.) (onorario)* bill, fee.

parcheggiare *(v.t. / v.i.)* to park. **parcheggio** *(s.m.)* **1** parking **2** *(area di parcheggio)* car park, AE parking lot, *(posto)* parking place, parking space.

parco *(s.m.)* park.

parecchio *(agg. indef.)* **1** *(rif. a quantità)* (quite) a lot of, plenty of, several *(solo pl.)*, quite a few **2** *(rif. a tempo)* (quite) a long, *(in frasi interr.)* long **3** *(rif. a distanza)* (quite) a long way, *(in frasi interr.)* far ‖ *(pron. indef.)* **1** (quite) a lot, several *(solo pl.)*, quite a few, quite a lot (of people) **2** *(rif. a tempo)* quite a while **3** *(rif. a distanza)* a long way, *(in frasi interr.)* far ‖ *(avv.)* quite (a lot), *(con agg.)* quite, very.

pareggiare *(v.t.) (livellare)* to level (out, off), *(tagliando)* to trim **2** *(uguagliare)* to equal **3** COMM. to balance, to square ‖ *(v.i.)* SPORT to draw, to tie. **pareggio** *(s.m.)* **1** COMM. balance **2** SPORT draw.

parente *(s.m. / s.f.)* relative, relation.

parentela *(s.f.)* **1** relationship **2** *(parenti)* relatives *(pl.)*, relations *(pl.)* **3** *(legame)* tie.

parentesi *(s.f.)* **1** BE bracket *(anche* MAT.*)*, AE parenthesis ❖ **p. tonda, quadra, graffa** round, square, curly bracket **2** *(fig.) (digressione)* digression, aside **3** *(fig.) (intervallo di tempo)* interval, period **4** *(fig.) (interruzione)* break.

parere[1] *(v.i.)* **1** *(sembrare)* to seem, to look, to appear, *(somigliare a)* to look like **2** *(credere, ritenere)* to think, *(avere l'impressione)* to look **3** *(volere)* to like, to want ‖ *(v.i.impers.)* **1** to seem *(costruz. impers.)*, to look like *(costruz. impers.)* **2** ❖ *(si dice) pare che* it is said that.

parere[2] *(s.m.)* opinion, *(opinione professionale)* advice.

parete *(s.f.)* **1** wall **2** *(montagna)* face.

pari *(agg.)* **1** equal, *(stesso)* same, *(simile)* like, *(allo stesso livello)* level, even ❖ **p. lunghezza, altezza** same length, height **2** MAT. *(divisibile per due)* even **3** SPORT drawn, tied ‖ *(s.m.)* **1** SPORT *(pareggio)* draw, tie **2** *(persona di uguale grado)* equal, peer **3** *(titolo nobiliare inglese)* peer ‖ *(avv.)* **1** equally, *(allo stesso livello)* on the same level **2** SPORT *(in parità)* in a draw, in a tie, *(tennis)* deuce.

parità *(s.f.)* parity, equality, *(situazione di stallo)* deadlock, standoff.

parlamento *(s.m.)* **1** parliament ❖ *(parlamento britannico)* (House of) Parliament, *(equivalente statunitense)* Congress.

parlare *(v.i.)* **1** to speak, to talk **2** *(rivolgersi)* to address (s.o.) **3** *(avere come argomento)* to be about **4** *(trattare)* to speak (about), *(per iscritto)* to write (about) **5** *(discutere)* to talk, to discuss **6** *(alludere)* to refer (to), *(menzionare)* to mention, *(far ricordare)* to remind ‖ *(v.t.)* to speak ‖ *(s.m.)* **1** *(modo di parlare)* way of speaking **2** *(chiacchiere)* talk **3** *(parlata)* dialect, *(idioma)* language. **parlarsi** *(v.pron.)* **1** to speak (to each other) **2** *(avere rapporti amichevoli)* to be on speaking terms.

parodia (s.f.) parody, FAM. spoof.

parola (s.f.) **1** word, (termine) word, term (facoltà di parlare) speech, language **3** (promessa) word, promise.

parolaccia (s.f.) swear word, curse.

parrocchia (s.f.) ECCL. parish.

parroco (s.m.) parish priest, (protestante) parson, vicar.

parrucca (s.f.) wig.

parrucchiere (s.m.) hairdresser.

parte (s.f.) **1** part, piece, (porzione) portion **2** (quota) share, part **3** (lato) side, part **4** (direzione) way, direction ♦ da nessuna p. nowhere, da tutte le parti everywhere **5** (fazione) faction, side, (partito) party **6** DIR. party **7** TEATR., CINEM. (ruolo) part, role (anche fig.).

partecipare (v.i.) **1** to take part (in), to participate (in) **2** (presenziare) to attend, to be present **3** (condividere) to share. **partecipazione** (s.f.) **1** participation, (il prendere parte) attending, (presenza) presence, attendance **2** (annuncio scritto) card ♦ p. di nozze wedding card **3** ECON. sharing, holding, (quota) share.

parteggiare (v.i.) to side, to take sides.

partenza (s.f.) **1** departure ♦ in p. leaving (for), bound for **2** SPORT start.

particolare (agg.) particular, (speciale) special, peculiar ‖ (s.m.) detail, particular.

partire (v.i.) **1** to leave, FORM. to depart, (allontanarsi) to go off, (per un viaggio) to set off **2** (di veicolo) to leave, (di aereo) to start, (di nave) to sail **3** (mettersi in moto) to start, to set out **4** (avere origine, iniziare) to start (anche fig.) **5** SPORT to start.

partita (s.f.) **1** SPORT game, (incon-

tro) match **2** COMM. (di merce) lot, parcel.

partito (s.m.) **1** POL. party **2** (fig.) (risultato di una decisione) option, (parte) side **3** (persona da sposare) catch.

partorire (v.t.) **1** to give birth (to a child), to deliver **2** (fig.) (produrre) to produce. **parto** (s.m.) **1** (child)birth, delivery, (travaglio) BE labour, AE labor **2** (fig.) product, creation.

parziale (agg.) **1** (non completo) partial, incomplete **2** (fig.) (non obiettivo) biased, one-sided ‖ (s.m.) SPORT (risultato) part-time score.

pascolare (v.t. / v.i.) to graze, to pasture.

Pasqua (s.f.) RELIG. Easter.

passaggio (s.m.) **1** (il passare) passing, passage, (traversata) crossing **2** (luogo di transito) pass, passage, way, (attraversamento) crossing ♦ p. pedonale pedestrian crossing, BE zebra crossing, p. a livello level crossing **3** (su nave) passage, (su altro veicolo) BE lift, AE ride **4** (fig.) (transizione) change, transition **5** SPORT pass.

passare (v.i.) **1** to pass (anche fig.), to go by **2** (fare una breve visita) to pass, to call in, to drop in **3** (di tempo, trascorrere) to pass, to go by, to elapse **4** (cambiare stato) to change, (cessare) to pass, to be over **5** (cambiare argomento) to move **6** (essere approvato) to pass **7** (avanzare di grado o posizione) to be promoted (to) **8** (essere scambiato per) to be taken for, to pass for, (essere considerato) to be considered **9** SPORT to pass ‖ (v.t.) **1** (attraversare) to cross, to go through (anche fig.) **2** (oltre-

passare) to pass, to go past, *(sorpassare)* to overtake **3** *(trascorrere)* to pass, to spend **4** *(porgere)* to pass, to hand.

passatempo *(s.m.)* pastime, hobby.

passato *(agg.)* **1** past, *(scorso)* last **2** *(superato)* dated, out ‖ *(s.m.)* **1** past **2** GRAMM. past, perfect **3** CUC. *(minestra)* cream, soup.

passeggero *(agg.)* passing, *(transitorio)* transient ‖ *(s.m.)* passenger.

passeggiare *(v.i.)* to walk, to stroll.

passeggiata *(s.f.)* **1** walk, stroll, *(a cavallo, in bicicletta)* ride, *(con un veicolo)* ride, drive ❖ *fare una p.* to go for a walk **2** *(percorso)* walk, *(lungomare)* promenade. **passeggio** *(s.m.)* walk.

passero *(s.m.)* ZOOL. sparrow.

passione *(s.f.)* **1** passion **2** *(estens.)* *(entusiasmo)* passion, love, *(interesse)* fondness **3** *(sofferenza)* suffering, distress **4** RELIG. Passion.

passivo *(agg.)* **1** passive **2** COMM. passive, debit *(attr.)* ‖ *(s.m.)* **1** GRAMM. passive **2** COMM. liabilities *(pl.).*

passo *(s.m.)* **1** step *(anche fig.), (andatura)* pace ❖ *(fig.) seguire i passi di qu.no* to follow in s.o.'s footsteps, *(fig.) tornare sui propri passi* to backtrack **2** *(orma)* footprint **3** *(rumore)* footstep, footfall **4** *(brano)* passage.

pasta *(s.f.)* **1** *(farina impastata)* dough, paste **2** CUC. *(pastasciutta)* pasta **3** *(pasticcino)* pastry **4** FARM., TECN. paste **5** *(fig.) (natura)* stuff, temper.

pasticceria *(s.f.)* **1** *(negozio)* confectioner's (shop) **2** *(paste)* confectionery, pastries *(pl.)* **3** *(arte)* pastry making, confectionery.

pasticciere *(s.m.)* confectioner.

pasticcino *(s.m.)* CUC. pastry, cake, *(da tè)* BE fancy cake, tea cake.

pasticcio *(s.m.)* **1** CUC. pie **2** *(lavoro malfatto)* mess **3** *(situazione imbrogliata)* fix, trouble.

pasto *(s.m.)* meal.

pastore *(s.m.)* **1** shepherd *(anche fig.)* **2** *(prete protestante)* minister, *(prete anglicano)* parson, clergyman **3** ZOOL. *(cane pastore)* sheepdog.

patata *(s.f.)* potato. **patatine** *(s.f. pl.)* *(fritte)* BE chips, AE French fries, *(croccanti)* BE crisps, AE chips.

patente *(s.f.)* BE licence, AE license, *(di guida)* BE driving licence, AE driver's license.

patetico *(agg.)* pathetic, *(commovente)* moving, SPREG. pathetic.

patire *(v.i.)* to suffer (from sthg.) ‖ *(v.t.)* **1** to suffer (from sthg.) **2** *(sopportare)* to bear, to stand.

patria *(s.f.)* **1** native country, fatherland, motherland **2** *(fig.)* home.

patrimonio *(s.m.)* **1** property, estate, assets *(pl.)* **2** *(fig.)* heritage.

pattinaggio *(s.m.)* skating ❖ *p. artistico* figure skating.

pattinare *(v.i.)* **1** to skate **2** *(di automobile)* to skid.

pattino *(s.m.)* **1** SPORT skate **2** TECN. sliding block.

patto *(s.m.)* **1** *(accordo)* pact, agreement **2** *(condizione)* term, condition.

pattuglia *(s.f.)* patrol *(anche MIL.).*

pattumiera *(s.f.)* BE dustbin, BE rubbish bin, AE garbage can, AE trash can.

paura *(s.f.)* fear, dread, *(spavento)*

fright, scare, *(timore)* fear, worry ❖ *ho p. che...* I'm afraid that....

pauroso *(agg.)* **1** fearful *(pred.)*, *(timoroso)* timid, timorous **2** *(che fa paura)* frightful, terrifying **3** FAM. *(straordinario)* incredible.

pausa *(s.f.)* **1** pause, *(nel lavoro)* break **2** MUS. rest, pause.

pavimento *(s.m.)* floor, *(di tavole)* planking, *(a parquet)* parquet.

pavone *(s.m.)* ZOOL. peacock.

paziente *(agg. e s.m.)* patient. **pazienza** *(s.f.)* patience ❖ *perdere la p.* to lose one's temper, *p.!* never mind!

pazzia *(s.f.)* **1** *(condizione)* madness, insanity **2** *(cosa o azione insensata)* madness, folly.

pazzo *(agg.)* **1** mad, crazy, lunatic **2** *(fig.) (sfrenato)* wild, mad ‖ *(s.m.)* madman, lunatic. **pazza** *(s.f.)* madwoman.

peccato *(s.m.)* sin ❖ *(che) p.!* what a pity! **peccatore** *(s.m.)* sinner.

pecora *(s.f.)* ZOOL. sheep *(pl. invar.)*.

pedale *(s.m.)* pedal. **pedalare** *(v.i.)* to pedal.

pediatra *(s.m. / s.f.)* paediatrician, AE pediatrician.

pedinare *(v.t.)* to tail, to shadow.

pedone *(s.m.)* **1** pedestrian **2** *(a scacchi)* pawn. **pedonale** *(agg.)* pedestrian.

peggio *(avv.) (compar.)* worse ‖ *(avv.) (superl. rel.)* worst, *(tra due)* worse ‖ *(agg.) (compar.)* worse ‖ *(agg.) (superl. rel.)* (the) worst ‖ *(s.m.)* the worst.

peggiorare *(v.t.)* to make worse ‖ *(v.i.)* to get worse. **peggioramento** *(s.m.)* worsening, deterioration.

peggiore *(agg.) (compar.)* worse ‖ *(agg.) (superl. rel.)* the worst, *(tra due)* the worse.

pelato *(agg.)* **1** *(privato della buccia)* peeled **2** *(calvo)* bald ‖ *(s.m.)* **1** *(persona calva)* baldhead, FAM. baldpate **2** *(pl.) (pomodori)* peeled tomatoes.

pelle *(s.f.)* **1** skin, *(di animali)* hide, skin, *(carnagione)* complexion **2** *(cuoio)* leather **3** *(buccia)* peel **4** *(fig.)* FAM. *(vita)* life, skin.

pellegrino *(s.m.)* pilgrim.

pelletteria *(s.f.)* **1** *(articoli in pelle)* leather goods *(pl.)* **2** *(negozio)* leather goods shop.

pelliccia *(s.f.)* **1** fur **2** *(indumento)* fur (coat).

pellicola *(s.f.)* **1** FOT., CINEM. film **2** ANAT., BIOL. *(membrana)* film.

pelo *(s.m.)* **1** hair **2** *(pelame)* coat, hair, *(pelliccia)* fur. **peloso** *(agg.)* hairy.

pena *(s.f.)* **1** *(punizione)* punishment, penalty **2** *(dolore)* pain, grief, *(dispiacere)* sorrow, *(preoccupazione)* worry **3** *(fatica)* bother **4** *(compassione)* pity.

penale *(agg.)* penal ‖ *(s.f.)* DIR. penalty, fine, *(in un contratto)* forfeit.

pendere *(v.i.)* **1** *(essere appeso)* to hang (down) **2** *(essere inclinato)* to lean, to incline **3** *(essere in declivio)* to slope **4** *(fig.) (incombere)* to hang over.

pendio *(s.m.)* slope.

pene *(s.m.)* ANAT. penis.

penetrare *(v.i. / v.t.)* **1** to penetrate **2** *(perforare)* to pierce **3** *(passare attraverso)* to pass through, *(infiltrarsi)* to slip (through), to get in.

penitenza *(s.f.)* **1** RELIG. penance

2 *(castigo)* punishment **3** *(nei giochi)* forfeit.

penna *(s.f.)* **1** *(di uccello)* feather **2** *(per ornamento)* plume **3** *(per scrivere)* pen ❖ **p. stilografica** fountain pen, *p. d'oca* quill **4** INFORM. pen.

pennarello *(s.m.)* felt-tip (fibre-tip) pen.

pennello *(s.m.)* brush, *(da pittore)* paintbrush.

penoso *(agg.)* **1** *(doloroso)* painful, *(faticoso)* laborious **2** *(che fa pena)* pitiful.

pensare *(v.t.)* **1** to think **2** *(riflettere)* to consider, to think over **3** *(avere l'intenzione)* to think, to intend, *(decidere)* to decide ‖ *(v.i.)* **1** to think **2** *(badare)* to see, to take care, to look after.

pensiero *(s.m.)* **1** thought **2** *(opinione)* opinion, mind **3** *(dottrina)* (school of) thought **4** *(preoccupazione)* worry, care **5** *(attenzione)* thought **6** FAM. *(dono)* gift, present.

pensionato *(agg.)* retired ‖ *(s.m.)* **1** pensioner, retired person **2** *(istituto per studenti)* student's hostel.

pensione *(s.f.)* **1** *(somma percepita)* pension **2** *(fine dell'attività lavorativa)* retirement **3** *(albergo)* boarding house, guesthouse **4** *(vitto e alloggio)* board and lodging ❖ **mezza p.** half board, *p. completa* full board.

Pentecoste *(s.f.)* ECCL. Whitsun.

pentirsi *(v.pron.)* to regret, *(di peccati)* to repent.

pentola *(s.f.)* pot, pan.

pepe *(s.m.)* pepper.

peperoncino *(s.m.)* chilli, AE chili.

peperone *(s.m.)* pepper, *(piccante)* chilli.

per *(prep.)* **1** *(moto per luogo)* through, *(lungo)* along, *(sopra)* over, *(senza direzione definita)* about, around **2** *(moto a luogo)* for, to **3** *(stato in luogo)* in, *(su)* on, upon **4** *(durante)* for, during, *(entro)* by **5** *(modo)* by, in **6** *(mezzo)* by **7** *(causa)* because of, owing to, out of **8** *(fine, vantaggio, colpa)* for **9** *(al prezzo di)* for **10** *(successione)* by, after, *(distributivo)* per, by, in **11** MAT. by ❖ **sei p. otto** six by eight ‖ *(cong.)* **1** *(finale)* (in order) to, so as **2** *(causale)* for.

percentuale *(agg.)* per cent, AE percent, percentage *(attr.)* ‖ *(s.f.)* percentage, *(tasso, quota)* rate, *(provvigione)* commission.

perché *(avv. interr.)* why ‖ *(cong.)* **1** because, *(poiché)* as, since ❖ **p. non vieni?** *P. non posso* why aren't you coming? Because I can't **2** *(affinché)* so that ‖ *(s.m.)* **1** *(motivo)* why, *(ragione)* reason **2** *(interrogativo)* question.

perciò *(cong.)* therefore, for this reason.

percorrere *(v.t.)* **1** to cover, to travel, to go along, *(a piedi)* to walk along, *(in auto)* to drive **2** *(attraversare)* to go through, *(a piedi)* to walk through.

perdere *(v.t.)* **1** to lose *(anche fig.)* **2** *(lasciarsi sfuggire)* to miss, *(volontariamente)* to skip **3** *(sprecare)* to waste **4** *(di contenitori)* to leak ‖ *(v.i.)* **1** *(rimetterci)* to lose **2** *(di contenitori)* to leak. **perdersi** *(v.pron.)* **1** *(smarrirsi)* to get lost, to lose one's way **2** *(scomparire)* to disappear, to vanish **3** *(lasciarsi sfuggire)* to miss **4** *(estinguersi)* to fade away, to die away. **perdita** (*s.f.*) **1** loss **2** (*spreco*) waste **3** (*fuoriuscita di liquidi, gas*) leak, leakage, (*dispersione di elettricità, calore*) loss **4** ECON. loss.

perdonare (*v.t. / v.i.*) **1** to forgive, to pardon **2** (*scusare*) to excuse. **perdono** (*s.m.*) forgiveness, (*scusa*) pardon.

perfetto (*agg.*) perfect.

perfezione (*s.f.*) perfection.

perfino (*avv.*) **1** (*anche*) even **2** (*soltanto*) just.

pericolo (*s.m.*) danger, (*rischio*) risk, hazard. **pericoloso** (*agg.*) dangerous, (*rischioso*) risky.

periferia (*s.f.*) **1** (*di città*) outskirts (*pl.*), (*sobborghi*) suburbs (*pl.*) **2** (*estens*) periphery.

periodo (*s.m.*) **1** period (*anche* SCIENT.) **2** GRAMM. sentence, period.

perla (*s.f.*) pearl.

perlomeno (*avv.*) at least.

perlopiù (*avv.*) **1** (*di solito*) usually **2** (*per la maggior parte*) mainly, mostly.

permaloso (*agg.*) touchy.

permettere (*v.t.*) **1** to allow, to let, to permit, (*autorizzare*) to authorize **2** (*tollerare*) to let, to allow **3** (*dare la possibilità*) to enable. **permettersi** (*v.pron.*) **1** to allow o.s. **2** (*concedersi*) to afford **3** (*prendersi la libertà*) to dare. **permesso** (*agg.*) permitted, allowed ❖ (*per entrare*) p.? may I come in? (*per farsi strada*) p.! excuse me! || (*s.m.*) **1** (*autorizzazione*) permission, permit **2** (*licenza*) leave **3** (*lasciapassare*) pass.

però (*cong.*) **1** but **2** (*tuttavia*) yet, however.

perpendicolare (*agg. e s.f.*) perpendicular.

persiana (*s.f.*) shutter, blind.

persona (*s.f.*) person (*pl.* people, persons).

personaggio (*s.m.*) **1** (*celebrità*) personality, figure **2** (*di romanzo ecc.*) character **3** FAM. (*tipo*) character.

personale (*agg.*) personal || (*s.m.*) **1** (*dipendenti*) staff, personnel, (*maestranze*) workers (*pl.*) **2** (*figura*) figure. **personalità** (*s.f.*) personality.

perspicace (*agg.*) clever, shrewd.

persuadere (*v.t.*) to convince. **persuadersi** (*v.pron.*) to convince o.s.

persuasione (*s.f.*) persuasion.

pertanto (*cong.*) therefore, so.

pesante (*agg.*) **1** heavy (*anche fig.*), weighty **2** (*cibo*) rich, heavy **3** (*vestito*) warm, heavy **4** (*fig.*) (*faticoso*) hard, tiring **5** (*fig.*) (*noioso*) boring, dull.

pesare (*v.t. / v.i.*) to weigh (*anche fig.*). **pesarsi** (*v.pron.*) to weigh o.s.

pesca (*s.f.*) BOT. peach.

pescare (*v.t.*) **1** to fish, (*con la lenza*) to angle **2** (*fig.*) (*trovare*) to get hold of, to find **3** (*fig.*) (*cogliere sul fatto*) to catch **4** (*a carte*) to draw || (*v.i.*) MAR. (*di imbarcazione*) to draw. **pesca** (*s.f.*) **1** fishing, (*con la lenza*) angling **2** (*il pescato*) CATCH, HAUL **3** (*lotteria*) raffle, lucky dip. **pescatore** (*s.m.*) fisherman, (*con la lenza*) angler.

pesce (*s.m.*) fish (*pl. invar.*) ❖ p. d'aprile April Fool.

peschereccio (*agg.*) fishing || (*s.m.*) fishing boat.

pescheria (*s.f.*) BE fishmonger's shop, AE fish store.

Pesci (*s.m. pl.*) ASTROL. Pisces.

peso (*s.m.*) **1** weight (*anche* FIS.) ♦ *p. lordo* gross weight, *p. netto* net weight **2** (*fig.*) (*carico*) weight, burden **3** (*fig.*) (*importanza*) importance.

pessimismo (*s.m.*) pessimism.

pessimo (*agg. superl.*) very bad, awful.

pestare (*v.t.*) **1** to pound, to crush **2** (*calpestare*) to tread on, to stamp **3** FAM. (*picchiare*) to beat up.

peste (*s.f.*) **1** MED. plague **2** (*fig.*) (*persona pestifera*) pest.

petalo (*s.m.*) petal.

petardo (*s.m.*) banger, (fire)cracker.

petroliera (*s.f.*) tanker.

petrolio (*s.m.*) oil, petroleum.

pettegolezzo (*s.m.*) gossip, tattle.

pettine (*s.m.*) comb. **pettinare** (*v.t.*) to comb. **pettinarsi** (*v.pron.*) to comb one's hair. **pettinatura** (*s.f.*) (*acconciatura*) hairstyle, hairdo.

pettirosso (*s.m.*) ZOOL. robin.

petto (*s.m.*) **1** (*torace*) breast, chest, (*seno*) breasts (*pl.*), bosom **2** CUC. (*di pollo*) breast, (*di bovino*) brisket.

pezza (*s.f.*) **1** cloth, rag **2** (*toppa*) patch.

pezzo (*s.m.*) **1** piece, bit **2** (*elemento*) piece, part **3** (*fig.*) (*brano*) passage, (*articolo di giornale*) article, (*brano musicale*) piece **4** (*fig.*) (*periodo di tempo*) quite a long time, quite a while, (*distanza*) way, distance.

piacere[1] (*s.m.*) **1** pleasure ♦ *p. di conoscerla* pleased to meet you **2** (*favore*) favour, AE favor.

piacere[2] (*v.i.*) to like (*costruz. pers.*), (*essere appassionato*) to be fond of (*costruz. pers.*). **piacersi** (*v.pron.*) (*a se stesso*) to like o.s., (*l'un l'altro*) to

like each other. **piacevole** (*agg.*) pleasant, agreeable, nice.

piaga (*s.f.*) **1** sore, (*ferita*) wound, (*fig.*) sore point **2** (*fig.*) (*calamità*) scourge, curse **3** (*fig.*) (*persona noiosa, fastidiosa*) plague, pain in the neck.

pianeggiante (*agg.*) level, flat.

pianeta (*s.m.*) ASTRON. planet.

piangere (*v.i.*) to cry, to weep, (*lacrimare*) to water ‖ (*v.t.*) **1** to cry, to weep **2** (*dolersi*) to complain **3** (*compiangere*) to mourn, to lament.

piano[1] (*agg.*) **1** (*piatto*) flat, level, even, (*liscio*) smooth **2** (*fig.*) (*semplice*) simple, easy **3** GRAMM. paroxytone ‖ (*avv.*) **1** (*adagio*) slowly **2** (*con cautela*) gently, with care, (*con gradualità*) gradually **3** (*a voce bassa*) softly, in a low voice.

piano[2] (*s.m.*) **1** (*superficie piana*) plane, surface, level, GEOM. plane **2** (*di casa*) floor, storey, AE story ♦ *p. terra* BE ground floor, AE first floor **3** (*di nave, autobus*) deck ♦ *autobus a due piani* double-decker **4** (*ripiano*) shelf **5** (*pianura*) plain, flat land.

piano[3] (*s.m.*) (*progetto*) plan.

pianoforte (*s.m.*) piano ♦ *p. a coda* grand piano.

pianta[1] (*s.f.*) BOT. plant, (*albero*) tree.

pianta[2] (*s.f.*) **1** (*disegno*) plan, ARCH., EDIL. plan, drawing **2** (*carta topografica*) map, plan **3** (*del piede, della scarpa*) sole.

piantare (*v.t.*) **1** to plant **2** (*conficcare*) to drive, to thrust, (*un chiodo*) to hammer in **3** (*collocare*) to set, to put **4** FAM. (*abbandonare*) to leave **5** (*smettere*) to stop. **piantarsi** (*v.pron.*) **1** (*piazzarsi*) to plant o.s., to place o.s. **2** (*lasciarsi*) to leave (each other, one another), FAM. to split up **3** *(conficcarsi)* to dig, to get stuck.

pianto *(s.m.)* **1** weeping, crying **2** *(lacrime)* tears *(pl.)* **3** *(dolore)* grief, *(per un lutto)* mourning.

pianura *(s.f.)* plain.

piastra *(s.f.)* **1** MECC. plate **2** CUC. *(fornello elettrico)* hot plate.

piastrella *(s.f.)* tile.

piatto *(agg.)* flat *(anche fig.)* ‖ *(s.m.)* **1** *(recipiente per cibo)* dish, *(quantità)* plateful **2** *(vivanda)* dish ✣ *p. del giorno* dish of the day, day's special **3** *(portata)* course ✣ *primo p.* first course, *p. forte* main course **4** *(della bilancia)* scale pan **5** *(del giradischi)* turntable **6** *(pl.)* MUS. cymbals.

piazza *(s.f.)* **1** square **2** COMM. market.

piazzare *(v.t.)* **1** *(mettere)* to place, to put **2** COMM. to sell. **piazzarsi** *(v.pron.)* **1** *(collocarsi)* to plant o.s., FAM. to dump o.s. **2** FAM. *(sistemarsi)* to settle down **3** SPORT to be placed.

piccante *(agg.)* **1** *(cibo)* spicy, hot, *(formaggio)* strong **2** *(fig.) (mordace, pungente)* biting **3** *(fig.) (licenzioso)* spicy, juicy.

picche *(s.f. pl.) (carte)* spades.

picchiare *(v.t.)* **1** *(battere)* to bang, to thump, *(urtare)* to hit, to strike **2** *(una persona)* to beat up, to thrash ‖ *(v.i.) (battere)* to beat (against), *(leggermente)* to tap, *(alla porta)* to knock. **picchiarsi** *(v.pron.)* to fight, to come to blows.

picchio *(s.m.)* ZOOL. woodpecker.

piccione *(s.m.)* ZOOL. pigeon.

picco *(s.m.)* peak *(anche fig.)*, summit ✣ *colare a p.* MAR. to sink.

piccolo *(agg.)* **1** little, *(rif. a grandezza)* small **2** *(di statura)* short,

low **3** *(giovane)* young, little **4** *(debole)* slight, light **5** *(poco importante)* trifling, minor, petty **6** *(in miniatura)* little, miniature **7** *(breve)* short ‖ *(s.m.) (bambino)* child, little one, FAM. kid, *(cucciolo)* baby.

pidocchio *(s.m.)* ZOOL. louse *(pl. lice)*.

pidocchioso *(agg.)* **1** lousy **2** *(spilorcio)* mean, stingy.

piede *(s.m.)* **1** foot *(anche fig.)* **2** *(misura di lunghezza)* foot.

piega *(s.f.)* **1** fold, *(di gonna)* pleat, *(di pantaloni)* crease **2** *(grinza)* wrinkle, crease **3** *(messa in piega)* (hair) set **4** *(fig.) (andamento)* turn, course.

piegare *(v.t.)* **1** to fold (up) **2** *(curvare)* to bend **3** *(fig.) (domare, sottomettere)* to bend, to subdue, to submit, *(spezzare)* to break ‖ *(v.i.) (voltare)* to turn, to bend. **piegarsi** *(v.pron.)* **1** to bend, to bow **2** *(cedere)* to yield, to submit, to give in.

pieno *(agg.)* **1** full *(anche fig.)*, filled, *(non cavo)* solid **2** *(impegnato)* busy, full **3** *(completo)* total, full ‖ *(s.m.)* **1** AUT. *(pieno di benzina)* full (tank) **2** *(pieno carico)* full load, AER., MAR. full cargo **3** *(fig.) (colmo)* height, peak.

pietà *(s.f.)* **1** pity, compassion **2** *(misericordia)* mercy.

pietoso *(agg.)* **1** *(che sente pietà)* compassionate **2** *(che desta pietà)* pitiful **3** SPREG. *(brutto)* dreadful.

pietra *(s.f.)* stone ✣ *p. focaia* flint, *p. miliare* milestone.

pigiama *(s.m.)* pyjamas *(pl.)*, AE pajamas *(pl.)*.

pigiare (v.t.) (premere) to press, (schiacciare) to crush, (calpestare) to trample, (spingere) to push. **pigiarsi** (v.pron.) (affollarsi) to crowd, to throng.

pignolo (agg.) fussy, pedantic, nit-picking ‖ (s.m.) fussy person, pedantic person, nit-picker, FAM. fusspot.

pigro (agg.) lazy, idle. **pigrizia** (s.f.) laziness, idleness.

pila (s.f.) **1** (catasta) pile, heap **2** ELETTR. battery, cell.

pillola (s.f.) pill (anche fig.).

pilota (agg. e s.m. / s.f.) pilot. **pilotare** (v.t.) to pilot (anche fig.), AUT. to drive.

pineta (s.f.) pine wood, pine forest.

pinguino (s.m.) ZOOL. penguin.

pinna (s.f.) **1** (di pesce) fin, (di mammiferi acquatici) flipper **2** (pl.) (per il nuoto) flippers.

pino (s.m.) pine tree, (legno) pine.

pinta (s.f.) pint.

pinza (s.f.) **1** (attrezzo) pliers (pl.) **2** (di animali) pincers (pl.) **3** MED. forceps (pl.).

pinzatrice (s.f.) stapler.

pinzette (s.f. pl.) tweezers (pl.).

pioggia (s.f.) **1** rain ❖ p. a dirotto downpour, p. fine drizzle, scroscio di p. shower **2** (fig.) shower, flood.

piombare (v.i.) **1** (precipitare) to plummet (anche fig.) **2** (avventarsi) to swoop down (anche fig.), to pounce **3** (sprofondare) to plunge (anche fig.), to sink **4** FAM. (giungere all'improvviso) to turn up (unexpectedly), (entrare con impeto) to storm (into).

piovere (v.i.) **1** (impers.) to rain **2** (fig.) to pour (in), to shower. **piovigginare** (v.i. impers.) to drizzle. **piovoso** (agg.) rainy.

pipì (s.f.) FAM. pee ❖ fare la p. to pee.

pipistrello (s.m.) ZOOL. bat.

pirata (agg.) pirate (attr.) ‖ (s.m.) pirate.

pirateria (s.f.) piracy.

piscina (s.f.) swimming pool.

pisello (s.m.) BOT. pea.

pisolino, pisolo (s.m.) FAM. nap.

pista (s.f.) **1** (traccia) track (anche fig.), (di animali) trail, scent **2** (sentiero) path, track **3** SPORT track, racetrack, (ippica) racecourse, (da sci) (ski) slope **4** AER. runway **5** (di registratore) (sound) track.

pistola (s.f.) pistol, gun.

pittore (s.m.) painter, (artista) artist, (imbianchino) decorator.

pittura (s.f.) painting ❖ p. a olio oil painting. **pitturare** (v.t.) to paint.

più (avv. compar.) **1** more, (in frasi neg.) no more, (con verbo neg.) any more, (in espressioni di tempo) longer **2** (nel superl. rel.) the most, (tra due) the more **3** (rif. a temperatura) above zero **4** MAT. plus ‖ (prep.) (inoltre) in addition to, besides ‖ (agg. compar.) **1** more **2** (parecchi) several ‖ (s.m.) **1** (la parte maggiore) most, (la cosa più importante) (the) most important thing **2** MAT. plus ❖ il segno p. the plus sign **3** (pl.) (la maggioranza) the majority, most people.

piuma (s.f.) feather.

piuttosto (avv.) **1** (alquanto) rather **2** (preferibilmente) rather, (invece) instead.

pizza (s.f.) CUC. pizza.

pizzicare (v.t.) **1** to pinch **2** (di insetti) to bite, to sting **3** (fig.) (mangiare a spizzichi) to nibble, to pick at **4** *(fig.) (cogliere di sorpresa)* to catch (redhanded) ‖ *(v.i.)* **1** *(prudere)* to itch, to be itchy **2** *(di sostanza piccante)* to be hot, to be spicy.

pizzico *(s.m.) (piccola dose)* pinch, dash, *(fig.)* bit.

pizzicotto *(s.m.)* pinch, nip.

pizzo *(s.m.) (merletto)* lace *(solo sing.).*

placido *(agg.)* calm, peaceful, placid.

plagio *(s.m.)* plagiarism, DIR. moral subjugation.

plaid *(s.m.) (coperta)* rug, blanket.

plastica *(s.f.)* **1** *(materia)* plastic **2** MED. plastic surgery **3** ARTE plastic art.

platea *(s.f.)* **1** TEATR. BE stalls *(pl.),* pit, AE orchestra **2** *(pubblico)* audience.

plateale *(agg.)* blatant, *(gesto)* theatrical.

plotone *(s.m.)* **1** MIL. platoon, squad **2** SPORT *(ciclismo)* group.

plurale *(agg. e s.m.)* GRAMM. plural.

pneumatico *(agg.)* pneumatic, air *(attr.)* ‖ *(s.m.)* AUT., BE tyre, AE tire.

poco *(agg. indef.)* **1** *(quantità)* little, not much, *(pl.)* few, not many, *(alcuni)* a few **2** *(in espressioni di tempo)* little, short, not long ❖ *per p. (tempo)* for a short time, *fra p.* soon, *p. prima* just before, *p. dopo* soon after ‖ *(pron. indef.)* little, not much, *(pl.)* few, not many, *(poche persone)* few people, *(alcuni)* a few, *(alcune persone)* a few people ‖ *(s.m.)* little ‖ *(avv.)* **1** *(con verbi)* little, not much **2** *(con agg. e avv. al positivo)* not very, *(con agg. e avv. compar.)* not much, little **3** *(in*

espressioni di tempo) not long, a short time.

poema *(s.m.)* poem.

poesia *(s.f.)* **1** *(arte)* poetry **2** *(componimento)* poem.

poeta *(s.m.),* **poetessa** *(s.f.)* poet.

poetico *(agg.)* poetic(al) *(anche fig.), (fig.)* romantic, sensitive.

poi *(avv.)* **1** *(dopo)* then, afterwards, *(più tardi)* later (on), *(più in là)* further on ❖ *d'ora in p.* from now on, *da allora in p.* from then on, *prima o p.* sooner or later **2** *(inoltre)* besides, and then, moreover, *(in secondo luogo)* secondly **3** *(dunque, infine)* at last, finally, in the end.

poiché *(cong.)* as, since.

polacco *(agg.)* Polish ‖ *(s.m.) (persona)* Pole, *(lingua)* Polish (language) ❖ *i polacchi* Poles.

polemica *(s.f.)* polemic, controversy.

polipo *(s.m.)* MED., ZOOL. polyp.

politica *(s.f.)* **1** *(scienza)* politics **2** *(strategia)* policy.

politico *(agg.)* political ‖ *(s.m.)* politician.

polizia *(s.f.)* police *(pl.).* **poliziotto** *(s.m.)* policeman, FAM. cop. **poliziotta** *(s.f.)* policewoman.

polizza *(s.f.)* COMM. policy ❖ *p. d'assicurazione* insurance policy.

pollice *(s.m.)* **1** thumb **2** *(unità di misura)* inch.

pollo *(s.m.)* **1** chicken **2** *(fig.) (credulone)* sucker. **pollaio** *(s.m.)* henhouse, *(recinto)* chicken run. **pollame** *(s.m.)* poultry.

polmone *(s.m.)* ANAT. lung.

polmonite *(s.f.)* MED. pneumonia.

polo[1] *(s.m.)* pole ❖ *p. Sud* South Pole.

polo[2] *(s.m.)* SPORT polo ‖ *(s.f.)* polo shirt.

polpa (s.f.) 1 (di frutto) pulp, flesh 2 (di carne) lean (meat) 3 (fig.) (nocciolo) essential part, core.

polpaccio (s.m.) ANAT. calf.

polpetta (s.f.) CUC. (di carne) MEATBALL. polpettone (s.m.) CUC. (di carne) MEATLOAF.

polpo (s.m.) ZOOL. octopus.

polsino (s.m.) (camicia) cuff.

polso (s.m.) 1 wrist 2 MED. (pulsazioni) pulse 3 (fig.) ❖ un politico di p. a firm politician.

poltrona (s.f.) armchair.

polvere (s.f.) 1 dust 2 (sostanza polverizzata) powder. polveroso (agg.) dusty, (simile a polvere) powdery.

pomata (s.f.) ointment, salve.

pomello (s.m.) (di porta ecc.) knob.

pomeriggio (s.m.) afternoon.

pomodoro (s.m.) tomato.

pompa (s.f.) MECC. pump. pompare (v.t.) 1 to pump, (gonfiare) to inflate 2 (fig.) FAM. (esagerare) to pump up.

pompelmo (s.m.) BOT. grapefruit.

pompiere (s.m.) fireman, firefighter.

ponte (s.m.) 1 bridge (anche fig.) 2 MAR. deck 3 EDIL. (ponteggio) scaffold 4 (odontoiatria) bridge (work) 5 ELETTR. bridge, jumper 6 AUT., MECC. axle 7 (fig.) (periodo di vacanza) long weekend.

pontefice (s.m.) ECCL. pontiff.

popolare[1] (agg.) 1 (del popolo) popular, people's ❖ quartiere p. working-class NEIGHBOURHOOD 2 (tradizionale del popolo) folk (attr.) 3 (diffuso, famoso) popular.

popolare[2] (v.t.) to populate. popolarsi (v.pron.) to become populated.

popolarità (s.f.) popularity.

popolazione (s.f.) 1 population 2 (popolo, popolazione) people.

popolo (s.m.) 1 people (pl.) 2 (folla) crowd 3 (popolino) working classes (pl.), lower classes (pl.) 4 (nazione) nation, country.

poppa (s.f.) MAR. STERN.

porcellana (s.f.) 1 (materiale) porcelain, china 2 (pl.) (oggetti) china(ware).

porcheria (s.f.) 1 (sporcizia) dirt, filth 2 (azione sleale) dirty trick 3 (atto indecente) filthy act, obscene act, (parole indecenti) filth, smut 4 (cibo disgustoso) junk food, muck 5 (opera malfatta) rubbish, trash.

porcile (s.m.) pigsty, AE pigpen.

porco (s.m.) pig, swine, CUC. (carne) pork.

porgere (v.t.) 1 (dare) to give, (con le mani) to hand 2 (offrire) to give, to offer, to hold out.

pornografia (s.f.) pornography.

porre (v.t.) 1 to put, (collocare) to place, to set, (orizzontalmente) to lay, (verticalmente) to stand 2 (stabilire) to set 3 (fig.) (supporre) to suppose.

porta (s.f.) 1 door 2 (di città, mura ecc.) gate 3 ELETTR., INFORM. port 4 SPORT (calcio ecc.) goal.

portabagagli (s.m.) 1 AUT. (bagagliaio) BE boot, AE trunk, (sul tetto) BE roof rack 2 (su treno, autobus ecc.) luggage rack, AE baggage rack 3 (facchino) porter.

portacenere (s.m.) ashtray.

portachiavi (s.m.) key holder, key ring.

portaerei (s.f.) MAR. aircraft carrier.

portafinestra (s.f.) French window.

portafoglio (*s.m.*) wallet, AE billfold.

portapacchi (*s.m.*) (*di auto*) roof rack, (*di bicicletta*) (parcel) carrier.

portare (*v.t.*) **1** (*verso qu.no*) to bring, (*lontano da qu.no*) to take, (*trasportare*) to carry **2** (*accompagnare*) to take, (*in auto*) to drive **3** (*condurre*) to lead **4** (*indossare*) to wear, to have on **5** (*reggere, sostenere*) to support, to hold **6** (*nutrire sentimenti*) (*rancore*) to bear, (*rispetto*) to have. **portarsi** (*v.pron.*) **1** (*andare*) to go, (*venire*) to come, (*rif. a veicoli*) to move **2** (*spostarsi*) to move **3** (*portare con sé*) to bring (along).

portasci (*s.m.*) AUT. ski rack.

portata (*s.f.*) **1** (*di pranzo*) course **2** (*raggio d'azione*) range **3** TECN. (*di automezzo*) (load) capacity, (*di nave*) tonnage **4** (*di fiume*) flow **5** (*fig.*) reach.

portatile (*agg.*) portable ‖ (*s.m.*) INFORM. (*computer*) laptop.

portico (*s.m.*) **1** (*ingresso di casa*) porch **2** (*porticato*) arcade.

portiera (*s.f.*) AUT. (car) door.

portiere (*s.m.*) **1** doorman **2** SPORT goalkeeper.

porto (*s.m.*) port, BE harbour, AE harbor ❖ *p. turistico* marina.

portoghese (*agg. e s.m.* / *s.f.*) Portuguese.

portone (*s.m.*) main door.

porzione (*s.f.*) **1** portion, share **2** (*di cibo*) portion, helping, serving.

posacenere (*s.m.*) ashtray.

posare (*v.t.*) **1** to put (down), to lay (down) **2** TECN. to lay ‖ (*v.i.*) **1** (*poggiare*) to rest, to stand, (*fig.*) (*fondarsi*) to be based (*per un ritratto*) to sit, (*per una foto*) to pose **3** (*atteggiarsi*) to pose. **posarsi** (*v.pron.*) **1** (*depositarsi*) to settle **2** (*rif. a uccelli*) to alight, (*rif. ad aerei*) to land **3** (*soffermarsi*) to rest, to stay.

posata (*s.f.*) **1** piece of cutlery **2** (*pl.*) cutlery, AE silverware.

posato (*agg.*) (*equilibrato*) steady, sensible, (*tranquillo*) composed.

positivo (*agg.*) positive, (*affermativo*) affirmative, (*favorevole*) BE favourable, AE favorable.

posizione (*s.f.*) position (*anche fig.*).

possedere (*v.t.*) **1** to possess (*anche fig.*), to own, to have **2** (*conoscere a fondo*) to master, to be master of. **possesso** (*s.m.*) possession, ownership.

possibile (*agg. e s.m.*) possible.

possibilità (*s.f.*) **1** possibility, (*occasione*) chance, opportunity, (*probabilità*) likelihood, probability, (*scelta*) choice **2** (*pl.*) (*mezzi*) means (*pl.*).

posta (*s.f.*) **1** post, mail ❖ *p. elettronica* INFORM. e-mail **2** (*ufficio postale*) post office **3** (*nei giochi*) stake, stakes. **postale** (*agg.*) postal, post (*attr.*), mail (*attr.*) ❖ *spese postali* postage, *timbro p.* POSTMARK, *vaglia p.* BE POSTAL ORDER.

posteggiare V. **parcheggiare**.

posteriore (*agg.*) **1** (*rif. a spazio*) back, rear **2** (*rif. a tempo*) later, following **3** (*di persona*) POSTERIOR, BACK, (*di animale*) HIND, REAR.

posticipare (*v.t.*) to postpone, to defer.

postino (*s.m.*) postman, AE mailman. **postina** (*s.f.*) postwoman, AE mailwoman.

posto[1] (*s.m.*) **1** (*luogo*) place, spot **2** (*spazio*) room, space **3** (*posto a sedere*) seat **4** (*impiego*) job, work, *(carica)* position **5** ❖ *p. di blocco* road block, *p. letto* bed, *p. macchina* parking place.

posto² *(agg.)* placed, situated.

potare *(v.t.)* to prune, *(siepe)* to trim.

potente *(agg.)* powerful, *(efficace)* potent ‖ *(s.m.)* powerful person. **potenza** *(s.f.)* **1** power, *(forza)* strength, *(efficacia)* potency **2** *(nazione)* power.

potere *(v.i.)* **1** *(avere la possibilità o la capacità)* can, could, to be able to **2** *(avere il permesso)* may, might, to be allowed **3** *(eventualità)* may, *(più remota)* might **4** *(per esprimere augurio)* may, might ‖ *(s.m.)* **1** power **2** *(influenza)* influence.

povero *(agg.)* poor ‖ *(s.m.)* poor man ❖ *i poveri* the poor. **povertà** *(s.f.)* **1** *(miseria)* poverty **2** *(scarsità)* shortage, lack **3** *(fig.)* (meschinità) poorness.

pozza *(s.f.)* **1** v. **pozzanghera 2** *(liquido versato)* pool.

pozzanghera *(s.f.)* puddle.

pozzo *(s.m.)* **1** well **2** *(di miniera)* shaft **3** *(fig.)* well, mine.

pranzo *(s.m.)* lunch. **pranzare** *(v.i.)* to (have) lunch.

pratica *(s.f.)* **1** practice **2** *(esperienza)* experience, skill ❖ *far p.* BE to practise, AE to practice **3** *(abitudine)* custom **4** *(incartamento)* file, dossier, *(affare)* case. **praticamente** *(avv.)* **1** *(in sostanza)* practically, in practice **2** *(quasi)* nearly, virtually.

praticare *(v.t.)* **1** *(professione, sport, usanza)* BE to practise, AE to practice **2** *(frequentare luoghi)* to frequent, *(frequentare persone)* to associate with (s.o.) **3** *(fare)* to make, to do.

pratico *(agg.)* **1** practical **2** *(funzionale)* handy **3** *(esperto)* experienced, skilled (in).

prato *(s.m.)* *(naturale)* meadow, *(rasato)* lawn.

preavviso *(s.m.)* notice.

precario *(agg.)* **1** precarious, uncertain **2** *(provvisorio)* temporary, short-term *(attr.)* ‖ *(s.m.)* temporary employee, FAM. temp.

precedere *(v.t. / v.i.)* to precede. **precedente** *(agg.)* previous, preceding ‖ *(s.m.)* **1** precedent **2** *(pl.)* DIR. record. **precedenza** *(s.f.)* **1** precedence, *(priorità)* priority **2** AUT. right of way ❖ *dare la p.* to give way.

precipitare *(v.i.)* **1** to fall *(anche fig.)*, to plummet *(anche fig.)*, *(di aereo)* to crash, *(di prezzi)* to slump **2** *(fig.)* *(sprofondare)* to plunge **3** *(susseguirsi precipitosamente)* to come to a head ‖ *(v.t.)* **1** *(gettare giù)* to hurl down **2** *(affrettare)* to rush, to hasten. **precipitarsi** *(v.pron.)* **1** *(gettarsi)* to throw o.s. **2** *(affrettarsi)* to rush.

precipitazione *(s.f.)* **1** *(fretta)* haste, hastiness **2** *(pl.)* *(meteorologiche)* precipitation, rainfall.

precipitoso *(agg.)* **1** *(affrettato)* hasty, hurried **2** *(avventato)* rash, reckless. **precipitosamente** *(avv.)* **1** *(in fretta)* hastily, hurriedly **2** *(impetuosamente)* headlong.

precisare *(v.t.)* to specify, to state precisely.

preciso *(agg.)* **1** *(esatto)* exact, precise **2** *(definito)* definite, specific **3** *(puntuale)* on time **4** *(identico)* identical.

precursore (s.m.) forerunner.

preda (s.f.) 1 prey (anche fig.) 2 (bottino) loot.

predicare (v.t.) to preach (anche fig.). **predica** (s.f.) 1 sermon 2 FAM. lecture, (ramanzina) telling-off.

predire (v.t.) to foretell, to predict.

predisporre (v.t.) 1 to prepare, to arrange (beforehand) 2 (preparare mentalmente) to predispose. **predisporsi** (v.pron.) to prepare o.s., to get ready. **predisposizione** (s.f.) 1 MED. predisposition, proneness 2 (inclinazione) (natural) bent, disposition.

preferire (v.t.) to prefer, to like better (fra due), to like best (fra molti). **preferenza** (s.f.) preference. **preferito** (agg. e s.m.) BE favourite, AE favorite.

prefisso (s.m.) 1 GRAMM. prefix 2 TEL., BE dialling code, AE area code.

pregare (v.t.) 1 to pray 2 (chiedere) to ask, to request, (supplicare) to beg. **preghiera** (s.f.) 1 prayer 2 (richiesta) request.

pregiato (agg.) (di valore) valuable, precious.

pregiudizio (s.m.) prejudice.

prego (inter.) 1 please, (cedendo il passo) after you 2 (in risposta a ringraziamento) don't mention it, not at all, you're welcome 3 (può ripetere?) sorry? (I beg your) pardon?

prelevare (v.t.) 1 (denaro) to draw, to withdraw 2 MED. (un campione) to take (as a sample) 3 (persona) to take.

prematuro (agg.) premature.

premere (v.t.) to press, to push ‖ (v.i.) 1 to press (on) 2 (fig.) (insistere) to urge 3 (importare) to matter, to care about.

premettere (v.t.) to state in advance, to declare beforehand.

premiare (v.t.) 1 to award a prize to 2 (ricompensare) to reward, to repay.

premio (s.m.) 1 prize, award 2 (ricompensa) reward.

premuroso (agg.) 1 (sollecito) solicitous 2 (pieno di attenzioni) attentive, thoughtful 3 (gentile) kind.

prendere (v.t.) 1 to take, (afferrare) to seize, to catch, (raccogliere) to pick up, to collect 2 (rif. a mezzi) to take, (riuscire a prendere) to catch 3 (assumere) to assume, (personale) to take on 4 (mangiare, bere ecc.) to have, to take 5 (comprare) to buy, to get, (affittare) to rent 6 (guadagnare) to earn, to get, (far pagare) to charge 7 (catturare) to catch 8 (colpire) to hit, to get 9 (contrarre) to catch, to get 10 (occupare) to take up ‖ (v.i.) 1 (voltare) to turn 2 (attecchire) to take root. **prendersi** (v.pron.) to take.

prenotare (v.t.) to book, to reserve. **prenotazione** (s.f.) booking, reservation.

preoccupare (v.t.) to worry, to trouble. **preoccuparsi** (v.pron.) 1 to worry (about), to be worried (about) 2 (prendersi cura) to take care. **preoccupazione** (s.f.) worry, care.

prepagato (agg.) prepaid.

preparare (v.t.) 1 to prepare 2 (allenare) to coach. **prepararsi** (v.pron.) to get ready, to prepare (o.s.).

prepotente (agg.) (carattere) overbearing, domineering, (bisogno) pressing, powerful, (desiderio) overwhelming ‖ (s.m. / s.f.) domineering person, FAM. bully. **prepotenza** (s.f.) 1 arrogance, bullying 2 (azio-

ne da prepotente) overbearing behaviour, bullying.

presa *(s.f.)* **1** hold, grasp **2** *(d'aria, acqua)* intake, *(di gas)* outlet, *(di corrente)* socket, outlet.

prescrivere *(v.t.)* to prescribe.

presentare *(v.t.)* **1** to present, *(esibire)* to show **2** *(far conoscere)* to introduce **3** *(offrire)* to offer **4** *(inoltrare)* to send in, to make, *(per l'approvazione)* to submit ❖ *p. un reclamo* to make a complaint **5** TEATR. to present, RAD., TV to host, to present **6** DIR. to file. **presentarsi** *(v.pron.)* **1** *(arrivare)* FAM. to turn up, to show up **2** *(farsi conoscere)* to introduce o.s. **3** *(comparire)* to appear **4** *(sembrare)* to seem **5** *(fig.)* *(capitare)* to occur, to come up, to arise. **presentazione** *(s.f.)* **1** presentation **2** *(di una persona a un'altra)* introduction **3** *(di richiesta)* submission **4** COMM. *(di un prodotto)* showing. **presente** *(agg.)* present ‖ *(s.m.)* **1** present (time) **2** GRAMM. present (tense). **presenza** *(s.f.)* presence.

preside *(s.m.)* *(di scuola)* BE headmaster, AE principal, *(di facoltà universitaria)* dean ‖ *(s.f.)* headmistress.

presidente *(s.m.)* *(di assemblea)* chairperson, POL. president ❖ *il p. del Consiglio (dei Ministri)* the Premier (the Prime Minister).

pressione *(s.f.)* pressure *(anche fig.)*.

presso *(avv.)* nearby ‖ *(prep.)* **1** *(vicino)* near **2** *(accanto a)* by, near, next to **3** *(alla sede di)* at **4** *(alle dipendenze di)* for, with **5** *(negli indirizzi)* care of *(abbr. c/o)* ‖ *(s.m. pl.)* BE neighbourhood, AE neighborhood, surroundings.

prestare *(v.t.)* **1** to lend, *(denaro)* to loan ❖ *farsi p.* to borrow **2** *(assistenza ecc.)* to give, *(attenzione)* to pay. **prestarsi** *(v.pron.)* **1** *(adoperarsi)* to help, *(offrirsi)* to volunteer **2** *(essere adatto)* to lend itself to **3** *(permettere)* to allow, *(acconsentire)* to agree.

prestazione *(s.f.)* *(servizio)* service.

prestigio *(s.m.)* **1** *(autorità)* prestige **2** ❖ *giochi di p.* conjuring, magic tricks. **prestigiatore** *(s.m.)* conjurer, magician.

prestito *(s.m.)* loan ❖ *dare in p.* to lend, *prendere in p.* to borrow.

presto *(avv.)* **1** *(fra poco)* soon **2** *(in fretta)* quickly **3** *(di buon'ora)* early.

presumere *(v.t.)* to presume, *(supporre)* to suppose.

prete *(s.m.)* ECCL. priest.

pretendere *(v.t.)* **1** *(esigere)* to claim, to demand **2** *(sostenere)* to maintain, to claim **3** *(credere)* to think ‖ *(v.i.)* *(aspirare)* to pretend. **pretesa** *(s.f.)* **1** *(esigenza)* claim, demand **2** *(presunzione)* pretension, presumption.

pretesto *(s.m.)* **1** pretext, excuse **2** *(occasione)* opportunity, occasion.

prevalere *(v.i.)* to prevail.

prevedere *(v.t.)* **1** to foresee, *(tempo meteorologico)* to forecast **2** *(aspettarsi)* to expect, to anticipate, *(prendere in considerazione)* to take into account **3** *(programmare)* to schedule **4** AMM. *(di legge, contratto ecc.)* to provide (for). **prevedibile** *(agg.)* foreseeable, predictable.

prevenire *(v.t.)* **1** *(anticipare)* to anticipate **2** *(evitare)* to prevent, to avoid **3** *(avvertire in anticipo)* to inform, to (fore)warn.

preventivo *(agg.)* preventive, *(cautelativo)* precautionary ‖ *(s.m.)* COMM. estimate, quote, quotation.

previdenza *(s.f.)* providence, foresight ❖ *p. sociale* social security, welfare, BE national insurance.

previsione *(s.f.)* **1** forecast, *(supposizione)* expectation **2** COMM. estimate.

previsto *(agg.)* **1** foreseen, anticipated, *(da esperti)* forecast, *(preso in considerazione)* taken into account **2** *(da legge, contratto ecc.)* provided for **3** COMM. estimated ‖ *(s.m.)* what is expected.

prezioso *(agg.)* precious *(anche fig.)*, *(di valore)* valuable ‖ *(s.m.)* jewel, *(pl.)* BE jewellery, AE jewelry.

prezzemolo *(s.m.)* BOT. parsley.

prezzo *(s.m.)* price.

prigione *(s.f.)* prison, jail. **prigioniero** *(agg.)* captured, *(imprigionato)* imprisoned ‖ *(s.m.)* prisoner *(anche fig.)*.

prima[1] *(avv.)* **1** before **2** *(in anticipo)* beforehand, in advance **3** *(più presto)* earlier, sooner **4** *(una volta)* once, formerly **5** *(in primo luogo)* first, *(in un primo tempo)* at first.

prima[2] *(s.f.)* **1** *(classe scolastica)* first class (BE form, AE grade) **2** TEATR. first night, opening night, CINEM. première **3** AUT. first (gear) **4** *(classe)* AER., FERR. first class.

primato *(s.m.)* **1** primacy, supremacy **2** SPORT record.

primavera *(s.f.)* spring.

primitivo *(agg.)* **1** primitive **2** *(originario)* original.

primo *(agg. num. ord.)* **1** first, *(tra due)* former ❖ *p. piano* CINEM., FOT. close up **2** *(più anziano)* old-

est, eldest, *(fra due)* elder **3** *(principale)* leading, *(migliore)* best **4** *(iniziale)* early, first **5** *(prossimo)* next ‖ *(s.m.)* **1** first **2** CUC. *p. (piatto)* first course.

principale *(agg.)* main, principal, leading ‖ *(s.m.)* *(capo d'azienda)* chief, head, FAM. boss.

principe *(s.m.)* prince *(anche fig.)* ❖ *p. azzurro* Prince Charming. **principessa** *(s.f.)* princess.

principiante *(agg.)* inexperienced ‖ *(s.m. / s.f.)* beginner.

principio *(s.m.)* **1** *(inizio)* beginning **2** *(origine, causa)* origin, cause **3** *(idea, regola, norma)* principle.

privare *(v.t.)* to deprive. **privarsi** *(v.pron.)* to deprive o.s., to deny o.s.

privato *(agg.)* private ‖ *(s.m.)* **1** private citizen, private person **2** *(intimità)* privacy ❖ *in p.* in private.

privilegio *(s.m.)* privilege.

privo *(agg.)* devoid.

probabile *(agg.)* probable, likely. **probabilità** *(s.f.)* probability, likelihood, *(possibilità)* chance, opportunity. **probabilmente** *(avv.)* probably.

problema *(s.m.)* problem *(anche fig.)*.

procedere *(v.i.)* **1** *(avanzare)* to go on, to proceed *(anche fig.)*, *(continuare)* to continue **2** *(dare inizio)* to start, to proceed **3** DIR. to take proceedings. **procedimento** *(s.m.)* **1** *(metodo)* procedure, process **2** DIR. proceedings *(pl.)*. **procedura** *(s.f.)* procedure.

processo *(s.m.)* **1** *(procedimento)* process, procedure **2** DIR. *(penale)* trial, *(civile)* lawsuit. **processare** *(v.t.)* to try, to put (s.o.) on trial.

processione *(s.f.)* procession.

proclamare *(v.t.)* to proclaim, *(uno sciopero)* to call, *(dichiarare)* to declare.

procurare *(v.t.)* **1** *(dare)* to give, to get **2** *(causare)* to cause. **procurarsi** *(v.pron.)* to get, to obtain.

produrre *(v.t.)* **1** to produce, *(generare)* to yield, to generate **2** *(fabbricare)* to produce, to make, to manufacture **3** *(causare)* to cause **4** AMM. *(esibire)* to show, to exhibit. **prodursi** *(v. pron.)* **1** *(esibirsi)* to perform, to act **2** *(verificarsi)* to come about. **prodotto** *(s.m.)* **1** product **2** *(fig.)* *(risultato, frutto)* result, product **3** MAT. product. **produttore** *(agg.)* **1** producing **2** *(che fabbrica)* manufacturing ‖ *(s.m.)* **1** producer **2** *(fabbricante)* manufacturer, maker. **produzione** *(s.f.)* production, *(fabbricazione)* manufacture, make **2** *(quantità prodotta)* production, IND. output, AGR. yield **3** *(presentazione)* exhibition.

professione *(s.f.)* profession. **professionista** *(s.m. / s.f.)* professional, FAM. pro.

professore *(s.m.)* teacher, *(di università)* professor, lecturer.

profilo *(s.m.)* *(contorno)* outline, profile, *(di viso)* profile.

profitto *(s.m.)* **1** profit, *(vantaggio)* advantage, *(giovamento)* benefit **2** ECON. *(guadagno)* profit, gain, earnings *(pl.)*.

profondo *(agg.)* deep *(anche fig.)*. **profondità** *(s.f.)* depth.

profugo *(agg. e s.m.)* refugee.

profumare *(v.t.)* to perfume, to scent ‖ *(v.i.)* to smell, to be fragrant. **profumarsi** *(v.pron.)* to put on perfume.

profumo *(s.m.)* perfume, scent, *(fragranza)* fragrance *(anche fig.)*.

progettare *(v.t.)* **1** to plan **2** TECN. to project, to design. **progetto** *(s.m.)* **1** *(intenzione, piano)* plan **2** TECN. project, design.

programma *(s.m.)* **1** BE programme, AE program, *(piano)* plan, scheme **2** INFORM. program **3** POL. platform **4** *(a scuola)* syllabus. **programmare** *(v.t.)* to plan, RAD., TV BE to programme, AE to program **2** INFORM. to program. **programmato** *(agg.)* **1** *(pianificato)* planned **2** *(di orario)* scheduled **3** INFORM. programmed.

progredire *(v.i.)* to progress.

progressivamente *(avv.)* progressively, gradually.

proibire *(v.t.)* **1** to forbid, to ban, *(spec. per legge)* to prohibit **2** *(impedire)* to prevent. **proibito** *(agg.)* forbidden, banned, prohibited.

proiettare *(v.t.)* to project, to cast, to throw **2** *(scagliare)* to hurl **3** CINEM. to screen, to show. **proiettarsi** *(v.pron.)* to throw o.s. *(anche fig.)*.

proiettile *(s.m.)* *(pallottola)* bullet.

proiettore *(s.m.)* projector.

proiezione *(s.f.)* projection, *(cinematografica)* screening, showing.

prole *(s.f.)* children *(pl.)*, offspring.

proletario *(agg. e s.m.)* proletarian.

prolungare *(v.t.)* *(nel tempo)* to prolong, to extend, *(nello spazio)* to lengthen. **prolungarsi** *(v.pron.)* **1** *(nel tempo)* to continue, *(protrarsi)* to be extended **2** *(nello spazio)* to extend.

promettere *(v.t.)* to promise. **promessa** *(s.f.)* promise.

promuovere *(v.t.)* **1** *(favorire)* to promote, to foster, *(incoraggiare)* to encourage **2** *(far avanzare)* to promote **3** *(a scuola)* to pass **4** COMM., SPORT to promote. **promosso** *(agg.)* **1** *(a scuola)* successful **2** *(sostenuto)* promoted. **promozione** *(s.f.)* promotion.

pronome *(s.m.)* GRAMM. pronoun.

pronto¹ *(agg.)* **1** *(preparato)* ready **2** *(rapido)* prompt, quick. **prontezza** *(s.f.)* readiness, promptness.

pronto² *(inter.)* *(al telefono)* hello.

pronunciare *(v.t.)* **1** to pronounce, *(proferire)* to utter **2** *(un discorso)* to deliver. **pronunciarsi** *(v.pron.)* to declare one's opinion. **pronuncia** *(s.f.)* pronunciation.

propenso *(agg.)* inclined, *(favorevole)* BE favourable, AE favorable.

propizio *(agg.)* **1** *(favorevole)* propitious **2** *(opportuno)* BE favourable, AE favorable **3** *(adatto)* right, suitable.

proporre *(v.t.)* **1** *(presentare)* to propose, *(suggerire)* to suggest, *(indicare)* to put forward **2** *(offrire)* to offer **3** *(sottoporre)* to submit. **proporsi** *(v.pron.)* **1** *(prefiggersi)* to intend **2** *(offrirsi)* to put o.s. up for.

proporzione *(s.f.)* **1** proportion, *(rapporto)* ratio **2** *(pl.) (dimensioni)* size *(sing.)*, proportions.

proposito *(s.m.)* **1** *(intenzione)* purpose, intention, plan ❖ *di p.* on purpose, deliberately **2** *(argomento)* ❖ *in p.* on the subject, *a p.* by the way.

proposta *(s.f.)* proposal.

proprietà *(s.f.)* **1** *(possesso)* property, *(diritto)* ownership **2** *(possedimento)* property, estate **3** *(caratteristica)* property, characteristic **4** *(correttezza)* propriety, correctness.

proprietario *(s.m.)* owner, proprietor, *(terriero)* landowner, *(affitto)* landlord.

proprio *(agg.)* **1** *(caratteristico)* typical, peculiar **2** *(adatto)* proper, appropriate ‖ *(agg. poss. e s.m.)* one's (own) ‖ *(avv.)* **1** *(esattamente)* just, exactly **2** *(veramente)* really.

prosa *(s.f.)* **1** prose **2** TEATR. drama.

prosciugare *(v.t.)* to dry up, *(artificialmente)* to drain, *(bonificare)* to reclaim **2** *(fig.) (esaurire)* to drain, to exhaust. **prosciugarsi** *(v.pron.)* to dry up.

prosciutto *(s.m.)* ham.

proseguire *(v.t.)* to continue, to go on with ‖ *(v.i.)* to continue, to go on, *(rif. a veicoli)* to drive on.

prospettiva *(s.f.)* **1** GEOM. perspective **2** *(panorama)* view **3** *(fig.) (punto di vista)* point of view **4** *(fig.) (possibilità)* prospect.

prossimo *(agg. superl.)* **1** *(vicino)* near, close **2** *(seguente)* next ‖ *(s.m.)* **1** BE neighbour, AE neighbor **2** *(chi viene dopo)* next.

prostituirsi *(v.pron.)* to prostitute o.s. *(anche fig.)*. **prostituta** *(s.f.)* prostitute.

protagonista *(s.m. / s.f.)* protagonist *(anche fig.)*, LETTER. leading character, TEATR., CINEM. star, leading actor, *(f.)* leading actress.

proteggere *(v.t.)* **1** to protect, *(riparare)* to shelter **2** *(prendersi cura)* to take care (of). **proteggersi** *(v.pron.)* to protect o.s.

protestare *(v.t. / v.i.)* to protest. **protesta** *(s.f.)* protest.

protettore *(agg.)* protecting, protective ❖ *santo p.* patron saint ‖ *(s.m.)* **1** protector **2** *(mecenate, patrono)* patron **3** *(di prostituta)* pimp.

protezione *(s.f.)* **1** protection, *(azione protettiva)* conservation, preservation **2** *(mecenatismo, patronato)* patronage.

provare (v.t.) **1** (sperimentare) to try **2** (mettere alla prova, collaudare) to test, to try **3** (dimostrare) to prove, to show **4** (sentire) to feel, to experience **5** (assaggiare) to taste, to try **6** (di abiti ecc.) to try on **7** TEATR., MUS. to rehearse. **prova** (s.f.) **1** test, proof, (esame) examination **2** (tentativo) try, attempt **3** (dimostrazione) proof, (testimonianza) evidence **4** (verifica) trial, test **5** (sofferenza, sventura) trial **6** (di abito) fitting **7** DIR. proof, evidence **8** TEATR., MUS. rehearsal.

provenire (v.i.) **1** to come (from) **2** (fig.) to spring (from), to derive.

proverbio (s.m.) proverb.

provincia (s.f.) province. **provinciale** (agg. e s.m. / s.f.) provincial ‖ (s.f.) (strada) BE B-road.

provino (s.m.) audition.

provocare (v.t.) **1** (causare) to provoke, to cause, (far sorgere) to arouse **2** (indurre una reazione) to provoke. **provocazione** (s.f.) provocation.

provvedere (v.i.) **1** to provide (for), to see (to), to take care (of) **2** (prendere un provvedimento) to act ‖ (v.t.) (fornire) to provide, to supply.

provvedimento (s.m.) MEASURE, (precauzione) PRECAUTION.

provvidenza (s.f.) providence (anche estens.).

provvisorio (agg.) provisional, temporary.

prua (s.f.) MAR. bow.

prudente (agg.) prudent, (cauto) cautious. **prudenza** (s.f.) prudence, (cautela) caution.

prudere (v.i.) to itch, to be itchy. **prurito** (s.m.) itch (anche fig.).

prugna (s.f.) BOT. plum, (secca) prune.

psicanalista (s.m.) psychoanalyst.

psichiatra (s.m.) psychiatrist.

psicologo (s.m.) psychologist.

psicoterapia (s.f.) psychotherapy.

pubblicare (v.t.) to publish. **pubblicazione** (s.f.) **1** publication **2** (pl.) (di matrimonio) banns.

pubblicità (s.f.) publicity, advertising, (annuncio pubblicitario) advertisement, advert, ad ❖ p. televisiva TV ad, commercial.

pubblico (agg.) public ‖ (s.m.) **1** public **2** (spettatori) audience.

pudore (s.m.) **1** (pudicizia) modesty **2** (ritegno) reserve.

pugilato (s.m.) SPORT boxing.

pugnale (s.m.) dagger. **pugnalare** (v.t.) to stab. **pugnalata** (s.f.) stab.

pugno (s.m.) **1** (mano chiusa) fist **2** (colpo) punch, blow **3** (manciata) fistful, handful (anche fig.).

pulce (s.f.) ZOOL. flea.

pulcino (s.m.) ZOOL. chick.

puledro (s.m.) ZOOL. colt.

pulire (v.t.) to clean, (lavare) to wash. **pulirsi** (v.pron.) to clean o.s. **pulito** (agg.) **1** clean (anche fig.), (ordinato) tidy **2** (fig.) (onesto) clean, honest.

pullman (s.m.) coach.

pullover (s.m.) pullover.

pulsante (s.m.) (push) button.

pulsazione (s.f.) pulsation, beat.

pungere (v.t.) to prick, (di insetti) to bite, to sting. **pungiglione** (s.m.) sting.

punire (v.t.) to punish. **punizione** (s.f.) **1** punishment **2** SPORT free kick.

punta (s.f.) **1** point, (estremità) tip, end ❖ in p. di piedi on tiptoes

2 *(massima intensità)* peak, (max-imum) height **3** *(quantità minima)* pinch, touch **4** GEOGR. *(cima di monte)* peak, point, *(promontorio)* point **5** TECN. *(da trapano)* (drill) bit.

puntare *(v.t.)* **1** *(appoggiare con forza)* to push, to plant **2** *(dirigere)* to point, to direct *(anche fig.)*, *(prendere la mira)* to point, to aim **3** *(scommettere)* to bet **4** FAM. *(appuntare)* to pin (up) ‖ *(v.i.)* **1** *(tendere)* to aim (at) **2** *(dirigersi)* to head.

puntata[1] *(s.f.)* **1** *(al gioco)* betting, *(somma)* bet **2** *(visita)* short visit.

puntata[2] *(s.f.)* *(di serie)* BE instalment, AE installment, RAD., TV episode.

punteggiatura *(s.f.)* punctuation.

punteggio *(s.m.)* score.

punto *(s.m.)* **1** point **2** *(luogo definito)* point, spot **3** *(momento)* moment, point **4** *(segno d'interpunzione)* mark ❖ *p. interrogativo, esclamativo* question, exclamation mark, *p. fermo* BE full stop, AE period, *due punti* colon, *p. e virgola* semicolon **5** *(argomento)* point **6** *(macchiolina)* dot, speck **7** *(nel gioco, nello sport)* point **8** *(lavoro a maglia, sutura)*

stitch **9** *(per cucitrici)* staple **10** INFORM. dot.

puntuale *(agg.)* punctual, on time *(pred.)*.

puntura *(s.f.)* **1** *(di insetto)* sting, *(di zanzara)* bite, *(di spina, ago ecc.)* prick **2** MED. *(iniezione)* injection.

pupazzo *(s.m.)* puppet *(anche fig.)*. ❖ *p. di neve* snowman.

pupilla *(s.f.)* ANAT. pupil.

purché *(cong.)* provided, on condition that.

pure *(avv.)* **1** *(anche)* also, too, as well **2** *(perfino)* even, *(forse)* possibly ‖ *(cong.)* **1** *(sebbene)* even though, *(anche se)* even if **2** *(tuttavia)* but, yet.

purga *(s.f.)* laxative, purge *(anche fig.)*.

purgatorio *(s.m.)* purgatory.

puro *(agg.)* **1** pure, *(limpido)* clear, *(fig.)* *(onesto)* honest **2** *(semplice)* mere, sheer ‖ *(s.m.)* pure(-hearted) person.

purtroppo *(avv.)* unfortunately.

puttana *(s.f.)* VOLG. whore, slut.

puzzo *(s.m.)*, **puzza** *(s.f.)* stink, stench. **puzzare** *(v.i.)* to stink, to reek.

puzzle *(s.m.)* jigsaw (puzzle).

Q

qua *(avv.)* here.

quaderno *(s.m.)* BE exercise book, AE notebook.

quadrante *(s.m.)* **1** GEOM. quadrant **2** *(di orologio)* dial.

quadrare *(v.t.)* MAT. to square ‖ *(v.i.) (conti)* FAM. to balance.

quadrato *(agg.)* **1** MAT. square ❖ *metro q.* square metre **2** *(fig.) (di personalità)* balanced ‖ *(s.m.)* MAT. square.

quadretto *(s.m.)* **1** small square, *(tessuto)* check ❖ *a quadretti* squared, *(tessuto)* checked, chequered, AE checkered **2** *(fig.) (scenetta)* (charming) scene.

quadrifoglio *(s.m.)* four-leaf clover.

quadrilatero *(agg. e s.m.)* quadrilateral.

quadrimestre *(s.m.)* four-month period.

quadro *(s.m.)* **1** *(dipinto)* picture *(anche fig.)*, painting **2** MAT. square **3** *(tabella)* table, chart **4** TECN. board, panel **5** *(pl.) (a carte)* diamonds.

quadruplo *(agg. e s.m.)* quadruple.

quaggiù *(avv.)* down here.

quaglia *(s.f.)* ZOOL. quail.

qualche *(agg. indef.) (in frasi afferm. o in frasi interr. di cortesia)* some, *(alcuni)* a few, *(in frasi interr.)* any.

qualcosa *(pron. indef.)* something, *(in frasi interr.)* anything, *(in frasi interr. retoriche e di cortesia)* something.

qualcuno *(pron. indef.)* someone, somebody, *(in frasi interr.)* anyone, anybody, *(con partitivo)* some, any ‖ *(s.m. e s.f.) (personalità)* somebody.

quale *(agg. e pron. interr.) (scelta limitata)* which, *(scelta illimitata)* what ‖ *(agg. esclam.)* what (a), *(pl.)* what ‖ *(agg. rel.) (come)* as, like ‖ *(agg. indef.) (qualunque)* whatever ‖ *(pron. rel.)* **1** *(sogg. e compl. ogg.)* v. **che**² **2** *(compl. indiretto)* v. **cui**.

qualifica *(s.f.)* **1** qualification, status **2** *(titolo)* title **3** *(grado)* grade.

qualificare *(v.t.)* to qualify *(anche* SPORT). **qualificarsi** *(v.pron.)* **1** *(dare le generalità)* to give one's name **2** *(a un esame, gara)* to qualify.

qualificativo *(agg.)* qualifying.

qualificato *(agg.)* qualified, *(esperto)* skilled.

qualificazione *(s.f.)* qualification.

qualità *(s.f.)* **1** quality **2** *(specie)* kind, sort. **qualitativo** *(agg.)* qualitative.

qualora *(cong.)* if, in case.

qualsiasi, qualunque *(agg. indef.)* **1** any **2** *(ordinario)* ordinary, common ‖ *(agg. rel. indef.)* whatever.

quando *(avv. e cong.)* **1** *(temporale)* when **2** *(ogni volta che)* whenever **3** *(con valore condizionale)* if.

quantificare *(v.t.)* to quantify.

quantità *(s.f.)* quantity, amount ❖ **una (gran) q. di** a (great) deal of.

quantitativo *(agg.)* quantitative || *(s.m.)* quantity, amount.

quanto *(avv. interr. ed esclam.)* *(con agg.)* how, *(con verbo)* how much, *(quanto tempo)* how long? || *(avv. rel.)* as much as, *(correlato a tanto)* as || *(agg. interr. ed esclam.)* how much, *(pl.)* how many, *(in espressioni di tempo)* how long || *(agg. rel.)* as much as, *(pl.)* as many as, *(in espressioni di tempo)* as long as || *(pron. interr. ed esclam.)* how much, *(pl.)* how many, *(in espressioni di tempo)* how long || *(pron. rel.)* **1** as much as, *(pl.)* as many as, *(in espressioni di tempo)* as long as **2** *(quello che)* what, *(tutto quello che)* all (that), *(pl.)* all those (who).

quantomeno *(avv.)* at least.

quarantena *(s.f.)* quarantine.

quaresima *(s.f.)* ECCL. Lent.

quarta *(s.f.)* **1** *(a scuola)* BE fourth form, AE fourth grade **2** AUT. fourth (gear).

quartetto *(s.m.)* MUS. quartet.

quartiere *(s.m.)* **1** *(di città)* district, area **2** MIL. quarters *(pl.)*.

quarto *(agg. num. ord.)* fourth || *(s.m.)* fourth, *(quarta parte, tempo)* quarter.

quasi *(avv.)* almost, nearly, *(con significato negativo)* hardly.

quassù *(avv.)* up here.

quattrino *(s.m.)* *(moneta di poco valore)* BE penny, AE cent, *(pl.)* *(soldi)* money.

quello *(agg. dimostr.)* that, *(pl.)* those || *(pron. dimostr.)* that (one), *(pl.)* those (ones), *(ciò che)* what.

quercia *(s.f.)* BOT. oak (tree).

querela *(s.f.)* DIR. (legal) action, lawsuit. **querelante** *(s.m. / s.f.)* DIR. plaintiff. **querelare** *(v.t.)* DIR. to sue. **querelato** *(s.m.)* DIR. defendant.

questionario *(s.m.)* questionnaire.

questione *(s.f.)* *(faccenda)* question, matter, issue.

questo *(agg. dimostr.)* this, *(pl.)* these || *(pron. dimostr.)* this (one), *(pl.)* these (ones), *(ciò che)* that, this.

questore *(s.m.)* chief of police. **questura** *(s.f.)* police headquarters *(pl.)*.

questua *(s.f.)* *(in chiesa)* collection.

qui *(avv.)* here.

quietare *(v.t.)* **1** *(calmare)* to calm (down), to soothe **2** *(rabbonire)* to appease. **quietarsi** *(v.pron.)* to calm down, to quiet(en) down.

quiete *(s.f.)* quiet, peace, silence.

quindi *(cong.)* so, therefore || *(avv.)* *(poi)* then, afterwards.

quindici *(agg. num. card. e s.m.)* fifteen ❖ **q. giorni** BE a fortnight.

quinta *(s.f.)* **1** TEATR. wing ❖ **dietro le quinte** *(anche fig.)* behind the scenes **2** *(a scuola)* BE fifth form, AE fifth grade **3** AUT. fifth (gear).

quintale *(s.m.)* hundred kilo(gram)s.

quintetto *(s.m.)* MUS. quintet.

qui pro quo *(s.m.)* misunderstanding.

quiz *(s.m.)* quiz, *(domanda)* question.

quota *(s.f.)* **1** *(parte)* share, **quota 2** *(da pagare)* fee, *(rata)* insta(l)lment

3 *(altitudine)* height, AER. altitude, MAR. depth **4** *(nell'ippica)* odds *(pl.)*.

quotare *(v.t.)* **1** *(in borsa)* to quote, to list **2** *(valutare)* to value. **quotato** *(agg.)* **1** *(in borsa)* quoted, listed **2** *(stimato)* rated.

quotazione *(s.f.)* **1** *(in borsa)* quotation ❖ *q. ufficiale* fixing **2** *(cambio)* rate of exchange, exchange rate.

quotidiano *(agg.)* **1** daily **2** *(ordinario)* everyday *(attr.)* ‖ *(s.m.)* FAM. daily. **quotidianamente** *(avv.)* daily.

quoziente *(s.m.)* quotient.

R

rabbia *(s.f.)* **1** rage, anger, *(di elementi)* fury **2** MED. *(idrofobia)* rabies.

rabbino *(s.m.)* RELIG. Rabbi.

rabbrividire *(v.i.)* to shiver *(anche fig.)*, to shudder, to shiver.

racchetta *(s.f.)* SPORT **1** *(tennis)* racket, *(ping pong)* BE racket, AE paddle **2** *(bastone da sci)* ski stick, ski pole.

racchiudere *(v.t.)* **1** to hold, to contain.

raccogliere *(v.t.)* **1** to pick up **2** *(fiori, frutti ecc.)* to pick, to pluck, AGR. *(fare il raccolto)* to harvest, to reap *(anche fig.)* **3** *(radunare)* to gather, *(collezionare)* to collect. **raccogliersi** *(v.pron.)* **1** *(radunarsi)* to gather, to assemble **2** *(fig.) (concentrarsi)* to concentrate. **raccolta** *(s.f.)* **1** gathering, collection **2** AGR. harvesting, *(di frutti)* picking **3** *(collezione)* collection, anthology.

raccolto¹ *(agg.)* **1** *(riunito)* collected, gathered **2** *(capelli)* tied **3** *(fig.) (concentrato)* absorbed, thoughtful **4** *(fig.) (luogo)* quiet, cosy.

raccolto² *(s.m.)* crop, harvest.

raccomandare *(v.t.)* **1** to recommend, to entrust **2** *(esortare a)* to urge, to exhort. **raccomandarsi** *(v.pron.)* **1** to recommend o.s., to entrust o.s. **2** *(appellarsi)* to appeal

to. **raccomandata** *(s.f.) (spedizione postale)* BE recorded delivery, AE certified mail. **raccomandato** *(agg.)* **1** recommended **2** v. **raccomandata** ‖ *(s.m.)* well-connected. **raccomandazione** *(s.f.)* recommendation, *(consiglio)* advice.

raccontare *(v.t.)* to tell, to narrate. **racconto** *(s.m.)* **1** (short) story, tale **2** *(relazione)* account.

raccordo *(s.m.)* **1** connection **2** MECC. union, AE connector, *(tubazioni)* fitting **3** *(strada)* link road, *(autostrada)* junction, *(ferrovia)* BE loop line ✧ *r. anulare* BE ring road, AE beltway.

raddoppiare *(v.t.)* to double.

raddrizzare *(v.t.)* **1** to straighten **2** *(fig.)* to straighten up **3** ELETTR. to rectify.

radere *(v.t.)* **1** to shave **2** *(tagliare alla base)* to raze **3** *(sfiorare)* to graze. **radersi** *(v.pron.)* to shave (o.s.).

radiatore *(s.m.)* radiator.

radiazione *(s.f.)* **1** FIS. radiation **2** *(espulsione)* expulsion, striking off.

radicale *(agg.)* radical ‖ *(s.m.)* MAT., CHIM., POL. radical.

radicare *(v.i.)*, **radicarsi** *(v.pron.)* BOT. to take root *(anche fig.)*. **radicato** *(agg.)* **1** BOT. rooted **2** *(fig.)* deep-rooted.

radicchio (*s.m.*) BOT. chicory.

radice (*s.f.*) **1** BOT. root (*anche fig.*) **2** MAT. root ✤ *r. quadrata* square root.

radio (*s.f.*) radio, (*apparecchio*) radio (set), (*stazione*) radio (station).

radioattivo (*agg.*) FIS. radioactive. **radioattività** (*s.f.*) FIS. radioactivity.

radiologia (*s.f.*) **1** MED. radiology **2** (*reparto ospedaliero*) radiology ward.

radioso (*agg.*) radiant, bright.

rado (*agg.*) **1** thin, sparse **2** (*poco frequente*) occasional ✤ *di r.* seldom.

radunare (*v.t.*), **radunarsi** (*v.pron.*) to gather, to collect, to assemble. **raduno** (*s.m.*) **1** gathering, meeting **2** SPORT meeting, (*automobilistico*) rally.

raffigurare (*v.t.*) **1** (*rappresentare*) to portray, to represent **2** (*simboleggiare*) to symbolize.

raffinato (*agg.*) **1** (*purificato*) refined, purified **2** (*fine, distinto*) cultivated, refined, fine.

raffineria (*s.f.*) refinery.

rafforzare (*v.t.*) to reinforce, to strengthen (*anche fig.*). **rafforzarsi** (*v.pron.*) to strengthen, to get stronger.

raffreddare (*v.t.*) to cool (down) (*anche fig.*). **raffreddarsi** (*v.pron.*) **1** to cool (down) (*anche fig.*), to get cold, to grow cool **2** (*prendere un raffreddore*) to catch a cold. **raffreddamento** (*s.m.*) cooling (*anche fig.*). **raffreddato** (*agg.*) **1** cooled **2** (*che ha il raffreddore*) having a cold.

raffreddore (*s.m.*) cold.

ragazza (*s.f.*) **1** girl ✤ *nome da r.* maiden name **2** (*fidanzata*) girlfriend.

ragazzo (*s.m.*) **1** boy, BE, FAM. lad **2** (*fidanzato*) boyfriend **3** (*garzone*) boy, shop-boy.

raggio (*s.m.*) **1** ray (*anche fig.*), beam **2** (*di ruota*) spoke **3** (*fig.*) (*distanza*) range **4** GEOM. radius.

raggiungere (*v.t.*) **1** (*toccare, arrivare a*) to reach **2** (*unirsi a*) to join **3** (*conseguire*) to achieve **4** (*allinearsi a*) to catch up with. **raggiungibile** (*agg.*) **1** (*accessibile*) accessible, reachable **2** (*conseguibile*) attainable, achievable.

raggruppare (*v.t.*) to group (together), to assemble. **raggrupparsi** (*v.pron.*) to group, to gather.

ragione (*s.f.*) **1** (*facoltà intellettiva*) reason, reasoning, (*intelletto*) mind, reason **2** (*motivo*) reason, motive, ground **3** (*diritto*) right. **ragionare** (*v.i.*) **1** to reason **2** (*discutere*) to discuss. **ragionamento** (*s.m.*) **1** reasoning, argument **2** (*discussione*) discussion. **ragionevole** (*agg.*) reasonable.

ragioniere (*s.m.*) accountant. **ragioneria** (*s.f.*) **1** accounting, bookkeeping **2** (*scuola*) business school.

ragno (*s.m.*) ZOOL. spider. **ragnatela** (*s.f.*) (spider's) web, cobweb.

ragù (*s.m.*) CUC. meat sauce.

rallegrare (*v.t.*) to cheer (up), to make glad. **rallegrarsi** (*v.pron.*) **1** (*tornare allegro*) to cheer up, (*essere felice*) to be glad, to rejoice **2** (*congratularsi*) to congratulate.

rallentare (*v.t.*) to slow down, to slacken (*anche fig.*) || (*v.i.*) to slow down. **rallentamento** (*s.m.*) (*di velocità*) slowing down, (*fig.*) (*di-*

minuzione) slackening, slowdown. **rallentatore** *(s.m.)* slow motion.

rame *(s.m.)* 1 copper 2 *(oggetti in rame)* copperware.

rammaricarsi *(v.pron.) (rimpiangere)* to regret, *(dispiacersi)* to feel sorry.

rammendare *(v.t.)* to darn. **rammendo** *(s.m.)* darn, darning.

ramo *(s.m.)* branch.

rampa *(s.f.)* 1 *(di scale)* flight 2 EDIL. ramp 3 *(di lancio)* launching pad.

rampicante *(agg.)* BOT. climbing, creeping ‖ *(s.m.)* BOT. climber, creeper.

rana *(s.f.)* ZOOL. frog.

rancore *(s.m.)* BE rancour, AE rancor.

randagio *(agg.)* stray.

rango *(s.m.)* standing, rank *(anche* MIL.).

rannicchiarsi *(v.pron.)* to crouch, to huddle up.

rannuvolarsi *(v.pron.)* to cloud over, *(fig.)* to darken.

rapa *(s.f.)* BOT. turnip.

rapace *(agg.)* 1 predatory, *(uccello)* of prey 2 *(fig.)* greedy ‖ *(s.m.)* bird of prey, raptor.

rapido *(agg.)* fast, quick, swift ‖ *(s.m.)* FERR. express.

rapina *(s.f.)* robbery. **rapinare** *(v.t.)* to rob. **rapinatore** *(s.m.)* robber.

rapire *(v.t.)* 1 to kidnap, to abduct 2 *(fig.) (estasiare)* to enrapture. **rapimento** *(s.m.)* 1 kidnapping, DIR., LETTER. abduction 2 *(estasi)* rapture. **rapitore** *(s.m.)* kidnapper, abductor.

rapporto *(s.m.)* 1 *(resoconto)* report, account 2 *(nesso, relazione)* relation, connection, relationship 3

(rapporto sessuale) (sexual) intercourse 4 MAT., MECC. ratio.

rappresentare *(v.t.)* 1 *(raffigurare)* to represent, to depict, to portray, *(descrivere)* to describe 2 *(simboleggiare)* to symbolize, to represent 3 *(significare)* to mean 4 *(agire per conto di)* to act for 5 COMM. to be the agent for, to represent 6 TEATR. *(mettere in scena)* to stage, to put on, *(interpretare una parte)* to play. **rappresentante** *(s.m. / s.f.)* representative *(anche fig.)*, COMM. agent. **rappresentazione** *(s.f.)* 1 representation, *(descrizione)* description 2 TEATR. performance.

raro *(agg.)* rare, unusual. **raramente** *(avv.)* rarely, seldom. **rarità** *(s.f.)* rarity.

rasare *(v.t.)* 1 to shave 2 *(l'erba)* to mow. **rasarsi** *(v.pron.)* to shave (o.s.).

raso¹ *(agg.)* 1 *(rasato)* shaved, shaven, *(liscio)* smooth 2 *(colmo)* full to the brim.

raso² *(s.m.) (tessuto)* satin.

rasoio *(s.m.)* razor.

rassegna *(s.f.)* 1 MIL. review, inspection 2 *(resoconto)* review, survey 3 *(esame)* survey, inspection 4 *(evento)* show, exhibition, festival. **rassegnare** *(v.t.) (consegnare)* to resign, to hand in. **rassegnarsi** *(v.pron.)* to resign o.s. **rassegnazione** *(s.f.)* resignation.

rasserenare *(v.t.)*, **rasserenarsi** *(v.pron.)* to brighten *(anche fig.)*.

rassicurare *(v.t.)* to reassure. **rassicurato** *(agg.)* reassured.

rastrello *(s.m.)* rake.

rata *(s.f.)* BE instalment, AE installment. **rateale** *(agg.)* BE instalment, AE installment *(attr.)* ❖ ven-

dita r. BE hire purchase, AE installment plan.

ratto *(s.m.)* ZOOL. rat.

rattristare *(v.t.)* to sadden. **rattristarsi** *(v.pron.)* to become sad.

rauco *(agg.)* hoarse. **raucedine** *(s.f.)* hoarseness.

ravanello *(s.m.)* BOT. radish.

ravvedersi *(v.pron.)* to mend one's ways.

razionale *(agg.)* **1** rational, **2** functional. **razionalità** *(s.f.)* rationality.

razza *(s.f.)* **1** race, *(di animali)* breed **2** *(fig.)* *(genere)* sort, kind.

razzismo *(s.m.)* racism. **razzista** *(agg. e s.m. / s.f.)* racist.

razzo *(s.m.)* rocket.

re¹ *(s.m.)* king ❖ *i Re Magi* the Three Wise Men.

re² *(s.m. invar.)* MUS. *(nota)* D.

reagire *(v.i.)* to react.

reale¹ *(agg.)* *(vero)* real, true **1** *(s.m.)* the real, reality. **realmente** *(agg.)* really, *(veramente)* truly, indeed. **realtà** *(s.f.)* reality ❖ *in r.* in fact, actually.

reale² *(agg.)* *(di re)* royal.

realizzare *(v.t.)* **1** *(compiere, portare avanti)* to carry out, to realize, *(fare)* to make **2** *(avverare, esaudire)* BE to fulfil, AE to fulfill, to realize **3** *(fig.)* *(capire)* to realize, to understand. **realizzarsi** *(v.pron.)* **1** to be realized, to come true **2** *(affermarsi)* BE to fulfil o.s., AE to fulfill o.s., to be succesful. **realizzazione** *(s.f.)* realization, carrying out, *(di sogno, desiderio)* BE fulfilment, AE fulfillment.

reato *(s.m.)* crime, (criminal) offence (AE offense).

reazione *(s.f.)* **1** reaction **2** FIS., CHIM. reaction.

recare *(v.t.)* **1** to bear, to bring *(anche fig.)* **2** *(arrecare)* to bring, to cause. **recarsi** *(v.pron.)* to go.

recedere *(v.i.)* to withdraw (from), *(rinunciare)* to give up.

recensione *(s.f.)* review.

recente *(agg.)* recent. **recentemente** *(avv.)* recently.

recinto *(s.m.)* **1** *(spazio chiuso)* enclosure, *(per animali da cortile)* pen **2** *(steccato)* fence. **recinzione** *(s.f.)* **1** *(il recingere)* fencing, enclosure **2** *(recinto)* fence.

recipiente *(s.m.)* container.

reciproco *(agg.)* reciprocal, mutual.

recita *(s.f.)* performance.

recitare *(v.t.)* **1** *(poema ecc.)* to recite, to declaim, *(preghiera)* to say **2** TEATR. to act, to play **3** *(fig.)* *(fingere)* to play, to feign.

reclamare *(v.t.)* *(richiedere)* to claim ‖ *(v.i.)* *(lamentarsi)* to complain. **reclamo** *(s.m.)* complaint.

réclame *(s.f.)* advert, advertisement, commercial.

reclinare *(v.t.)* **1** *(testa)* to bow, to bend **2** *(sedile)* to recline.

recluta *(s.f.)* recruit *(anche fig.)*. **reclutare** *(v.t.)* **1** MIL. to recruit, to enlist **2** *(estens.)* *(ingaggiare)* to hire, to take on.

record *(s.m.)* **1** SPORT record **2** INFORM. record ‖ *(agg.)* record *(attr.)*.

recuperare *(v.t.)* **1** to recover, *(ritrovare)* to retrieve **2** *(fig.)* *(salvare)* to save, to salvage **3** *(tempo perduto, terreno)* to make up, *(svantaggio)* to catch up. **recupero** *(s.m.)* **1** recovery, retrieval **2** *(salvataggio)* rescue, MAR. salvaging **3** *(riciclaggio)* recycling **4** COMM. *(di crediti ecc.)* collection

5 *(riabilitazione)* rehabilitation **6** INFORM. *(di dati)* retrieval **7** SPORT *(minuti di recupero)* injury time.

redattore *(s.m.)* **1** compiler, writer **2** *(di giornale)* member of the editorial staff.

redazione *(s.f.)* **1** *(di articolo)* compiling, writing **2** *(di giornale) (lavoro)* editing, *(insieme dei redattori)* editorial staff, *(ufficio)* editorial office.

reddito *(s.m.)* income.

redigere *(v.t.)* **1** *(compilare)* to compile, to draw up **2** *(scrivere un articolo)* to write.

redimere *(v.t.)* to redeem. **redimersi** *(v.pron.)* to redeem o.s.

reduce *(agg.)* returning ‖ *(s.m.)* *(sopravvissuto)* survivor, *(di guerra)* Veteran, ex-serviceman, *(f.)* ex-servicewoman.

referendum *(s.m.)* referendum.

referto *(s.m.)* (official) report.

refrattario *(agg.)* **1** IND. refractory, fireproof **2** *(fig.)* refractory, insensitive **3** MED. refractory, immune.

refurtiva *(s.f.)* stolen property, FAM. loot.

refuso *(s.m.)* TIP. misprint, FAM. typo.

regalare *(v.t.)* to present, to give as a present. **regalarsi** *(v.pron.) (concedersi)* to treat o.s. (to).

regalo *(s.m.)* present, gift.

reggere *(v.t.)* **1** to bear, *(sostenere)* to carry, to hold, to support **2** *(fig.) (sopportare)* to stand, to bear **3** *(tenere in mano)* to hold **4** *(governare)* to rule, to govern ‖ *(v.i.)* **1** *(resistere)* to hold, to withstand **2** *(fig.) (sopportare)* to stand, to bear **3** *(fig.) (durare)* to last, to hold.

reggersi *(v.pron.)* **1** *(stare in piedi)* to stand **2** *(aggrapparsi)* to hold on **3** *(governarsi)* to govern o.s., to rule o.s.

reggia *(s.f.)* (royal) palace.

reggipetto *(s.m.)*, **reggiseno** *(s.m.)* bra.

regia *(s.f.)* CINEM., TEATR., TV direction. **regista** *(s.m./s.f.)* CINEM., TEATR., TV director.

regime *(s.m.)* **1** POL. regime, SPREG. *(governo autoritario)* dictatorship **2** *(regola di vita)* lifestyle, regimen, *(dieta)* diet **3** MECC. rate, speed.

regina *(s.f.)* queen.

regione *(s.f.)* region, area. **regionale** *(agg.)* regional.

registrare *(v.t.)* **1** to record, to log **2** TECN. to record, *(su nastro)* to tape, INFORM. *(dati)* to store **3** to register, COMM. to enter, to book **4** MECC. *(mettere a punto)* to adjust, to set. **registratore** *(agg.)* recording ‖ *(s.m.)* recorder ❖ *r. di cassa* cash register. **registrazione** *(s.f.)* **1** recording, entering **2** TECN. recording, INFORM. writing, storing **3** registration, COMM. entry, record **4** MECC. *(messa a punto)* adjusting, setting. **registro** *(s.m.)* **1** register **2** MECC. register.

regno *(s.m.)* **1** kingdom, *(fig.)* realm **2** *(periodo di regno)* reign. **regnare** *(v.i.)* to reign *(anche fig.)*, *(estens.) (dominare)* to rule, to dominate.

regola *(s.f.)* **1** rule **2** *(moderazione, misura)* moderation, measure. **regolare** *(agg.)* regular.

regolare *(v.t.)* **1** to regulate, to control **2** *(mettere a punto)* to adjust, to set **3** *(sistemare)* to settle. **rego-**

lamento (*s.m.*) **1** regulation, control **2** (*insieme di norme*) regulations (*pl.*) **3** (*sistemazione*) settlement. **regolazione** (*s.f.*) **1** regulation **2** TECN. adjustment.

regredire (*v.i.*) to regress.

relativamente (*avv.*) **1** relatively, comparatively, (*abbastanza*) quite, fairly **2** (*in riferimento*) with regard to.

relativo (*agg.*) **1** (*attinente*) relative, concerning **2** (*rispettivo*) respective **3** (*limitato*) relative, comparative **4** GRAMM. relative.

relatore (*s.m.*) (*chi fa una relazione*) reporter, (*di congresso, conferenza*) speaker, (*di tesi universitaria*) supervisor, tutor.

relax (*s.m.*) relaxation.

relazione (*s.f.*) **1** (*nesso*) connection, relationship, (*fra persone*) relationship, liaison **2** (*conoscenza*) acquaintance, connection **3** (*rapporto amoroso*) relationship, (*clandestina, illecita*) (love) affair, liaison **4** (*resoconto*) report, account.

relegare (*v.t.*) to relegate.

religione (*s.f.*) religion. **religioso** (*agg.*) religious.

relitto (*s.m.*) MAR. wreck, (*rottami*) wreckage.

remissivo (*agg.*) submissive.

remo (*s.m.*) oar. **remare** (*v.i.*) to row.

remora (*s.f.*) **1** scruple **2** (*esitazione*) hesitation.

remoto (*agg.*) **1** remote, distant **2** (*appartato*) secluded **3** INFORM. remote.

rendere (*v.t.*) **1** (*restituire*) to give back, to return, (*rimborsare*) to pay back **2** (*contraccambiare*) to return, to repay **3** (*fruttare*) to yield (in) **4** (*dare, fare*) to give, to pay **5** (*far diventare*) to make, to render **6** (*esprimere*) to express, (*descrivere*) to describe, (*tradurre*) to translate. **rendersi** (*v.pron.*) to make o.s. ❖ *r. conto di ql.sa* to realize sthg.

rene (*s.m.*) ANAT. kidney.

reparto (*s.m.*) **1** department, division, (*di ospedale*) ward, department **2** MIL. unit.

repentino (*agg.*) sudden, unexpected.

reperto (*s.m.*) **1** find **2** DIR. exhibit **3** MED. report.

repertorio (*s.m.*) **1** (*elenco*) inventory, list **2** MUS. TEATR. repertory, repertoire (*anche fig.*).

replicare (*v.t.*) **1** to reply, (*rispondere*) to answer **2** (*obiettare*) to object **3** (*ripetere*) to repeat. **replica** (*s.f.*) **1** (*risposta*) reply, answer **2** (*obiezione*) objection **3** (*ripetizione*) repetition, repeating **4** CINEM., TEATR., TV repeat, rerun **5** (*copia*) replica, copy.

reprimere (*v.t.*) **1** (*trattenere*) to hold back, to restrain **2** (*soffocare*) to repress. **reprimersi** (*v.pron.*) to restrain o.s.

repubblica (*s.f.*) republic.

repulsione (*s.f.*) repulsion.

reputare (*v.t.*) to consider, to think. **reputarsi** (*v.pron.*) to consider o.s. **reputazione** (*s.f.*) reputation.

resa (*s.f.*) **1** surrender **2** (*restituzione*) return, restitution **3** (*rendimento*) yield, profit.

rescindere (*v.t.*) DIR. to rescind, to cancel.

residence (*s.m.*) BE service flats (*pl.*), AE apartment hotel.

residenza (s.f.) 1 residence, dwelling, AMM. permanent address, official address 2 (edificio) residence, dwelling-place 3 (sede) seat. residenziale (agg.) residential.

residuo (agg.) remaining, residual || (s.m.) residue, remainder, remains (pl.).

resistere (v.i.) 1 to resist, to withstand, (di materiali) to be resistant, (di colori) to be fast 2 (tener duro) to hold out (to), to stand up (to) 3 (sopportare) to bear up (to) 4 (durare) to last. resistente (agg.) resistant, -proof, (forte) strong, tough, (durevole) durable, lasting, (colori) fast. resistenza (s.f.) 1 resistance (anche fig.), (capacità di resistere) endurance, (instancabilità) stamina 2 ELETTR. resistance, (resistore) resistor.

resoconto (s.m.) report, account.

respingere (v.t.) 1 (allontanare) to repel, to drive back 2 (fig.) (rifiutare) to reject, to refuse 3 (bocciare) to fail.

respirare (v.t. / v.i.) to breathe. respirazione (s.f.) breathing. respiro (s.m.) 1 breath, (il respirare) breathing 2 (fig.) (sollievo) respite, relief, (dilazione) extension, delay.

responsabile (agg.) 1 responsible, accountable, DIR. liable 2 (affidabile) reliable || (s.m. / s.f.) (capo) person in charge. responsabilità (s.f.) responsibility, DIR. liability.

responso (s.m.) response, (di una giuria) verdict.

ressa (s.f.) crush, crowd, throng.

restare v. rimanere.

restaurazione (s.f.) restoration, reinstatement.

restauro (s.m.) restoration, (riparazione) repair.

restituire (v.t.) 1 to return, to give back (anche fig.), (di denaro) to repay 2 (contraccambiare) to return, to pay back.

resto (s.m.) 1 remainder, rest 2 (di denaro) change 3 (pl.) (avanzi) remains (pl.), (di cibo) leftovers (pl.) 4 MAT. remainder.

restringere (v.t.) 1 to narrow, (rendere più piccolo) to reduce, (vestiti ecc.) to take in 2 (fig.) (limitare) to limit, to restrict. restringersi (v.pron.) to narrow, to get narrower, (contrarsi) to contract, (di tessuti) to shrink.

rete (s.f.) 1 net, netting 2 (struttura a rete) network ❖ r. televisiva television network, r. fissa TEL. landline 3 ELETTR. (rete elettrica) network, (domestica) mains (pl.), (ad alta tensione) grid 4 INFORM. net, network 5 CALCIO goal.

reticente (agg.) reticent, reserved.

retina (s.f.) ANAT. retina.

retorica (s.f.) rhetoric. retorico (agg.) rhetorical.

retribuzione (s.f.) payment, (salario) wage.

retro (s.m.) back, rear, (di pagina) verso.

retrocedere (v.t.) 1 (abbassare di grado) to demote (anche MIL.) 2 SPORT to relegate || (v.i.) 1 (fare marcia indietro) to go back, (di veicolo) to reverse 2 (ritirarsi) to retreat, to withdraw.

retromarcia (s.f.) 1 reverse (motion), reversing 2 AUT. reverse gear.

retroterra (s.m.) hinterland, (fig.) background.

retta[1] *(s.f.)* ❖ *dar r. a qu.no* to listen to s.o., to pay attention to s.o.

retta[2] *(s.f.) (somma)* (boarding) fee.

retta[3] *(s.f.)* GEOM. (straight) line.

rettangolo *(agg.)* GEOM. right-angled || *(s.m.)* GEOM. rectangle.

rettificare *(v.t.)* **1** *(correggere)* to correct, to rectify **2** MECC. to grind. **rettifica** *(s.f.)* **1** correction **2** MECC. grinding.

rettile *(agg. e s.m.)* reptile.

rettilineo *(agg.)* straight || *(s.m.)* straight stretch.

retto *(agg.)* **1** *(diritto)* straight **2** *(fig.) (onesto)* upright **3** *(corretto)* right, correct **4** GEOM. right || *(s.m.)* **1** ANAT. rectum **2** *(di pagina)* recto.

rettore *(s.m.)* rector.

reumatismo *(s.m.)* MED. rheumatism.

reverendo *(agg. e s.m.)* ECCL. reverend.

reversibile *(agg.)* reversible, DIR., ECON. reversionary.

revisione *(s.f.)* **1** review, revision, *(di testo)* editing **2** ECON. audit, auditing **3** MECC. overhaul, servicing.

revocare *(v.t.)* to revoke, to repeal.

riabilitare *(v.t.)* **1** to rehabilitate **2** DIR. to reinstate. **riabilitarsi** *(v.pron.)* to redeem o.s. **riabilitazione** *(s.f.)* rehabilitation, FAM. rehab, DIR. reinstatement.

riacquistare *(v.t.)* **1** to buy back **2** *(fig.) (recuperare)* to recover, to regain.

riagganciare *(v.t.)* to refasten, to hook up again, *(il telefono)* to hang up. **riagganciarsi** *(v.pron.)* **1** to refasten **2** *(fig.) (fare riferimento)* to refer back to.

rialzare *(v.t.)* **1** to lift, to pick up **2** *(fig.) (aumentare)* to increase, to raise. **rialzarsi** *(v.pron.)* **1** to rise, to get up. **rialzo** *(s.m.)* rise.

rianimare *(v.t.)* to reanimate, to revive *(anche fig.)*, *(rincuorare)* to cheer up. **rianimarsi** *(v.pron.)* **1** *(riaversi)* to recover one's senses **2** *(rincuorarsi)* to cheer up, to take heart. **rianimazione** *(s.f.)* **1** reanimation, *(fig.)* cheering up **2** MED. resuscitation ❖ *reparto r.* intensive care unit.

riassumere *(v.t.)* **1** *(riepilogare)* to summarize **2** *(al lavoro)* to re-employ, to re-hire, *(una carica)* to reassume.

riassunto *(s.m.)* summary.

riattaccare *(v.t.)* **1** to reattach, *(con colla)* to stick on again, *(ricucire)* to sew on again **2** FAM. *(riagganciare il telefono)* to hang up.

riattivare *(v.t.)* to reopen, to reactivate.

riavere *(v.t.)* **1** *(avere di nuovo)* to have again **2** *(avere in restituzione)* to get back, to regain. **riaversi** *(v.pron.)* to recover.

riavvicinare *(v.t.)* **1** to move near (again), to draw up (again) **2** *(riconciliare)* to reconcile. **riavvicinarsi** *(v.pron.)* **1** to approach again **2** *(riconciliarsi)* to become reconciled.

ribadire *(v.t.)* *(confermare)* to confirm, to reassert.

ribalta *(s.f.)* TEATR. forestage.

ribaltabile *(agg.)* ❖ *sedile r.* AUT. reclining seat.

ribassare *(v.t.)* to lower, to reduce, to cut. **ribasso** *(s.m.)* fall, drop, *(sconto)* discount.

ribattere *(v.t.)* **1** to beat again, to strike again **2** *(a macchina)* to retype **3** (*respingere*) to rebut, (*confutare*) to refute ‖ (*v.i.*) **1** (*insistere*) to insist **2** (*replicare*) to retort, to answer back.

ribellarsi (*v.pron.*) to rebel, to revolt. **ribelle** (*agg. e s.m. / s.f.*) rebel.

ribrezzo (*s.m.*) disgust, loathing.

ricadere (*v.i.*) **1** (*scendere*) to fall, to drop **2** (*cadere di nuovo*) to fall back **3** (*fig.*) to relapse. **ricaduta** (*s.f.*) relapse (*anche* MED.).

ricalcare (*v.t.*) **1** (*un disegno*) to trace **2** (*fig.*) (*imitare*) to imitate, to follow.

ricamare (*v.t.*) to embroider. **ricamo** (*s.m.*) embroidery.

ricambiare (*v.t.*) (*contraccambiare*) to return, to repay. **ricambio** (*s.m.*) **1** (*sostituzione*) replacement ❖ *pezzo di r.* spare part **2** (*avvicendamento*) turnover.

ricaricare (*v.t.*) (*batteria*) to recharge, (*scheda telefonica ecc.*) to top up, to buy credit, (*penna, cartuccia*) to refill, (*orologio*) to wind, (*arma*) to reload. **ricaricarsi** (*v.pron.*) **1** to recharge **2** (*fig.*) to recharge one's batteries. **ricarica** (*s.f.*) (*di batteria*) recharging, (*di scheda telefonica*) top-up (card, voucher), (*di penna, cartuccia*) refill, (*di orologio*) winding, (*di arma*) reloading.

ricatto (*s.m.*) blackmail.

ricavare (*v.t.*) **1** (*estrarre*) to extract **2** (*ottenere*) to get, to obtain, to draw **3** (*guadagnare*) to gain, to get. **ricavato** (*s.m.*), **ricavo** (*s.m.*) (*di vendita*) proceeds (*pl.*).

ricchezza (*s.f.*) **1** richness, wealth **2** (*abbondanza*) abundance, wealth.

riccio[1] (*agg.*) curly ‖ (*s.m.*) curl, lock.

riccio[2] (*s.m.*) **1** ZOOL. hedgehog **2** ZOOL. ❖ *r. di mare* sea urchin.

ricciolo (*s.m.*) curl, lock.

ricco (*agg.*) **1** rich, wealthy **2** (*abbondante*) rich, abounding ‖ (*s.m.*) rich person, wealthy person.

ricercare (*v.t.*) **1** (*cercare*) to look for, to search for **2** (*fare ricerca scientifica*) to conduct research **3** (*indagare*) to investigate, to enquire into. **ricerca** (*s.f.*) **1** search **2** (*scientifica*) research **3** (*indagine*) enquiry. **ricercato** (*agg.*) **1** (*richiesto*) sought-after, in demand, prized **2** (*raffinato*) refined, (*affettato*) affected **3** (*dalla polizia*) wanted ‖ (*s.m.*) wanted person.

ricetta (*s.f.*) **1** CUC. recipe **2** MED. prescription.

ricevere (*v.t.*) **1** to receive, to get **2** (*accogliere*) to welcome, to receive **3** (*di medico*) to see (patients) **4** RAD., TEL. to receive. **ricevente** (*agg.*) receiving (*anche* RAD.) ‖ (*s.m. / s.f.*) **1** receiver **2** AMM., MED. recipient. **ricevimento** (*s.m.*) **1** (*il ricevere*) receipt, receiving **2** (*accoglienza*) reception, (*ammissione*) admission **3** (*festa*) reception. **ricevuta** (*s.f.*) COMM. receipt.

richiamare (*v.t.*) **1** (*chiamare di nuovo*) to call again, (*al telefono*) to call back **2** (*chiamare indietro*) to call back, (*far tornare*) to recall **3** (*ritirare*) to withdraw **4** (*attirare*) to attract, to draw **5** (*rimproverare*) to rebuke. **richiamarsi** (*v.pron.*) **1** (*riferirsi*) to refer (to) **2** (*appellarsi*) to appeal. **richiamo** (*s.m.*) **1** (*gesto, voce*) call, cry **2** (*attrazione*) call, lure **3** (*rimprovero*) rebuke **4** MED. (*di vaccinazione*) booster.

richiedere *(v.t.)* **1** *(chiedere di nuovo)* to ask for (sthg.) again, *(chiedere indietro)* to ask for (sthg.) back **2** *(chiedere per sapere)* to ask, *(chiedere per avere)* to ask for **3** *(avere bisogno, esigere)* to require **4** AMM. *(fare una richiesta)* to apply for, to request. **richiesta** *(s.f.)* **1** *(domanda)* request, *(esigenza)* demand **2** AMM. *(istanza)* application **3** ECON., FIN. demand. **richiesto** *(agg.)* **1** *(ricercato)* in demand, sought-after **2** *(necessario)* required, necessary.

riciclare *(v.t.)* to recycle.

ricominciare *(v.t. / v.i.)* to start again.

ricompensare *(v.t.)* to reward, *(pagare)* to pay. **ricompensa** *(s.f.)* reward.

ricondurre *(v.t.)* **1** *(di nuovo)* to lead again, *(indietro)* to take back **2** *(fig.)* *(far risalire)* to trace back.

riconferma *(s.f.)* (re)confirmation.

riconoscente *(agg.)* grateful, thankful. **riconoscenza** *(s.f.)* gratitude, thankfulness.

riconoscere *(v.t.)* **1** to recognize, *(identificare)* to identify **2** *(ammettere)* to admit, to acknowledge. **riconoscersi** *(v.pron.)* **1** *(dichiararsi)* to admit **2** *(identificarsi)* to identify, to agree **3** *(l'un l'altro)* to recognize each other (one another). **riconoscimento** *(s.m.)* **1** recognition, *(identificazione)* identification **2** *(ammissione)* admission, acknowledgement **3** *(ricompensa)* reward, *(apprezzamento)* recognition.

riconquistare *(v.t.)* to reconquer, *(fig.)* to win back.

ricoperto *(agg.)* covered (up), *(rivestito)* coated, *(placcato)* plated.

ricopiare *(v.t.)* **1** to copy **2** *(copiare di nuovo)* to copy again.

ricoprire *(v.t.)* **1** *(coprire)* to cover *(anche fig.)*, *(di nuovo)* to cover again **2** *(avvolgere)* to wrap **3** *(impiego, carica)* to hold.

ricordare *(v.t.)* **1** to remember, to recall *(rammentare)* **2** *(menzionare)* to mention. **ricordarsi** *(v.pron.)* to remember. **ricordo** *(s.m.)* **1** memory, recollection **2** *(oggetto)* souvenir **3** *(testimonianza)* record.

ricorrere *(v.i.)* **1** *(rivolgersi)* to turn to, *(servirsi)* to have recourse, to resort **2** *(ripetersi)* to recur, *(di date)* to fall, *(di anniversari ecc.)* to be. **ricorrenza** *(s.f.)* **1** *(ritorno ciclico)* recurrence **2** *(anniversario)* anniversary, *(festa)* feast, holiday. **ricorso** *(s.m.)* **1** resort, recourse **2** DIR. petition, *(appello)* appeal **3** *(il ripetersi)* recurrence.

ricostruire *(v.t.)* to rebuild, to reconstruct *(anche fig.)*. **ricostruzione** *(s.f.)* rebuilding, reconstruction *(anche fig.)*.

ricoverare *(v.t.)* **1** *(accogliere)* to admit, *(mettere al sicuro)* to shelter **2** *(in ospedale)* to hospitalize. **ricoverarsi** *(v.pron.)* **1** to take shelter **2** *(in ospedale)* to go into hospital. **ricovero** *(s.m.)* **1** *(rifugio)* shelter, refuge **2** *(in ospedale)* admission (to hospital), hospitalization.

ricreazione *(s.f.)* **1** recreation **2** *(a scuola)* BE break, AE recess.

ricredersi *(v.pron.)* to change one's mind.

ridare (*v.t.*) **1** (*dare di nuovo*) to give again **2** (*restituire*) to give back, to return **3** (*fiducia, forza*) to restore.

ridere (*v.i.*) **1** to laugh **2** (*fig.*) (*risplendere*) to shine, to sparkle.

ridicolo (*agg.*) ridiculous, absurd ‖ (*s.m.*) ridicule.

ridimensionare (*v.t.*) **1** (*ridurre*) to downsize, to reduce **2** INFORM. to resize.

ridire (*v.t.*) **1** (*dire di nuovo*) to repeat, to say again **2** (*obiettare*) to object, to find fault.

ridondante (*agg.*) redundant (*anche* INFORM.).

ridurre (*v.t.*) **1** (*diminuire*) to reduce, to cut, (*numericamente*) to cut down, (*accorciare*) to shorten **2** (*trasformare*) to convert, to turn **3** (*adattare*) to adapt **4** (*semplificare*) to reduce **5** (*costringere*) to reduce, to drive, to force. **ridursi** (*v.pron.*) **1** (*arrivare a*) to reduce o.s., to come **2** (*diminuire*) to diminish, to decrease **3** (*diventare*) to be reduced, to become **4** (*restringersi*) to shrink. **ridotto** (*agg.*) reduced. **riduttivo** (*agg.*) reductive (*anche fig.*). **riduttore** (*agg.*) reducing ‖ (*s.m.*) **1** reducer **2** ELETTR., FOT. adapter. **riduzione** (*s.f.*) **1** reduction, cut, (*raccorciamento*) shortening **2** (*sconto*) discount **3** (*adattamento*) adaptation, MUS. arrangement **4** (*semplificazione*) reduction.

rieducare (*v.t.*) **1** to re-educate **2** (*reinserire nella società*) to rehabilitate **3** MED. to rehabilitate.

riemergere (*v.i.*) to resurface, to re-emerge.

riempire (*v.t.*) **1** to fill (up) (*anche fig.*) **2** (*compilare*) to fill in **3** (*affollare*) to crowd, to pack. **riem-**

pirsi (*v.pron.*) **1** to fill (up), to be filled **2** FAM. (*rimpinzarsi*) to stuff o.s.

rientrare (*v.i.*) **1** (*entrare di nuovo*) to re-enter, to enter again **2** (*ritornare*) to return, to come back, (*rincasare*) to come home **3** (*far parte*) to be part (of). **rientro** (*s.m.*) **1** re-entry, (*ritorno*) return, (*a casa, in patria*) homecoming **2** (*rientranza*) recess.

rievocare (*v.t.*) **1** (*richiamare*) to recall, to remember **2** (*commemorare*) to commemorate.

rifare (*v.t.*) **1** to do again, to redo, to make again, to remake **2** (*ricostruire*) to rebuild, (*ristrutturare*) to renovate. **rifarsi** (*v.pron.*) **1** (*prendersi la rivincita*) to make up for **2** (*rivalersi*) to get even **3** (*riacquistare*) to regain **4** ❖ *r. vivo* to reappear **5** ❖ *r. il naso* FAM. to have a nose job.

riferire (*v.t.*) **1** to report, (*raccontare*) to tell **2** (*attribuire*) to ascribe ‖ (*v.i.*) (*informare*) to report. **riferirsi** (*v.pron.*) **1** (*concernere*) to refer, to be related **2** (*alludere*) to refer.

rifinire (*v.t.*) to finish (off).

rifiutare (*v.t.*), **rifiutarsi** (*v.pron.*) to refuse.

rifiuto (*s.m.*) **1** refusal **2** (*pl.*) (*immondizia*) waste, BE rubbish, refuse, AE garbage, trash.

riflessione (*s.f.*) **1** FIS. reflection, reflexion **2** (*meditazione*) meditation.

riflessivo (*agg.*) **1** thoughtful **2** GRAMM. reflexive.

riflettere (*v.t.*) to reflect (*anche fig.*) ‖ (*v.i.*) (*considerare*) to reflect, to think over. **riflettersi** (*v.pron.*) to be reflected (*anche fig.*). **riflesso**

(agg.) reflected ‖ *(s.m.)* **1** *(di luce)* reflection, *(riverbero)* glare **2** *(fig.)* *(ripercussione)* effect, repercussion **3** *(gesto istintivo)* reflex. **riflettore** *(s.m.)* *(proiettore)* floodlight, spotlight.

riformare *(v.t.)* **1** *(formare di nuovo)* to form again **2** *(sottoporre a riforma)* to reform. **riforma** *(s.f.)* **1** reform **2** RELIG., ST. Reformation.

riformatorio *(s.m.)* BE Young Offender Institution, AE youth detention center, AE, FAM. juvie.

rifornire *(v.t.)* to supply, to provide, *(di carburante)* to refuel, to fill up. **rifornirsi** *(v.pron.)* to supply o.s., to stock up, *(di carburante)* to refuel. **rifornimento** *(s.m.)* **1** *(il rifornire)* supplying, supply, AER., AUT. refuelling **2** *(pl.)* *(provviste)* supplies, stocks.

rifugio *(s.m.)* shelter, refuge *(anche fig.)*, *(nascondiglio)* hideout, *(in montagna)* hut, refuge. **rifugiarsi** *(v.pron.)* to take refuge *(anche fig.)*. **rifugiato** *(agg. e s.m.)* refugee.

riga *(s.f.)* **1** line **2** *(righello)* ruler **3** *(fila)* row **4** *(striscia)* stripe.

righello *(s.m.)* ruler.

rigido *(agg.)* **1** stiff, rigid **2** *(clima ecc.)* harsh, severe **3** *(fig.)* *(severo)* strict, rigorous. **rigidità** *(s.f.)* **1** stiffness, rigidity **2** *(fig.)* *(severità)* strictness, rigour **3** *(di clima)* harshness, BE rigours, AE rigors *(pl.)*.

rigoglioso *(agg.)* **1** BOT. luxuriant **2** *(fig.)* blooming.

rigore *(s.m.)* **1** *(di clima)* harshness **2** *(severità)* BE rigour, AE rigor, strictness **3** SPORT penalty (kick).

riguardare *(v.t.)* **1** *(riesaminare)* to look over, to check **2** *(concernere)* to regard, to concern. **riguardarsi**

(v.pron.) *(aver cura di sé)* to take care of o.s., to look after o.s. **riguardo** *(s.m.)* **1** *(cura)* care **2** *(rispetto)* consideration, respect **3** *(relazione)* regard, connection.

rilanciare *(v.t.)* **1** *(lanciare di nuovo)* to throw again **2** *(fig.)* to relaunch **3** *(a un'asta, a poker)* to raise.

rilasciare *(v.t.)* **1** *(lasciare di nuovo)* to leave again **2** *(mettere in libertà)* to release **3** *(dare, concedere)* to issue, to grant. **rilascio** *(s.m.)* **1** *(liberazione)* release **2** *(concessione)* granting, *(emissione)* issuing.

rilassarsi *(v.pron.)* to relax *(anche fig.)*.

rilegare *(v.t.)* *(libri)* to bind.

rileggere *(v.t.)* to read again, to reread.

rilevare *(v.t.)* **1** *(notare)* to notice, *(mettere in evidenza)* to point out **2** *(raccogliere dati)* to gather, to collect, *(con uno strumento)* to detect **3** COMM., ECON. *(acquisire)* to take over. **rilevamento** *(s.m.)* **1** survey **2** ECON. *(acquisizione)* takeover, *(acquisto)* buyout. **rilevante** *(agg.)* **1** *(importante)* important **2** *(cospicuo)* considerable. **rilevatore** *(s.m.)* TECN. detector. **rilevazione** *(s.f.)* survey. **rilievo** *(s.m.)* **1** relief *(anche GEOGR.)* **2** *(fig.)* *(risalto)* importance, emphasis **3** *(osservazione)* remark.

rima *(s.f.)* rhyme.

rimandare *(v.t.)* **1** *(mandare di nuovo)* to send again **2** *(mandare indietro)* to send back, to return **3** *(rinviare)* to postpone, to put off **4** *(fare riferimento)* to refer **5** *(a scuola)* to make (s.o.) repeat.

rimanere *(v.i.)* **1** to remain, to stay **2** *(fermarsi)* to stop **3** *(avanzare)* to be left (over) **4** *(perdurare)* to remain, to continue **5** *(essere)* to be.

rimbalzare *(v.i.)* **1** to bounce (off), to rebound **2** *(di proiettile)* to ricochet **3** *(fig.)* to spread.

rimboccare *(v.t.)* *(maniche, pantaloni)* to roll up, *(coperte)* to tuck (s.o. in).

rimborsare *(v.t.)* to refund, to repay. **rimborso** *(s.m.)* refund, repayment.

rimedio *(s.m.)* remedy, cure *(anche MED.)*, *(fig.)* way out. **rimediare** *(v.t.)* *(procurarsi)* to scrape together, *(prendersi)* to get, to catch ‖ *(v.i.)* *(porre rimedio)* to remedy, to make up for.

rimettere *(v.t.)* **1** *(al posto di prima)* to put back, to replace **2** *(indossare di nuovo)* to put on again **3** *(affidare)* to refer, to submit **4** *(rimetterci)* to lose, *(rovinare)* to ruin **5** *(vomitare)* to bring up, to vomit **6** SPORT *(rimettere in gioco)* *(calcio)* to throw in, *(tennis)* to return. **rimettersi** *(v.pron.)* **1** *(ricollocarsi)* to go back **2** *(riprendere)* to start again, to set to again **3** *(indossare nuovamente)* to put on again **4** *(di tempo meteorologico)* to clear up, to improve **5** *(di salute)* to recover. **rimessa** *(s.f.)* **1** *(deposito)* *(per automobili)* garage, *(per mezzi pubblici)* depot, *(per aeroplani)* hangar **2** COMM. *(invio di denaro)* remittance, *(invio di merci)* consignment, shipment **3** SPORT *(tennis)* return, *(calcio)* ✦ *r. laterale* throw-in, *r. dal fondo* goal kick.

rimmel *(s.m.)* mascara.

rimontare *(v.t.)* **1** *(risalire)* to go up, *(controcorrente)* to go upstream **2** *(riassemblare)* to reassemble **3** SPORT to recover ‖ *(v.i.)* **1** *(salire di nuovo)* to climb up again, to remount, *(in un veicolo)* to get in again **2** *(fig.) (recuperare)* to move up.

rimorchiare *(v.t.)* **1** AUT., MAR. to tow **2** *(fig.) (una ragazza)* to pick up.

rimorchio *(s.m.)* **1** *(il rimorchiare)* tow, towing **2** AUT. *(veicolo)* trailer.

rimorso *(s.m.)* remorse.

rimpiangere *(v.t.)* to regret. **rimpianto** *(s.m.)* regret.

rimpiattino *(s.m.)* hide-and-seek.

rimuovere *(v.t.)* **1** *(togliere)* to remove *(anche fig.)* **2** *(destituire)* to dismiss **3** PSIC. to repress.

rinascimento *(s.m.)* Renaissance.

rincarare *(v.t.)* to raise, to put up ‖ *(v.i.)* to become more expensive, to rise. **rincaro** *(s.m.)* rise (in prices), increase (in prices).

rinchiudere *(v.t.)* to shut up, *(a chiave)* to lock up. **rinchiudersi** *(v.pron.)* to shut o.s. up, *(a chiave)* to lock o.s. in.

rincorrere *(v.t.)* to run after, to pursue *(anche fig.)*. **rincorsa** *(s.f.)* run-up.

rinforzare *(v.t.)* to strengthen, to reinforce. **rinforzarsi** *(v.pron.)* to get stronger. **rinforzo** *(s.m.)* **1** reinforcement **2** MIL. *(pl.)* reinforcements.

rinfrescare *(v.t.)* **1** to cool, to make cooler **2** *(fig.) (ristorare)* to refresh, *(rinnovare)* to freshen up ‖ *(v.i.)* to cool (down). **rinfrescarsi** *(v.pron.)* **1** to cool down **2** *(fig.) (lavarsi, ristorarsi)* to refresh o.s. **rinfresco**

(s.m.) **1** *(ricevimento)* reception, *(festa)* party **2** *(cibi e bevande)* refreshments *(pl.)*.

ringhiare *(v.i.)* to growl, to snarl *(anche fig.)*. **ringhio** *(s.m.)* growl, snarl *(anche fig.)*.

ringhiera *(s.f.)* railing, *(di scala)* banister.

ringiovanire *(v.t.)* **1** *(far sembrare più giovane)* to make (s.o.) look younger, *(far sentire più giovane)* to make (s.o.) feel younger **2** *(fig.)* to rejuvenate ‖ *(v.i.) (sembrare più giovane)* to look younger, *(sentirsi più giovane)* to feel younger.

ringraziamento *(s.m.)* **1** thanks *(pl.)* **2** ❖ giorno del R. Thanksgiving.

ringraziare *(v.t.)* to thank.

rinnovabile *(agg.)* renewable.

rinnovare *(v.t.)* **1** to renew **2** *(sostituire)* to redo **3** *(ammodernare)* to renovate. **rinnovarsi** *(v.pron.)* **1** to be renewed **2** *(modernizzarsi)* to update **3** *(ripetersi)* to recur, to be repeated. **rinnovo** *(s.m.)* **1** renewal **2** *(sostituzione)* replacement **3** *(rimodernamento)* renovation.

rinoceronte *(s.m.)* ZOOL. rhino(ceros).

rinomato *(agg.)* renowned, famous.

rintracciare *(v.t.)* to track down, to trace, *(trovare)* to find.

rinunciare *(v.i.)* to renounce, to give up. **rinuncia** *(s.f.)* renunciation.

rinvenire *(v.t.) (trovare)* to find, to recover, *(scoprire)* to discover.

rinviare *(v.t.)* **1** *(posticipare)* to put off, to postpone **2** *(mandare indietro)* to return, to send back **3** *(fare un rimando)* to refer. **rinvio** *(s.m.)* **1** *(differimento)* postponement, deferment **2** *(il rimandare indietro)* return, sending back **3** *(rimando)* cross reference.

riordinare *(v.t.)* **1** *(stanza ecc.)* to tidy (up), to clear up **2** *(riorganizzare)* to reorganize **3** COMM. *(ordinare di nuovo)* to reorder, to order again.

ripagare *(v.t.)* **1** *(pagare di nuovo)* to pay again **2** *(ricompensare)* to repay, to reward **3** *(risarcire)* to pay for.

riparare *(v.t.)* **1** *(proteggere)* to protect, to shelter **2** *(aggiustare)* to repair, to mend, FAM. to fix **3** *(anche v.i.) (rimediare)* to remedy, to make up for. **ripararsi** *(v.pron.) (proteggersi)* to protect o.s., to shelter o.s., to take shelter. **riparazione** *(s.f.)* **1** repairing, repair **2** *(fig.)* reparation, amends *(pl.)*, *(risarcimento)* compensation.

ripartire¹ *(v.i.)* **1** to leave again **2** *(ricominciare)* to start again.

ripartire² *(v.t.)* **1** *(dividere)* to divide (up), to share **2** *(distribuire)* to distribute. **ripartirsi** *(v.pron.)* to divide (up), to split (up).

ripassare *(v.t.)* **1** *(porgere di nuovo)* to pass again **2** *(attraversare di nuovo)* to cross again **3** *(disegno)* to trace over **4** *(una lezione)* BE to revise, AE to review **5** *(al telefono)* to pass back **6** *(rivedere)* to check ‖ *(v.i.)* **1** *(passare nuovamente)* to pass again **2** *(ritornare)* to come back, to call again. **ripasso** *(s.m.)* revision.

ripensare *(v.i.)* **1** *(tornare con il pensiero)* to think, to recall **2** *(riflettere)* to think, to reflect. **ripensarci** *(v.pron.) (cambiare parere)* to change one's mind.

ripetere (v.t.) 1 (rifare) to repeat 2 (dire di nuovo) to repeat, to say again, (riferire) to repeat, to tell 3 (un anno a scuola) to repeat a year. ripetersi (v.pron.) 1 to repeat o.s. 2 (accadere più volte) to be repeated, to happen again. ripetizione (s.f.) 1 repetition 2 (lezione privata) private lesson.

ripiano (s.m.) (scaffale) shelf.

ripido (agg.) steep.

ripiegare (v.i.) 1 MIL. (indietreggiare) to retreat 2 (fig.) (trovare ripiego) to fall back. ripiego (s.m.) expedient, makeshift (solution).

ripieno (agg.) 1 (pieno) full 2 (farcito) CUC. stuffed (with) || (s.m.) CUC. stuffing.

riporre (v.t.) 1 (rimettere a posto) to put back, to replace, (mettere via) to put away 2 (fig.) to place, to put.

riportare (v.t.) 1 to take again, (portare indietro) to bring back, to take back 2 (riferire) to report, to tell, (una notizia) to report 3 (citare) to quote 4 (fig.) (conseguire) to get, to gain, (subire) to suffer 5 MAT. to carry 6 AMM. to carry forward.

riposare (v.i.) 1 to rest, (dormire) to sleep 2 (rif. a defunti) to rest, to lie || (v.t.) to rest. riposo (s.m.) rest.

ripostiglio (s.m.) BE boxroom, AE closet.

riprendere (v.t.) 1 (riottenere) to regain, (prendere indietro) to take back 2 (ricatturare) to recapture 3 (riconquistare) to retake, to reconquer 4 (ricominciare) to start again, to resume 5 CINEM. to shoot, to film 6 (criticare, sgridare) to pull s.o. up || (v.i.) (ricominciare) to start again, to resume. riprendersi (v.pron.) 1 (riaversi) to recover,

(rif. a piante) to perk up 2 (correggersi) to correct o.s. ripresa (s.f.) 1 resumption 2 (da malattia) recovery 3 ECON. (recupero) recovery 4 TEATR. revival 5 CINEM. shot, shooting, filming 6 AUT. acceleration 7 SPORT second half, round.

ripristinare (v.t.) 1 to restore 2 INFORM. (dati) to restore, to recover 3 (fig.) (rimettere in uso) to bring back.

riprodurre (v.t.) (anche BIOL.) to reproduce. riprodursi (v.pron.) (anche BIOL.) to reproduce. riproduzione (s.f.) 1 BIOL. reproduction 2 (copia) copy, (ristampa) reprint.

ripulire (v.t.) 1 (pulire) to clean (up), (di nuovo) to clean again, (mettere in ordine) to tidy (up) 2 FAM. (portare via tutto) to empty, to clean out. ripulirsi (v.pron.) to clean o.s. up.

risaia (s.f.) AGR. rice field, paddy (field).

risalire (v.t.) to go up again, to reascend, (salire) to climb || (v.i.) 1 (salire) to go up, to climb up, (di nuovo) to go up again, to climb up again, (in un veicolo) to get back in 2 (fig.) (nel tempo) to date back 3 (fig.) (aumentare di nuovo) to rise again.

risaltare (v.i.) to stand out.

risarcimento (s.m.) compensation.

risata (s.f.) laugh.

riscaldare (v.t.) 1 (scaldare) to warm (up), to heat, (di nuovo) to warm again 2 (fig.) (infiammare) to fire, to stir up || (v.i.) (produrre calore) to heat. riscaldarsi (v.pron.) 1 to get warm, to warm up 2 (fig.)

(accalorarsi) to get excited **3** SPORT to warm up. **riscaldamento** *(s.m.)* **1** heating, *(aumento di temperatura)* warming **2** SPORT warming up.

riscattare *(v.t.)* **1** to ransom **2** *(fig.) (redimere)* to redeem, *(liberare)* to free **3** ECON. to redeem, to clear. **riscattarsi** *(v.pron.)* to redeem o.s.

riscatto *(s.m.)* **1** ransom *(anche prezzo)* **2** *(fig.) (redenzione)* redemption **3** ECON. redemption.

rischiare *(v.t. / v.i.)* to risk. **rischio** *(s.m.)* risk.

risciacquare *(v.t.)* to rinse.

riscuotere *(v.t.)* **1** *(denaro)* to collect, to draw, *(un assegno)* to cash **2** *(fig.) (ottenere)* to earn, to win.

risentimento *(s.m.)* resentment.

riservare *(v.t.)* **1** to keep, to save *(anche fig.)* **2** *(prenotare)* to book, to reserve. **riservarsi** *(v.pron.)* to reserve. **riserva** *(s.f.)* **1** *(scorta)* supply, stock ❖ *in r.* AUT. out of fuel **2** *(limitazione)* reservation, reserve **3** SPORT reserve **4** *(zona di riserva)* reserve, sanctuary, *(indiani d'America, aborigeni australiani)* reservation. **riservato** *(agg.)* **1** *(persona)* reserved, discreet **2** *(prenotato)* booked, reserved **3** *(confidenziale)* confidential.

riso[1] *(s.m.)* BOT. rice.

riso[2] *(s.m.)* laugh, laughter.

risolvere *(v.t.)* **1** to solve *(anche MAT.)*, to work out **2** *(comporre, appianare)* to settle **3** *(decidere)* to resolve, to decide. **risolversi** *(v.pron.)* **1** *(concludersi)* to turn out, to end **2** *(decidersi)* to decide, to make up one's mind **3** MED. *(di malattia)* to clear up. **risoluzione** *(s.f.)* **1** *(soluzione)* solution *(anche*

MAT.*)* **2** *(decisione)* decision, resolution **3** DIR. cancellation **4** POL. resolution **5** INFORM. resolution.

risorgere *(v.i.)* **1** *(fig.) (rinascere, rifiorire)* to return (anew), to resurge, *(risollevarsi)* to rise again ❖ *far r.* to revive **2** RELIG. to resurrect.

risorsa *(s.f.)* resource.

risparmiare *(v.t.)* **1** to save **2** *(fig.) (evitare)* to spare. **risparmio** *(s.m.)* **1** saving **2** *(pl.) (i risparmi)* savings *(pl.)*.

rispecchiare *(v.t.)* to reflect *(anche fig.)*.

rispetto *(s.m.)* respect, *(osservanza)* observance. **rispettare** *(v.t.)* **1** *(avere rispetto, cura)* to respect **2** *(legge)* to observe, *(regola)* to abide by.

risplendere *(v.i.)* to shine *(anche fig.)*, to glow.

rispondere *(v.i.)* **1** to answer, to reply **2** *(replicare)* to answer back, to retort, *(reagire)* to react **3** *(corrispondere)* to correspond, to meet, to answer **4** *(essere responsabile)* to be responsible, to answer **5** *(essere adatto)* to be suitable ‖ *(v.t.)* to answer, to reply. **risposta** *(s.f.)* **1** answer, reply **2** *(reazione)* response, reaction *(anche MED.)*.

rissa *(s.f.)* brawl, fight.

ristampa *(s.f.)* reprint, reprinting.

ristorante *(s.m.)* restaurant.

ristretto *(agg.)* **1** *(stretto)* narrow **2** *(limitato)* restricted, limited **3** *(denso, forte)* concentrated, *(caffè)* strong.

ristrutturare *(v.t.)* **1** to restructure **2** *(edificio)* to renovate, to refurbish.

risultare *(v.i.)* **1** to result, to ensue **2** *(rivelarsi)* to turn out, to prove

3 *(emergere)* to emerge. **risultato** *(s.m.)* result.

risvegliare *(v.t.)* **1** *(svegliare)* to wake (up) **2** *(fig.)* to awaken, to arouse. **risvegliarsi** *(v.pron.)* *(svegliarsi)* TO WAKE (UP). **risveglio** *(s.m.)* awakening *(anche fig.)*.

risvolto *(s.m.)* **1** *(giacca)* lapel, *(manica)* cuff, *(pantaloni)* BE turn-up, AE cuff **2** *(di una questione)* implication.

ritagliare *(v.t.)* to cut out. **ritaglio** *(s.m.)* **1** *(giornale)* clipping, cutting **2** *(pl.)* *(pezzetti)* scraps, *(stoffa)* remnants.

ritardare *(v.t.)* **1** to delay, *(rallentare)* to slow (down) **2** *(differire)* to postpone, to delay || *(v.i.)* *(essere in ritardo)* to be late, *(di orologio)* to be slow. **ritardo** *(s.m.)* delay ❖ *in r.* late.

ritenere *(v.t.)* **1** to think, to believe, to consider **2** MED. to retain.

ritenuta *(s.f.)* ECON. deduction.

ritirare *(v.t.)* **1** *(tirare indietro)* to withdraw, to take back **2** *(recuperare)* to collect **3** *(richiamare)* ro recall. **ritirarsi** *(v.pron.)* **1** *(tirarsi indietro)* to draw back **2** MIL. to retreat, to withdraw **3** *(interrompere un'attività)* to retire **4** *(di acqua, defluire)* to subside, to recede **5** *(restringersi)* to shrink. **ritiro** *(s.m.)* **1** withdrawal **2** *(revoca)* revocation, suspension.

ritmo *(s.m.)* **1** rhythm **2** *(fig.)* *(andamento)* rate, pace.

rito *(s.m.)* **1** rite *(anche* RELIG.*)*, ceremony **2** *(usanza)* custom, ritual.

ritocco *(s.m.)* **1** touch up, FOT. retouching **2** *(fig.)* *(aumento)* revision.

ritornare *(v.i.)* **1** *(tornare)* to return *(anche fig.)*, to be back, *(andare indietro)* to go back, *(venire indietro)* to come back **2** *(ripresentarsi)* to recur || *(v.t.)* *(restituire)* to give back, to return.

ritornello *(s.m.)* MUS. refrain.

ritorno *(s.m.)* **1** return ❖ *(biglietto) andata e r.* BE return ticket, AE round-trip ticket **2** SPORT *(partita di ritorno)* return match.

ritrarre *(v.t.)* **1** *(tirare indietro)* to retract, to withdraw **2** PITT. *(raffigurare)* to portray, to depict *(anche fig.)*. **ritrarsi** *(v.pron.)* **1** *(tirarsi indietro)* to step back, *(fig.)* to withdraw **2** *(farsi il ritratto)* to portray o.s. **ritratto** *(agg.)* **1** *(tratto indietro)* drawn back **2** *(raffigurato)* portrayed, depicted || *(s.m.)* **1** portrait **2** *(fig.)* picture, *(descrizione)* description.

ritrovare *(v.t.)* **1** *(trovare)* to find, *(di nuovo)* to find again **2** *(incontrare di nuovo)* to meet again **3** *(recuperare)* to recover, to regain. **ritrovarsi** *(v.pron.)* **1** *(incontrarsi)* to meet, *(di nuovo)* to meet again **2** *(essere)* to be, *(andare a finire)* to find o.s. **3** *(orientarsi)* to get one's bearings.

rituale *(agg.)* **1** ritual **2** *(usuale)* customary, usual || *(s.m.)* ritual, ceremony.

riunire *(v.t.)* **1** *(ricongiungere)* to join together **2** *(radunare)* to collect, *(rif. a persone)* to gather, to assemble **3** *(convocare)* to call **4** POL. to unite. **riunirsi** *(v.pron.)* **1** *(tornare a essere uniti)* to be reunited, to come together again **2** *(radunarsi)* to gather, to assemble, to meet **3** POL. to unite. **riunione**

(*s.f.*) meeting, (*raduno*) gathering.

riuscire (*v.i.*) **1** to succeed (in), (*essere capace*) to manage, to be able **2** (*avere buon esito*) to be successful, to turn out well. **riuscita** (*s.f.*) (*risultato*) outcome, result, (*buon esito*) success.

riva (*s.f.*) **1** (*di mare, lago*) shore **2** (*di fiume*) bank.

rivale (*agg. e s.m. / s.f.*) rival.

rivedere (*v.t.*) **1** to see again, (*incontrare di nuovo*) to meet again **2** (*ripassare*) to review **3** (*modificare*) to revise, (*verificare*) to check.

rivelare (*v.t.*) **1** to reveal, to disclose **2** (*manifestare*) to show. **rivelarsi** (*v.pron.*) to be revealed, (*dimostrarsi*) to prove, to show. **rivelazione** (*s.f.*) revelation.

rivendita (*s.f.*) **1** (*vendita al dettaglio*) retail **2** (*negozio*) shop, AE store.

rivendicare (*v.t.*) **1** to claim **2** (*esigere*) to demand.

rivestire (*v.t.*) **1** (*ricoprire*) to cover, to coat, (*di legno*) to panel, (*foderare*) to line **2** (*fig.*) (*avere, assumere*) to have, to assume, (*carica*) to hold. **rivestirsi** (*v.pron.*) (*ricoprirsi*) to be covered (with). **rivestimento** (*s.m.*) covering, coating, (*fodera*) lining. **rivestito** (*agg.*) **1** (*vestito*) dressed **2** (*ricoperto*) covered, (*di legno*) panelled, (*foderato internamente*) lined, (*di vegetazione*) clad.

rivincita (*s.f.*) **1** SPORT return match, (*al gioco*) return game **2** (*fig.*) revenge.

rivista (*s.f.*) **1** (*periodico*) magazine, review **2** TEATR. revue.

rivolgere (*v.t.*) **1** to turn (*anche fig.*) **2** (*la parola*) to address. **rivolgersi**

(*v.pron.*) **1** to turn **2** (*indirizzare la parola*) to address (s.o.), to speak **3** (*contattare*) to contact, to apply to.

rivolta (*s.f.*) revolt, riot, rebellion, MAR., MIL. mutiny.

rivoltare (*v.t.*) **1** (*mettere sottosopra*) to turn upside down **2** (*fig.*) (*sconvolgere*) to upset, (*ripugnare*) to revolt, to disgust. **rivoltarsi** (*v.pron.*) (*ribellarsi*) to revolt, to rebel, (*ammutinarsi*) to mutiny.

rivoltella (*s.f.*) revolver.

rivoluzione (*s.f.*) revolution.

roba (*s.f.*) **1** stuff, things (*pl.*) **2** SL. (*droga*) dope, drug.

robusto (*agg.*) sturdy, robust, (*solido*) sound.

rocca (*s.f.*) fortress.

roccia (*s.f.*) rock.

rodere (*v.t.*) to gnaw at, (*fig.*) to eat up.

roditore (*s.m.*) ZOOL. rodent.

rogna (*s.f.*) **1** (*di animale*) scabies, mange **2** (*fig.*) hassle, nuisance.

rogo (*s.m.*) **1** (*supplizio*) stake **2** (*pira*) (*funeral*) pyre **3** (*incendio*) blaze, fire.

romanico (*agg. e s.m.*) ARCH. Romanesque.

romano (*agg. e s.m.*) Roman.

romantico (*agg. e s.m.*) romantic. **romanticismo** (*s.m.*) **1** LETT. Romanticism **2** (*fig.*) sentimentality.

romanzo (*s.m.*) novel.

rombo[1] (*s.m.*) roar, (*di tuono*) rumble.

rombo[2] (*s.m.*) GEOM. rhombus.

rompere (*v.t.*) **1** to break (*anche fig.*) **2** (*interrompere*) to break off **3** FAM. (*scocciare*) to be a pain in the neck. **rompersi** (*v.pron.*) to break (down).

rondine (*s.f.*) ZOOL. swallow.

ronzio (*s.m.*) buzz, hum.

rosa¹ (s.f.) **1** BOT. rose **2** (gruppo) shortlist.

rosa² (s.m. e agg.) (colore) pink.

rosmarino (s.m.) BOT. rosemary.

rosolare (v.t.) CUC. to brown.

rosolia (s.f.) MED. German measles.

rospo (s.m.) ZOOL. toad.

rosso (agg.) red ‖ (s.m.) **1** (colore rosso) red **2** (tuorlo) (egg) yolk.

rotaia (s.f.) rail.

rotatoria (s.f.) BE roundabout, AE traffic circle, rotary.

rotolare (v.t. / v.i.) to roll. **rotolarsi** (v.pron.) to roll, (nel fango) to wollow. **rotolo** (s.m.) **1** roll **2** FOT. film.

rotonda (s.f.) (traffico) v. **rotatoria**.

rotondo (agg.) round.

rottame (s.m.) **1** wreck (anche fig.) **2** (pl.) scrap. **rottamare** (v.t.) AUT. to scrap.

rotto (agg.) broken (anche fig.).

rotula (s.f.) ANAT. kneecap, rotula.

roulotte (s.f.) AUT. BE caravan, AE trailer.

rovesciare (v.t.) **1** to turn upside down, (rivoltare) to turn inside out **2** (far cadere) to knock over **3** (versare) (accidentalmente) to spill, (intenzionalmente) to pour **4** (governo ecc.) to overthrow **5** (situazione) to reverse. **rovesciarsi** (v.pron.) (capovolgersi) to overturn, to upset, (di imbarcazione) to capsize.

rovescio (s.m.) **1** reverse (side), backside **2** (di pioggia) downpour, (fig.) shower **3** SPORT (tennis) backhand.

rovina (s.f.) **1** ruin (anche fig.) **2** (pl.) ruins. **rovinare** (v.t.) to ruin,

(guastare) to spoil ‖ (v.i.) (crollare) to crash, to collapse. **rovinarsi** (v.pron.) (fig.) to ruin o.s., (guastarsi) to get spoilt.

rozzo (agg.) rough, coarse.

rubare (v.t.) to steal.

rubinetto (s.m.) (gas ecc.) tap, (acqua) BE tap, AE faucet.

rubrica (s.f.) **1** (per indirizzi) address book, (tele)phone book **2** (di giornale) column **3** (TV) daily programme.

rudere (s.m.) **1** ruin, (fig.) wreck **2** (pl.) ruins.

ruga (s.f.) wrinkle.

ruggine (agg.) rust (attr.), rusty ‖ (s.f.) **1** rust **2** (fig.) (rancore) bad blood.

ruggire (v.i.) to roar (anche fig.).

rugiada (s.f.) dew (anche fig.).

rullo (s.m.) **1** (di tamburo) roll **2** TECN. roller, roll.

rumeno (agg. e s.m.) Romanian.

ruminare (v.t.) to ruminate (anche fig.). **ruminante** (agg. e s.m.) ruminant.

rumore (s.m.) noise (anche TECN.), (metallico) clang.

ruolo (s.m.) **1** TEATR. part, role (anche fig.) **2** SPORT position.

ruota (s.f.) wheel. **ruotare** (v.t. / v.i.) to rotate, to revolve, to turn round.

ruscello (s.m.) brook, stream.

ruspa (s.f.) MECC. excavator, bulldozer.

russo (agg. e s.m.) Russian.

rustico (agg.) country (attr.), rustic.

rutto (v.i.) belch, FAM. burp.

ruvido (agg.) rough, coarse (anche fig.).

S

sabato (*s.m.*) Saturday.

sabbia (*s.f.*) sand ❖ *sabbie mobili* quicksand.

sabotare (*v.t.*) to sabotage (*anche estens.*). **sabotaggio** (*s.m.*) sabotage (*anche estens.*).

sacco (*s.m.*) **1** sack, bag ❖ *s. a pelo* sleeping bag, *pranzo al s.* packed (AE bag) lunch **2** (*grande quantità*) a lot, lots (of) (*pl.*), loads (of) (*pl.*), FAM. heap, piles (*pl.*), AE bunch. **sacca** (*s.f.*) **1** (*borsa*) bag **2** ANAT. sac. **sacchetto** (*s.m.*) bag.

sacerdote (*s.m.*) priest. **sacerdotessa** (*s.f.*) priestess.

sacramento (*s.m.*) RELIG. sacrament.

sacrificare (*v.t. / v.i.*) **1** to sacrifice (*anche estens.*) **2** (*sprecare*) to waste. **sacrificarsi** (*v.pron.*) to sacrifice o.s. **sacrificio** (*s.m.*) sacrifice (*anche estens.*).

sacro (*agg.*) **1** holy, sacred (*anche estens.*) **2** (*consacrato*) sacred, consecrated ‖ (*s.m.*) the sacred.

sadico (*agg.*) sadistic ‖ (*s.m.*) sadist.

saggio[1] (*agg.*) wise ‖ (*s.m.*) wise man, sage. **saggezza** (*s.f.*) wisdom.

saggio[2] (*s.m.*) **1** (*prova*) test, proof **2** (*dimostrazione*) display, show **3** (*campione*) sample **4** (*scritto*) essay.

Sagittario (*s.m.*) ASTROL. Sagittarius.

sagoma (*s.f.*) **1** shape, (*profilo*) outline, (*modello*) template **2** (*bersaglio*) dummy **3** FAM., SCHERZ. character.

sagra (*s.f.*) festival.

sala (*s.f.*) room, hall, (*soggiorno*) living room ❖ *s. operatoria* operating theatre, AE operating room.

salame (*s.m.*) CUC. salami.

salare (*v.t.*) to salt.

salario (*s.m.*) salary, wage, wages (*pl.*).

saldare (*v.t.*) **1** TECN. to solder, to weld **2** COMM. to pay, to settle. **saldarsi** (*v.pron.*) (*di ossa*) to knit, to set.

saldo (*agg.*) firm (*anche fig.*), (*stabile*) steady, (*irremovibile*) steadfast ‖ (*s.m.*) **1** COMM. (*gener. pl.*) (*sconti*) sale **2** (*pagamento*) settlement **3** (*di conto bancario*) balance.

sale (*s.m.*) salt. **salato** (*agg.*) **1** (*non dolce*) savoury, AE savory, (*troppo*) salty **2** (*conservato sotto sale*) salted, salt (*attr.*) **3** FAM. (*caro*) dear, costly, steep.

salire (*v.i.*) **1** (*andare su*) to go up, (*scalare*) to climb, (*venire su*) to come up **2** (*su un mezzo di trasporto*) to get on, (*in auto*) to get in(to), (*su nave, aereo*) to board **3**

(alzarsi, crescere) to rise *(anche fig.)* || *(v.t.)* to go up, to come up, *(scalare)* to climb. **salita** *(s.f.)* 1 climb, *(strada)* slope ❖ *in s.* uphill 2 *(aumento)* rise, increase.

saliva *(s.f.)* saliva.

salmone *(s.m.)* ZOOL. salmon.

salone *(s.m.)* 1 *(salotto)* living room 2 *(esposizione)* show, exhibition, *(sala di esposizione)* showroom.

salotto *(s.m.)* drawing room, living room, sitting room, BE lounge.

salpare *(v.i.)* MAR. *(partire)* to set sail, to leave (port).

salsa *(s.f.)* sauce, *(sugo della carne)* gravy, *(salsina)* dip.

salsiccia *(s.f.)* CUC. sausage.

saltare *(v.i.)* 1 to jump, to spring, *(con vigore)* to leap 2 *(rompersi)* to break, *(esplodere)* to explode, to blow up || *(v.t.)* 1 to jump 2 *(omettere)* to skip. **saltellare** *(v.i.)* to hop, to skip. **salto** *(s.m.)* 1 jump *(anche fig.)*, leap *(anche fig.)* 2 *(dislivello)* fall, drop.

saltuario *(agg.)* occasional, *(lavoro)* casual, odd.

salubre *(agg.)* healthy.

salutare *(v.t.)* 1 *(incontrando qu.no)* to greet, to say hello to, *(congedandosi)* to say goodbye to 2 *(dare il benvenuto)* to welcome. **salutarsi** *(v.pron.)* to greet each other, *(quando ci si lascia)* to say goodbye to each other. **saluto** *(s.m.)* 1 *(incontrandosi)* greeting, *(congedandosi)* farewell, *(con un gesto della mano)* wave, *(con un cenno del capo)* nod 2 *(pl.)* *(nelle formule di cortesia, nella corrispondenza)* regards.

salute *(s.f.)* 1 health ❖ *(a chi starnutisce)* s.! (God) bless you!, *(nei brindisi)* to your health!, cheers! 2 *(salvezza, sicurezza)* safety.

salvadanaio *(s.m.)* moneybox, FAM. piggy bank.

salvagente *(s.m.)* life belt, *(giubbotto)* life jacket, safety vest.

salvare *(v.t.)* to save *(anche fig.)*, *(trarre in salvo)* to rescue. **salvarsi** *(v.pron.)* to save o.s. **salvataggio** *(s.m.)* rescue *(anche fig.)*, MAR. salvage ❖ *scialuppa di s.* lifeboat.

salve *(inter.)* hello!, AE hi!

salvezza *(s.f.)* salvation.

salvia *(s.f.)* BOT. sage.

salvo[1] *(agg.)* safe, *(al sicuro)* secure, *(fuori pericolo)* out of danger, *(illeso)* unharmed, *(salvato)* saved.

salvo[2] *(prep.)* *(tranne, eccetto)* except (for), but, save.

sandalo *(s.m.)* *(calzatura)* sandal.

sangue *(s.m.)* blood ❖ *al s.* CUC. rare. **sanguigno** *(agg.)* 1 blood *(attr.)* 2 *(di temperamento)* full-blooded. **sanguinare** *(v.i.)* to bleed *(anche fig.)*.

sanguisuga *(s.f.)* leech *(anche fig.)*.

sanitario *(agg.)* sanitary, health *(attr.)* || *(s.m. pl.)* *(impianti)* sanitary fittings.

sano *(agg.)* 1 healthy *(anche fig.)*, *(integro)* sound *(anche fig.)* ❖ *s. e salvo* safe and sound 2 *(che dà salute)* healthy, healthful 3 *(intatto)* intact.

santo *(agg.)* 1 holy 2 *(seguito da nome proprio)* Saint 3 *(fig.)* *(pio)* pious || *(s.m.)* saint. **santuario** *(s.m.)* sanctuary.

sapere *(v.t.)* 1 *(conoscere)* to know 2 *(essere capace, essere in grado di)* can, to be able, to know how ||

(v.i.) **1** (essere a conoscenza) to know, to be aware, (venire a conoscenza) to hear, to learn **2** (aver sapore) to taste, (aver odore) to smell **3** (supporre) to think, (presagire) to have a feeling ‖ (s.m.) **1** (conoscenza) knowledge **2** (istruzione) learning. **sapiente** (agg.) **1** (saggio) wise, (dotto) learned **2** (abile) skilful, AE skillful, masterly ‖ (s.m.) wise man, sage. **sapienza** (s.f.) **1** (saggezza) wisdom **2** (conoscenza) knowledge.

sapone (s.m.) soap.

sapore (s.m.) taste, flavour, AE flavor. **saporito** (agg.) tasty, savoury, AE savory, (salato) salty.

sarcasmo (s.m.) sarcasm.

sardina (s.f.) ZOOL. sardine.

sarta (s.f.) dressmaker.

sarto (s.m.) tailor.

sasso (s.m.) stone, (ciottolo) pebble, (masso) rock.

sassofono (s.m.) MUS. saxophone.

satellite (agg.) satellite (attr.) ‖ (s.m.) ASTRON., TECN. satellite ❖ via s. via satellite. **satellitare** (agg.) satellite (attr.) ❖ navigatore s. AUT. satellite navigator, GPS.

satira (s.f.) satire.

saturare (v.t.) to saturate, (fig.) to fill, to cram.

savana (s.f.) savanna(h).

saziare (v.t.) to satisfy (anche fig.). **saziarsi** (v.pron.) to be satisfied (anche fig.). **sazio** (agg.) **1** full up **2** (fig.) (appagato) sated.

sbadato (agg.) (distratto) absent-minded, (noncurante) careless, (maldestro) clumsy ‖ (s.m.) careless person, FAM. scatterbrain.

sbadigliare (v.i.) to yawn. **sbadiglio** (s.m.) yawn.

sbagliare (v.t. / v.i.) to make a mistake, to be wrong, (scambiare) to get wrong, (mancare il bersaglio) to miss. **sbagliarsi** (v.pron.) to be mistaken, to be wrong. **sbagliato** (agg.) wrong, mistaken. **sbaglio** (s.m.) mistake, error.

sbalordire (v.t.) to astound, to astonish.

sbandare (v.i.) **1** (di veicolo) to skid **2** (fig.) (deviare) to lean, to tend. **sbandata** (s.f.) (di veicolo) **1** skid **2** (fig.) (infatuazione) crush, infatuation.

sbarazzarsi (v.pron.) to get rid (of).

sbarcare (v.t. / v.i.) **1** to disembark, (merci) to unload, to unship **2** MIL. to land. **sbarco** (s.m.) **1** (di passeggeri) disembarkation, (di merci) unloading, discharge **2** MIL. landing.

sbarra (s.f.) **1** bar (anche SPORT), barrier **2** MAR. (del timone) tiller. **sbarramento** (s.m.) (ostacolo) barrier, (su corso d'acqua) barrage. **sbarrare** (v.t.) **1** to bar, to bolt, (impedire) to block, to obstruct **2** (segnare con barre) to cross.

sbattere (v.t.) **1** (urtare violentemente) to knock, to bang (chiudere violentemente) to slam, to bang **3** (agitare, scuotere) to shake, to toss ‖ (v.i.) **1** (di porte, finestre) to bang, to slam **2** (di ali) to flap. **sbattersi** (v.pron.) FAM. (darsi da fare) to rush around.

sberla (s.f.) slap, cuff.

sbiadire (v.t.) to fade (anche fig.). **sbiadirsi** (v.pron.) to fade (anche fig.).

sbigottito (agg.) dismayed, bewildered.

sbirciare (v.t.) to peek, to peep.

sbloccare (*v.t.*) to unblock, to clear (*anche fig.*), ECON. (*prezzi ecc.*) to decontrol. **sbloccarsi** (*v.pron.*) to clear, to become unblocked. **sblocco** (*s.m.*) **1** unblocking, clearing (*anche fig.*) **2** ECON. (*di prezzi ecc.*) decontrolling, liberalization.

sbocciare (*v.i.*) to bloom, to flower (*anche fig.*). **sboccio** (*s.m.*) blooming.

sbornia (*s.f.*) FAM. v. **sbronza**.

sbottonare (*v.t.*) to unbutton. **sbottonarsi** (*v.pron.*) to unbutton, (*fig.*) to open up.

sbraitare (*v.i.*) to shout, to yell.

sbriciolare (*v.t.*) to crumble. **sbriciolarsi** (*v.pron.*) to crumble.

sbrigare (*v.t.*) (*fare*) to get through, to get done, (*occuparsi di*) to deal with, to settle, to get sthg. done. **sbrigarsi** (*v.pron.*) to hurry up.

sbronza (*s.f.*) FAM. drunk ✧ *prendere una s.* to get drunk.

sbucare (*v.i.*) **1** to come out, to emerge **2** (*fig.*) (*apparire all'improvviso*) to spring, FAM. to pop up.

sbucciare (*v.t.*) to peel. **sbucciarsi** (*v.pron.*) (*spellarsi*) to skin, to graze.

sbuffare (*v.i.*) **1** (*ansimare*) to puff, to pant **2** (*per ira, noia*) to snort.

scabroso (*agg.*) **1** (*ruvido*) rough, rugged (*fig.*) thorny, (*indecente*) indecent.

scacchiera (*s.f.*) (*per scacchi*) chessboard, (*per dama*) draughtboard, AE checkerboard.

scacciare (*v.t.*) to drive away (*anche fig.*).

scacco (*s.m.*) **1** (*piccolo riquadro*) square, check **2** (*pl.*) (*gioco*) chess (*sing.*).

scadere (*v.i.*) **1** to expire **2** (*di cambiali ecc.*) to fall due, to be due **3** (*perdere di valore*) to decline. **scadente** (*agg.*) poor-quality (*attr.*), second-rate. **scadenza** (*s.f.*) **1** (*data*) deadline, time limit, (*di cibi ecc.*) expiry date **2** (*termine*) expiry, term. **scaduto** (*agg.*) expired, (*alimento ecc.*) spoiled, gone bad, (*cambiale ecc.*) due.

scaffale (*s.m.*) shelf, (*per libri*) bookshelf.

scafo (*s.m.*) MAR. hull.

scagliare (*v.t.*) to hurl, to throw. **scagliarsi** (*v.pron.*) to hurl o.s., to throw o.s. (against).

scala (*s.f.*) **1** staircase, stairway, stairs (*pl.*), (*a pioli*) ladder ✧ *s. mobile* escalator **2** (*negli strumenti di misura, nella cartografia*) scale **3** MUS. scale. **scalare** (*v.t.*) **1** to climb (up), to scale **2** (*detrarre*) to deduct. **scalata** (*s.f.*) (*lo scalare*) climbing. **scalinata** (*s.f.*) flight of steps, (*interna*) staircase. **scalino** (*s.m.*) step (*anche fig.*), (*di scala a pioli*) rung.

scaldabagno (*s.m.*) water heater. **scaldare** (*v.t. / v.i.*) **1** to heat, to warm (up) **2** (*fig.*) to excite. **scaldarsi** (*v.pron.*) **1** (*se stesso*) to warm o.s. (up) **2** (*diventare caldo*) to heat (up), to warm up (*anche* SPORT), to get hot **3** (*fig.*) (*appassionarsi*) to get excited, (*arrabbiarsi*) to get angry.

scalo (*s.m.*) AER. stop(over), MAR. port of call.

scalpello (*s.m.*) chisel.

scalpore (*s.m.*) fuss, stir, (*risonanza*) sensation.

scaltro (*agg.*) shrewd, SPREG. cunning.

scalzo *(agg.)* barefoot, barefooted.

scambiare *(v.t.)* **1** to exchange, to swap **2** *(confondere)* to mistake. **scambiarsi** *(v.pron.)* to exchange. **scambio** *(s.m.)* **1** exchange **2** FERR. points *(pl.)*, AE switch.

scamosciato *(agg.)* suede *(attr.)*.

scampare *(v.t. / v.i.)* to escape (sthg.). **scampato** *(agg.)* **1** *(sopravvissuto)* survived, saved *(evitato)* escaped, avoided || *(s.m.)* survivor. **scampo** *(s.m.)* escape, way out.

scandalo *(s.m.)* scandal. **scandalizzare** *(v.t.)* to scandalize, to shock. **scandalizzarsi** *(v.pron.)* to be scandalized, to be shocked. **scandaloso** *(agg.)* outrageous, scandalous.

scanner *(s.m.)* INFORM. scanner. **scannerizzare** *(v.t.)* INFORM. to scan.

scansare *(v.t.)* **1** *(spostare)* to move **2** *(evitare)* to avoid.

scansarsi *(v.pron.)* to get out of the way.

scansionare *(v.t.)* v. **scannerizzare**.

scapito *(s.m.)* ❖ *a s. di* at s.o.'s expense, at the expense of.

scapolo *(agg.)* single, unmarried || *(s.m.)* bachelor.

scappamento *(s.m.)* TECN. exhaust.

scappare *(v.i.)* **1** to run away, *(scappare da un luogo)* to escape ❖ *lasciarsi s. un'occasione* to miss a chance, *mi scappa la pipì* I have to pee **2** *(andare di fretta)* to rush.

scappatoia *(s.f.)* loophole, way out.

scarafaggio *(s.m.)* ZOOL. cockroach, FAM. roach.

scarcerare *(v.t.)* to release (from prison).

scaricare *(v.t.)* **1** to unload, to discharge **2** *(svuotare, di liquidi)* to drain **3** *(rifiuti)* to dump **4** *(di arma, sparare)* to fire, *(togliere le munizioni)* to unload **5** ECON. *(detrarre)* to deduct **6** ELETTR. to discharge, *(di batteria)* to run down **7** INFORM. to download. **scaricarsi** *(v.pron.)* **1** *(rilassarsi)* to relax, to unwind **2** *(liberare l'intestino)* to relieve o.s. **3** *(di una responsabilità ecc.)* to free o.s. **4** *(perdere la carica)* to run down. **scarica** *(s.f.)* **1** *(gran quantità)* volley, hail *(anche fig.)*, *(raffica di arma)* burst **2** ELETTR. discharge. **scaricatore** *(s.m.)* unloader, *(di porto)* docker. **scarico** *(agg.)* unloaded, *(di arma)* unloaded, empty, *(di batteria)* discharged, flat, dead || *(s.m.)* *(lo scaricare)* unloading, discharging, *(di liquidi)* draining, *(di rifiuti)* dumping **2** *(condotto di scarico)* drain, *(fogna)* sewer.

scarlattina *(s.f.)* MED. scarlet fever.

scarno *(agg.)* **1** *(molto magro)* skinny, bony **2** *(fig.)* *(scarso)* meagre.

scarpa *(s.f.)* shoe ❖ *scarpe da ginnastica* BE trainers, AE sneakers.

scarpone *(s.m.)* boot, *(da sci)* ski boot.

scarseggiare *(v.i.)* *(esaurirsi)* to get scarce, to run short, *(mancare)* to be short, *(fig.)* to be lacking.

scarso *(agg.)* scarce, in short supply, *(povero)* lacking, poor.

scartare *(v.t.)* **1** *(togliere dalla carta)* to unwrap **2** *(respingere)* to reject, *(eliminare)* to discard.

scassare (*v.t.*) FAM. (*rompere*) to wreck, to break.

scassinare (*v.t.*) to force (sthg.) open, to crack. **scassinatore** (*s.m.*) burglar, housebreaker.

scatenare (*v.t.*) to unleash, (*aizzare*) to stir up, (*suscitare*) to spark off, (*causare*) to cause. **scatenarsi** (*v.pron.*) 1 (*scoppiare*) to break out, to burst out 2 (*sfrenarsi*) to go wild, to run wild.

scatola (*s.f.*) box, case, (*di latta*) tin, can, (*di cartone*) cardboard box, carton.

scattare (*v.i.*) 1 (*di serratura ecc.*) to snap, to click, (*di allarme*) to go off, (*di molla*) to be released, (*di interruttore*) to trip 2 (*fig.*) (*balzare*) to spring 3 SPORT to sprint 4 (*fig.*) (*cominciare*) to start 5 (*fig.*) (*arrabbiarsi*) to lose one's temper ‖ (*v.t.*) FOT. (*una foto*) to take. **scatto** (*s.m.*) 1 (*di congegni*) release 2 (*rumore*) click 3 (*movimento brusco*) jump 4 (*fig.*) (*impeto*) outburst 5 SPORT spurt, sprint 6 FOT. snap, shot 7 TEL. unit.

scavalcare (*v.t.*) 1 (*passare sopra*) to step over, (*arrampicandosi*) to climb over, (*saltando*) to jump over 2 (*fig.*) (*soppiantare*) to go over s.o.'s head 3 (*fig.*) (*sorpassare*) to get ahead of, to overtake.

scavare (*v.t.*) 1 (*con la pala*) to dig, (*con l'escavatrice*) to excavate, (*in una miniera*) to mine 2 (*fig.*) (*andare a fondo*) to dig.

scavatore (*s.m.*), **scavatrice** (*s.f.*) digger, excavator.

scavo (*s.m.*) 1 (*lo scavare*) digging, excavating, excavation, (*in miniera*) mining 2 (*archeologico*) excavation, dig, (*luogo*) excavation site.

scegliere (*v.t.*) to choose, to pick, (*selezionare*) to select, to sort out, (*preferire*) to prefer. **scelta** (*s.f.*) choice, (*selezione*) selection.

scemo (*agg.*) stupid, foolish ‖ (*s.m.*) fool, idiot, AE moron.

scena (*s.f.*) 1 TEATR. scene, (*palco*) stage 2 (*fig.*) scene, (*finzione*) act, put-on, (*scenata*) scene, row.

scenario (*s.m.*) 1 TEATR. scenery (*anche fig.*), set, (*scena dipinta*) backdrop 2 (*fig.*) (*sfondo, paesaggio*) setting, backdrop 3 (*fig.*) (*situazione probabile*) scenario.

scendere (*v.i.*) (*andare giù*) to go down, (*venire giù*) to come down, to descend 2 (*da un mezzo di trasporto*) to get off, (*dall'auto*) to get out 3 (*di strada*) to run down 4 (*calare, diminuire*) to go down, to fall, to drop ‖ (*v.t.*) (*andare giù*) to go down, (*venire giù*) to come down, to descend.

sceriffo (*s.m.*) sheriff.

scheda (*s.f.*) 1 card, (*di schedario*) file-card, (*modulo*) form 2 (*elettorale*) ballot paper 3 TEL. phone card 4 INFORM. card, board.

scheggiare (*v.t.*) to chip. **scheggia** (*s.f.*) splinter, sliver.

scheletro (*s.m.*) 1 ANAT. skeleton 2 (*fig.*) (*struttura*) framework.

schema (*s.m.*) scheme, plan, outline.

scherma (*s.f.*) SPORT fencing.

schermo (*s.m.*) 1 protection, defence, (*riparo*) shelter 2 CINEM., TV screen, INFORM. screen, display.

scherzare (*v.i.*) 1 to joke, to make fun, FAM. to kid 2 (*agire con leggerezza*) to trifle, to joke. **scherzo** (*s.m.*) 1 joke (*anche fig.*), (*tiro*) trick **2** *(cosa da nulla)* child's play, piece of cake.

schiacciare *(v.t.)* **1** to crush, *(spiaccicare)* to squash, *(rompere)* to crack, *(calpestare)* to tread on **2** *(fig.) (vincere, sopraffare)* to crush, to overwhelm. **schiacciato** *(agg.)* crushed, squashed, *(appiattito)* flattened.

schiaffo *(s.m.)* slap, smack. **schiaffeggiare** *(v.t.)* to slap, to smack.

schiantare *(v.t.)* to crash, to break, *(spaccare)* to split ‖ *(v.i.)* to burst. **schiantarsi** *(v.pron.)* to crash. **schianto** *(s.m.)* **1** crash **2** *(fig.)* FAM. *(cosa o persona molto bella)* knockout.

schiarire *(v.t.)* **1** to lighten, *(voce)* to clear **2** *(sbiadire)* to fade, to bleach ‖ *(v.i.) (rasserenarsi)* to clear up, to brighten up.

schiavo *(s.m. e agg.)* slave *(anche fig.)*.

schiena *(s.f.)* back.

schiera *(s.f.)* **1** *(gruppo)* group, *(moltitudine)* crowd, throng **2** *(fila)* row ❖ *villette a s.* BE terraced houses, AE row houses.

schierare *(v.t.)* **1** MIL. to draw up **2** *(disporre in ordine)* to line up *(fig. e SPORT)*. **schierarsi** *(v.pron.)* **1** to line up **2** *(fig.) (parteggiare)* to side, to take sides.

schietto *(agg.)* **1** *(genuino)* pure, genuine **2** *(fig.) (franco)* frank.

schifo *(s.m.)* disgust ❖ *che s.!* (how) disgusting! **schifoso** *(agg.)* **1** disgusting, revolting **2** *(pessimo)* dreadful, awful, *(fig.)* FAM. lousy.

schioccare *(v.t. / v.i.) (le dita)* to snap, *(le labbra)* to smack, *(la frusta)* to crack, *(la lingua)* to cluck.

schiuma *(s.f.)* foam, froth.

schivare *(v.t.)* to avoid, *(scansare)* FAM. to dodge.

schizzare *(v.t.)* **1** to spatter, to splash **2** *(disegno)* to sketch *(anche fig.)* ‖ *(v.i.)* **1** *(spruzzare)* to spurt, to squirt **2** *(estens.) (balzare via)* to dart, to spring, to jump. **schizzarsi** *(v.pron.)* to splash o.s., *(l'un l'altro)* to splash each other (one another). **schizzo** *(s.m.)* **1** splash, squirt **2** *(abbozzo)* sketch, *(schema)* draft.

schizzinoso *(agg.) (difficile)* fussy, *(facile al disgusto)* squeamish.

sci *(s.m.) (attrezzo)* ski, *(lo sport)* skiing ❖ *s. di fondo* cross-country skiing. **sciare** *(v.i.)* to ski.

scia *(s.f.)* wake *(anche fig.)*, *(traccia)* trail.

sciacquare *(v.t.)* to rinse. **sciacquarsi** *(v.pron.)* to rinse o.s.

sciagura *(s.f.)* misfortune, *(disastro)* disaster. **sciagurato** *(agg.)* **1** *(sfortunato)* unlucky, unfortunate **2** *(malvagio)* wicked, *(sconsiderato)* reckless ‖ *(s.m.)* **1** *(persona sventurata)* wretch **2** *(persona malvagia)* wicked person, AE creep.

scialle *(s.m.)* shawl.

sciame *(s.m.)* swarm.

sciarpa *(s.f.)* scarf, muffler.

sciatto *(agg.) (slovenly)* slovenly, untidy, FAM. sloppy.

scientifico *(agg.)* scientific. **scientifica** *(s.f.) (polizia)* forensic department.

scienza *(s.f.)* science. **scienziato** *(s.m.)* scientist.

scimmia *(s.f.)* ZOOL. monkey, *(antropomorfa)* ape.

scintilla *(s.f.)* spark *(anche fig.)*. **scintillare** *(v.i.)* **1** *(mandare scin-*

tille) to give off sparks, to spark **2** (*fig.*) to glitter, to sparkle. **scintillante** (*agg.*) sparking, (*fig.*) sparkling.

scioccante (*agg.*) shocking.

sciocco (*agg.*) foolish, silly ‖ *I* (*s.m.*) fool. **sciocchezza** (*s.f.*) **1** foolishness, silliness ♦ *fare una s.* to do something silly, *dire sciocchezze* to talk nonsense **3** (*cosa da poco*) trifle **4** (*impresa facile*) child's play, piece of cake.

sciogliere (*v.t.*) **1** (*disfare, slegare*) to untie, to undo, to loosen **2** (*fondere*) to melt, (*dissolvere*) to dissolve **3** (*liberare*) to free, to release (*anche fig.*) **4** (*dubbio*) to solve, to resolve **5** (*un'istituzione, un patto ecc.*) to dissolve, (*una società*) to wind up **6** DIR. to cancel, to annul.

sciogliersi (*v.pron.*) **1** (*slegarsi*) to loose, to untie, (*nodo*) to come loose **2** (*liberarsi*) to free o.s., to release o.s. **3** (*fondersi*) to melt **4** (*di istituzione, patto ecc.*) to be dissolved, (*di società*) to be wound up. **scioglimento** (*s.m.*) **1** (*fusione*) melting, (*fig.*) dissolution **2** (*di istituzione, patto ecc.*) dissolution, (*di società*) winding-up **3** DIR. cancellation, annulment. **sciolto** (*agg.*) **1** melted **2** (*slegato*) loose, untied **3** (*agile*) nimble, agile **4** (*disinvolto*) easy-going **5** (*di istituzione, patto ecc.*) dissolved, (*di società*) wound up.

scioglilingua (*s.m.*) tongue twister. **scioperare** (*v.i.*) to strike, to go on strike. **sciopero** (*s.m.*) strike. **scippatore** (*s.m.*) FAM. bag-snatcher.

sciroppo (*s.m.*) syrup.

sciupare (*v.t.*) **1** to spoil, to ruin,

(*logorare*) to wear out, (*danneggiare*) to damage **2** (*sprecare*) to waste **3** (*fig.*) (*occasione ecc.*) to miss, to lose. **sciuparsi** (*v.pron.*) **1** (*rovinarsi*) to get spoilt, to get ruined, (*danneggiarsi*) to be damaged, (*sgualcirsi*) to crease, to get creased **2** (*deperire*) to get run down.

scivolare (*v.i.*) **1** to slide, to glide, (*involontariamente*) to slip **2** (*fig.*) to drift. **scivoloso** (*agg.*) slippery.

scocciare (*v.t.*) to annoy, to bother. **scocciarsi** (*v.pron.*) (*stufarsi*) to be fed up (with).

scodinzolare (*v.i.*) (*di cane*) to wag one's tail.

scoglio (*s.m.*) **1** rock **2** (*fig.*) (*ostacolo*) problem, stumbling block. **scogliera** (*s.f.*) cliff, (*a fior d'acqua*) reef.

scoiattolo (*s.m.*) ZOOL. squirrel. **scolapasta** (*s.m.invar.*) colander. **scolaro** (*s.m.*) pupil, schoolboy, (*f.*) schoolgirl.

scolastico (*agg.*) school (*attr.*). **scollatura** (*s.f.*) (*di abito*) neckline, (*parte del corpo scoperta*) cleavage.

scollegare (*v.t.*), **scollegarsi** (*v.pron.*) to disconnect.

scolorito (*agg.*) faded, BE discoloured, AE discolored, (*pallido*) pale.

scolpire (*v.t.*) **1** to sculpt, (*intagliare*) to carve, to cut, (*incidere*) to engrave **2** (*fig.*) (*imprimere*) to engrave.

scommettere (*v.t.*) to bet. **scommessa** (*s.f.*) bet.

scomodo (*agg.*) **1** uncomfortable, (*non pratico*) inconvenient **2** (*fig.*)

(*difficile*) difficult. **scomodare** (*v.t.*) to disturb, to bother. **scomodarsi** (*v.pron.*) to bother (o.s.).

scomparire (*v.i.*) to disappear, to vanish. **scomparsa** (*s.f.*) 1 disappearance 2 (*morte*) death. **scomparso** (*agg.*) 1 disappeared, lost, (*persona*) missing 2 (*defunto*) departed.

scompartimento (*s.m.*) FERR. compartment.

scompiglio (*s.m.*) upsetting, (*confusione*) confusion, mess, fuss.

sconcertato (*agg.*) disconcerted, bewildered.

sconcio (*agg.*) 1 indecent, obscene 2 (*sboccato*) dirty ‖ (*s.m.*) disgrace.

sconfiggere (*v.t.*) to defeat (*anche fig.*). **sconfitta** (*s.f.*) defeat (*anche fig.*). **sconfitto** (*agg.*) defeated (*anche fig.*) ‖ (*s.m.*) loser.

sconfortare (*v.t.*) to discourage, to dishearten. **sconfortarsi** (*v.pron.*) to lose heart.

scongelare (*v.t.*) to thaw (out), to defrost.

scongiurare (*v.t.*) 1 (*supplicare*) to beg 2 (*evitare*) to avert, to avoid. **scongiuro** (*s.m.*) (*pl.*) (*formula*) spell.

sconosciuto (*agg.*) unknown ‖ (*s.m.*) stranger.

sconsigliare (*v.t.*) to advise against.

sconsolato (*agg.*) disconsolate.

scontare (*v.t.*) 1 COMM. to discount 2 (*espiare*) to pay for, (*una pena*) to serve. **scontato** (*agg.*) 1 COMM. discounted 2 (*previsto*) foreseen, expected ✦ *dare ql.sa per s.* to take sthg. for granted. **sconto** (*s.m.*) discount.

scontrarsi (*v.pron.*) 1 (*rif. a veicoli*) to collide, to crash, to run into 2

(*fig.*) to clash. **scontro** (*s.m.*) 1 (*di veicoli*) collision, crash 2 (*fig.*) clash, disagreement.

scontrino (*s.m.*) receipt, ticket.

scontroso (*agg.*) surly, (*poco socievole*) unsociable.

sconveniente (*agg.*) (*inopportuno*) inappropriate, (*disdicevole*) unseemly.

sconvolgere (*v.t.*) to upset, (*persone*) to shock. **sconvolgente** (*agg.*) upsetting, disturbing.

scopa (*s.f.*) broom.

scopare (*v.t.*) 1 (*spazzare*) to sweep 2 VOLG. to fuck, to screw, BE to shag.

scoperta (*s.f.*) discovery.

scopo (*s.m.*) aim, purpose, end.

scoppiare (*v.i.*) 1 to burst (*anche fig.*), (*esplodere*) to explode 2 (*manifestarsi con violenza*) to break out. **scoppiettare** (*v.i.*) to crackle, (*di motore*) to sputter.

scoppio (*s.m.*) 1 burst, outburst (*anche fig.*), (*esplosione*) explosion 2 (*estens.*) (*rumore*) bang, crash, boom 3 (*di guerra, rivoluzione*) outbreak.

scoprire (*v.t.*) 1 (*trovare*) to discover, to find out 2 (*togliere la copertura a*) to uncover 3 (*mostrare, manifestare*) to reveal, to disclose, to show 4 (*denudare*) to bare 5 (*avvistare, scorgere*) to sight, to spot. **scoprirsi** (*v.pron.*) 1 (*denudarsi*) to bare o.s. 2 (*rivelarsi*) to show o.s. **scoperto** (*agg.*) (*senza copertura*) uncovered (*anche* ECON.), (*senza ripari*) exposed, (*senza indumenti*) bare, (*senza tetto*) open ✦ *assegno s.* bad cheque ‖ (*s.m.*) 1 (*luogo scoperto*) open (place), outdoors (*pl.*) 2 BANC. overdraft.

scoraggiare (*v.t.*) to dishearten, to discourage. **scoraggiarsi** (*v.pron.*) to get disheartened, to get discouraged.

scorciatoia (*s.f.*) short cut (*anche fig.*).

scordare (*v.t.*) **1** to forget **2** MUS. to untune. **scordarsi** (*v.pron.*) **1** to forget **2** MUS. to go out of tune.

scorgere (*v.t.*) to see (*anche fig.*), to spot, to sight.

scorpione (*s.m.*) **1** ZOOL. scorpion **2** ASTROL. Scorpio, Scorpion.

scorrere (*v.i.*) **1** to run (*scivolare*) to slide **2** (*fluire*) to flow, to run **3** (*di tempo*) to pass (by), to roll by **‖** (*v.t.*) (*leggere in fretta*) to run through, to skim through.

scorretto (*agg.*) **1** (*errato*) incorrect **2** (*sleale*) unfair ❖ *gioco s.* dirty play.

scorrevole (*agg.*) **1** flowing (*anche fig.*) **2** (*di porta, pannello*) sliding.

scorrevolezza (*s.f.*) flow, fluency.

scorso (*agg.*) last, past.

scorta (*s.f.*) **1** (*accompagnamento, protezione*) escort **2** (*provvista*) supply, stock.

scortese (*agg.*) rude, impolite.

scorza (*s.f.*) **1** (*corteccia*) bark, (*buccia*) skin, peel, (*di limone*) rind **2** (*fig.*) (*apparenza*) surface, appearance.

scossa (*s.f.*) **1** shake, shock (*anche fig.*) **2** (*di terremoto*) (earth) tremor.

scostare (*v.t.*) to move (away), to shift. **scostarsi** (*v.pron.*) **1** to move aside **2** (*fig.*) (*deviare*) to leave, to stray from.

scottare (*v.t.*) **1** to burn, (*con un liquido*) to scald **2** CUC. (*cuocere per breve tempo*) to half-cook, (*sbollentare*) to scald, to blanch, to parboil **3** (*fig.*) to sting, to hurt **‖** (*v.i.*) to be hot (*anche fig.*), to be burning (*anche fig.*), (*essere troppo caldo*) to be scalding. **scottarsi** (*v.pron.*) **1** to burn o.s., (*con un liquido*) to scald o.s. **2** (*fig.*) (*con un'esperienza negativa*) to get one's fingers burnt, burned.

scovare (*v.t.*) **1** (*stanare*) to force out, to unearth **2** (*fig.*) (*rintracciare*) to track down, (*scoprire*) to find.

scozzese (*agg.*) Scottish **‖** (*s.m. / s.f.*) (*abitante*) Scot.

scremato (*agg.*) (*latte*) skimmed.

screpolarsi (*v.pron.*) (*muro, intonaco*) to crack, (*pelle, labbra*) to get chapped.

scricchiolare (*v.i.*) to creak (*anche fig.*).

scritta (*s.f.*) writing, (*iscrizione*) inscription.

scritto (*agg.*) written **‖** (*s.m.*) **1** writing **2** (*opera letteraria*) work.

scrittore (*s.m.*) writer.

scrittura (*s.f.*) **1** writing, (*calligrafia*) handwriting **2** DIR. deed, (*contratto*) contract **3** CINEM., TEATR. engagement **4** RELIG. (*Bibbia*) (Holy) Scriptures (*pl.*).

scrivania (*s.f.*) writing desk.

scrivere (*v.t.*) to write, (*annotare*) to write down ❖ *s. a mano* to write by hand, *s. a matita* to write in pencil.

scroccone (*s.m.*) FAM. scrounger.

scrofa (*s.f.*) ZOOL. sow.

scrosciare (*v.i.*) to roar (*anche fig.*), (*di pioggia*) to pour down, (*di applauso*) to thunder. **scroscio** (*s.m.*) **1** (*di pioggia*) downpour **2** (*rumore*) roar (*anche fig.*) **3** (*di applausi*) thunder.

scrupolo (*s.m.*) **1** scruple **2** (*cura, impegno*) care.

scrutinio (*s.m.*) **1** POL. (*dei voti*) counting **2** (*scolastico*) assignment of (a term's) marks.

scudetto (*s.m.*) SPORT (*estens.*) (*campionato*) championship.

scudo (*s.m.*) shield (*anche fig.*).

scultura (*s.f.*) (*arte e opera*) sculpture, (*in legno*) woodcarving. **scultore** (*s.m.*) sculptor.

scuola (*s.f.*) school.

scuotere (*v.t.*) to shake (*anche fig.*).

scuotersi (*v.pron.*) **1** (*sobbalzare*) to jump, to give a start **2** (*uscire dal torpore*) to rouse o.s.

scure (*s.f.*) axe, AE ax.

scuro (*agg.*) **1** dark **2** (*fig.*) (*fosco*) dark, grim ‖ (*s.m.*) dark. **scurire** (*v.t.*) to darken. **scurirsi** (*v.pron.*) to become dark, (*imbrunire*) to get dark.

scusare (*v.t.*) **1** to excuse, (*perdonare*) to forgive ❖ *mi scusi!* (*per chiedere perdono*) sorry!, FORM. I beg your pardon!, (*per richiamare l'attenzione*) excuse me! **2** (*giustificare*) to justify, to excuse. **scusarsi** (*v.pron.*) **1** to apologize, to make one's excuses **2** (*giustificarsi*) to justify o.s., (*trovare scuse*) to find excuses. **scusa** (*s.f.*) **1** apology **2** (*giustificazione*) excuse, (*pretesto*) pretext.

sdebitarsi (*v.pron.*) **1** to pay off one's debt(s) **2** (*disobbligarsi*) to return a kindness.

sdegno (*s.m.*) indignation.

sdolcinato (*agg.*) mawkish, sugary, FAM. sloppy.

sdraiare (*v.t.*) to lay (down). **sdraiarsi** (*v.pron.*) to lie down.

se (*cong.*) if, (*in frasi dubitative e interr. indirette*) whether.

sé (*pron. pers. rifl.*) (*impers.*) o.s., (*rif. a persona*) (*uomo*) him(self), (*donna*) her(self), (*pl.*) them(selves), (*riferito a sogg. neutro*) it(self), (*pl.*) them (selves).

sebbene (*cong.*) (even) though, although.

seccante (*agg.*) (*irritante*) annoying, (*spiacevole*) unpleasant.

seccare (*v.t.*) **1** to dry (up) **2** (*fig.*) (*irritare*) to annoy, (*importunare*) to bother, (*annoiare*) to bore ‖ (*v.i.*) to dry (up). **seccarsi** (*v.pron.*) **1** to dry (up) **2** (*fig.*) (*irritarsi*) to get annoyed, (*sentir noia*) to grow tired. **seccatore** (*s.m.*) nuisance, pest. **seccatura** (*s.f.*) nuisance, bother, bore.

secchio (*s.m.*) **1** bucket, pail **2** (*quantità*) bucketful. **secchiello** (*s.m.*) **1** (small) bucket **2** (*borsa*) bucket bag.

secco (*agg.*) **1** (*asciutto, arido*) dry **2** (*essiccato*) dried **3** (*appassito*) withered **4** (*magro*) thin, skinny **5** (*fig.*) (*brusco*) sharp, brusque.

secessione (*s.f.*) secession ❖ ST. *guerra di s.* Civil War.

secolare (*agg.*) **1** (*che ha secoli di vita*) centuries-old, age-old **2** (*che si ripete ogni secolo*) secular, centennial **3** (*laico*) secular, lay.

secolo (*s.m.*) century.

seconda (*s.f.*) **1** AUT. second (gear) **2** (*a scuola*) second year (BE form, AE grade) **3** FERR. second class **4** ❖ *a s. di* depending on.

secondario (*agg.*) secondary.

secondo[1] (*agg. num. ord.*) second ‖ (*s.m.*) **1** (*minuto secondo*) second

2 (in un ordine) second **3** CUC. (portata) main course.

secondo[2] (prep.) according to, (conformemente a) in accordance with ❖ s. me in my opinion.

sedano (s.m.) BOT. celery.

sede (s.f.) **1** seat, RELIG. see ❖ la Santa S. the Holy See **2** (ufficio) office ❖ s. centrale head office.

sedere[1] (v.i.) **1** to follow, to be sitting, to be seated **2** (mettersi a sedere) to sit down, to take a seat. sedersi (v.pron.) to sit down, to take a seat.

sedere[2] (s.m.) bottom.

sedia (s.f.) chair.

sedile (s.m.) seat.

sedurre (v.t.) **1** to seduce **2** (tentare) to tempt, to lure. seduttore (agg.) seductive (v.i.) seducer. seduzione (s.f.) **1** seduction **2** (fascino) charm, appeal.

seduta (s.f.) sitting, session, (riunione) meeting.

segale (s.f.) BOT. rye.

segare (v.t.) to saw, (tagliare) to cut. sega (s.f.) **1** saw ❖ s. elettrica power saw **2** VOLG. wank.

seggio (s.m.) seat, chair ❖ s. elettorale polling station.

segnalare (v.t.) **1** to signal **2** (far presente) to point out **3** (rendere noto) to report. segnalarsi (v.pron.) (distinguersi) to stand out.

segnalibro (s.m.) bookmark.

segnare (v.t.) **1** to mark, (annotare) to write down, to note down **2** (indicare) to indicate, to show **3** SPORT to score.

segno (s.m.) **1** sign, mark, (traccia) trace **2** (indizio) indication **3** (simbolo) symbol **4** (gesto) gesture.

segretaria (s.f.), segretario (s.m.) secretary. segreteria (s.f.) **1** (carica) secretariat **2** (sede) secretary's office, (personale) secretarial staff **3** TEL. (telefonica) answering machine.

segreto (agg. e s.m.) secret.

seguire (v.t.) **1** to follow (anche fig.) **2** (sorvegliare) to supervise, to oversee ‖ (v.i.) **1** to follow **2** (continuare) to continue. seguente (agg.) following, (prossimo) next.

seguito (s.m.) **1** retinue, suite, (sostenitori) followers (pl.), supporters (pl.) **2** (continuazione) continuation, sequel.

selciato (agg.) paved ‖ (s.m.) paving.

selezionare (v.t.) to select, (vagliare) to screen. selezione (s.f.) selection.

sella (s.f.) saddle.

selva (s.f.) (foresta) forest, (bosco) wood.

selvaggio (agg.) **1** (animale) wild **2** (primitivo) savage **3** (incontrollato) wildcat, uncontrolled ‖ (s.m.) savage (anche fig.). selvaggina (s.f.) game.

semaforo (s.m.) **1** traffic lights (pl.) **2** FERR. semaphore.

sembrare (v.i.) **1** to seem, to appear **2** (assomigliare) to look like, (rif. all'udito) to sound like, (rif. al gusto) to taste like, (rif. all'olfatto) to smell like, (rif. al tatto) to feel like.

seme (s.m.) **1** seed, (di mela, pera) pip **2** (carte da gioco) suit.

semestre (s.m.) half-year, six-month period.

semifinale (s.f.) SPORT semifinal.

semina (s.f.) sowing.

seminare (v.t.) **1** to sow (anche fig.) **2** (spargliare) to scatter.

semplice (*agg.*) **1** simple **2** (*non ricercato*) natural. **semplicità** (*s.f.*) simplicity.

semplificare (*v.t.*) to simplify.

sempre (*avv.*) **1** always ❖ *per s.* forever **2** (*ancora*) still.

senape (*s.f.*) CUC. mustard.

senato (*s.m.*) senate. **senatore** (*s.m.*) senator.

senno (*s.m.*) **1** mind **2** (*sensatezza*) common sense.

seno (*s.m.*) **1** breast, (*fig.*) bosom **2** GEOGR. inlet **3** MAT. sine.

sensazione (*s.f.*) **1** sensation, feeling **2** (*impressione*) feeling.

sensibile (*agg.*) **1** sensitive **2** (*percepito dai sensi*) sensible, perceptible. **sensibilità** (*s.f.*) sensitivity, sensibility, (*delicatezza*) delicacy.

senso (*s.m.*) **1** sense ❖ *buon s.* common sense **2** (*sensazione, sentimento*) sensation, feeling **3** (*significato*) meaning, sense **4** (*direzione, verso*) direction, way.

sensualità (*s.f.*) sensuality.

sentiero (*s.m.*) path (*anche fig.*).

sentimento (*s.m.*) feeling, sentiment. **sentimentale** (*agg.*) sentimental.

sentinella (*s.f.*) **1** MIL. sentry **2** (*fig.*) guard, watch.

sentire (*v.t.*) **1** to feel (*anche fig.*) **2** (*udire*) to hear **3** (*gustare*) to taste **4** (*odorare*) to smell **5** (*ascoltare, dar retta*) to listen to. **sentirsi** (*v.pron.*) **1** to feel, (*aver voglia*) to feel like **2** (*stare*) to feel, to be **3** (*chiamarsi al telefono*) to call.

senza (*prep.*) without.

separare (*v.t.*) to separate, to divide, to part. **separarsi** (*v. pron.*) to separate, (*staccarsi*) to part, (*di coniugi*) to split up.

separazione (*s.f.*) separation, division, (*il separarsi*) parting.

seppellire (*v.t.*) to bury (*anche fig.*).

seppia (*s.f.*) ZOOL. cuttlefish.

seppure (*cong.*) even if.

sequenza (*s.f.*) sequence.

sequestrare (*v.t.*) **1** DIR. to seize, to sequester **2** (*portare via*) to confiscate, to take away **3** (*rapire*) to kidnap.

sequestro (*s.m.*) DIR. **1** sequestration, seizure **2** (*rapimento*) kidnapping.

sera (*s.f.*) evening, (*tarda*) night.

serata (*s.f.*) **1** evening **2** (*ricevimento*) party **3** (*rappresentazione*) (*evening*) performance.

serbatoio (*s.m.*) tank (*anche AUT.*), reservoir.

serenata (*s.f.*) serenade.

sereno (*agg.*) **1** (*limpido*) clear **2** (*fig.*) serene, (*tranquillo*) quiet, tranquil ‖ (*s.m.*) clear sky.

serie (*s.f.*) series, (*successione*) succession ❖ *s. televisiva* TV series.

serietà (*s.f.*) **1** seriousness **2** (*gravità*) gravity.

serio (*agg.*) **1** serious **2** (*affidabile*) reliable ‖ (*s.m.*) seriousness.

serpeggiare (*v.i.*) **1** to wind, to snake **2** (*fig.*) (*diffondersi*) to spread.

serpente (*s.m.*) ZOOL. snake.

serra (*s.f.*) greenhouse, glasshouse.

serratura (*s.f.*) lock.

serva (*s.f.*) maid, servant.

servire (*v.t.*) **1** to serve **2** (*rif. a persone di servizio*) to wait on **3** (*cibi ecc.*) to serve, to help ‖ (*v.i.*) **1** to serve **2** (*essere utile*) to be useful ❖ *a che serve questo?* what's this for? **3** (*occorrere*) to need ❖ *mi serve aiuto* I need help. **servirsi** (*v.pron.*)

1 *(usare)* to use **2** *(a tavola)* to help o.s. **3** *(fornirsi)* to buy.

servitù *(s.f.)* **1** slavery, servitude *(anche DIR.)* **2** *(personale di servizio)* servants *(pl.)*.

servizio *(s.m.)* service ❖ *s. militare* military service, *s. in camera* room service, *fuori s. (guasto)* out of order **2** *(favore)* favour, AE favor **3** *(serie completa)* set, service ❖ *s. di posate* set of cutlery **4** *(giornalistico)* report **5** *(pl.) (servizi igienici)* toilet facilities, *(bagno)* bathroom **6** *(pl.)* ❖ *servizi segreti* secret service.

servo *(s.m.)* servant.

sesamo *(s.m.)* BOT. sesame.

sesso *(s.m.)* sex. **sessuale** *(agg.)* sexual, sex *(attr.)*.

seta *(s.f.)* silk.

setaccio *(s.m.)* sieve, sifter.

sete *(s.f.)* thirst *(anche fig.)* ❖ *aver s.* to be thirsty.

settembre *(s.m.)* September.

settentrione *(s.m.)* north. **settentrionale** *(agg.)* northern, north *(attr.)* ‖ *(s.m. / s.f.)* northerner.

settimana *(s.f.)* week.

settimanale *(agg. e s.m.)* weekly.

settore *(s.m.)* sector.

severo *(agg.)* severe, *(rigoroso)* strict.

sezione *(s.f.)* **1** section **2** *(parte)* division, *(di partito)* branch.

sfacciato *(agg.)* impudent, FAM. cheeky.

sfamare *(v.t.)* to feed. **sfamarsi** *(v.pron.)* to satisfy one's hunger.

sfarzo *(s.m.)* pomp, magnificence.

sfasciare *(v.t.) (rompere)* to smash, *(demolire)* to wreck *(anche fig.)*. **sfasciarsi** *(v.pron.)* **1** *(fracassarsi)* to fall to pieces, to be wrecked,

(rompersi) to break **2** *(fig.)* to crumble.

sfatare *(v.t.)* to disprove, to debunk.

sfera *(s.f.)* sphere *(anche fig.)*.

sfidare *(v.t.)* **1** to challenge **2** *(fig.)* to defy. **sfida** *(s.f.)* challenge.

sfiducia *(s.f.)* mistrust, distrust, POL. no confidence.

sfiga *(s.f.)* FAM. *(sfortuna)* bad luck, jinx. **sfigato** *(agg.)* FAM. *(sfortunato)* unlucky, jinxed.

sfilare¹ *(v.t.)* **1** to unthread, *(perle ecc.)* to unstring **2** *(togliersi)* to slip off, to take off **3** *(rubare)* to steal. **sfilarsi** *(v.pron.)* **1** to (be) come unthreaded, *(di perle ecc.)* to come unstrung **2** *(sfilacciarsi)* to fray, *(smagliarsi)* to ladder **3** *(togliersi di dosso)* to slip off, to take off.

sfilare² *(v.i.)* **1** to march past, to parade **2** *(fig.) (susseguirsi)* to pass through.

sfiorare *(v.t.)* **1** to skim (over), to brush, *(rasentare)* to graze **2** *(fig.) (toccare di sfuggita)* to touch on **3** *(mancare di poco)* to come close to.

sfiorire *(v.i.)* to wither, to fade *(anche fig.)*.

sfociare *(v.i.)* **1** to flow (into) **2** *(fig.)* to lead (to).

sfogare *(v.t.)* to pour out, *(riversare)* to vent ‖ *(v.i.)* **1** *(fuoriuscire)* to come out **2** *(fig.)* to find relief. **sfogarsi** *(v.pron.)* **1** to give vent to one's feelings, *(liberarsi di un peso)* to unburden o.s. **2** *(prendersela con qu.no)* to take it out (on s.o.).

sfogo *(s.m.)* **1** vent, outlet *(anche fig.)* **2** FAM. *(eruzione cutanea)* rash.

sfoggiare *(v.t. / v.i.)* to show off.

sfoglia (*s.f.*) CUC. (*pasta sfoglia*) puff pastry.

sfogliare (*v.t.*) (*un libro*) to leaf through. **sfogliarsi** (*v.pron.*) (*perdere le foglie*) to lose leaves, (*di fiore*) to shed petals.

sfondare (*v.t.*) **1** (*rompere il fondo*) to knock the bottom out of **2** (*abbattere*) to break down, to break through ‖ (*v.i.*) (*fig.*) to have success.

sfondo (*s.m.*) background.

sformato (*agg.*) shapeless ‖ (*s.m.*) CUC. soufflé.

sfortuna (*s.f.*) bad luck, (*disgrazia*) misfortune. **sfortunatamente** (*avv.*) unfortunately. **sfortunato** (*agg.*) unlucky, unfortunate.

sforzare (*v.t.*) **1** to strain **2** (*costringere*) to force. **sforzarsi** (*v.pron.*) **1** to strain o.s. **2** (*adoperarsi*) to strive, to try (very) hard. **sforzo** (*s.m.*) effort, (*fisico*) strain.

sfrattare (*v.t.*) **1** to evict **2** (*estens.*) to send away. **sfratto** (*s.m.*) eviction.

sfrenato (*agg.*) wild, (*di istinti ecc.*) unrestrained, unbridled.

sfrontato (*agg.*) impudent, shameless, FAM. cheeky.

sfruttare (*v.t.*) to exploit. **sfruttamento** (*s.m.*) exploitation.

sfuggire (*v.i.*) (*anche fig.*) to escape, to slip ‖ (*v.t.*) (*evitare*) to avoid.

sfumare (*v.i.*) **1** (*svanire*) to vanish **2** (*di colori*) to shade (into) ‖ (*v.t.*) **1** (*attenuare*) (*un colore*) to shade, to soften, (*un suono*) to fade **2** (*capelli*) to trim. **sfumatura** (*s.f.*) **1** (*tonalità, gradazione*) shade, tone **2** (*taglio di capelli*) trimming.

sgabello (*s.m.*) stool.

sganciare (*v.t.*) **1** to unhook, to unfasten, FERR. to uncouple, (*una bomba*) to drop **2** FAM. (*denaro*) to fork out. **sganciarsi** (*v.pron.*) **1** to become unhooked **2** FAM. (*liberarsi da*) to get away (from).

sgarbato (*agg.*) rude.

sgargiante (*agg.*) bright, flashy, (*di colori*) gaudy, lurid.

sgombrare (*v.t.*) to clear, (*svuotare*) to empty, (*un appartamento, una stanza*) to vacate.

sgomento (*agg.*) dismayed ‖ (*s.m.*) dismay.

sgonfiare (*v.t.*) **1** to deflate **2** MED. to bring down. **sgonfiarsi** (*v.pron.*) **1** to deflate (*anche fig.*) **2** MED. to go down.

sgradevole (*agg.*) unpleasant, disagreeable.

sgradito (*agg.*) unwelcome.

sgranchirsi (*v.pron.*) to stretch, to stretch o.s.

sgranocchiare (*v.t.*) FAM. to crunch, to munch.

sgridare (*v.t.*) to scold, FAM. to tell off.

sgualcire (*v.t.*) to crease, to crumple.

sguardo (*s.m.*) look, (*occhiata*) glance, (*fisso*) stare.

sgusciare[1] (*v.i.*) to slip out, (*di persona*) to slip away.

sgusciare[2] (*v.t.*) (*levare dal guscio*) to shell.

sì[1] (*s.m. invar.*) MUS. (*nota*) B.

si[2] (*pron. rifl.*) oneself, him(self), her(self), it(self), them(selves) ❖ *s. dice* they say, *s. capisce!* it's self evident! ‖ (*pron. recip.*) one another, (*tra due*) each other.

sì (*avv.*) yes ❖ *s., grazie* yes, please, *penso di s.* I think so ‖ (*s.m.*) yes.

sia... sia *(cong. correlativa)* **1** *(entrambi, tanto... quanto)* both... and ❖ *s. i gatti s. i cani amano essere accarezzati* both cats and dogs love being stroked **2** ❖ *(o... o...) s. che... s. che...* whether... or.

sicario *(s.m.)* hired killer, FAM. hit man.

siccità *(s.f.)* drought.

siccome *(cong.)* as, since.

sicuro *(agg.)* **1** safe **2** *(certo)* certain, *(assicurato)* assured **3** *(saldo)* steady, firm **4** *(esperto)* skilful, expert **5** *(fidato)* reliable, trustworthy ‖ *(s.m.)* safety, *(luogo sicuro)* safe place. **sicuramente** *(avv.)* **1** *(certamente)* certainly **2** *(in modo sicuro)* safely. **sicurezza** *(s.f.)* **1** security, safety **2** *(certezza)* certainty.

sieropositivo *(agg. e s.m.)* MED. HIV-positive.

sigaretta *(s.f.)* cigarette.

sigaro *(s.m.)* cigar.

sigillo *(s.m.)* seal. **sigillare** *(v.t.)* to seal.

sigla *(s.f.)* **1** initials *(pl.)*, *(abbreviazione)* abbreviation **2** MUS. jingle, *(brano musicale)* theme song.

significare *(v.t.)* to mean. **significativo** *(agg.)* **1** meaningful, significant **2** *(importante)* important. **significato** *(s.m.)* **1** meaning, sense **2** *(fig.) (importanza)* importance, significance.

signora *(s.f.)* **1** lady, *(seguito da cognome)* Mrs, *(vocativo)* Madam **2** *(moglie)* wife **3** *(padrona di casa)* lady, mistress.

signore *(s.m.)* **1** gentleman, man, *(signor, seguito da cognome)* Mr **2** *(padrone)* master **3** *(Dio)* God, Lord.

signorina *(s.f.)* **1** young lady, *(ragazza)* girl, *(seguito da cognome)* Miss, *(vocativo)* Madam, Miss **2** *(donna nubile)* unmarried woman, single girl ❖ *nome da s.* maiden name.

silenzio *(s.m.)* silence ❖ *fare s.* to keep quiet. **silenzioso** *(agg.)* silent, *(tranquillo)* quiet.

silicone *(s.m.)* silicone.

sillaba *(s.f.)* syllable.

simbolo *(s.m.)* symbol.

simile *(agg.)* **1** *(somigliante)* like, similar, alike *(pred.)* **2** *(tale)* such ‖ *(s.m.) (prossimo)* fellow man.

simmetria *(s.f.)* symmetry.

simpatia *(s.f.)* liking, attraction, *(solidarietà)* sympathy. **simpatico** *(agg.)* nice, *(amabile)* likeable, *(piacevole)* pleasant, agreeable.

simulare *(v.t.) (fingere)* to feign, to simulate *(anche TECN.)*.

sincerarsi *(v.pron.)* to make sure.

sincero *(agg.)* **1** sincere **2** *(genuino)* real, true. **sincerità** *(s.f.)* sincerity, *(franchezza)* frankness.

sincronizzare *(v.t.)* to synchronize.

sindacato *(s.m.)* **1** *(di lavoratori)* (trade) union, AE labor union **2** *(di azionisti)* syndicate.

sindaco *(s.m.)* mayor.

sinfonia *(s.f.)* MUS. symphony.

singhiozzo *(s.m.)* **1** hiccup **2** *(pianto)* sob, sobbing. **singhiozzare** *(v.i.)* **1** *(avere il singhiozzo)* to have the hiccups **2** *(piangere)* to sob.

singolo *(agg.)* single ‖ *(s.m.)* **1** *(individuo)* individual **2** TENNIS singles. **singolare** *(agg.)* **1** singular **2** *(fig.) (insolito)* uncommon, unusual, *(raro)* rare, *(strano)* strange, peculiar, *(bizzarro)* odd, bizarre ‖ *(s.m.)* GRAMM. singular.

sinistra *(s.f.)* **1** *(mano)* left hand **2** *(parte)* left, left side **3** POL. Left, left wing. **sinistro** *(agg.)* **1** left, left-hand *(attr.)* **2** *(minaccioso)* sinister ‖ *(s.m.)* *(incidente)* accident.

sinonimo *(agg.)* synonymous ‖ *(s.m.)* synonym.

sintesi *(s.f.)* synthesis *(anche* CHIM.*)*. **sintetico** *(agg.)* **1** *(fibra)* synthetic **2** *(fig.)* *(conciso)* concise.

sintomo *(s.m.)* symptom *(anche* MED.*)*.

sintonia *(s.f.)* RAD., TV syntony, tuning, tune *(anche fig.)*. **sintonizzare** *(v.t.)* RAD., TV to tune in. **sintonizzarsi** *(v.pron.)* to be tuned in *(anche fig.)*. **sintonizzatore** *(s.m.)* RAD., TV tuner.

sipario *(s.m.)* curtain.

sirena¹ *(s.f.)* MIT. mermaid, *(spec. fig.)* siren.

sirena² *(s.f.)* *(apparecchio)* siren.

siringa *(s.f.)* MED., CUC. syringe.

sisma *(s.m.)* SEISM., earthquake.

sistema *(s.m.)* **1** system **2** *(metodo)* method, *(modo)* way. **sistemare** *(v.t.)* **1** *(collocare)* to put, to place **2** *(mettere in ordine)* to put in order, to arrange **3** *(definire)* to settle **4** *(riparare)* to repair, FAM. to fix **5** *(alloggiare)* to accommodate **6** *(procurare un lavoro a)* FAM. to fix (s.o.) up (with a job) **7** *(dare una lezione)* FAM. to fix. **sistemarsi** *(v.pron.)* **1** *(trovare sistemazione)* to settle (down) **2** *(sposarsi)* to get married, to settle down. **sistemazione** *(s.f.)* **1** *(ordine)* arrangement, *(collocazione)* placing **2** *(il sistemarsi)* settlement **3** *(alloggio)* accommodation **4** *(impiego, lavoro)* job.

sito *(s.m.)* SITE *(anche* INFORM.*)*. **situare** *(v.t.)* to place, to set. **situarsi** *(v.pron.)* to place o.s., to be situated. **situazione** *(s.f.)* situation.

slacciare *(v.t.)*, **slacciarsi** *(v.rifl.)* to undo, to untie, *(sbottonare)* to unbutton. **slacciarsi** *(v.pron.)* to come undone, to come untied, *(sbottonarsi)* to come unbuttoned.

slancio *(s.m.)* **1** rush, leap, *(rincorsa)* run **2** *(fig.)* *(impeto)* outburst, momentum, rush. **slanciato** *(agg.)* *(persona)* slim, slender.

slavo *(agg.)* Slavonic, Slavic ‖ *(s.m.)* Slav.

sleale *(agg.)* disloyal, *(scorretto)* unfair.

slegare *(v.t.)* to untie, to undo. **slegarsi** *(v.pron.)* *(di persona)* to untie o.s., to free o.s., *(di cosa)* to come untied, to come loose. **slegato** *(agg.)* **1** untied, undone, loose **2** *(fig.)* *(sconnesso)* disjointed, *(incoerente)* incoherent.

slitta *(s.f.)* sleigh, sledge, AE sled. **slogarsi** *(v.pron.)* MED. to dislocate.

smagliante *(agg.)* dazzling.

smagliarsi *(v.pron.)* *(di calze)* BE to ladder, AE to run, *(di pelle)* to get stretch marks. **smagliatura** *(s.f.)* **1** *(di calza)* BE ladder, AE run **2** *(della pelle)* stretch mark.

smaliziato *(agg.)* **1** *(furbo)* crafty, knowing, *(avveduto)* shrewd **2** *(esperto)* skilled.

smaltire *(v.t.)* **1** *(digerire)* to digest, *(fig.)* to get over (sthg.) **2** *(rifiuti)* to dispose of **3** *(merce)* to sell off **4** *(acque)* to drain **5** *(fig.)* *(sbrigare)* to get through. **smaltimento** *(s.m.)* **1** *(di rifiuti)* disposal, *(di acque)* drain **2** *(vendita)* disposal.

smalto *(s.m.)* **1** enamel, *(per unghie)* AE nail polish, BE nail varnish **2** *(ceramica)* glaze **3** *(pl.)* *(oggetti smaltati)* enamelware. **smaltare** *(v.t.)* to enamel ✣ *smaltarsi le unghie* to varnish (AE to polish) one's nails.

smarrire *(v.t.)* to lose, *(non trovare)* to mislay. **smarrirsi** *(v.pron.)* **1** to get lost, *(perdere la strada)* to lose one's way **2** *(confondersi)* to get confused.

smentire *(v.t.)* to deny, *(una persona)* to prove wrong. **smentirsi** *(v.pron.)* to contradict o.s. **smentita** *(s.f.)* denial.

smettere *(v.t. / v.i.)* to stop, *(rinunciare)* to give up.

sminuire *(v.t.)* *(persona)* to belittle, *(problema)* to play down.

smistare *(v.t.)* **1** to sort **2** FERR. to shunt, AE to switch.

smoking *(s.m.)* ABBIGL. dinner jacket, AE tuxedo.

smontare *(v.t.)* **1** to disassemble, to dismantle **2** *(fig.)* *(togliere l'entusiasmo)* to dampen **3** *(fig.)* *(demolire)* to demolish ‖ *(v.i.)* *(da un mezzo di trasporto)* to get off, *(dall'auto)* to get out, *(da cavallo)* to dismount. **smontarsi** *(v.pron.)* *(scoraggiarsi)* to lose heart.

smorfia *(s.f.)* grimace.

smorzare *(v.t.)* **1** *(attenuare)* *(luce)* to dim, *(colori)* to tone down, *(suoni)* to deaden, to muffle **2** *(passioni)* to dampen.

smuovere *(v.t.)* **1** to shift, to move **2** *(fig.)* *(dissuadere)* to deter, to dissuade, *(spronare)* to rouse, to stir. **smuoversi** *(v.pron.)* to move *(anche fig.)*.

snello *(agg.)* slim, slender. **snellire** *(v.t.)* **1** to slim **2** *(semplificare)* to simplify, to streamline, *(accelerare)* to speed up.

snidare *(v.t.)* to drive out.

snobbare *(v.t.)* to snub. **snobismo** *(s.m.)* snobbery.

snodare *(v.t.)* **1** *(sciogliere)* to untie, to undo **2** *(liberare)* TO LOOSEN. **snodarsi** *(v.pron.)* **1** to come untied, to come loose, *(di membra)* to loosen up **2** *(di strada, fiume)* to wind. **snodato** *(agg.)* **1** *(sciolto)* loose *(snodabile)* jointed, articulated. **snodo** *(s.m.)* **1** MECC. joint, articulation **2** *(stradale)* junction.

sobbalzare *(v.i.)* **1** to jolt, to bump **2** *(trasalire)* to jump, to startle.

sobborgo *(s.m.)* suburb.

sobrio *(agg.)* sober, *(misurato)* restrained.

soccombere *(v.i.)* to succumb.

soccorrere *(v.t.)* to help, to assist. **soccorritore** *(agg.)* rescue *(attr.)* ‖ *(s.m.)* rescuer. **soccorso** *(s.m.)* **1** *(aiuto)* help, *(salvataggio)* rescue **2** MED. aid ✣ *pronto s.* first aid, *(ambulatorio)* BE casualty *(department)*, AE emergency room.

sociale *(agg.)* social ‖ *(s.m.)* social work.

socialismo *(s.m.)* socialism.

socio *(s.m.)* **1** member **2** COMM. partner, associate. **società** *(s.f.)* **1** POL. society **2** *(associazione)* society, *(sportiva)* club **3** COMM. company.

soddisfare *(v.t.)* **1** to satisfy **2** *(adempiere)* to fulfil, AE to fulfill, to meet. **soddisfarsi** *(v.pron.)* to be satisfied. **soddisfacente** *(agg.)* satisfactory. **soddisfatto** *(agg.)*

satisfied. **soddisfazione** *(s.f.)* satisfaction.

soffermarsi *(v.pron.)* to pause, to linger *(anche fig.)*, *(su un argomento)* to dwell (upon).

soffiare *(v.t / v.i.)* to blow. **soffiata** *(s.f.)* **1** puff **2** FAM. *(spiata)* tip-off. **soffiato** *(agg.)* *(cereali)* puffed, *(vetro)* blown. **soffio** *(s.m.)* **1** puff, whiff, *(violento)* blast, gust, *(alito)* breath ✧ *s. d'aria* draught, AE draft **2** MED. murmur.

soffice *(agg.)* soft.

soffitta *(s.f.)* attic, loft.

soffitto *(s.m.)* ceiling.

soffocare *(v.t.)* **1** to suffocate, to choke **2** *(reprimere)* to stifle, to repress ‖ *(v.i.)* to suffocate, to choke.

soffrire *(v.t.)* **1** to suffer **2** *(sopportare)* to bear, to stand ‖ *(v.i.)* to suffer. **sofferente** *(agg.)* **1** *(che soffre)* suffering **2** *(che esprime sofferenza)* painstricken, pained.

soggetto[1] *(agg.)* **1** *(sottoposto)* subject **2** *(incline)* subject, prone.

soggetto[2] *(s.m.)* **1** *(argomento)* subject, topic **2** *(individuo)* person, individual **3** GRAMM. subject. **soggettivo** *(agg.)* subjective.

soglia *(s.f.)* threshold *(anche fig.)*.

sogno *(s.m.)* dream *(anche fig.)*. **sognare** *(v.t. / v.i.)* to dream.

sol *(s.m. invar.)* MUS. *(nota)* G.

soldato *(s.m.)* soldier.

soldo *(s.m.)* **1** *(quantità minima di denaro)* penny, AE cent, BE farthing **2** *(pl.)* *(denaro)* money.

sole *(s.m.)* sun, *(luce)* sunshine. **solare** *(agg.)* **1** solar, sun *(attr.)* **2** *(radioso, positivo)* radiant, sunny. **soleggiato** *(agg.)* sunny.

solenne *(agg.)* **1** solemn **2** *(maestoso)* imposing.

solidarietà *(s.f.)* solidarity.

solido *(agg.)* **1** solid, *(robusto)* sturdy, *(stabile)* stable **2** *(fig.)* *(saldo)* sound.

solitario *(agg.)* **1** solitary, lone *(attr.)* **2** *(di luogo)* lonely, solitary ‖ *(s.m.)* **1** *(brillante)* solitaire **2** *(gioco di carte)* BE patience, AE solitaire.

solito *(agg.)* usual, customary, SPREG. same old ‖ *(s.m.) (la solita cosa)* the usual ✧ *come al s.* as usual. **solitamente** *(avv.)* usually, generally.

solitudine *(s.f.)* solitude, loneliness.

sollecitare *(v.t.)* to press for, to urge. **sollecito** *(s.m.)* COMM. reminder.

sollecito *(agg.)* **1** *(rapido)* prompt, quick **2** *(premuroso)* solicitous.

solletico *(s.m.)* tickle ✧ *fare il s.* to tickle, *soffrire il s.* to be ticklish.

sollevare *(v.t.)* **1** to raise, *(tirar su)* to lift **2** *(dar sollievo a)* to relieve, *(confortare)* to comfort **3** *(fig.) (suscitare)* to raise. **sollevarsi** *(v.pron.)* to rise *(anche fig.)*. **sollievo** *(s.m.)* relief, *(conforto)* comfort.

solo *(agg.)* **1** alone *(pred.)*, by o.s., *(solitario)* lonely **2** *(non sposato)* single **3** *(unico)* only ✧ *figlio u.* only child ‖ *(s.m.) (unico)* only one ‖ *(avv.)* only. **solamente** *(avv.)* only.

soluzione *(s.f.)* solution *(anche CHIM.)*.

somigliare *(v.i.)* to look like, to be like, to resemble. **somigliarsi** *(v.pron.)* to look alike, to be alike.

somma *(s.f.)* **1** MAT. *(operazione)*

addition, *(risultato)* sum, total **2** *(di denaro)* sum (of money), amount of money. **sommare** *(v.t.)* **1** to add **2** *(totalizzare)* to add up || *(v.i.)* *(ammontare)* to amount. **sommario** *(agg.)* **1** *(conciso)* concise, brief **2** *(non approfondito)* cursory, perfunctory, DIR. summary.

sommario *(s.m.)* summary, TV news headlines *(pl.)*.

sommergere *(v.t.)* **1** to submerge, *(inondare)* to flood **2** *(fig.)* *(colmare)* to overwhelm. **sommerso** *(agg.)* **1** submerged, underwater *(attr.)* **2** ECON. black, hidden, off-the-books.

sommozzatore *(s.m.)* *(con autorespiratore)* scuba diver.

sondaggio *(s.m.)* **1** *(indagine)* survey, poll **2** *(trivellamento)* drilling **3** MED. probing.

sonnambulo *(agg.)* sleepwalking || *(s.m.)* sleepwalker.

sonnellino *(s.m.)* nap, doze.

sonnifero *(s.m.)* sleeping pill.

sonno *(s.m.)* sleep ❖ *avere s.* to be sleepy.

sonoro *(agg.)* **1** *(risonante)* resonant, sonorous **2** CINEM. sound *(attr.)* || *(s.m.)* **1** *(colonna sonora)* soundtrack **2** *(audio)* sound.

sopportare *(v.t.)* **1** *(sostenere)* to support **2** *(tollerare)* to bear, to stand.

sopprimere *(v.t.)* **1** *(rivolta ecc.)* to suppress **2** *(abolire)* to abolish, to cancel **3** *(uccidere)* to kill.

sopra *(prep.)* **1** *(con contatto)* on, upon **2** *(senza contatto)* over **3** *(al di sopra di)* above || *(avv.)* **1** on **2** *(al piano di sopra)* upstairs || *(agg.)* above || *(s.m.)* top.

sopracciglio *(s.m.)* eyebrow.

sopraffare *(v.t.)* to overwhelm, to overcome.

sopralluogo *(s.m.)* inspection, survey.

soprammobile *(s.m.)* ornament, knick-knack.

soprannaturale *(agg. e s.m.)* supernatural.

soprannome *(s.m.)* nickname.

soprano *(s.m.)* MUS. soprano.

soprattutto *(avv.)* above all, *(particolarmente)* particularly, especially, *(per la maggior parte)* mostly.

sopravvalutare *(v.t.)* to overrate, to overestimate.

sopravvivere *(v.i.)* **1** *(continuare a vivere)* to survive **2** *(vivere più a lungo di)* to outlive. **sopravvissuto** *(agg.)* surviving || *(s.m.)* survivor.

sopruso *(s.m.)* abuse (of power).

sordo *(agg.)* **1** deaf *(anche fig.)* **2** *(fig.)* *(insensibile)* deaf, indifferent **3** *(rumore, suono)* dull, hollow || *(s.m.)* deaf person.

sorella *(s.f.)* **1** sister **2** *(suora)* nun, sister. **sorellastra** *(s.f.)* half-sister, *(acquisita)* stepsister.

sorgere *(v.i.)* **1** *(di astro)* to rise **2** *(elevarsi, ergersi)* to stand, to rise **3** *(fig.)* *(scaturire)* to arise. **sorgente** *(agg.)* rising || *(s.f.)* *(di acqua ecc.)* spring, *(punto di origine)* source.

sorpassare *(v.t.)* **1** *(un veicolo)* to overtake, to pass **2** *(andare oltre)* to go beyond, to exceed *(spec. fig.)*. **sorpasso** *(s.m.)* *(di veicolo)* overtaking, passing.

sorprendere *(v.t.)* **1** *(cogliere sul fatto)* to catch **2** *(meravigliare)* to surprise. **sorprendersi** *(v.pron.)* to be surprised. **sorprendente** *(agg.)*

surprising, astonishing. **sorpresa** (s.f.) surprise.

sorreggere (v.t.) to support (anche fig.).

sorridere (v.i.) to smile (anche fig.). **sorriso** (s.m.) smile (anche fig.).

sorso (s.m.) sip, gulp, (sorsata) draught, AE draft.

sorte (s.f.) destiny, fate ❖ tirare a s. ql.sa to draw lots for sthg. **sorteggio** (s.m.) draw, drawing (of lots).

sortilegio (s.m.) witchcraft, (incantesimo) spell.

sorvegliare (v.t.) **1** (sovrintendere) to oversee **2** (tener d'occhio) to watch, to look after. **sorvegliante** (s.m. / s.f.) (sovrintendente) overseer, (guardiano) caretaker, watchman.

sosia (s.m. / s.f.) double, look-alike.

sospendere (v.t.) **1** (interrompere) to interrupt, to suspend, (rinviare) to adjourn, to defer **2** (appendere) to hang (up). **sospensione** (s.f.) **1** suspension, (rinvio) adjournment **2** (privare di una carica) suspension **3** SPORT timeout. **sospeso** (agg.) **1** (appeso) hanging (from), suspended (from) **2** (interrotto) suspended, (rinviato) deferred, adjourned || (s.m.) (conto da saldare) unpaid bill ❖ in s. pending.

sospettare (v.t.) to suspect || (v.i.) to suspect, (diffidare) to distrust.

sospetto[1] (agg.) **1** (poco rassicurante) suspicious, suspect **2** (dubbio) doubtful **3** (di cui si teme l'esistenza) suspected.

sospetto[2] (s.m.) **1** (dubbio) suspicion **2** (presentimento) suspicion, feeling **3** (indiziato) suspect.

sospirare (v.i.) to sigh (anche fig.)

|| (v.t.) (desiderare) to long for, to yearn for. **sospirato** (agg.) (desiderato) longed-for, long-awaited (attr.). **sospiro** (s.m.) sigh (anche fig.).

sostantivo (agg.) substantive (anche GRAMM.) || (s.m.) GRAMM. noun.

sostanza (s.f.) **1** substance (anche fig.) **2** (fig.) (parte essenziale) essence, substance **3** (nutrimento) nourishment **4** (spec. pl.) (patrimonio) property (sing.), possessions (pl.).

sostare (v.i.) to stop, to halt, (fare una pausa) to pause. **sosta** (s.f.) **1** (fermata) stop, halt **2** (pausa) pause, (intervallo) break.

sostegno (s.m.) support (anche fig.).

sostenere (v.t.) **1** (reggere) to support, to hold up **2** (fig.) (appoggiare) to support, to back (up) **3** (asserire) to maintain, to claim, to assert **4** (sopportare) to bear, to stand. **sostenersi** (v.pron.) **1** (sostentarsi) to sustain o.s. **2** (tenersi in piedi) to stand up. **sostenibile** (agg.) **1** supportable **2** (tollerabile) bearable, tolerable **3** (plausibile) tenable, plausible **4** (ecologicamente) sustainable.

sostituire (v.t.) to replace. **sostituirsi** (v.pron.) to take s.o.'s place. **sostituzione** (s.f.) substitution, replacement.

sott'acqua (loc. avv.) underwater.

sottaceto (agg.) CUC. pickled || (s.m.) CUC. pickle.

sotterfugio (s.m.) Subterfuge.

sotterraneo (agg.) underground (attr.) (anche fig.), subterranean || (s.m.) (scantinato) cellar.

sotterrare (*v.t.*) to bury.

sottile (*agg.*) **1** thin, fine, (*magro*) slender, slim **2** (*penetrante, acuto*) subtle.

sottilizzare (*v.i.*) to split hairs.

sottintendere (*v.t.*) to imply. **sottinteso** (*agg.*) **1** (*ovvio*) understood **2** (*implicito*) implied ‖ (*s.m.*) (*allusione*) innuendo, insinuation.

sotto (*prep.*) **1** under, beneath, (*al di sotto, più in basso di*) below **2** (*inferiore a*) under, below **3** (*in espressioni di tempo*) during, at, near ❖ *s. Natale* near Christmas ‖ (*avv.*) down, under, below, (*al di sotto*) underneath, (*al piano di sotto*) downstairs ‖ (*agg.*) below, (*inferiore*) lower ‖ (*s.m.*) bottom, lower part.

sottofondo (*s.m.*) (*di suoni, rumori*) background.

sottolineare (*v.t.*) to underline (*anche fig.*), to stress.

sottomarino (*agg.*) underwater, TECN. submarine ‖ (*s.m.*) submarine.

sottomettere (*v.t.*) **1** to subject, (*popolo*) to subdue **2** (*subordinare*) to subordinate. **sottomettersi** (*v.pron.*) to submit.

sottopassaggio (*s.m.*) underpass.

sottoporsi (*v.pron.*) to undergo.

sottoscrivere (*v.t.*) **1** (*firmare*) to sign **2** (*aderire*) to subscribe to, to support. **sottoscritto** (*s.m.*) undersigned.

sottosopra (*avv.*) upside down (*anche fig.*).

sottostante (*agg.*) below, underlying.

sottoterra (*avv.*) underground.

sottotitolo (*s.m.*) subtitle.

sottovalutare (*v.t.*) to underestimate, to undervalue.

sottovuoto (*agg. e avv.*) vacuum-packed.

sottrarre (*v.t.*) **1** MAT. to subtract **2** (*portar via*) to take away, (*rubare*) to steal **3** (*a un pericolo*) to rescue (from). **sottrarsi** (*v.pron.*) **1** (*sfuggire*) to escape **2** (*evitare*) to avoid. **sottrazione** (*s.f.*) **1** MAT. subtraction **2** (*il portar via*) removal, (*furto*) theft, stealing.

sovraccarico (*agg.*) overloaded (*anche* ELETTR.), overburdened ‖ (*s.m.*) overload (*anche* ELETTR.).

sovrano (*agg. e s.m.*) sovereign.

sovrappeso (*agg. e s.m.*) overweight.

sovrapporre (*v.t.*) to superimpose. **sovrapporsi** (*v.pron.*) **1** to be superimposed **2** (*fig.*) (*presentarsi insieme*) to overlap.

sovrapprezzo (*s.m.*) (*maggiorazione*) price increase, (*ciò che si paga in più*) surcharge, extra charge.

sovrastare (*v.t. / v.i.*) **1** to dominate, to tower (above, over), to overlook **2** (*fig.*) (*incombere*) to be impending **3** (*fig.*) (*superare*) to surpass, to be superior. **sovrastante** (*agg.*) overhanging, (*fig.*) impending.

spaccare (*v.t.*) (*rompere*) to break, (*per aprire*) to break open, (*dividendo*) to split, (*la legna*) to chop. **spaccarsi** (*v.i.*) (*rompersi*) to break, (*aprirsi*) to break open, (*dividersi*) to split, (*frantumarsi*) to shatter. **spaccatura** (*s.f.*) split (*anche fig.*), crack. **spacco** (*s.m.*) (*di gonna*) slit, (*di giacca*) vent.

spacciare (*v.t.*) **1** (*denaro falso*) to pass **2** (*droga*) to deal (in), FAM. to push **3** (*far passare per*) to pass off. **spacciarsi** (*v.pron.*) to pass o.s.

off (as). **spacciato** (agg.) (destinato alla morte) done for (anche fig.). **spacciatore** (s.m.) (di droga) dealer, FAM. pusher.
spaccio (s.m.) 1 (vendita) sale, (illegale) trafficking, dealing, pushing 2 (negozio) shop, outlet.
spada (s.f.) sword.
spagnolo (agg.) Spanish ‖ (s.m.) (persona) Spaniard, (lingua) Spanish (language).
spago (s.m.) string.
spalare (v.t.) to shovel (away).
spalla (s.f.) 1 ANAT. shoulder 2 (pl.) (fig.) back.
spalmare (v.t.) to spread, (unguenti) to rub on, (ricoprire) to coat. **spalmarsi** (v.pron.) to rub on.
spam (s.m.) INFORM. spam.
sparare (v.t. / v.i.) to shoot, to fire. **sparatoria** (s.f.) gunfight, shoot-out.
sparecchiare (v.t.) to clear (the table).
spareggio (s.m.) SPORT play-off.
spargere (v.t.) 1 to scatter, (zucchero, sale) to sprinkle 2 (versare) to spill, to shed 3 (fig.) (diffondere) to spread. **spargersi** (v.pron.) 1 to scatter, to spread 2 (fig.) (diffondersi) to spread. **sparso** (agg.) 1 scattered 2 (versato) spilled, shed 3 (sciolto) loose.
sparire (v.i.) to disappear, to vanish.
spasso (s.m.) 1 (divertimento) amusement, fun 2 (passeggio) ❖ andare a s. to go for a walk.
spaventapasseri (s.m.) 1 scarecrow 2 (fig.) fright.
spaventare (v.t.) to frighten, to scare. **spaventarsi** (v.pron.) to be frightened, to be scared. **spaventoso** (agg.) frightening, dreadful.

spazio (s.m.) 1 ASTRON. (outer) space 2 (posto) room, space, (area) area, (distanza) distance, gap 3 (fig.) (opportunità) scope, chance 4 TIP. space 5 INFORM. (carattere) blank.
spazzacamino (s.m.) chimneysweep.
spazzaneve (s.m.) BE snowplough, AE snowplow.
spazzare (v.t.) to sweep, (spazzar via) to sweep away (anche fig.).
spazzatura (agg.) trash (attr.), junk (attr.) ‖ (s.f.) (rifiuti) rubbish, AE garbage, trash, (sparsa al suolo) litter.
spazzola (s.f.) brush. **spazzolino** (s.m.) (da denti) toothbrush.
specchio (s.m.) mirror (anche fig.). **specchiarsi** (v.pron.) 1 to look at o.s. (in the mirror) 2 (riflettersi) to be mirrored, to be reflected. **specchietto** (s.m.) 1 hand mirror ❖ s. retrovisore AUT. rear-view mirror 2 (prospetto) table, schedule.
speciale (agg.) 1 special, (particolare) particular 2 (straordinario) extraordinary, (di prima qualità) choice (attr.), first-quality (attr.) ‖ (s.m.) TV special. **specialmente** (avv.) especially, particularly.
specialista (s.m. / s.f.) specialist. **specializzarsi** (v.pron.) to specialize. **specializzato** (agg.) skilled, specialized. **specie** (s.f.) 1 kind, sort, type 2 (aspetto) form 3 BIOL. species ‖ (avv.) especially, particularly.
specificare (v.t.) to specify, to state clearly. **specifico** (agg.) specific.
spedire (v.t.) to send, (con mezzi di trasporto) to ship, (per posta) BE to post, AE to mail. **spedizione** (s.f.) 1 (invio) dispatch, sending,

(per posta) mailing, *(di merce)* shipment, shipping **2** *(scientifica, militare)* expedition.

spegnere *(v.t.)* **1** to put out, to extinguish **2** *(luce, radio, motore ecc.)* to turn off, to switch off. **spegnersi** *(v.pron.)* **1** *(di luce, fuoco)* to go out, to die out, *(di motore)* to stall, FAM. to die **2** *(fig.)* to die (away), to fade away **3** *(morire)* to pass away. **spento** *(agg.)* **1** out *(pred.)*, *(di apparecchi elettrici, motori)* off *(pred.)* **2** *(scialbo)* dull, lifeless.

spellare *(v.t.)* to skin. **spellarsi** *(v.pron.)* to peel, to desquamate.

spendere *(v.t.)* to spend *(anche fig.)*.

spensierato *(agg.)* carefree, light-hearted, happy-go-lucky.

sperare *(v.t.)* **1** to hope **2** *(aspettarsi)* to expect ‖ *(v.i.)* to hope, to trust. **speranza** *(s.f.)* hope. **speranzoso** *(agg.)* hopeful.

sperduto *(agg.)* **1** *(di luogo)* secluded, out-of-the-way **2** *(a disagio)* uncomfortable, ill-at-ease.

spericolato *(agg.)* daring, reckless.

sperimentare *(v.t.)* **1** to test, to experiment **2** *(fig.)* *(mettere alla prova)* to put to the test, to try.

sperma *(s.m.)* sperm.

sperpero *(s.m.)* squandering, waste.

spesa *(s.f.)* **1** expense, expenditure, *(costo)* cost **2** *(acquisto)* buy, purchase, *(compera)* shopping ❖ **fare la** s. to do the shopping.

spesso[1] *(agg.)* thick. **spessore** *(s.m.)* **1** thickness **2** *(fig.)* *(consistenza)* weight, importance.

spesso[2] *(avv.)* often.

spettacolo *(s.m.)* **1** show **2** *(estens.)* *(panorama)* spectacle, sight **3** *(rappresentazione)* TEATR. performance, CINEM. showing.

spettatore *(s.m.)* **1** spectator, *(pl.)* TEATR., CINEM. audience **2** *(testimone)* onlooker, bystander.

spettegolare *(v.i.)* to gossip.

spettinare *(v.t.)* to ruffle s.o.'s hair. **spettinarsi** *(v.pron.)* to get one's hair messed up.

spettro *(s.m.)* **1** ghost, BE spectre, AE specter *(anche fig.)* **2** FIS. spectrum.

spezie *(s.f. pl.)* spices.

spezzare *(v.t.)*, **spezzarsi** *(v.pron.)* to break *(anche fig.)*.

spiacevole *(agg.)* unpleasant, *(increscioso)* unfortunate, regrettable.

spiaggia *(s.f.)* beach, *(riva)* (sea)shore.

spianare *(v.t.)* **1** to level, *(rendere liscio)* to smooth *(anche fig.)* **2** *(radere al suolo)* to raze (to the ground).

spiare *(v.t.)* to spy on. **spia** *(s.f.)* **1** spy, *(informatore)* informer, *(rif. a bambini)* FAM. telltale, snitch, sneak **2** *(indizio)* sign, indication **3** TECN. (indicator) light, *(di emergenza)* warning light.

spiccare *(v.i.)* **1** *(distinguersi)* to stand out **2** *(farsi notare)* to show up. **spiccato** *(agg.)* *(marcato)* strong, marked.

spicchio *(s.m.)* *(di agrumi)* segment, *(di frutta in genere)* slice, *(di aglio)* clove.

spiccioli *(s.m. pl.)* (small) change.

spiegare *(v.t.)* **1** *(allargare)* to unfold, to spread out **2** *(fig.)* *(far comprendere, chiarire)* to explain, *(interpretare)* to interpret, *(giustificare)* to account (for). **spiegarsi** *(v.pron.)* **1** to explain o.s., *(far-*

si capire) to make o.s. understood 2 (*svolgersi*) to unfold, to spread out, (*aprirsi*) to open out 3 (*venire a un chiarimento*) to clear up. **spiegazione** (*s.f.*) explanation.

spiegazzarsi (*v.pron.*) to get creased, to get crumpled.

spietato (*agg.*) merciless, ruthless.

spiga (*s.f.*) BOT. spike, ear.

spigliato (*agg.*) confident, assured.

spigolo (*s.m.*) edge, (*angolo*) corner.

spilla (*s.f.*) 1 pin 2 (*gioiello*) brooch. **spillo** (*s.m.*) pin.

spina (*s.f.*) 1 BOT. thorn, ZOOL. spine 2 (*lisca*) (fish)bone 3 (*getto*) spigot, tap ◆ *birra alla s.* draught (AE draft) beer 4 ELETTR. plug.

spinacio (*s.m.*) BOT. spinach.

spinello (*s.m.*) FAM. joint.

spingere (*v.t.*) 1 to push, (*ficcare*) to drive, to thrust 2 (*condurre*) to drive (to), (*stimolare*) to urge, to incite. **spingersi** (*v.pron.*) 1 (*inoltrarsi*) to advance, to venture 2 (*fig.*) (*arrivare*) to go as far as. **spinta** (*s.f.*) 1 push, (*violenta*) thrust 2 (*fig.*) (*stimolo*) spur, boost.

spiraglio (*s.m.*) 1 (*fessura*) crack 2 (*di luce*) gleam, glimmer (*anche fig.*).

spirito (*s.m.*) 1 spirit ◆ *lo S. Santo* the Holy Spirit 2 (*animo*) mind, (*disposizione d'animo*) spirit, disposition 3 (*fantasma*) ghost 4 (*arguzia*) wit, (*umorismo*) BE humour, AE humor 5 (*alcol*) alcohol, spirit. **spiritoso** (*agg.*) witty.

splendere (*v.i.*) to shine (*anche fig.*). **splendente** (*agg.*) bright, shining. **splendido** (*agg.*) 1 wonderful, splendid 2 (*sfarzoso*) magnificent, splendid. **splendore**

(*s.m.*) 1 BE splendour, AE splendor (*anche fig.*), brightness 2 (*sfarzo*) magnificence.

spoglie (*s.f. pl.*) ◆ *s. mortali* mortal remains.

spogliare (*v.t.*) 1 (*svestire*) to undress, to take the clothes off, to strip 2 (*privare*) to strip, to deprive (*anche fig.*) 3 (*fare lo spoglio di*) to go through.

spogliarsi (*v.pron.*) 1 (*svestirsi*) to undress, to take one's clothes off, to strip 2 (*diventare spogli*) to shed, to lose 3 (*privarsi, rinunciare*) to deprive o.s. **spogliarello** (*s.m.*) striptease. **spogliatoio** (*s.m.*) (*di palestra, piscina ecc.*) changing room, locker room. **spoglio** (*agg.*) (*svestito*) undressed, (*nudo*) bare || (*s.m.*) (*computo*) counting.

spolverare (*v.t.*) 1 to dust 2 (*spolverizzare*) to dust, to sprinkle.

spontaneo (*agg.*) spontaneous.

sporco (*agg.*) dirty (*anche fig.*), filthy (*anche fig.*) || (*s.m.*) dirt, filth (*anche fig.*). **sporcare** (*v.t.*) to dirty, to soil (*anche fig.*). **sporcarsi** (*v.pron.*) to get dirty, to soil (*anche fig.*).

sporgere (*v.i.*) to protrude, to stick out || (*v.t.*) to put out, to stick out, (*allungare in fuori*) to stretch out. **sporgersi** (*v.pron.*) to lean out. **sporgente** (*agg.*) protruding, projecting.

sport (*s.m.*) sport. **sportivo** (*agg.*) sports (*attr.*), (*persona*) keen on sport, FAM. sporty (*pred.*) || (*s.m.*) sportsman.

sportello (*s.m.*) 1 door 2 (*di poste, banche, uffici*) window, counter.

sposare (*v.t.*) 1 to marry, to get married to **2** (*unire in matrimonio*) to marry **3** (*dare in matrimonio*) to give in marriage **4** (*fig.*) (*unire*) to combine, to unite **5** (*fig.*) (*una causa ecc.*) to embrace. **sposarsi** (*v.pron.*) **1** to get married, to marry **2** (*fig.*) (*armonizzare*) to match, to go well together. **sposa** (*s.f.*) bride ❖ *abito da s.* wedding dress. **sposo** (*s.m.*) bridegroom, (*marito*) husband.

spossato (*agg.*) worn-out, (*sfinito*) exhausted.

spostare (*v.t.*) **1** to move **2** (*cambiare*) to change. **spostarsi** (*v.pron.*) to move.

spot (*s.m.*) RAD., TV commercial.

spranga (*s.f.*) bar.

sprecare (*v.t.*) to waste. **spreco** (*s.m.*) waste.

spregio (*s.m.*) contempt, disdain.

spremere (*v.t.*) to squeeze (*anche fig.*). **spremuta** (*s.f.*) **1** (*lo spremere*) squeezing **2** (*bevanda*) fresh juice, BE squash.

sprezzante (*agg.*) scornful, contemptuous.

sprigionare (*v.t.*) to emit, to give off, to release. **sprigionarsi** (*v.pron.*) **1** to emanate, (*con violenza*) to burst out **2** (*fig.*) to burst.

sprofondare (*v.t.*) to plunge ‖ (*v.i.*) **1** to collapse, (*di terreno*) to subside **2** (*affondare*) to sink (*anche fig.*).

spronare (*v.t.*) **1** to spur **2** (*fig.*) (*stimolare*) to spur on.

sproporzionato (*agg.*) **1** disproportionate, out of proportion (*pred.*) **2** (*eccessivo*) excessive.

spruzzare (*v.t.*) to sprinkle, (*vaporizzando*) to spray. **spruzzata** (*s.f.*) sprinkling, (*vaporizzando*) spray.

spudorato (*agg.*) shameless, (*sfron-tato*) impudent, FAM. cheeky ‖ (*s.m.*) shameless person, brazen face.

spugna (*s.f.*) sponge (*anche* ZOOL.).

spumante (*s.m.*) (*vino*) sparkling wine.

spumeggiante (*agg.*) **1** foaming, frothy **2** (*di vino*) sparkling, FAM. bubbly **3** (*fig.*) sparkling, lively.

spuntare (*v.t.*) **1** (*rompere la punta*) to blunt **2** (*tagliare la punta*) to cut the tip off, (*rif. a capelli, siepi ecc.*) to trim **3** (*un elenco*) BE to tick off, AE to check off **4** (*fig.*) (*ottenere*) to obtain, to get ‖ (*v.i.*) **1** (*sorgere*) to rise, to come up **2** (*germogliare*) to sprout **3** (*capelli ecc.*) to begin to grow, (*denti*) to be cut **4** (*apparire*) to appear, to emerge, (*sporgere*) to stick out, to peep out. **spunto** (*s.m.*) (*fig.*) hint, suggestion.

spuntino (*s.m.*) snack.

sputare (*v.t. / v.i.*) to spit (*anche fig.*). **sputo** (*s.m.*) spit, spittle.

squadra (*s.f.*) **1** (*gruppo*) squad, group, (*di operai*) gang, (*di impiegati ecc.*) team **2** SPORT team **3** (*strumento*) (set) square.

squalificare (*v.t.*) to disqualify, (*screditare*) to discredit.

squallido (*agg.*) **1** (*desolato*) dreary, dismal **2** (*abietto*) squalid, sordid.

squalo (*s.m.*) ZOOL. shark.

squilibrato (*agg.*) unbalanced ‖ (*s.m.*) lunatic.

squillare (*v.i.*) to ring, (*di tromba*) to blare.

squisito (*agg.*) **1** (*cibo*) delicious **2** (*fine*) exquisite.

sregolato (*agg.*) disorderly, (*dissoluto*) dissolute.

srotolare (*v.t.*) to unroll.

stabile (*agg.*) **1** steady, stable, firm **2** (*fisso*) permanent, lasting ‖ (*s.m.*) (*fabbricato*) building. **stabilire** (*v.t.*) **1** (*fissare*) to set, to fix, to establish **2** (*accertare*) to establish, to ascertain **3** (*decidere*) to decide, (*pianificare*) to plan. **stabilirsi** (*v.pron.*) to settle. **stabilimento** (*s.m.*) **1** factory, plant, works (*sing.*) **2** (*edificio pubblico*) establishment. **stabilito** (*agg.*) (*fissato*) fixed, established, (*inteso*) agreed.

staccare (*v.t.*) **1** to remove, to take off **2** (*sganciare*) to unhook, (*rif. a veicoli*) to unhitch **3** (*slegare*) to untie, to loosen, (*scucire*) to unstitch **4** (*scostare*) to move away **5** (*strappare*) to tear off, to tear out **6** (*separare*) to separate **7** ELETTR. to disconnect, (*dalla spina*) to unplug, (*con un interruttore*) to switch off, to turn off **8** SPORT (*distanziare*) to outdistance, to leave behind ‖ (*ri-saltare*) to stand out. **staccarsi** (*v.pron.*) **1** (*venir via*) to come off, (*rompendosi*) to break off, (*venir giù*) to fall off **2** (*allontanarsi*) to move away **3** (*separarsi*) to separate, to part. **stacco** (*s.m.*) **1** (*contrasto*) contrast **2** (*intervallo*) gap, pause, break **3** CINEM. cut **4** SPORT take-off.

stadio (*s.m.*) **1** (*fase*) stage, phase **2** SPORT stadium.

staffetta (*s.f.*) SPORT relay race.

stage (*s.m.*) training period.

stagionale (*agg.*) seasonal ‖ (*s.m. / s.f.*) seasonal worker.

stagionato (*agg.*) (*di legname*) seasoned, (*di alimenti*) matured.

stagione (*s.f.*) season.

stagista (*s.m. / s.f.*) trainee, AE intern.

stagno[1] (*s.m.*) (*specchio d'acqua*) pond, pool.

stagno[2] (*s.m.*) CHIM. tin.

stagnola (*s.f.*) BE tinfoil, AE aluminium foil.

stalla (*s.f.*) (*per bovini*) cattleshed, cowshed, (*per cavalli*) stable.

stampare (*v.t.*) to print. **stampa** (*s.f.*) **1** (*tecnica*) printing **2** (*insieme di giornali e giornalisti*) press **3** (*riproduzione*) print **4** (*pl.*) (*posta*) printed matter. **stampante** (*s.f.*) INFORM. printer. **stampato** (*agg.*) **1** printed (*fig.*) (*ben impresso*) imprinted, impressed ‖ (*s.m.*) **1** printed matter **2** INFORM. printout, hard copy **3** (*modulo*) (printed) form **4** (*tessuto*) print.

stampatello (*s.m.*) uppercase, block letters (*pl.*).

stampella (*s.f.*) **1** crutch **2** (*per abiti*) hanger.

stampo (*s.m.*) mould, AE mold, (*matrice*) die.

stanco (*agg.*) tired. **stancare** (*v.t.*) to tire, to weary, (*infastidire*) to bore. **stancarsi** (*v.pron.*) to get tired, (*seccarsi*) to get bored.

stanotte (*avv.*) tonight, (*la notte passata*) last night.

stantio (*agg.*) stale (*anche fig.*).

stanza (*s.f.*) room.

stappare (*v.t.*) to uncork, to open.

stare (*v.i.*) **1** to stay, (*rimanere*) to remain **2** (*abitare*) to live **3** (*essere*) to be **4** (*di salute*) to be **5** (*donare*) to suit **6** (*spettare, toccare*) to be up, to be one's turn **7** (*seguito da gerundio*) to be ❖ **sta dormendo** he's sleeping **8** (*stare per*) to be going, to be about **9** *(entrarci)* to hold, to contain, *(esserci spazio per)* to have room for **10** FAM. *(starci)* to be in.

starnutire *(v.i.)* to sneeze. **starnuto** *(s.m.)* sneeze, sneezing.

stasera *(avv.)* tonight, this evening.

statale *(agg.)* state *(attr.)* ‖ *(s.m. / s.f.) (impiegato)* civil servant ‖ *(s.f.) (strada)* trunk road, BE A road.

stato *(s.m.)* **1** *(modo di essere, condizione)* state, condition **2** *(posizione sociale)* status **3** POL. state **4** *(entità politica sovrana)* state **5** FIS. state.

statua *(s.f.)* statue.

stazione *(s.f.)* **1** station **2** *(complesso destinato a un servizio)* station **3** *(luogo di villeggiatura)* resort.

stecca *(s.f.)* **1** stick, rod **2** *(da biliardo)* cue **3** *(di sigarette)* carton **4** MED. splint **5** *(fig.) (stonatura)* wrong note.

steccato *(s.m.)* **1** fence **2** *(ippica)* rails *(pl.)*.

stella *(s.f.)* star.

stellato *(agg.)* starry.

stelo *(s.m.)* stalk.

stemma *(s.m.)* coat of arms.

stendere *(v.t.)* **1** to spread (out), *(allungare)* to stretch (out) **2** *(mettere a giacere)* to lay (down), *(abbattere)* to knock down. **stendersi** *(v.pron.) (allungarsi)* to stretch out, *(sdraiarsi)* to lie down.

stentare *(v.i.) (riuscire difficile)* to find it hard, to have difficulty.

stereotipo *(s.m.)* stereotype.

sterile *(agg.)* **1** sterile **2** *(fig.)* unproductive, fruitless **3** MED. sterile, *(sterilizzato)* sterilized.

sterlina *(s.f.)* pound (sterling), FAM. quid.

sterminare *(v.t.)* to exterminate, to wipe out.

sterrato *(agg.) (senza asfalto)* unsurfaced.

sterzo *(s.m.)* AUT. steering.

stesso *(agg.)* **1** *(uguale)* same **2** *(raff. dopo un pron. pers.)* -self ✦ *io s.* myself **3** *(proprio, esattamente)* very ‖ *(pron. dimostr.)* **1** *(la stessa persona)* same **2** *(la stessa cosa)* the same.

stilista *(s.m. / s.f.)* (fashion) designer.

stilografica *(s.f.)* fountain pen.

stimare *(v.t.)* **1** *(valutare)* to value, to estimate (the value), to assess **2** *(apprezzare)* to respect **3** *(ritenere)* to think, to consider. **stima** *(s.f.)* **1** *(valutazione)* estimate, assessment **2** *(ammirazione)* esteem, respect.

stimolare *(v.t.)* to stimulate, to spur.

stipendio *(s.m.)* salary, *(paga)* pay.

stirare *(v.t.)* **1** *(con il ferro caldo)* to iron **2** *(braccia, gambe)* to stretch. **stirarsi** *(v.pron.)* to stretch.

stivale *(s.m.)* boot.

stoffa *(s.f.)* **1** material, cloth, fabric **2** *(fig.)* stuff.

stomaco *(s.m.)* ANAT. stomach.

stonato *(agg.)* **1** off-key, out of tune *(pred.)*, *(privo di orecchio musicale)* tone-deaf **2** *(fig.) (che non armonizza)* discordant, *(inopportuno)* out of place.

storcere *(v.t.)* to twist *(anche fig.)*. **storcersi** *(v.pron.)* **1** *(slogarsi)* to twist, to sprain **2** *(piegarsi)* to bend. **storta** *(s.f.) (distorsione)* sprain.

storto *(agg.)* crooked.

stordire *(v.t.)* **1** *(sbalordire)* to stun, to daze **2** *(di vino, liquori)* to befuddle **3** *(assordare)* to deafen.

storia *(s.f.)* **1** history **2** *(racconto)* story, tale **3** *(bugia)* story, fib.

stoviglia *(s.f.) (spec. pl.)* crockery, dishes *(pl.).*

stracciare *(v.t.)* **1** to tear up, to rip up **2** *(fig.) (sconfiggere pesantemente)* FAM. to destroy, to lick.

stracciato *(agg.)* **1** torn, *(persona)* in rags **2** *(fig.) (prezzo)* rock-bottom, knockdown, dirt-cheap.

straccio *(agg.)* waste ‖ *(s.m.)* **1** *(pezzo di stoffa)* rag **2** *(strofinaccio)* cloth, *(per spolverare)* duster.

strada *(s.f.)* **1** road, *(di città)* street **2** *(percorso, cammino)* way *(anche fig.).*

strage *(s.f.)* slaughter, massacre.

straniero *(agg.)* foreign ‖ *(s.m.)* foreigner.

strano *(agg.)* strange, odd, weird.

straordinario *(agg.)* **1** extraordinary, exceptional **2** *(enorme)* tremendous ‖ *(s.m.) (lavoro straordinario)* overtime.

strappare *(v.t.)* **1** *(stracciare)* to tear, to rip, *(in più parti)* to tear up, to tear to pieces **2** *(tirar via)* to pull away, *(di colpo)* to snatch *(anche fig.)* **3** *(staccare)* to tear out, to rip out **4** *(estirpare)* to pull up, to uproot **5** *(estorcere)* to wring, to extort. **strapparsi** *(v.pron.)* to tear, to rip, to get torn.

strappo *(s.m.)* **1** tear, rip **2** *(strattone)* pull, tug **3** MED. *(muscolare)* sprain **4** *(fig.) (infrazione)* breach, infringement, *(eccezione)* exception *(fig.)* FAM. *(passaggio)* BE lift, AE ride.

strascico *(s.m.)* **1** *(di vestito)* train **2** *(fig.) (conseguenza negativa)* aftermath, after-effects *(pl.).*

strategia *(s.f.)* strategy.

strato *(s.m.)* **1** layer, *(di rivestimento)* coat **2** GEOL. stratum.

strattone *(s.m.)* tug, jerk.

stravolgere *(v.t.)* **1** *(distorcere)* to twist, to distort **2** *(turbare)* to distress, to shock.

straziante *(agg.)* **1** racking, excruciating **2** *(fig.) (sgradevole)* heartrending, harrowing.

strega *(s.f.)* **1** witch, sorceress **2** *(donna brutta, maligna)* (old) witch, (old) hag. **stregare** *(v.t.)* to bewitch *(anche fig.).* **stregone** *(s.m.)* witch doctor, *(mago)* wizard.

strepitoso *(agg.)* **1** *(fragoroso)* noisy, uproarious **2** *(clamoroso)* resounding, tremendous, outstanding.

stress *(s.m.)* stress.

stretta *(s.f.)* **1** grasp, hold, grip ✦ *s. di mano* handshake **2** *(turbamento)* pang, stab **3** *(situazione difficile)* difficult situation, straits *(pl.),* FAM. fix ✦ *alle strette* in dire straits, FAM. to be in a fix **4** *(momento culminante)* climax, culmination.

stretto *(agg.)* **1** narrow, *(di vestiario)* tight **2** *(serrato)* tight, fast **3** *(pigiato)* packed **4** *(rigoroso)* strict **5** *(intimo)* close **6** *(preciso)* exact, precise.

stridere *(v.i.)* **1** to screech, *(cigolare)* to creak **2** *(fig.)* to clash.

strillare *(v.t. / v.i.)* to shriek, to scream.

stringere *(v.t.)* **1** *(tenere saldamente)* to grip, to clasp, *(tenere premuto)* to squeeze **2** *(restringere)* to tighten **3** *(avvitare)* to screw tight, to tighten **4** *(concludere)* to make, to conclude **5** *(accelerare)* to speed up ‖ *(v.i.)* **1** *(incalzare)* to press, to run short **2** *(essere stretto)* to be tight **3** *(fig.) (essere breve)* to be short. **stringersi** *(v.pron.)* **1** *(per fare spazio)* to squeeze **2** *(di vestiti)* to shrink **3** *(unirsi strettamente)* to press close to, to press against.

striscia *(s.f.)* **1** strip, *(riga dipinta)* stripe ❖ **strisce pedonali** pedestrian crossing, BE zebra crossing **2** *(traccia)* streak, trail **3** *(di fumetti)* strip.

strisciare *(v.i.)* **1** to creep, to crawl **2** *(fig.) (comportarsi servilmente)* to grovel, FAM. to crawl ‖ *(v.t.)* **1** *(graffiare)* to scrape, *(sfiorare)* to graze, to brush **2** *(trascinare)* to drag, to shuffle.

striscione *(s.m.)* banner.

strizzare *(v.t.)* **1** *(torcere)* to wring (out) **2** *(spremere)* to squeeze ❖ *s. l'occhio* to wink.

strofa *(s.f.)* verse.

strofinare *(v.t.)* to rub, *(pulire)* to clean.

stroncare *(v.t.)* **1** *(spezzare)* to break off **2** *(porre termine a)* to cut short, to put an end to, *(uccidere)* to kill **3** *(sfinire)* to tire out, to exhaust **4** *(fig.) (criticare violentemente)* to lambast, to slash **5** *(fig.) (reprimere)* to crush.

stronzo *(s.m.)* VOLG. **1** *(fig.) (persona stupida)* BE arsehole, AE asshole **2** *(fig.) (persona odiosa)* bastard, *(rif. a donna)* bitch. **stronzata** *(s.f.)* VOLG. bullshit, crap.

strozzare *(v.t.)* to strangle, *(soffocare)* to choke. **strozzarsi** *(v.pron.)* to choke.

strozzino *(s.m.) (usuraio)* FAM. loanshark.

struggente *(agg.)* **1** haunting, tormenting, *(di desiderio ecc.)* aching **2** *(commovente)* moving.

strumento *(s.m.)* **1** *(attrezzo)* tool, implement **2** MUS., TECN. instrument **3** *(fig.) (mezzo)* instrument, tool. **strumentalizzare** *(v.t.) (fig.)* to exploit.

struttura *(s.f.)* **1** structure *(anche fig.)* **2** *(ossatura)* structure, framework **3** INFORM. format.

struzzo *(s.m.)* ZOOL. ostrich.

stucco *(s.m.)* plaster, filler.

studiare *(v.t.)* to study, *(esaminare)* to examine. **studente** *(s.m.)* student, *(di scuola)* pupil, schoolboy, *(di università)* undergraduate, student. **studio** *(s.m.)* **1** *(lo studiare)* study, studying **2** *(ricerca)* study, research, *(trattato)* paper, *(progetto)* project **3** *(stanza)* study, *(ufficio)* office, *(atelier)* studio ❖ *s. legale* law firm **4** CINEM., RAD., TV studio.

stufa *(s.f.)* stove.

stufare *(v.t.)* **1** CUC. to stew **2** FAM. *(stancare)* to weary, to bore. **stufarsi** *(v.pron.)* to get fed up, to get bored. **stufo** *(agg.)* FAM. bored, fed up.

stuoino *(s.m.)* doormat.

stupefacente *(agg.)* amazing, astounding ‖ *(s.m.)* drug, narcotic.

stupendo *(agg.)* wonderful, marvellous.

stupidaggine *(s.f.)* **1** *(stupidità)* stupidity, foolishness **2** *(azione stupida)* stupid thing to do, *(frase stupida)* nonsense, *(errore stupido)* stupid mistake **3** FAM. *(cosa da poco)* trifle.

stupido *(agg.) (sciocco)* foolish, silly, stupid ‖ *(s.m.)* idiot, fool.

stupire *(v.t.)* to amaze, to stun.

stupirsi *(v.pron.)* to be amazed, to be stunned.

stupro (s.m.) rape. **stuprare** (v.t.) to rape. **stupratore** (s.m.) rapist.

stuzzicare (v.t.) **1** (punzecchiare) to pick, to poke **2** (fig.) (molestare) to bother, (punzecchiare) to tease, (stimolare) to stimulate, to arouse.

su (prep.) **1** (stato in luogo) (con contatto) on, (senza contatto) over, (al di sopra di) above, (presso) on, (affacciato) overlooking **2** (moto a luogo) on to, onto, (verso) towards ❖ l'aereo è diretto s. Parigi the airplane is headed towards Paris **3** (argomento) about **4** (in espressioni di tempo) at, (circa) (at) about **5** (pressappoco) about **∥** (avv.) **1** up **2** (al piano di sopra) upstairs **3** (indosso) on.

sub (s.m.) SPORT skin diver.

subaffittare (v.t.) to sublet.

subire (v.t.) (sopportare) to suffer, (essere sottoposto a) to be subjected to, to undergo.

subito (avv.) at once, immediately, right away.

succedere (v.i.) **1** (subentrare) to succeed, (seguire) to follow **2** (accadere) to happen.

successivo (agg.) following, subsequent. **successivamente** (avv.) subsequently, afterwards.

successo (s.m.) **1** success ❖ aver s. to be successful **2** (opera di successo) success, FAM. hit.

succhiare (v.t.) to suck.

succo (s.m.) **1** juice **2** (fig.) main point, core.

sud (s.m.) south.

sudare (v.i.) **1** to sweat, to perspire **2** (fig.) to work hard, FAM. to sweat. **sudore** (s.m.) sweat, perspiration.

sudicio (agg.) dirty (anche fig.),

filthy (anche fig.) **∥** (s.m.) dirt, filth (anche fig.).

sufficiente (agg.) enough, sufficient. **sufficienza** (s.f.) **1** sufficiency **2** (a scuola) pass mark **3** (alterigia) self-conceit, haughtiness.

suggerire (v.t.) **1** to suggest, (consigliare) to advise **2** (dare l'imbeccata) to prompt (anche TEATR.). **suggerimento** (s.m.) **1** suggestion, hint **2** (imbeccata) prompt (anche TEATR.).

sughero (s.m.) cork.

sugo (s.m.) **1** (succo) juice **2** CUC. (salsa) (di pomodoro) tomato sauce, (di carne) gravy **3** (fig.) main point.

suicidio (s.m.) suicide. **suicidarsi** (v.pron.) to commit suicide, to kill o.s.

suo (agg. poss.) **1** (rif. a persona) (di lui) his, (di lei) her, (rif. a cose o animali) its, (suo proprio) his own, her own, its own **2** (pred.) his, hers, its **3** (formula di cortesia nelle lettere) yours **∥** (pron. poss.) (rif. a persone) (di lui) his, (di lei) hers, (rif. a cose o animali) its **∥** (s.m. pl.) (i suoi) his, her family, (i suoi seguaci) his, her supporters.

suocero (s.m.) father-in-law. **suocera** (s.f.) mother-in-law.

suola (s.f.) sole.

suolo (s.m.) soil, ground.

suono (s.m.) sound. **suonare** (v.t.) **1** (strumenti musicali) to play **2** (campanello ecc.) to ring **3** (clacson) to toot **4** (di orologio) to strike **∥** (v.i.) **1** (di strumenti musicali) to play **2** (di campane, campanelli, telefono) to ring **3** (di clacson) to toot **4** (scoccare le ore) to strike **5** (dare l'impressione) to sound. **suoneria** (s.f.) **1** (di sveglia) alarm, (di telefono, di cellulare) ringtone, ringing **2** (meccanismo) striking mechanism.

suora (s.f.) nun, (titolo) sister.

superare (v.t.) **1** (sorpassare) to exceed, to surpass, (rif. all'età) to be over **2** (passare al di là di) to get over, (attraversare) to cross **3** (con un veicolo) to overtake, to pass **4** (un esame) to get through, to pass **5** (vincere) to overcome.

superbo (agg.) **1** haughty **2** (fiero) proud **3** (magnifico) magnificent, superb.

superficie (s.f.) **1** surface **2** GEOM. surface, area. **superficiale** (agg.) superficial (anche fig.).

superfluo (agg.) superfluous, (inutile) unnecessary.

superiore (agg.) **1** superior, top **2** (più elevato) higher **3** (sovrastante) upper **4** (di grado) senior **5** (per qualità) superior, better, (ottimo) high-quality, top-quality **6** (più avanzato) advanced || (s.m.) superior.

superstite (agg.) surviving || (s.m. / s.f.) survivor.

superstizioso (agg.) superstitious.

supplementare (agg.) extra, supplementary.

supplente (agg.) temporary, substitute, (di insegnante) supply || (s.m. / s.f.) substitute, (di insegnante) supply teacher, FAM. supply.

supplicare (v.t.) to entreat, to beg, to plead.

supporre (v.t.) to suppose, AE to guess, to presume, (immaginare) to imagine, (credere) to think, to believe.

supporto (s.m.) **1** support, bearing, rest, stand **2** (fig.) (appoggio) support, backing.

supposta (s.f.) MED. suppository.

surgelare (v.t.) to (deep-)freeze.

surreale (agg.) surreal, surrealistic.

suscettibile (agg.) **1** susceptible (to) **2** (permaloso) sensitive, FAM. touchy.

suscitare (v.t.) (causare) to cause, (destare) to arouse.

sussidio (s.m.) **1** (aiuto) help, aid **2** (in denaro) grant, benefit.

sussultare (v.i.) **1** (trasalire) to start, to jump **2** (di cose) to shake.

sussurrare (v.t. / v.i.) to whisper, (di foglie) to rustle.

svagare (v.t.) (divertire) to amuse, to entertain. **svagarsi** (v.pron.) **1** (divertirsi) to amuse o.s. **2** (rilassarsi) to relax. **svago** (s.m.) relaxation, diversion, (divertimento) amusement, (passatempo) pastime.

svalutare (v.t.) **1** to devalue, to depreciate **2** (fig.) (sminuire) to belittle.

svanire (v.i.) **1** (sparire) to disappear, to vanish (anche fig.) **2** (venir meno) to fade (away), to vanish **3** (perdere di forza) to grow weaker, to fade, to grow fainter.

svantaggio (s.m.) disadvantage, drawback ❖ essere in s. SPORT to be behind. **svantaggioso** (agg.) disadvantageous, BE unfavourable, AE unfavorable.

svegliare (v.t.) **1** to wake (up), to awake **2** (fig.) (stimolare) to arouse, to awaken. **svegliarsi** (v.pron.) to wake (up), to awake (anche fig.). **sveglia** (s.f.) **1** (orario) wake up time, get up time **2** (orologio) alarm clock **3** (segnale) wake-up call. **sveglio** (agg.) **1** awake (pred.) **2** (fig.)

(pronto d'ingegno) alert, quick-witted, smart **3** *(fig.)* FAM. *(astuto)* smart, cunning.

svelarsi *(v.pron.)* to reveal o.s., to show o.s.

svelto *(agg.)* **1** *(rapido, pronto)* quick **2** *(intelligente)* smart, quick-witted || *(avv.)* fast, quick, quickly.

svendita *(s.f.)* sale, clearance sale.

svenire *(v.i.)* to faint, to swoon.

sventolare *(v.t. / v.i.)* to wave, to flutter.

sventura *(s.f.)* **1** *(sfortuna)* bad luck, misfortune **2** *(disgrazia)* mishap, misfortune.

svergognato *(agg.)* shameless || *(s.m.)* shameless person.

svestirsi *(v.pron.)* to undress, to get undressed.

sviluppare *(v.t.)* **1** to develop **2** *(produrre)* to generate **3** FOT. to develop. **svilupparsi** *(v.pron.)* to develop, *(estendersi)* to expand, *(crescere)* to grow. **sviluppo** *(s.m.)* **1** development, *(espansione)* expansion **2** *(elaborazione)* development, working out **3** FOT. development.

svincolo *(s.m.)* **1** *(liberazione)* release, freeing **2** ECON. redemption **3** *(stradale)* interchange, junction, exit.

svista *(s.f.)* oversight.

svitare *(v.t.)* to unscrew. **svitarsi** *(v.pron.)* to come unscrewed. **svitato** *(agg.)* **1** unscrewed **2** FAM. *(bizzarro)* screwy, nutty || *(s.m.)* FAM. nut, screwball.

svizzero *(agg. e s.m.)* Swiss.

svogliato *(agg.)* *(senza voglia)* unwilling, *(pigro)* lazy.

svolgere *(v.t.)* **1** *(srotolare)* to unwind, to unroll **2** *(eseguire)* to carry out, to perform, *(portare a termine)* to complete. **svolgersi** *(v.pron.)* **1** *(srotolarsi)* to unwind, to unroll **2** *(svilupparsi)* to develop **3** *(accadere)* to happen **4** *(procedere)* to go on.

svoltare *(v.i.)* to turn. **svolta** *(s.f.)* **1** *(lo svoltare)* turn **2** *(di strada)* turn, bend, *(di fiume)* curve, bend **3** *(fig.)* turning point.

svuotare *(v.t.)* to empty *(anche fig.)*. **svuotarsi** *(v.pron.)* to empty.

T

tabaccheria (*s.f.*) tobacconist's (shop).

tabacco (*s.m.*) tobacco.

tabella (*s.f.*) table, chart, (*di orari*) schedule ❖ t. dei prezzi price list.

tabellone (*s.m.*) **1** board ❖ t. pubblicitario billboard **2** SPORT (*pallacanestro*) backboard.

tabù (*agg. e s.m.*) taboo.

tacca (*s.f.*) notch, dent, nick ❖ (*fig.*) SPREG. mezza t. pipsqueak.

taccagno (*agg.*) FAM. stingy, BE mean || (*s.m.*) miser, FAM. skinflint.

tacchino (*s.m.*) ZOOL. turkey.

tacco (*s.m.*) heel ❖ t. a spillo stiletto (heel).

tacere (*v.i.*) to be silent, to keep quiet, (*smettere di parlare*) to fall silent, FAM. to shut up || (*v.t.*) to be silent about (sthg.), to say nothing (about).

taglia (*s.f.*) **1** (*di abiti*) size **2** (*statura*) height **3** (*ricompensa*) reward.

tagliare (*v.t.*) **1** to cut, (*legna*) to chop, (*carne*) to carve, (*erba*) to mow **2** (*telefono, elettricità*) to cut off **3** (*eliminare*) to cut (out) **4** (*ridurre*) to cut down (on) **5** (*accorciare la strada*) to cut across ❖ t. la strada a qu.no to cut in on s.o. **tagliarsi** (*v.pron.*) to cut o.s. **tagliato** (*agg.*) **1** cut **2** (*adatto*) cut out **3** (*vino*) blended, cut.

taglio (*s.m.*) **1** (*azione*) cutting **2** cut ❖ t. di capelli haircut **3** (*ferita*) cut, slash **4** (*parte tagliente*) (cutting) edge **5** (*riduzione*) cut, cutback **6** (*pezzo*) cut, (*di stoffa*) length **7** (*di cartamoneta, titoli*) denomination **8** (*impostazione*) note, tone.

tailleur (*s.m.*) ABBIGL. suit.

tale (*agg.*) **1** such a, (*pl.*) such ❖ non accetto tali scuse I won't accept such excuses, t. da such as **2** (*uguaglianza*) like ❖ t. padre t. figlio like father like son, tal quale just like || (*agg. indef.*) a ❖ un t. signor Bianchi a (certain) Mr Bianchi || (*agg. dimostr.*) (questo, quello) this, that ❖ in tal caso in that case || (*pron. indef.*) **1** (*un tale*) someone **2** (*quel tale, quella tale*) that man, that woman ❖ il tal dei tali such and such a person || (*pron. dimostr.*) (il tale) person, man, one.

talento (*s.m.*) talent.

talloncino (*s.m.*) coupon, (*di assegno*) stub.

tallone (*s.m.*) ANAT. heel.

talmente (*avv.*) **1** (*con agg. e avv.*) so **2** (*con verbi*) so much, in such a way ❖ t. da so much that.

talora (*avv.*) sometimes.

talpa (*s.f.*) ZOOL. mole (*anche fig.*).

taluno (*agg. indef.*) (solo al pl.) some || (*pron. indef.*) someone, somebody, (*pl.*) some people, (*con* *partitivo*) some ❖ *taluni... talaltri...* some... others...

talvolta (*avv.*) sometimes, at times.

tamburo (*s.m.*) **1** MUS. drum **2** AUT. (*del freno*) (brake) drum.

tamponamento (*s.m.*) **1** (*di falla*) plugging, (*di ferita*) dabbing **2** AUT. collision, crash ❖ *t. a catena* pile-up.

tamponare (*v.t.*) **1** (*falla*) to plug, (*ferita*) to dab, (*fermare il sangue*) to staunch, MED. to tampon **2** (*urtare*) to bump into, to run into, AUT. to collide with, to crash into.

tana (*s.f.*) **1** den, (*di animali selvatici*) lair, (*di coniglio, talpa*) burrow, (*di topo*) hole, (*di volpe*) earth **2** (*estens.*) (*covo di malviventi*) lair, hideout.

tanica (*s.f.*) can, (*serbatoio*) tank.

tanto (*agg. indef.*) (so) much, (such) a lot of, (*pl.*) (so) many, lots of, (*in espressioni di tempo*) (such) a long time ❖ *non ha tanta pazienza* he doesn't have much patience ‖ (*avv.*) **1** (*molto*) a lot **2** (*talmente, molto*) so, (*con verbi*) so much ❖ *è t. carino!* it's so cute!, *t. ... quanto* as (much) ... as **3** (*in espressioni di tempo*) (for) a long time, so long ❖ *è t. che non lo vedo* I haven't seen him in a long time, *di t. in t.* every now and then, *una volta t.* once in a while **4** (*con valore moltiplicativo*) as much ❖ *tre volte t.* three times as much **5** (*soltanto*) just ❖ *dico t. per dire* I'm just saying ‖ (*cong.*) (*comunque*) anyway, in any case ‖ (*pron. indef.*) **1** (*molto, parecchio*) much, (*pl.*) many, (*tanto tempo*) much time ❖ *t. quanto* as much as,

tanti quanti as many as **2** (*quantità indeterminata*) so much ‖ (*s.m. invar.*) (*un tanto*) so much.

tappa (*s.f.*) **1** halt, stop **2** (*parte di viaggio*) stage **3** (*momento fondamentale*) stage **4** SPORT lap.

tappare (*v.t.*) to plug, (*con tappo*) to cork. **tapparsi** (*v.pron.*) (*intasarsi*) to clog (up), to get blocked (up), (*di orecchie*) to pop, (*di naso*) to get stuffed, to get blocked ❖ *t. il naso* to hold one's nose, *t. le orecchie* to shut one's ears, *t. in casa* to shut o.s. up at home.

tappetino (*s.m.*) mat ❖ *t. del mouse* INFORM. mousepad.

tappeto (*s.m.*) **1** carpet (*anche fig.*), (*piccolo*) rug ❖ *t. volante* magic carpet **2** SPORT mat, BOXE canvas.

tappezzare (*v.t.*) (*con carta*) to (wall)paper, (*con tessuto*) to hang with tapestry. **tappezzeria** (*s.f.*) (*di carta*) (wall)paper, (*di tessuto*) tapestry, (*di poltrone*) upholstery ❖ FAM. *fare t.* (*fig.*) to be a wallflower.

tappo (*s.m.*) **1** (*di vasca ecc.*) plug, (*per bottiglia*) cap, top, (*di sughero*) cork ❖ *tappi per le orecchie* earplugs (*pl.*), *t. a strappo* ring-pull, *t. a corona* crown cap, *t. a vite* screw top, screw cap **2** (*fig.*) (*persona piccola*) FAM. shorty.

tara (*s.f.*) **1** (*peso*) tare **2** (*difetto*) flaw.

tardare (*v.i.*) (*essere in ritardo*) to be late, (*aereo, treno*) to be delayed ‖ (*v.t.*) (*prendere tempo*) to delay.

tardi (*avv.*) late ❖ *si fa t.* it's getting late.

tardo (*agg.*) **1** (*lento*) slow **2** (*ottuso*) dull **3** (*di tempo*) late ❖ *t. Medioevo* late Middle Ages.

targa *(s.f.)* **1** plate, plaque, *(su porta)* nameplate, doorplate **2** AUT., BE (number) plate, AE license plate **3** *(premio)* plaque, plate.

tariffa *(s.f.)* tariff, rate, *(prezzo)* fare ❖ **t. telefonica** telephone charges.

tarlo *(s.m.)* ZOOL. woodworm.

tartaruga *(s.f.)* *(terrestre)* tortoise, *(di mare)* turtle.

tartufo *(s.m.)* BOT. truffle.

tasca *(s.f.)* **1** pocket **2** ZOOL. *(marsupio)* pouch.

tascabile *(agg.)* pocket *(attr.)* || *(s.m.)* *(libro)* paperback.

tassa *(s.f.)* tax, *(d'iscrizione)* fee, *(doganale)* duty. **tassare** *(v.t.)* to tax.

tassello *(s.m.)* *(zeppa)* wedge, *(per parete)* wall plug, *(a espansione)* screw anchor, *(cilindretto di legno)* dowel (pin).

tastiera *(s.f.)* MUS., INFORM. keyboard, *(strumenti a corda)* fingerboard.

tatto *(s.m.)* **1** *(senso)* touch, sense of touch **2** *(delicatezza)* tact **3** *(discrezione)* tact, discretion.

tatuaggio *(s.m.)* tattoo.

taverna *(s.f.)* tavern, inn.

tavola *(s.f.)* **1** *(mobile)* table **2** *(asse)* board, plank **3** *(tabella)* table **4** *(illustrazione)* plate.

tavoletta *(s.f.)* **1** *(assicella)* (small) board, plank **2** *(alimentare)* bar ❖ **t. di cioccolato** chocolate bar.

tavolino *(s.m.)* small table.

tavolo *(s.m.)* table.

taxi *(s.m.)* taxi, taxi cab, cab.

tazza *(s.f.)* **1** cup, *(da tè)* teacup, *(tazzone)* mug **2** *(quantità)* cup, cupful **3** *(del gabinetto)* bowl.

tazzina *(s.f.)* small cup, coffee cup.

te *(pron. pers. 2ª pers. sing.)* *(sogg e compl.)* you, *(te stesso)* yourself.

tè *(s.m.)* tea ❖ **l'ora del t.** teatime.

teatro *(s.m.)* BE theatre, AE theater. **teatrale** *(agg.)* BE theatre, AE theater *(attr.)*, theatric(al) *(anche fig.)* ❖ **rappresentazione t.** PLAY.

tecnica *(s.f.)* **1** *(tecnologia)* technology, technics **2** *(abilità, pratica)* technique. **tecnico** *(agg.)* technical || *(s.m.)* technician.

tecnologia *(s.f.)* technology.

tedesco *(agg. e s.m.)* German.

tegame *(s.m.)* frying pan, saucepan.

teglia *(s.f.)* baking tin.

tegola *(s.f.)* **1** (roofing) tile **2** *(fig.)* FAM. *(disgrazia insospettata)* blow.

teiera *(s.f.)* teapot.

tela *(s.f.)* **1** canvas, cloth, fabric ❖ **t. di lino** linen, **t. cerata** oilcloth, **t. di ragno** cobweb **2** *(tela da pittore)* canvas, *(dipinto)* canvas, painting.

telaio *(s.m.)* **1** loom **2** *(struttura, cornice)* frame **3** AUT. chassis.

telecamera *(s.f.)* (video) camera.

telecronaca *(s.f.)* (television) commentary, (television) coverage. **telecronista** *(s.m. / s.f.)* (television) commentator.

telefilm *(s.m.)* TV TV series.

telefonare *(v.t. / v.i.)* to (tele)phone, to call, to ring (up) ❖ **ti telefonerò** I'll give you a ring. **telefonata** *(s.f.)* (telephone) call ❖ **t. urbana** local call, **t. interurbana** long-distance call.

telefonico *(agg.)* (tele)phone *(attr.)* ❖ **elenco t.** telephone directory.

telefonino *(s.m.)* mobile (phone), AE cell(ular) phone.

telefono *(s.m.)* (tele)phone ❖ **t. fisso** land line, **t. cellulare** cellphone, *t. senza fili* cordless (telephone), *numero di t.* (tele)phone number.

telegrafico *(agg.)* **1** telegraph(ic) **2** *(conciso)* brief.

telegramma *(s.m.)* telegram, FAM., AE wire.

televisione *(s.f.)* **1** television, TV ✥ *alla t.* on television, *t. digitale* digital television, *t. via cavo* cable television, *t. satellitare* satellite television **2** *(televisore)* television (set), BE, FAM. telly, box. **televisivo** *(agg.)* television *(attr.)*, TV *(attr.)*. **televisore** *(s.m.)* television (set), TV (set).

tema *(s.m.)* **1** *(argomento)* theme, subject, topic **2** *(scolastico)* composition, essay **3** MUS. theme.

temere *(v.t.)* *(avere timore di)* to fear, to be afraid of ‖ *(v.i.)* to fear, to be afraid, to be worried.

temperamento *(s.m.)* **1** *(indole)* temperament, nature **2** *(carattere)* temperament, character.

temperatura *(s.f.)* temperature *(anche* MED.*)*.

tempesta *(s.f.)* storm *(anche fig.)*.

tempia *(s.f.)* ANAT. temple.

tempio *(s.m.)* ARCH., RELIG. temple *(anche fig.)*.

tempo *(s.m.)* **1** *(cronologico)* time **2** *(atmosferico)* weather ✥ *che t. fa?* what's the weather like? **3** *(epoca, età)* time ✥ *i vecchi tempi* the good old days, *un t.* once **4** MUS. time **5** *(fase, parte)* part, stage, CINEM., TV part, SPORT half ✥ *tempi supplementari* SPORT be extra time, AE *overtime* **6** GRAMM. tense.

temporale *(s.m.)* (thunder)storm.

temporaneo *(agg.)* temporary.

tenace *(agg.)* tenacious *(anche fig.)*.

tenaglia *(s.f.) (spec. pl.)* **1** pincers *(pl.)*, pliers *(pl.)*, *(per afferrare)* tongs *(pl.)* **2** ZOOL. pincers *(pl.)*.

tenda *(s.f.)* **1** curtain, *(per esterni)* awning **2** *(da campo)* tent.

tendaggio *(s.m.)* hangings *(pl.)*, curtains *(pl.)*.

tendenza *(s.f.)* **1** *(orientamento)* tendency, trend **2** *(inclinazione naturale)* inclination **3** *(attitudine)* bent.

tendere *(v.t.)* **1** *(mettere in tensione)* to stretch, to tighten **2** *(allungare, porgere)* to hold (out), to stretch (out) **3** *(fig.) (una trappola)* to lay ‖ *(v.i.) (essere inclinato)* to tend, to be inclined.

tendone *(s.m.)* marquee, *(da circo)* big top.

tenebre *(s.f. pl.)* dark, darkness *(anche fig.)*. **tenebroso** *(agg.)* **1** dark, gloomy **2** *(misterioso)* obscure, mysterious.

tenente *(s.m.)* MIL., MAR. lieutenant.

tenere *(v.t.)* **1** to hold *(anche fig.)*, *(conservare, mantenere)* to keep *(anche fig.)* **2** *(prendere)* to take ✥ *tieni!* TAKE THIS! **3** *(contenere)* to hold **4** *(seguire)* to follow, to keep *(to* sthg.*)* ✥ *t. la destra* to keep to the right ‖ *(v.i.)* **1** *(resistere)* to hold, *(rif. a recipienti)* to be sound, not to leak **2** *(parteggiare, fare il tifo)* to back (up), to support. **tenersi** *(v.pron.)* **1** *(reggersi)* to hold, to hang (on to) **2** *(mantenersi)* to keep, to hold o.s. **3** *(avere luogo) (manifestazione ecc.)* to be held, to take place.

tenero *(agg.)* **1** *(pietra, legno ecc.)* soft, *(carne)* tender **2** *(fig.)* tender‖ *(s.m.) (parte tenera)* tender part. **tenerezza** *(s.f.)* tenderness.

tennis *(s.m.)* SPORT tennis ❖ *t. da tavolo* table tennis.

tenore *(s.m.)* **1** tenor, way ❖ *t. di vita* standard of living **2** MUS. tenor.

tensione *(s.f.)* **1** tension *(anche fig.)* **2** ELETTR. voltage.

tentare *(v.t.)* **1** to try, to attempt **2** *(allettare)* to tempt. **tentativo** *(s.m.)* try, attempt.

tentazione *(s.f.)* temptation.

tentennare *(v.i.)* **1** *(traballare)* to stagger, to totter **2** *(oscillare)* to swing, to oscillate **3** *(esitare)* to hesitate, to waver, to vacillate.

tenue *(agg.)* **1** *(sottile)* thin, rare **2** *(pallido)* pale **3** *(debole)* faint *(anche fig.)*.

tenuta *(s.f.)* **1** *(capacità)* capacity **2** TECN. tightness, seal ❖ *a t. d'acqua* watertight **3** AUT. roadholding, AE roadability ❖ *quell'auto ha una buona t. di strada* that car has good roadholding **4** *(abbigliamento)* outfit, clothes *(pl.)* **5** *(possedimento)* estate, farm, AE ranch.

teoria *(s.f.)* theory.

tepore *(s.m.)* warmth *(anche fig.)*.

tergicristallo *(s.m.)* AUT., BE windscreen wiper, AE windhield wiper.

terme *(s.f. pl.)* **1** baths, hot springs, spa *(sing.)* **2** ARCH. baths, thermae.

terminal *(s.m.)* terminal, air terminal, MAR. terminal.

terminale *(agg.)* terminal, final, *(malato)* terminally-ill ‖ *(s.m.)* **1** TECN. *(parte estrema)* end, terminal **2** INFORM. (computer) terminal.

termine *(s.m.)* **1** *(limite)* limit *(anche fig.)*, *(punto estremo)* end *(anche fig.)* **2** *(scadenza)* deadline, term, date **3** *(stato, condizione)* condition, term ❖ *termini di un accordo* terms of an agreement.

termometro *(s.m.)* thermometer.

termosifone *(s.m.)* *(radiatore)* radiator.

terra *(s.f.)* **1** *(pianeta)* earth, *(mondo)* world **2** *(contrapposta al mare)* land **3** *(terreno)* ground, *(suolo coltivabile)* land, soil ❖ *sotto t.* underground **4** *(terriccio)* earth **5** *(argilla)* clay **6** *(pavimento)* floor **7** ELETTR. BE earth, AE ground ❖ *messa a t.* earthing, AE grounding.

terrazza *(s.f.)* terrace, *(sul tetto)* roof terrace.

terrazzo *(s.m.)* terrace, *(balcone)* balcony.

terremoto *(s.m.)* earthquake.

terreno[1] *(agg.)* earthly, terrestrial, worldly.

terreno[2] *(s.m.)* **1** *(superficie)* ground **2** *(materiale, suolo coltivabile)* soil **3** *(appezzamento)* land **4** *(pianterreno)* ground floor, AE first floor **5** *(fig.)* *(campo, settore)* field, area.

terrestre *(agg.)* terrestrial, land *(attr.)*, *(del pianeta Terra)* earth *(attr.)* ❖ *globo t.* globe.

terribile *(agg.)* terrible *(anche fig.)*, fearful *(anche fig.)*, dreadful *(anche fig.)*. **terribilmente** *(avv.)* terribly.

territorio *(s.m.)* territory, area, region.

terrore *(s.m.)* terror ❖ *avere t.* to be terrified.

terrorismo *(s.m.)* terrorism. **terrorista** *(agg. e s.m. / s.f.)* terrorist.

terza *(s.f.)* **1** AUT. third (gear) **2** *(a scuola)* third class, third year.

terziario *(agg.)* tertiary ‖ *(s.m.)* tertiary sector.

terzino *(s.m.)* SPORT back, full-back.

terzo *(agg. num. ord.)* third ❖ *la terza età* old age ‖ *(s.m.) (terza parte)* third, *(pl.) (altri)* third party ❖ *per conto di terzi* on behalf of a third party.

teschio *(s.m.)* skull.

tesi *(s.f.)* **1** thesis ❖ *t. di laurea* graduation thesis **2** *(enunciazione)* thesis, proposition, theory.

teso *(agg.)* **1** tight, taut, *(fig.)* tense **2** *(allungato)* outstretched **3** *(rivolto, mirato)* aimed, intended.

tesoro *(s.m.)* **1** treasure **2** *(tesoreria)* treasury.

tessera *(s.f.)* **1** card **2** *(di mosaico)* tessera *(pl. -ae).*

tessile *(agg.)* textile ‖ *(s.m. pl.) (prodotti)* textiles.

tessuto *(s.m.)* **1** fabric, material, cloth **2** BIOL. tissue.

testa *(s.f.)* head, *(mente, cervello)* brain, *(lato di moneta)* heads ❖ *essere in t. a* to be ahead of, *t. o croce?* heads or tails? *fare a t. o croce* to toss a coin, *t. di rapa* FAM. thickhead.

testamento *(s.m.)* **1** will, testament **2** BIBL. ❖ *l'Antico, il Nuovo T.* the Old, the New Testament.

testardo *(agg.)* stubborn, obstinate.

testata *(s.f.)* **1** *(colpo)* head butt **2** *(parte anteriore)* head, *(di letto)* headboard **3** *(di giornale)* masthead, *(giornale)* newspaper **4** AUT. *(di motore)* cylinder head **5** MIL. *(di missile)* warhead.

testimone *(s.m. / s.f.)* **1** witness ❖ *t. oculare* eyewitness **2** *(di nozze)* witness, *(per lo sposo)* best man, *(per la sposa)* maid of honour (AE honor). **testimonianza** *(s.f.)* testimony, *(prova)* proof ❖ *falsa t.* perjury. **testimoniare** *(v.t.)* to testify to ❖ *t. il falso* to commit perjury ‖ *(v.i.)* to testify, to give evidence.

testo *(s.m.)* text.

testuggine *(s.f.)* ZOOL. tortoise, *(di mare)* turtle.

tetro *(agg.)* gloomy.

tetta *(s.f.)* FAM. tit, boob.

tettarella *(s.f.)* BE teat, AE nipple.

tetto *(s.m.)* **1** roof **2** *(estens.) (casa)* home, house. **tettoia** *(s.f.)* roof, roofing.

ti *(pron. pers. 2a pers. sing.)* **1** *(compl. ogg.)* you **2** *(compl. di termine)* (to) you **3** *(riflessivo)* yourself ❖ *t. sei divertito?* did you enjoy yourself?

tic *(s.m.)* **1** *(ticchettio)* tick **2** MED. tic.

ticchettio *(s.m.) (di orologio)* ticking, *(di macchina per scrivere)* tapping, *(di pioggia)* pattering.

tiepido *(agg.)* lukewarm, tepid *(anche fig.).*

tifare *(v.i.)* to support.

tifo *(s.m.)* **1** MED. typhus **2** SPORT ❖ *fare il t. per* to be a fan of, to be a supporter of.

tifoso *(s.m.)* SPORT supporter, fan.

tight *(s.m.)* ABBIGL. morning dress.

tigre *(s.f.)* ZOOL. tiger.

timbro *(s.m.)* **1** stamp ❖ *t. postale* postmark **2** MUS. timbre, *(di voce)* tone. **timbrare** *(v.t.)* to stamp, *(francobolli)* to postmark.

timido *(agg.)* shy, timid. **timidezza** *(s.f.)* shyness, timidity.

timone *(s.m.)* MAR., AER. rudder, helm *(anche fig.)* ❖ *barra del t.* tiller.

timore (s.m.) **1** fear, dread **2** (pre-occupazione) worry, fear **3** (soggezione) awe, respect.

timpano (s.m.) **1** ANAT. eardrum, tympanum **2** MUS. kettledrum **3** ARCH. tympanum.

tingere (v.t.) to dye. **tingersi** (v.pron.) to dye ❖ t. i capelli to dye one's hair.

tino (s.m.) vat.

tinozza (s.f.) tub, (per il bucato) washtub.

tinta (s.f.) **1** (colorante) dye, tint, (vernice) paint **2** (colore) tint, BE colour, AE color, (tonalità) hue ❖ a t. unita plain.

tintoria (s.f.) dry cleaner's.

tipico (agg.) typical.

tipo (s.m.) **1** (genere) kind, sort **2** (modello) type, model, specimen, (marca) brand **3** (persona originale) character **4** FAM. (individuo) fellow, chap, guy || (agg.) typical.

tipografia (s.f.) **1** typography **2** (stabilimento) printing works (pl.).

tiranno (agg.) tyrannic(al) (anche fig.) || (s.m.) tyrant (anche fig.).

tirante (s.m.) (di tenda) guy rope, MECC. tie rod.

tirare (v.t.) **1** to pull, (i capelli) to tug, (le tende) to draw **2** (trascinare) to drag **3** (lanciare) to throw, to toss, to cast **4** (sparare) to fire **5** (un calcio) to kick || (v.i.) **1** to pull ❖ t. su (figli) to bring up, t. su (da terra) to pick up, t. avanti to get by **2** (soffiare) to blow ❖ oggi tira vento today the wind is blowing **3** (sparare) to shoot **4** (di indumenti troppo stretti) to be tight **5** (di cammino) to draw **6** (sul prezzo) to bargain. **tirarsi** (v.pron.) (ql.sa l'un l'altro) to throw (sthg.) at

each other ❖ t. su to rise, to draw o.s. up, t. indietro (fig.) to pull out, to back out.

tiro (s.m.) **1** (lancio) throw, pull, toss, (sparo) shot **2** (traino) BE draught, AE draft **3** (scherzo) trick **4** SPORT shot, (calcio) kick, (tennis) stroke **5** FAM. (di sigaretta ecc.) drag.

tirocinio (s.m.) apprenticeship, training ❖ fare t. to do one's training. **tirocinante** (s.m. / s.f.) apprentice, trainee || (agg.) apprentice (attr.), trainee (attr.).

tisana (s.f.) (herb) tea, tisane.

titolo (s.m.) **1** title **2** (di giornale, telegiornale) headline ❖ CINEM., TV titoli di testa, di coda opening, closing credits **3** (nobiliare) title, (di studio, qualifica) qualification **4** (diritto acquisito) right, claim **5** ECON. security, (azione) share, (obbligazione) bond.

tizio (s.m.) someone, so-and-so, fellow.

toast (s.m.) CUC. toasted sandwich.

toccare (v.t.) **1** to touch (anche fig.) ❖ t. il fondo to touch the bottom **2** (tastare) to touch, to feel **3** (raggiungere) (cifra, livello) to hit **4** (fig.) (commuovere) to move, to touch **5** (fig.) (riguardare) to affect, to involve || (v.i.) **1** (capitare) to happen **2** (spettare a qu.no) to be up to, (essere costretto) to have to **3** (essere il turno di) to be the turn of ❖ tocca a te it's your turn. **toccarsi** (v.pron.) to touch, to feel ❖ t. a vicenda to touch each other. **toccato** (agg.) **1** (scherma) touché **2** (commosso) touched **3** (un po' pazzo) touched, FAM. nutty.

tocco *(s.m.)* **1** touch **2** MUS., PITT. stroke **3** *(di campana)* stroke.

togliere *(v.t.)* **1** to take away **2** to remove **3** *(abiti)* to take off **4** *(denti)* to pull out, to extract **5** *(da dentro a ql.sa)* to take out. **togliersi** *(v.pron.)* **1** *(abiti)* to take off **2** *(spostarsi)* to move, to get out ❖ *t. di mezzo* to get out of the way.

toilette *(s.f.)* **1** *(gabinetto)* toilet, BE lavatory, AE restroom **2** *(cura del corpo)* toilet **3** *(abito)* outfit.

tollerare *(v.t.)* to tolerate, *(sopportare)* to bear.

tomba *(s.f.)* grave, tomb.

tombino *(s.m.)* manhole, *(chiusura)* manhole cover.

tombola *(s.f.) (gioco)* bingo.

tonaca *(s.f.) (di frate)* frock, cowl, *(di prete)* cassock, *(di monaca)* nun's dress, nun's habit.

tondo *(agg.)* round ‖ *(s.m.)* **1** *(cerchio)* circle, ring **2** *(oggetto tondo)* round **3** TIP. Roman (type).

tonfo *(s.m.)* **1** thud, *(in acqua)* splash, plop **2** *(fig.) (insuccesso)* flop.

tonico *(agg.)* tonic ❖ GRAMM. *accento t.* tonic accent ‖ *(s.m.)* **1** MED. tonic **2** *(cosmetico)* toner, toning lotion.

tonnellata *(s.f.)* tonne, metric ton.

tonno *(s.m.)* ZOOL. tuna, tunny, *(alimento)* tuna fish.

tono *(s.m.)* tone, *(di colore)* shade.

tonsilla *(s.f.)* ANAT. tonsil.

topo *(s.m.)* ZOOL. mouse *(pl. mice)*, *(ratto)* rat.

toppa *(s.f.)* **1** *(rappezzo)* patch **2** *(della serratura)* keyhole.

torbido *(agg.)* **1** *(liquido)* turbid, cloudy, muddy **2** *(fig.)* dark, turbid.

torcere *(v.t.)* to twist, to wring.

torchio *(s.m.)* press ❖ *(fig.) mettere sotto t. qu.no* to put s.o. through the mill.

torcia *(s.f.)* torch, *(elettrica)* BE torch, AE flashlight.

torcicollo *(s.m.)* stiff neck.

torero *(s.m.)* bullfighter, toreador.

tormento *(s.m.)* **1** torment, agony **2** *(seccatura)* pest, nuisance. **tormentare** *(v.t.)* **1** to torture, to torment **2** *(infastidire)* to plague, to pester, to vex. **tormentarsi** *(v.pron.)* to torment o.s., to worry.

tornaconto *(s.m.)* profit, advantage.

tornare *(v.i.)* **1** v. **ritornare 2** *(di conti)* to balance ❖ *i conti non tornano* the accounts don't balance.

torneo *(s.m.)* tournament.

toro *(s.m.)* **1** bull **2** ASTROL. Taurus.

torre *(s.f.)* **1** tower **2** *(negli scacchi)* castle, rook.

torrente *(s.m.)* **1** torrent, stream *(anche fig.)* **2** *(fig.) (flusso)* flood, stream.

torta *(s.f.)* CUC. *(dolce)* cake, pie, *(salata)* cake, tart.

torto[1] *(s.m.)* **1** wrong **2** *(colpa)* fault.

torto[2] *(agg.) (ritorto)* twisted, *(piegato)* bent.

tortora *(s.f.)* ZOOL. turtledove.

tortuoso *(agg.)* tortuous *(anche fig.)*, *(strada ecc.)* winding, *(ragionamento)* devious.

tortura *(s.f.)* **1** torture **2** *(fig.)* agony. **torturare** *(v.t.)* to torture *(anche fig.)*. **torturarsi** *(v.pron.)* to torture o.s., to torment o.s.

tosare *(v.t.) (una pecora)* to shear, *(un cane)* to clip.

tosse *(s.f.)* cough. **tossire** *(v.i.)* to cough.

tostapane (*s.m.*) toaster.
totale (*agg.*) total, (*completo*) complete II (*s.m.*) total.
tovaglia (*s.f.*) tablecloth.
tovagliolo (*s.m.*) napkin, serviette.
tra v. **fra**.
traballare (*v.i.*) **1** (*di cosa*) to be shaky, to wobble **2** (*fig.*) to waver **3** (*di veicoli*) to jolt, to bump **4** (*di persona*) to stagger, to totter (*anche fig.*).
traboccare (*v.i.*) to overflow, to be overflowing (*anche fig.*).
trabocchetto (*s.m.*) trap (*anche fig.*), pitfall, (*botola*) trap door ❖ *domanda a t.* trick question.
tracciare (*v.t.*) **1** to trace, (*linea*) to draw, (*su mappa, grafico*) to plot (*anche fig.*) **2** (*abbozzare*) to outline, to sketch (out). **traccia** (*s.f.*) **1** (*impronta*) track, (*striscia*) trail, (*orma umana*) footprint, (*di pneumatici*) tread **2** (*di animale*) spoor, (*odore*) scent **3** (*estens.*) (*indizio*) trace, clue, (*segno*) mark **4** (*piccola quantità*) trace. **tracciato** (*s.m.*) **1** plan, layout, SPORT course **2** (*grafico*) graph, chart, (*diagramma*) tracing **3** MAR. plot.
tracolla (*s.f.*) shoulder strap.
tracollo (*s.m.*) collapse, downfall, (*di prezzi ecc.*) crash.
tradire (*v.t.*) to betray (*anche fig.*), (*il coniuge*) to be unfaithful to. **tradirsi** (*v.pron.*) to give o.s. away. **tradimento** (*s.m.*) betrayal, treachery, DIR. treason, (*infedeltà*) infidelity ❖ *a t.* (*con inganno*) by treachery, (*di sorpresa*) by surprise. **traditore** (*agg.*) treacherous, (*infedele*) unfaithful II (*s.m.*) traitor, betrayer.
tradizionale (*agg.*) traditional.

tradizione (*s.f.*) tradition.
tradurre (*v.t.*) **1** to translate (into) **2** (*spiegare*) to explain. **traduttore** (*s.m.*) translator, (*interprete*) interpreter. **traduzione** (*s.f.*) translation.
trafficare (*v.i.*) **1** (*commerciare*) to deal, to trade **2** (*fare traffici illeciti*) to traffic **3** (*armeggiare con*) to fiddle with **4** (*affaccendarsi*) to bustle about II (*v.t.*) (*commerciare illecitamente*) to traffic in (sth.). **traffico** (*s.m.*) **1** traffic **2** (*commercio illecito*) traffic, trafficking.
trafila (*s.f.*) **1** procedure **2** TECN. die, drawplate.
traforo (*s.m.*) **1** (*perforazione*) piercing, (*trivellazione*) drilling **2** (*galleria*) tunnel **3** (*lavoro a traforo*) fretwork.
tragedia (*s.f.*) tragedy (*anche fig.*).
traghetto (*s.m.*) ferry(boat).
tragico (*agg.*) tragic (*anche fig.*).
tragitto (*s.m.*) **1** way, route ❖ *lungo il t.* on the way **2** (*viaggio*) journey.
traguardo (*s.m.*) **1** finish, finishing line **2** (*fig.*) goal.
trainare (*v.t.*) to pull, to draw, (*un veicolo*) to tow.
tralasciare (*v.t.*) **1** (*omettere*) to omit, to leave out **2** (*interrompere*) to interrupt, to discontinue.
tram (*s.m.*) BE tram (car), trolley(car), AE streetcar.
trama (*s.f.*) **1** (*di tessuto*) weft, woof **2** (*fig.*) (*argomento, intreccio*) plot **3** (*fig.*) (*congiura*) plot.
tramandare (*v.t.*) to hand down, to hand on.
tramontana (*s.f.*) (*vento*) north wind.
tramontare (*v.i.*) **1** to set **2** (*fig.*) (*svanire*) to fade, to wane, to die out.

tramonto (*s.m.*) **1** GEOM. setting, (*del sole*) sunset **2** (*fig.*) (*declino*) fading, decline, wane.

trampolino (*s.m.*) divingboard, (*sci*) (ski) jump ❖ *t. di lancio* (*fig.*) launching pad.

tranne (*prep.*) except, but.

tranquillità (*s.f.*) calm, tranquillity.

tranquillo (*agg.*) calm, quiet, (*pacifico*) peaceful. **tranquillizzare** (*v.t.*) **1** to calm, to tranquillize **2** (*rassicurare*) to reassure. **tranquillizzarsi** (*v.pron.*) **1** to calm down **2** (*rassicurarsi*) to be reassured.

transgenico (*agg.*) transgenic.

transito (*s.m.*) transit ❖ *divieto di transito* no thoroughfare.

trapano (*s.m.*) drill.

trapassare (*v.t.*) to pierce, to penetrate, (*con la spada*) to run (s.o.) through ‖ (*v.i.*) (*morire*) to die, to pass away. **trapassato** (*s.m.*) **1** LETTER. (*defunto*) deceased ❖ *i trapassati* the dead **2** GRAMM. past perfect.

trapelare (*v.i.*) to leak out (*anche fig.*), (*di luce*) to filter.

trapezio (*s.m.*) **1** GEOM. trapezium **2** (*attrezzo per ginnastica e nel circo*) trapeze **3** ANAT. trapezius.

trapianto (*s.m.*) **1** BOT. transplanting, transplantation **2** MED. transplant, transplantation, (*di tessuti*) graft.

trappola (*s.f.*) trap, snare (*anche fig.*) ❖ *t. per topi* mousetrap.

trarre (*v.t.*) **1** to draw (*anche fig.*) ❖ *t. in inganno* to deceive, *t. in salvo* to rescue **2** (*ricavare*) to draw, to obtain, to derive ❖ *t. vantaggio da ql.sa* to benefit from sthg. **trarsi** (*v.pron.*) to draw, to move ❖ *t. in*

disparte to step aside **2** (*sottrarsi*) to get out.

trascinare (*v.t.*) **1** to drag (*anche fig.*) **2** (*travolgere*) to sweep away. **trascinarsi** (*v.pron.*) **1** to drag o.s. **2** (*fig.*) (*protrarsi*) to drag on.

trascorrere (*v.t.*) to spend, to pass ‖ (*v.i.*) to pass, to go by, to elapse.

trascurare (*v.t.*) **1** (*non occuparsi di*) to neglect **2** (*non tenere conto di*) to disregard, to ignore. **trascurarsi** (*v.pron.*) to let o.s. go. **trascurabile** (*agg.*) negligible, unimportant.

trasferimento (*s.m.*) transfer ❖ *t. di chiamata* TEL. call diversion.

trasferire (*v.t.*) to transfer. **trasferirsi** (*v.pron.*) to move. **trasferta** (*s.f.*) **1** transfer, business travel **2** (*indennità*) travel allowance, travelling expenses (*pl.*) **3** SPORT (*partita*) away match.

trasformare (*v.t.*) **1** to transform, to change, to turn **2** TECN. to process. **trasformarsi** (*v.pron.*) to be transformed, to turn into. **trasformazione** (*s.f.*) transformation.

trasfusione (*s.f.*) transfusion.

traslocare (*v.t. / v.i.*) to move.

trasloco (*s.m.*) removal, move.

trasmettere (*v.t.*) **1** to pass (on), to transfer **2** (*tramandare*) to hand down **3** TV, RAD. to broadcast **4** TECN., FIS. to transmit. **trasmettersi** (*v.pron.*) **1** to be transmitted, to be passed on **2** (*tramandarsi*) to be handed down.

trasmissione (*s.f.*) **1** transmission, (*invio*) sending **2** RAD., TV broadcast, broadcasting, transmission, (*programma*) BE programme, AE program **3** MECC. transmission, drive ❖ *albero di t.* transmission shaft **4** TEL., INFORM., FIS., MED. transmission **5** DIR. transfer.

trasparente *(agg.)* transparent.

trasportare *(v.t.)* **1** to transport, to carry, to convey **2** *(spostare)* to move **3** *(trasferire)* to transfer **4** *(fig.)* to transport, to carry away ❖ *lasciarsi t.* to (let o.s.) be carried away.

trasporto *(s.m.)* transport *(anche fig.)*, transportation ❖ *mezzi di t.* means of transport.

trasversale *(agg.)* transverse, transversal, *(che attraversa)* cross *(attr.)*, POL. cross-party *(attr.)*.

tratta *(s.f.)* **1** *(traffico illecito di persone)* trade **2** COMM. draft, bill **3** FERR. *(tratto)* section, stretch.

trattamento *(s.m.)* **1** treatment *(anche MED., TECN.)* **2** *(in albergo, ristorante)* service **3** *(retribuzione)* pay, payment ❖ *t. di fine rapporto* severance pay, BE gratuity.

trattare *(v.t.)* **1** to treat, *(maneggiare)* to handle ❖ *t. bene, male* to treat well, badly **2** *(un argomento)* to deal with **3** *(condurre trattative)* to negotiate **4** *(commerciare in)* to deal in, to handle **5** *(lavorare)* to treat, to process **6** MED., CHIM. to treat ‖ *(v.i.)* **1** to deal with, *(avere come argomento)* to be about **2** *(discutere)* to negotiate, *(sul prezzo)* to bargain. **trattarsi** *(v.pron.)* to treat o.s. (well, badly) ‖ *(v.impers.)* to be about, to have to do with ❖ *di che cosa si tratta?* what is it about?

trattative *(s.f. pl.)* negotiations *(pl.)*.

trattato *(s.m.)* **1** treaty, agreement ❖ *t. di pace* peace treaty **2** *(opera)* treatise.

trattenere *(v.t.)* **1** *(far restare)* to keep, to detain **2** *(tenere fermo)* to hold, to keep **3** *(frenare, contenere)* to hold back, to restrain **4** *(detrarre)* to withhold. **trattenersi** *(v.pron.)* **1** *(restare)* to stay, to remain **2** *(frenarsi)* to stop (o.s.), to keep (o.s.), to refrain (from).

trattenuta *(s.f.)* AMM. deduction.

trattino *(s.m.)* dash, *(nelle parole composte)* hyphen.

tratto[1] *(agg.)* *(film, romanzo)* based on, taken on.

tratto[2] *(s.m.)* **1** *(linea)* line, stroke **2** *(segmento)* part, piece **3** *(di strada)* way, stretch, *(di fiume)* stretch, *(di mare, cielo)* expanse **4** *(pl.)* *(elementi caratteristici)* traits *(pl.)*, features *(pl.)*, *(lineamenti)* features *(pl.)*.

trattore *(s.m.)* tractor.

trauma *(s.m.)* **1** MED., PSIC. trauma **2** *(fig.)* shock.

travaglio *(s.m.)* **1** *(angoscia)* suffering, distress **2** *(del parto)* BE labour, AE labor.

travasare *(v.t.)* *(riversare)* to pour, *(vino)* to decant.

trave *(s.f.)* EDIL. beam, girder.

traversa *(s.f.)* **1** *(via)* cross-street, side street **2** MECC., SPORT crossbar **3** *(per letto)* drawsheet.

traverso *(agg.)* cross, transverse ❖ *andare di t.* *(di cibi)* to go down the wrong way.

travestirsi *(v.pron.)* *(camuffarsi)* to disguise o.s. *(anche fig.)*, *(mascherarsi)* to dress up (as). **travestimento** *(s.m.)* *(camuffamento)* disguise, *(in maschera)* dressing-up.

travisare *(v.t.)* *(fatti)* to distort, to misrepresent, *(parole ecc.)* to misinterpret.

travolgere (v.t.) **1** to sweep away, to carry away **2** (investire) to run over **3** (fig.) (sopraffare) to rout, to overwhelm. **travolgente** (agg.) overwhelming, overpowering.

trazione (s.f.) **1** MED., TECN. traction **2** AUT. drive.

treccia (s.f.) plait, braid.

tregua (s.f.) **1** MIL. truce **2** (fig.) pause, truce ❖ senza t. ceaselessly.

tremare (v.i.) to tremble, to shake, to quiver, (di freddo, febbre) to shiver ❖ t. di paura to tremble with fear.

trekking (s.m.) trekking, hiking.

tremendo (agg.) terrible, awful, dreadful.

treno (s.m.) train.

triangolo (s.m.) triangle, AUT. red warning triangle, MUS. triangle.

tribù (s.f.) tribe.

tribunale (s.m.) **1** DIR. (law) court, tribunal **2** (palazzo di giustizia) lawcourt, court house.

tributo (s.m.) **1** FIN. tax **2** (fig.) tribute, toll. **tributario** (agg.) **1** FIN. tax (attr.), fiscal **2** GEOGR. tributary.

tricolore (agg.) BE tricoloured, AE tricolored ‖ (s.m.) BE tricolour, AE tricolor.

trifoglio (s.m.) BOT. clover.

triglia (s.f.) ZOOL. (red) mullet.

trimestre (s.m.) **1** quarter, three-month period **2** (scolastico) term, AE (anche) trimester.

trina (s.f.) lace, lacework.

trincea (s.f.) MIL. trench.

trionfo (s.m.) triumph, success.

triste (agg.) **1** sad **2** (che causa tristezza) sad, unhappy **3** (squallido) gloomy, bleak.

tristezza (s.f.) **1** sadness, unhappiness **2** (squallore) gloominess.

tritare (v.t.) (carne) to mince, (verdura) to chop (up), (ghiaccio) to crush.

trofeo (s.m.) trophy.

tromba (s.f.) **1** MUS. trumpet, MIL. bugle **2** (delle scale) (stair)well **3** ❖ t. d'aria whirlwind, AE twister.

trombone (s.m.) **1** MUS. trombone **2** (fig.) windbag.

troncare (v.t.) **1** to cut off **2** (fig.) to break off.

tronco (s.m.) **1** (di albero) trunk, (di albero tagliato) log **2** ANAT. trunk, torso (di strada, ferrovia) section.

trono (s.m.) throne.

troppo (agg. indef.) too much, (pl.) too many ‖ (pron. indef.) too much, (pl.) too many, (troppo tempo) too long ‖ (avv.) (con agg. e avv.) too, (con verbi) too much, (rif. a tempo) too long.

trota (s.f.) ZOOL. trout.

trottare (v.i.) **1** to trot **2** (estens.) to hurry, (darsi da fare) to be on the trot.

trottola (s.f.) (spinning) top.

trovare (v.t.) **1** to find **2** (scoprire) to find (out), to discover **3** (incontrare) to meet **4** (giudicare) to find, (reputare) to think. **trovarsi** (v.pron.) **1** (essere, stare) to be **2** (essere situato) to be located, to lie, to stand **3** (incontrarsi) to meet, (riunirsi) to get together **4** (sentirsi) to feel, to get on. **trovata** (s.f.) **1** (idea) good idea **2** (espediente) expedient **3** (battuta) quip, witty remark.

truccare (v.t.) **1** (cosmesi) to make up, to put make-up on, (travestire) to dress up **2** (fig.) (manipolare) to fix, to rig, (un motore) FAM. to soup up. **truccarsi** *(v.pron.) (cosmesi)* to make (o.s.) up, to put make-up on, *(camuffarsi)* to disguise o.s. **trucco** *(s.m.)* **1** *(astuzia, inganno)* trick, gimmick **2** *(cosmetici)* make-up.

truffa *(s.f.)* fraud *(anche* DIR.*)*, swindle, FAM. con, scam. **truffare** *(v.t.)* to cheat, to swindle, DIR. to defraud, FAM. to con, to scam.

truppa *(s.f.)* MIL. troop.

tu *(pron. pers. 2a pers. sing.)* you.

tubetto *(s.m.)* tube.

tubo *(s.m.)* pipe, tube, *(flessibile)* hose, BE hosepipe.

tuffare *(v.t.)* to dip, to plunge. **tuffarsi** *(v.pron.)* to dive *(anche fig.)*, to plunge *(anche fig.)* ❖ *vietato t.* no diving. **tuffo** *(s.m.)* dive, plunge.

tulipano *(s.m.)* BOT. tulip.

tumore *(s.m.)* MED. BE tumour, AE tumor.

tumulto *(s.m.)* **1** *(confusione)* uproar, turmoil **2** *(sommossa)* riot, uprising **3** *(fig.)* tumult, turmoil.

tunnel *(s.m.)* tunnel *(anche fig.)*.

tuo *(agg. poss.)* **1** your, *(tuo proprio)* your own ❖ *quel t. amico* that friend of yours **2** *(pred.)* yours ‖ *(pron. poss.)* yours ‖ *(s.m. pl.)* ❖ *i tuoi (genitori)* your parents.

tuono *(s.m.)* **1** thunder, clap of thunder **2** *(rombo)* boom, roar.

tuorlo *(s.m.) (egg)* yolk.

turbare *(v.t.)* to upset, to disturb.

turbarsi *(v.pron.)* to get upset, to be affected.

turco *(agg.)* Turkish ❖ *bagno t.* Turkish bath ‖ *(s.m.)* **1** *(abitante)* Turk **2** *(lingua)* Turkish.

turismo *(s.m.)* tourism. **turista** *(s.m. / s.f.)* tourist, *(persona in vacanza)* BE holidaymaker, AE vacationer. **turistico** *(agg.)* tourist *(attr.)*.

turno *(s.m.)* **1** turn, BE go ❖ *a t.* in turn **2** *(di lavoro)* shift **3** *(di guardia)* MIL. guard, *(di medici ecc.)* duty **4** POL. *(di elezioni)* ballot.

tuta *(s.f.) (da lavoro)* overalls *(pl.)*, *(abbigliamento)* suit, *(da ginnastica)* track suit.

tutore *(s.m.)* **1** DIR. guardian **2** MED. brace, *(sostegno per braccia)* (arm)sling, *(fascia per ginocchia)* knee sleeve.

tutt'al più *(avv.)* **1** *(al massimo)* at the most **2** *(alla peggio)* at the worst.

tuttavia *(cong.)* nevertheless, still.

tutto *(agg. indef.)* **1** all, *(ogni)* every ❖ *t. il giorno* all day long **2** *(intero)* the whole ❖ *t. il gruppo* the whole group ‖ *(pron. indef.)* **1** *(sing.)* all, *(ogni cosa)* everything, *(qualsiasi cosa)* anything **2** *(pl.)* all, *(ognuno)* everybody, everyone ‖ *(avv.)* quite, completely, exactly ‖ *(s.m.)* all, the whole thing, *(l'intero)* whole.

tuttora *(avv.)* still.

U

ubbidire *(v.i.)* to obey.
ubbidiente *(agg.)* obedient.
ubriacare *(v.t.)* to make drunk, to intoxicate *(anche fig.)*. **ubriacarsi** *(v.pron.)* to get drunk.
ubriaco *(agg.)* drunk ❖ *u. fradicio* dead drunk, BE blind drunk ‖ *(s.m.)* drunk, *(ubriacone)* drunkard.
uccello *(s.m.)* **1** ZOOL. bird **2** *(pene)* VOLG. cock.
uccidere *(v.t.)* to kill *(anche fig.)*. **uccidersi** *(v.pron.)* **1** to kill o.s., to commit suicide. **uccisore** *(s.m.)* killer.
udire *(v.t.)* to hear. **udente** *(agg.)* hearing. **udibile** *(agg.)* audible.
udienza *(s.f.)* **1** audience, hearing **2** DIR. hearing.
udito *(s.m.)* (sense of) hearing.
ufficiale[1] *(agg.)* official.
ufficiale[2] *(s.m.)* officer *(anche* MIL.*)*, official ❖ *pubblico u.* public official.
ufficio *(s.m.)* **1** office, *(reparto)* department **2** *(carica)* office **3** *(dovere, compito)* duty, task.
ufficioso *(agg.)* unofficial.
uguagliare *(v.t.)* **1** to equalize, to make equal **2** *(livellare)* to level, to uniform **3** *(essere, diventare uguale)* to equal. **uguaglianza** *(s.f.)* equality.
uguale *(agg.)* **1** *(pari)* equal, the same **2** *(identico)* identical, the same **3** *(simile)* like *(attr.)*, alike *(pred.)* **4** *(uniforme)* even **5** *(in matematica)* equal ❖ *due più uno è u. a tre* two plus one is equal to three ‖ *(s.m.)* **1** equal, peer **2** *(la stessa cosa)* the same **3** MAT. *(simbolo)* BE equals sign, AE equal sign ‖ *(avv.)* FAM. the same ❖ *costava u.* it cost the same. **ugualmente** *(avv.)* **1** equally **2** *(lo stesso)* all the same.
ulcera *(s.f.)* MED. ulcer.
ulivo *(s.m.)* BOT. olive (tree).
ulteriore *(agg.)* further.
ultimare *(v.t.)* to finish, to complete.
ultimo *(agg.)* **1** last, *(verso la fine)* latter, *(in alto)* top *(attr.)*, *(in basso)* bottom *(attr.)*, *(indietro)* back *(attr.)* **2** *(il più recente)* latest **3** *(il più lontano)* farthest **4** *(finale)* final, last **5** *(meno importante)* least, *(infimo)* lowest **6** *(fondamentale)* ultimate ‖ *(s.m.)* **1** last **2** *(fine)* end ❖ *in u.* in the end. **ultimamente** *(avv.)* lately, recently.
ululare *(v.i.)* to howl, *(di vento, sirena)* to wail. **ululato, ululo** *(s.m.)* howl *(anche fig.)*, *(di vento, sirena)* wail.
umanesimo *(s.m.)* humanism.
umano *(agg.)* **1** human **2** *(comprensivo)* humane ‖ *(s.m.)* *(essere)* human (being). **umanità** *(s.f.)*

1 humanity **2** *(genere umano)* humanity, mankind. **umanitario** *(agg.)* humanitarian.

umidificatore *(s.m.)* humidifier.

umidità *(s.f.)* damp, moisture, *(condizione)* dampness, METEOR. humidity.

umido *(agg.)* damp, moist, METEOR. humid ‖ *(s.m.)* CUC. stew.

umile *(agg.)* humble, *(lavoro)* menial.

umiliare *(v.t.)* to humiliate. **umiliarsi** *(v.pron.)* to humiliate o.s., to humble o.s. **umiliazione** *(s.f.)* humiliation.

umiltà *(s.f.)* **1** *(modestia)* humility **2** *(di estrazione sociale)* humbleness.

umore *(s.m.)* BE humour, AE humor, *(stato d'animo)* mood, spirits *(pl.)*.

umorismo *(s.m.)* BE humour, AE humor. **umoristico** *(agg.)* humorous, *(comico)* comic, *(divertente)* funny.

un, una v. **uno**[1].

unanimità *(s.f.)* unanimity ❖ *all'u.* unanimously.

uncinetto *(s.m.)* crochet hook.

uncino *(s.m.)* hook.

ungere *(v.t.)* **1** to grease, to oil **2** *(sporcare)* to make greasy **3** *(fig.) (corrompere)* FAM. to grease. **ungersi** *(v.pron.)* **1** to get greasy **2** *(con creme)* to oil o.s., to rub o.s. with cream.

unghia *(s.f.)* **1** ANAT. *(umana)* nail, *(di mano)* fingernail, *(di piede)* toenail **2** ZOOL. *(di canidi e felini)* claw, *(di rapace)* talon, *(zoccolo)* hoof.

unguento *(s.m.)* ointment, cream.

unico *(agg.)* **1** only ❖ *figlio u.* only child **2** *(esclusivo)* sole **3** *(singolo)* single **4** *(senza uguale)* unique ‖ *(s.m.)* only one. **unicamente** *(avv.)* solely, only. **unicità** *(s.f.)* uniqueness.

unificare *(v.t.)* **1** to unify, to unite **2** *(rendere standard)* to standardize.

uniformare *(v.t.)* **1** to make uniform, to level **2** to standardize **3** *(conformare)* to conform. **uniformarsi** *(v.pron.)* to conform to, *(a regole, direttive)* to comply with.

uniforme *(agg.)* uniform, even ‖ *(s.f.)* uniform. **uniformità** *(s.f.)* **1** uniformity **2** *(accordo)* unanimity.

unilaterale *(agg.)* unilateral, *(fig.)* one-sided.

unione *(s.f.)* **1** union **2** *(fig.)* harmony **3** *(di suoni, colori)* combination.

unire *(v.t.)* **1** to unite, *(connettere)* to join (together), to connect **2** *(aggiungere)* to add **3** *(mettere insieme)* to combine, *(mescolare)* to blend, to mix. **unirsi** *(v.pron.)* **1** to unite, to join (together), *(di società)* to merge **2** *(accompagnarsi a)* to join (s.o., sthg.) **3** *(colori, suoni)* to harmonize, to blend.

unisono *(s.m.)* unison.

unità *(s.f.)* **1** unit **2** *(l'essere unito)* unity. **unitario** *(agg.)* **1** unitary, joint *(attr.)* **2** COMM. unit *(attr.)*.

unito *(agg.)* **1** united, *(aggiunto)* added, *(accluso)* enclosed **2** *(uniforme)* uniform, even **3** *(tinta)* plain.

universale *(agg.)* **1** universal ❖ *erede u.* sole heir **2** multipurpose, universal.

università *(s.f.)* university. **universitario** *(agg.)* university *(attr.)*.

universo *(s.m.)* universe, world.

uno¹, un, una *(art. indet.)* **1** a, an **2** *(con numeri o quantità)* a, an, one **3** FAM. *(approssimazione)* around, about ❖ *c'erano un venti persone* there were around twenty people.

uno² *(agg.num.card. e s.m.)* one.

uno³, una *(pron.)* **1** one ❖ *l'un l'altro* each other, one another **2** *(impersonale)* one, you ❖ *u. fa quello che può* you do what you can **3** *(qualcuno, un tale)* someone, somebody.

unto *(agg.)* greasy, oily, *(macchiato)* dirty, filthy ‖ *(s.m.)* grease. **untuoso** *(agg.)* **1** greasy **2** *(fig.)* soapy, unctuous.

uomo *(s.m.)* man *(pl. men).*

uovo *(s.m.)* egg ❖ *u. alla coque* soft-boiled egg, *u. sodo* hard-boiled egg.

uragano *(s.m.)* hurricane.

urbanistica *(s.f.)* town planning.

urbanizzazione *(s.f.)* urbanization.

urbano *(agg.)* **1** urban ❖ *telefonata urbana* local call **2** *(cortese)* urbane.

urgente *(agg.)* urgent, pressing.

urgenza *(s.f.)* **1** urgency, *(fretta)* hurry **2** *(emergenza)* emergency.

urlare *(v.i.)* **1** to shout, to yell, to bawl **2** *(per paura, dolore)* to cry, to scream **3** *(strillare)* to scream, to shriek **4** *(di cane, vento)* to howl, *(di sirena)* to wail ‖ *(v.t.)* to shout, to yell.

urlo *(s.m.)* shout, cry, *(strillo)* scream, shriek, *(suono acuto)* wail.

urna *(s.f.)* **1** urn **2** *(elettorale)* ballot box.

urologia *(s.f.)* MED. urology.

urrà! *(inter.)* hooray!

urtare *(v.t.)* **1** to bang into, to knock against **2** *(con un veicolo)* to hit, to crash into **3** *(offendere)* to hurt **4** *(irritare)* to irritate, to annoy ‖ *(v.i.)* to knock, to hit. **urtarsi** *(v.pron.)* **1** *(collidere)* to collide, to bump against one another **2** *(venire a contrasto)* to clash.

urto *(s.m.)* **1** *(colpo)* bump, knock **2** *(spinta)* push, shove **3** *(scontro)* crash **4** *(contrasto)* conflict, *(fig.)* clash.

usa e getta *(loc. agg.)* disposable.

usare *(v.t.)* **1** to use, *(impiegare)* to make use of, to employ **2** *(essere solito)* to be used to (doing sthg.) ‖ *(v.i.)* *(essere di moda)* to be fashionable, to be in. **usanza** *(s.f.)* **1** *(consuetudine)* custom, tradition **2** *(abitudine)* habit.

usato *(agg.)* **1** used, *(logoro)* worn-out **2** *(in uso)* in use *(pred.)* **3** *(venduto non nuovo)* second-hand *(attr.)* ‖ *(s.m.)* second-hand goods.

uscire *(v.i.)* **1** to go out, to get out, *(venire fuori)* to come out, *(andarsene)* to leave ❖ *u. con qu.no* FAM. to date s.o. **2** *(pubblicazione)* to come out, to be published **3** IN-FORM. *(da applicazione)* to exit from, to quit **4** *(essere estratto)* to come up, to be drawn.

uscita *(s.f.)* **1** *(azione)* going out, coming out, *(da veicolo)* getting out, *(il lasciare un luogo)* leaving (a place) **2** *(passaggio)* exit, way out *(anche fig.)* **3** *(autostrada)* exit, *(aeroporto)* gate **4** *(libro)* publication, *(film, disco)* release **5** IN-FORM. output **6** *(spesa)* outlay ❖ *uscite* FIN. outgoings.

usignolo *(s.m.)* ZOOL. nightingale.

uso *(s.m.)* **1** use **2** *(abitudine)* custom, *(moda)* fashion. **usuale** *(agg.)* usual, customary.

ustionarsi *(v.pron.)* to burn o.s., *(con liquidi, vapore)* to scald o.s.

ustione *(s.f.)* burn, scald.

usufruire *(v.i.)* **1** to make use of, to take advantage of **2** *(di privilegio)* to enjoy.

usura[1] *(s.f.)* usury. **usuraio** *(s.m.)* usurer, FAM. loan shark.

usura[2] *(s.f.)* *(logorio)* wear (and tear).

utensile *(s.m.)* **1** utensil, *(attrezzo)* tool.

utente *(s.m. / s.f.)* user, *(abbonato)* subscriber.

utile *(agg.)* useful, *(d'aiuto)* helpful, FAM. handy ‖ *(s.m.)* ECON. profit.

utilità *(s.f.)* **1** usefulness, utility, use.

utilizzare *(v.t.)* to use, to make use of, to utilize, *(fare ricorso a)* to resort to.

uva *(s.f.)* BOT. grapes *(pl.)*.

V

vacante (*agg.*) vacant ❖ *posto (anche di lavoro)* v. vacancy.

vacanza (*s.f.*) holiday, AE vacation.

vacca (*s.f.*) cow.

vaccinare (*v.t.*) MED. to vaccinate. **vaccino** (*agg. e s.m.*) vaccine.

vacillare (*v.i.*) **1** to totter, to waver *(anche fig.)* **2** *(di fiamma)* to flicker.

vagabondo (*agg.*) vagrant, vagabond ‖ (*s.m.*) **1** vagabond, *(girovago)* rover **2** FAM. *(fannullone)* idler, loafer, *(barbone)* tramp.

vagare (*v.i.*) to wander, to roam, to rove *(anche fig.)*.

vagina (*s.f.*) ANAT. vagina.

vaglia (*s.m.*) ❖ *v.* postale BE postal order.

vagliare (*v.t.*) **1** *(setacciare)* to sift, to sieve **2** *(fig.)* to examine, to weigh (up).

vago (*agg.*) vague, hazy, faint.

vagone (*s.m.*) *(merci)* wagon, BE truck, *(carrozza)* carriage, coach, AE car.

vaiolo (*s.m.*) MED. smallpox.

valanga (*s.f.*) avalanche *(anche fig.)*.

valere (*v.i.*) **1** to be valid, *(in vigore)* to be in force **2** *(avere un dato valore)* to be worth **3** *(contare)* to count ‖ (*v.t.*) *(procurare)* to earn, to win. **valersi** (*v.pron.*) *(servirsi)* to make use of.

valido (*agg.*) **1** valid **2** *(efficace)* effective. **validità** (*s.f.*) validity.

valigia (*s.f.*) **1** suitcase ❖ *fare la* v. to pack **2** *(pl.) (bagagli)* luggage, baggage. **valigetta** (*s.f.*) *(per documenti)* briefcase.

valle (*s.f.*) valley.

valore (*s.m.*) **1** value *(anche fig.)*, worth **2** *(validità)* validity, effect **3** *(coraggio)* valour **4** *(pl.) (oggetti preziosi)* valuables. **valorizzare** (*v.t.*) **1** *(migliorare)* to enhance, *(sfruttare)* to exploit, *(territorio)* to develop **2** *(fig.) (far risaltare)* to bring out **3** *(aumentare il valore)* to increase the value of. **valorizzarsi** (*v.pron.*) **1** to increase in value **2** *(aspetto)* to make the most of o.s.

valuta (*s.f.*) **1** currency, *(denaro)* money **2** BANC. accrual date.

valutare (*v.t.*) **1** *(giudicare)* to value, to estimate, to assess **2** *(considerare)* to consider **3** *(apprezzare)* to value, to esteem **4** *(a scuola)* BE to mark, AE to grade. **valutazione** (*s.f.*) **1** evaluation, *(stima)* valuation, estimate **2** *(preventivo)* estimate **3** *(a scuola)* BE marking, AE grading.

valvola (*s.f.*) valve, *(fusibile)* fuse.

valzer (*s.m.*) MUS. waltz.

vampiro (*s.m.*) vampire *(anche fig.)*.

vandalo (s.m.) vandal (anche fig.).
vanga (s.f.) spade. **vangare** (v.t.) to dig, to spade.
vangelo (s.m.) Gospel, (fig.) gospel (truth).
vaniglia (s.f.) vanilla.
vanitoso (agg.) vain, conceited.
vano (agg.) 1 vain 2 (inconsistente) empty ‖ (s.m.) 1 (parte vuota) hollow, space, opening 2 (stanza) room.
vantaggio (s.m.) 1 advantage, (posizione vincente) lead 2 SPORT lead, TENNIS advantage. **vantaggioso** (agg.) advantageous, favourable.
vantare (v.t.) 1 (pregiarsi) to boast 2 (pretendere) to claim. **vantarsi** (v.pron.) to boast, to brag. **vanto** (s.m.) 1 (il vantare) boast(ing) 2 (orgoglio) pride.
vapore (s.m.) BE vapour, AE vapor, (acqueo) steam. **vaporoso** (agg.) 1 (tessuto) gauzy, filmy 2 (capelli) fluffy.
vaporizzare (v.t.) 1 FIS. to vaporize 2 (spruzzare) to spray.
varare (v.t.) MAR. to launch (anche fig.), DIR. to pass.
varcare (v.t.) to cross (anche fig.). **varco** (s.m.) opening, passage, way.
variare (v.t.) to vary, to change. **variante** (s.f.) variation, variant. **variazione** (s.f.) variation, (modifica) change, (oscillazione) fluctuation.
variabile (agg.) variable, (instabile) unsettled ‖ (s.f.) MAT., INFORM. variable.
varicella (s.f.) chickenpox.
varietà (s.f.) variety, range ‖ (s.m.) TEATR., TV variety (show).
vario (agg.) 1 varied, (differente) various, different 2 (pl.) (parecchi) various, several, (di diversi tipi) sundry.

vasca (s.f.) 1 basin, (serbatoio) tank 2 (da bagno) bath, (bath-)tub 3 (piscina) (swimming) pool ❖ fare una v. to swim a length.
vaso (s.m.) 1 pot, (decorativo) vase, (barattolo) jar, (per i fiori) flowerpot 2 ANAT. (sanguigno) (blood) vessel.
vassoio (s.m.) tray.
vasto (agg.) vast, (fig.) wide, broad. **vastità** (s.f.) vastness.
ve vi.
vecchio (agg.) 1 old, aged 2 (di un tempo) former 3 (che dura da molto) long-standing 4 (antiquato) out-of-date 5 (stantio) stale 6 (stagionato) seasoned, (vino) aged, (formaggio) ripe ‖ (s.m.) 1 (persona) old man 2 (ciò che è vecchio) the old, old things (pl.). **vecchiaia** (s.f.) old age.
vedere (v.t. / v.i.) 1 to see 2 (film, tv) to watch 3 (museo ecc.) to visit, to go to 4 (esaminare) to examine, to have a look at, (controllare) to check 5 (incontrare) to meet. **vedersi** (v.pron.) 1 to see o.s. 2 (incontrarsi) to meet 3 (di coppia) to go out (with s.o.).
vedova (s.f.) widow. **vedovo** (agg.) widowed ‖ (s.m.) widower.
veduta (s.f.) 1 sight, view 2 (raffigurazione) picture 3 (pl.) (opinione) view, opinion ❖ di larghe, ristrette vedute broad-, narrow-minded.
vegetale (agg. e s.m.) vegetable.
vegetariano (agg. e s.m.) vegetarian.
vegetazione (s.f.) vegetation.
vegeto (agg.) ❖ vivo e v. alive and kicking.

veglia *(s.f.) (lo stare sveglio)* watch, vigil ❖ *v. funebre* wake.

veicolo *(s.m.)* vehicle *(anche fig.).*

vela *(s.f.)* **1** sail **2** SPORT sailing.

veleno *(s.m.)* poison, *(di animali)* venom *(anche fig.).* **velenoso** *(agg.)* poisonous, venomous *(anche fig.).*

velluto *(s.m.)* velvet.

velo *(s.m.)* **1** veil *(anche fig.)* **2** *(strato sottile)* film, layer **3** *(tessuto)* voile.

veloce *(agg.)* fast, quick. **velocità** *(s.f.)* speed, velocity.

vena *(s.f.)* ANAT. vein *(anche fig.).*

vendemmia *(s.f.)* grape) harvest, *(di un dato anno)* vintage. **vendemmiare** *(v.t. / v.i.)* to harvest (grapes).

vendere *(v.t.)* to sell. **vendersi** *(v.pron.)* to sell o.s., *(prostituirsi)* to prostitute o.s. **venduto** *(agg.)* **1** sold **2** *(fig.) (corrotto)* corrupt.

vendetta *(s.f.)* revenge, vengeance.

vendicare *(v.t.)* to avenge. **vendicarsi** *(v.pron.)* to take revenge.

vendita *(s.f.)* sale, *(il vendere)* selling.

venditore *(s.m.)* seller, vendor, *(rappresentante)* salesman.

venerare *(v.t.)* to revere, to venerate, RELIG. to worship, to venerate.

venerdì *(s.m.)* Friday ❖ *V. Santo* Good Friday.

Venere *(s.f.)* ASTRON., MIT. Venus.

venereo *(agg.)* MED. venereal.

venire *(v.i.)* **1** to come **2** *(provenire)* to come from **3** *(riuscire, risultare)* to turn out, to come out **4** *(costare)* to cost **5** *(ausiliare nella forma passiva)* to be.

ventaglio *(s.m.)* **1** fan **2** *(fig.)* range.

ventilato *(agg.)* airy, ventilated, *(da vento)* windy.

ventilatore *(s.m.)* fan.

vento *(s.m.)* wind, *(flusso d'aria)* air (current). **ventoso** *(agg.)* windy.

ventosa *(s.f.)* sucker, suction cup.

ventola *(s.f.)* TECN. fan.

ventre *(s.m.)* **1** stomach, ANAT. abdomen **2** *(estens.) (pancia)* belly, *(grembo)* womb.

ventricolo *(s.m.)* ANAT. ventricle.

veramente *(avv.)* **1** *(realmente)* really, truly **2** *(a dire il vero)* actually.

veranda *(s.f.)* veranda(h), AE porch.

verbale[1] *(agg.)* **1** *(orale)* spoken **2** GRAMM. *(del verbo)* verbal, verb *(attr.).*

verbale[2] *(s.m.) (documento)* record, *(di riunione ecc.)* minutes *(pl.), (di polizia ecc.)* statement, report.

verbo *(s.m.)* **1** GRAMM. verb **2** *(parola)* word.

verde *(agg.)* green ‖ *(s.m.)* green ❖ *essere al v.* to be broke.

verdetto *(s.m.)* verdict.

verdura *(s.f.)* vegetables *(pl.).*

vergine *(agg. e s.f.)* virgin ❖ *la V. Maria* Virgin Mary ‖ *(s.f.)* ASTRON. Virgo.

verginità *(s.f.)* virginity.

vergogna *(s.f.)* shame, *(imbarazzo)* embarrassment. **vergognoso** *(agg.)* **1** *(che reca vergogna)* shameful **2** *(pieno di vergogna)* ashamed, *(timido)* shy.

vergognarsi *(v.pron.)* **1** to be (to feel) ashamed **2** *(per imbarazzo, timidezza)* to feel embarrassed, to be shy.

verificare *(v.t.)* to verify, to check, COMM. to audit. **verificarsi** *(v.pron.) (accadere)* to occur, to take place.

verità *(s.f.)* truth.

verme *(s.m.)* ZOOL. worm *(anche fig.)*.

vernice *(s.f.)* **1** paint, *(trasparente)* varnish **2** *(pelle)* patent leather. **verniciare** *(v.t.)* to paint, to varnish.

vero *(agg.)* true, *(autentico)* real ‖ *(s.m.) (verità)* truth. **verosimile** *(agg.)* likely.

versamento *(s.m.)* **1** COMM. *(pagamento)* payment, *(deposito)* deposit **2** MED. effusion.

versare *(v.t.)* **1** to pour (out), *(rovesciare)* to spill **2** COMM. to deposit, *(pagare)* to pay. **versarsi** *(v.pron.)* **1** *(rovesciarsi)* to spill, to be spilt (spilled) **2** *(riversarsi)* to pour, *(fiumi)* to flow.

versione *(s.f.)* **1** version **2** *(traduzione)* translation.

verso[1] *(prep.)* **1** *(direzione)* towards **2** *(vicino a)* near **3** *(rif. a tempo) (circa)* about, around **4** *(nei riguardi di)* to, towards, *(contro)* against.

verso[2] *(s.m.)* **1** *(riga di poesia)* verse, line, *(pl.) (poesia)* poetry **2** *(di animale)* call, cry **3** *(direzione)* direction, way **4** *(modo)* way.

vertebra *(s.f.)* ANAT. vertebra. **vertebrale** *(agg.)* ANAT. vertebral ❖ *colonna v.* spinal column, spine.

vertebrato *(s.m.)* ZOOL. vertebrate.

verticale *(agg.)* vertical ‖ *(s.f.)* **1** *(retta v.)* vertical **2** *(cruciverba)* down.

vertice *(s.m.)* **1** top, summit, *(fig.)* height **2** GEOM. vertex *(pl. vertices)*.

vertigini *(s.f.) (pl.)* ❖ *avere le v.* to feel dizzy, giddy.

vescica *(s.f.)* **1** ANAT. bladder **2** *(bolla cutanea)* blister.

vescovo *(s.m.)* ECCL. bishop.

vespa *(s.f.)* ZOOL. wasp.

vestaglia *(s.f.)* dressing gown, AE robe.

veste *(s.f.)* **1** garment **2** *(abito da donna)* dress **3** ECCL. vestment **4** *(fig.) (qualità, funzione)* capacity **5** *(apparenza)* guise **6** *(presentazione)* format.

vestire *(v.t.)* **1** to dress **2** *(indossare)* to wear **3** *(adattarsi al corpo)* to fit ‖ *(v.i.)* to dress. **vestirsi** *(v.pron.)* **1** to dress (o.s.), FAM. to get dressed **2** *(mascherarsi)* to dress up.

vestito *(agg.)* dressed (in), *(fig.)* clad (in) ‖ *(s.m.) (da uomo)* suit, *(da donna)* dress, *(pl.) (indumenti)* clothes.

veterano *(agg. e s.m.)* veteran.

veterinario *(s.m.)* BE veterinary surgeon, AE veterinarian, FAM. vet.

veto *(s.m.)* veto ❖ *porre il v.* to veto.

vetraio *(s.m.) (installatore)* glazier.

vetrata *(s.f.)* **1** window, *(parete)* glass wall **2** *(di chiesa)* stained glass window.

vetrina *(s.f.)* **1** *(di negozio)* shop window **2** *(mobile)* (display) cabinet.

vetro *(s.m.)* glass, *(lastra)* pane ❖ *v. smerigliato* frosted glass. **vetrino** *(s.m.) (per microscopio)* slide.

vetta *(s.f.)* top, summit *(anche fig.)*.

vettore *(s.m.)* **1** FIS., MAT. vector **2** *(carrier)* carrier. **vettoriale** *(agg.)* MAT., INFORM. vectorial, vector *(attr.)*.

vettura *(s.f.)* **1** *(auto)* car, *(carrozza)* coach **2** FERR. BE coach, AE car.

vi *(pron. pers. 2a pers. pl.)* *(compl. ogg.)* you, *(compl. di termine)* (to) you, *(riflessivo)* yourself ‖ *(pron. recipr.)* *(tra due)* each other, *(tra più di due)* one another ‖ *(avv.)* *(qui)* here, *(là)* there.

via¹ *(s.f.)* **1** *(di città)* street, *(strada)* road **2** *(percorso)* way **3** *(modo)* way.

via² *(s.m.)* starting signal, start.

via³ *(avv.)* away, off ‖ *(prep.)* via, by ❖ *v. satellite* via satellite, *v. fax* by fax.

viaggiare *(v.i.)* to travel. **viaggiatore** *(s.m.)* **1** traveller, AE traveler **2** *(passeggero)* passenger.

viaggio *(s.m.)* journey, *(gita)* trip, *(per nave, nello spazio)* voyage, *(per aereo)* flight ❖ *v. di nozze* honeymoon.

viale *(s.m.)* avenue, boulevard, *(di giardino)* path, *(d'accesso)* drive.

vibrare *(v.t.)* *(un colpo)* to strike, to deal ‖ *(v.i.)* **1** to vibrate **2** *(fig.)* *(fremere)* to quiver. **vibrazione** *(s.f.)* **1** vibration *(anche TEL.)* **2** *(fig.)* quiver.

vice *(s.m.)* deputy, assistant.

vicenda *(s.f.)* event, *(storia)* story ❖ *a v. (fra due)* each other, *(a turno)* in turn.

viceversa *(avv.)* vice versa.

vicino *(agg.)* **1** near(by), close **2** *(adiacente)* next ‖ *(s.m.)* *(di casa)* neighbour, AE neighbor ‖ *(avv.)* near(by), close, close by. **vicinanza** *(s.f.)* **1** proximity **2** *(pl.)* vicinity.

vicolo *(s.m.)* alley, lane.

video *(agg.)* video *(attr.)* ‖ *(s.m.)* **1** video, *(schermo)* screen **2** INFORM. display, monitor **3** *(videoclip)* video.

videocamera *(s.f.)* videocamera.

videogioco *(s.m.)* videogame.

vietare *(v.t.)* to forbid, to prohibit, to ban, *(impedire)* to prevent, to stop.

vietato *(agg.)* forbidden, prohibited.

vigente *(agg.)* DIR. in force.

vigilare *(v.t.)* to watch (over), to keep a watch (on) ‖ *(v.i.)* to keep watch. **vigilante** *(s.m.)* security guard. **vigilanza** *(s.f.)* *(sorveglianza)* surveillance.

vigile *(agg.)* watchful, alert, vigilant ‖ *(s.m.)* **1** ❖ *vigili urbani* municipal police **2** *(del fuoco)* fireman, firefighter ❖ *vigili del fuoco* BE fire brigade, AE fire department.

vigilia *(s.f.)* eve *(anche fig.)*.

vigliacco *(agg. e s.m.)* coward.

vigna *(s.f.)*, **vigneto** *(s.m.)* vineyard.

vigore *(s.m.)* **1** vigour, AE vigor, force *(anche fig.)* **2** DIR. *(validità)* force.

vile *(agg.)* *(vigliacco)* cowardly, *(meschino)* vile, mean.

villa *(s.f.)* **1** *(casa grande)* mansion **2** *(di campagna)* country house, villa.

villaggio *(s.m.)* village ❖ *v. turistico* BE holiday village, AE vacation village.

villetta *(s.f.)* *(in città)* detached house, *(in campagna)* cottage ❖ *v. a schiera* BE terraced house, AE row house.

vincere *(v.t.)* **1** to win *(anche fig.)* **2** *(sconfiggere)* to defeat **3** *(sopraffare)* to overcome ‖ *(v.i.)* to win. **vincersi** *(v.pron.)* *(dominarsi)* to control o.s. **vincita** *(s.f.)* win, *(in* *denaro)* winnings *(pl.)*. **vincitore** *(s.m.)* winner.

vincolo *(s.m.)* **1** *(legame)* tie, bond **2** *(imposizione)* constraint *(anche* DIR., ECON.*)*. **vincolare** *(v.t.)* **1** to bind *(anche* DIR.*)* **2** FIN. to tie up.

vino *(s.m.)* wine.

viola *(agg. e s.m.) (colore)* violet, purple || *(s.f.)* **1** BOT. violet **2** MUS. viola.

violare *(v.t.)* **1** to infringe, to break, to violate **2** *(profanare)* to profane.

violazione *(s.f.)* **1** breach, violation **2** *(profanazione)* profanation.

violentare *(v.t.) (stuprare)* to rape. **violentatore** *(s.m.)* rapist.

violenza *(s.f.)* violence, *(azione)* act of violence. **violento** *(agg.)* violent.

violetto *(agg. e s.m.)* violet.

violino *(s.m.)* MUS. violin, FAM. fiddle. **violinista** *(s.m. / s.f.)* violinist.

violoncello *(s.m.)* MUS. cello.

vipera *(s.f.)* ZOOL. viper *(anche fig.)*.

virgola *(s.f.)* **1** GRAMM. comma **2** MAT. (decimal) point.

virgolette *(s.f. pl.)* quotation marks, BE inverted commas.

virile *(agg.)* manly, virile *(anche fig.)*.

virilità *(s.f.)* **1** manliness, virility *(anche fig.)* **2** *(età virile)* manhood.

virtù *(s.f.)* **1** virtue **2** *(facoltà)* properties *(pl.)*, powers *(pl.)*.

virtuale *(agg.)* virtual.

virus *(s.m.)* BIOL., INFORM. virus.

viscere *(s.m.)* ANAT. *(pl.)* bowels, guts, viscera, *(spec. in vista)* entrails.

viscido *(agg.)* **1** slimy, *(scivoloso)* slippery **2** *(fig.)* slimy, unctuous.

visibile *(agg.)* **1** visible **2** *(estens.)* clear, evident. **visibilmente** *(avv.)* visibly, *(in modo evidente)* clearly.

visiera *(s.f.)* visor, *(di berretto)* BE peak, AE visor.

visione *(s.f.)* **1** vision **2** *(vista)* sight.

visita *(s.f.)* **1** visit, *(breve)* call **2** *(turistica)* visit, tour **3** *(ispezione)* inspection, control **4** MED. examination, *(generale)* check-up.

visitare *(v.t.)* **1** to visit **2** MED. to visit, to examine. **visitatore** *(s.m.)* visitor.

viso *(s.m.)* face.

visone *(s.m.)* ZOOL. mink.

vista *(s.f.)* **1** sight, *(capacità visiva)* eyesight **2** *(panorama)* view, panorama.

visto *(s.m.) (per il passaporto)* visa, *(approvazione)* approval, stamp.

vistoso *(agg.)* flashy, showy, loud.

vita¹ *(s.f.)* **1** life, *(durata della vita)* lifetime **2** *(fig.) (vitalità)* vitality, life. **vitale** *(agg.)* **1** vital *(anche fig)* ❖ *spazio v.* living space **2** *(vivace)* lively, vivacious. **vitalità** *(s.f.)* vitality.

vita² *(s.f.)* ANAT. waist.

vitamina *(s.f.)* CHIM. vitamin.

vite¹ *(s.f.)* BOT. (grape)vine.

vite² *(s.f.)* MECC. screw.

vitello *(s.m.)* ZOOL. calf, *(carne)* veal. **vitellone** *(s.m.)* ZOOL. bullock, AE steer, *(carne)* young beef, tender beef.

vittima *(s.f.)* victim, *(estens.) (in un incidente, in guerra)* casualty.

vitto *(s.m.) (cibo)* food.

vittoria *(s.f.)* **1** victory *(anche fig.)* **2** SPORT win, victory.

vivace *(agg.)* **1** lively **2** *(colore)* vivid, bright. **vivacizzare** *(v.t.)* to enliven.

vivere *(v.i.)* to live *(anche fig.)*, *(campare)* to live (on) ‖ *(s.m.)* life, living, *(modo di vivere)* way of life.

vivisezionare *(v.t.)* **1** to vivisect **2** *(fig.)* to examine thoroughly. **vivisezione** *(s.f.)* vivisection.

vivo *(agg.)* **1** *(in vita)* alive *(pred.)*, *(vivente)* living, live *(attr.)* **2** *(vivace)* lively **3** *(intenso)* deep, strong, *(acuto)* keen, sharp **4** *(vivido)* vivid, clear, *(colore)* bright ‖ *(s.m.)* **1** living person **2** *(fig.)* *(punto essenziale)* heart, core ❖ *dal v. (trasmissione ecc.)* live.

viziare *(v.t.)* **1** to spoil **2** DIR. to invalidate. **viziato** *(agg.)* **1** *(persona)* spoilt, spoiled **2** *(difettoso)* defective **3** DIR. invalidated **4** *(aria)* stale.

vizio *(s.m.)* **1** vice, *(cattiva abitudine)* bad habit **2** *(difetto)* flaw, fault, defect *(anche* DIR.).

vocabolo *(s.m.)* word, *(termine)* term. **vocabolario** *(s.m.)* **1** *(lessico)* vocabulary **2** *(dizionario)* dictionary.

vocale *(s.f.)* GRAMM. vowel.

vocazione *(s.f.)* vocation, ECCL. call.

voce *(s.f.)* **1** voice *(anche fig.)* **2** *(estens.)* sound **3** *(fig.)* *(diceria)* rumour, AE rumor **4** *(di elenco)* item, *(di dizionario)* entry, *(di bilancio)* item, entry. **vocale** *(agg.)* vocal.

voga *(s.f.)* *(moda)* fashion, vogue ❖ *in v.* in vogue.

vogare *(v.i.)* to row.

voglia *(s.f.)* **1** *(desiderio)* wish, desire ❖ *avere v. di (fare) ql.sa* to feel like (doing) sthg. **2** *(volontà)* will ❖ *contro v.* unwillingly **3** *(capriccio)* craving, fancy **4** *(della pelle)* birthmark.

voi *(pron. pers. 2a pers. pl.)* **1** you **2** *(formula di cortesia)* you.

volante *(s.m.)* AUT. (steering) wheel.

volantino *(s.m.)* leaflet, flyer, handbill.

volare *(v.i.)* **1** to fly *(anche fig.)* **2** *(precipitare)* to fall (down, off). **volante** *(agg.)* flying ❖ *otto v.* roller coaster ‖ *(s.f.)* *(squadra di polizia)* BE flying squad, *(auto della polizia)* patrol car.

volenteroso *(agg.)* willing, eager.

volentieri *(avv.)* willingly, *(nelle risposte)* with pleasure.

volere *(v.t.)* **1** to want, *(desiderare)* to wish, *(gradire)* to like **2** *(in formule di cortesia)* to want, will, to like, *(offrendosi di fare ql.sa)* shall **3** *(avere intenzione di)* to be going to **4** *(pretendere)* to expect, *(chiedere come prezzo)* to ask, to charge **5** *(stabilire)* will **6** *(permettere)* to let, to allow **7** *(richiedere)* to need, to want **8** *(cercare qu.no)* to look for, to want **9** *(volerci)* to take *(costruz. impers.)* ‖ *(s.m.)* *(volontà)* will.

volgare *(agg.)* vulgar, *(rozzo)* unrefined, *(comune)* ordinary, *(triviale)* coarse. **volgarità** *(s.f.)* vulgarity, *(cosa volgare)* obscenity. **volgarmente** *(avv.)* **1** *(trivialmente)* coarsely, vulgarly **2** *(comunemente)* commonly.

volgere *(v.t. / v.i.)* **1** to turn *(anche fig.)* **2** *(avvicinarsi, tendere)* to draw, to get. **volgersi** *(v.pron.)* to turn *(anche fig.)*.

volo *(s.m.)* flight *(anche fig.)*.

volontà *(s.f.)* will.

volontario *(agg.)* voluntary ‖ *(s.m.)* volunteer. **volontariato** *(s.m.)* voluntary work, volunteer work.

volpe *(s.f.)* ZOOL. fox *(anche fig.)*.
volta¹ *(s.f.)* **1** time ❖ *una v.* once, *due volte* twice **2** *(turno)* turn.
volta² *(s.f.)* ARCH. vault.
voltare *(v.t. / v.i.)* to turn. **voltarsi** *(v.pron.)* to turn (around).
volto *(s.m.)* **1** *(viso)* face, *(espressione)* countenance **2** *(fig.)* aspect, face.
volume *(s.m.)* volume. **voluminoso** *(agg.)* bulky.
vomitare *(v.t. / v.i.)* to vomit, FAM. to throw up. **vomito** *(s.m.)* vomit.
vongola *(s.f.)* ZOOL. clam.
vortice *(s.m.)* whirl, FIS. vortex.
vostro *(agg. poss.)* **1** your, your own **2** *(pred.)* yours **3** *(formula di cortesia)* your ‖ *(pron. poss.)* yours.
votare *(v.t.)* **1** to vote, *(approvare)* to pass **2** *(dedicare)* to devote,

(consacrare) to consecrate ‖ *(v.i.)* to vote. **votante** *(agg.)* voting ‖ *(s.m.)* voter.
voto *(s.m.)* **1** *(promessa)* vow **2** *(offerta votiva)* votive offering **3** *(elettorale)* vote, voting, poll **4** *(scolastico)* BE mark, AE grade.
vulcano *(s.m.)* volcano. **vulcanico** *(agg.)* GEOL. volcanic *(anche fig.)*.
vulnerabile *(agg.)* vulnerable.
vuotare *(v.t.)* to empty, *(sgomberare)* to clear out, *(da liquido)* to drain. **vuotarsi** *(v.pron.)* to empty (out).
vuoto *(agg.)* **1** empty, *(non occupato)* free, vacant **2** *(privo)* devoid (of) **3** *(fig.)* *(senza contenuti)* shallow, empty ‖ *(s.m.)* **1** *(spazio libero)* void, empty space **2** *(cavità)* hollow (space) **3** *(fig.)* *(lacuna)* void, gap, *(di memoria)* lapse **4** FIS. vacuum.

W

w *(s.f. / s.m.) (simbolo di evviva)* hurrah, up with.

wagon-lit *(s.m.)* FERR. sleeping car.

walzer *(s.m.)* MUS. waltz.

water *(s.m.)* toilet (bowl), BE., FAM. loo.

web *(s.m.)* INFORM. the web.

webcam *(s.f.)* INFORM. webcam.

week-end *(s.m.)* weekend.

welter *(s.m.)* SPORT welterweight.

western *(s.m.)* western (film), western (movie) ❖ *w. all'italiana* spaghetti western.

whisky *(s.m.)* whisky, AE, IRLANDA whiskey.

wireless *(agg. e s.m.)* INFORM. wireless.

windsurf *(s.m.)* SPORT **1** *(tavola)* windsurf board **2** *(sport)* windsurfing.

wrestling *(s.m.)* SPORT wrestling.

würstel *(s.m.)* CUC. frankfurter, AE wiener, *(in un panino)* hot dog.

X

x *(s.f. / s.m.)* x ❖ *gambe a X* knock knees, *raggi X* X-rays.
xeno *(s.m.)* CHIM. xenon.
xenofobia *(s.f.)* xenophobia.
xenofobo *(agg.)* xenophobic ‖ *(s.m.)* xenophobe.

xerocopia *(s.f.)* xerox.
xerografia *(s.f.)* xerography.
xilofono *(s.m.)* MUS. xylophone.
xilografia *(s.f.)* ARTE xylography.

Y

yacht *(s.m.)* yacht.
yak *(s.m.)* ZOOL. yak.
yang *(s.m.)* FIL. yang.
yankee *(s.m. / s.f. e agg.)* Yankee.
yen *(s.m.)* FIN. *(valuta giapponese)* yen.
yeti *(s.m.)* yeti.
yiddish *(s.m. e agg.)* LING. Yiddish.

yin *(s.m.)* FIL. yin.
yoga *(s.m.)* yoga ‖ *(agg.)* yoga *(attr.)*.
yogurt *(s.m.)* CUC. yoghurt.
yo-yo *(s.m.)* yo-yo.
yuppie, yuppy *(s.m.)* yuppie, yuppy.

Z

zabaione *(s.m.)* **1** CUC. zabaglione **2** *(guazzabuglio)* mishmash.

zaffata *(s.f.)* **1** *(ondata di cattivo odore)* stench, BE, FAM. pong **2** *(d'aria, di fumo, di profumo)* whiff, cloud.

zafferano *(s.m.)* BOT. saffron.

zaffiro *(s.m.)* MIN. sapphire.

zaino *(s.m.)* rucksack, AE backpack ❖ *z. per la scuola* schoolbag.

zampa *(s.f.)* **1** ZOOL. leg, *(di cani di e felini)* paw, *(di pecora, maiale)* trotter, *(di cavallo, capra, mucca)* hoof, *(di uccello)* claw ❖ *a quattro zampe* on all fours **2** *(di mobile)* leg. **zampettare** *(v.i.)* **1** to trot, to scamper **2** *(passi incerti di bimbo)* to toddle. **zampino** *(s.m.)* (small) paw ❖ *metterci lo z.* *(fig.)* to have a hand in sthg.

zampillare *(v.i.)* to gush, to spurt.

zampirone *(s.m.)* mosquito coil.

zampogna *(s.f.)* MUS. bagpipe.

zampone *(s.m.)* CUC. stuffed pig's trotter.

zanna *(s.f.)* ZOOL. *(di elefanti, cinghiali)* tusk, *(di carnivori)* fang.

zanzara *(s.f.)* ZOOL. mosquito.

zanzariera *(s.f.)* *(velo)* mosquito net, *(metallica, su finestre, porte)* screen.

zappa *(s.f.)* hoe. **zappare** *(v.t.)* to hoe, to dig.

zar *(s.m.)* ST. tzar, tsar, czar. **zarina** *(s.f.)* ST. tzarina, tsarina, czarina.

zattera *(s.f.)* raft. **zatterone** *(s.m.)* **1** raft **2** *(pl.) (scarpe)* platform shoes, platforms.

zavorra *(s.f.)* **1** ballast **2** *(fig.)* dead weight, dead wood.

zebra *(s.f.)* **1** ZOOL. zebra **2** *(pl.) (passaggio pedonale)* BE zebra crossing, AE crosswalk.

zecca[1] *(s.f.)* mint ❖ *nuovo di z.* brand-new.

zecca[2] *(s.f.)* ZOOL. tick.

zecchino *(s.m.)* *(moneta)* sequin ❖ *oro z.* pure gold, fine gold.

zefiro *(s.m.)* zephyr.

zelo *(s.m.)* zeal.

zenit *(s.m.)* ASTRON. zenith.

zenzero *(s.m.)* BOT. ginger.

zeppa *(s.f.)* wedge ❖ *scarpe con le zeppe* platform shoes, platforms.

zeppo *(agg.)* packed full ❖ *pieno z. di* crammed with, packed with.

zerbino *(s.m.)* doormat.

zero *(agg. num.)* zero, nought ‖ *(s.m.)* **1** zero, nought **2** SPORT *(nel calcio)* nil, *(nel tennis)* love **3** TEL. o ❖ *partire da z.* to start from scratch.

zeta *(s.f. / s.m.)* zed, AE zee.

zia v. **zio**.

zibellino *(s.m.)* **1** ZOOL. sable **2** *(pelliccia)* sable fur.

zigomo *(s.m.)* ANAT. cheekbone.

zigote *(s.m.)* BIOL. zygote.

zigrinato *(agg.)* **1** grained **2** *(di moneta)* milled.

zigzag *(s.m.)* zigzag.

zimbello *(s.m.)* **1** decoy **2** *(fig.)* laughing stock.

zinco *(s.m.)* CHIM. zinc. **zincare** *(v.t.)* METALL. to zinc, to galvanize.

zingaro *(s.m.)* gypsy.

zio *(s.m.)* uncle. **zia** *(s.f.)* aunt.

zip *(s.f.) (cerniera)* BE zip, AE zipper.

zippare *(v.t.)* INFORM. to zip.

zircone *(s.m.)* MIN. zircon.

zitella *(s.f.)* spinster, SPREG. old maid.

zittire *(v.t.)* to silence, to hush, to shush, FAM. to shut (s.o.) up || *(v.i.)* to fall silent. **zittirsi** *(v.pron.)* to fall silent, to shut (o.s.) up.

zitto *(agg.)* silent, quite ❖ *sta' z.!* be quiet!, FAM. shut up!

zizzania *(s.f.)* **1** BOT. darnel **2** *(fig.)* discord.

zoccola *(s.f.)* **1** FAM. *(topo di fogna)* sewer rat **2** VOLG. slut, whore.

zoccolo *(s.m.)* **1** *(calzatura)* clog **2** ZOOL. hoof **3** ARCH. plinth, base.

zodiaco *(s.m.)* Zodiac.

zolfo *(s.m.)* CHIM. sulphur, AE sulfur.

zolla *(s.f.)* **1** *(pezzo di terra)* clod, lump, *(erbosa)* sod, turf **2** GEOL. plate. **zolletta** *(s.f.) (di zucchero)* lump, cube.

zombi *(s.m. / s.f.)* zombie.

zona *(s.f.)* **1** zone, area **2** *(regione)* area, region ❖ *z. calda (fig.)* hot spot.

zonzo *(s.m.)* ❖ *andare a z.* to stroll about, to wander around.

zoo *(s.m.)* zoo.

zoologia *(s.f.)* zoology.

zoom *(s.m.)* FOT. zoom (lens).

zoomare *(v.t. / v.i.)* FOT., CINEM., TV to zoom.

zoosafari *(s.m.)* safari park.

zootecnico *(agg.)* zootechnic(al) ❖ *patrimonio z.* livestock || *(s.m.)* zootechnician.

zoppicare *(v.i.)* **1** to limp, to hobble, to be lame **2** *(di mobile)* to wobble, to be shaky, to be unsteady **3** *(fig.)* to be weak. **zoppo** *(agg.)* **1** lame, *(zoppicante)* limping **2** *(mobile)* wobbly, shaky || *(s.m.)* lame person.

zotico *(agg.)* boorish, uncouth, oafish || *(s.m.)* boor, lout, oaf.

zuavo *(agg. e s.m.)* Zouave ❖ *pantaloni alla zuava* knickerbockers, plus fours.

zucca *(s.f.)* **1** BOT. pumpkin, squash **2** *(fig.)* FAM. *(testa)* head, pate. **zucchina** *(s.f.)*, **zucchino** *(s.m.)* BE courgette, BE baby marrow, AE zucchini *(pl.)*. **zuccone** *(s.m.) (fig.)* FAM. blockhead.

zuccherare *(v.t.)* to sugar, to sweeten.

zuccheriera *(s.f.)* sugar bowl.

zuccherino *(agg.)* sugary, sweet || *(s.m.)* **1** *(zolletta)* sugar lump, sugar cube **2** *(fig.) (contentino)* sop, BE sweetener.

zucchero *(s.m.)* sugar ❖ *z. filato* BE candyfloss, AE cotton candy, *z. a velo* BE icing sugar, AE confectioners' sugar. **zuccheroso** *(agg.)* sugary *(anche fig.)*.

zuppa *(s.f.)* **1** CUC. soup, *(di verdure e pesce o frutti di mare)* chowder ❖ *z. inglese* trifle **2** *(fig.) (cosa noiosa)* bore, drag ❖ *la solita z.* FAM. the same old thing.

zuppiera *(s.f.)* (soup) tureen.

zuppo *(agg.)* soaked, drenched.